AF844249

Benjamin Graham

Intelligent Investieren

BENJAMIN GRAHAM

INTELLIGENT INVESTIEREN

Der Bestseller über die richtige Anlagestrategie

Mit aktuellen Kommentaren von Jason Zweig
und einem Vorwort von Warren Buffett

FBV

Bibliografische Information der Deutschen Nationalbibliothek
Die Deutsche Nationalbibliothek verzeichnet diese Publikation in der Deutschen Nationalbibliografie. Detaillierte bibliografische Daten sind im Internet über http://dnb.d-nb.de abrufbar.

Für Fragen und Anregungen:
info@finanzbuchverlag.de

9. Auflage 2016

FinanzBuch Verlag,
ein Imprint der Münchner Verlagsgruppe GmbH,
Nymphenburger Straße 86
80636 München
Tel.: 089 651285-0
Fax: 089 652096

Published by arrangement with HarperBusiness,
an imprint of HarperCollins Publishers, Inc.

Covergestaltung: Sabine Krohberger
Gesamtbearbeitung: Druckerei Joh. Walch, Augsburg
Übersetzung: Carsten Roth
Lektorat: Dr. Renate Oettinger
Druck: Xiangtai Printing Industrial Inn
Printed in China

Inhaltsverzeichnis

Vorwort zur vierten Auflage von Warren E. Buffett

Die erste Auflage dieses Buches las ich Anfang 1950, als ich 19 Jahre alt war. Damals hielt ich dieses Buch mit Abstand für das Beste, das jemals über Kapitalanlage geschrieben wurde. An dieser Meinung hat sich bis heute nichts geändert.

Um ein Leben lang erfolgreich zu investieren, braucht man keinen himmelhohen Intelligenzquotienten, keine außergewöhnlichen Erkenntnisse und auch keine Insider-Informationen. Man braucht einen vernünftigen intellektuellen Rahmen, um Entscheidungen zu treffen, und die Fähigkeit, diesen Rahmen durch seine Emotionen nicht zu zerstören. Dieses Buch beschreibt diesen Rahmen präzise und eindeutig. Sie brauchen nur noch die emotionale Disziplin aufzubringen.

Wenn Sie die Verhaltensgrundsätze und die ökonomischen Grundregeln beherzigen, für die Graham eintritt, und wenn Sie die wertvollen Ratschläge in den Kapiteln 8 und 20 beachten, dann werden Sie mit Ihren Kapitalanlagen keine schlechten Ergebnisse erzielen. Damit haben Sie vielleicht schon mehr erreicht, als Sie sich vorstellen. Ob Sie herausragende Ergebnisse erzielen, wird zum einen davon abhängen, wie viel Aufwand und Intellekt Sie für Ihre Investitionen aufwenden, und zum anderen vom Ausmaß der verrückten Schwankungen an den Börsen, die Sie während Ihrer Karriere als Investor erleben werden. Je verrückter das Verhalten an den Börsen, desto großer die Chancen für den professionellen

Investor. Folgen Sie Graham, und Sie werden von diesen Verrücktheiten eher profitieren.

Für mich war Ben Graham weit mehr als nur ein Autor oder ein Lehrer. Er hat mehr als jeder andere - außer meinem Vater - mein Leben beeinflusst. Kurz nach Bens Tod im Jahr 1976 schrieb ich im *Financial Analysts Journal* den folgenden kurzen Nachruf. Wenn Sie dieses Buch lesen, werden Sie einige Eigenschaften entdecken, die ich in dieser Würdigung erwähnte.

BENJAMIN GRAHAM
1894 - 1976

Vor einigen Jahren, im Alter von fast 80 Jahren, sagte er zu einem Freund, er hoffe, „jeden Tag noch etwas Dummes, etwas Kreatives und etwas Großzügiges tun zu können".

Das erste dieser skurrilen Ziele zeugt von seiner Begabung, Gedanken in eine Form zu bringen, der jegliches Moralisieren und jegliche Selbstherrlichkeit fremd ist. Obwohl seine Ideen grandios waren, gelang es ihm, sie höchst bescheiden auszudrücken.

Die Leser dieser Zeitschrift brauchten keine ausführliche Darstellung dessen, was er mit seiner Kreativität erreicht hatte. Es ist sehr selten, dass die Arbeit des Begründers eines Lehrfachs nicht schon bald von den Arbeiten der Nachfolger überschattet wird. Doch mehr als 40 Jahre nach Erscheinen dieses Buches, das Struktur und Logik in ein bis dahin ungeordnetes und konfuses Thema brachte, ist es immer noch schwer vorstellbar, dass es jemanden gibt, der ihm im Bereich der Aktienanalyse das Wasser reichen könnte. In einem Bereich, in dem schon Wochen oder Monate nach Erscheinen eines Buches vieles als überholt gilt, blieben Bens Grundregeln gültig - sie sind wertvoller denn je, und sie wurden gerade nach den finanziellen Stürmen, die Anleger mit einem weniger herausragenden Intellekt ruinierten, besser verstanden als zuvor. Seine zuverlässigen Ratschläge brachten seinen Anhängern reiche Ernte - selbst denen, die nicht so begabt waren wie die Experten, die ins Stolpern gerieten, als sie anderen, „moderneren" Ratschlägen folgten.

Ein bemerkenswerter Aspekt von Bens fachlicher herausragender Bedeutung ist, dass er sie ohne jene gedankliche Enge erlangte, die alles Denken nur auf eine Richtung konzentriert. Sie war eher ein zufälliges Nebenprodukt seines enormen Intellekts. Ich habe noch nie jemanden kennen gelernt, dessen Verstand eine ähnliche Reichweite aufweist. Ein nahezu vollkommenes Gedächtnis, eine enorme Begeisterung für alle neuen Erkenntnisse und die Fähigkeit, es auf die unterschiedlichsten Fragestellungen anzuwenden, machte die Auseinandersetzung mit seinen Ideen und Gedanken zu einem wahren Vergnügen.

Doch mit seinem dritten Wunsch - der Großzügigkeit - übertraf er alle. Ich kannte Ben als meinen Lehrer, meinen Arbeitgeber und als meinen Freund. In jeder Beziehung - genau wie bei all seinen Schülern, Mitarbeitern und Freunden - ließ er mich mit seiner wirklich unendlichen, grenzenlosen Großzügigkeit an seinen Ideen, seiner Zeit und an seinem Geist teilhaben. Wenn klares Denken benötigt wurde, gab es niemanden, an den man sich hätte wenden sollen - außer ihn. Und wenn man Aufmunterung oder einen guten Rat brauchte, war Ben zur Stelle.

Walter Lippmann sprach von Männern, die Bäume pflanzen, unter denen später andere Männer sitzen können. Solch ein Mann war Ben Graham.

(Nachdruck aus *Financial Analysts Journal*, November/Dezember 1976)

Eine Anmerkung zu Benjamin Graham von Jason Zweig

Wer war Benjamin Graham, und weshalb sollten Sie auf ihn hören?

Graham war nicht nur einer der besten Investoren, die jemals lebten; in Sachen Kapitalanlage war er auch der größte praktische Denker aller Zeiten. Vor Graham verhielten sich Vermögensverwalter eher wie eine mittelalterliche Zunft, weitgehend geleitet von Aberglaube, Vermutungen und geheimnisvollen Ritualen. Grahams *Aktienanalyse* (*Security Analysis*) war das Lehrbuch, das aus dieser muffigen Zunft einen modernen Beruf machte.[1]

Intelligent Investieren (*The Intelligent Investor*) ist das erste Buch, das den emotionalen Rahmen und die analytischen Hilfsmittel beschreibt, die für den finanziellen Erfolg von Privatanlegern wesentlich sind. Es ist und bleibt das beste Buch über Kapitalanlage, das jemals für die Allgemeinheit geschrieben wurde. *Intelligent Investieren* war das erste Buch, das ich gelesen habe, als ich 1987 als junger Reporter zur Zeitschrift *Forbes* ging. Ich war überrascht von Grahams Sicherheit, dass früher oder später alle Bullenmärkte ein schlimmes Ende nehmen müssen. In diesem Oktober erlebten die amerikanischen Aktien ihren schlimmsten Crash an einem einzigen Tag in der Geschichte - und ich hatte angebissen. Heute, nach dem wilden Bullenmarkt Ende der 90er-Jahre und dem schrecklichen Bärenmarkt, der Anfang 2000 begann, ist *Intelligent Investieren* noch stärker als eine Prophezeiung zu sehen als je zuvor.

Graham kam sozusagen auf die harte Weise zu seinen Erkenntnissen: Er lernte die Schrecken eines finanziellen Verlustes aus erster Hand kennen, profitierte aber auch von dem Umstand, dass er sich jahrzehntelang mit der Geschichte und der Psychologie der Börsen befasst hatte. Am 9. Mai 1894 wurde er als Benjamin Grossbaum in London geboren; sein Vater handelte mit Porzellangeschirr und Porzellanfiguren.[2] Als Ben ein Jahr alt war, wanderte die Familie nach New York aus. Zuerst führten sie ein sehr angenehmes Leben - sie hatten ein Dienstmädchen, einen Koch und eine französische Gouvernante - und wohnten an der oberen Fifth Avenue. Doch 1903 starb Bens Vater, das Geschäft

1 Als Co-Autor mit David Dodd, erstmals 1934 erschienen.

2 Die Grossbaums änderten während des Ersten Weltkriegs ihren Namen in Graham, als deutschklingende Namen Misstrauen erregten.

mit Porzellan ging zurück, und die Familie verarmte langsam, aber sicher. Bens Mutter machte aus dem Wohnhaus eine Pension; und als sie sich Geld geliehen hatte, um auf Marge mit Aktien zu handeln, wurde sie vom Crash des Jahres 1907 vom Markt gefegt. Für den Rest seines Lebens erinnerte sich Ben an die Demütigung, die er erlitt, als er für seine Mutter einen Scheck einlösen sollte und hörte, wie der Bankangestellte fragte: „Ist Dorothy Grossbaum für fünf Dollar kreditwürdig?"

Glücklicherweise erhielt Graham ein Stipendium an der Columbia University, wo seine Intelligenz richtiggehend aufblühte. 1914 graduierte er als Zweitbester seiner Klasse. Noch vor dem Ende seines letzten Semesters wurde er von drei Fakultäten – Englisch, Philosophie und Mathematik – umworben, in den Lehrkörper einzutreten. Er war damals gerade einmal 20 Jahre alt.

Anstatt an der Universität zu bleiben, beschloss Graham, sich an der Wall Street zu versuchen. Er begann als Angestellter in einer Firma, die mit Anleihen handelte, wurde bald danach Analyst, später als Partner aufgenommen, und es dauerte nicht lange, bis er seine eigene Investment-Partnership betrieb.

Der Internet-Boom und dessen Zusammenbruch hätte Graham nicht überrascht. Im April 1919 erzielte er am ersten Handelstag von Savold Tire, einer Neuemission im boomenden Automobilmarkt, einen Gewinn von 250 %; im Oktober wurde das Unternehmen als Schwindelfirma entlarvt, und die Aktie war wertlos.

Graham brachte es bei der Analyse von Aktien zur Meisterschaft, weil er sie bis ins kleinste Detail durchleuchtete. 1925 wühlte er sich durch undurchsichtige Geschäftsberichte von Unternehmen, die Öl-Pipelines betrieben und bei der US Interstate Commerce Commission eingereicht worden waren. Dabei fand er heraus, dass Northern Pipe Line Co. – die Aktie wurde damals zu 65 $ gehandelt – mindestens 80 $ je Aktie an qualitativ hochwertigen Anleihen hielt. Er kaufte die Aktie, rückte den Managern auf die Pelle, drängte sie, die Dividende zu erhöhen, und verkaufte die Aktie drei Jahre später zu einem Kurs von 110 $.

Trotz eines verheerenden Verlustes von fast 70 % während des großen Crashs von 1929 bis 1932 überlebte Graham, blühte in der Folgezeit geradezu auf und fuhr die Schnäppchen aus den Trümmern des Bullenmarktes ein. Es gibt keine genauen Aufzeichnungen über Grahams erste Gewinne, doch von 1936 bis zum Jahr 1956, als er sich von seinen Geschäften zurückzog, verdiente seine Graham-Newman Corp. jährlich mindestens 14,7 % – im Vergleich zu den 12,2 %, die der

Gesamtmarkt erzielte, eine der besten langfristigen Erfolgsbilanzen in der Geschichte der Wall Street.[3]

Wie machte Graham das? Er kombinierte seine intellektuelle Stärke mit gesundem Menschenverstand und viel Erfahrung und entwickelte daraus seine grundlegenden Prinzipien, die heute mindestens so gültig sind, wie sie es zu seinen Lebzeiten waren. Sie lauten:

- Eine Aktie ist nicht nur ein Tickersymbol oder ein elektronischer Blip; sie ist die Rendite eines Miteigentümers eines realen Unternehmens, das einen Wert besitzt, der nicht vom Kurs der Aktie abhängig ist.
- Die Börse ist ein Pendel, das immer zwischen unbeständigem Optimismus (wodurch die Aktien zu teuer werden) und ungerechtfertigtem Pessimismus (wodurch die Aktien zu billig werden) hin- und herschwingt. Der intelligente Investor ist ein Realist, der an Optimisten verkauft und von Pessimisten kauft.
- Der künftige Wert einer jeden Investition ist eine Funktion des aktuellen Kurses. Je mehr Sie bezahlen, umso geringer wird die Rendite.
- Gleichgültig, wie vorsichtig Sie sind, das einzige Risiko, das ein Anleger nie vermeiden kann, ist, sich zu irren. Nur wenn man auf dem besteht, was Graham „die Sicherheitsspanne" nannte – niemals zu viel zahlen, ganz gleich, wie interessant eine Anlage zu sein scheint –, kann man das Risiko eines Irrtums minimieren.
- Das Geheimnis für Ihren finanziellen Erfolg liegt in Ihnen selbst. Wenn Sie ein kritischer Denker werden, der der Wall Street keine „Tatsachen" glaubt, und wenn Sie geduldig und zuversichtlich investieren, dann können Sie selbst im schlimmsten Bärenmarkt noch profitieren. Wenn Sie Disziplin und Mut entwickeln, dann können Sie widerstehen, wenn die Stimmungsschwankungen anderer Menschen Ihr finanzielles Schicksal bestimmen wollen. Letztlich ist es gar nicht so wichtig, wie Ihre Investitionen sich verhalten, wichtig ist, wie Sie sich selbst verhalten.

Ziel dieser überarbeiteten Ausgabe von *Intelligent Investieren* ist es, Grahams Gedanken auf die heutigen Märkte zu übertragen und dennoch seinen ursprüng-

---

3 Graham-Newman Corp. war ein offener Investmentfonds (siehe Kapitel 9), den Graham mit Jerome Newman, selbst ein geschickter Investor, in der Form einer Partnership betrieb. Ich danke Walter Schloss, dass er mir wesentliche Daten zur Verfügung stellte, anhand derer ich den Gewinn von Graham-Newman schätzen konnte. Die 20 % durchschnittlicher Gewinn, die Graham in seinem Nachwort beschreibt (S. 557), scheinen die Managementkosten nicht zu berücksichtigen.

lichen Text unverändert zu lassen (mit Ausnahme der Fußnoten, die der Klarstellung dienen).[4] Nach jedem Kapitel aus der Feder Grahams finden Sie einen neuen Kommentar. In diese Hilfen für den Leser habe ich aktuelle Beispiele eingefügt, die Ihnen zeigen, wie zutreffend - und wie aktuell - Grahams Prinzipien auch heute noch sind.

Ich beneide Sie um die Spannung und die Erkenntnisse, wenn Sie Grahams Meisterstück zum ersten Mal lesen - oder auch zum dritten oder vierten Mal. Wie alle Klassiker verändert es unsere Sicht der Welt und erneuert sich selbst, indem es uns belehrt. Und je häufiger Sie dieses Buch lesen, umso besser wird es. Mit Graham als Ihrem Lehrer in Sachen Anlagen haben Sie die Garantie, ein intelligenter Investor zu werden.

---

4 Der Text, der hier dargestellt wird, ist die 4., überarbeitete Auflage, die von Graham 1971/1972 selbst aktualisiert wurde und 1973 erschien.

Was dieses Buch erreichen will

Die Absicht dieses Buches ist es, den Lesern in einer für Laien verständlichen Form bei ihrer Kapitalanlage Hilfestellung zu leisten. Zur Technik der Aktienanalyse wird vergleichsweise wenig gesagt; mehr Aufmerksamkeit widmen wir den Grundregeln der Kapitalanlage und dem Verhalten der Anleger. Wir werden ausgewählte Aktien miteinander vergleichen - Aktien, die hauptsächlich paarweise nebeneinander in der Liste der New York Stock Exchange aufgeführt sind -, um die wichtigen Elemente, die bei der Aktienauswahl eine Rolle spielen, am konkreten Beispiel darzustellen.

Den Schwerpunkt der Betrachtung richten wir auf die historischen Muster der Finanzmärkte; in einigen Fällen gehen wir viele Jahrzehnte zurück. Um intelligent in Aktien zu investieren, sollte man mit dem Wissen darüber gewappnet sein, wie sich bestimmte Anleihen und Aktien unter sich verändernden Bedingungen verhalten haben - mit einigen wird man irgendwann selbst Erfahrungen machen. Keine Aussage ist zutreffender und passt besser zur Wall Street als die berühmte Warnung von Santayana: „Diejenigen, die sich nicht an die Vergangenheit erinnern, sind dazu verdammt, sie noch einmal zu erleben."

Unser Buch richtet sich an Anleger und nicht an Spekulanten, und unsere erste Aufgabe wird es sein, diesen fast vergessenen Unterschied herauszuarbeiten. Das vorliegende Buch ist kein Werk der Spezies „Wie man eine Million verdient". Es gibt keine sicheren und einfachen Wege zum Reichtum, nicht an der Wall

Street und auch nicht anderswo. Dies wollen wir anhand der Finanzgeschichte belegen – insbesondere, weil es mehr als eine Lehre gibt, die man daraus ziehen kann. Im aufregenden Jahr 1929 lobte John J. Raskob – eine sehr wichtige Persönlichkeit an der Wall Street, aber auch darüber hinaus – die Segnungen des Kapitalismus in einem Beitrag in *Ladies' Home Journal* mit dem Titel „Jeder sollte reich sein".[5] Seine These lautete, dass Ersparnisse von nur 15 $ pro Monat, die in gute Aktien investiert würden – eine Reinvestition der Dividenden unterstellt –, in 20 Jahren ein Vermögen von 80.000 $ schaffen würden, obwohl nur 3.600 $ eingezahlt worden sind. Wenn der General-Motors-Tycoon Recht gehabt hätte, wäre das tatsächlich ein einfacher Weg zum Reichtum gewesen. Doch wie nahe war er der Wahrheit wirklich? Unsere grobe Kalkulation – unterstellt, dass in die 30 Aktien, die den Dow Jones Industrial Average bilden, investiert wurde – ergab Folgendes: Wenn ein Anleger Raskobs Rezept von 1929 bis 1948 befolgt hätte, dann hätte er zu Beginn des Jahres 1949 gerade einmal 8.500 $ erzielt. Dies ist sehr weit entfernt von den versprochenen 80.000 $, und es zeigt auch, wie wenig verlässlich solch optimistische Vorhersagen und Versprechungen sind. Doch man sollte nicht unerwähnt lassen, dass der tatsächlich realisierte Gewinn in diesen 20 Jahren jährlich mehr als 8 % ausmachte – und dies trotz der Tatsache, dass der Anleger mit seinen Käufen begonnen hätte, als der Dow Jones Industrial Average bei 300 Punkten lag und sich am Ende des Jahres 1948 auf einem Niveau von 177 Punkten befand. Dieses Protokoll kann auch als überzeugendes Argument für regelmäßige monatliche Käufe von starken Aktien gewertet werden – ein Programm, das als Cost-Averaging bekannt ist.

Weil unser Buch sich nicht an Spekulanten wendet, gilt das auch für jene Anleger, die an der Börse traden. Die meisten Trader lassen sich von Charts oder von anderen weitgehend mechanischen Hilfsmitteln leiten, um den richtigen Augenblick für Kauf und Verkauf zu bestimmen. Das einzige Prinzip, das auf all diese so genannten „technischen Ansätze" zutrifft, ist, dass man kaufen sollte, *weil* eine Aktie oder der ganze Markt gestiegen ist, und man verkaufen sollte, *weil* er gefallen ist. Das ist

5 Raskob (1879–1950) war Direktor bei Du Pont, dem riesigen Chemiekonzern, und Vorsitzender des Finanzausschusses bei General Motors. Außerdem war er Landesvorsitzender der Demokratischen Partei und die treibende Kraft hinter dem Bau des Empire State Building. Berechnungen des Professors der Finanzwissenschaften Jeremy Siegel bestätigen, dass Raskobs Kapital nach 20 Jahren auf knapp 9.000 $ angewachsen wäre, auch wenn die Inflation einen großen Teil davon gefressen hätte. Den besten aktuellen Überblick über Raskobs Ansichten über langfristige Investition in Aktien lesen Sie im Essay des Finanzberaters William Bernstein unter www.efficientfrontier.com.

genau das Gegenteil des üblichen vernünftigen Wirtschaftens, und es ist höchst unwahrscheinlich, dass dies zu dauerhaftem Erfolg an der Wall Street führt. Nach unseren eigenen Börsenerfahrungen und nach unseren Beobachtungen - und das über 50 Jahre lang - haben wir keinen einzigen Menschen kennen gelernt, der ständig und dauerhaft Geld verdient hat, wenn er „einfach dem Markt gefolgt" ist. Wir brauchen uns nicht zu sagen, dass dieser Ansatz ebenso trügerisch wie populär ist. Wir werden belegen, was wir gerade gesagt haben, - obgleich dies natürlich nicht als Beweis angesehen werden kann -, und zwar in einer späteren kurzen Abhandlung über die berühmte Dow-Theorie, nach der an der Börse getradet werden sollte.[6]

Seit der ersten Veröffentlichung im Jahr 1949 sind etwa alle fünf Jahre überarbeitete Auflagen von *Intelligent Investieren* erschienen. Bei der Aktualisierung der vorliegenden Version werden wir es mit einer ganzen Reihe neuer Entwicklungen zu tun bekommen, da die letzte Version 1965 verfasst wurde. Dazu gehören:

- Ein beispielloser Anstieg der Zinsen auf hochwertige Anleihen;
- Ein Absturz der führenden Aktien um etwa 35 % bis Mai 1970. Dies war der tiefste Absturz der Börsenkurse der vergangenen 30 Jahre, zahllose Titel geringerer Qualität mussten höhere Verluste hinnehmen;
- Eine anhaltende Inflation der Groß- und Einzelhandelspreise, die sich selbst während der allgemeinen Wirtschaftsflaute 1970 beschleunigte;
- Die schnelle Entwicklung von Konglomeraten, Franchise-Geschäften und anderen relativ neuen Geschäftsmodellen in der Wirtschaft und im Finanzbereich. Dazu gehören beispielsweise komplizierte Instrumente wie die so genannten Letter Stocks [1], die starke Zunahme von Bezugsrechten für Aktienoptionen, irreführende Namen und die Nutzung ausländischer Banken;
- Der Konkurs unserer größten Eisenbahngesellschaft, außerordentlich hohe kurz- und langfristige Schulden vieler vormals starker Unternehmen und sogar Besorgnis erregende Solvenzprobleme bei den Wall Street-Firmen;[7]

---

6 Grahams „kurze Diskussion" finden Sie in zwei Teilen, auf den Seiten 32f. und 212–213. Weitere Einzelheiten über die Dow-Theorie finden Sie unter http://viking.som.yale.edu/will/dow/dowpage.html.

7 Die Penn Central Transportation Co., damals die größte Eisenbahngesellschaft in den USA, suchte am 21. Juni 1970 um Konkursschutz nach – und schockierte damit die Anleger, die nie erwartet hatten, dass ein solch großes Unternehmen untergehen könne. Zu den extrem verschuldeten Unternehmen zählte Graham Ling-Temco-Vought und National General Corp. Das „Solvenzproblem" an der Wall Street kam zwischen 1968 und 1971 auf, als mehrere angesehene Brokerhäuser plötzlich Pleite machten.

- Das Auftauchen der Mode der „Performance" im Management von Fondsgesellschaften, einschließlich einiger von Banken betriebener Treuhandfonds mit beunruhigenden Ergebnissen.

Diese Entwicklungen werden von uns sorgfältig betrachtet, und einige werden zu anderen Schlussfolgerungen und anderen Schwerpunkten gegenüber der vorherigen Ausgabe des Buches führen. Die grundlegenden Prinzipien vernünftigen Investierens verändern sich zwar nicht alle zehn Jahre; dennoch muss die Anwendung dieser Prinzipien den deutlichen Veränderungen bei den finanziellen Mechanismen und dem finanziellen Klima angepasst werden.

Die letzte Aussage wurde beim Bearbeiten der vorliegenden Ausgabe überprüft, und der erste Entwurf war im Januar 1971 fertig. Zu dieser Zeit erholte sich der DJIA (Dow Jones Industrial Average) von seinem Tiefstand von 632 Punkten im Jahr 1970 und näherte sich, bei abwartendem Optimismus, der Marke von 951 Punkten, dem Höchststand für 1971. Als der letzte Entwurf im November 1971 fertig war, befand sich der Markt in der Agonie eines neuen Abschwungs, rutschte bis auf 797 Punkte und erzeugte damit erneut Unsicherheit über seine Zukunft. Von diesen Schwankungen ließen wir uns aber in unserer grundsätzlichen Einstellung zu einer vernünftigen Investmentpolitik nicht beeinflussen, die seit der ersten Auflage des Buches im Jahr 1949 im Wesentlichen unverändert geblieben war.

Das Ausmaß des Marktrückgangs in den Jahren 1969 und 1970 dürfte wohl die Illusionen der vergangenen beiden Jahrzehnte in Luft aufgelöst haben. Diese Illusion vermittelte den Eindruck, dass die wichtigsten Aktien jederzeit zu jedem Kurs gekauft werden konnten in der Sicherheit, Gewinne zu erzielen, und dass ein zwischenzeitlicher Verlust schon bald durch einen neuerlichen Kursanstieg ausgeglichen würde. Doch das war natürlich zu schön, um wahr zu sein. Auf Dauer gesehen wird der Aktienmarkt immer wieder „normal", was bedeutet, dass sowohl Spekulanten als auch Investoren mit deutlichen und vielleicht sogar längeren Wertzuwächsen beziehungsweise Wertverlusten rechnen müssen.

In einer Zeit, in der es sehr viele zweit- und drittklassige Aktien gab und zahlreiche Unternehmen Pleite machten, mündete das Chaos, das durch den letzten Markteinbruch ausgelöst wurde, in eine Katastrophe. Das war an sich nichts Neues – in ähnlichem Ausmaß war das 1961/1962 auch schon der Fall. Neu war hingegen, dass sich einige Fondsgesellschaften stark in hoch spekulativen und offensichtlich überbewerteten Aktien dieser Art engagiert hatten. Offensichtlich sind es nicht nur Anfänger, die gewarnt werden müssen: Mag in anderen Bereichen Begeisterung erforderlich sein, um Großes zu erreichen – an der Wall Street führt sie unweigerlich in die Katastrophe.

Die wichtigste Frage, mit der wir uns beschäftigen müssen, erwächst aus dem großen Interesse an erstklassigen Anleihen. Seit Ende 1967 konnten Anleger mehr als doppelt so viel Einkommen aus Anleihen beziehen als aus durchschnittlichen Aktien. Anfang 1972 lag der Gewinn bei erstklassigen Anleihen bei 7,19 %, während Industrie-Aktien gerade einmal 2,76 % einbrachten. (Im Vergleich dazu waren es am Ende des Jahres 1964 4,40 % und 2,92 %.) Es ist hart, feststellen zu müssen, dass zu der Zeit, als wir das Buch 1949 schrieben, die Zahlen genau umgekehrt waren: Anleihen brachten nur 2,66 %, und Aktien erzielten einen Gewinn von 6,82 % [2]. In früheren Auflagen haben wir stets betont, dass mindestens 25 % des Portfolios eines konservativen Investors aus Aktien bestehen sollten, und im Allgemeinen hielten wir eine Aufteilung von 50 : 50 zwischen den beiden Finanzinstrumenten für richtig. Heute müssen wir überlegen, ob der aktuelle große Vorsprung der Rendite von Anleihen gegenüber der Rendite aus Aktien es rechtfertigen würde, ausschließlich in Anleihen anzulegen, bis wir wieder zu einem vernünftigeren Verhältnis kommen – was wir eigentlich erwarten. Natürlich wird auch die Frage der stetigen Inflation von großer Bedeutung sein, wenn wir jetzt unsere Entscheidung treffen wollen. Diesem Thema werden wir ein eigenes Kapitel widmen.[8]

In der Vergangenheit unterschieden wir grundsätzlich zwischen zwei Arten von Investoren, die dieses Buch ansprechen sollte – den „defensiven" und den „professionellen" Anlegern. Der defensive oder passive Investor legt sein Hauptaugenmerk darauf, schwer wiegende Fehler oder Verluste zu vermeiden. Sein zweites Ziel wird sein, sich nicht anstrengen zu müssen, Ärger zu vermeiden und selten Entscheidungen treffen zu müssen. Die bestimmende Eigenschaft des professionellen (oder aktiven, aggressiven) Investors ist seine Bereitschaft, für die Auswahl seiner Aktien, die gesünder und attraktiver sind als andere, mehr Zeit und Sorgfalt aufzuwenden. Über mehrere Jahrzehnte hinweg könnte ein aktiver Investor den Lohn für das zusätzliche Geschick und den zusätzlichen Arbeits- und Zeitaufwand in Form einer besseren durchschnittlichen Rendite erwarten als der

8 Siehe Kapitel 2. Zu Beginn des Jahres 2003 erzielten US-Schatzbriefe mit zehnjähriger Laufzeit 3,8 %, während Aktien (gemessen am DJIA) 1,9 % Rendite brachten. (Beachten Sie, dass dieses Verhältnis sich nicht wesentlich von den Zahlen von 1964 unterscheidet, die Graham nennt.). Die Erlöse aus erstklassigen Anleihen sind allerdings seit 1981 stetig gesunken.

passive Investor. Wir bezweifeln aber, dass dieser aktive Investor unter den heutigen Bedingungen einen nennenswerten Ausgleich für seine Mühen erwarten darf. Doch nächstes Jahr oder in den darauf folgenden Jahren kann die Sache schon wieder ganz anders aussehen. Deshalb werden wir weiterhin unsere Aufmerksamkeit den Möglichkeiten des aktiven Investierens widmen, so wie sie früher bestanden haben und auch wiederkehren können.

Lange Zeit war es die vorherrschende Meinung, dass die Kunst des erfolgreichen Investierens zunächst einmal darin liegt, die Branchen zu erkennen, die in der Zukunft wahrscheinlich das größte Wachstum erzielen werden, und dann erst die Unternehmen innerhalb dieser Branchen zu identifizieren, von denen man sich am meisten verspricht. Beispielsweise hätten schlaue Investoren - oder schlaue Anlageberater - schon längst die enormen Wachstumsmöglichkeiten der Computerbranche als Ganzes erkannt, allen voran die von International Business Machines (IBM). Ähnliches gilt für eine Reihe anderer Wachstumsbranchen und Wachstumsunternehmen. Aber es ist nicht immer so einfach, wie es im Nachhinein aussieht. Um diesen Punkt gleich am Anfang zu behandeln, möchten wir an dieser Stelle einen Absatz zitieren, der aus der ersten Auflage dieses Buches von 1949 stammt.

Ein solcher Investor könnte beispielsweise Aktien von Fluggesellschaften kaufen, weil er glaubt, deren Zukunft sei rosiger als der Trend, den der Markt ohnehin schon reflektierte. Für diese Investoren besteht der Wert dieses Buches eher aus den Warnungen vor den Fallen, die in diesem favorisierten Investmentansatz stecken, und weniger in positiven Techniken, die ihm auf seinem Weg helfen könnte.[9]

Diese Fallen haben sich in der genannten Branche als ganz besonders gefährlich erwiesen. Es war natürlich leicht vorherzusehen, dass der Umfang des Flugverkehrs über die Jahre hinweg drastisch zunehmen würde. Und deswegen wurden diese Aktien die Favoriten bei der Aktienauswahl der Investmentfonds. Doch trotz des Erlöswachstums - und zwar mit einer Geschwindigkeit, die noch höher

9 Aktien von Fluggesellschaften waren in den späten 40er- und frühen 50er-Jahren ebenso spannend wie die Internet-Aktien ein halbes Jahrhundert später. Zu den heißesten Investmentfonds dieser Zeit zählten Aeronautical Securities und der Missiles-Rockets-Jets & Automation Fund. Diese Fonds stellten sich jedoch, ebenso wie die Aktien, die sie besaßen, als Katastrophe heraus. Heute wird allgemein angenommen, dass die gesamten Investitionen in die Flugzeugbranche, über die gesamte Zeit hinweg, negativ waren. Die Lehre, die Graham uns erteilen will, ist nicht, dass man vermeiden sollte, Aktien von Fluggesellschaften zu kaufen, sondern man sollte nie der „Sicherheit" erliegen, dass eine Branche in der Zukunft besser sein wird als alle anderen.

war als in der Computerbranche – sorgte eine Kombination aus technologischen Problemen und einer zu starken Expansion der Kapazitäten dafür, dass die Kurse schwankten oder sogar zu katastrophalen Verlusten führten. Im Jahr 1970, trotz einer Rekordzahl an Buchungen, wiesen die Fluggesellschaften für ihre Aktionäre einen Verlust von 220 Millionen $ aus. (Auch in den Jahren 1945 und 1961 mussten sie Verluste verzeichnen.) Die Aktien dieser Gesellschaften erlitten in den Jahren 1969/1970 wiederum einen stärkeren Abschwung als der Marktdurchschnitt. Die Aufzeichnungen zeigen, dass sogar die hoch bezahlten Vollzeit-Experten der Investmentgesellschaften die – ziemlich kurzfristige – Zukunft einer großen und nicht nur Eingeweihten zugänglichen Branche völlig falsch einschätzten.

Andererseits, als die Investmentfonds stark in IBM investierten und damit auch hohe Gewinne erzielten, verhinderte die Kombination aus dem scheinbar hohen Kurs und der Unmöglichkeit, ganz *sicher* zu sein, dass das Wachstum anhalten werde, dass sie nicht mehr als 3 % ihrer Mittel in diese Aktie investierten. Deshalb war die Auswirkung dieser Wahl keinesfalls ausschlaggebend für deren Gesamtergebnis. Weiterhin erwiesen sich viele – wenn nicht gar die meisten – Investitionen in andere Unternehmen der Computerbranche, außer IBM, als unrentabel. Aus diesen beiden Beispielen ziehen wir für unsere Leser zwei Schlüsse:

- Offensichtliche gute Aussichten auf materielles Wachstum eines Unternehmens sind nicht immer auch offensichtliche Gewinne für Investoren.
- Die Experten haben keine zuverlässigen Hilfsmittel bei der Aktienauswahl, und sie haben auch kein Instrument, das ihnen hilft, sich auf die meistversprechenden Unternehmen in den meistversprechenden Branchen zu konzentrieren.

Der Autor folgte während seiner Tätigkeit als Fondsmanager diesem Ansatz nicht, und er kann den Anlegern, die es einmal ausprobieren wollen, auch keinen speziellen Rat geben.

Was also wollen wir mit diesem Buch wirklich erreichen? Unser Hauptziel wird sein, den Leser davor zu schützen, in Bereiche zu geraten, in denen er sich erheblich irren kann, und ihm helfen, Strategien zu entwickeln, mit denen er sich wohl fühlen wird. Wir werden etwas über die Psychologie der Investoren sagen. Denn tatsächlich ist das größte Problem eines Investors – und auch sein schlimmster Feind – wahrscheinlich er selbst. („Der Fehler, lieber Investor, liegt nicht in unseren Sternen – und auch nicht bei unseren Aktien –, sondern bei uns selbst ...) Dies hat sich in den vergangenen Jahrzehnten immer mehr als zutreffend erwiesen, da es für konservative Investoren immer wichtiger wurde, Stammaktien zu kaufen und sich damit – wohl oder übel – den Aufregungen und Versuchungen der Börse auszusetzen. Mit Argumenten, Beispielen und Ermahnungen wollen wir unseren Lesern helfen, die richtige mentale und emotionale Einstellung zu ihren Anlageentscheidungen zu finden. Wir haben wesentlich öfter gesehen, dass Geld von ganz normalen Anlegern gewonnen und *behalten* wurde, die vom Temperament her gut für die Kapitalanlage gerüstet waren, als bei Leuten, denen dieses Talent fehlt, auch wenn sie von Finanzen, Rechnungslegung und dem Geschehen an den Aktienbörsen viel verstanden.

Außerdem hoffen wir, dass wir dem Leser die Neigung zu messen oder zu quantifizieren angewöhnen können. Bei 99 von 100 Aktien könnten wir sagen, dass sie zu einem bestimmten Kurs billig genug sind, sie zu kaufen, und zu einem anderen Kurs so teuer, dass man sie besser verkaufen sollte. Die Gewohnheit, das, was gezahlt wurde, zu dem in Beziehung zu setzen, was geboten wird, ist bei der Kapitalanlage sehr wichtig. In einem Beitrag in einer Frauenzeitschrift rieten wir den Leserinnen vor vielen Jahren, Aktien so zu kaufen, als kaufte man Lebensmittel, aber nicht so wie Parfüm. Die wirklich schrecklichen Verluste in den vergangenen Jahren (und in vielen ähnlichen Fällen zuvor) wurden bei jenen Aktien realisiert, bei denen der Käufer vergessen hatte, sich zu fragen: „Wie viel kostet sie?"

Im Juni 1970 konnte die Frage „Wie viel?" durch die magische Zahl 9,40 % beantwortet werden – das war die Rendite, die neue Emissionen erstklassiger Anleihen öffentlicher Versorger erbrachten. Die Rendite fiel inzwischen auf etwa 7,3 %, doch selbst dieser Gewinn lässt uns immer noch fragen: „Weshalb sollten wir nun anders antworten?" Es gibt jedoch eine Reihe anderer möglicher Fragen, und diese müssen sorgfältig formuliert sein. Außerdem wiederholen wir es nochmals: Alle, also auch unsere Leser, müssen darauf vorbereitet sein, dass beispielsweise von 1973 bis 1977 möglicherweise völlig andere Bedingungen herrschen.

Wir sollten deshalb, in allen Einzelheiten, eine Strategie zur Anlage in Aktien bereithalten, wobei der eine Teil für beide Arten von Investoren geeignet ist und der andere eher für die Gruppe der professionellen Anleger. Doch legen wir unseren Lesern als eine der wichtigsten Regeln nahe, dass sie ihre Aktien verkaufen

10 Zum Anlagevermögen zählen die materiellen Güter (etwa Immobilien, Fabriken, Maschinen und Lagerbestand), aber auch die finanziellen Güter (etwa Bargeld, kurzfristige Investitionen und offene Rechnungen). Nicht zum Anlagevermögen gehören der Markenwert, Copyrights, Patente, Franchisen, der ideelle Firmenwert und Warenzeichen. Wie man den Wert des Anlagevermögens berechnet, finden Sie in der Fußnote 162 auf Seite 219.

sollten, wenn ihr Kurs nicht weit über dem Anlagevermögen liegt.[10] Die Gründe für diesen scheinbar altmodischen Rat liegen sowohl in der Praxis als auch in der Psychologie. Die Erfahrung hat uns Folgendes gelehrt: Wenn es viele gute Wachstumsunternehmen gibt, die mit dem mehrfachen Wert des Anlagevermögens bewertet werden, hängt der Käufer solcher Aktien von den Launen und Schwankungen an der Börse zu stark ab. Im Gegensatz dazu kann sich der Investor in Aktien beispielsweise von öffentlichen Versorgern etwa zum Kurs des Nettoanlagevermögens, als Eigentümer eines Anteils an einem gesunden und expandierenden Unternehmens betrachten. Die Aktien wurden zu einem vernünftigen Kurs erworben – ganz gleich, was auch immer der Aktienmarkt dagegen sagen mag. Ein solche konservative Anlagestrategie wird wahrscheinlich mehr Ertrag bringen als aufregende Abenteuer in den glamourösen und gefährlichen Bereichen antizipierten Wachstums.

Die Kunst der Kapitalanlage hat allerdings auch eine Eigenschaft, die nicht die allgemeine Zustimmung findet: Ein achtbarer, wenn auch nicht besonders spektakuläres Ergebnis kann auch von einem Laien mit einem Minimum an Aufwand und Fachwissen erzielt werden. Doch um diesen leicht erreichbaren Standard zu verbessern, sind viel Einsatz und mehr als nur Grundwissen erforderlich. Wenn Sie versuchten, nur ein wenig zusätzliches Wissen und ein bisschen Überlegung bei Ihren Investments einzusetzen, dann müssten Sie vielleicht feststellen, dass sie nicht besser, sondern im Gegenteil schlechter abgeschnitten haben.

Weil im Prinzip jeder, der eine repräsentative Auswahl an Aktien kauft und hält, die Marktdurchschnitte erreichen kann, scheint es vergleichsweise einfach zu sein, besser als der Markt als Ganzes abzuschneiden. Tatsächlich jedoch ist der Anteil der klugen Menschen, die dies versuchen und scheitern, überraschend hoch. Selbst die meisten Investmentfonds, mit all ihren erfahrenen Mitarbeitern, haben, über mehrere Jahre gesehen, nicht die Performance des Gesamtmarktes erwirtschaftet. Ähnlich ist es mit der Statistik der veröffentlichten Vorhersagen zum Aktienmarkt, die Brokerfirmen machen: Es gibt stichhaltige Beweise dafür, dass deren berechnete Prognosen nicht zuverlässiger sind, als wenn man sich auf einen einfachen Münzwurf verlassen würde.

Beim Verfassen dieses Buches haben wir versucht, immer an diese einfache Falle bei der Kapitalanlage zu denken. Die schon genannten Vorteile einer simplen Portfoliostrategie – der Kauf von hochwertigen Anleihen und eine diversifizierte Liste führender Aktien – kann jeder Investor mit ein wenig Expertenhilfe nutzen. Abenteuer jenseits dieses sicheren und vernünftigen Bereichs sind sehr gefährlich, insbesondere, wenn es um das Temperament geht. Bevor ein Investor sich auf ein derartiges Risiko einlässt, sollten er und auch seine Berater sicher sein, dass sie eine klare Vorstellung vom Unterschied zwischen Investition und Spekulation haben und dass sie den Unterschied zwischen dem Marktwert einer Aktie und dem ihr zugrunde liegenden Wert kennen.

Eine Anlagestrategie auf der festen Grundlage des Prinzips der Sicherheitsspanne kann ansehnliche Gewinne bringen. Doch die Entscheidung, mit dieser Art von zufälligen Gewinnen sein Glück zu versuchen anstatt mit den sicheren Früchten des defensiven Investierens, sollte erst dann getroffen werden, wenn man sich zuvor einer gründlichen „Gewissenserforschung" unterzogen hat.

Ein letzter Blick in die Vergangenheit. Als der junge Autor 1914 an die Wall Street ging, hatte niemand die geringste Ahnung von dem, was das kommende halbe Jahrhundert bringen würde. An der Börse vermutete niemand, dass zwei Monate später der Erste Weltkrieg ausbrechen und die New York Stock Exchange geschlossen würde. Heute, im Jahr 1972, befinden wir uns im reichsten und mächtigsten Land der Welt, doch sind wir mit allen möglichen größeren Problemen konfrontiert und schauen eher mit Sorge als mit Zuversicht in die Zukunft. Und dennoch: Wenn wir unsere Aufmerksamkeit auf die Erfahrungen bei der Kapitalanlage in Amerika beschränken, können wir aus den zurückliegenden 57 Jahren auch Zuversicht schöpfen. Trotz all der Unbeständigkeit und Unglücksfälle, die ebenso die Welt erschütterten wie sie unvorhersehbar waren, blieb es plausibel, dass solide Regeln zur Kapitalanlage im Allgemeinen auch solide Ergebnisse bringen. Wir müssen bei all unserem Handeln die Annahme unterstellen, dass dies auch weiterhin so bleiben wird.

Anmerkung für den Leser: Dieses Buch spricht nicht die gesamten Anlagemethoden der Sparer und Anleger an; es behandelt nur den Teil ihres Vermögens, den sie bereit sind, in marktfähige (oder rückzahlbare) Wertpapiere zu investieren, also in Anleihen und Aktien. Folglich sprechen wir auch nicht über Anlagevarianten wie Sparkonten und Termingelder, Bausparkonten, Lebensversicherungen, Auszahlungspläne und Immobilienhypotheken oder Kapitalbesitz. Der Leser sollte stets bedenken, dass immer dann, wenn er das Wort „jetzt" oder Ähnliches im Text findet, von der Zeit Ende 1971 oder Anfang 1972 die Rede ist.

Kommentar zur Einleitung

> Wenn Sie Luftschlösser gebaut haben, dann muss Ihre Arbeit nicht unbedingt vergebens gewesen sein; genau dort gehören sie hin. Jetzt sollten Sie die Fundamente dafür errichten.
>
> *Henry David Thoreau, Walden*

Graham sagte bereits zu Anfang, dass dieses Buch nicht zeigen wird, wie man besser sein kann als der Markt. Das kann kein Buch, das bei der Wahrheit bleiben will.

Stattdessen wird dieses Buch Ihnen drei wichtige Lehren mit auf den Weg geben:

- Wie Sie die Risiken minimieren können, endgültige Verluste zu erleiden;
- Wie Sie die Chancen maximieren können, ansehnliche Gewinne zu erzielen;
- Wie Sie das selbstzerstörerische Verhalten unter Kontrolle bringen können, das die meisten Anleger daran hindert, ihr volles Potenzial auszuschöpfen.

Damals, in den Jahren des Aufschwungs Ende der 90er-Jahre, als die Technologie-Aktien ihren Wert fast täglich zu verdoppeln schienen, schien der Gedanke absurd, dass man fast sein ganzes Geld verlieren könnte. Aber am Ende des Jahres 2002 hatten viele der Dot.com- und Telekommunikations-Aktien 95 % oder mehr ihres Wertes verloren. Wenn man 95 % seines Geldes verloren hat, dann muss man 1.900 % gewinnen, nur um wieder am Ausgangspunkt zu sein.[11] Ein derart hohes Risiko einzugehen kann Sie so tief ins Minus bringen, dass es unmöglich ist, daraus wieder herauszukommen. Und genau deshalb betont Graham immer wieder, wie wichtig es ist, Verluste zu vermeiden – nicht nur in den Kapiteln 6, 14 und 20, sondern auch in seinen ständigen Warnhinweisen, die den gesamten Text dieses Buchs durchziehen.

Doch gleichgültig, wie vorsichtig Sie sind, der Kurs Ihrer Anlagen wird von Zeit zu Zeit immer wieder einmal sinken. Dieses Risiko kann zwar niemand ausschließen, doch wird Graham Ihnen zeigen, wie Sie es beherrschen können – und wie Sie Ihre Ängste unter Kontrolle bringen können.

---

11 Um diese Aussage in die richtige Perspektive zu bringen, sollten Sie einmal darüber nachdenken, wie oft es vorkommt, dass Sie eine Aktie für 30 $ kaufen und für 600 $ verkaufen können.

Sind Sie ein intelligenter Investor?

Nun wollen wir eine wirklich wichtige Frage beantworten. Was meint Graham genau, wenn er von einem „intelligenten Investor" spricht? Damals, in der ersten Auflage dieses Buches, hat Graham diesen Begriff definiert - und verdeutlicht, dass diese Art von Intelligenz nichts mit einem Intelligenzquotienten oder einem Eignungstest zur Zulassung zu einem Studium zu tun hat. Es bedeutet ganz einfach, geduldig, diszipliniert und lernbegierig zu sein. Sie müssen allerdings auch Ihre Emotionen im Zaum halten und selbstständig denken können. Diese Art von Intelligenz, erklärt Graham, „ ist eher eine Eigenschaft des Charakters als des Gehirns"[12].

Es ist bewiesen, dass ein hoher Intelligenzquotient und eine höhere schulische Ausbildung nicht ausreichen, damit ein Investor intelligent ist. Im Jahr 1998 verlor Long-Term Capital Management L. P., ein Hedgefonds, der von einem Heer von Mathematikern, Informatikern und zwei Nobelpreisträgern im Bereich der Wirtschaftswissenschaften geleitet wurde, innerhalb weniger Wochen mehr als 2 Milliarden $ bei einer riesigen Wette darauf, dass der Anleihenmarkt wieder „normal" würde. Doch der Anleihenmarkt wurde immer weniger „normal" - und LTCM musste so viel Kredit aufnehmen, dass beim Kollaps des Hedgefonds fast das gesamte globale Finanzsystem in Mitleidenschaft gezogen wurde.[13]

Und damals, im Frühjahr 1720, besaß Sir Isaac Newton Aktien der South Sea Company, der heißesten Aktie in England. Als er das Gefühl hatte, dass der Markt außer Kontrolle geriet, ärgerte sich der große Physiker, dass er die Bewegung der Himmelskörper berechnen könne, nicht jedoch den Wahnsinn der Menschen. Newton verkaufte seine South-Sea-Aktien und erzielte einen Gewinn von 7.000 £. Doch einige Monate später wurde er von der wilden Begeisterung der Börse mitgerissen und stieg bei einem wesentlich höheren Kurs wieder ein - und verlor 20.000 £ (was dem heutigen Wert von mehr als 3 Millionen $ entspricht). Für den Rest seines Lebens verbot er allen, die Worte „South Sea" in seiner Anwesenheit auch nur in den Mund zu nehmen.[14]

---

12 Benjamin Graham, The Intelligent Investor (Harper & Row, 1949) S. 4.

13 Ein Hedgefonds ist ein Geld-Pool, der, vom Staat weitgehend unreglementiert, aggressiv für wohlhabende Klienten investiert. Roger Lowenstein beschrieb die Geschichte von LTCM hervorragend in seinem Buch When Genius Failed (Random House, 2000).

14 John Carswell, The South Sea Bubble (Cresset Press, London, 1960), S. 131 und S. 199. Siehe auch www.harvard-magazine.com/issues/mj99/damnd.html.

Nach den Maßstäben, mit denen wir normalerweise Intelligenz definieren, war Sir Isaac Newton einer der intelligentesten Menschen, die jemals gelebt haben. Aber nach Grahams Vorstellungen war Newton weit entfernt davon, ein intelligenter Investor zu sein. Denn als er zuließ, dass das Geschrei der Massen sein eigenes Urteilsvermögen übertönte, handelte der größte Wissenschaftler der Welt wie ein Narr.

Kurz gesagt: Wenn Sie bei der Kapitalanlage bisher keinen Erfolg hatten, dann nicht deshalb, weil Sie dumm sind. Der Grund ist, wie bei Sir Isaac Newton, dass Sie noch nicht die emotionale Disziplin entwickelt haben, die zur erfolgreichen Kapitalanlage erforderlich ist. In Kapitel 8 beschreibt Graham, wie Sie Ihre Intelligenz steigern, indem Sie Ihre Emotionen in den Griff bekommen und nicht zulassen, sich der Irrationalität des Marktes zu beugen. Dort können Sie für seine Lehre den Beweis antreten, wonach es mehr mit dem Charakter als mit dem Gehirn zu tun hat, wenn man ein intelligenter Investor sein möchte.

Eine Chronik der Katastrophen

Nehmen wir uns einen Augenblick Zeit, einige der größeren finanziellen Entwicklungen der zurückliegenden Jahre zu betrachten:

- Im schlimmsten Börsen-Crash seit der Großen Depression verloren die amerikanischen Aktien 50,2 % ihres Wertes – oder 7,4 Billionen $ zwischen März 2000 und Oktober 2002.
- Weitaus höhere Kursverluste waren bei den heißesten Unternehmen der 90er-Jahre zu verzeichnen, beispielsweise bei AOL, Cisco, JDS Uniphase, Lucent und Qualcomm – und zusätzlich die völlige Zerstörung Hunderter Internet-Aktien.
- Anklagen wegen gewaltiger finanzieller Betrügereien bei einigen der größten und angesehensten Unternehmen in Amerika, darunter Enron, Tyco und Xerox.
- Die Konkurse einstmals glänzender Unternehmen wie Conseco, Global Crossing und WorldCom.
- Anschuldigungen, dass Wirtschaftsprüfungsgesellschaften die Bücher fälschten und sogar Aufzeichnungen vernichteten, um ihren Klienten dabei behilflich zu sein, die Anleger zu täuschen.
- Beschuldigungen, dass leitende Angestellte bei führenden Unternehmen Hunderte Millionen Dollar zu ihrem persönlichen Vorteil abgezweigt hätten.

- Beweise dafür, dass Aktienanalysten an der Wall Street bestimmte Aktien in der Öffentlichkeit lobten, privat jedoch zugaben, sie seien Schrott.
- Ein Aktienmarkt, der, selbst nach einem Absturz, der einem das Blut in den Adern gefrieren ließ, nach historischen Maßstäben überbewertet scheint und viele Experten vermuten lässt, dass die Aktienkurse noch weiter fallen würden.
- Ein unerbittlicher Rückgang der Zinssätze, der Investoren keine andere attraktive Wahl lässt, als in Aktien anzulegen.
- Ein Umfeld für Investoren, das von unvorhersehbaren Bedrohungen durch globalen Terrorismus und Krieg im Mittleren Osten erschüttert ist.

Ein großer Teil des Schadens könnte von Investoren vermieden werden – und wurde vermieden –, wenn sie Grahams Grundsätze verinnerlichten und danach lebten. Wie Graham sagt: „Während Begeisterung erforderlich ist, um auf anderen Gebieten Großes zu erreichen, führt sie an der Wall Street unausweichlich in die Katastrophe." Als sich viele Leute von Internet-Aktien, von großen „Wachstumsaktien", von Aktien insgesamt, mitreißen ließen, begingen sie den gleichen dummen Fehler wie Isaac Newton. Sie ließen sich von der Meinung anderer beeinflussen. Sie ignorierten Grahams Warnung, dass „die wirklich schrecklichen Verluste" sich immer dann ereignen, wenn „der Käufer vergaß zu fragen: Wie viel?" Am schmerzhaftesten ist es, wenn sie die Kontrolle über sich selbst dann verlieren, wenn sie diese am nötigsten brauchen. Diese Leute bewiesen Grahams Behauptung, dass „das Hauptproblem der Investoren – und auch ihr schlimmster Feind – wahrscheinlich sie selbst sind".

Die sichere Sache, die gar nicht sicher war

Viele dieser Anleger ließen sich insbesondere von Technologie- und Internet-Aktien mitreißen; sie saßen dem Irrtum auf, dass diese Branche noch Jahre lang weitaus stärker wachsen würden als jede andere, wenn nicht sogar auf Dauer:

- Mitte 1999, nach einem Gewinn von 117,3 % in den ersten fünf Monaten des Jahres, sagte Alexander Cheung, der Portfoliomanager des Monument Internet Fund, dass sein Fonds über die nächsten drei bis fünf Jahre hinweg einen Gewinn von jeweils 50 % erzielen und über die nächsten 20 Jahre hinweg durchschnittlich um 35 % zulegen würde.[15]
- Nachdem sein Amerindo Technology Fund im Jahr 1999 um unglaubliche 248,9 % gestiegen war, lachte Portfoliomanager Alberto Vilar jeden aus, der es wagte, daran zu zweifeln, dass das Internet eine stetige Gelddruckmaschine sei:

„Wenn Sie nicht in diesem Bereich sind, dann werden Sie kaum Erfolg haben. Sie sitzen auf einem Pferd oder in einem Buggy, ich aber sitze in einem Porsche. Sie möchten Ihre Chancen nicht verzehnfachen? Dann gehen Sie woanders hin."[16]

- Im Februar 2000 verkündete der Hedgefonds-Manager James J. Cramer, dass Unternehmen, die etwas mit dem Internet zu tun haben, „die Einzigen sind, die es wert sind, sie heute im Portfolio zu haben". Diese „Gewinner der neuen Welt", wie er sie nannte, „sind die Einzigen, die in guten und in schlechten Zeiten an Wert zulegen werden". Cramer griff Graham sogar frontal an: „Sie müssen alle Matrizen, Formeln und Texte über Bord werfen, die es vor dem Web gab ... Wenn wir das gemacht hätten, was Graham und Dodd gelehrt haben, dann hätten wir keine 10 Cent zu verwalten."[17]

All diese so genannten Experten ignorierten Grahams nüchterne Warnungen: „Offensichtliche Aussichten auf materielles Unternehmenswachstum sind nicht auch offensichtliche Gewinne für die Investoren." Zwar scheint es leicht zu sein vorherzusehen, welche Branche am schnellsten wachsen wird, doch hat diese Prognose keinen wirklichen Wert, wenn die meisten anderen Investoren bereits das Gleiche erwarten. Wenn dann jeder entschieden hat, dass eine bestimmte Branche „offensichtlich" die beste ist, in die man investieren kann, sind die Kurse ihrer Aktien bereits so hoch getrieben worden, dass sie eigentlich nur noch fallen können.

---

15 Constance Loizos, „Q & A: Alex Cheung", Investment News, 17. Mai 1999, S. 38. Der höchste Durchschnittsgewinn über 20 Jahre hinweg in der Geschichte der Investmentfonds lag bei 25,8 % pro Jahr und wurde vom legendären Peter Lynch von Fidelity Magellan in den zwei Jahrzehnten vor dem 31. Dezember 1994 erzielt. Innerhalb von 20 Jahren machte Lynch aus 10.000 $ mehr als 982.000 $. Cheung sagte voraus, dass sein Fonds aus 10.000 $ im gleichen Zeitraum mehr als 4 Millionen $ erzielen würde. Anstatt Cheung für lächerlich überoptimistisch zu halten, warfen die Investoren ihm das Geld nach und schleuderten im folgenden Jahr mehr als 100 Millionen $ in seinen Fonds. Ein Investment von 10.000 $ in den Monument Internet Fund im Mai 1999 wäre bis Ende des Jahres 2002 auf 2.000 $ geschrumpft. (Der Monument Fund existiert in seiner ursprünglichen Form nicht mehr und wird heute unter dem Namen Orbitex Emerging Technology Fund geführt.)

16 Lisa Reilly Cullen, „The Trople Digit Club", Money, Dezember 1999, S. 170. Hätten Sie am Jahresende 1999 10.000 $ in Vilars Fonds investiert, dann wären Ihnen am Jahresende 2002 lediglich 1.195 $ übrig geblieben – eine der schlimmsten Zerstörungen von Reichtum in der Geschichte der Fondsbranche.

17 Siehe www.thestreet.com/funds/smarter/891820.htlm. Cramers Lieblingsaktien stiegen nicht „in guten und in schlechten Zeiten". Bis zum Jahresende 2002 war eine von ihnen schon pleite, und ein Investment von 10.000 $, das gleichmäßig über Cramers Auswahl verteilt worden wäre, hätte 94 % an Wert verloren, und es wären nur noch 597,44 $ übrig geblieben. Vielleicht meinte Cramer, dass seine Aktien nicht in „ der neuen Welt" zu „Gewinnern" würden, sondern in einer Welt, die erst noch geschaffen werden müsste.

Zumindest heute hat niemand mehr den Mut zu behaupten, dass Technologie auch weiterhin die größte Wachstumsbranche der Welt sein wird. Auf alle Fälle sollten Sie sich merken: Diejenigen, die jetzt behaupten, dass die nächste „sichere Sache" das Gesundheitswesen oder Energie oder Immobilien oder Gold sein würde, werden letztlich wahrscheinlich nicht mehr Recht haben als diejenigen, die den Rummel um High-Tech veranstaltet hatten.

Der Silberstreifen am Horizont

Während in den 90er-Jahren kein Kurs für Aktien zu hoch sein konnte, haben wir 2003 den Punkt erreicht, an dem kein Kurs niedrig genug sein kann. Das Pendel ist zurückgeschwungen, so wie Graham es schon immer wusste - von irrationaler Übertreibung zu ungerechtfertigtem Pessimismus. Im Jahr 2002 entnahmen die Anleger 27 Milliarden $ aus Aktienfonds, und eine Studie, die von der Security Industrie Association durchgeführt wurde, besagt, das jeder zehnte Anleger den Aktienanteil seines Portfolios um mindestens 25 % reduziert hatte. Die gleichen Leute, die Ende der 90er-Jahre ganz begierig Aktien kauften - als die Kurse stiegen und deshalb teuer wurden -, verkauften Aktien, als die Kurse fielen und, per definitionem, billiger wurden.

Wie Graham im Kapitel 8 so hervorragend aufzeigt, verhält es sich genau umgekehrt. Der intelligente Investor stellt fest, dass die Aktien riskanter und nicht weniger riskant werden, wenn ihre Kurse steigen - und weniger riskant, wenn die Kurse fallen, und nicht riskanter. Der intelligente Investor befürchtet einen Bullenmarkt, weil damit die Aktien beim Kauf teurer werden. Umgekehrt (solange Sie genügend Bargeld zur Hand haben, um die nötigen Ausgaben bestreiten zu können) sollten Sie sich auf einen Bärenmarkt freuen, weil dann die Aktien zu reduzierten Preisen zu haben sind.[18]

Fassen Sie sich also ein Herz: Der Tod des Bullenmarktes ist nicht die schlechte Nachricht, wie jeder glaubt. Dank des Kursverlustes ist nun eine wesentlich sicherere - und vernünftigere - Zeit gekommen, ein Vermögen aufzubauen. Lesen Sie weiter und lassen Sie sich von Graham zeigen, wie es geht.

---

18 Die einzige Ausnahme von dieser Regel ist ein Investor, der schon lange im Ruhestand ist, weil er vielleicht nicht mehr die Zeit hat, einen Bärenmarkt durchzustehen. Doch auch ein älterer Investor sollte seine Aktien nicht verkaufen, nur weil der Kurs gefallen ist; diese Strategie verwandelt Papierverluste nicht nur in reale Verluste, sondern nimmt den Erben die Möglichkeit, diese Aktien zu geringeren steuerlichen Belastungen zu erhalten.

Kapitel 1

Investieren oder Spekulieren: Ergebnisse, die ein intelligenter Investor erwarten darf

Dieses Kapitel gibt einen Überblick über die Ansichten, die in den folgenden Kapitals näher erläutert werden. Insbesondere möchten wir gleich am Anfang unsere Vorstellung von einer angemessenen Portfoliostrategie für den nicht professionellen Privatanleger entwickeln.

Investition oder Spekulation

Was verstehen wir unter einem „Investor" oder „Anleger"? Im gesamten Buch verwenden wir diese Begriffe im Gegensatz zum „Spekulanten". Schon 1934 versuchten wir in unserem Buch *Security Analysis,* [3] den Unterschied zwischen den beiden genau zu formulieren: „Eine Kapitalanlage liegt dann vor, wenn sie nach gründlicher Analyse die Sicherheit des eingesetzten Kapitals und einen angemessenen Gewinn verspricht. Anlagen, die diesen Kriterien nicht entsprechen, sind spekulativ."

Während wir an dieser Definition die folgenden 38 Jahre hartnäckig festhielten, haben sich bei der Verwendung des Begriffs „Investor" oder „Anleger" in diesem Zeitraum radikale Veränderungen ergeben. Nach dem großen Markteinbruch von 1929 bis 1932 wurden *alle* Aktien naturgemäß weitgehend als spekulativ angesehen. (Ein führender Experte sagte rundweg, dass nur Anleihen zur Kapitalanlage gekauft werden könnten [4].) Also mussten wir unsere Definition gegen den Vorwurf verteidigen, dass sie das Konzept des „Investierens" zu weit auslege.

Heute ist es genau umgekehrt: Wir müssen unsere Leser davor bewahren, dass sie den allgemeinen Sprachgebrauch akzeptieren, der den Begriff „Investor" oder „Anleger" auf jeden und alle anwendet, die Aktien kaufen. In unserer letzten Auflage zitierten wir die folgende Schlagzeile eines Artikels auf der ersten Seite einer der führenden Finanzzeitschriften vom Juni 1962:

Kleinanleger pessimistisch, sie verkaufen Odd-Lots leer

Im Oktober 1970 kritisierte die gleiche Zeitschrift im Editorial „waghalsige Anleger", die zu diesem Zeitpunkt auf die Käuferseite stürmten.

Diese Zitate verdeutlichen sehr gut die Verwirrung, die viele Jahre lang beim Gebrauch der Begriffe „investieren" und „spekulieren" vorherrschte. Denken Sie an unsere obige Definition von Kapitalanlage und vergleichen Sie diese mit dem Verkauf von Aktien durch einen unerfahrenen Menschen, der nicht einmal besitzt, was er verkauft, und der weitgehend emotional der Überzeugung ist, dass er diese Aktien zu einem wesentlich geringeren Kurs zurückkaufen kann. (Es ist wichtig zu betonen, dass der Markt, als dieser Artikel 1962 erschien, bereits einen größeren Abschwung hinter sich hatte und nunmehr für einen noch größeren Aufschwung bereit war. Für Leerverkäufe war das also eine Zeit, wie sie schlechter nicht hätte sein können.) Im weiteren Sinn könnte man den später benutzten Begriff „waghalsig" als einen lächerlichen Widerspruch bezeichnen – etwa wie „verschwenderische Geizhälse" –, wäre dieser falsche Gebrauch der Sprache nicht so zynisch.

Die Zeitung verwendete das Wort „Investor" in diesen Fällen, weil, in der Sprache der Wall Street, jeder ein Investor war, der Aktien kaufte oder verkaufte, gleichgültig, was er kaufte oder zu welchem Zweck oder zu welchem Kurs, und gleichgültig ,ob gegen Bares oder auf Marge. Vergleichen Sie dies mit der Einstellung der Öffentlichkeit zu Aktien im Jahr 1948, als über 90 % der Befragten sich gegen den Kauf von Aktien aussprachen [5]. Zur Begründung gab etwa die Hälfte der Befragten an, „nicht sicher, ein Glücksspiel", und die andere Hälfte sagte „Ich kenne mich damit nicht aus".[19] Es ist wirklich ironisch (wenn auch nicht überraschend), dass Aktienkäufe aller Art allgemein als höchst spekulativ oder riskant

19 Die Studie, die Graham zitiert, wurde von der University of Michigan für die Fed durchgeführt und im Federal Reserve Bulletin im Juli 1948 veröffentlicht. Gefragt wurde: „Stellen Sie sich vor, ein Mann möchte sein Geld nicht ausgeben. Er kann es entweder auf ein Bankkonto einzahlen oder Anleihen kaufen oder investieren. Was glauben Sie, wäre das Klügste, was er mit dem Geld machen könnte – zur Bank bringen, Sparbriefe kaufen, in Immobilien anlegen oder Aktien kaufen?" Nur 4 % glaubten, Aktien würden einen „zufrieden stellenden" Gewinn bringen; 26 %

angesehen wurden, und das zu einer Zeit, als sie zu höchst attraktiven Kursen gehandelt wurden und schon bald zu ihrem größten Aufschwung der Geschichte ansetzten. Umgekehrt verwandelte die bloße Tatsache, dass die Aktienkurse, nach den vorhergehenden Erfahrungen, auf ein zweifelsfrei gefährliches Niveau gestiegen waren, sie in „Investitionen" und alle Käufer von Aktien in „Investoren".

Die Unterscheidung zwischen Investition und Spekulation in Aktien war immer sehr nützlich, und der Wegfall dieser Unterscheidung gibt Anlass zu Besorgnis. Wir haben oft gesagt, dass die Wall Street als Institution gut beraten wäre, diese Unterscheidung wieder einzuführen und dies im Umgang mit der Öffentlichkeit zu betonen. Andernfalls werden die Börsen eines Tages für schwere spekulative Verluste verantwortlich gemacht, weil sie diejenigen, die diese Verluste erlitten haben, nicht ausreichend gewarnt haben. Ironischerweise wiederum scheint ein großer Teil der Geldknappheit einiger Brokerfirmen die Folge davon zu sein, dass sie spekulative Aktien in ihre Portfolios gelegt hatten. Wir vertrauen darauf, dass der Leser dieses Buchs eine vernünftige und klare Vorstellung der Risiken gewinnen wird, die zum Engagement in Aktien gehören - Risiken, die von den Gewinnmöglichkeiten, die sie bieten, nicht zu trennen sind - und er sich immer und überall vor Augen halten wird, dass beides in die Überlegungen des Anlegers einbezogen werden muss.

Was wir eben sagten, lässt den Schluss zu, dass es möglicherweise keine „reine" Anlagestrategie mehr geben wird, die ausschließlich repräsentative Aktien einbezieht - in dem Sinn, dass man immer erwarten kann, sie zu einem Kurs zu kaufen, der kein beunruhigend hohes Marktrisiko und kein Risiko eines „Papierverlustes" enthält. Meistens muss der Anleger die Existenz eines spekulativen Elements in seinen Aktienbeteiligungen anerkennen. Es ist seine Aufgabe, diese Komponente innerhalb enger Grenzen zu halten, und er muss sich psychologisch und finanziell darauf einstellen, dass es zu vorübergehenden oder länger anhaltenden unerwünschten Ergebnissen kommen kann.

Zwei Anmerkungen zur Spekulation mit Aktien an sich sollten noch hinzugefügt werden, allerdings im Gegensatz zu jenem spekulativen Element, das heute

---

hielten das für „nicht sicher" oder für ein „Glücksspiel". Von 1949 bis 1958 verzeichnete der Aktienmarkt mit 18,7 % jährlich einen seiner höchsten Zehn-Jahres-Gewinne seiner Geschichte. In einem faszinierenden Echo auf diese frühe Studie der Fed ergab eine Umfrage, die von Business Week am Jahresende 2002 durchgeführt wurde, dass nur 24 % der Anleger bereit waren, mehr in Investmentfonds oder Aktien zu investieren. Nur drei Jahre zuvor waren es noch 47 %.

in den meisten maßgeblichen Aktien enthalten ist. Offene Spekulation ist weder illegal noch unmoralisch noch – für die meisten Menschen – einträglich. Natürlich sind einige Spekulationen notwendig und unvermeidbar, denn in vielen Situationen gibt es bei Aktien nennenswerte Möglichkeiten, zu gewinnen und zu verlieren, und die Risiken dabei müssen von irgendjemandem übernommen werden.[20] Ebenso wie intelligentes Investieren gibt es auch die intelligente Spekulation. Doch gibt es viele Situationen, in denen Spekulation nicht intelligent ist. Die wichtigsten sind: (1) zu spekulieren, wenn man glaubt, man würde investieren; (2) ernsthaft zu spekulieren, und nicht nur als Zeitvertreib, wenn man nicht über das notwendige Wissen und die erforderlichen Fähigkeiten verfügt; und (3) wenn man mehr Geld aufs Spiel setzt, als man sich leisten kann zu verlieren.

Nach unserer konservativen Ansicht sollte jeder Nichtprofi, der *auf Marge*[21] handelt, wissen, dass er in Wirklichkeit spekuliert, und es ist die Pflicht seines Brokers, ihn dahingehend zu beraten. Und jeder, der bei einer so genannten „heißen" Aktienemission oder auf eine ähnliche Weise Aktien kauft, ist ein Glücksspieler. Spekulationen sind immer faszinierend, und es kann viel Spaß machen, wenn man auf der Gewinnerseite steht. Wenn Sie damit Ihr Glück versuchen wollen, dann legen Sie einen Teil Ihres Vermögens – je weniger, umso besser – zu diesem Zweck auf ein getrenntes Konto. Füllen Sie dieses Konto aber nie mit weiterem Geld auf, nur weil der Markt gestiegen ist und die Gewinne nur so hereinströmen. Dann ist es an der Zeit, darüber nachzudenken, das Geld von Ihrem spekulativen Konto abzuziehen. Vermischen Sie niemals Spekulationen und Investitionen – weder auf dem gleichen Konto noch in Ihrem Denken.

---

20 Spekulation ist auf zwei Ebenen von Vorteil: Erstens hätten ungetestete neue Unternehmen (wie Amazon.com oder in früheren Zeiten Edison Electric Light Co.) nie das notwendige Kapital zur Expansion aufbringen können. Die verlockende, langfristige Chance auf enorme Gewinne ist das Fett, das die Innovationsmaschinerie schmiert. Zweitens wird das Risiko, immer wenn eine Aktie gekauft oder verkauft wird, weitergegeben (aber niemals eliminiert). Der Käufer erwirbt das Risiko, dass der Kurs fällt, während der Verkäufer immer noch das Risiko behält, dass der Kurs der Aktie, die er verkauft hat, steigen könnte.

21 Ein Margenkonto gibt Ihnen die Möglichkeit, mit von der Brokerfirma geliehenem Geld Aktien zu kaufen. Indem Sie mit geliehenem Geld investieren, verdienen Sie mehr, wenn die Kurse Ihrer Aktien steigen – Sie können aber auch vom Markt gefegt werden, wenn die Kurse fallen. Die Sicherheit für das Darlehen ist der Wert der Anlagen auf dem Konto – und so müssen Sie Geld nachschießen, wenn dieser Wert unter den Darlehensbetrag sinkt. Weiter Informationen zum Margenkonto finden Sie unter www.sec.gov/investor/pubs/margin.htm, www.sia.com/publikations/pdfMarginsA.pdf und www.nyse.com/pdfs/2001_factbook_09.pdf.

Ergebnisse, die ein defensiver Investor erwarten darf

Den defensiven Investor haben wir bereits als jemanden definiert, der hauptsächlich an Sicherheit interessiert ist und Scherereien vermeiden will. Welchem Kurs sollte er im Allgemeinen folgen, und welche Gewinne kann er unter „durchschnittlichen, normalen Bedingungen" erwarten – wenn es derartige Bedingungen tatsächlich gibt? Zur Beantwortung dieser Fragen werden wir zunächst in Betracht ziehen, was wir zu diesem Thema vor sieben Jahren geschrieben haben. Anschließend werden wir untersuchen, welche bedeutsamen Veränderungen sich seither bei den zu Grunde liegenden Faktoren, die den zu erwartenden Gewinn beeinflussen, vollzogen haben. Und letztlich sollten wir überlegen, was wir tun und was wir unter den gegenwärtigen Bedingungen (Anfang 1972) erwarten sollten.

1. Was wir vor sechs Jahren sagten

Wir haben empfohlen, dass der Investor sein Vermögen auf hochklassige Anleihen und führende Aktien verteilen soll. Der Anteil, der in Anleihen angelegt wird, sollte 25 % nicht unter- und 75 % nicht überschreiten, was umgekehrt für den Anteil der Aktien gilt. Die einfachste Aufteilung wäre 50 : 50, mit Korrekturen, um das Gleichgewicht wiederherzustellen, wenn die Entwicklungen auf dem Markt das Verhältnis um etwa 5 % verändert haben. Als Alternative könnte der Investor auch den Anteil der Aktien auf 25 % reduzieren „wenn er das Gefühl hat, dass der Aktienmarkt gefährlich hoch gestiegen ist", und umgekehrt bis auf einen Anteil von 75 % erhöhen, „wenn er glaubt, dass ein Kursabschwung eine Aktie immer attraktiver macht".

Im Jahr 1965 konnte ein Anleger bei hochklassigen zu versteuernden Anleihen etwa 4,5 % und etwa 3,25 % bei nicht zu versteuernden Anleihen erzielen. Der Dividendengewinn der führenden Aktien (der Dow Jones Industrial Average stand bei 892) lag lediglich bei 3,2 %. Dies und andere Tatsachen gemahnten zur Vorsicht. Wir unterstellten, dass ein Investor unter „normalen Marktbedingungen" einen anfänglichen Dividendengewinn zwischen 3,5 % und 4,5 % mit Aktien erzielen sollte, zu dem noch ein stetig wachsender zugrunde liegender Wert (und bei „normalen Marktwert") einer repräsentativen Aktienauswahl um etwa den gleichen Betrag hinzukommen sollte, was einem jährlichen Gesamtgewinn (Dividende plus Kursgewinn) von 7,5 % entspräche. Die hälftige Aufteilung zwischen Anleihen und Aktien würde vor Steuern etwa 6 % Gewinn abwerfen. Wir fügten noch hinzu, dass der Aktienanteil einen gewissen Schutz gegen den Verlust der Kaufkraft bieten sollte, der durch eine hohe Inflationsrate verursacht werden könnte.

Es soll noch darauf hingewiesen werden, dass die oben berechnete Erwartung von einer wesentlich geringeren Kurssteigerung der Aktien ausging, als sie zwischen 1949 und 1964 erreicht wurde. Diese Steigerung betrug durchschnittlich mehr als 10 % bei den gelisteten Aktien, und es wurde allgemein als sicher angesehen, dass man auch in der Zukunft mit ähnlich zufrieden stellenden Ergebnissen rechnen könnte. Nur wenige waren damals bereit, ernsthaft die Möglichkeit in Betracht zu ziehen, dass die hohe Steigerungsrate in der Vergangenheit bedeuten könne, die Aktienkurse seien „nun zu hoch", und dass „die wunderbaren Ergebnisse seit 1949 nicht sehr gute, sondern *schlechte* Ergebnisse in der Zukunft bedeuten könnten"[6].

2. Was seit 1964 geschah

Die große Veränderung seit 1964 war der Anstieg der Zinssätze für erstklassige Anleihen auf Rekordniveau, obwohl sich die Kurse seit 1970 schon deutlich von ihren Tiefstständen erholt hatten. Mit guten Industrieanleihen konnte man nunmehr etwa 7,5 % erzielen und damit wesentlich mehr als die 4,5 % von 1964. In der Zwischenzeit stiegen die Dividendengewinne der Aktien, die im Dow Jones enthalten waren, auch während des Börsenabschwungs von 1969 bis 1970, doch im Augenblick (der Dow liegt bei 900) sind es weniger als 3,5 % im Vergleich zu 3,2 % zum Ende des Jahres 1964. Die Veränderung der aktuellen Zinsen verursachte in diesem Zeitraum einen Rückgang beim Marktkurs der mittelfristigen (20 Jahre) Anleihen um maximal 38 %.

In diesen Entwicklungen liegt ein paradoxer Aspekt. 1964 sprachen wir ausführlich über die Möglichkeit, dass die Aktienkurse zu hoch seien und letztlich stark fallen müssten. Wir zogen aber die Möglichkeit nicht speziell in Betracht, dass mit den Kursen der hochklassigen Anleihen das Gleiche passieren könnte. (Aber, soweit wir wissen, auch sonst niemand.) Auf Seite 90 warnten wir davor, dass „die Kurse langfristiger Anleihen als Reaktion auf Zinsveränderungen stark schwanken könnten". Im Lichte dessen, was seither geschehen ist, glauben wir, dass diese Warnung – mit entsprechenden Beispielen – nicht stark genug betont wurde. Denn es ist eine Tatsache: Wenn ein Investor 1964 zum Schlusskurs von 874 eine bestimmte Summe in den DJIA investiert hätte, dann hätte er am Ende des Jahres 1971 einen kleinen Gewinn verzeichnet; selbst auf dem geringsten Niveau (631) im Jahr 1970 wäre sein Verlust geringer gewesen als mit guten langfristigen Anleihen. Hätte er andererseits in US-Sparbriefe investiert, in kurzfristige Industrieanleihen oder in Sparkonten, hätte er keinen Verlust im Marktwert des eingesetzten Kapitals gehabt, und er hätte einen höheren Gewinn verzeichnet als mit guten Aktien. Es stellte sich somit heraus, dass echte Barwerte 1964 die bessere Anlage waren als Aktien - trotz der Erfahrung, dass bei einer Inflation, rein theoretisch, Aktien gegenüber Barwerten die bessere Anlage sind. Der Verlust im notierten Nennwert guter längerfristiger Anleihen entstand durch die Entwicklungen im Geldmarkt, einem schwer verständlichen Bereich, der normalerweise keinen großen Einfluss auf die Anlagestrategie von Privatanlegern hat.

Dies ist nur ein weiteres Beispiel für eine endlose Reihe von Erfahrungen, die bewiesen haben, dass Kurse von Wertpapieren nie vorhersehbar sind.[22] Fast immer schwankten die Kurse von Anleihen geringer als die von Aktien, und im Allgemeinen könnten Anleger gute Anleihen jeglicher Laufzeit kaufen, ohne sich über den Marktwert Sorgen machen zu müssen. Es gab einige Ausnahmen von der Regel, und der Zeitraum nach 1964 stellte sich als eine solche heraus. In einem späteren Kapitel werden wir mehr zu den Veränderungen bei den Kursen von Anleihen sagen.

3. Erwartungen und Strategien Ende 1971 und Anfang 1972

Gegen Ende des Jahres 1971 war es möglich, 8 % zu versteuernde Zinsen auf gute mittelfristige Industrieanleihen und von der Steuer befreite 5,7 % auf gute Landes- oder Kommunalanleihen zu bekommen. Im kurzfristigen Bereich konnte man mit US-Staatsanleihen mit einer Restlaufzeit von fünf Jahren etwa 6 % realisieren. Im letzteren Fall brauchte sich der Käufer keine Sorgen über einen möglichen Verlust im Marktwert zu machen, weil er sicher sein konnte, dass er am Ende einer relativ kurzen Haltezeit den gesamten Einsatz und 6 % Zinsen bekommen würde. Der Dow Jones warf auf einem nachgebenden Kursniveau von 900 nur 3,5 % ab.

Gehen wir, so wie in der Vergangenheit, nun davon aus, dass die grundlegende strategische Entscheidung darin besteht, wie man das Anlagevermögen zwischen hochklassigen Anleihen (oder anderen so genannten Barmitteln) und füh-

22 Bitten lesen Sie diese Aussage Grahams noch einmal und beachten Sie, was der größte Experte in Sachen Kapitalanlage sagt: Die Zukunft der Kurse von Wertpapieren ist niemals vorhersehbar. Und wie Sie weiter vorne schon gelesen haben, hat Graham nichts anderes im Sinn, als Ihnen zu helfen, sich mit dieser Tatsache auseinander zu setzen. Weil Sie das Verhalten der Märkte nie prognostizieren können, müssen Sie lernen, wie Sie Ihr eigenes Verhalten vorhersehen und kontrollieren.

renden Aktien, die im Dow enthalten sind, aufteilt. Welchen Kurs sollte ein Investor unter den derzeitigen Bedingungen einschlagen, wenn man keinen triftigen Grund hat, eine signifikante Aufwärts- oder Abwärtsbewegung in der nächsten Zeit vorherzusagen? Zuerst wollen wir feststellen, dass es keine ernsthaft nachteiligen Veränderung gibt; ein defensiver Investor sollte mit einer Dividende von 3,5 % auf seine Aktien rechnen können und auch mit einer jährlichen durchschnittlichen Kurssteigerung von 4 %. Später werden wir erklären, dass diese Wertsteigerung auf der Reinvestition der verschiedenen Unternehmen basiert, die jährlich in etwa den gleichen Betrag aus dem Gewinn einbehalten. Der Gesamtgewinn vor Steuern bei Aktien würde dann bei etwa 7,5 % liegen, etwas weniger als die Zinsen hochklassiger Anleihen.[23] Nach Steuern würde der durchschnittliche Gewinn bei Aktien etwa 5,3 % ausmachen [7]. Das wäre in etwa das Gleiche, was man derzeit für gute steuerfreie Anleihen mit mittlerer Laufzeit bekommt.

Diese Erwartungen sind für Aktien gegenüber Anleihen weit weniger günstig als in unserer Analyse von 1964. (Diese Schlussfolgerung ergibt sich zwangsweise aus der Tatsache, dass seit 1964 die Anleihenrendite weit höher gestiegen ist als die Rendite von Aktien.) Wir dürfen niemals die Tatsache aus den Augen verlieren, dass der Zins und der Anlagebetrag bei guten Anleihen wesentlich besser geschützt sind und sie somit auch sicherer sind als Dividenden und Kurssteigerungen bei Aktien. Folglich müssen wir daraus schließen, dass heute, gegen Ende des Jahres 1971, Anleihen den Aktien eindeutig vorzuziehen sind. Wenn wir sicher sein könnten, dass dies richtig ist, müssten wir dem defensiven Anleger raten, sein gesamtes Anlagekapital so lange in Anleihen zu investieren und nicht in Aktien, bis sich das Renditeverhältnis deutlich zu Gunsten von Aktien verändert hat.

Doch natürlich können wir nicht sicher sein, dass Anleihen besser sind als Aktien, so wie es heute aussieht. Der Leser wird sofort an den Faktor Inflation den-

---

23 Wie gut war Grahams Vorhersage? Auf den ersten Blick sieht es recht gut aus: Von Anfang 1972 bis Ende 1981 erzielten Aktien einen durchschnittlichen Gewinn von 6,5 %. (Graham sagte nichts über den Zeitraum, doch ist es plausibel anzunehmen, dass er von einem Zeitraum von zehn Jahren ausging. Allerdings wütete die Inflation in diesem Zeitraum mit jährlich 8,6 %, und fraß damit die gesamten Gewinn auf, den die Aktien einbrachten. In diesem Abschnitt des Kapitels, fasst Graham die „Gordon-Gleichung" zusammen, die im Wesentlichen besagt, dass der künftige Gewinn am Aktienmarkt aus der Summe des gegenwärtigen Dividendenertrags und des Gewinnwachstums besteht. Bei einem Dividendenertrag von knapp 2 % und einer Inflation von etwas über 2 % ist ein künftiger jährlicher Gewinn von etwa 6 % durchaus plausibel. (Siehe auch den Kommentar zu Kapitel 3.)

ken, der ein starkes Argument sein kann. Im nächsten Kapitel werden wir darlegen, dass unsere umfangreichen Erfahrungen mit der Inflation in den USA im Verlauf dieses Jahrhunderts, bei den derzeitigen Unterschieden in der Rendite, nicht zu Gunsten von Aktien gegenüber Anleihen sprechen würde. Doch besteht immer die Möglichkeit - obwohl wir es als eher unwahrscheinlich betrachten - einer sich beschleunigenden Inflation, was auf unterschiedliche Weise Aktien gegenüber Anleihen den Vorzug einräumen sollte, weil bei Anleihen immer nur ein fester Betrag ausbezahlt wird.[24] Es gibt aber auch die andere Möglichkeit - die wir ebenfalls für höchst unwahrscheinlich halten -, nämlich dass die amerikanische Wirtschaft ohne steigende Inflation so profitabel wird, dass ein deutlicher Wertanstieg der Aktien in den nächsten Jahren gerechtfertigt wäre. Letztlich gibt es noch die häufiger vorkommende Möglichkeit, dass wir Zeuge eines spekulativen Anstiegs des Aktienmarktes werden, ohne dass es dafür in den zu Grunde liegenden Werten einen Grund gibt. Jede dieser Ursachen könnte bei Investoren Bedauern darüber auslösen, dass sie sich zu 100 % auf Anleihen konzentriert haben, selbst wenn diese eine günstigeren Rendite aufweisen.

Deshalb empfehlen wir, nach der verkürzten Diskussion dieser wichtigen Fragen, noch einmal die gleiche grundlegende Kompromiss-Strategie für defensive Anleger, nämlich immer einen wesentlichen Teil ihres Anlagevermögens sowohl in Anleihen als auch in Aktien zu investieren. Es ist immer noch richtig, dass sie eine einfache 50:50-Aufteilung zwischen diesen beiden Komponenten wählen sollten, oder aber ein Verhältnis, abhängig von ihrer Einschätzung, das zwischen mindestens 25 % und höchstens 75 % variiert. Diese alternativen Konzepte werden wir in einem späteren Kapitel genauer betrachten.

Da derzeit der Gesamtgewinn mit Aktien nahezu gleich dem ist, der sich mit Anleihen erzielen lässt, würde sich der gegenwärtig zu erwartende Gewinn (einschließlich des Kursanstiegs der Aktien) für den Investor kaum ändern, ganz gleich, wie er sein Anlagevermögen auf diese beiden Komponenten aufteilt. Wie oben schon berechnet, sollte der Gesamtgewinn etwa 7,8 % vor Steuern oder 5,5 % nach Steuern (oder steuerfrei) ausmachen. Ein Gewinn in dieser Größen-

---

24 Seit 1997, als inflationsgeschützte Schatzbriefe eingeführt wurden, sind Aktien nicht automatisch die bessere Wahl für jene Anleger, die glauben, dass die Inflation zunehmen werde. Diese inflationsgeschützten Schatzbriefe steigen, anders als die üblichen Anleihen, wenn der Index der Verbraucherpreise nach oben geht, und machen den Anleger immun gegen inflationsbedingte Verluste. Aktien bieten keine derartige Garantie und sind tatsächlich nur ein schwacher Schutz gegen hohe Inflationsraten. (Weitere Einzelheiten finden Sie im Kommentar zu Kapitel 2.)

ordnung ist immer höher als der, den der normale konservative Investor lange Zeit realisieren konnte. Dies scheint nicht besonders attraktiv im Vergleich zu den 14 % Gewinn, die Aktien in den 20 Jahren des zwischen 1949 und 1969 vorherrschenden Bullenmarktes erzielten. Man sollte sich aber auch daran erinnern, dass sich der Kurs des Dow Jones zwischen 1949 und 1969 verfünffacht hat, während Gewinne und Dividenden sich nur verdoppelten. Somit beruhte der größte Teil des beeindruckenden Aufschwungs in dieser Zeit auf einer Veränderung in der Einstellung der Investoren und Spekulanten und weniger auf den zugrunde liegenden fundamentalen Werten der Unternehmen. Insoweit könnte man dies sehr wohl einen „sich selbst erzeugenden Vorgang" nennen.

Als wir über das Aktien-Portfolio eines defensiven Anlegers sprachen, ging es nur um die führenden Aktien, beispielsweise um die 30 im Dow Jones gelisteten Titel. Dies haben wir der Einfachheit halber getan – und nicht, weil nur diese 30 Titel allein für einen Kauf geeignet seien. Es gibt viele andere Unternehmen guter Qualität, die ebenso gut oder gar besser sind als diejenigen, die im Dow aufgeführt sind. Zu diesen zählen wir viele öffentliche Versorgungsunternehmen (die einen eigenen Dow-Jones-Index haben).[25] Doch wichtig hierbei ist, dass sich die Gesamtgewinne eines defensiven Investors wahrscheinlich nicht von denen einer diversifizierten oder repräsentativen Liste unterscheiden oder – genauer – dass weder er noch seine Berater mit Sicherheit vorhersagen können, welche Unterschiede sich letztlich entwickeln werden. Es stimmt, dass die Kunst des cleveren Investierens insbesondere in der Auswahl solcher Titel liegt, die bessere Ergebnisse vorweisen können als der Gesamtmarkt. Aus Gründen, auf die wir noch zurückkommen werden, sind wir skeptisch, dass defensive Anleger in der Lage sind, überdurchschnittliche Ergebnisse zu erzielen – was bedeuten würde, dass sie ihre eigene Performance überbieten müssten.[26] (Unsere Skepsis gilt auch in Bezug auf das Management großer Investmentfonds durch Experten.)

---

25 Heute sind die am weitesten verbreiteten Alternativen zum Dow Jones Industrial Average im Standard & Poor's-500-Index (dem S&P) und im Wilshire-5000-Index enthalten. Der S&P konzentriert sich auf 500 große und bedeutende Unternehmen, die etwa 70 % des gesamten Wertes des amerikanischen Aktienmarktes ausmachen. Der Wilshire 5000 verfolgt die Gewinne fast jeder signifikanten und bedeutenden Aktie in Amerika, insgesamt etwa 6.700 Unternehmen. Aber da die größten Unternehmen fast den gesamten Wert des Index bestimmen, gleicht der Gewinn des Wilshire 5000 normalerweise dem des S&P 500. Mehrere billige Investmentfonds ermöglichen es den Anlegern, sich an Unternehmen dieser Indizes als einzelnes, praktisches Portfolio zu beteiligen. (Siehe Kapitel 9.)

26 Siehe Seiten 382–385 und 397–401.

Wir möchten unsere Meinung an einem Beispiel darstellen, das auf den ersten Blick genau das Gegenteil zu beweisen scheint. Zwischen Dezember 1960 und Dezember 1970 stieg der DJIA (Dow Jones Industrial Average) um 36 % von 616 auf 839 Punkte. Doch im gleichen Zeitraum kletterte der wesentlich größere und stärker gewichtete S&P-Index von 58,11 auf 92,15 Punkte, was einer Steigerung von 58 % entspricht. Offensichtlich war die zweite Gruppe besser. Wer aber wäre 1960 so voreilig gewesen und hätte vorhergesagt, dass eine bunte Mischung von Aktien letztlich besser abschneiden würde als die edlen „30 Tyrannen" des Dow? All dies beweist, und darauf bestehen wir, dass nur selten jemand verlässliche Vorhersagen über künftige Kurse treffen kann - weder absolut noch relativ.

Wir wiederholen hier, ohne uns rechtfertigen zu wollen - denn Warnungen kann man nicht oft genug aussprechen -: Ein Investor kann nicht auf mehr als auf durchschnittliche Ergebnisse hoffen, wenn er Neuemissionen oder „heiße" Titel gleich welcher Art kauft. Damit sind die Papiere gemeint, die wegen schneller Gewinne empfohlen werden. Langfristig gesehen, ist fast immer das Gegenteil der Fall. Ein defensiver Investor muss sich auf die Aktien wichtiger Unternehmen mit einer langen Liste profitabler Geschäfte in gutem finanziellem Zustand beschränken. (Jeder Aktienanalyst, der sein Geld wert ist, könnte eine derartige Liste erstellen.) Aggressive Anleger können andere Arten von Aktien kaufen, doch sollten sie, nach einer gründlichen Analyse, wirklich attraktiv sein.

Zum Ende dieses Abschnitts möchten wir dem defensiven Anleger noch kurz drei zusätzliche Strategien aufzeigen. Die erste ist, Anteile bewährter Investmentfonds zu kaufen, anstatt sein eigenes Aktienportfolio einzurichten. Er könnte auch einen der „common trust funds" (Treuhänderfonds) oder Mischfonds wählen, die in vielen Bundesstaaten der USA von Treuhandgesellschaften und Banken gemanagt werden. Wenn er viel Vermögen anlegt, könnte er sich die Dienste einer anerkannten Vermögensverwaltung sichern. Diese bietet ihm eine professionelle Verwaltung seiner Investitionen nach genormten Vorgaben. Die dritte Möglichkeit ist das so genannte Cost Averaging, was bedeutet, dass man jeden Monat oder jedes Quartal einen bestimmten, immer gleich bleibenden Betrag in Aktien investiert. Somit kauft man, wenn die Kurse niedrig sind, mehr Anteile, als wenn sie hoch sind. Wahrscheinlich wird man insgesamt einen zufrieden stellenden Durchschnittspreis erzielen. Genau gesagt, ist diese Methode ein breiter angelegtes Konzept, das wir unter dem Begriff „Formula Investing" kennen. Auf Letzteres haben wir schon hingewiesen, als wir Ihnen vorschlugen, den Anteil der Aktien im Depot zwischen mindestens 25 % und höchstens 75 % zu variieren, immer im umgekehrten Verhältnis zum Geschehen am Markt. Diese Gedanken nutzen dem defensiven Anleger, und sie werden in späteren Kapiteln ausführlicher besprochen.[27]

Ergebnisse, die ein aggressiver Anleger erwarten darf

Unser professioneller Aktienkäufer wird natürlich bessere als nur durchschnittliche Gewinne wünschen und erwarten als sein defensiver oder passiver Mitstreiter. Zuerst jedoch muss er sicherstellen, dass seine Resultate nicht schlechter sind. Es ist kein großer Trick dabei, mit viel Energie, einem Studium und angeborenen Fähigkeiten an die Wall Street zu gehen und Verluste anstatt Gewinne einzufahren. Wenn diese Vorteile in die falsche Richtung gelenkt werden, können sie nicht mehr von den Nachteilen unterschieden werden. Deshalb ist es äußerst wichtig, dass ein professioneller Anleger mit einer klaren Planung beginnt, die beschreibt, welche Aktionen Chancen auf Erfolg bieten und welche nicht.

Zuerst aber wollen wir die verschiedenen Wege betrachten, auf denen es Investoren und Spekulanten im Allgemeinen schaffen, bessere als nur durchschnittliche Gewinne zu erzielen.

1. Trading. Dies bedeutet normalerweise, dass man Aktien kauft, wenn die Kurse steigen, und verkauft, wenn sie zu fallen beginnen. Die ausgewählten Aktien zählen wahrscheinlich zu denen, die sich besser „verhalten" haben als der Marktdurchschnitt. Einige Profis engagieren sich in Leerverkäufen. In diesem Fall verkaufen sie Papiere, die sie nicht besitzen, sondern die sie sich im Rahmen der etablierten „Börsen-Maschinerie" ausleihen. Ihr Ziel ist es, von einem darauf folgenden Kursverfall zu profitieren und die Aktien zu einem geringeren Kurs zurückzukaufen, als sie sie vorher verkauft haben. (Wie unser Zitat aus dem *Wall Street Journal* besagt, versuchen sich zuweilen sogar unbeleckte „Kleinanleger" – vergessen Sie diesen Begriff! – in dieser Disziplin.)

2. Aktienauswahl auf kurze Sicht. Damit meinen wir, dass man Aktien von Unternehmen kauft, die steigende Gewinne veröffentlichen oder von denen man annimmt, dass sie steigende Gewinne bekannt geben werden, oder von denen man glaubt, dass sich bei ihnen irgendeine andere günstige Entwicklung anbahnt.

---

27 Weitere Ratschläge zu bewährten Investmentfonds finden Sie in Kapitel 9. Die professionelle Verwaltung durch eine anerkannte Anlageberatungsfirma wird in Kapitel 10 beschrieben. Das Cost-Averaging wird in Kapitel 5 erläutert.

3. Aktienauswahl auf lange Sicht. Hier liegt normalerweise die Betonung auf einer hervorragenden Wachstumsentwicklung in der Vergangenheit, die sich wahrscheinlich auch in der Zukunft fortsetzen wird. In manchen Fällen kann sich auch ein „Investor" für Unternehmen entscheiden, die bisher noch keine beeindruckenden Ergebnisse erzielt haben, von denen man aber annimmt, das sie noch eine hohe Ertragskraft entwickeln werden. (Derartige Unternehmen findet man häufig im Technologiebereich - zum Beispiel Computer, Arzneimittel, Elektronik -, und sehr oft entwickeln sie neue Verfahren oder Produkte, die äußerst viel versprechend erscheinen.)

Über die Erfolgsaussichten eines Anlegers in diesem Bereich haben wir bereits eine negative Ansicht geäußert. Die erste haben wir, sowohl theoretisch als auch praktisch, aus dem Bereich Kapitalanlage ausgeschlossen. Der Handel mit Aktien ist nichts, „was, nach gründlicher Analyse, die Sicherheit des eingesetzten Kapitals und einen zufrieden stellenden Gewinn bietet". Mehr darüber erfahren Sie in einem späteren Kapitel über das Traden.[28]

Bei seinen Bemühungen, die aussichtsreichsten Aktien entweder für einen nur kurzen Zeitraum oder für längere Zeit zu finden, sieht sich der Anleger zwei Arten von Hindernissen gegenüber - das erste stammt aus der menschlichen Fehlbarkeit und das zweite aus der Art seiner Konkurrenz. Es könnte sein, dass er sich in seiner Einschätzung der Zukunft irrt; oder selbst wenn er Recht behält, könnte der aktuelle Kurs bereits das beinhalten, was er erwartet. Im Bereich der kurzfristigen Aktienauswahl sind die Jahresergebnisse des Unternehmens an der Wall Street allgemein bekannt; die Ergebnisse des nächsten Jahres, soweit sie vorhersehbar sind, werden schon ins Auge gefasst. Somit wird der Anleger, der seine Papiere hauptsächlich auf der Grundlage hervorragender Ergebnisse dieses Jahres auswählt oder weil man ihm sagt, was er nächstes Jahr erwarten kann, wahrscheinlich feststellen, dass andere Anleger aus den gleichen Gründen schon das Gleiche getan haben.

Wählt man Aktien wegen ihrer langfristigen Aussichten aus, dann sind die Nachteile auf der Seite der Anleger grundsätzlich die gleichen. Die Möglichkeit, dass man sich in seiner Einschätzung ganz einfach irrt - was wir anhand unseres Beispiels mit den Fluggesellschaften bereits dargestellt haben -, ist zweifellos größer, als wenn man es mit kurzfristigen Gewinnen zu tun hat. Weil die Experten in derartigen Vor-

28 Siehe Kapitel 8.

hersagen oft vom richtigen Weg abkommen, ist es theoretisch möglich, dass ein Investor davon profitiert, dass er die richtige Vorhersage trifft, wenn die Wall Street als Ganzes falsche Prognosen abgibt. Aber das ist reine Theorie: Wie viele professionelle Anleger können sich darauf verlassen, dass sie den Scharfsinn oder die prophetische Gabe haben, die professionellen Analysten in ihrem Lieblingsspiel zu schlagen – der Prognose langfristiger künftiger Gewinne?

Somit kommen wir zu folgender logischer, wenn auch beunruhigender Schlussfolgerung: Um sich eine einigermaßen vernünftige Chance ausrechnen zu können, stetig überdurchschnittliche Ergebnisse zu erzielen, muss der Anleger Strategien verfolgen, die (1) in sich vernünftig und viel versprechend und (2) an der Wall Street nicht üblich sind.

Gibt es für den Anleger derartige Strategien? In der Theorie: Ja. Und es gibt gute Gründe anzunehmen, dass die Antwort sich auch in die Praxis umsetzen lässt. Jeder weiß, dass spekulative Kursbewegungen in beide Richtungen, nach oben und nach unten, häufig zu weit ausschlagen. Dies gilt oft für den gesamten Markt, immer aber für einzelne Titel. Außerdem kann eine Aktie unterbewertet sein, weil sich niemand für sie interessiert oder weil es ungerechtfertigte, verbreitete Vorurteile gegen sie gibt. Wir können einen Schritt weiter gehen und feststellen, dass in einem erstaunlich großen Bereich des Aktienhandels diejenigen, die damit befasst sind – höflich ausgedrückt –, sich selbst nicht kennen. In diesem Buch werden wir zahlreiche Beispiele von (früheren) Diskrepanzen zwischen Kurs und Wert nennen. Somit hat es den Anschein, dass jeder intelligente Mensch mit ein bisschen Verständnis für Zahlen an der Wall Street Gewinne einstreichen kann, wenn er nur die Dummheit anderer Menschen ausnutzt. Zwar erweckt es diesen Anschein, doch irgendwie funktioniert das nicht so einfach. Kauft man einen vernachlässigten und deshalb unterbewerteten Titel, um vom Kursanstieg zu profitieren, so stellt sich das in der Regel als ein Geduldsspiel heraus. Verkauft man eine zu beliebte – und damit überbewertete – Aktie leer, so ist dies nicht nur eine Mutprobe und ein Ausdauertest, sondern auch eine Frage, wie prall gefüllt die Brieftasche ist.[29] Das Prinzip ist vernünftig, die erfolgreiche Umsetzung ist nicht unmöglich, jedoch eine Kunst, die nicht leicht zu beherrschen ist.

Es gibt auch noch eine große Gruppe von „Sondersituationen", wobei man davon ausgehen kann, dass sie über mehrere Jahre hinweg einen hübschen Jahresgewinn von 20 % oder mehr einbringen können, und das mit einem minimalen Risiko für diejenigen, die sich in diesem Bereich auskennen. Dazu gehören Kursunterschiede einer Aktie an verschiedenen Börsen (Arbitrage), Auszahlungen bei Unternehmensliquidationen, abgesicherte Termingeschäfte und anderes mehr. Der typische Fall ist eine vorgesehene Fusion oder Übernahme, wobei bestimmte Aktien einen deutlich höheren Wert einnehmen, wenn das Projekt bekannt wird. Die Anzahl solcher Geschäfte hat in den vergangenen Jahren deutlich zugenommen und sollte für Experten höchst profitabel gewesen sein. Doch mit der Vielzahl von Übernahmeangeboten kamen auch wesentlich mehr Hindernisse auf, sodass Fusionen oftmals nicht zustande kamen. Damit kam es auch zu etlichen Verlusten bei diesen Geschäften, die zuvor sehr verlässlich waren. Vielleicht wurde der Profit aber auch geschmälert, weil zu viel Konkurrenz aufkam.[30]

Die geringere Rentabilität dieser Sondersituationen stellt eine Art selbstzerstörerischen Vorgang dar - vergleichbar mit dem Gesetz der abnehmenden Gewinne, das sich seit der ersten Auflage dieses Buchs entwickelt hat. 1949 konnten wir Ihnen eine Studie der Schwankungen an den Börsen vorlegen, die sich auf die vorhergehenden 75 Jahre bezog und eine Formel bestätigte - auf der Grundlage der Gewinne und der aktuellen Zinssätze -, um ein Niveau zu bestimmen, zu dem man den DJIA unter seinem inneren oder intrinsischen Wert kaufen und über diesem Wert verkaufen konnte. Es handelte sich dabei um die Anwendung des Leitspruchs der Rothschilds: „Kaufe billig und verkaufe teuer."[31] Dieser hatte den Vorteil , dass er ge-

29 Mit Leerverkauf ist gemeint, dass man eine Wette eingeht, dass der Kurs einer Aktie fällt und nicht steigt. Der Leerverkauf vollzieht sich in drei Schritten: Erst borgen Sie sich Aktien von jemandem, der sie wirklich besitzt; dann verkaufen Sie die geliehenen Aktien sofort; und im letzten Schritt kaufen Sie diese Aktien später auf dem Markt wieder zurück und geben sie an den Eigentümer zurück. Wenn der Kurs fällt, können Sie die entliehenen Aktien billiger zurückkaufen. Die Differenz zwischen dem Kurs, zu dem Sie die geborgte Akte verkauft haben, und dem Kurs, zu dem Sie die Aktien später am Markt zurückgekauft haben, ist Ihr Bruttogewinn, der um die Dividende oder Zinsrate gekürzt wird. Abgezogen werden auch noch die Transaktionskosten, die der Broker verlangt. Wenn der Kurs der Aktie nicht fällt, sondern steigt, dann ist der potenzielle Verlust unbegrenzt - und deshalb sind Leerverkäufe für die meisten Privatanleger unvertretbar spekulativ.

30 Ende der 80er-Jahre, als feindliche Übernahmen und fremd finanzierte Unternehmenskäufe sich vervielfachten, errichtete man an der Wall Street Arbitrage-Schalter, um von den Irrtümern bei der Kursgestaltung bei diesen komplexen Geschäften zu profitieren. Diese Sache lief so gut, das die einfachen Gewinne verschwanden, und viele dieser Schalter wurden geschlossen. Obwohl Graham noch ein Mal darauf eingeht, ist diese Art des Handels für die meisten Anleger nicht mehr möglich oder nicht mehr angemessen, weil nur Multi-Millionen-Geschäfte groß genug sind, um lohnende Gewinne zu erzielen. Sehr wohlhabende Privatanleger und Institutionen können diese Strategie über Hedgefonds noch nutzen, die sich auf Fusionen oder Arbitragegeschäfte spezialisiert haben.

31 Die Familie Rothschild, angeführt von Nathan Mayer Rothschild, war die beherrschende Kraft im europäischen Investmentbanking und Brokergeschäft des 19. Jahrhunderts. Eine hervorragende Geschichte dazu schrieb Niall Ferguson in seinem Buch The House of Rothschild: Money's Prophets, 1798-1848 (Viking, 1998).

nau im Gegensatz zur tief verwurzelten und schädlichen Maxime der Wall Street stand, nach der man kaufen sollte, wenn die Kurse gestiegen, und verkaufen, weil die Kurse gefallen waren. Leider funktionierte diese Formel nach 1949 nicht mehr. Ein zweites Beispiel ist, nach einem Vergleich der angegebenen Ergebnisse für den Zeitraum von 1897 bis 1933 mit der wesentlich fragwürdigeren Performance seit 1934, die berühmte „Dow-Theorie" über die Kursbewegungen an der Börse.

Ein drittes und letztes Beispiel für die goldenen Chancen, die es derzeit nicht mehr gibt: Ein großer Teil unserer eigener Geschäfte an der Wall Street hatte sich auf den Erwerb von Schnäppchen konzentriert, die man ganz leicht an der Tatsache erkennen konnte, dass sie zu einem Kurs gehandelt wurden, der sogar noch unter dem Wert des Nettoumlaufvermögens lag, nicht eingerechnet die Werksgebäude und andere Vermögensteile und der Abzug aller noch ausstehenden Verbindlichkeiten. Es ist ganz klar, dass diese Titel zu einem Kurs gehandelt wurden, der weit unter dem Preis lag, den ein Privatunternehmer verlangen würde. Kein Firmeninhaber würde sein Eigentum zu einem so lächerlich geringen Preis verkaufen. Seltsamerweise waren derartige Abweichungen gar nicht so schwer zu finden. 1957 wurde eine Liste mit fast 200 Titeln dieser Art, die am Markt verfügbar waren, veröffentlicht. Auf verschiedene Weise stellten sich all diese Schnäppchen als rentabel heraus, und der durchschnittliche Jahresgewinn erwies sich als lukrativer als bei den meisten anderen Investitionen. Doch auch diese verschwanden im nächsten Jahrzehnt vom Markt, und damit ein zuverlässiger Bereich für kluge und erfolgreiche Geschäfte für professionelle Anleger. Allerdings gab es zu den niedrigen Kursen von 1970 wieder eine beträchtliche Anzahl solcher Papiere, die unter dem Wert des Umlaufvermögens gehandelt wurden, und trotz der starken Erholung des Marktes blieben am Jahresende noch genügend übrig, um damit ein ganzes Portfolio füllen zu können.

Der professionelle Investor hat auch unter den heutigen Bedingungen verschiedene Möglichkeiten, überdurchschnittliche Ergebnisse zu erzielen. Die lange Liste marktfähiger Wertpapiere muss eine ordentliche Zahl von Titeln enthalten, die nach logischen und zuverlässigen Normen als unterbewertet gelten. Diese sollten im Durchschnitt mehr als zufrieden stellende Resultate bringen als der DJIA oder jede ähnlich repräsentative Liste. Unserer Meinung nach lohnt sich aber der Aufwand nur, wenn der Anleger jährlich mindestens 5 % mehr als bei den übrigen Aktien in seinem Depot erwirtschaften kann. Wir werden versuchen, eines oder mehrere Konzepte zur Aktienauswahl zu entwickeln, die für einen aktiven Investor geeignet sind.

Kommentar zu Kapitel 1

> Alles Unheil dieser Welt geht davon aus, dass die Menschen nicht still in ihrer Kammer sitzen können.
>
> *Blaise Pascal*

Weshalb, glauben Sie, jubeln die Broker auf dem Parkett der New York Stock Exchange immer, wenn die Glocke erklingt, die den Schluss des Handelstages verkündet - ganz gleichgültig, wie der Markt sich an diesem Tag verhielt? Weil *sie*, immer wenn sie traden, Geld verdienen - unabhängig davon, ob Sie ebenfalls Geld verdient haben oder nicht. Wenn Sie, liebe Leser, spekulieren und nicht investieren, dann verringern Sie Ihre eigenen Chancen, Vermögen aufzubauen, und vergrößern die eines anderen.

Grahams Definition von „Investieren" könnte nicht deutlicher sein: „Eine Investition liegt dann vor, wenn sie, nach gründlicher Analyse, die Sicherheit des eingesetzten Kapitals und einen angemessenen Gewinn verspricht."[30] Beachten Sie, dass „Investieren" im Sinne von Graham aus drei gleichwertigen Teilen besteht:

- Sie müssen ein Unternehmen und die Zuverlässigkeit der zugrunde liegenden Geschäfte gründlich analysieren, bevor Sie die Aktie kaufen;
- Sie müssen sich ganz bewusst vor einem gravierenden Verlust schützen;
- Sie müssen eine „angemessene", jedoch keine überragende Rendite anstreben.

Ein Investor berechnet den Wert einer Aktie auf der Grundlage der Geschäfte des Unternehmens. Ein Spekulant wettet darauf, dass der Kurs steigt, weil irgendjemand bereit ist, mehr für die Aktie zu bezahlen. Wie Graham einmal sagte, beurteilen Investoren „den Marktwert nach bewährten Wertmaßstäben", während sich der Wert einer Aktie bei Spekulanten am Börsenkurs orientiert.[31] Für einen Spe-

---

30 Graham geht sogar noch weiter, indem er die Schlüsselbegriffe seiner Definition untermauert: „Gründliche Analyse" bedeutet „das Studium der Fakten im Lichte bewährter Standards von Wert und Sicherheit", während „Sicherheit des eingesetzten Kapitals" Schutz vor Verlust unter allen normalen und vernünftigerweise vorstellbaren Bedingungen oder Änderungen kennzeichnet und „angemessene" (oder „zufrieden stellende") Gewinne sich auf „jeden Prozentsatz oder Betrag eines Gewinns beziehen, ganz gleich, wie gering, solange der Investor sie akzeptiert, vorausgesetzt, er handelt mit hinreichender Intelligenz" (Security Analysis, 1934, S. 55 bis 56).

31 Security Analysis, 1934, S. 310.

kulanten ist der ständige Fluss der Notierungen wie Sauerstoff: Nimmt man ihn weg, dann stirbt er. Für Investoren sind die „notierten Werte", wie Graham sie nennt, weit weniger wichtig. Graham ermahnt sie dringend, nur dann zu investieren, wenn sie sich mit einer Aktie wohl fühlen, selbst wenn sie keine Möglichkeit hätten, den Tageskurs zu erfahren.[32]

Es ist wie beim Glücksspiel im Kasino oder bei der Pferdewette: An der Börse zu spekulieren kann spannend sein oder sogar lohnend (wenn Sie Glück haben). Es ist jedoch der denkbar schlechteste Weg, Ihr Vermögen aufzubauen. Und genau deshalb hat die Wall Street, ähnlich wie Las Vegas oder die Pferderennbahn, die Chancen so eingerichtet, das letztlich immer das Haus gewinnt - und das gegen jeden, der den Versuch unternimmt, gegen das Haus in seinem ihm eigenen spekulativen Spiel zu gewinnen.

Andererseits ist das Investieren eine einzigartige Art von Kasino - eines, in dem Sie letztendlich nicht verlieren können, solange Sie sich an die Spielregeln halten, die die Chancen zu Ihren Gunsten wenden. Menschen, die investieren, verdienen Geld für sich selbst, Menschen, die spekulieren, verdienen Geld für den Broker. Und das wiederum ist der Grund, weshalb die Wall Street immer die beständigen Vorteile des Investierens herunterspielt und den prunkvollen Reiz der Spekulation betont.

Unsicher mit hoher Geschwindigkeit

Wenn man Spekulation mit Investition verwechsle, warnt Graham, dann sei das immer ein Fehler. In den 90er-Jahren führte diese Verwechslung zur Massenvernichtung von Kapital. Fast jeder, so hat es den Anschein, hatte plötzlich die Geduld verloren, und Amerika wurde zu einem Land der Spekulation, besiedelt mit Tradern, die von Aktie zu Aktie sprangen wie Heuschrecken im August auf einer Blumenwiese.

Die Menschen fingen an zu glauben, dass der Test einer Anlagetechnik lediglich darin bestünde, dass sie „funktioniert". Wenn sie in irgendeinem Zeitraum bessere Ergebnisse brachte als der Gesamtmarkt, gleichgültig, wie gefährlich oder dumm eine Taktik war, dann prahlten die Leute, dass sie „Recht" hätten. Doch der

---

32 Wie Graham in einem Interview riet: „Fragen Sie sich selbst: Wenn es keinen Markt für diese Aktie gäbe, würde ich dann unter diesen Bedingungen ebenfalls in dieses Unternehmen investieren?" (Forbes, 1. Januar 1972, S. 90.)

intelligente Investor hat kein Interesse daran, nur vorübergehend „Recht" zu haben. Um Ihre langfristigen finanziellen Ziele zu erreichen, müssen Sie nachhaltig und zuverlässig Recht behalten. Die Techniken, die in den 90er-Jahren „in" wurden – Day-Trading, das Ignorieren der Diversifikation im Portfolio, durchgeknallte heiße Investmentfonds, „Systeme" zur Aktienauswahl –, schienen zu funktionieren. Doch hatten sie keine Chance, sich langfristig durchzusetzen, weil sie nicht alle drei Kriterien erfüllten, die Graham an Investitionen knüpfte.

Um zu sehen, weshalb zeitweise hohe Gewinne überhaupt nichts beweisen, stellen Sie sich zwei Orte vor, die 200 Kilometer voneinander entfernt liegen. Wenn ich mit dem Auto die Höchstgeschwindigkeit von 100 km/h beachte, kann ich die Strecke in zwei Stunden schaffen. Wenn ich aber mit 200 km/h fahre, dann schaffe ich diese Distanz innerhalb einer Stunde. Wenn ich dies versuche und überlebe: Habe ich dann Recht? Sollten Sie der Versuchung nicht widerstehen können und es auch ausprobieren wollen, weil Sie hören, wie ich prahle, dass es funktioniert? Glänzende Tricks, um den Markt zu schlagen, sind genau das Gleiche: Auf kurzen Strecken, solange Ihr Glück anhält, funktionieren sie. Langfristig jedoch werden Sie sich damit umbringen.

1973, als Graham letztmalig *Intelligent investieren* überarbeitete, lag die jährliche Umschlagsquote an der NYSE bei 20 %, was bedeutet, dass der typische Aktionär eine Aktie fünf Jahre lang hielt, bevor er sie verkaufte. Im Jahr 2002 übertraf die Umschlagsquote 105 %, was einer Haltezeit von 11,4 Monaten entspricht. Damals, 1973, hielt der durchschnittliche Investmentfonds seine Aktien fast drei Jahre lang; 2002 war dieser Zeitraum auf nur 10,9 Monate geschrumpft. Es sieht so aus, als würden die Fondsmanager ihre Aktien gerade einmal so lange beobachten, bis sie herausfinden, dass sie sie gar nicht hätten kaufen sollen; dann verkaufen sie diese umgehend und beginnen von vorn.

Selbst die angesehensten Vermögensverwaltungen wurden kribbelig. Anfang 1995 hatte Jeffrey Vinik, der Manager von Fidelity Magellan (damals der größte Investmentfonds der Welt), 42,5 % seines Vermögens in Technologie-Aktien investiert. Vinik verkündete, dass die meisten seiner Anteilsinhaber „in den Fonds investiert haben, um Ziele zu erreichen, die noch Jahre entfernt sind ... Ich glaube, ihre Ziele sind die gleichen wie die meinigen, und dass sie, so wie ich, vermuten, dass ein langfristiges Konzept am besten ist". Doch ein halbes Jahr, nachdem er diese edel anmutenden Worte geschrieben hatte, verkaufte Vinik seine gesamten Technologie-Aktien, wobei er innerhalb von acht ekstatischen Wochen Papiere im Wert von nahezu 19 Milliarden $ auf den Markt warf. So viel zum Thema „langfristig"! Und im Jahr 1999 drängte Fidelitys Discount-Broker-Abteilung ihre Kunden, überall und jederzeit zu traden und dazu einen Minicomputer zu benutzen - was genau dem neuen Werbeslogan der Firma entsprach: „Jede Sekunde zählt."

Abb. 1-1: Aktien in Höchstgeschwindigkeit

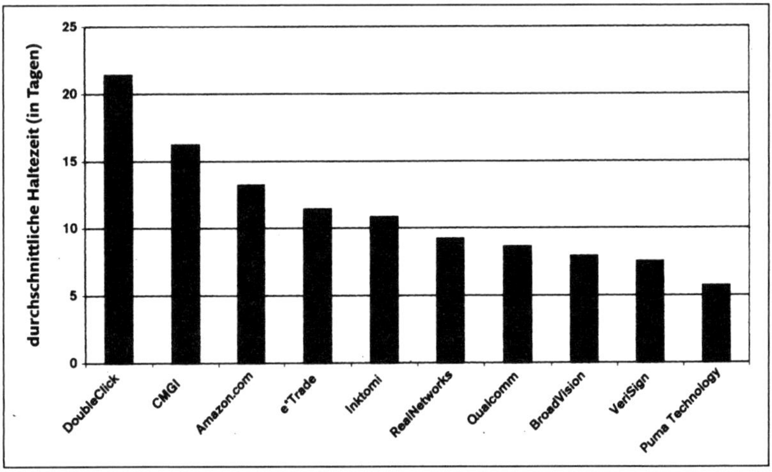

Und an der NASDAQ erreichte der Umschlag WARP-Geschwindigkeit, wie die Abbildung 1-1 zeigt.[33]

Im Jahr 1999 wechselten beispielsweise die Aktien von Puma Technology innerhalb von durchschnittlich 5,7 Tagen den Besitzer. Trotz des grandiosen Mottos der NASDAQ - „Die Börse der nächsten hundert Jahre" - hielten viele Kunden ihre Aktien kaum hundert Stunden.

Das finanzielle Videospiel

Die Wall Street ließ das Online-Trading wie eine Hochgeschwindigkeits-Gelddruckerei erscheinen: Discover Brokerage, der Online-Zweig des ehrwürdigen Bro-

33 Quelle: Steve Galbraith, Sanford C. Bernstein & Co. Research Report, 10. Januar 2000. Die Aktien in dieser Abbildung hatten im Jahr 1999 einen durchschnittlichen Gewinn von 1.196,4 % erzielt. Im Jahr 2000 verloren sie durchschnittlich 79,1 %, 35,5 % im Jahr 2001 und 44,5 % im Jahr 2002, wodurch die Gewinne von 1999 vernichtet wurden, und noch ein wenig mehr.

kerhauses Morgan Stanley, ließ einen TV-Werbespot laufen, in dem ein vergammelter Lastzugfahrer einen reich aussehenden Manager mitnimmt. Dann wurde ein Foto, auf dem ein tropischer Strand abgebildet war, auf dem Armaturenbrett gezeigt, und der Manager fragt: „Urlaub?" - „Nein, das ist mein Zuhause", antwortet der Lastzugfahrer. Überrascht sagt der Mann im Anzug: „Sieht ja aus wie eine Insel." Mit stillem Triumph antwortet der Fahrer: „Rein technisch gesehen ist es eher ein ganzes Land."

Die Propaganda ging weiter. Online-Trading würde keine Arbeit machen und auch kein Nachdenken erfordern. Ein Fernsehwerbespot von Ameritrade, dem Online-Broker, zeigte zwei Hausfrauen, die gerade vom Joggen zurückkehrten; eine loggt sich in ihren Computer ein, einige Mausklicks später jubelte sie: „Ich glaube, ich habe gerade 1.700 $ verdient!" In einem Werbespot für die Brokerfirma Waterhouse fragte jemand den Basketballtrainer Phil Jackson: „Wissen Sie etwas über den Trade?" Seine Antwort: „Ich werde ihn gleich abwickeln." (Wie viele Spiele hätten Jacksons NBA-Teams gewonnen, wenn er mit dieser Philosophie an den Spielfeldrand gegangen wäre? Irgendwie, ohne etwas über das gegnerische Team zu wissen, sondern nur zu sagen, „Wir werden gleich gegen sie gewinnen", hört sich nicht so an, als sei dies das Rezept für die Meisterschaft.)

1999 tradeten mindestens sechs Millionen Menschen online - und grob geschätzt jeder zehnte davon widmete sich dem „Day-Trading", nutzte das Internet, um Aktien mit Lichtgeschwindigkeit zu kaufen und zu verkaufen. Jeder, von Barbra Streisand aus dem Showgeschäft bis zu Nicholas Birbas, einem 25-jährigen früheren Kellner aus Queens, warf mit Aktien um sich wie mit heißen Kohlen. „Früher", spottete Birbas, „legte ich langfristig an, und ich musste feststellen, dass dies nicht besonders schlau war." Nunmehr tradete Birbas bis zu zehn Mal täglich und erwartete, innerhalb eines Jahres 100.000 $ zu verdienen. „Ich kann es nicht ausstehen, in meiner Gewinn-/Verlustrechnung rote Zahlen zu sehen", schauderte es Barbra Streisand in einem Interview mit *Fortune*. „Ich bin Taurus, der Bulle, und deshalb reagiere ich auf Rot. Wenn ich Rot sehe, dann verkaufe ich schnell meine Aktien."[34]

Der ständige Datenzufluss über Aktien in Bars, Friseursalons, Küchen und Cafés, Taxis und Autobahnraststätten - Finanzseiten im Internet machten aus dem

34 Anstatt in die Sterne zu gucken, hätte Streisand besser Kontakt zu Graham im Jenseits gesucht. Der intelligente Investor verschleudert seine Aktien niemals, nur weil der Kurs gefallen ist. Er fragt immer zuerst, ob sich am Wert des entsprechenden Unternehmens etwas geändert hat.

Aktienmarkt ein ununterbrochenes nationales Videospiel. Die Öffentlichkeit fühlte sich über die Börsen besser informiert als je zuvor. Doch während die Menschen in den Daten fast ertranken, hatte leider niemand auch nur den blassesten Schimmer davon, was sie bedeuteten. Aktien wurden von den Unternehmen völlig losgelöst – reine Abstraktionen, nur Blips, die sich über den Bildschirm eines Fernsehers oder eines Computers bewegten. Solange die Blips sich aufwärts bewegten, zählte nichts anderes.

Am 20. Dezember 1999 gab Juno Online Services einen bahnbrechenden Geschäftsplan bekannt: absichtlich so viel Geld wie möglich zu verlieren. Juno publizierte, dass es von nun an alle Verkaufsdienstleistungen kostenlos anbieten würde – keine Gebühr für E-Mails, keine Gebühr für den Internetzugang – und dass es im kommenden Jahr Millionen von Dollars für Werbung ausgeben würde. Nach dieser Erklärung eines Unternehmens-Harakiri schoss Junos Aktie innerhalb von zwei Tagen von 16,375 $ auf 66,75 $.[35]

Weshalb sollte man lernen, ob ein Unternehmen gewinnbringend ist oder welche Güter oder Dienstleistungen ein Unternehmen produziert oder wer das Unternehmen leitet, oder sogar, wie das Unternehmen heißt? Alles, was man über Aktien wissen muss, ist das Tickersymbol: CBLT, INKT, PCLN, TGLO, VRSN, WBVN.[36] Auf diese Weise konnte man sie sogar noch schneller kaufen, ohne die nervtötende Verspätung von zwei Sekunden, um sie mit einer Internet-Suchmaschine zu finden. Gegen Ende 1998 verdreifachte sich der Aktienkurs einer winzigen, selten gehandelten Gebäude-Instandhaltungsfirma, Temco Services, innerhalb von einigen Minuten bei rekordverdächtigen Umsätzen. Weshalb? In einer bizarren Form von finanzieller Legasthenie kauften Tausende von Tradern Temco, weil sie das Tickersymbol TMCO mit dem von Ticketmaster Online (TMCS), einem Liebling des Internet, verwechselten, dessen Aktie an diesem Tag erstmalig gehandelt wurde.[37]

Oscar Wilde witzelte, dass ein Zyniker „den Preis von allem kennt, jedoch den Wert von nichts". Nach dieser Definition ist die Aktienbörse immer zynisch, doch

---

35 Nur ein Jahr später war der Kurs der Juno-Aktien auf 1,093 $ geschrumpft.

36 Ein Tickersymbol ist eine Abkürzung für den Namen einer Aktiengesellschaft, normalerweise ein bis vier Buchstaben lang, das als Kürzel verwendet wird, um eine Aktie beim Handel zu identifizieren.

37 Dies war kein einmaliger Vorfall; bei mindestens drei weiteren Gelegenheiten kam es in den späten 90er-Jahren dazu, dass Trader die falsche Aktie in die Höhe schießen ließen, als sie ein Tickersymbol mit dem einer neuen Internetfirma verwechselten.

was sich Ende der 90er-Jahre abspielte, hätte selbst Oscar Wilde schockiert. Eine einzige unausgegorene Meinung über den *Kurs* konnte den Aktienkurs eines Unternehmens verdoppeln, selbst wenn der *Wert* des Unternehmens überhaupt nicht geprüft wurde. Gegen Ende 1998 warnte Henry Blodget, ein Analyst bei CIBC Oppenheimer, dass „wie bei allen Internet-Aktien eine Bewertung eher eine Kunst als eine Wissenschaft" sei. Dann erwähnte er nur die Möglichkeit künftigen Wachstums und setzte das „Kursziel" für Amazon.com mit einem Schlag von 150 $ auf 400 $ hoch. An diesem Tag machte Amazon.com einen Kurssprung um 19 %, und – trotz Blodgets Protest, sein Kursziel sei eine Prognose für ein ganzes Jahr – die Aktie raste innerhalb von drei Wochen auf über 400 $. Ein Jahr später sagte der Analyst Walter Piecyk von PaineWebber voraus, dass die Aktie von Qualcomm in den nächsten zwölf Monaten auf über 1.000 $ steigen würde. Die Aktie – die in diesem Jahr schon um 1.842 % zugelegt hatte – kletterte an diesem Tag noch einmal um 31 % auf 659 $.[38]

Von der Formel ins Fiasko

Doch zu traden, als würden die Unterhosen brennen, ist nicht die einzige Form der Spekulation. Während des vergangenen Jahrzehnts wurde für eine spekulative Formel nach der anderen geworben, sie wurde populär gemacht und dann beiseite geworfen. All diese Formel hatten einige Charakteristika gemeinsam – Das ist schnell! Das ist einfach! Und es wird auch nicht wehtun! –, und alle verletzten zumindest eines der Unterscheidungsmerkmale Grahams zwischen Spekulation und Investition. Hier nun einige der modischen Formeln, die letztlich zu einer Bruchlandung führen:

- **Profitieren nach dem Kalender**. Der „Januar-Effekt" – also die Tendenz kleinerer Aktien, um den Jahreswechsel herum hohe Gewinne zu verzeichnen – wurde in gelehrten Artikeln und populären Büchern in den 80er-Jahren weit verbreitet. Diese Studien zeigten, dass man, wenn man in der zweiten Dezember-Hälfte in kleine Aktien einsteigt und sie bis in den Januar hinein hält, den Markt um 5 bis 10 % schlagen kann. Das erstaunte viele Experten. Immerhin, wenn das so einfach wäre, würden dies bald alle wissen, viele würden es tun, und die Chance würde allmählich verschwinden.

38 In den Jahren 2000 und 2001 verloren Amazon.com und Qualcomm insgesamt 85,8 % beziehungsweise 71,3 % ihres Wertes.

Was verursachte den Januar-Sprung? Vor allen Dingen verkaufen viele Anleger ihre lausigsten Aktien am Ende des Jahres, um damit Verlust zu machen und so Steuern zu sparen. Zweitens werden professionelle Vermögensverwalter vorsichtiger, wenn sich das Jahr dem Ende zuneigt, und sie versuchen, ihre gute Performance zu erhalten (oder ihre schwache Performance zu verringern). Deshalb zögern sie, eine Aktie zu kaufen (oder sie zu behalten), wenn deren Kurs fällt. Und wenn eine schwache Aktie auch noch klein und unbedeutend ist, dann wird ein Vermögensverwalter noch weniger wollen, sie zum Jahresende in seinem Bestand zu haben. All diese Faktoren machen kleine Aktien zu finanziellen Schnäppchen; wenn der Verkauf aus steuerlichen Gründen nicht mehr gegeben ist, steigen die Kurse dieser Aktien im Verlauf des Januar wieder und bringen solide und schnelle Gewinne mit sich.

Der Januar-Effekt ist nicht verschwunden, doch wurde er schwächer. Nach William Schwert, einem Professor der Finanzwissenschaften an der University of Rochester, hätten Sie in der Zeit von 1962 bis 1979, wenn Sie gegen Ende Dezember kleine Aktien gekauft und sie Anfang Januar wieder verkauft hätten, den Markt um 8,5 % geschlagen, von 1980 bis 1989 um 4,4 % und von 1990 bis 2001 um 5,8 %.[39]

Als mehr Anleger den Januar-Effekt entdeckten, kauften mehr Trader im Dezember kleine Aktien, wodurch sie teurer und damit auch die Gewinne geringer wurden. Außerdem ist der Januar-Effekt bei den kleinsten Aktien am größten – doch nach Aussage der Plexus Group, einer führenden Autorität auf dem Gebiet der Transaktionskosten, können sich die Kosten für Kauf und Verkauf solch kleiner Aktien bis auf 8 % des investierten Kapitals belaufen.[40] Leider werden, sobald Sie Ihren Broker bezahlt haben, die Gewinne des Januar-Effekts hinweggeschmolzen sein.

- **Tun, „was funktioniert"**. 1996 veröffentlichte James O´Shaughnessy, ein unbedeutender Vermögensverwalter, ein Buch mit dem Titel *What Works on Wall Street*. Darin behauptet er, dass „Anleger *viel besser* sein könnten als der Gesamtmarkt". O´Shaughnessy stellte eine erstaunliche Behauptung auf: Bei einem Einsatz von 10.000 $ hätte man von 1954 bis 1994 8.074.504 $ ma-

39 Schwert diskutiert diese Ergebnisse in einem hervorragenden Untersuchungsbericht, „Anomalies and Market Efficiency", verfügbar unter http://schwert.ssb.rochester.edu/papers.htm.

40 Siehe Plexus Group Commentary 54, „The Official Icebergs of Transaction Costs", Januar 1998 unter www.plexusgroup.com/fs_research.html.

chen und damit den Markt um das Zehnfache schlagen können, ein Gewinn von durchschnittlich 18,2 % jährlich. Wie? Indem man einen Korb von 50 Aktien kauft, nämlich diejenigen mit den höchsten Jahresgewinnen, mit fünf Jahren ununterbrochener Gewinnsteigerung und einem Kurs, der weniger als das 1,5fache des Unternehmensertrags ausmacht.[41] So, als ob er der Edison der Wall Street wäre, erhielt er das US-Patent Nr. 5 978 778 für seine „automatisierten Strategien" und gründete eine Gruppe mit vier Investmentfonds, die nach seinen Erkenntnissen arbeiteten. Ende 1999 hatte die Öffentlichkeit mehr als 175 Millionen $ in die Fonds eingezahlt – und in seinem Jahresbericht für die Anteilinhaber stellte O'Shaughnessy großspurig fest: „Wie immer hoffe ich, dass wir zusammen unsere langfristigen Ziele erreichen können, wenn wir unseren Kurs halten und bei unseren bewährten Anlagestrategien bleiben."

Doch „What works on Wall Street" funktionierte nicht mehr, nachdem O'Shaughnessy sein Buch veröffentlicht hatte. Wie Sie in Abbildung 1-2 sehen können, liefen zwei seiner Fonds so schlecht, dass sie Anfang 2000 geschlossen wurden, und der Gesamtmarkt (gemessen am S&P 500) übertraf jeden dieser Fonds innerhalb von vier Jahren fast zu jeder Zeit.

Im Juni 2000 näherte sich O'Shaughnessy seinen „langfristigen Zielen", nachdem er seine Fonds einem neuen Manager übergab und seine Kunden mit diesen „bewährten Anlagestrategien" sich selbst überließ.[42] O'Shaughnessys Anteilsinhaber müssten sich weniger aufregen, hätte er für sein Buch einen genaueren Titel gewählt – beispielsweise „Was an der Wall Street funktionierte ... bis ich dieses Buch geschrieben habe".

- **Den „Foolish Four" folgen**. Mitte der 90er-Jahre regte die Website (und einige Bücher) von Motley Fool eine Technik an, die sie „The Foolish Four" nannten. Nach Motley Fool würden „Sie in den letzten 25 Jahren die Indizes in die Pfanne gehauen haben" und könnten „Ihre Investmentfonds vernichten",

41 James O'Shaughnessy, What Works on Wall Street (McGraw-Hill, 1996), Seiten XVI, 273–295.

42 Mit bemerkenswerter Ironie begannen die beiden überlebenden O'Shaughnessy-Fonds (heute unter dem Namen Hennessy-Fonds), sich recht gut zu entwickeln, genau zu dem Zeitpunkt, als O'Shaughnessy bekannt gab, dass er das Management einem anderen Unternehmen übertragen würde. Die Anteilhaber der Fonds waren wütend. In einem Chatroom bei Morningstar.com ließ einer Dampf ab: „Ich vermute, dass langfristig für O'S drei Jahre bedeutet. ... Ich kann euren Schmerz mitempfinden, auch ich habe dieser Methode vertraut ... Ich habe mehreren Freunden und Verwandten von diesem Fonds erzählt, und nun bin ich froh, dass sie meinem Rat nicht gefolgt sind."

Abb. 1-2: Was an der Wall Street funktionierte ...

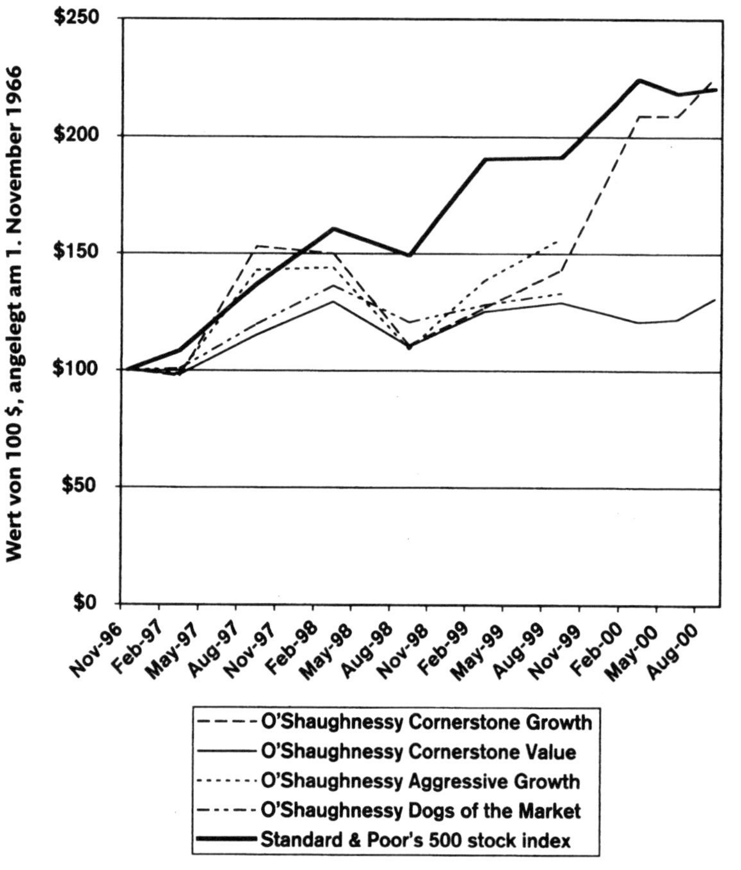

Quelle: Morningstar, Inc.

wenn Sie jährlich nur 15 Minuten für die Planung Ihrer Kapitalanlagen übrig hätten. Und das Beste daran, diese Technik berge nur „ein minimales Risiko". Sie brauchten nur Folgendes zu tun:

- Nehmen Sie die fünf Aktien aus dem DJIA mit den niedrigsten Kursen und den höchsten Dividenden.
- Streichen Sie die Aktie mit dem niedrigsten Kurs.
- Legen Sie 40 % Ihres Geldes in die Aktie mit dem zweitniedrigsten Kurs an.
- Legen Sie jeweils 20 % in die übrigen drei Aktien an.

- Ein Jahr später sortieren Sie den Dow auf die gleiche Art und Weise und erneuern Ihr Portfolio entsprechend den ersten vier Schritten.
- Wiederholen Sie diesen Vorgang so lange, bis Sie reich sind.

Motley Fool behauptete, dass diese Technik in einem Zeitraum von 25 Jahren den Gesamtmarkt um bemerkenswerte 10,1 % jährlich geschlagen hätte. In den nächsten zwei Jahrzehnten, so behauptete das Unternehmen, würden 20.000 $, die in die „Foolish Four" investiert würden, auf 1.791.000 $ anwachsen. (Und, so schlussfolgerte es, Sie könnten noch besser abschneiden, wenn Sie die fünf Aktien des Dow mit der höchsten Dividendenrendite im Verhältnis zur Quadratwurzel des Aktienkurses auswählten, diejenige mit dem höchsten Ergebnis streichen und die nächsten vier kaufen.)

Betrachten wir einmal, ob diese „Strategie" die Kriterien als Investition nach Graham erfüllt:

- Welche Art von „sorgfältiger Analyse" könnte rechtfertigen, dass die Aktie mit dem attraktivsten Kurs und der höchsten Dividende gestrichen wird - doch die vier Aktien behalten werden, die weniger dieser wünschenswerten Eigenschaften aufweisen?
- Wie kann es sein, dass es sich um „ein minimales Risiko" handelt, wenn man 40 % des Anlagekapitals auf eine einzige Aktie setzt?
- Und wie sollte man ein Portfolio, das aus nur vier Aktien besteht, so ausreichend diversifizieren, um die Sicherheit des eingesetzten Kapitals zu gewährleisten?

Kurz und bündig: „The Foolish Four" war eine der wertlosesten Formel zur Aktienauswahl, die jemals ausgeheckt wurden. Die „Fools" machten den gleichen Fehler wie O'Shaughnessy: Wenn man eine große Menge von Daten lange genug betrachtet, dann wird man auch eine große Anzahl von Mustern entdecken - wenn auch nur zufällig. Allein durch glücklichen Zufall werden die Unternehmen, die überdurchschnittliche Ergebnisse erwirtschaften, vieles gemeinsam haben. Doch wenn diese Faktoren nicht dazu beitragen, dass die Aktie überdurchschnittlich gut läuft, dann kann man sie auch nicht verwenden, um damit künftige Gewinne zu prognostizieren.

Keiner der Faktoren, die Motley Fools mit solch einem Rummel „entdeckte" - Streichen der besten Aktie, doppelten Einsatz auf die zweitbeste Aktie, Dividieren der Dividendenrendite durch die Quadratwurzel des Aktienkurses -, könnte die künftige Performance einer Aktie erklären. Die Zeitschrift *Money* fand heraus, dass ein Portfolio, das aus Aktien besteht, in deren Name kein Buchstabe zwei Mal vorkommt, eine in etwa ebenso gute Performance hat wie das der Foolish Four – und aus demselben Grund: ausschließlich Glück.[43] Wie Graham nie aufhört, uns daran zu erinnern: Aktien laufen in der Zukunft nur gut oder schlecht, weil die zugehörigen Unternehmen gut oder schlecht laufen – nicht mehr und nicht weniger.

Es ist ganz sicher, dass die Foolish Four, anstatt den Markt zu zerlegen, Tausende von Menschen zerlegten, die so dumm waren zu glauben, dass dies eine Form der Kapitalanlage sei. Allein im Jahr 2000 machten die Aktien der Foolish Four – Caterpillar, Eastman Kodak, SBC und General Motors – einen Verlust von 14 %, während der Dow lediglich 4,7 % verlor.

Wie diese Beispiele zeigen, gibt es nur eines, was nie unter einem Bärenmarkt an der Wall Street leidet: dumme Ideen. Jedes dieser so genannten Anlagekonzepte fiel Grahams Gesetz zum Opfer. Alle mechanischen Formeln, die eine bessere Performance versprechen, sind „eine Art von selbstzerstörerischem Vorgang – ähnlich dem Gesetz der schwindenden Gewinne". Es gibt zwei Ursachen für den Schwund. Wenn die Formel nur eine zufällige statistische Grundlage hat (wie die Foolish Four), dann wird allein die Zeit aufdecken, dass sie von Anfang an keinen Sinn machte. Wenn die Formel tatsächlich in der Vergangenheit funktionierte (wie der Januar-Effekt) und dann veröffentlicht wird, so werden die Börsenexperten immer dafür sorgen, dass dies in der Zukunft nicht mehr vorkommen wird.

All dies bestärkt Grahams Warnung, dass Sie Spekulationen so behandeln müssen wie alte Spieler ihre Besuche im Kasino:

- Sie dürfen sich selbst nie täuschen und denken, dass Sie investieren, wenn Sie in Wirklichkeit spekulieren.
- Spekulation wird in dem Augenblick tödlich, wenn Sie anfangen, sie ernst zu nehmen.
- Sie müssen den Betrag, den Sie bereit sind, aufs Spiel zu setzen, strikt begrenzen.

Ebenso, wie vernünftige Spieler beispielsweise nur 100 $ in den Spielsaal mitnehmen und den Rest ihres Geldes im Safe des Hotelzimmers lassen, so widmet der Investor nur einen winzigen Teil des gesamten Portfolios einem „Konto für Ver-

43 Siehe Jason Zweig: „False Profits", Money, August 1999, S. 55 bis 57. Eine ausführliche Diskussion über die Foolish Four finden Sie auch unter www.investorhome.com/fool.htm.

rücktheiten". Für die meisten von uns gilt, dass maximal 10 % des Vermögens einem spekulativen Risiko ausgesetzt werden dürfen. *Niemals* aber dürfen Sie zulassen, dass spekulatives Denken Ihre Kapitalanlage beeinflusst, und niemals sollten Sie mehr als 10 % Ihres Vermögens aufs Spiel setzen, gleichgültig, was geschehen mag.

In jedem Fall ist der Spieltrieb ein Teil der menschlichen Natur - und deshalb ist es für die meisten Menschen aussichtslos, auch nur zu versuchen, diesen Trieb zu unterdrücken. Sie müssen ihn aber in Grenzen halten und ihn beherrschen. Die allerbeste Möglichkeit, sich ganz sicher nicht selbst zum Narren machen, ist, dass Sie Spekulation nie mit Investition verwechseln.

Kapitel 2

Der Investor und die Inflation

Über Inflation und um den Kampf dagegen wurde in den vergangenen Jahren immer wieder öffentlich nachgedacht. Der Schwund der Kaufkraft des Dollars in der Vergangenheit und insbesondere die Furcht (oder Hoffnung bei Spekulanten) vor einem weiteren ernsthaften Abschwung in der Zukunft hat das Denken an der Wall Street deutlich beeinflusst. Natürlich leiden diejenigen, die ein festes Einkommen beziehen, wenn die Kosten für die Lebenshaltung steigen, und das gilt auch für eine Kapitalanlage mit fester Verzinsung. Für Aktionäre besteht jedoch die Möglichkeit, dass der Verlust der Kaufkraft des Dollars durch steigende Dividenden und Kursgewinne der Aktien ausgeglichen werden kann.

Auf der Grundlage dieser nicht zu leugnenden Tatsachen haben viele Finanzexperten geschlossen, dass (1) Anleihen grundsätzlich eine wenig begehrenswerte Investition seien und (2) folglich Aktien wesentlich interessanter seien als Anleihen. Wir haben von Wohltätigkeitsorganisationen gehört, ihnen sei nahe gelegt worden, dass sie ausschließlich Aktien und keine Anleihen im Portfolio halten sollten.[44]

---

44 Ende der 90er-Jahre hatte sich diese Empfehlung – die für eine Stiftung oder Schenkung mit einem unendlich weiten Zeithorizont durchaus angebracht sein kann – zu Privatanlegern herumgesprochen, deren Leben jedoch endlich ist. In der Auflage von 1994 seines Buches Stocks for the Long Run riet Jeremy Siegel, Professor der Finanzwissenschaften an der Wharton School,

(Fortsetzung der Fußnote auf der nächsten Seite)

Dies ist eine deutliche Abkehr von früheren Zeiten, als Anlagen in Fonds gesetzlich auf hochklassige Anleihen (und einige wenige Vorzugsaktien) beschränkt waren.

Unsere Leser müssen intelligent genug sein zu erkennen, dass selbst erstklassige Aktien *unter allen Bedingungen* auch keine bessere Wahl sein können als Anleihen – das heißt, gleichgültig wie hoch die Aktienkurse stehen und wie gering die aktuelle Dividendenrendite im Vergleich zu den Zinsen ist, die man mit Anleihen erzielen kann. Eine derartige Aussage wäre ebenso absurd wie die umgekehrte – die vor einigen Jahren ebenfalls zu hören war –, wonach jede Anleihe sicherer sei als jede Aktie. In diesem Kapitel wollen wir versuchen, verschiedene Maßstäbe auf den Faktor Inflation anzuwenden, um Aufschluss darüber zu erhalten, in welchem Ausmaß ein Anleger von Hoffnungen auf künftige Preissteigerungen beeinflusst werden kann.

In dieser Angelegenheit, wie in vielen anderen, wenn es um Finanzen geht, müssen wir unsere Ansichten zu einer künftigen Strategie mit den Erfahrungen aus der Vergangenheit begründen. Ist Inflation für dieses Land etwas Neues, zumindest in der gravierenden Form, die sie seit 1965 angenommen hat? Wenn wir vergleichbare (oder schlimmere) Inflationen erlebt haben, welche Lehren können wir daraus ziehen, um der heutigen Inflation begegnen zu können? Beginnen wir mit Tabelle 2-1, einer historischen Zusammenfassung, die uns viel über Veränderungen im allgemeinen Preisniveau und damit einhergehende Veränderungen bei Gewinnen und Marktwert von Aktien sagen kann. Unsere Zahlen beginnen im Jahr 1915 und umfassen somit 55 Jahre, jeweils im Abstand von fünf Jahren. (Statt 1945 nehmen wir die Zahlen von 1946, um nicht das letzte Jahr der Preiskontrollen aus der Kriegszeit einbeziehen zu müssen.)

Zuerst stellen wir fest, dass wir auch schon in der Vergangenheit Inflationen hatten – sogar eine ganze Menge. Die höchste Inflationsrate hatten wir zwischen 1915 und 1920, als sich die Lebenshaltungskosten nahezu verdoppelten. Dies ist mit der Inflation zwischen 1965 und 1970 vergleichbar, als die Preise um 15 % stiegen. Dazwischen lagen drei Zeiträume fallender Preise und dann sechs Perioden steigender Preise mit verschiedenen Steigerungsraten, von denen einige

---

(Fortsetzung von Fußnote 44)
dass risikofreudige Anleger auf Marge kaufen sollten, sich mehr als 35 % ihres Nettowertes leihen sollten, um 135 % des Vermögens in Aktien zu platzieren. Selbst Regierungsmitglieder traten in Aktion: Im Februar 1999 sagte der ehrenwerte Richard Dixon, Finanzminister des Bundesstaates Maryland, seinen Zuhörern auf einer Tagung über Kapitalanlage: „Für niemanden ist es sinnvoll, sein Geld in einen Anleihenfonds zu investieren."

Tabelle 2-1: Das allgemeine Preisniveau, Aktiengewinne und Aktienkurse in Zeitabständen von fünf Jahren zwischen 1915 und 1970

					Prozentuale Veränderung zum vorhergehenden Zeitraum			
	Preisniveau[a]		S&P-500-Aktienindex[b]		Großhandelspreise	Verbraucherpreise	Aktiengewinne	Aktienkurse
	Großhandel	Verbraucher	Gewinne	Kurse				
1915	38,0	35,4		8,31				
1920	84,5	69,8		7,98	+96,0	+96,8		–4,0
1925	56,6	61,1	1,24	11,15	–33,4	–12,4		+41,5
1930	47,3	58,2	0,97	21,63	–16,5	–4,7	–21,9	+88,0
1935	43,8	47,8	0,76	15,47	–7,4	–18,0	–21,6	–26,0
1940	43,0	48,8	1,05	11,02	–0,2	+2,1	+33,1	–28,8
1946[c]	66,1	68,0	1,06	17,08	+53,7	+40,0	+1,0	+55,0
1950	86,8	83,8	2,84	18,40	+31,5	+23,1	+168,0	+21,4
1955	97,2	93,3	3,62	40,49	+6,2	+11,4	+27,4	+121,0
1960	100,7	103,1	3,27	55,85	+9,2	+10,5	–9,7	+38,0
1965	102,5	109,9	5,19	88,17	+1,8	+6,6	+58,8	+57,0
1970	117,5	134,0	5,36	92,15	+14,6	+21,9	+3,3	+4,4

a) Jahresdurchschnitte. In der Tabelle liegt das Preisniveau 1957 bei 100; doch verwendet man eine neue Preisbasis 1967 = 100, dann liegt der Durchschnitt für 1970 bei den Verbraucherpreisen bei 116,3 und bei 110,4 für Großhandelspreis und den Aktienindex.

b) der Durchschnitt von 1941 bis 1943 = 10.

c) Um die Preiskontrollen zu umgehen, wird hier 1946 angesetzt.

ziemlich gering waren. Nach dieser Darstellung sollte der Anleger eindeutig einschätzen können, ob die gegenwärtige Inflation sich fortsetzen wird oder ob neue Inflationen kommen werden.

Können wir vorhersagen, wie die Inflationsrate wahrscheinlich aussehen wird? In unserer Tabelle wird keine klare Antwort gegeben; sie zeigt Variationen aller Art. Es scheint jedoch vernünftig, unseren Hinweis von den ziemlich beständigen Zahlen der vergangenen 20 Jahre abzuleiten. Der durchschnittliche Anstieg der Verbraucherpreise lag bei 2,5 %; der für 1965 bis 1970 betrug 4,5 %; allein 1970 stiegen die Verbraucherpreise um 5,4 %. Die offizielle Regierungspolitik wandte sich energisch gegen eine hohe Inflationsrate, und es gibt guten Grund anzunehmen, dass sie in der Zukunft wirksamer sein wird als in den Jahren zuvor.[45] Wir glauben, an diesem Punkt sollte der Anleger sein Denken und seine Entscheidungen darauf ausrichten, dass die künftige Inflationsrate sich *möglicherweise* (doch keineswegs sicher) im Bereich von 3 % jährlich bewegen wird. (Dies wäre vergleichbar mit der durchschnittlichen jährlichen Inflationsrate von 2,5 % zwischen 1915 und 1970. [8])

Welche Auswirkungen hätte eine derartige Steigerungsrate? Dadurch würde, bei höheren Lebenshaltungskosten, in etwa die Hälfte der Erlöse aufgefressen, die derzeit mit guten mittelfristigen steuerfreien Anleihen (oder der erwarteten Rendite aus erstklassigen Industrieanleihen nach Steuern) zu erzielen sind. Dies wäre ein enormer Schwund, doch sollte er nicht aufgebauscht werden. Es würde nicht bedeuten, dass der wirkliche Wert oder die Kaufkraft des Vermögens eines Anlegers über die Jahre hinweg schwinden würde. Gäbe er die Hälfte der Zinseinkünfte nach Steuern aus, dann würde die Kaufkraft selbst bei einer jährlichen Inflationsrate von 3 % erhalten bleiben.

Die nächste Frage lautet natürlich: „Kann ein Investor einigermaßen sicher sein, dass er besser fährt, wenn er etwas anderes als hochwertige Anleihen kauft, selbst bei einer noch nie da gewesenen Rendite wie im 1970 und 1971?" Würde beispielsweise ein Portfolio, das ausschließlich aus Aktien besteht, nicht besser sein als ein Konzept, das hälftig Aktien und Anleihen vorsieht? Haben Aktien nicht

---

45 Dies ist eine der seltenen Fehleinschätzungen Grahams. 1973, nur zwei Jahre, nachdem Präsident Richard Nixon Einkommens- und Preiskontrollen eingeführt hatte, erzielte die Inflationsrate mit 8,7 % den höchsten Stand seit Ende des Zweiten Weltkriegs. Das Jahrzehnt von 1973 bis 1982 brachte die höchste Inflationsrate in der Geschichte der modernen USA, als sich die Lebenshaltungskosten mehr als verdoppelten.

einen eingebauten Schutz vor Inflation, und bringen sie über längere Zeit hinweg nicht einen höheren Gewinn, als Anleihen es könnten? Haben Aktien die Anleger im Zeitraum unserer Studie, die immerhin 55 Jahre umfasst, nicht weitaus besser behandelt als Anleihen?

Die Antwort auf diese Fragen ist etwas kompliziert. Aktien haben sich in der Vergangenheit tatsächlich lange Zeit besser entwickelt als Anleihen. Der Anstieg des DJIA von einem Durchschnitt von 77 Punkten im Jahr 1915 auf einen Durchschnitt von 753 Punkten im Jahr 1970 entspricht einer Quote von 4 %, zu der man noch durchschnittlich 4 % an Dividenden hinzufügen kann. (Die entsprechenden Zahlen für den S&P sind in etwa gleich). Diese insgesamt 8 % pro Jahr sind natürlich wesentlich besser als der Gewinn, den man innerhalb derselben 55 Jahre mit erstklassigen Anleihen erzielen konnte. Allerdings übertreffen sie nicht das, was hochklassige Anleihen heute bieten. Das bringt uns zur nächsten logischen Frage: Gibt es einen überzeugenden Grund anzunehmen, dass Aktien in den kommenden Jahren besser sind als in den vergangenen 55 Jahren?

Unsere Antwort auf diese entscheidende Frage ist ein klares Nein. Es *kann* sein, dass Aktien besser sein werden als in der Vergangenheit, aber sicher ist dies beileibe nicht. Wir haben es hier mit zwei unterschiedlichen Zeitabschnitten für Anlageergebnisse zu tun. Der erste Abschnitt umfasst das, was wir langfristig nennen – etwa die nächsten 25 Jahre. Der zweite Abschnitt meint eher das, was – sowohl finanziell als auch psychologisch – wahrscheinlich kurz- oder mittelfristig, also fünf Jahre oder weniger, auf jeden Anleger zukommen wird. Seine Gemütsverfassung, seine Hoffnungen und Sorgen, seine Zufriedenheit oder Unzufriedenheit mit dem, was er getan hat, alle Entscheidungen, was er demnächst tun soll, werden nicht durch den Rückblick auf ein Leben voller Investitionen, sondern vielmehr durch seine alljährlichen Erfahrungen bestimmt.

An diesem Punkt können wir eindeutig sein: Es gibt keine enge zeitliche Verbindung zwischen Inflation (oder Deflation) und den Bewegungen der Gewinne und Kurse von Aktien. Das offensichtlichste Beispiel dafür ist der letzte Zeitraum zwischen 1966 und 1970. Die Lebenshaltungskosten stiegen um 22 %, das ist die höchste Steigerungsrate seit 1946 bis 1950. Doch sowohl die Gewinne aus Aktien als auch die Kurse sind seit 1965 insgesamt gesunken. In den vorhergehenden Fünf-Jahres-Zeiträumen gibt es ähnliche Widersprüche, allerdings in beiden Richtungen.

Inflation und Unternehmensgewinne

Ein weiterer und höchst wichtiger Ansatz zu diesem Thema basiert auf einer Studie zur Kapitalrendite in der amerikanischen Wirtschaft. Diese schwankte natürlich mit der allgemeinen Konjunktur, doch auch hier konnte man keine allgemeine Tendenz erkennen, dass sie mit den Großhandelspreisen oder den Lebenshaltungskosten korrelierte. Tatsächlich ist diese Quote, trotz der Inflation in diesem Zeitraum, in den zurückliegenden 20 Jahren deutlich gesunken. (In einem bestimmten Ausmaß war der Abschwung auf die liberaleren Abschreibungsraten zurückzuführen, siehe Tabelle 2-2.) Unsere ausführlichen Untersuchungen führten zu dem Ergebnis, dass ein Investor nicht wesentlich mehr erwarten kann als das, was der DJIA in den vergangenen fünf Jahren einbrachte - etwa 10 % auf den Buchwert der Unternehmen [9]. Da der Marktwert dieser Titel weit über dem Buchwert liegt - etwa dem Marktwert von 900 im Gegensatz zum Buchwert von 560 Mitte des Jahres 1970 -, liegen die Gewinne auf den Marktwert lediglich bei 6,25 %. (Dieses Verhältnis wird normalerweise umgekehrt ausgedrückt: Der Kurs des DJIA drückt das Achtzehnfache der aktuellen Gewinne aus - Kurs-Gewinn-Verhältnis - für die zwölf Monate bis Ende Juni 1971.)

Unsere Zahlen korrespondieren direkt mit der Aussage im letzten Kapitel[46], wonach ein Investor von einer durchschnittlichen Dividendenrendite von etwa 3,5 % auf den Marktwert einer Aktie ausgehen kann und zusätzlich von einer Kurssteigerung um 4 % jährlich aus den reinvestierten Gewinnen. (Bitte beachten Sie, dass jeder Dollar, der dem Buchwert zufließt, unserer Auffassung nach den Kurs der Aktie um 1,60 $ steigert.)

Der Leser wird an dieser Stelle einwenden, dass unsere Berechnungen letztendlich keine Steigerung der Gewinne und der Werte von Aktien begründen, die aus der von uns vorhergesagten Inflationsrate von 3 % resultieren. Wir begründen dies mit dem Fehlen irgendeines Anzeichens dafür, dass eine vergleichbare Inflationsrate in der Vergangenheit einen direkten Einfluss auf den Gewinn je Aktie hatte. Die nackten Zahlen besagen, dass *alle* großen Gewinne des DJIA in den vergangenen 20 Jahren auf proportional wachsende Kapitalinvestitionen zurückzuführen waren, die aus reinvestierten Gewinnen resultierten. Hätte die Inflation als einzelner günstiger Faktor gewirkt, hätte sich dies dahingehend ausgewirkt, dass der „Wert" des bereits existierenden Kapitals gestiegen wäre. Dies wiederum sollte

46 Siehe Seite 33ff.

die Rendite auf dieses alte Kapital erhöhen und somit auch die Summe des alten und neuen Kapitals. Aber nichts dergleichen war in den letzten 20 Jahren festzustellen, während derer das Preisniveau des Großhandels um fast 40 % gestiegen ist. (Unternehmensgewinne sollten eigentlich von den Großhandelspreisen stärker beeinflusst werden als durch Verbraucherpreise.) Die einzige Möglichkeit, dass die Inflation den Wert der Aktien erhöhen könnte, bestünde darin, dass die Rendite auf Kapitalinvestitionen erhöht wird. Auf der Grundlage der früheren Ergebnisse war dies nicht der Fall.

In den Konjunkturzyklen der Vergangenheit gingen gute Geschäfte mit steigenden Preisen und schlechte Geschäfte mit fallenden Preisen einher. Allgemein hatte man das Gefühl, dass „eine kleine Inflation" die Unternehmensgewinne förderte. Diese Ansicht steht nicht im Widerspruch zur Entwicklung zwischen 1959 und 1970, als eine Kombination aus allgemein stetigem Wohlstand und allgemein steigenden Preisen erkennbar war. Doch die Zahlen lassen erkennen, dass die Wirkung all dessen auf die Ertragskraft des Aktienkapitals recht begrenzt war. Tatsächlich hat es nicht einmal gereicht, um den Gewinn auf das eingesetzte Kapital aufrechterhalten zu können. Es ist eindeutig, dass es ausgleichende Einflüsse gab, die jeglichen Zuwachs in der Realrendite der amerikanischen Unternehmen verhinderten. Die wichtigsten waren vielleicht (1) Lohnerhöhungen, die die Gewinne aus der erhöhten Produktivität übertrafen, und (2) der Bedarf an großen Mengen neuen Kapitals, wodurch das Verhältnis von Umsatz zu eingesetztem Kapital niedrig gehalten wird.

Unsere Zahlen in Tabelle 2-2 zeigen, dass Inflationen der Unternehmen und deren Aktionäre begünstigten, die Wirkung hingegen umgekehrt war. Die auffälligsten Zahlen in der Tabelle sind die für die wachsende Schuldenlast der Unternehmen zwischen 1950 und 1969. Es überrascht, wie wenig Beachtung die Ökonomen und die Wall Street dieser Entwicklung geschenkt haben. Die Schulden der Unternehmen wuchsen um das Fünffache, während die Gewinne vor Steuern sich nur wenig mehr als verdoppelten. Bei dem starken Zinsanstieg innerhalb dieses Zeitraums wird es offensichtlich, dass die gesamten Unternehmensschulden sich nunmehr als schwer wiegender negativer wirtschaftlicher Faktor und als echtes Problem für viele einzelne Unternehmen erweisen. (Bitte beachten Sie, dass 1950 der Nettogewinn nach Zinsen, jedoch vor Einkommensteuer, etwa 30 % der Schulden ausmachte, während es 1969 nur noch 13,2 % waren. Das Verhältnis von 1970 muss sogar noch unbefriedigender gewesen sein.) Insgesamt scheint es, dass ein wesentlicher Anteil der 11 %, die mit dem Unternehmenskapital erwirt-

Tabelle 2-2: Schulden, Profite und Kapitalgewinne von Unternehmen zwischen 1950 und 1969

		Unternehmensgewinne		Prozentualer Kapitalgewinn	
Jahr	**Nettoschulden der Unternehmen (in Mrd. $)**	**Gewinn vor Einkommensteuer (in Mio. $)**	**Gewinn nach Steuern (in Mio. $)**	**S&P-Daten[a] (in %)**	**Andere Daten[b] (in %)**
1950	140,2	42,6	17,8	18,3	15,0
1955	212,1	48,6	27,0	18,3	12,9
1960	302,8	49,7	26,7	10,4	9,1
1965	453,3	77,8	46,5	10,8	11,8
1969	629,9	91,2	48,5	11,8	11,3

a) Gewinne des S&P-Industrial-Index dividiert durch den durchschnittlichen Buchwert des Jahres.
b) Die Zahlen für 1950 und 1955 von Cottle and Whitman; für 1960 bis 1969 von Fortune.

schaftet wurden, durch den Einsatz neuer Schulden erzielt wurde, was nach Steuergutschrift 4 % oder weniger kostete. Hätten die Unternehmen die Verschuldung von 1950 aufrechterhalten, wäre die Rendite auf das Aktienkapital trotz der Inflation noch geringer ausgefallen.

Die Börse hat berücksichtigt, dass die öffentlichen Versorgungsunternehmen die hauptsächlichen Opfer der Inflation waren, gefangen zwischen einer starken Steigerung der Geldkosten und der Schwierigkeit, die Gebühren zu erhöhen, weil die Preise reguliert waren. Doch an dieser Stelle möchte ich anmerken, dass allein die Tatsache, dass die Kosten für Elektrizität, Gas und Telefondienste gegenüber den allgemeinen Lebenshaltungskosten stiegen, diese Unternehmen in eine starke Position für die Zukunft bringt [10]. Sie sind gesetzlich dazu berechtigt, Gebühren in einer Höhe zu erheben, die ihnen eine angemessene Rendite auf das investierte Kapital erlaubt, und das wird ihre Aktionäre wahrscheinlich in der Zukunft ebenso vor Inflation schützen wie in der Vergangenheit.

All das bisher Gesagte bringt uns zur Schlussfolgerung zurück, dass ein Investor keinen vernünftigen Grund hat, mit einem Portfolio von Aktien, die dem DJIA gleichen und zum Kursniveau von Ende 1971 gekauft wurden, mehr als einen durchschnittlichen Gewinn von etwa 8 % zu erwarten. Doch selbst wenn diese Erwartungen um einen beträchtlichen Betrag zu niedrig angesetzt sein sollten, wäre dies kein Grund, ausschließlich in Aktien zu investieren. Wenn es etwas gibt, das auch in der Zukunft sicher ist, dann ist es die Tatsache, dass die Gewinne und der durchschnittliche Börsenwert eines Aktienportfolios eines Jahres nicht mit gleichmäßig 4 % oder einem anderen Prozentsatz steigen sollten. Denken Sie an die Worte von J. P. Morgan: „Sie werden schwanken."[47] Dies bedeutet erstens, dass der Käufer von Aktien zu den heutigen Kursen - oder denen von morgen - ein reales Risiko eingeht, einige Jahre lang unbefriedigende Ergebnisse zu erzielen. Bei General Electric (und dem DJIA selbst) dauerte es 25 Jahre lang, um den Boden wieder gutzumachen, der im Debakel von 1929 bis 1932 verloren wurde. Wenn sich der Investor außerdem auf sein Portfolio auf Aktien konzentriert, dann wird er wahrscheinlich durch erfreuliche Aufschwünge oder durch erschreckende Kursrückgänge in die Irre geführt. Dies gilt besonders dann, wenn er seine Überlegungen kurz vor einer weiteren Inflation anstellt. Denn dann, wenn ein weiterer Bullenmarkt kommt, wird er das nicht als ein Warnsignal für einen unausweichlichen Rückfall verstehen, nicht als eine gute Gelegenheit, seine Gewinne mitzunehmen, sondern vielmehr als eine Rechtfertigung der Inflationshypothese und als Begründung für weitere Aktienkäufe, ganz gleich, wie hoch der Markt steht und wie niedrig die Dividenden ausfallen. Dies sehen wir mit Sorge.

Alternativen zu Aktien als Schutz vor Inflation

Die übliche Strategie aller Menschen auf der ganzen Welt, die ihrer Währung nicht so recht trauen, ist der Kauf von Gold. Seit 1935 war dies ein Verstoß gegen amerikanisches Recht - zum Glück für die Anleger. In den zurückliegenden 35 Jahren stieg der Preis für die Feinunze Gold von 35 $ auf 48 $ Anfang des Jahres 1972 - ein Anstieg um lediglich 35 %. Doch während dieser gesamten Zeit erhielten die Besitzer keine Zinsen für ihr Gold. Stattdessen mussten sie jährlich eine Gebühr für die Aufbewahrung entrichten. Offensichtlich wäre es für sie besser gewesen, wenn sie ihr Geld zinsbringend bei einer Bank angelegt hätten, und das trotz des allgemeinen Preisanstiegs.

---

47 John Pierpont Morgan war der mächtigste Finanzier des späten 19. und frühen 20. Jahrhunderts. Wegen seines enormen Einflusses wurde er immer gefragt, was demnächst an der Börse geschehen würde. Morgan hatte darauf immer eine gnädig kurze - und immer richtige - Antwort: „Sie wird schwanken." Siehe Jean Strouse, Morgan: American Financier (Random House, 1999), S. 11.

Das nahezu vollständige Versagen von Gold als Schutz vor Kaufkraftverlust muss tiefe Zweifel an den Kenntnissen der normalen Anleger aufkommen lassen, dass sie sich zum Schutz vor Inflation in Sachwerte flüchten.[48] Eine ganze Reihe von Wertsachen hat über Jahre hinweg eine deutliche Steigerungen des Marktwerts erfahren – etwa Diamanten, Gemälde alter Meister, Erstausgaben von Büchern, seltene Briefmarken oder Münzen. Doch in vielen, vielleicht sogar in den meisten Fällen scheinen die notierten Preise künstlich oder bedenklich oder sogar unrealistisch zu sein. Irgendwie ist es schwierig, sich vorzustellen, dass für einen Silberdollar aus dem Jahr 1804 67.500 $ bezahlt werden (der noch nicht einmal ein diesem Jahr geprägt wurde) und dass dies als „Investition" betrachtet wird [11]. Wir geben zu, dass dies nicht unbedingt ein Bereich ist, in dem wir uns gut auskennen. Doch werden sich vermutlich auch nur sehr wenige unserer Leser auf diesem Gebiet sicher fühlen.

Der direkte Immobilienbesitz wurde lange Zeit als sichere langfristige Investition angesehen, weil er einen guten Schutz gegen Inflation darstellte. Leider sind aber auch Immobilien großen Preisschwankungen ausgesetzt. Ernsthafte Fehler können beispielsweise hinsichtlich der Lage oder des bezahlten Preises begangen werden; und außerdem geht man einem geschickten Makler in die Falle. Letztlich ist auch Diversifikation kein Mittel für einen Anleger, der über nur bescheidene Mittel verfügt, außer bei verschiedenen Arten von Beteiligungen an Unternehmensgründungen, aber mit dem hohen Risiko, die mit Neugründungen einhergehen – also kein großer Unterschied zum Besitz von Aktien. Auch dies ist nicht unser Spezialgebiet. Was wir dem Anleger jedoch sagen sollten, ist: „Machen Sie sich sachkundig, bevor Sie sich auf eine derartige Sache einlassen."

---

48 Der Kapitalanlagephilosoph Peter L. Bernstein glaubt, dass Graham in Bezug auf Edelmetalle völlig daneben liegt, insbesondere bei Gold, das (zumindest in den Jahren, nachdem Graham dieses Kapitel geschrieben hatte) eine deutliche Stärke zeigte, um gegen die Inflation bestehen zu können. Der Finanzberater William Bernstein stimmt dem zu und betont, dass ein sehr geringer Anteil des Portfolios (etwa 2 % des gesamten Anlagevermögens) zu gering ist, um dem Gesamtgewinn Schaden zufügen zu können, wenn Gold nicht gut läuft. Aber wenn Gold gut läuft, sind die Gewinne oft sehr Aufsehen erregend – zuweilen steigt der Wert um mehr als 100 % in einem Jahr – sodass es, ganz allein, ein ansonsten glanzloses Portfolio erstrahlen lassen kann. Allerdings vermeidet es der intelligente Investor, direkt in Gold zu investieren, weil die Kosten für Aufbewahrung und Versicherung so hoch sind. Stattdessen investiert er in einen Fonds, der sich auf Aktien von Goldminen spezialisiert und weniger als 1 % Gebühren pro Jahr verlangt. Begrenzen Sie Ihren Einsatz auf 2 % ihres gesamten Vermögens (oder vielleicht auf 5 %, wenn Sie schon älter als 65 Jahre sind).

Zusammenfassung

Nun kommen wir wieder auf das Konzept zurück, das wir im letzten Kapitel empfohlen haben. Wegen der Unsicherheiten der Zukunft kann es sich der Anleger nicht leisten, sein Vermögen in einen einzigen Korb zu legen – weder in einen Anleihenkorb, trotz der unerwartet hohen Rendite, die Anleihen in der letzten Zeit boten, noch in einen Aktienkorb, trotz der Aussicht auf eine anhaltende Inflation.

Je mehr ein Investor von seinem Portfolio und dem Einkommen daraus abhängig ist, desto zwingender ist es für ihn, sich gegen das Unerwartete und das Beunruhigende in diesem Lebensbereich zu schützen. Es ist unerlässlich, dass der konservative Anleger versucht, seine Risiken möglichst gering zu halten. Wir sind fest davon überzeugt, dass die Risiken beim Kauf, beispielsweise einer Anleihe einer Telefongesellschaft, bei Erträgen von 7,5 % im Jahr wesentlich geringer sind als die Risiken, die man eingeht, wenn man bei 900 Punkten in den DJIA einsteigt (oder in einen anderen Index, der dem Dow gleicht). Doch die Möglichkeit einer galoppierenden Inflation bleibt, und der Anleger muss sich dagegen absichern. Es gibt keine Garantie, dass Aktien eine angemessene Sicherheit gegen eine derartige Inflation sind, aber sie sollten mehr Sicherheit bieten als Anleihen.

Das schrieben wir in der Auflage von 1965 (S. 97), und auch heute gilt das Gleiche:

Der Leser wird sicherlich bereits erkannt haben, dass wir für Aktien auf diesem Kursniveau keine Begeisterung empfinden (892 beim DJIA). Aus den bereits genannten Gründen glauben wir, dass ein defensiver Investor es sich nicht leisten kann, keinen angemessenen Anteil an Aktien in seinem Portfolio zu haben, selbst wenn wir dies als das geringere von zwei Übeln betrachten – das größere Risiko besteht darin, ausschließlich Anleihen im Portfolio zu haben.

Kommentar zu Kapitel 2

> Die Amerikaner werden stärker. Vor 20 Jahren waren zwei Leute notwendig, um einen Zehn-Dollar-Einkauf tätigen zu können. Heute kann das ein Fünfjähriger.
>
> *Henny Youngman*

Inflation? Wer macht sich denn *darüber* noch Gedanken?

Immerhin lag der Anstieg der Lebenshaltungskosten zwischen 1997 und 2002 bei weniger als 2,2 % jährlich - und Ökonomen glauben, dass selbst dieser niedrige Stand noch übertrieben ist.[49] (Denken Sie beispielsweise daran, wie die Preise von Computern und Haushaltselektronik purzelten - und in welchem Umfang die Qualität vieler Produkte verbessert wurde. Das bedeutet, dass der Verbraucher mehr Wert für weniger Geld erhält.) In den zurückliegenden Jahren betrug die tatsächliche Inflationsrate in den USA etwa 1 % - eine Zunahme, die so geringfügig ist, dass viele Experten behaupteten, die Inflation sei tot.[50]

Die Geld-Illusion

Es gibt noch einen anderen Grund, warum Anleger die Bedeutung der Inflation übersehen: Es ist das, was Psychologen die „Geld-Illusion" nennen. Wenn Sie jährlich eine Gehaltserhöhung von 2 % bekommen und die Inflationsrate bei 4 % liegt, dann werden Sie höchstwahrscheinlich ein besseres Gefühl haben, als wenn Ihr Gehalt um 2 % gekürzt würde und die Inflationsrate gleich bliebe. Und das,

49 Das U.S. Bureau of Labor Statistics, wo der Verbraucherpreis-Index kalkuliert wird, an dem die Inflation gemessen wird, unterhält eine sehr hilfreiche Website unter www.bls.gov/cpi/home.htm.

50 Eine lebhafte Diskussion zur Aussage „die Inflation ist tot" finden Sie unter www.pbs.org/newshour/bb/economy/july-dec97/inflation_12-16.html. 1966 wurde die Boskin Commission, eine Gruppe von Ökonomen, von der Regierung gebeten nachzuforschen, ob die offiziellen Angaben zur Inflation richtig sind, weil man glaubte, dies sei übertrieben, oftmals um fast zwei Prozentpunkte pro Jahr. Den Bericht der Kommission finden Sie unter www.ssa.gov/history/reports/boskinrpt.html. Viele Anlageexperten glauben nunmehr, dass eine Deflation oder fallende Preise eine noch größere Gefahr darstellt als eine Inflation. Die beste Möglichkeit, sich gegen dieses Risiko zu schützen, ist, dass man ständig auch Anleihen in seinem Portfolio hat. (Siehe Kommentar zu Kapitel 4.)

auch wenn Sie sich bei diesem Gehalt in der wirklich gleichen finanziellen Situation befänden - 2 % weniger nach Berücksichtigung der Inflation. Solange die nominelle (oder absolute) Veränderung positiv ist, sehen wir sie als positiv an, wir empfinden das als eine gute Sache - selbst wenn das reale Ergebnis (oder nach Einrechnung der Inflation) negativ ist. Und jede Veränderung unseres eigenen Einkommens erscheint uns lebendiger und spezifischer als die allgemeinen Preisveränderungen.[51] Gleichermaßen freuten sich Anleger 1980 über 11 % Zinsen auf Banksparbriefe und waren bitter enttäuscht, dass sie damit 2003 nur 2 % erzielen konnten - obwohl sie damals (nach Einrechnung der Inflation) Geld verloren, heute jedoch mit der Inflation Schritt halten. Die nominale Rendite, die wir erlösen, finden wir in den Anzeigen und Aushängen der Banken, wobei viele dieser Angebote ein gutes Gefühl in uns hervorrufen. Doch die Inflation mindert klammheimlich diese große Zahl. Während wir die Anzeigen der Banken beseitigen, raubt die Inflation unser Vermögen. Deshalb ist es so leicht zu übersehen - und deshalb ist es auch so wichtig, unseren Anlageerfolg nicht an dem zu messen, was man bekommt, sondern an dem, was nach Abzug der Inflationsrate noch übrig bleibt.

Noch grundlegender: Der intelligente Investor muss vor dem Unerwarteten oder Unterschätzten immer auf der Hut sein. Es gibt drei gute Gründe anzunehmen, dass die Inflation keineswegs tot ist:

- Erst 1973 bis 1982 durchliefen die USA einen der schmerzlichsten Ausbrüche der Inflation ihrer Geschichte. Gemessen am Index der Verbraucherpreise verdoppelten sich die Preise innerhalb dieses Zeitraums. Sie stiegen jährlich um etwa 9 %. Im Jahr 1979 allein erreichte die Inflationsrate horrende 13,3 %, was die Wirtschaft in einer Stagflation lahm legte - und veranlasste viele Kommentatoren zu fragen, ob Amerika im globalen Markt überhaupt noch konkurrenzfähig sei.[52] Für Güter und Dienstleistungen, die Anfang 1973 noch 100 $ kosteten, musste man Ende 1982 230 $ ausgeben, wodurch der Wert des Dollars auf gerade einmal 45 Cent gedrückt wurde. Niemand, der diese Zeit durchlebte, würde sich über eine derartige Zerstörung von Vermögen lustig

51 Weitere Informationen zu dieser psychologischen Falle finden Sie bei Eldar Shafir, Peter Diamond und Amond Tversky, „Money Illusion", in Daniel Kahneman und Amos Tversky (Hrsg.) in Choices, Values and Frames (Cambridge University Press, 2000), S. 335–355.

52 In diesem Jahr hielt Präsident Nixon seine berühmte Rede, in der er von einer „Malaise" sprach, vor einer Vertrauenskrise warnte, „die mitten ins Herz und in die Seele und den Geist unseres nationalen Strebens trifft" und „droht, die soziale und politische Struktur Amerikas zu zerstören".

machen; niemand, der klug und umsichtig ist, kann den Fehler begehen, sich nicht vor dem Risiko zu schützen, dass sich so etwas noch einmal ereignet.

- Seit 1960 litten 69 % der marktorientierten Länder der Welt zumindest ein Jahr lang unter einer Inflation, die in einem Jahr 25 % oder mehr ausmachte. Im Durchschnitt zerstörten diese inflationären Zeiten 53 % der Kaufkraft der Investoren.[53] Wir wären verrückt, wenn wir nicht hofften, dass Amerika von solch einem Desaster verschont bleibt. Es wäre aber noch verrückter anzunehmen, dass es hier niemals passieren könnte.[54]
- Steigende Preise ermöglichen es Uncle Sam, seine Schulden mit verbilligten Dollars zu bezahlen. Die Inflation gänzlich auszurotten läuft gegen die wirtschaftlichen Eigeninteressen einer jeden Regierung, die sich regelmäßig Geld leiht.[55]

Nur ein halber Schutz

Was kann ein Investor nun tun, um sich vor der Inflation zu schützen? Die Standardantwort ist: „Kaufen Sie Aktien" – aber, wie es mit allgemeinen Antworten so ist, sie ist nicht völlig richtig.

Abbildung 2-1 zeigt, für jedes Jahr von 1926 bis 2002, die Beziehung zwischen Inflation und Aktienkursen.

Wie Sie sehen können, waren die Aktiengewinne miserabel, sobald die Preise der Verbrauchsgüter und der Dienstleistungen sanken (linke Seite der Grafik) – wobei der Markt bis zu 43 % seines Wertes verlor.[56] Als die Inflation auf über 6 %

---

53 Siehe Stanley Fisher, Ratna Sahay und Carlos A. Vegh, „Modern Hyper- and High Inflations", National Bureau of Economic Research, Working Paper 8930 unter www.nber.org/papers/w8930.

54 Tatsächlich erlebten die USA zwei Perioden der Hyperinflation. Während der Amerikanischen Revolution verdreifachten sich die Preise zwischen 1777 bis 1779 jährlich, als ein Pfund Butter 12 $ und ein Fass Mehl in Massachusetts während der Revolution nahezu 1.600 $ kosteten. Während des Bürgerkriegs wütete die Inflation (im Norden) mit 29 % jährlich und mit nahezu 200 % im Bereich der Konföderation. 1946 erreichte die Inflation in den Vereinigten Staaten 18,1 %.

55 Für diese zynische, aber richtige Erkenntnis danke ich Laurence Siegel von der Ford Foundation. Im Gegensatz dazu gereicht eine Deflation (Zeit stetig sinkender Preise) dem Gläubiger und nicht dem Schuldner zum Vorteil – dies ist auch der Grund dafür, dass die meisten Investoren zumindest einen kleinen Teil ihres angelegten Vermögens in Anleihen halten sollten, sozusagen als eine Art Versicherung gegen sinkende Preise.

56 Wenn die Inflation negativ ist, wird sie in der Fachsprache Deflation genannt. Regelmäßig fallende Preise sind auf den ersten Blick attraktiv – bis Sie sich an das Beispiel Japan erinnern. Die Preise in Japan sanken seit 1989, wobei die Immobilienpreise und die Aktienkurse Jahr für Jahr sanken – eine gnadenlose Tortur für die zweitgrößte Volkswirtschaft der Welt.

Abb. 2-1: Wie gut schützen Aktien vor der Inflation?

Diese Grafik zeigt Inflationsraten und Aktiengewinne eines jeden Jahres zwischen 1926 und 2002 – jedoch nicht in chronologischer Reihenfolge, sondern angefangen bei der geringsten jährlichen Inflationsrate bis zur höchsten. Wenn die Inflation sehr negativ ist (siehe ganz links), dann geht es auch den Aktien schlecht. Bei mäßiger Inflationsrate, wie in den meisten Jahren während dieses Zeitraums, laufen Aktien in der Regel gut. Wenn aber die Inflationsrate auf ein sehr hohes Niveau ansteigt (siehe ganz rechts), dann weisen Aktien eine unberechenbare Performance auf; oft gibt es Verluste von mindestens 10 %.

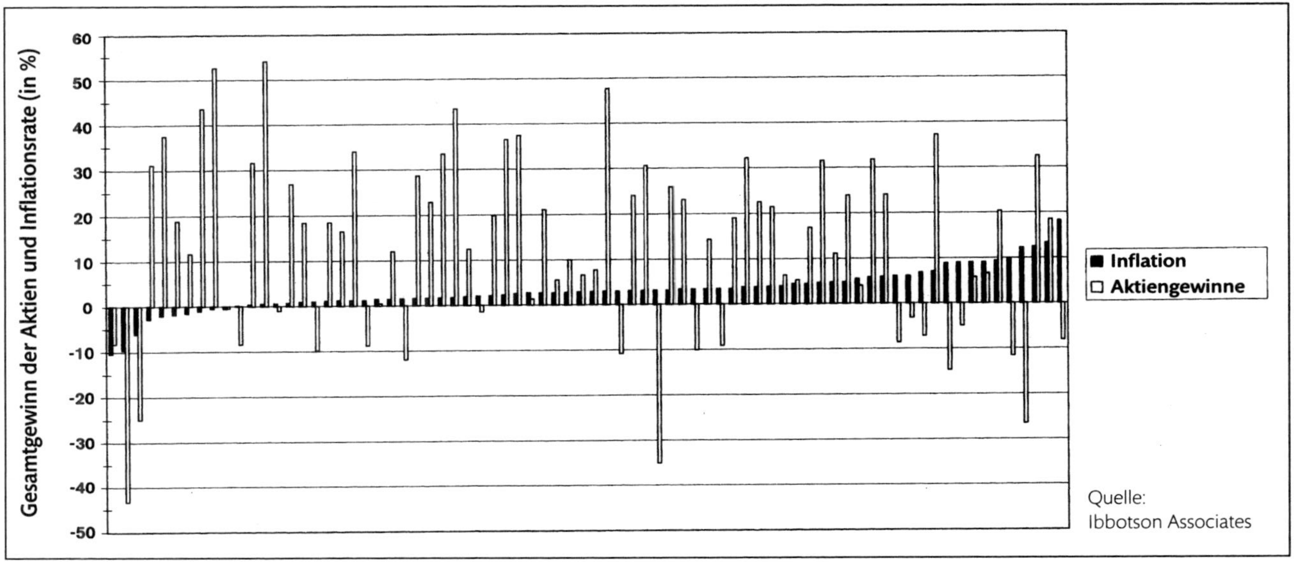

anstieg (rechte Seite der Grafik), bereiteten die Aktien ebenso wenig Freude. In acht der 14 Jahre, in denen die Inflationsrate mehr als 6 % betrug, wurde an der Börse Geld verloren; der durchschnittliche Gewinn in diesen 14 Jahren lag bei kümmerlichen 2,6 %.Während eine leichte Inflation es den Unternehmen ermöglicht, die steigenden Beschaffungskosten an die Kunden weiterzureichen, spielt eine hohe Inflationsrate verrückt: Sie zwingt die Kunden, ihre Käufe drastisch zu kürzen, und lähmt die gesamte Wirtschaft.

Die historischen Beweise sind eindeutig: Seit es ab 1926 genaue Aufzeichnungen der Aktienkurse gibt, gab es 64 Fünf-Jahres-Zeiträume (1926-1930, 1927-1931, 1928-1932 und so weiter bis 1998-2000). In 50 dieser 64 Fünf-Jahres-Perioden (oder innerhalb 78 % dieser Zeit) überholten die Gewinne aus Aktien die Inflation.[57] Das ist eindrucksvoll, aber kein vollkommener Schutz; es bedeutet, dass Aktien es in etwa einem Fünftel der Zeit nicht schafften, mit der Inflation Schritt zu halten.

Zwei Akronyme zur Rettung

Glücklicherweise können Sie Ihre Verteidigung gegen die Inflation verstärken, indem Sie von Aktien zu anderen Anlageformen wechseln. Seit Graham zum letzten Mal selbst ein Buch geschrieben hat, haben die Anleger zwei Möglichkeiten, gegen die Inflation anzugehen:

REITs.

Real Estate Investment Trusts (Immobilienfonds) sind Gesellschaften, die Wohn- und Gewerbeimmobilien besitzen und daraus Miete beziehen.[58] Gebündelt in Immobilienfonds sind diese gut geeignet, um sich gegen die Inflation zu wehren. Die beste Wahl (in den USA) ist der Vanguard REIT Index Fund; preisgünstig sind auch Cohen & Steers Realty Shares, Columbia Real Estate Equity Fund und Fideli-

57 Ibbotson Associates, Stocks, Bonds, Bills and Inflation, 2003 Handbook (Ibbotson Associates, Chicago, 2003), Tabelle 2-8. Das gleiche Muster ist auch außerhalb der USA ersichtlich: In Belgien, Italien und Deutschland, wo die Inflation im 20. Jahrhundert besonders hoch war, „scheint die Inflation eine negative Auswirkung sowohl auf Aktien als auch auf Anleihen gehabt zu haben", bemerken Elroy Dimson, Paul Marsh und Mike Staunton in Triumph of the Optimism: 101 Years of Global Investment Returns (Princeton University Press, 2002), S. 53.

58 Gründliche Informationen über REITs, wenn auch manchmal etwas älter, finden Sie unter www.nareit.com.

ty Real Estate Investment Fund.[59] Auch wenn ein REIT wahrscheinlich kein narrensicherer Inflationsfilter ist, sollte er langfristig doch ein wenig Schutz vor dem Schwund Ihrer Kaufkraft bieten, ohne Ihren Gesamtgewinn zu behindern.

TIPS.

Treasury Inflation-Protected Securities oder TIPS sind amerikanische Staatsanleihen, erstmals ausgegeben im Jahr 1997, die automatisch im Wert steigen, wenn auch die Inflation steigt. Weil die Vereinigten Staaten als Schuldner hinter diesen Papieren stehen, sind alle Staatsanleihen sicher vor dem Risiko des Verlustes des eingesetzten Kapitals und auch davor, dass die Zinsen nicht gezahlt werden. Doch TIPS garantieren auch, dass der Wert Ihrer Investition von der Inflation nicht aufgefressen wird. Mit einem einfachen Paket schützen Sie sich vor finanziellen Verlusten und dem Verlust der Kaufkraft.[60]

Es gibt allerdings einen Haken. Wenn der Wert Ihrer TIPS-Anleihe steigt und auch die Inflationsrate höher wird, betrachtet der Internal Revenue Service (Finanzamt) den Wertzuwachs als zu versteuerndes Einkommen – auch wenn es nur ein reiner Papiergewinn ist (es sei denn, Sie verkaufen die Anleihe zum neuen, höheren Preis). Weshalb macht das für das Finanzamt Sinn? Der intelligente Investor wird sich an die Worte des Finanzanalysten Mark Schweber erinnern: „Die einzige Frage, die man einem Bürokraten niemals stellen darf, ist: ‚Warum?'." Wegen dieser steuerlichen Komplikation sind die TIPS am besten für ein von der Steuer befreites Rentenkonto wie IRA, Keogh oder 401(k) geeignet, wo man Ihnen Ihr zu versteuerndes Einkommen nicht anrechnet.

TIPS können Sie direkt bei der US-Regierung kaufen (unter www.publicdept.treas.gov/of/ofinflin.htm) oder bei einem Discount-Investmentfonds wie Vanguard Inflation-Protected Securities oder Fidelity Inflation-Protected Bond Fund.[61] Ob direkt oder über einen Fonds: TIPS sind der ideale Ersatz für den Anteil in Ihrem Ruhestandskonto, den Sie ansonsten in Barwerten halten würden. Traden Sie

---

59 Weitere Informationen finden Sie unter www.vanguard.com, www.cohenandsteers.com, www.columbiafonds.com und www.fidelity.com. Der Fall für Investitionen in REITs ist nicht so dringend, wenn Sie selbst ein Eigenheim besitzen, weil Sie damit ja selbst Immobilienbesitz haben.

60 Eine gute Einführung zu TIPS finden Sie unter www.publicdept.treas.gov/of/ofinflin.htm. Weitere anspruchsvollere Besprechungen finden Sie unter www.fereralreserve.gov/Pubs/feds/2002/200232/200232pap.pdf, www.tiaa-crefinstitute.org/Publications/resdiags/73_09-2002.htm und unter www.bwater.com/research_ibonds.htm.

61 Einzelheiten zu diesen Fonds finden Sie unter www.vanguard.com oder www.fidelity.com.

nicht damit: TIPS können kurzfristig sehr volatil werden, und deshalb funktionieren sie am besten als permanente, lebenslange Anlage. Für die meisten Anleger sind 10 % des für den Ruhestand zurückgelegten Vermögens in TIPS eine gute Möglichkeit, einen Teil des Geldes absolut sicher zu halten – und völlig außerhalb der Reichweite der langen und unsichtbaren Klauen der Inflation.

100 Jahre Aktienmarkt: Das Niveau der Aktienkurse Anfang 1972

Das Aktienportfolio eines Investors repräsentiert einen kleinen Querschnitt aus dieser Furcht erregenden Einrichtung, die wir unter dem Namen Börse kennen. Der Verstand sagt, er habe eine ausreichende Vorstellung von der Geschichte des Aktienmarktes, insbesondere von den großen Schwankungen im Kursniveau und den sich verändernden Beziehungen zwischen Aktienkursen als Ganzem und den Kursgewinnen und Dividenden. Mit diesem Wissen kann er sich eine Vorstellung von der Attraktivität oder den Gefahren machen, die vom Niveau des Aktienmarktes zu verschiedenen Zeiten ausgeht. Durch Zufall finden wir nützliche Daten über Kurse, Kursgewinne und Dividenden, die 100 Jahre zurückreichen, bis ins Jahr 1871. (Das Material ist für die erste Hälfte dieses Jahrhunderts nicht so vollständig und zuverlässig wie für die zweite Hälfte, aber durchaus ausreichend.) In diesem Kapitel werden wir diese Zahlen in einer stark verdichteten Form darstellen, wobei wir zwei Ziele im Blick haben. Das erste Ziel ist, Ihnen zu zeigen, wie die Aktien ihre Kursgewinne während der vielen Konjunkturzyklen der zurückliegenden 100 Jahre geschafft haben. Das zweite Ziel lautet, dieses Bild in Zeitabschnitten von jeweils zehn Jahren zu betrachten - nicht nur die Kurse, sondern auch die Gewinne und die Dividenden -, um die verschiedenen Beziehungen zwischen diesen drei Faktoren aufzudecken. Mit diesem Fundus an Daten im Hintergrund werden wir zu einer genauen Betrachtung der Aktienkurse am Beginn des Jahres 1972 kommen.

Die Geschichte des Aktienmarktes wird in zwei Tabellen und einem Chart zusammengefasst. Tabelle 3-1 stellt die Höhen und Tiefen der 19 Bären- und Bullenmärkte der vergangenen 100 Jahre dar. Hierzu haben wir zwei Indizes herangezogen. Der erste ist eine Kombination einer frühen Studie der Cowles Commission, die bis ins Jahr 1870 zurückreicht und mit dem bekannten Standard & Poor´s 500 verbunden und bis heute fortgeführt wurde. Der zweite Index ist der noch berühmtere Dow Jones Industrial Average (der „DJIA" oder „Dow"), der bis 1897 zurückgeht. Er enthält 30 Unternehmen, zu denen American Telephon & Telegraph und die anderen 29 großen Industrieunternehmen zählen [12].

Tabelle 3-1: Die großen Schwankungen am Aktienmarkt zwischen 1871 und 1971

	Cowles-Standard 500 Composite			Dow-Jones Industrial Average		
Jahr	Hoch	Tief	Abnahme	Hoch	Tief	Abnahme
1871		4,64				
1881	6,58					
1885		4,24	28 %			
1887	5,90					
1893		4,08	31 %			
1897					38,85	
1899				77,60		
1900					53,5	31 %
1901	8,50			78,30		
1903		6,26	26 %		43,2	45 %
1906	10,03			103,00		
1907		6,25	38 %		53,00	48 %
1909	10,30			100,50		
1914		7,35	29 %		53,20	47 %
1916 - 1918	10,21			110,20		
1917		6,80	33 %		73,40	33 %
1919	9,51			119,60		
1921		6,45	32 %		63,90	47 %
1929	31,92			381,00		
1932		4,40	86 %		41,20	89 %
1937	18,68			197,40		

	Cowles-Standard 500 Composite			Dow-Jones Industrial Average		
Jahr	Hoch	Tief	Abnahme	Hoch	Tief	Abnahme
1938		8,50	55 %		99,00	50 %
1939	13,23			158,00		
1942		7,47	44 %		92,90	41 %
1946	19,25			212,50		
1949		13,55	30 %		161,20	24 %
1952	26,60			292,00		
1952 - 1953		22,70	15 %		256,00	13 %
1956	49,70			521,00		
1957		39,00	24 %		420,00	20 %
1961	76,70			735,00		
1962		54,80	29 %		536,00	27 %
1966 - 1968	108,40			995,00		
1970		69,30	36 %		631,00	37 %
Anfang 1972	100,00		-	900		-

Chart I, den wir Standard & Poor's verdanken, stellt die Marktschwankungen seines 425 Industrial Stock Index von 1900 bis 1970 dar. (Ein entsprechender Chart für den DJIA würde sehr ähnlich aussehen.) Der Leser wird drei ziemlich ausgeprägte Muster erkennen, von denen jedes etwa ein Drittel dieser 70 Jahre umfasst. Das erste Muster reicht von 1900 bis 1924 und zeigt zum größten Teil eine Reihe einander sehr ähnlicher Konjunkturzyklen, die jeweils drei bis fünf Jahre dauern. Die jährliche Steigerungsrate in diesem Zeitabschnitt betrug durchschnittlich nur 3 %. Wir gehen weiter zum Bullenmarkt des „neuen Zeitalters", das 1929 seinen Höhepunkt erreichte, mit seinen schrecklichen Nachwehen des Zusammenbruchs, gefolgt von ziemlich unregelmäßigen Schwankungen bis 1949. Vergleicht man das durchschnittliche Niveau von 1949 mit dem von 1924, dann stellen wir nur eine magere Steigerung von 1,5 % fest; somit konnte die Öffentlichkeit sich am Ende des zweiten Zeitraums überhaupt nicht für Aktien begeistern. Nach dem Gesetz der Gegensätze war die Zeit nunmehr reif für den Beginn des größten Bullenmarktes unserer Geschichte, der im letzten Drittel des Charts dargestellt ist. Dieses Phänomen fand wahrscheinlich im Dezember 1968 seinen Höhepunkt, als der S&P 425 Industrial bei 118 Punkten stand (und der S&P 500 bei 108 Punkten). Wie in Tabelle 3-1 dargestellt, gab es zwischen1949 und 1968 ziemlich schwere Rückschläge (besonders 1956/1957 und 1961/1962). Die Erholungen fanden jeweils so schnell statt, dass wir sie als Rezessionen innerhalb eines einzigen Bullenmarktes betrachten mussten und sie nicht als einzelne Konjunkturzyklen galten. Zwischen dem mit 162 Punkten niedrigen Niveau des „Dow" Mitte des Jahres 1949 und dem Hoch von 995 Punkten Anfang 1966 hatte sich der Index innerhalb von 17 Jahren versechsfacht, was einer jährlichen durchschnittlichen Steigerungsrate von11 % entspricht, wobei die Dividenden von rund 3,5 % noch nicht einbezogen sind. (Der Anstieg des Standard & Poor's Composite Index war etwas stärker als der des DJIA - genauer von 14 bis 96.)

Diese Gewinne von 14 % und mehr wurden 1963 und später in einer oft veröffentlichten Studie dokumentiert [13].[62] Sie sorgte an der Wall Street für Zufriedenheit über derartig wunderbare Ergebnisse und zu der - ziemlich unlogischen und gleichermaßen gefährlichen - Überzeugung, dass von Aktien ähnlich phantastische Ergebnisse auch in der Zukunft erwartet werden könnten. Nur wenige scheinen sich an der Vorstellung gestört zu haben, dass dieses Ausmaß an Zuwachs auch bedeuten könnte, dass es zu hoch war. Der darauf folgende Abstieg vom Hoch von 1968 zum Tief von 1970 betrug beim S&P Composite 36 % (und 37 % beim DJIA); das war der deutlichste Abschwung seit 1939 bis 1942, als er 44 % verlor, was aber auf die Gefahren und Unsicherheiten nach dem japanischen Angriff auf Pearl Harbour zurückzuführen war. In der dramatischen Weise, die für die Wall Street so bezeichnend ist, folgten dem Tief vom Mai 1970 eine massive und schnelle Erholung beider Indizes und ein neues Rekordhoch des S&P Industrial Anfang des Jahres 1972. Für den S&P Composite belief sich die durchschnittliche jährliche Steigerung auf etwa 9 % (auch für den Industrial Index), wenn man die Durchschnittszahlen beider Jahre anwendet. Die Steigerungsrate war natürlich viel größer als in jeder vergleichbaren Situation vor 1950. (Doch im vergangenen Jahrzehnt war die Steigerungsrate wesentlich geringer - 5,25 % für den S&P Composite und nur die schon bekannten 3 % für den DJIA.)

Die Aufzeichnungen der Kursbewegungen sollten noch um die entsprechenden Zahlen für die Gewinne und Dividenden ergänzt werden, um ein Gesamtbild von dem zu erhalten, was mit unseren Aktien über ein Jahrhundert hinweg pas-

---

62 Die Studie in ihrer endgültigen Fassung war von Lawrence Fisher und James H. Lorie: „Rates of Return on Investments in Common Stock: the Year-by-Year Record, 1926-1965", The Journal of Business, Ausgabe XLI, (Juli, 1968), S. 291 bis 316. Eine Zusammenfassung über den großen Einfluss dieser Studie finden Sie unter http://library.dfaus.com/reprints/work_of_art/.

Chart 1

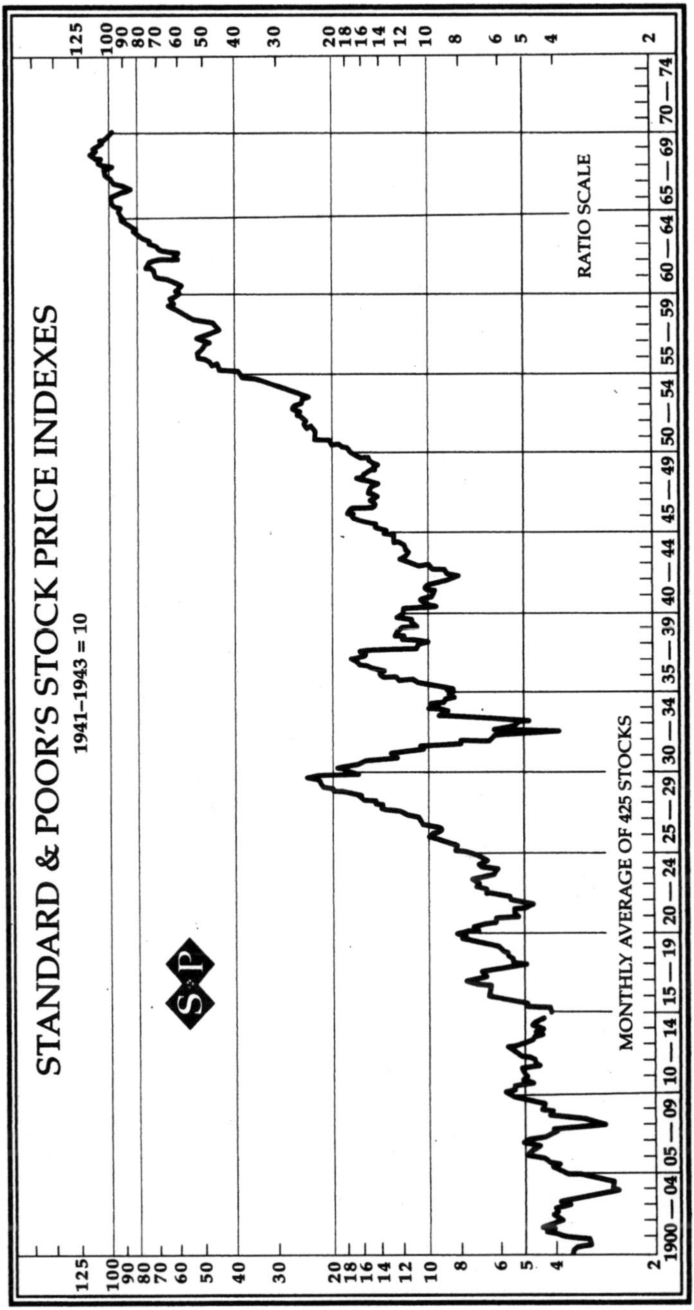
STANDARD & POOR'S STOCK PRICE INDEXES
1941–1943 = 10
S P
MONTHLY AVERAGE OF 425 STOCKS
RATIO SCALE
125
100
90
80
70
60
50
40
30
20
18
16
14
12
10
8
6
5
4
2
1900 — 04
05 — 09
10 — 14
15 — 19
20 — 24
25 — 29
30 — 34
35 — 39
40 — 44
45 — 49
50 — 54
55 — 59
60 — 64
65 — 69
70 — 74

siert ist. Einen allgemeinen Überblick dieser Art zeigt Tabelle 3-2 (S. 87). Vom Leser erwarten wir, dass er diese Zahlen sorgfältig untersucht, und wir hoffen, dass es für einige interessant und lehrreich sein wird.

Dazu möchten wir Folgendes sagen: Die Zahlen für ein ganzes Jahrzehnt glätten die alljährlichen Schwankungen und zeigen ein Bild stetigen Wachstums. Nur zwei der neun Jahrzehnte nach dem ersten zeigen eine Abnahme der Gewinne und der Durchschnittskurse (von 1891 bis 1900 und von 1931 bis 1940), und in keinem Jahrzehnt nach 1900 finden wir eine Abnahme der durchschnittlichen Dividenden. Doch sind die Wachstumsraten in diesen drei Kategorien durchaus unterschiedlich. Im Allgemeinen war die Performance seit dem Zweiten Weltkrieg besser als in den vorhergehenden Jahrzehnten, doch die Steigerung in den 60er-Jahren war geringer ausgefallen als die der 50er-Jahre. Der Anleger von heute kann aus diesen Aufzeichnungen zwar nicht ablesen, welchen prozentualen Gewinn er in den nächsten zehn Jahren bei Gewinnen, Dividenden und Kursen erwarten kann, doch geben ihm die Zahlen jene Zuversicht, die er für ein schlüssiges Konzept bei Kapitalanlagen in Aktien benötigt.

Allerdings sollte noch etwas angemerkt werden, was aus der Tabelle nicht ersichtlich wird. Das Jahr 1970 war durch einen eindeutigen Rückgang der gesamten Gewinne unserer Unternehmen gekennzeichnet. Der Gewinn auf das investierte Kapital fiel auf den niedrigsten Prozentsatz seit Ende des Zweiten Weltkriegs. Ebenso auffällig ist die Tatsache, dass eine große Anzahl von Unternehmen in diesem Jahr Nettoverluste hinnehmen musste. Viele gerieten in finanzielle Schwierigkeiten, und zum ersten Mal innerhalb von drei Jahrzehnten gab es einige große Konkurse. Diese Tatsachen, aber auch andere Faktoren, haben zur oben genannten Aussage geführt[63], dass das Zeitalter des großen Booms in den Jahren 1969/1970 zu Ende ging.

Auffällig in Tabelle 3-2 ist die Veränderung der Kurs-Gewinn-Verhältnisse (KGV) seit dem Zweiten Weltkrieg.[64] Im Juni 1949 wurde der S&P Composite nur

63 Siehe S. 84.

64 Das Kurs-Gewinn-Verhältnis einer Aktie oder eines Index wie des S&P 500 ist ein einfaches Hilfsmittel, um die „Temperatur" des Marktes festzustellen. Wenn beispielsweise ein Unternehmen im letzten Jahr 1 $ je Aktie als Nettoertrag verzeichnet und die Aktie mit 8,93 $ gehandelt wird, dann wäre das Kurs-Gewinn-Verhältnis 8,93. Wenn die Aktie jedoch mit 69,70 $ gehandelt würde, dann wäre das Kurs-Gewinn-Verhältnis 69,7. Im Allgemeinen wird ein Kurs-Gewinn-Verhältnis (P/E-Ratio) von weniger als zehn als niedrig betrachtet, zwischen zehn und 20 als mittelmäßig, und ist es höher als 20, dann gilt die Aktie als teuer.

Tabelle 3-2: Ein Überblick über die Performance des Aktienmarktes von 1871 bis 1970[a]

Zeitraum	Durchschnittskurs	Durchschnittsgewinn	Durchschnittliches KGV	Durchschnittliche Dividende	Durchschnittliche Rendite in %	Durchschnittliche Auszahlung in %	Jährliche Wachstumsrate[b]	
							Gewinne in %	Dividenden in %
1871–1880	3,58	0,32	11,3	0,21	6,0	67	–	–
1881–1890	5,00	0,32	15,6	0,24	4,7	75	–0,64	–0,66
1891–1900	4,65	0,30	15,5	0,19	4,0	64	–1,04	–2,23
1901–1910	8,32	0,63	13,1	0,35	4,2	58	+6,91	+5,33
1911–1920	8,62	0,86	10,0	0,50	5,8	58	+3,85	+3,94
1921–1930	13,89	1,05	13,3	0,71	5,1	68	+2,84	+2,29
1931–1940	11,55	0,68	17,0	0,78	5,1	85	–2,15	–0,23
1941–1950	13,90	1,46	9,5	0,87	6,3	60	+10,60	+3,25
1951–1960	39,20	3,00	13,1	1,63	4,2	54	+6,74	+5,90
1961–1970	82,50	4,83	17,1	2,68	3,2	55	+5,80[c]	+5,40[c]
1954–1956	38,19	2,56	15,1	1,64	4,3	65	+2,40[d]	+7,80[d]
1961–1963	66,10	3,66	18,1	2,14	3,2	58	+5,15[d]	+4,42[d]
1968–1970	93,25	5,60	16,7	3,13	3,3	56	+6,30[d]	+5,60[d]

a) Die folgenden Daten beruhen weitestgehend auf Zahlen, die in N. Molodovskys Artikel „Stock Values and Stock Prices", Financial Analyst´s Journal, Mai 1960, genannt sind. Diese wiederum wurden für die Jahre vor 1926 dem Buch der Cowles Commission Common Stock Indexes entnommen und für die Zeit von 1926 bis heute, dem Standard & Poor´s 500 Composite Index.
b) Die jährliche Wachstumsraten stammen aus Molodovsky´s Sammlung, die den Zeitraum von 21 Jahren umfasst, der 1890, 1900 usw. endet.
c) Wachstumsrate von 1968 bis 1970 im Vergleich zu 1958 bis 1960.
d) Diese Zahlen für die Wachstumsrate gelten für 1954 bis 1956 im Vergleich zu 1947 bis 1949, 1961 bis 1963 im Vergleich zu 1954 bis 1956 und für 1968 bis 1979 im Vergleich zu 1958 bis 1960.

zum 6,3fachen der entsprechenden Gewinne der letzten zwölf Monate gehandelt. Im März 1961 lag dieses Verhältnis bei 22,9. Gleichermaßen war die Dividendenrendite von 7 % im Jahr 1949 auf nur 3,0 % im Jahr 1961 gefallen, ein Unterschied, der durch die Tatsache verstärkt wurde, dass die Zinsen auf erstklassige Anleihen in der Zwischenzeit von 2,60 % auf 4,50 % gestiegen waren. Dies ist sicherlich die bemerkenswerteste Einstellungsänderung in der Öffentlichkeit in der Geschichte des Aktienmarktes.

Für Leute, die lange Erfahrung und eine angeborene Vorsicht haben, war der Wechsel von einem Extrem zum anderen eine deutliche Warnung, dass Schwierigkeiten bevorstehen würden. Sie konnten nicht anders, als sich besorgt an den Bullenmarkt von 1926 bis 1929 und an seine tragischen Nachwehen zu erinnern. Doch diese Ängste wurden durch die Ereignisse nicht bestätigt. Es trifft zu, dass der Schlusskurs des DJIA im Jahr 1970 der gleiche war wie vor sechseinhalb Jahren und die hochgelobten „Roaring Sixties" sich hauptsächlich als eine Abfolge von Hochs und Tiefs erwiesen. Doch weder mit den Unternehmen noch mit den Aktienkursen war etwas geschehen, was sich mit dem Bärenmarkt und der Depression von 1929 bis 1932 vergleichen ließe.

Das Niveau des Aktienmarktes Anfang 1972

Mit einem allgemeinen Überblick über 100 Jahre Aktien, Kurse, Gewinne und Dividenden vor Augen wollen wir versuchen, einige Rückschlüsse zu ziehen, da der DJIA im Januar 1972 bei 900 Punkten und der S&P bei 100 steht.

In jeder der vorhergehenden Buchauflagen haben wir das Niveau des Aktienmarktes zur Zeit der Überarbeitung angesprochen und uns bemüht, die Frage zu beantworten, ob es zu hoch für konservative Anleger ist. Vielleicht interessiert es den Leser, noch einmal nachzulesen, welche Schlussfolgerungen wir zu diesen damaligen Zeitpunkten zogen. Das ist nicht ausschließlich eine Selbstbestrafung. Es ist eine Art von Verbindung, die die verschiedenen Etappen des Aktienmarktes in den vergangenen 20 Jahren verknüpft und auch ein lebensnahes Bild der Schwierigkeiten zeichnet, denen sich jeder ausgesetzt sieht, der versucht, ein informiertes und kritisches Urteil über das aktuelle Niveau des Marktes zu fällen. Zunächst wollen wir noch einmal die Analysen von 1948, 1953 und 1959 zusammenfassen, die wir in der Auflage von 1965 veröffentlichten:

1948 legten wir an das Niveau des Dow Jones von 180 Punkten konservative Maßstäbe an und hatten keine Schwierigkeiten, zu dem Schluss zu gelangen, dass „es angesichts der zugrunde liegenden Werte nicht zu hoch war". Als wir 1953 dieses Problem angingen, hatte das Niveau 275 Punkte erreicht, das ist ein Gewinn von 50 % innerhalb von fünf Jahren. Wir stellten uns die gleiche Frage, nämlich, „ob unserer Meinung nach das Niveau des Dow Jones Industrial Average mit 275 Punkten für eine vernünftige Kapitalanlage nicht zu hoch sei". Im Lichte der folgenden spektakulären Steigerung mag es seltsam erscheinen, dass wir sagten, dass es für uns keineswegs einfach war, bei der attraktiven Situation von 1953 zu einer definitiven Schlussfolgerung zu kommen. Wir sagten, sehr positiv eingestellt, dass „vom Standpunkt der Werte aus - unser hauptsächlicher Führer in Sachen Kapitalanlage - die Schlussfolgerung über die Aktienkurse von 1953 günstig sein muss". Doch machten wir uns Sorgen um die Tatsache, dass 1953 die Indizes länger als in den meisten Bullenmärkten zuvor gestiegen waren und dass das absolute Niveau sich auf einem historischen Höchststand befand. Wir stellten diese Faktoren unserem günstigen Urteil gegenüber und rieten zu einer vorsichtigen oder ausgleichenden Strategie. Wie sich herausstellte, war dies kein besonders guter Weg. Ein guter Prophet hätte vorhergesehen, dass das Marktniveau bereit war, in den nächsten fünf Jahren um weitere 100 % zu steigen. Vielleicht sollten wir zu unserer Verteidigung hinzufügen, dass nur wenige, wenn überhaupt jemand, dessen Geschäft es ist, Prognosen zu Aktien abzugeben - unser Geschäft war das nicht -, genauso wenig wie wir eine Ahnung von dem hatte, was kommen sollte.

Zu Beginn des Jahres 1959 erreichte der DJIA mit 584 Zählern sein Allzeithoch. Unsere ausführliche Analyse, die wir aus allen Blickwinkeln durchführten, kann wie folgt zusammengefasst werden (aus der Auflage von 1959, S. 59): „Wenn wir alles berücksichtigen, dann sehen wir uns zu der Schlussfolgerung gezwungen, dass das gegenwärtige Kursniveau ziemlich gefährlich ist. Und zwar deshalb, weil die Kurse schon jetzt viel zu hoch sind. Doch selbst wenn dies nicht der Fall ist, dann liegt es am unvermeidlichen Momentum des Marktes, dass die Kurse ungerechtfertigte Höhen erreichen. Offen gesagt, wir können uns in der Zukunft keinen Markt vorstellen, in dem es nicht auch zu schweren

Verlusten kommt, und keinen, in dem jeder Anfänger mit seinen Aktien garantiert hohe Gewinne einstreicht."

Die Vorsicht, die wir 1959 zum Ausdruck brachten, wurde durch die Zeit danach mehr gerechtfertigt als unsere entsprechende Ansicht im Jahr 1954. Dennoch war auch sie bei weitem überzogen. Der DJIA stieg 1961 auf 685 Zähler, fiel danach geringfügig unter unser Niveau von 584 (auf 566), kletterte Ende 1961 wieder auf 735 Punkte und brach im Mai 1962 in wilder Panik auf 536 Punkte ein, was einem Verlust von 27 % innerhalb des kurzen Zeitraums von sechs Monaten entspricht. Gleichzeitig gab es bei den beliebten Wachstumsaktien auch Verlierer – wie der überraschende Fall des unbestrittenen Marktführers, International Business Machines (IBM), beweist, der von einem Hoch von 607 im Dezember 1961 auf ein Tief von 300 im Juni 1962 abstürzte.

Dieser Zeitraum brachte ein Debakel für viele neu emittierte Aktien kleiner Unternehmen – der so genannten heißen Emissionen –, die zu so lächerlich hohen Kursen angeboten wurden und deren Kurse dann noch durch überflüssige Spekulationen auf ein fast irrsinnig hohes Niveau getrieben wurden. Viele dieser Aktien verloren innerhalb weniger Monate 90 % und mehr ihres notierten Werts.

Der Zusammenbruch in der ersten Hälfte des Jahres 1962 war für viele selbst ernannte Spekulanten und vielleicht auch für viele unkundige Leute, die sich „Investoren" nannten, beunruhigend, wenn nicht gar katastrophal. Doch der Wendepunkt, später in diesem Jahr, kam für die Anleger ebenso unerwartet. Der Aktienmarkt nahm seinen Weg nach oben wieder auf und lieferte die folgenden Ergebnisse:

	DJIA	S&P 500 Composite
Dezember 1961	735	72,64
Juni 1962	536	52,32
November 1964	892	86,28

Die Erholung und der erneute Anstieg der Aktienkurse waren bemerkenswert und bewirkten eine entsprechende Korrektur der Stimmung an der Wall Street. Am Tief vom Juni 1962 waren die Prognosen über-

> wiegend pessimistisch, und nach der teilweisen Erholung gegen Ende des Jahres waren sie eher gemischt, aber immer noch eher skeptisch. Doch zu Beginn des Jahres 1964 setzte sich der normale Optimismus der Brokerhäuser wieder durch; fast alle Prognosen waren optimistisch und blieben es auch während des Anstiegs der Kurse im Jahr 1964.

Im November 1964 machten wir uns an die Arbeit, das Kursniveau der Börse zu bewerten (892 für den DJIA). Als wir die Situation aus allen Blickwinkeln diskutiert hatten, kamen wir zu drei Ergebnissen. Das erste war, dass „alte Bewertungsmaßstäbe nicht mehr anwendbar schienen und neue Bewertungsmaßstäbe noch nicht genügend Zeit hatten, sich zu bewähren". Das zweite war, dass der Investor „seine Strategie auf der Grundlage großer Unsicherheiten festlegen muss". Die Möglichkeiten umfassten einerseits die Extreme einer sich lang hinziehenden weiteren Steigerung des Kursniveaus - etwa um 50 %, oder auf 1.350 Zähler für den DJIA - und andererseits einen weitgehend überraschenden Einbruch der gleichen Größenordnung, wodurch der Index auf etwa 450 Punkte fallen würde. Das dritte Ergebnis wurde deutlicher zum Ausdruck gebracht. Wir sagten: „Offen gesagt, wenn das Kursniveau von 1964 nicht zu hoch ist, wie könnten wir dann von irgendeinem Kursniveau behaupten, es sei zu hoch?" Das Kapitel schloss folgendermaßen:

> Anleger sollten nicht glauben, das Kursniveau von 1964 sei gefährlich, nur weil sie es in diesem Buch lesen. Sie müssen unsere Überlegungen gegen gegensätzliche Überlegungen abwägen, die sie von den meisten kompetenten und erfahrenen Leuten von der Wall Street zu hören bekommen. Letztlich muss jeder seine eigene Entscheidung treffen und deshalb auch die Verantwortung dafür übernehmen. Wir glauben jedoch, dass ein Anleger, wenn er im Zweifel ist, welchem Kurs er folgen sollte, den Weg der Vorsicht einschlagen sollte. Die Grundregeln der Kapitalanlage, wie wir sie hier darstellen, wären unter den Bedingungen von 1964 nach ihrer Bedeutung wie folgt geordnet:
>
> - Niemals Kredite aufnehmen, um Wertpapiere zu kaufen oder zu halten.
> - Den Anteil der Aktien im Portfolio nicht erhöhen.

- Wo erforderlich, den Anteil der Aktien auf maximal 50 % des Portfolios senken. Die Kapitalertragsteuer muss ohne Zögern bezahlt werden und die Erträge müssen in erstklassige Anleihen investiert oder auf Sparkonten gehalten werden.

Anleger, die längere Zeit in gutem Glauben im Cost-Averaging-Verfahren angelegt haben, können logischerweise ihre Käufe unverändert fortsetzen oder sie aussetzen, bis sie das Gefühl haben, dass das Kursniveau nicht mehr gefährlich ist. Von einem neuen Cost-Averaging-Plan raten wir bei den Kursen von Ende 1964 dringend ab, weil viele Anleger nicht das Stehvermögen haben, ein derartiges Modell durchzuhalten, wenn die Ergebnisse schon bald nach dem Beginn höchst ungünstig scheinen.

Dieses Mal können wir sagen, dass unsere Vorsicht gerechtfertigt war. Der DJIA stieg um weitere 11 % auf 995 Punkte, doch dann fiel er 1970 unregelmäßig auf ein Tief von 632 und beendete das Jahr mit 839 Punkten. Das gleiche Debakel erlebten wir mit den „heißen Emissionen" - das heißt, mit Abstürzen von bis zu 90 % -, wie es schon beim Rückschlag von 1961/1962 der Fall war. Und, wie wir schon in der Einführung betonten, es schien sich das gesamte finanzielle Bild in die Richtung geringerer Begeisterung und größerer Zweifel verschoben zu haben. Eine einzige Tatsache kann die ganze Geschichte zusammenfassen: Der DJIA schloss 1970 auf einem geringeren Niveau als vor sechs Jahren - das erste Mal seit 1944.

Das waren unsere Bemühungen, frühere Börsenniveaus zu bewerten. Gibt es etwas, das wir und unsere Leser daraus lernen können? 1948 und 1953 erachteten wir das Kursniveau für Investitionen als günstig (allerdings 1953 zu vorsichtig), als „gefährlich" im Jahr 1959 (bei 584 Punkten für den DJIA) und als „zu hoch" (bei 892) im Jahr 1964. All diese Einschätzungen könnten mit geschickten Argumenten sogar heute noch verteidigt werden. Doch ist es zweifelhaft, ob sie nützlicher wären als unsere eher prosaischen Ratschläge - beständig und kontrolliert in Aktien anzulegen -, ob vom Vorhaben abzuraten ist, „den Markt zu schlagen" und „die Gewinner auszuwählen".

Dennoch glauben wir, dass unsere Leser von einer erneuerten Einschätzung des Niveaus des Aktienmarktes profitieren können - dieses Mal zum Stand von Ende 1971 -, selbst wenn das, was wir zu sagen haben, eher interessant und hinweisend ist, als dass es sich für die Praxis als nützlich und erweisen könnte. Am

Anfang der Schrift über Ethik von Aristoteles steht ein wunderbarer Absatz: „Es ist das Kennzeichen eines gebildeten Verstandes, die Genauigkeit zu erwarten, welche die Art eines bestimmten Themas zulässt. Ebenso ist es unvernünftig, eher unwahrscheinliche Schlussfolgerungen eines Mathematikers zu akzeptieren und von einem Redner eine strikte Beweisführung zu fordern." Die Arbeit eines Finanzanalysten liegt irgendwo zwischen der eines Mathematikers und der eines Redners.

Verschiedentlich stand der DJIA im Jahr 1971 mit 892 Punkten auf dem Niveau vom November 1964, das wir in unserer vorhergehenden Auflage betrachteten. Doch in der aktuellen statistischen Studie haben wir uns entschieden, das Kursniveau und die damit verbundenen Daten des S&P 500 zu verwenden, weil dieser umfangreicher ist und ein repräsentativeres Bild des Marktes zeichnet als die 30 Aktien im Dow Jones. Wir vergleichen dieses Material mit den Daten der früheren Auflagen- nämlich jeweils zum Jahresende von 1948, 1953, 1958 und 1963 - und 1968; für das aktuelle Kursniveau nehmen wir zweckmäßigerweise einen Wert von 100 an, der 1971 und Anfang 1972 mehrfach registriert wurde. Die auffälligen Daten werden in Tabelle 3-3 dargelegt. Unsere Zahlen für die Gewinne repräsentieren das letzte Jahr und den Durchschnitt für drei Kalenderjahre. Bei den Dividenden verwenden wir die Zahlen der zurückliegenden zwölf Monate, und für den Zinssatz der Anleihen und Großhandelspreise verwenden wir die Zahlen von August 1971.

Tabelle 3-3: Daten in Bezug zum Standard & Poor's Composite Index in verschiedenen Jahren

Jahr[b]	1948	1953	1958	1963	1968	1971
Schlusskurs	15,20	24,81	55,21	75,02	103,9	100[d]
Gewinn für das laufende Jahr	2,24	2,51	2,89	4,02	5,76	5,23
Durchschnittsgewinn der vergangenen drei Jahre	1,65	2,44	2,22	3,63	5,37	5,53
Dividende für das laufende Jahr	0,93	1,48	1,75	2,28	2,99	3,10
Zinsen für erstklassige Anleihen[a]	2,77 %	3,08 %	4,12 %	4,36 %	6,51 %	7,57 %
Index der Großhandelspreise	87,9	92,7	100,4	105,0	108,7	114,3

Jahr[b]	1948	1953	1958	1963	1968	1971
Verhältniszahlen:						
Kurs/Gewinne des letzten Jahres	6,3 x	9,9 x	18,4 x	18,6 x	18,0 x	19,2 x
Kurs/Gewinne der letzten drei Jahre	9,2 x	10,2 x	17,6 x	20,7 x	19,5 x	18,1 x
Gewinn-Rendite der letzten drei Jahre[c]	10,9 %	9,8 %	5,8 %	4,8 %	5,15 %	5,53 %
Dividendenrendite	5,6 %	5,5 %	3,3 %	3,04 %	2,87 %	3,11 %
Aktienrendite/ Anleihenrendite	3,96 x	3,20 x	1,41 x	1,10 x	0,80 x	0,72 x
Dividendenrendite/ Anleihenrendite	2,1 x	1,8 x	0,80 x	0,70 x	0,44 x	0,41 x
Gewinn/Buchwert[e]	11,2 %	11,8 %	12,8 %	10,5 %	11,5 %	11,5 %

a) Rendite auf von S&P mit AAA bewertete Anleihen
b) Von 1948 bis 1968 Kalenderjahre, 1971 endet im Juni 1971
c) Gewinn-Rendite bedeutet hier: Gewinn dividiert durch den Kurs in %.
d) Kurs im Oktober 1971, entspricht 900 Punkten im DJIA.
e) Die Zahlen gelten für den Durchschnitt von drei Jahren.

Das KGV von drei Jahren für den Gesamtmarkt war im Oktober 1971 geringer als zum Jahresende 1963 und 1968, ungefähr gleich dem des Jahres 1958, doch wesentlich höher als in den frühen Jahren des lang andauernden Bullenmarktes. Dieser an sich wichtige Indikator konnte nicht so interpretiert werden, wie es erforderlich gewesen wäre, um nachzuweisen, dass der Markt im Januar 1972 besonders hoch gewesen ist. Wenn aber der Zinsertrag auf erstklassige Anleihen ins Spiel gebracht wird, dann schaut die Sache weniger gut aus. Der Leser kann in der Tabelle erkennen, dass sich das Verhältnis der Aktiengewinne (KGV) im Vergleich zu den Gewinnen bei Anleihen während des gesamten Zeitraums verschlechtert hat, sodass die Zahl vom Januar 1972 nach diesem Kriterium für Aktien ungünstiger war als in all den zuvor untersuchten Jahren. Wird die Dividendenrendite mit der Anleihenrendite verglichen, dann stellt man fest, dass dieses Verhältnis zwischen 1948 und 1972 genau umgekehrt war. In den früheren Jahren war die Rendite der Aktien doppelt so hoch wie die der Anleihen; nunmehr ist die Rendite der Anleihen doppelt so hoch wie die der Aktien, zuweilen sogar noch höher.

Unser abschließendes Urteil lautet wie folgt: Die ungünstige Veränderung des Verhältnisses der Anleihenrendite zur Aktienrendite gleicht das bessere Kurs-Gewinn-Verhältnis für Ende 1971, basierend auf den Zahlen der Gewinne der zurückliegenden drei Jahre, völlig aus. Somit würde unsere Einschätzung des Marktniveaus von Anfang 1972 in etwa jener von vor sieben Jahren gleichen - das heißt, es ist für den konservativen Anleger nicht attraktiv. (Dies gilt für den größten Teil des Kursbereichs des DJIA von 1971, also für den Bereich zwischen 800 und 950 Punkten.)

Betrachtet man die Marktschwankungen in der Vergangenheit, so erscheint die Situation von 1971 immer noch wie eine ungleichmäßige Erholung vom Rückschlag der Jahre 1969 und 1970. In der Vergangenheit haben derartige Erholungen zu einem wiederkehrenden und beständigen Bullenmarkt geführt, der 1949 begann. (Dies war die allgemeine Erwartung der Wall Street während des Jahres 1971.) Nach der schrecklichen Erfahrung, die Privatanleger mit schwachen Titeln im Konjunkturzyklus von 1968 bis 1970 machen mussten, ist es (Anfang 1971) noch zu früh für ein erneutes Ankurbeln des Neuemissions-Karussells. Somit fehlt jetzt das zuverlässige Anzeichen für drohende Gefahren im Markt, ebenso wie beim Stand des DJIA von 892 Punkten im November 1964, wie wir in unserer vorherigen Auflage schon sagten. Rein technisch gesehen, würde der Ausblick einen weiteren deutlichen Anstieg weit über die Grenze von 900 Punkten nahe legen, bevor es zum nächsten ernsthaften Rückschlag oder gar zum Zusammenbruch kommt. Doch können wir die Angelegenheit nicht auf sich beruhen lassen, wie wir es vielleicht tun sollten. Für uns ist die schwache Einschätzung des Marktes von Anfang 1971 für die turbulenten Ereignisse ein knappes Jahr zuvor eher ein beunruhigendes Zeichen. Kann eine derartige Kopflosigkeit ungestraft bleiben? Wir glauben, dass sich die Anleger auf schwierige Zeiten einstellen müssen - vielleicht in Form einer schnellen Wiederholung des Abschwungs von 1969/1970 oder vielleicht in Form eines weiteren kurzen Bullenmarktes, auf den ein Zusammenbruch folgt [14].

Welchem Kurs sollte man folgen?

Blättern Sie noch einmal zurück zu dem, was wir in der letzten Auflage gesagt haben. Dies ist unsere Ansicht auf dem gleichen Kursniveau - etwa 900 - des DJIA am Anfang des Jahres 1972, so wie es Ende 1964 der Fall war.

Kommentar zu Kapitel 3

> Sie müssen gut aufpassen, wenn Sie nicht wissen, wohin Sie gehen, denn es könnte sein, dass Sie nicht ankommen.
>
> *Yogi Berra*

Der Unsinn vom Bullenmarkt

In diesem Kapitel zeigt Graham, über welche seherische Begabungen er verfügt. Er blickt zwei Jahre in die Zukunft und sagt den katastrophalen Bärenmarkt von 1973/1974 vorher, in dem die amerikanischen Aktien 37 % ihres Wertes verloren.[65] Er schaut auch mehr als zwei Jahrzehnte in die Zukunft, verurteilt die Logik der Börsen-Gurus und stempelt die Bestseller, die es am Ende seines Lebens noch nicht einmal gab, als bedeutungslos ab.

Kernstück von Grahams Argumentation ist, dass der intelligente Investor niemals die Zukunft prognostizieren darf, indem er ausschließlich die Vergangenheit hochrechnet. Leider war dies genau der Fehler, den ein Experte nach dem anderen in den 90er-Jahren beging. Eine Flut optimistischer Veröffentlichungen folgte dem Buch *Stocks for the Long Run* von Jeremy Siegel, Professor für Finanzwissenschaften an der University of Wharton, und der Optimismus fand seinen Höhepunkt in einem wilden Schlussakkord mit James Glassman und Kevin Hassetts Buch *Dow 36.000*, dem Werk *Dow 40.000* von David Elias und *Dow 100.000* von Charles Kadlec, die alle im Jahr 1999 erschienen. Diese Propheten behaupteten, dass Aktien seit 1802 einen durchschnittlichen Gewinn von jährlich 7 % nach Inflation gebracht hätten. Deshalb, so folgerten sie, könne der Investor dies auch für die Zukunft erwarten.

Einige Bullen gingen sogar noch weiter. Weil Aktien in allen Zeiträumen der vergangenen 30 Jahre „immer" besser gewesen seien als Anleihen, müssten Aktien weniger Risiko bergen als Anleihen oder sogar Barmittel auf der Bank. Und wenn man das Risiko der Aktien dadurch eliminieren könne, dass man sie nur lange genug hält, weshalb sollte man sich überhaupt darüber streiten, wie viel man dafür

---

65 Schließen wir die Dividenden nicht ein, fiel der Wert der Aktien in diesen beiden Jahren um 47,8 %.

zahlen muss? (Um herauszufinden, weshalb, sollten Sie den Kasten auf der folgenden Seite lesen.)

1999 und Anfang 2000 fanden wir den Unsinn des Bullenmarktes überall:

- Am 7. Dezember 1999 trat Kevin Landis, der Portfoliomanager des Firsthand Investmentfonds, in einem Beitrag der Sendereihe Moneyline bei CNN auf. Er wurde gefragt, ob die Aktien der Mobiltelefongesellschaften überbewertet seien – als viele mit einem geradezu riesigen KGV gehandelt wurden. „Das ist keine Manie", giftete er zurück. „Sehen Sie sich einmal dieses Wachstum an, den absoluten Wachstumswert. Der ist enorm."
- Am 18. Januar 2000 erklärte Robert Froelich, Chefstratege der Investmentabteilung von Kemper Funds, dem *Wall Street Journal*: „Hier handelt es sich um eine neue Weltordnung. Wir sehen, wie die Leute sich von allen richtigen Aktien mit den richtigen Leuten mit der richtigen Vision trennen, weil der Aktienkurs zu hoch ist – das ist der größte Fehler, den ein Investor machen kann."
- Am 20. April 2000 stellte Jeffrey M. Applegate, damals Chefstratege der Investmentabteilung von Lehman Brothers, in einer Ausgabe von *Business Week* die rhetorische Frage: „Ist der Aktienmarkt heute riskanter als vor zwei Jahren, nur weil die Kurse höher sind? Die Antwort ist *nein*."

Doch die Antwort ist ja. Es war schon immer so, und es wird immer so bleiben.

Und als Graham fragte, „Kann eine derartige Kopflosigkeit unbestraft bleiben?", wusste er, dass die Antwort auf diese Frage immer *nein* ist. Wie ein wütender griechischer Gott zermalmte der Aktienmarkt jeden, der geglaubt hatte, die hohen Gewinne der späten 90er-Jahre seien eine Art göttliches Recht. Lesen Sie, wie es den Prognosen von Landis, Froelich und Applegate erging:

- Von 2000 bis 2002 verlor Nokia, die beständigste Lieblingsaktie der Kategorie Mobiltelefonie, von Landis „nur" 67 %, während die schlechteste, Winstar Communications, um 99,9 % einbrach.
- Froelichs Favoriten unter den Aktien – Cisco Systems und Motorola – fielen bis Ende 2002 um 70 %. Die Anleger verloren allein mit Cisco über 400 Milliarden $ – mehr als die jährliche Wirtschaftsleistung von Hong Kong, Israel, Kuwait und Singapur zusammengenommen.
- Im April 2000, als Applegate seine rhetorische Frage stellte, stand der Dow Jones Industrial Average bei 11.187 Zählern; der Nasdaq Composite Index stand bei 4446 Punkten. Ende 2002 taumelte der Dow bei 8300, während der Nasdaq auf 1300 Punkte zusammengeschmolzen war – und vernichtete damit die gesamten Gewinne, die er in den vorhergehenden sechs Jahren angesammelt hatte.

Das Überleben der Fettesten

In der Behauptung, dass Aktien langfristig „immer schon" besser waren als Anleihen, lag ein fataler Fehler: Zuverlässige Zahlen von vor 1871 gibt es nicht. Die Indizes repräsentierten die Gewinne des amerikanischen Aktienmarktes, die lediglich sieben (ja, sieben!) Aktien enthielten.[66] Um 1800 gab es jedoch etwa 300 Aktiengesellschaften in Amerika (viele davon in der Jeffersonschen Version des Internet: hölzerne Schlagbäume und Kanäle). Die meisten gingen in Konkurs, und die Investoren verloren ihr letztes Hemd. Doch die Aktienindizes ignorieren alle Aktiengesellschaften, die in diesen frühen Jahren Pleite machten – ein Problem, das wir unter „Vorliebe für die Überlebenden" kennen. Somit überbewerten diese Indizes großzügig die Ergebnisse, die von echten Investoren erzielt wurden – denen das Wissen fehlte, welche der sieben Aktien sie kaufen sollten. Eine einsame Hand voll Aktiengesellschaften – dazu gehörten die Bank of New York und JPMorgan Chase – blühte seit 1790 stetig auf. Doch jeder Aktie, die auf wundersame Weise überlebte, standen Tausende von finanziellen Katastrophen gegenüber wie beispielsweise Dismal Swamp Canal Co., Pennsylvania Cultivation of Vines Co. und Snicker's Gap Turnpike Co. – alle wurden von den „historischen" Aktienindizes verschwiegen. Jeremy Siegels Daten zeigen, dass, nach Inflation, die Aktien zwischen 1802 und 1870 jährlich um 7 % gewannen, Anleihen um 4,8 % und Barmittel um 5,2 %. Doch Elroy Dimson und seine Kollegen an der London Business School schätzen, dass die Gewinne mit Aktien vor 1871 um mindestens 2 % pro Jahr zu hoch angesetzt wurden.[67] In der realen Welt schnitten Aktien demnach nicht besser ab als Barmittel und Anleihen – vielleicht sogar ein wenig schlechter. Jeder, der behauptet, die langjährigen Aufzeichnungen würden „beweisen", dass Aktien garantiert besser laufen als Anleihen oder Barmittel, ist schlicht und einfach ein Ignorant.

---

66 Um 1840 wurden diese Indizes erweitert und enthielten nunmehr maximal sieben Finanz-Aktien und 27 Aktien von Eisenbahngesellschaften – immer noch ein unzureichendes Abbild des wilden jungen amerikanischen Aktienmarktes.

67 Siehe Jason Zweig: „New Cause for Caution on Stocks", Time vom 6. Mai 2002, S. 71. Wie Graham schon erwähnte, litten sogar die Aktienindizes zwischen 1871 und den 20er-Jahren des 20. Jahrhunderts unter der „Vorliebe für die Überlebenden", weil Hunderte von Automobil-, Flugzeug- und Radioherstellern, die Pleite machten, spurlos verschwanden. Auch diese Gewinne sind wahrscheinlich um ein oder zwei Prozent zu hoch angenommen.

Je höher sie steigen, desto tiefer fallen sie

Als dauerhaftes Gegenmittel gegen diesen Bullenmarkt-Quatsch rät Graham dem intelligenten Investor, einige einfache und skeptische Fragen zu stellen. Weshalb sollten die künftigen Gewinne bei Aktien immer so bleiben, wie sie in der Vergangenheit waren? Wenn jeder Anleger zur Überzeugung kommt, dass man mit Aktien langfristig garantiert Geld verdienen kann, würde der Markt letztlich nicht überbewertet sein? Und wenn dies der Fall ist, wie können dann die künftigen Gewinne so hoch sein?

Grahams Antworten wurzeln, wie immer, in der Logik und im gesunden Menschenverstand. Der Wert einer jeglichen Investition ist, und muss es immer sein, eine Funktion des Kurses, den die Anleger dafür bezahlen. Ende der 90er-Jahre schwand die Inflation, die Unternehmensgewinne schienen anzuschwellen, und der größte Teil der Welt war friedlich. Das bedeutete aber nicht – noch konnte es jemals bedeuten –, dass Aktien es wert waren, *zu jedem Preis* gekauft zu werden. Da die Gewinne, die Unternehmen erzielen können, begrenzt sind, sollte auch der Preis, den Investoren zu bezahlen bereit sind, seine Grenzen haben.

Hier ein Beispiel: Michael Jordan war wahrscheinlich der beste Basketballspieler aller Zeiten, und er zog die Zuschauer wie ein riesiger Elektromagnet ins Stadion von Chicago. Die Chicago Bulls machten ein Schnäppchen, als sie Jordan bis zu 34 Millionen $ jährlich zahlten, nur um mit einem Ball auf einem hölzernen Parkett herumzuspielen. Das heißt aber nicht, dass es gerechtfertigt wäre, wenn die Bulls ihm 340 Millionen $ oder 3,4 Milliarden $ oder 34 Milliarden $ je Saison gezahlt hätten.

Die Grenzen des Optimismus

Sich auf die jüngsten Gewinne des Marktes zu konzentrieren, wenn die Situation rosig war, so warnt Graham, wird zu der „ziemlich unlogischen und gefährlichen Schlussfolgerung führen, dass solch wunderbare Ergebnisse für Aktien auch in der Zukunft erzielt werden könnten". Von 1995 bis 1999, als der Markt jährlich um mindestens 20 % wuchs – ein Anstieg, den Amerika noch nie erlebt hatte –, wurden die Aktienkäufer sogar noch optimistischer:

- Als Mitte 1998 Investoren vom Meinungsforschungsinstitut Gallup für das Brokerhaus PaineWebber befragt wurden, erwarteten sie, dass sie mit ihrem Portfolio im nächsten Jahr durchschnittlich etwa 13 % verdienen würden. Anfang 2000 war der erwartete Gewinn schon auf über 18 % gestiegen.

- „Erfahrene Profis" waren ebenso optimistisch und schraubten ihre Gewinnerwartungen nach oben. Im Jahr 2001 zum Beispiel hob SBC Communications den geplanten Gewinn von 8,5 % auf 9,5 % an. 2002 lag die durchschnittliche Gewinnquote bei den Pensionsplänen der Unternehmen im S&P 500 auf einem Rekordhoch von 9,2 %.

Ein kurzer Nachtrag zeigt die schrecklichen Folgen dieser überschäumenden Begeisterung:

- 2001 und 2002 stellte Gallup fest, dass die durchschnittliche Gewinnerwartung für ein Jahr auf 7 % gesunken war – auch wenn die Anleger jetzt zu nahezu 50 % günstigeren Kursen kaufen konnten als 2002.[68]
- Diese übereifrigen Annahmen zu den Erwartungen an ihren Pensionsplan werden die Unternehmen des S&P 500 zwischen 2002 und 2004 mindestens 32 Milliarden $ kosten, so die neuesten Schätzungen der Wall Street.

Auch wenn alle Anleger im Prinzip wissen, dass sie billig kaufen und teuer verkaufen sollen, machen sie es in der Praxis letztendlich oft umgekehrt. Grahams Warnung in diesem Kapitel ist ganz einfach: „Nach dem Gesetz des Gegenteils" gilt: Je begeisterter die Anleger langfristig vom Aktienmarkt sind, desto sicherer ist es, dass sie schon bald das Gegenteil erleben werden. Am 24. März 2000 erreichte der amerikanische Aktienmarkt mit 14,75 Billionen $ seinen Höchstwert. Am 9. Oktober 2002, nur 30 Monate später, waren die amerikanischen Aktien nur noch 7,41 Billionen $ wert. Inzwischen wurden viele Experten sehr pessimistisch und prognostizieren gleich bleibende oder gar negative Gewinne auf Jahre hinaus – sogar über Jahrzehnte hinweg.

An diesem Punkt würde Graham eine einfache Frage stellen: In Anbetracht dessen, wie grundlegend falsch die „Experten" lagen, als sie sich zuletzt einig waren, stellt sich die Frage, weshalb ein intelligenter Investor ihnen jetzt Glauben schenken sollte.

Was kommt demnächst?

Stattdessen sollten wir nun mit dem Geschrei aufhören und über die künftigen Gewinne nachdenken, so wie Graham es getan hätte. Die Performance des Aktienmarktes ist von drei Faktoren abhängig:

68 Diese billigeren Aktienkurse bedeuten natürlich nicht, dass die Erwartungen der Investoren von einem siebenprozentigen Gewinn erfüllt werden.

- dem realen Wachstum (Anstieg der Unternehmensgewinne und Dividenden),
- dem Inflationswachstum (dem allgemeinen Preisanstieg in der gesamten Wirtschaft) und
- dem spekulatives Wachstum – oder Rückgang (jeder Zunahme oder Abnahme des Appetits der Anleger auf Investitionen in Aktien).

Langfristig belief sich das Wachstum des Gewinns je Aktie im Durchschnitt auf 1,5 % bis 2 % (die Inflationsrate nicht eingerechnet).[69] Anfang 2003 hatten wir eine Inflationsrate von 2,4 % jährlich; die Dividendenrendite lag bei 1,9 %. Somit gilt

	1,5 % bis 2,0 %
+	2,4 %
+	1,9 %
=	5,8 % bis 6,3 %

Langfristig bedeutet dies: Sie können begründet erwarten, dass Aktien im Durchschnitt einen Gewinn von 6 % (oder 4 % nach Einrechnung der Inflationsrate) erwirtschaften. Wenn die Privatanleger wieder gierig werden und die Aktienkurse in den Himmel steigen lassen, dann wird dieses spekulative Fieber die Gewinne vorübergehend noch höher treiben. Wenn aber die Anleger voller Angst sind, wie es in den 30er- und 70er-Jahren der Fall war, werden die Gewinne vorübergehend sinken. (Das ist der Punkt, an dem wir uns im Jahr 2003 befinden.)

Robert Shiller, Professor für Finanzwissenschaften an der Universität von Yale, sagt, Graham habe seinen Ansatz zur Wertbestimmung inspiriert: Shiller vergleicht den aktuellen Kurs des S&P 500 mit den durchschnittlichen Unternehmensgewinnen der letzten zehn Jahre (nach Inflation). Nachdem er die historischen Aufzeichnungen kritisch geprüft hatte, zeigte Shiller Folgendes: Wenn das Verhältnis über 20 steigt, weist der Markt danach meist schwache Gewinne aus; wenn es unter zehn sinkt, dann bringen Aktien später in der Regel ansehnliche Gewinne. Anfang 2003 lagen die Kurse nach Shillers Berechnungen 22,8-mal über den durchschnittlichen inflationsbereinigten Gewinnen des letzten Jahrzehnts – immer noch in einer Gefahrenzone, aber weit entfernt vom verrückten Niveau beim 44,2fachen der Gewinne im Dezember 1999.

69 Siehe Jeremy Siegel: Stocks for the Long Run (McGraw-Hill, 2002), S. 94, und Robert Arnott und William Bernstein: „The Two Percent Dilution", Arbeitspapier, Juli 2002.

Wie verhielt sich der Markt in der Vergangenheit in einer ähnlichen Situation wie heute? Abbildung 3-1 zeigt die vorhergehenden Zeiträume, als die Aktien auf ähnlich hohem Niveau lagen, und wie es ihnen in den darauf folgenden zehn Jahren erging.

Abb. 3-1

Jahr	Kurs-Gewinn-Verhältnis	Gesamtgewinn der folgenden zehn Jahre
1898	21,4	9,2
1900	20,7	7,1
1901	21,7	5,9
1905	19,6	5,0
1929	22,0	-0,1
1936	21,1	4,4
1955	18,9	11,1
1959	18,6	7,8
1961	22,0	7,1
1962	18,6	9,9
1963	21,0	6,0
1964	22,8	1,2
1965	23,7	3,3
1966	19,7	6,6
1967	21,8	3,6
1968	22,3	3,2
1972	18,6	6,7
1992	20,4	9,3
Durchschnitt	20,8	6,0

Quelle: http://aida.econ.yale.edu/~shiller/data/ie_data.htm;

Jack Wilson und Charles Jones, „An Analysis of the S&P 500 Index and Cowles' Extensions: Price Index and Stock Returns, 1870-1999", *The Journal of Business*, Vol. 75, Nr. 3, Juli 2002, S. 527-529; Ibbotson Associates.

Anmerkung: Das Kurs-Gewinn-Verhältnis ist Shillers Rechnung (10-Jahres-Durchschnitt der realen Gewinne des S&P 500-Index, geteilt durch den Indexwert am 31. Dezember). Der Gesamtgewinn ist nominal und im Jahresdurchschnitt.

Also hat sich der Aktienmarkt nach Bewertungen, die ähnlich waren wie die von Anfang 2003, in den folgenden zehn Jahren manchmal recht gut geschlagen, zuweilen aber auch ziemlich schwach, und er wurstelte sich den Rest der Zeit mehr schlecht als recht durch. Vermutlich würde Graham, der immer sehr konservativ war, den Unterschied zwischen den geringsten und den höchsten Gewinnen in der Vergangenheit aufteilen und hochrechnen, dass Aktien im kommenden Jahrzehnt jährlich rund 6 % Gewinn bringen oder 4 % nach Berücksichtigung der Inflation. (Interessant ist, dass die Hochrechnung genau der Schätzung entspricht, die wir erhalten haben, als wir das reale Wachstum, das durch Inflation bewirkte Wachstum und das spekulative Wachstum addierten.) Im Vergleich zu den Gewinnen der 90er-Jahre sind 6 % lediglich „Peanuts". Doch ist dies immerhin besser als das, was man wahrscheinlich von Anleihen erwarten darf – und für die meisten Anleger Grund genug, Aktien in einem diversifizierten Portfolio zu halten.

Doch gibt es in Grahams Konzept noch eine zweite wichtige Lehre. Das Einzige, worauf man sich bei der Prognose künftiger Aktiengewinne verlassen kann, ist die Erkenntnis, dass man mit der Prognose wahrscheinlich falsch lag. Die Vergangenheit lehrt uns, dass die Zukunft uns immer wieder überraschen wird – immer! Die logische Konsequenz aus diesem Gesetz der Finanzgeschichte ist, dass die Märkte besonders jene Anleger überraschen werden, die fest davon überzeugt sind, dass ihre Einschätzung der Zukunft richtig ist. Bescheidenheit bei den Prognosen, so wie bei Graham, wird sie davon abhalten, zu stark auf eine Zukunftsprognose zu setzen, die sich als falsch erweisen könnte.

Deshalb sollten Sie Ihre Erwartungen nicht zu hoch schrauben – allerdings sollten Sie gleichzeitig aufpassen, dass Sie dabei nicht depressiv werden. Für den intelligenten Investor gibt es immer Hoffnung, weil sie es geben muss. In den Finanzmärkten wird es meist umso besser laufen, je schlechter die Lage aussieht. Ein Zyniker sagte einmal zu G. K. Chesterton, dem britischen Essayisten und Romanautor: „Wohl dem, den nichts erwartet, denn er kann nicht enttäuscht werden." Chestertons Antwort? „Wohl dem, der nichts erwartet, denn er kann sich über alles freuen."

Kapitel 4

Die allgemeine Portfolio-strategie: Der defensive Investor

Die grundlegenden Eigenschaften eines Investmentportfolios werden normalerweise durch die Position und den Charakter des Eigentümers oder der Eigentümer bestimmt. Ein Extrem sind Sparkassen, Lebensversicherungen und so genannte gesetzliche Treuhänderfonds. Noch vor einer Generation waren die Einlagen per Gesetz in vielen Bundesstaaten der USA auf erstklassige Anleihen begrenzt und in einigen Fällen auch auf erstklassige Vorzugsaktien. Auf der anderen Seite haben wir den wohlhabenden und erfahrenen Geschäftsmann, der Anleihen und Aktien jeglicher Art auf seine Liste setzt, vorausgesetzt, er hält sie für attraktiv.

Es ist ein altes und vernünftiges Prinzip, dass diejenigen, die es sich nicht leisten können, Risiken einzugehen, mit relativ geringen Gewinnen aus ihrem investierten Vermögen zufrieden sein sollten. So hat sich die allgemeine Auffassung durchgesetzt, dass die angestrebte Rendite, mehr oder weniger proportional dem Grad des Risikos entsprechen sollte, das er einzugehen bereit ist. Wir sind anderer Ansicht: Die angestrebte Rendite sollte verlässlich sein und abhängig vom Ausmaß der intelligenten Bemühungen, die der Investor bereit und fähig ist, in diese Aufgabe einzubringen. Der geringste Gewinn geht an den passiven Investor, der sowohl Sicherheit als auch Sorglosigkeit wünscht. Der größte Gewinn geht an den wachen und geschäftstüchtigen Investor, der ein Höchstmaß an Intelligenz und Geschick einbringt. 1965 fügten wir noch hinzu: „In vielen Fällen kann es weniger riskant sein, wenn man eine Neuemission zum Schnäppchenpreis kauft und damit die Chance auf große Gewinne hat, als wenn man konventionelle Anleihen kauft, die nur eine Rendite von 4,5 % einbringen." Diese Aussage erfuhr mehr Wahrheit, als wir selbst erwartet hatten, denn in den folgenden Jahren verloren selbst die besten langfristigen Anleihen einen ansehnlichen Teil ihres Marktwertes, weil die Zinsen gestiegen waren.

Das grundsätzliche Problem der Verteilung auf Anleihen und Aktien

Wir haben bereits kurz die Portfoliostrategie des defensiven Investors umrissen.[70] Er sollte sein Vermögen zwischen erstklassigen Anleihen und erstklassigen Aktien aufteilen.

Als Grundregel haben wir vorgeschlagen, dass der Investor nie weniger als 25 % und nie mehr als 75 % seines Vermögens in Aktien anlegen sollte, umgekehrt aber auch nicht weniger als 25 % und nicht mehr als 75 % in Anleihen. Darin liegt eigentlich die Folgerung, dass die Aufteilung der wichtigsten Anlageinstrumente im Verhältnis 50 : 50 erfolgen sollte. Entsprechend sollte eine Erhöhung des Prozentsatzes an Aktien dann vorgenommen werden, wenn es Aktien in einem länger andauernden Bärenmarkt zum Schnäppchenpreis gibt. Umgekehrt sollte ein Investor vernünftigerweise den Anteil der Aktien auf unter 50 % senken, wenn er den Eindruck gewinnt, das Niveau des Aktienmarktes liege gefährlich hoch.

Diese Schulbuchweisheiten waren immer einfach zu verkünden, doch schwierig zu befolgen – weil sie gegen die menschliche Natur gehen, die eigentlich die übertriebenen Bullen- oder Bärenmärkte erst zustande kommen lässt. Es ist beinahe ein Widerspruch in sich, einem normalen Aktionär als plausible Strategie zu empfehlen, seine Aktien abzustoßen, sobald der Markt auf ein bestimmtes Niveau gestiegen ist, und zuzukaufen, wenn er auf ein entsprechendes Niveau gesunken ist. Der Grund dafür ist, dass der Durchschnittsmensch offensichtlich auf die entgegengesetzte Art und Weise agieren muss, die uns in der Vergangenheit starke Kursgewinne, aber auch Einbrüche beschert hat, die – wie die Autoren glauben – wahrscheinlich auch in der Zukunft vorkommen werden.

Wäre die Trennung zwischen Investition und Spekulation heute so eindeutig wie früher, dann würden wir Investoren als eine Gruppe scharfsinniger, erfahrener

70 Siehe Grahams „Zusammenfassung" zu Kapitel 2.

Menschen betrachten, die an unvorsichtige, unglückselige Spekulanten Aktien zu hohen Kursen verkaufen und sie später, auf niedrigerem Niveau, wieder zurückkaufen. Dieses Bild mag früher zutreffend gewesen sein, doch ist es mit den finanziellen Entwicklungen seit 1949 schwierig zu erkennen. Es gibt keine Anzeichen dafür, dass professionelle Einrichtungen wie etwa Investmentfonds auf diese Art und Weise vorgehen. Der Prozentsatz des Portfolios, das bei den beiden wichtigsten Arten von Fonds - gemischte Fonds oder Aktienfonds - in Wertpapieren gehalten wird, hat sich von Jahr zu Jahr nur wenig verändert. Die Handelsaktivitäten haben sich weitgehend darauf beschränkt, von weniger rentablen zu viel versprechenden Papieren zu wechseln.

Wenn, wie wir schon lange glauben, der Aktienmarkt die Kontakte zu seinen alten Bindungen verloren hat und neue noch nicht eingerichtet wurden, dann können wir dem Investor keine zuverlässigen Regeln an die Hand geben, nach denen er seine Aktien auf das Minimum von 25 % reduzieren und später bis maximal 75 % wieder aufbauen kann. Wir können ihm nur dringend empfehlen, allgemein nicht mehr als 50 % in Aktien anzulegen, es sei denn, er hat viel Vertrauen in die Solidität seiner Aktien und ist sich sicher, dass er einem Markteinbruch so wie 1969/1970 gelassen entgegensehen kann. Für uns ist es schwierig zu erkennen, dass eine derartige Zuversicht auf dem Kursniveau von Anfang 1972 gerechtfertigt ist. Aus diesem Grund würden wir jetzt von einem höheren Aktienanteil als 50 % abraten. Aber aus dem gleichen Grund ist es ebenso schwierig, zu einem Abbau des Aktienanteils unter 50 % zu raten, es sei denn, der Investor selbst wäre durch das derzeitige Kursniveau beunruhigt und auch zufrieden, wenn er seinen Aktienanteil bei einem weiteren Kursanstieg auf 25 % seines gesamten Anlagevermögens reduzierte.

Deshalb raten wir den meisten unserer Leser zu einer einfachen Aufteilung im Verhältnis 50 : 50. Demnach gilt es, die Anteile von Anleihen und Aktien im Portfolio möglichst gleich groß zu halten. Wenn Veränderungen im Kursniveau dem Aktienanteil einen Wertanteil von 55 % bescheren, dann kann das Gleichgewicht wiederhergestellt werden, wenn man ein Elftel der Aktien verkauft und die Erlöse in Anleihen anlegt. Wenn umgekehrt der Wertanteil der Aktien auf 45 % fiele, müsste man ein Elftel der Anleihen verkaufen und mit dem Erlös zusätzliche Aktien kaufen.

Die Universität von Yale verfolgte nach 1937 einige Jahre lang einen ähnlichen Plan, doch war dieser auf einen Aktienanteil von rund 35 % ausgerichtet. In den frühen 50er-Jahren jedoch scheint Yale seine einstmals so erfolgreiche Formel aufgegeben zu haben, und 1961 bestand das Portfolio zu 61 % aus Aktien, einschließlich einiger Wandelanleihen. (Zu dieser Zeit hatten 71 Stiftungen dieser Art ein Gesamtvermögen von 7,6 Milliarden $, das zu 60,3 % in Aktien angelegt war.) Das Beispiel Yale verdeutlicht die fast tödlichen Auswirkungen des großen Anstiegs des Marktwertes auf das einst so beliebte Formelkonzept der Kapitalanlage. Dennoch sind wir davon überzeugt, dass unsere 50 : 50-Version dieses Konzeptes für den defensiven Investor gut geeignet ist. Dies hat mehrere Gründe: Es ist außerordentlich einfach; es zielt fraglos in die richtige Richtung; es gibt seinen Anhängern das Gefühl, dass sie wenigstens etwas auf die Entwicklungen am Markt reagieren können. Doch am wichtigsten ist: Es wird sie davon abhalten, immer mehr in den Aktien-Strudel hineingezogen zu werden, wenn das Kursniveau steigt und sich in gefährlichen Höhen bewegt.

Außerdem wird ein wirklich konservativer Anleger sich mit dem zufrieden geben, was die Hälfte seines Portfolios in einem steigenden Markt einbringt, während ein ernsthafter Abschwung ihn tröstet, wenn er darüber nachdenkt, dass es ihm wesentlich besser ergeht als vielen seiner unternehmungslustigen Freunde.

Während unsere vorgeschlagene 50 : 50-Aufteilung zweifelsfrei das einfachste Programm für jeden Zweck darstellt, ist es vielleicht nicht das Beste, wenn es um die erzielten Ergebnisse geht. (Natürlich gibt es keine Strategie – ob sie nun mechanisch oder anders funktioniert –, die bevorzugt werden kann, weil sie mit Sicherheit bessere Ergebnisse zeitigt als andere Strategien.) Der wesentlich höhere Erlös, den man derzeit mit guten Anleihen erzielt als mit durchschnittlichen Aktien, ist ein aussagekräftiges Argument dafür, den Anteil der Anleihen zu erhöhen. Der Investor kann entscheiden, ob er 50 % oder weniger Aktien im Portfolio haben möchte, weil diese Entscheidung hauptsächlich auf seinem Temperament und seiner inneren Einstellung beruht. Kann er kaltblütig agieren und die Chancen gut einschätzen, dann würde er derzeit wohl 25 % Aktien halten und warten, bis der DJIA eine Dividendenrendite in Höhe von etwa zwei Dritteln der Anleihenrendite ausweist, bevor er das Gleichgewicht zwischen Aktien und Anleihen wiederherstellt. Beginnen wir mit 900 Punkten für den DJIA und 36 $ Dividende je Einheit, dann würde dies entweder bei den zu versteuernden Anleihen einen Rückgang von 7,5 % auf 5,5 % erforderlich machen, ohne dass sich bei den führenden Aktien etwas ändert, oder einen Absturz des DJIA auf 660 Punkte, wenn die Anleihenrendite unverändert bleibt und die Dividenden nicht zunehmen. Eine Kombination aus dazwischen liegenden Veränderungen könnte den gleichen „Kaufpunkt" hervorrufen. Ein derartiges Programm ist nicht besonders kompliziert; das Schwierige daran ist, es anzunehmen und dabei zu bleiben und nicht daran zu denken, dass es sich als zu konservativ erweisen könnte.

Die Anleihenkomponente

Die Auswahl der Titel für den Anleihenanteil im Portfolio des Investors dreht sich im Wesentlichen um zwei Fragen: Sollte man steuerfreie oder zu versteuernde Anleihen kaufen, und sollte man Anleihen mit kürzerer oder längerer Restlaufzeit kaufen? Die Entscheidung hinsichtlich der Steuern ist eher eine Angelegenheit der Mathematik, weil man einen Vergleich zwischen steuerfreien Erträgen und zu versteuernden Erträgen unter dem Grenzsteuersatz des Investors anstellt. Im Januar 1972 erzielte man mit Industrieanleihen, die mit AA bewertet wurden, etwa 7,5 % und 5,3 % mit erstklassigen von der Steuer befreiten Anleihen. (Der Begriff „Kommunalanleihen" gilt für alle steuerfreien Anleihen einschließlich der Staatsanleihen.) Demnach hatte man bei dieser Laufzeit einen Nachteil von 30 %, wenn man Kommunalanleihen und nicht Industrieanleihen kaufte. Wenn der Investor aber in der Steuerprogression höher liegt als bei einem Grenzsteuersatz von 30 %, dann käme er besser weg, wenn er sich für Kommunalanleihen entscheiden würde; umgekehrt ist es, wenn sein Grenzsteuersatz unterhalb von 30 % liegt. In den USA gilt der Steuersatz von 30 % für einen Alleinstehenden, wenn sein Einkommen nach allen Abzügen höher als 10.000 $ liegt; für Ehepaare gilt dieser Steuersatz, wenn das gemeinsame Einkommen nach allen Abzügen mehr als 20.000 $ beträgt. Es ist offensichtlich, dass ein großer Teil der Privatanleger einen höheren Gewinn nach Steuern hätte, wenn er gute Kommunalanleihen statt gute Industrieanleihen kauft.

Bei der Entscheidung, ob man Anleihen mit kürzerer oder längerer Laufzeit wählt, stellt sich eine ganz andere Frage: Will sich der Investor gegen einen Kursverlust seiner Anleihen absichern, dann kann er dies (1) auf Kosten einer geringeren jährlichen Rendite und (2) auf Kosten der Möglichkeit eines nennenswerten Gewinns des eingesetzten Kapitals tun. Wir wollen dieses Thema in Kapitel 8 „Der Investor und Marktschwankungen" besprechen.

In der Vergangenheit waren die US Savings Bonds viele Jahre lang die einzigen vernünftigen Anleihen für Privatanleger. Deren Sicherheit war – und ist – außer jeder Frage; sie brachten höhere Gewinne als andere Anlagen in Anleihen erster Qualität. Sie hatten die Option, das Geld zurückzubekommen, und andere Privilegien, die erheblich zu ihrer Attraktivität beitrugen. In unseren früheren Auflagen widmeten wir diesen Anleihen ein eigenes Kapitel: „US Savings Bonds: Ein Segen für Anleger".

Wie wir noch näher erläutern werden, haben diese Anleihen immer noch einzigartige Vorteile, die sie für Privatanleger als geeignete Anlagen erscheinen lassen. Für jemanden mit bescheidenen Mitteln – mit, sagen wir, nicht mehr als 10.000 $, die man in Anleihen anlegen kann – sind sie in unseren Augen noch immer die beste Wahl. Anleger mit mehr Anlagekapital haben jedoch andere, für sie bessere Möglichkeiten.

Lassen Sie uns einiger wichtige Arten von Anleihen anführen, die ein Investor in Betracht ziehen sollte, und sie kurz hinsichtlich Sicherheit, Rendite, Marktpreis, Risiko, steuerlicher Aspekte und anderen Eigenschaften charakterisieren.

1. US Savings Bonds, Serie E und Serie H.

Zunächst wollen wir deren wichtigste Regelungen zusammenfassen und dann kurz über die zahlreichen Vorteile dieser einzigartigen, attraktiven und überaus bequemen Anlagen sprechen. Bei Anleihen der Serie H werden die Zinsen halbjährlich gezahlt, genau wie bei anderen Anleihen. Der Zins beträgt im ersten Jahr 4,29 % und in den folgenden neun Jahren immer 5,1 % bis zum Ablauf. Zinsen für die Anleihen der Serie E werden nicht ausbezahlt, sondern dem Eigner verzinslich gutgeschrieben. Die Anleihen werden mit 75 % ihres Nennwerts verkauft und nach einer Laufzeit von fünf Jahren und zehn Monaten mit 100 % des Nennwerts zurückgenommen. Wenn man sie bis zum Ende der Laufzeit hält, dann ergibt sich eine Rendite von 5 %, die halbjährlich verrechnet wird. Werden sie früher zurückgegeben, dann bewegt sich die Rendite von mindestens 4,01 % im ersten Jahr bis durchschnittlich 5,20 % in den nächsten vier Jahren und zehn Monaten.

Die Zinsen unterliegen der Einkommensteuer, doch braucht man in den USA keine Steuer an den Bundesstaat abzuführen. Die Steuer für Anleihen der Serie E kann der Anleger auf Wunsch jährlich entrichten, da es hier einen Zinseszinseffekt gibt (durch den höheren Rücknahmewert), oder erst dann, wenn die Anleihe tatsächlich abgegeben wird.

Eigentümer von Anleihen der Serie E können diese jederzeit zum aktuellen Rücknahmekurs zu Bargeld machen, also bereits kurz nach dem Kauf. Eigentümer von Anleihen der Serie H haben ähnliche Möglichkeiten, sie zum Nominalwert zu Bargeld zu machen (Kosten). Anleihen der Serie E können mit einigen Steuervorteilen gegen Anleihen der Serie H ausgetauscht werden. Anleihen, die verloren gehen oder gestohlen werden, können kostenfrei ersetzt werden. Es gibt zwar eine Begrenzung der Anzahl von Anleihen, die man jährlich kaufen kann, doch liberale Regelungen lassen ein Miteigentum von Familienmitgliedern zu und ermöglichen es den meisten Anlegern, so viele Stücke zu kaufen, wie sie sich leisten können. *Hierzu eine Anmerkung*: Es gibt keine andere Anlagemöglichkeit, die (1) absolute Sicherheit des Anlagekapitals und der Zinszahlungen garantiert, (2) jederzeit das Recht einräumt, das Geld zurückzubekommen, und (3) für mindestens zehn Jahre eine Verzinsung von 5 % garantiert. Eigentümer der früheren Emissionen von Anleihen der Serie E hatten das Recht, nach dem Ende der normalen Laufzeit die Laufzeit zu verlängern und somit weiterhin zu erhöhten Zinssätzen vom Zinseszinseffekt zu profitieren. Der Aufschub der Steuerzahlungen über diesen langen Zeitraum hinweg hat einen großen Vorteil; wir berechnen ihn als die erhöhte effektive Nettorate, die in der Regel etwa ein Drittel ausmacht. Umgekehrt gab das Recht, die Anleihen zum Kaufpreis oder mehr gegen Bares einzutauschen, den Erwerbern früher, als die Zinsen niedrig waren, einen vollkommenen Schutz gegen den Schwund des eingesetzten Kapitals, der viele Anleger in Anleihen traf. Mit anderen Worten: Es gab ihnen die Möglichkeit, vom Zinsanstieg zu profitieren, indem sie die gering verzinsten Papiere gegen Emissionen mit sehr hoher Couponrate auf der Basis gleichen Nennwertes eintauschten.

Unserer Ansicht nach werden heute diese besonderen Vorteile, die Eigentümer dieser Anleihen genossen, wegen der im Vergleich zu anderen Staatspapieren wesentlich geringeren Rendite mehr als kompensiert.

2. Andere Anleihen der USA.

Es gibt einen Überfluss an Papieren dieser Art mit vielen verschiedenen Couponraten und Laufzeiten. Alle sind hinsichtlich der Sicherheit des Anlagekapitals und der Zinszahlungen absolut zuverlässig. Sie unterliegen der Bundessteuer, nicht aber der Steuer der Bundesstaaten. Ende 1971 brachten Anleihen mit einer Laufzeit von mehr als zehn Jahren eine durchschnittliche Rendite von 6,09 %, mittelfristige Emissionen (drei bis fünf Jahre) 6,35 %, und Kurzläufer brachten einen Gewinn von 6,03 % ein.

1970 war es möglich, eine Anzahl von Emissionen mit hohem Preisnachlass zu kaufen. Einige davon werden zum Nennwert akzeptiert, um Grundsteuer zu bezahlen. Beispiel: Die US Treasuries 3,5 %, fällig 1990, fallen in diese Kategorie; sie wurden 1970 mit 60 verkauft und schlossen 1970 bei über 77.

Es ist auch interessant, dass in vielen Fällen die indirekten Obligationen der US-Regierung eine höhere Rendite erzielten als die direkten Obligationen mit der gleichen Laufzeit. Zurzeit werden „Certificates Fully Guaranteed by the Secretary of Transportation of the Department of Transportation of the United States" zu 7,05 % Zins angeboten. Die Rendite lag um volle 1 % höher als bei den Obligationen mit dem gleichen Ablauftermin (1986).Die Zertifikate wurden in Wirklichkeit im Namen der Treuhänder der Penn Central Transportation Co. emittiert, aber auf der Grundlage einer Aussage des US-Attorney-Generals verkauft, wonach sie von der Regierung der Vereinigten Staaten garantiert seien. Eine ganze Reihe derartiger indirekter Obligationen dieser Art wurden in der Vergangenheit von der Regierung übernommen, und alle wurden peinlich genau eingelöst.

Der Leser wird sich vielleicht fragen: Warum all dieser Hokuspokus? Denn mit einer offensichtlich persönlichen Garantie unseres Verkehrsministers kostete dies schließlich das Geld der Steuerzahler. Der Hauptgrund für diese indirekten Obligationen war eine Begrenzung der Schuldenaufnahme der Regierung durch den Kongress. Offensichtliche Garantien der Regierung werden nicht als Schulden betrachtet – ein semantischer Mitnahmeeffekt für besonders pfiffige Anleger. Vielleicht war die Einrichtung der steuerfreien Housing Authority Bonds der Hauptgrund für diese Situation, die eine gleichartige Garantie beinhalteten und außer Staatsanleihen wirklich die einzige von der Steuer befreite Anleihenemission waren. Eine weitere Art von der Regierung gedeckter Emissionen sind die erst kürzlich aufgelegten New Community Debentures, die im September mit einem Zinssatz von 7,6 % angeboten wurden.

3. Staats- und Kommunalanleihen.

Diese Anleihen sind von der staatlichen Einkommensteuer befreit. Auch in dem Bundesstaat, in dem sie ausgegeben wurden, sind sie steuerfrei, sonst aber nirgendwo. Es sind entweder direkte Obligationen eines Bundesstaates oder einer Unterabteilung, oder Anleihen, die aus Einnahmen des Bundesstaates aus Mautgebühren für Autobahnen oder Vermietung von Gebäuden finanziert werden. Aber nicht alle von der Steuer befreiten Anleihen sind so ausreichend gesichert, dass ein defensiver Investor sie kaufen sollte. Er könnte sich bei seiner Auswahl von den Ratings von Moody's oder Standard & Poor's leiten lassen. Eine der drei besten Bewertungen durch beide Agenturen – Aaa (AAA), Aa (AA) oder A – sollte ausreichen, um eine angemessene Sicherheit zu gewährleisten.

Die Rendite dieser Anleihen variiert mit der Qualität und der Restlaufzeit, wobei kürzere Restlaufzeiten geringere Gewinne einbringen. Ende 1971 hatten die Anleihen im Standard & Poor´s-Index für Kommunalanleihen eine durchschnittliche Qualitätsbewertung von AA, bei einer Laufzeit von 20 Jahren und einer Rendite von 5,78 %. Ein typisches Angebot von Vineland, N.J.-Anleihen, mit einer Bewertung von AA oder A erzielten bei einer Restlaufzeit von einem Jahr nur eine Rendite von 3 %, die aber bei einer Laufzeit bis 1995/1996 bis auf 5,8 % anstieg [15].

4. *Industrieanleihen.*

Diese Anleihen unterliegen sowohl der Besteuerung durch die Vereinigten Staaten als auch der einzelner Bundesstaaten. Anfang 1972 erhielt man für diese Anleihen bei höchster Qualität 7,19 % bei einer Laufzeit von 25 Jahren, wie wir Moody´s Aaa-Index der Industrieanleihen entnehmen können. Anleihen geringerer bis mäßiger Qualität - Baa - brachten einen Zinsgewinn von 8,23 % bei entsprechend langer Laufzeit. In jeder Klasse fahren die Anleihen mit kürzerer Restlaufzeit eine etwas geringere Rendite ein als solche mit langer Laufzeit.

Dazu ein Kommentar: Die obigen Zusammenfassungen deuten an, dass der Durchschnittsanleger bei erstklassigen Anleihen mehrere Auswahlmöglichkeiten hat. Anleger mit einer hohen Steuerprogression sind eindeutig im Vorteil, wenn sie gute, von der Steuer befreite Emissionen kaufen im Vergleich zu solchen, deren Rendite noch zu versteuern ist. Für andere wiederum reichte die zu versteuernde Rendite von 5 % für US Savings Bonds mit ihrer speziellen Option, bis etwa 7,5 % für erstklassige Industrieanleihen.

Anlagen in Anleihen mit höherer Rendite

Wenn ein Anleger auf Qualität verzichtet, kann er von seinen Anleihen höhere Zinserträge erwarten. Die Erfahrung zeigt aber, dass ein normaler Investor besser beraten ist, sich von derartigen hoch verzinslichen Anleihen fern zu halten. Zwar erzielen sie, insgesamt betrachtet, einen etwas höheren Gesamtgewinn als die erstklassigen Emissionen, doch bergen sie für den Eigentümer bei negativen Entwicklungen zu viele Risiken. Das reicht von beunruhigenden Kursverlusten bis zum Totalausfall. (Es ist zwar richtig, dass sich bei den unterklassigen Anleihen ziemlich oft günstige Möglichkeiten bieten, doch erfordert dies besonderes Wissen und Geschick, wenn man damit Erfolg haben will.)[71]

Vielleicht sollten wir hier hinzufügen, dass die Begrenzungen, die der Kongress der Regierung bei der Ausgabe direkter Anleihen gesetzt hat, den Anlegern, die auf der Suche nach von der Regierung gedeckten Anleihen sind, zumindest zwei Arten von Schnäppchen beschert hat. Eines davon sind die von der Steuer befreiten „New Housing"-Emissionen, und das andere sind die erst kürzlich eingerichteten (jedoch zu versteuernden) „New Community Debentures". Ein Angebot der New Housing-Emissionen bot im Juli 1971 eine Rendite von 5,8 %, frei von Steuern der USA und der Bundesstaaten, während die zu versteuernden New Community Debentures, die im September 1971 verkauft wurden, mit 7,6 % verzinst wurden. Beide Obligationen wurden von der Regierung der Vereinigten Staaten gedeckt und sind somit zweifelsfrei sicher. Und sie warfen – auf Nettobasis – deutlich mehr Zins ab als normale Anleihen der Vereinigten Staaten.[72]

Sparkonten anstatt Anleihen

Heute kann ein Investor mit einem Sparkonto bei einer Sparkasse oder einer Geschäftsbank (oder mit Banksparbriefen) ebenso hohe Zinsen erzielen wie mit erstklassigen Anleihen mit kurzer Restlaufzeit. Der Zinssatz für Sparkonten wird in der Zukunft vielleicht wieder sinken, doch unter den gegenwärtigen Bedingungen sind sie für Privatanleger ein geeigneter Ersatz für kurzfristige Anleihen.

Wandelanleihen

Diese werden in Kapitel 16 besprochen. Die Schwankungen der Kurse von Anleihen im Allgemeinen werden in Kapitel 8 „Der Investor und Marktschwankungen" behandelt.

---

71 Grahams Einwand gegen hoch rentable Anleihen ist heute durch die verbreiteten Investmentfonds entschärft, die das Risiko streuen und die erforderlichen Recherchen über die so genannten Junk Bonds übernehmen. Siehe den Kommentar zu Kapitel 6, dort finden Sie weitere Einzelheiten.

72 Die „New Housing"-Anleihen und die „New Community Debentures" gibt es nicht mehr. New-Housing-Authority-Anleihen wurden durch das amerikanische Ministerium für Wohnungsbau und Stadtentwicklung gedeckt, waren von der Einkommensteuer befreit, wurden aber seit 1974 nicht mehr ausgegeben. New Community Debentures, die ebenfalls vom Ministerium für Wohnungsbau und Stadtentwicklung gedeckt wurden, wurden durch ein Bundesgesetz zugelassen, das 1968 verabschiedet wurde. Etwa 350 Millionen $ dieser Schuldverschreibungen wurden bis 1975 ausgegeben, doch 1983 wurde dieses Programm beendet.

Rückrufregelungen

In den vorhergehenden Auflagen beschäftigten wir uns ausführlich mit diesem Aspekt der Finanzierung von Anleihen, weil darin eine ernsthafte, doch wenig beachtete Ungerechtigkeit gegenüber dem Investor lag. In einem typischen Fall wurden Anleihen schon bald nach ihrer Emission rückrufbar, und das zu bescheidenen Aufschlägen - etwa 5 % - über dem Emissionskurs. Das bedeutet, dass in einer Zeit großer Schwankungen bei den zugrunde liegenden Zinssätzen der Investor die Hauptlast negativer Veränderungen tragen muss und fast aller günstiger Entwicklungen beraubt wird.

Beispiel: Unser Musterbeispiel war die Emission der Anleihen der American Gas & Electric über 5 % mit 100-jähriger Laufzeit, die 1928 der Öffentlichkeit zu einem Kurs von 101 angeboten wurden. Vier Jahre später, unter fast panischen Bedingungen, fiel der Kurs auf 62,8 bei einer Rendite von 8 %. 1946 war die Situation völlig anders: Anleihen dieser Art konnten nur noch mit einer Rendite von 3 % verkauft werden, und die 5 %-Emission *sollte* nahe bei 160 notiert sein. Doch an diesem Punkt nutzte das Unternehmen die Möglichkeit, die Rücknahmeregel anzuwenden, und nahm die Emission zu mageren 106 zurück.

Die Rückrufbarkeit in diesen Anleihenverträgen war eine nur wenig verschleierte Version des Tricks „Zahl und ich gewinne, Wappen und du verlierst". Endlich weigerten sich die Institutionen, die Anleihen ankauften, diese unfaire Vereinbarung zu akzeptieren. In den folgenden Jahren wurden die meisten langfristigen Emissionen mit einer hohen Couponrate zehn Jahre oder länger vor Rücknahme geschützt. Dies begrenzt zwar mögliche Kurssteigerungen, doch ist es nicht ungerecht.

In der Praxis raten wir Investoren in langfristige Anleihen, einen geringen Anteil der Rendite zu opfern, um sicherzugehen, dass die Anleihen nicht vor 20 oder 25 Jahren zurückgenommen werden können. Ebenso ist es vorteilhaft, Anleihen mit nur niedriger Couponrate[73] zu einem reduzierten Preis zu kaufen und keine Anleihen mit hohen Zinsen, die zum Nennwert verkauft werden und schon nach ein paar Jahren zurückgerufen werden können. Denn der Preisabschlag - beispielsweise bei einer 3,5 %-Anleihe zu 63,5 und einer Rendite von 7,85 % - bietet dieser den vollen Schutz gegen eine für den Anleger unvorteilhafte Rückrufaktion.

---

73 Die Couponrate ist der Zinssatz; eine Anleihe mit geringer Couponrate zahlt Zinsen, die unterhalb des Marktdurchschnitts liegen.

Unmittelbare – das heißt, nicht wandelbare – Vorzugsaktien

Einige allgemeine Betrachtungen zum Thema Vorzugsaktien sind hier angebracht. Wirklich gute Vorzugsaktien kann es geben, und es gibt sie auch, doch sind sie trotz ihrer Investmentform gut, die eigentlich schlecht ist. Das ist einfach zu erklären: Der typische Eigentümer von Vorzugsaktien ist - zu seiner Sicherheit - davon abhängig, ob das Unternehmen in der Lage und willens ist, für *Stammaktien* Dividenden auszuschütten. Wenn die Dividendenzahlung bei Stammaktien einmal ausgelassen wurde oder die Gefahr dafür besteht, dann wird seine eigene Position prekär, denn der Vorstand ist nicht verpflichtet, Dividenden für Vorzugsaktien auszuschütten, wenn nicht auch Stammaktien Dividenden erhalten. Andererseits enthält die typische Vorzugsaktie (in den USA) keinen Anteil am Unternehmensgewinn über die festgelegte Dividende hinaus. Aus diesem Grund fehlen dem Inhaber von Vorzugsaktien der rechtliche Anspruch des Inhabers einer Anleihe (oder Gläubigers) und auch die Gewinnmöglichkeit eines Stammaktionärs (oder Partners).

Diese Schwächen der rechtlichen Position der Vorzugsaktien werden meist in Zeiten einer Depression spürbar. Nur ein geringer Prozentsatz aller Vorzugsaktien hat eine so starke Stellung, dass sie in allen Wechselfällen der Wirtschaft den unangefochtenen Status einer Kapitalanlage für sich beanspruchen können. Die Erfahrung lehrt, dass die Zeit, um Vorzugsaktien zu kaufen, dann gekommen ist, wenn deren Kurs wegen vorübergehender Kalamitäten ungerechtfertigt niedrig ist. (Zu diesen Zeiten könnten sie auch einem aggressiven Investor zugutekommen, für den defensiven Investor sind sie jedoch zu unkonventionell.)

Mit anderen Worten: Vorzugsaktien sollte man nur kaufen, wenn sie mit hohem Preisnachlass angeboten werden - oder überhaupt nicht. Später kommen wir zu wandelbaren oder ähnlich privilegierten Emissionen, die einige besondere Möglichkeiten besitzen, die man Gewinn bringend nutzen kann. Diese werden aber normalerweise nicht für ein konservatives Portfolio ausgewählt.

Eine weitere Eigenart der Vorzugsaktien soll noch erwähnt werden. Wenn Unternehmen als Käufer auftreten, dann werden sie gegenüber Privatanlegern steuerlich bevorzugt. Unternehmen zahlen in den USA auf die Erlöse aus Dividenden nur 15 % Steuern, doch den vollen Einkommensteuersatz auf normale Zinseinkünfte. Seit 1972 liegt der Steuersatz für Unternehmen bei 48 %, was bedeutet, dass Unternehmen für 100 $ Dividende aus Vorzugsaktien nur 7,20 $ zahlen müssen, während sie für 100 $ Zinseinkünfte aus Anleihen 48 $ an das Finanzamt abführen müssen. Andererseits zahlen Privatanleger für Einkünfte aus Vorzugsaktien den gleichen Steuersatz wie für Zinsen aus Anleihen; doch seit kurzem gibt es hier eine Ausnahme. Also sollten Vorzugsaktien nur von Unternehmen gekauft werden, ebenso wie von der Steuer befreite Einkünfte aus Anleihen von Anlegern gekauft werden sollten, die zur Einkommensteuer veranlagt werden.[74]

Arten der Wertpapiere

Die Anleihen und Vorzugsaktien, über die wir bisher gesprochen haben, sind relativ einfache Anlagepapiere, dessen Funktionsweise meist leicht verstanden wird. Der Inhaber von Anleihen ist berechtigt, in bestimmten Zeitabständen feste Zinsen und zu einem bestimmten Datum sein eingesetztes Kapital zu erhalten. Der Besitzer von Vorzugsaktien hat lediglich das Recht auf eine feste Dividende, die aber vor allen Dividenden auf Stammaktien ausgeschüttet wird. Sein Anlagekapital wird nicht zu einem bestimmten Datum fällig. (Die Dividende kann kumuliert oder nicht kumuliert werden. Der Aktionär hat hier aber nicht immer eine Wahlmöglichkeit.)

So lauten die normalen Regelungen, und diese treffen zweifelsohne auf die Mehrheit der Anleihen und Vorzugsaktien zu. Doch gibt es zahllose Abweichungen von diesen Formen. Die bekanntesten sind Wandelanleihen oder ähnliche Emissionen und Obligationen mit Gewinnbeteiligung. Bei Obligationen mit Gewinnbeteiligung brauchen die Zinsen nicht gezahlt zu werden, wenn sie vom Unternehmen nicht erwirtschaftet wurden. (Nicht ausgezahlte Zinsen können gegen künftige Gewinne aufgerechnet werden, doch sehr oft ist dieser Zeitraum auf drei Jahre begrenzt.)

Anleihen mit Gewinnbeteiligung sollten von Unternehmen wesentlich intensiver genutzt werden, als es bisher der Fall ist. Dass man sie meidet, hat offensichtlich seinen Ursprung in einem „Unfall der Wirtschaftsgeschichte" – sie wurden anfangs in großen Mengen nur mit der Neuorganisation der Eisenbahnen in Verbin-

74 Zwar behält Grahams Logik weiterhin ihre Gültigkeit, doch haben sich inzwischen die Zahlen verändert. Unternehmen können derzeit 70 % von den Einkünften aus Dividenden abziehen, und der für Unternehmen übliche Steuersatz liegt bei 45 %. Somit würde ein Unternehmen für 100 $ an Dividenden aus Vorzugsaktien etwa 24,50 $ Steuern bezahlen, im Gegensatz zu 35 % aus Zinseinkünften. Privatpersonen zahlen für Einkünfte aus Dividenden und Zinseinkünfte den gleichen Einkommensteuersatz. Somit bieten Vorzugsaktien dem Privatanleger keine steuerlichen Vorteile.

dung gebracht und deshalb von Anfang an als schwach und schlecht angesehen. Doch hat diese Anlageform mehrere praktische Vorteile, insbesondere im Vergleich zu zahlreichen (wandelbaren) Vorzugsaktien der vergangenen Jahre, weshalb sie auch als Ersatz für diese Vorzugsaktien gelten. Der wichtigste Vorteil ist, dass Unternehmen die Zinszahlungen von den zu versteuernden Einkünften absetzen können, was dazu führt, dass die Kapitalkosten halbiert werden. Aus Sicht des Investors ist es wahrscheinlich am besten, dass er ein vorbehaltsloses Anrecht auf Zinszahlungen hat, (1) *wenn diese vom Unternehmen auch erwirtschaftet wurden*, und (2) ein Anrecht auf *weitere* Formen des Schutzes hat, als nur die Erlöse aus einem Konkursverfahren, wenn die Zinsen nicht erwirtschaftet und ausbezahlt wurden. Die Bedingungen für Obligationen mit Gewinnbeteiligung können so gestaltet werden, dass sie sowohl dem Schuldner als auch dem Gläubiger zum Vorteil gereichen und für beide Parteien passend sind. (Selbstverständlich können auch Vereinbarungen zur Wandlung getroffen werden.) Die Akzeptanz der eigentlich schwachen Vorzugsaktien und die Ablehnung der etwas besseren Obligationen mit Gewinnbeteiligung sind ein faszinierendes Beispiel dafür, wie die traditionellen Gewohnheiten an der Wall Street oftmals bestehen bleiben, obgleich neue Bedingungen eigentlich eine neue Meinungsbildung erfordern. Mit jeder neuen Welle von Optimismus oder Pessimismus sind wir bereit, lange Zeit bewährte Grundsätze aufzugeben, doch klammern wir uns hartnäckig und unkritisch an unsere Vorurteile.

Kommentar zu Kapitel 4

> Wenn man alles dem Zufall überlässt, dann hat man nicht plötzlich mehr Glück.
>
> *Basketball-Coach Pat Riley*

Wie aggressiv sollte Ihr Portfolio sein?

Die Antwort auf diese Frage, so sagt Graham, hängt weniger davon ab, welche Arten von Kapitalanlagen Sie besitzen, als vielmehr davon, welche Art von Investor Sie sind. Es gibt zwei Möglichkeiten, ein intelligenter Investor zu sein:

- indem man ständig recherchiert, auswählt und eine Mischung aus Aktien, Anleihen oder Fondsanteile ständig beobachtet
- oder indem man ein Dauerportfolio einrichtet, das ganz automatisch läuft und keinen weiteren Aufwand erfordert (allerdings auch wenig spannend ist).

Graham nennt die erste Strategie „aktiv" oder „professionell"; diese erfordert viel Zeit und eine Menge Kraft. Die „passive" oder „defensive" Strategie erfordert wenig Zeit und Kraft, verlangt aber eine fast asketische Trennung von dem Rummel an der Börse. Wie Charles Ellis, der sich über die Kapitalanlage viele Gedanken machte, erklärte, ist der professionelle Ansatz physisch und intellektuell ermüdend, während der defensive Ansatz emotional anspruchsvoll ist.[75]

Wenn Sie Zeit übrig haben, wenn Sie kämpferisch sind, wie ein Sportler denken und eine komplizierte intellektuelle Herausforderung lieben, dann ist der aktive Ansatz Ihr Weg. Wenn Sie sich aber immer gedrängt fühlen, Einfaches bevorzugen und es Ihnen keinen Spaß macht, über Geld nachzudenken, dann ist der passive Ansatz für Sie besser geeignet. (Einige Menschen werden sich am wohlsten fühlen, wenn sie beide Methoden kombinieren - ein Portfolio einzurichten, das hauptsächlich aktiv und teilweise passiv ist - oder umgekehrt.)

Beide Ansätze sind gleichermaßen intelligent, und mit beiden können Sie Erfolg haben - aber nur, wenn Sie sich selbst gut genug kennen, um die richtige Me-

---

75 In Kapitel 8 erfahren Sie mehr über die physischen und intellektuellen Schwierigkeiten bei der Kapitalanlage einerseits und über die emotionalen Schwierigkeiten andererseits. Auch im Artikel „Three Ways to Succeed as an Investor" im Buch The Investor's Anthology von Charles D. Ellis und James R. Vertin, Hrsg., (John Wiley & Sons, 1997) S. 72, finden Sie geeignete Informationen.

thode zu wählen, diese während der gesamten Zeit, in der Sie investieren, beibehalten und die Kosten sowie Ihre Gefühle unter Kontrolle halten können. Grahams Unterscheidung zwischen aktiven und passiven Investoren ist eine weitere Warnung, dass finanzielle Risiken nicht nur dort lauern, wo die meisten von uns hinsehen - in der Wirtschaft oder in unseren Kapitalanlagen -, sondern auch in uns selbst.

Können Sie mutig sein, oder werden Sie nachgeben?

Wie sollte ein defensiver Anleger beginnen? Die erste und grundsätzliche Entscheidung ist, wie viel Sie in Aktien anlegen und wie viel Sie in Anleihen und Barmitteln halten wollen. (Beachten Sie, dass Graham diese Diskussion absichtlich nach dem Kapitel über Inflation geführt hat, damit Sie wissen, dass die Inflation einer Ihrer schlimmsten Feinde ist.)

Das Auffälligste an Grahams Darlegungen ist, wie er vorschlägt, die Aufteilung des Portfolios zwischen Aktien und Anleihen vorzunehmen, und dass er das Wort „Alter" niemals benutzt. Das bringt seinen Ansatz vollkommen in Gegensatz zur bisherigen Lehre, die besagt, dass das Risiko, das Sie einzugehen bereit sein sollten, hauptsächlich von Ihrem Alter abhängt.[76] Eine traditionelle Faustregel besagt: Subtrahieren Sie Ihr Alter von 100 und investieren Sie diesen Prozentsatz Ihres Anlagevermögens in Aktien, den Rest in Anleihen und Barmittel. (Ein 28-Jähriger würde demnach 72 % seines Anlagekapitals in Aktien anlegen, ein 81-Jähriger hingegen würde nur 19 % in Aktien anlegen.) Wie alles andere auch, wurde diese These in den späten 90er-Jahren übertrieben. Im Jahr 1999 behauptete ein weit verbreitetes Buch, dass man, wenn man jünger als 30 Jahre ist, 95 % des Kapitals in Aktien anlegen solle - selbst wenn man nur bereit ist, ein mäßiges Risiko einzugehen![77]

Wenn Sie den Befürwortern dieses Ratschlags nicht erlauben würden, von Ihrem Intelligenzquotienten 100 zu subtrahieren, dann sollten Sie auch feststellen können, dass an dieser Sache etwas nicht stimmt. Weshalb sollte Ihr Alter bestimmen, wie viel Risiko Sie eingehen können? Ein 89-jähriger mit einem Vermögen

76 Als ich kürzlich mit der Internet-Suchmaschine Google mit den Begriffen „age and asset allocation" suchte, wurden mehr als 30.000 Online-Quellen angezeigt.

77 James K. Glassman und Kevin A. Hassett, Dow 36.000: The New Strategy for Profiting from the Coming Rise in the Stock Market (Times Business, 1999), S. 250.

von 3 Millionen $, einer satten Pension und einer kleinen Herde schnatternder Enkel wäre doch dumm, den größten Teil seines Vermögens in Anleihen anzulegen. Er hat bereits üppige Einkünfte, und seine Enkel (die letztlich einmal die Aktien erben werden) haben noch Jahrzehnte vor sich, in denen sie Kapital anlegen können. Andererseits wäre ein 25-Jähriger, der für seine Hochzeit und für die Anzahlung für ein Haus spart, von allen guten Geistern verlassen, wenn er sein gesamtes Geld in Aktien steckte. Wenn die Börse abstürzt, dann hat er keine Einkünfte aus Anleihen, mit denen er seine Verluste ausgleichen kann.

Außerdem: Ganz gleich, wie jung Sie sind, es könnte durchaus sein, dass Sie Ihr Geld aus den Aktien nicht erst in 40 Jahren abziehen müssen, sondern schon in 40 Minuten. Ohne jegliche Warnung könnten Sie Ihren Arbeitsplatz verlieren, Ihre Ehe könnte geschieden werden, Sie könnten durch Krankheit oder einen Unfall arbeitsunfähig werden oder irgendeine andere schmerzhafte Überraschung erleben. Das Unerwartete kann jeden treffen – und zwar in jedem Alter. Jeder muss einen Teil seines Vermögens im risikolosen Hafen der Barmittel zur Verfügung haben.

Schließlich gibt es viele Menschen, die aufhören, in Aktien zu investieren, *weil* der Markt nachgibt. Psychologen haben nachgewiesen, dass die meisten von uns heute nur sehr schlecht vorhersagen können, wie wir uns bei einem emotional belastenden Ereignis in der Zukunft verhalten werden.[78] Wenn Aktien um 15 % oder 20 % im Jahr zulegen, wie es in den 80er- und 90er-Jahren der Fall war, dann ist es einfach, sich vorzustellen, dass Sie mit Ihren Aktien Ihr Leben lang verheiratet bleiben. Wenn Sie jedoch jeden Dollar beobachten, den Sie investiert haben, und dieser bis auf zehn Cent zusammenschmilzt, dann ist es schon schwierig zu widerstehen, sich in die „Sicherheit" der Anleihen und Barmittel zu flüchten. Anstatt Aktien zu kaufen und sie zu halten, kaufen dann viele Leute teuer, verkaufen billig und halten letztendlich nur noch den eigenen Kopf in ihren Händen. Weil so viele nicht den Mumm haben, ihre Aktien auch in einem schwächelnden Markt zu halten, besteht Graham darauf, dass jeder Investor mindestens 25 % Anleihen in seinem Depot haben sollte. Dieses Polster, so behauptet er, wird ihm den Mut geben, auch den Rest des Geldes in Aktien zu halten, selbst wenn es mit Aktien abwärts geht.

Um ein besseres Gefühl dafür zu bekommen, wie viel Risiko Sie eingehen können, sollten Sie über die grundlegenden Lebensumstände nachdenken, wann

78 Ein faszinierendes Essay über dieses Phänomen verfassten Gilbert und Timothy Wilson: „Miswanting", das Sie unter www.wjh.harvard.edu/ dtg/Gilbert_&_Wilson(miswanting).pdf finden.

bestimmte Ereignisse eintreffen werden, wann die Bedingungen sich verändern werden und wie Sie wahrscheinlich Ihren Bedarf an Barem beeinflussen werden:

- Sind Sie Single oder verheiratet? Womit verdient Ihr Partner, Ihrer Ehefrau oder Ihr Ehemann ihr Geld?
- Haben Sie Kinder oder wollen Sie Kinder haben? Wann werden die ersten Rechnungen für die Ausbildung (Hochschule oder Universität) eintreffen?
- Werden Sie Geld erben oder werden Sie die finanzielle Verantwortung für alternde und kranke Eltern übernehmen müssen?
- Welche Faktoren können Ihrer Karriere schaden? (Wenn Sie für eine Bank oder eine Bauunternehmung arbeiten, könnte ein Sprung bei den Zinssätzen Sie arbeitslos machen. Wenn Sie in der Chemiebranche arbeiten, könnten schnell steigende Ölpreise eine schlechte Nachricht für Sie sein.)
- Wenn Sie selbstständig sind: Wie lange überleben Geschäfte, wie Sie eines betreiben, in der Regel?
- Benötigen Sie Kapitalanlagen, um Ihre Einkünfte aufzubessern? (Anleihen können das zumeist, Aktien jedoch nicht.)
- Wenn Sie Ihr Gehalt und Ihre Lebenshaltungskosten betrachten, wie viel Geld können Sie dann gegebenenfalls mit Ihren Kapitalanlagen verlieren?

Wenn Sie, nachdem Sie diese Faktoren in Betracht gezogen haben, das Gefühl haben, sie könnten das Risiko ertragen, das mit Aktien einhergeht, dann sollten Sie, wie Graham sagt, mindestens 25 % des Kapitals in Anleihen oder Barmitteln halten. Falls nicht, dann lassen Sie die Finger von Aktien und halten sich an Grahams Empfehlung, 75 % in Anleihen oder Barmittel zu halten. (Um herauszufinden, ob Sie bis zu 100 % gehen können, sollten Sie den Text im folgenden Kasten lesen.)

Wenn Sie diese Prozentsätze festgelegt haben, dann sollten Sie diese nur verändern, wenn sich auch Ihre Lebensumstände ändern. Kaufen Sie keine Aktien zu, wenn die Aktienkurse gerade steigen; verkaufen Sie keine Aktien, nur weil die Kurse gerade fallen. Der Kern von Grahams Konzepts ist es, Vermutungen durch Disziplin zu ersetzen. Glücklicherweise ist es in den USA durch das 401(k)-Programm ziemlich einfach, das eigene Portfolio wie durch einen Autopiloten führen zu lassen. Nehmen wir an, Sie könnten sich mit einem relativ hohen Risiko anfreunden und 70 % in Aktien und 30 % in Anleihen anlegen. Wenn die Aktienkurse um 25 % steigen (die Anleihen jedoch gleich bleiben), dann haben Sie einen Aktienanteil von knapp unter 75 % und nur 25 % in Anleihen.[79] Gehen Sie dann auf die Website Ihres 401(k)-Programms und verkaufen so viele Aktien, bis Sie das ursprüngliche Verhältnis von 70 % zu 30 % wiederhergestellt haben. Wichtig ist, dass Sie bei der Neugewichtung nach einem festen Schema und geduldig vorgehen – nicht so oft, dass Sie fast verrückt werden, aber auch nicht so selten, dass die von Ihnen festgelegte Verteilung aus dem Gleichgewicht gerät. Ich würde Ihnen vorschlagen, dass Sie alle sechs Monate die Situation überprüfen, nicht öfter und nicht seltener, nicht mehr und nicht weniger, und das am besten zu Zeitpunkten, an die Sie sich leicht erinnern können, etwa kurz vor Weihnachten und zum Sommeranfang.

Weshalb nicht 100 % Aktien?

Graham rät, niemals mehr als 75 % des Anlagevermögens in Aktien zu investieren. Gilt dieser Rat jedoch für *jeden*? Für eine winzige Minderheit von Investoren könnte ein Portfolio, das zu 100 % aus Aktien besteht, durchaus Sinn machen. Sie zählen zu dieser Minderheit, wenn Sie

- genügend Geld beiseitegelegt haben, um den Lebensunterhalt für sich und Ihre Familie ein Jahr lang bestreiten zu können.
- in den kommenden 20 Jahren stetig weiter investieren werden.
- den Bärenmarkt, der im Jahr 2000 begann, überlebt haben.
- im Verlauf des Bärenmarktes, der im Jahr 2000 begann, keine Aktien verkauft haben.
- im Verlauf des Bärenmarktes, der 2000 begann, weitere Aktien hinzugekauft haben.
- das Kapitel 8 dieses Buches gelesen und einen festen Plan erstellt haben, damit Sie Ihr Verhalten bei der Kapitalanlage kontrollieren können.

Wenn Sie nicht alle diese Prüfungen bestanden haben, dann sollten Sie auf keinen Fall Ihr gesamtes Kapital in Aktien anlegen. Jeder, der im letzten Bärenmarkt in Panik geriet, wird auch im nächsten Bärenmarkt in Panik geraten – und bedauern, dass er kein Polster aus Anleihen und Barmitteln hat.

Das Schöne an diesem regelmäßigen Ausgleich ist, dass er Sie dazu zwingt, Ihre Anlageentscheidungen auf einer einfachen und objektiven Grundlage zu treffen – Habe ich nun mehr dieser Vermögensteile, als mein Plan es vorsieht? – anstatt auf Vermutungen, in welche Richtung die Zinsen sich bewegen werden oder ob der Dow einbrechen wird. Einige Fondsgesellschaften, zu denen auch T. Rowe

79 Der Einfachheit halber geht dieses Beispiel davon aus, dass die Aktienkurse ganz plötzlich gestiegen sind.

Price gehört, werden vielleicht schon bald einen Service einrichten, der automatisch Ihr 401 (k)-Portfolio auf die vorher festgelegten Ziele bringt, und somit werden Sie selbst niemals eine aktive Entscheidung treffen müssen.

Die „Ins" und „Outs" der Kapitalanlage, die regelmäßige Einkünfte produzieren sollen

Als Graham noch lebte, mussten Anleger in Anleihen zwei grundlegende Entscheidungen treffen: Zu versteuern oder steuerfrei? und: Kurzfristig oder langfristig? Doch heute kommt noch eine dritte Entscheidung hinzu: Anleihen oder Anleihenfonds?

Zu versteuern oder steuerfrei?

Wenn Sie sich nicht in der untersten Stufe der Steuerprogression befinden[80], dann sollten Sie außerhalb Ihres Ruhestandskontos nur steuerfreie (kommunale) Anleihen kaufen. Ansonsten wird ein zu großer Teil Ihrer Einkünfte aus Anleihen in die Hände des Finanzamts fallen. Zu versteuernde Anleihen sollten Sie dann ausschließlich in Ihrem 401 (k)-Portfolio oder in einem anderen „geschützten" Portfolio halten, für dessen Erträge Sie derzeit keine Steuern zu zahlen brauchen – und in dem Kommunalanleihen nicht angebracht sind, weil Ihnen sonst die Steuervorteile verloren gehen.[81]

Kurzfristig oder langfristig?

Anleihen und Zinssätze sitzen an den entgegengesetzten Enden einer Wippschaukel: Wenn die Zinsen steigen, dann fallen die Kurse von Anleihen – auch wenn eine Anleihe mit kurzer Restlaufzeit weit weniger verliert als eine langfristige Anleihe. Andererseits

80 Für des Steuerjahr 2003 gilt in den USA die niedrigste Steuerprogression für Alleinstehende bei einem Einkommen von 28.400 $ oder bei 47.450 $ für Verheiratete (wenn sie zusammenveranlagt werden).

81 Es gibt zwei gute Online-Kalkulatoren, die Ihnen helfen können, die Einkünfte aus Kommunalanleihen und zu versteuernden Anleihen nach Steuern zu vergleichen. Im Internet finden Sie diese unter www.investinginbonds.com/cgi-bin/calculator.pl und unter www.lebenthal.com/index_infocenter.html. Um zu entscheiden, ob eine Kommunalanleihe für Sie geeignet ist, berechnen Sie mit diesen Kalkulatoren den zu versteuernden Ertrag (taxable equivalent yield) und vergleichen dann diese Zahl mit der aktuellen Rendite von Schatzanleihen (http://money.cnn.com./markets/bondcenter oder www.bloomberg.com/markets/C13.html.) Wenn die Rendite der Schatzanleihen höher ist als der zu versteuernde Ertrag, dann sind Kommunalanleihen nichts für Sie. Auf alle Fälle sollten Sie gewarnt sein, dass Kommunalanleihen und Fonds geringere Erträge einbringen und höheren Kursschwankungen ausgesetzt sind als die meisten zu versteuernden Anleihen. Ebenso kann die alternative Mindeststeuer, die heute viele Amerikaner mit mittlerem Einkommen trifft, die Vorteile von Kommunalanleihen zunichtemachen.

steigen die Anleihenkurse, wenn die Zinsen fallen – und Anleihen mit langer Restlaufzeit profitieren davon stärker als solche mit kürzerer Restlaufzeit.[82] Sie können die Differenz ganz einfach aufteilen, indem Sie Anleihen kaufen, die mittelfristig, also in fünf bis zehn Jahren, ablaufen, und die nicht so kräftig ansteigen, wenn ihre Seite der Wippe ansteigt, aber im umgekehrten Fall auch nicht in den Keller sausen. Für die meisten Anleger sind Anleihen mit mittelfristiger Restlaufzeit die einfachste Wahl, weil sie aus dem Spiel aussteigen können, wenn sie vermuten, wie die Zinsen sich entwickeln werden.

Anleihen oder Anleihenfonds?

Seit Anleihen grundsätzlich in Paketen zu 10.000 $ verkauft werden und man mindestens zehn Anleihen braucht, um durch Diversifizierung das Risiko zu eliminieren, dass eine von ihnen einen Totalverlust bringt, macht eine Investition für Privatanleger nur dann Sinn, wenn man ein Anlagekapital von mindestens 100.000 $ zur Verfügung hat. (Die einzige Ausnahme sind Anleihen, die vom amerikanischen Finanzministerium emittiert werden, weil sie durch die amerikanische Regierung gegen Nichterfüllung abgesichert sind.)

Anleihenfonds bieten eine billige und einfache Diversifizierung, und sie haben außerdem den Vorteil, dass monatlich Einkünfte ausgeschüttet werden, die man reinvestieren kann, ohne dafür eine Provision bezahlen zu müssen. Für die meisten Anleger sind Anleihenfonds weitaus besser (die wichtigsten Ausnahmen sind Staatspapiere und einige Kommunalanleihen). Große Häuser wie Vanguard, Fidelity, Schwab und T. Rowe Price halten ein breites Angebot an Anleihenfonds zu niedrigen Kosten bereit.

Die Wahlmöglichkeiten für Anleger in Anleihen haben sich wie Kaninchen vermehrt. Deshalb wollen wir Grahams Liste dessen, was es gibt, aktualisieren. Seit 2003 sind die Zinsen so stark gefallen, dass die Anleger nach Rendite hungern, doch gibt es immer Möglichkeiten, Zinseinkünfte zu erhöhen, ohne ein übermäßiges Risiko einzugehen.[83] Abbildung 4-1 fasst die Vor- und Nachteile zusammen.

Nun wollen wir einige Arten von Anleihen betrachten, die spezielle Bedürfnisse befriedigen können.

---

82 Eine hervorragende Einführung in die Kapitalanlage in Anleihen finden Sie unter http://flagship.vanguard.com/web/planret/advicePTIBInvestmentsInvestingInBonds.html#InterestRates. Eine einfachere Erläuterung zu Anleihen finden Sie unter http://money.cnn.com/pf/101/lessons/7/. Ein schrittweise angelegtes Portfolio, das Anleihen mit unterschiedlichem Ablaufdatum enthält, ist eine weitere Möglichkeit, sich gegen das Zinsrisiko abzusichern.

83 Eine Zusammenfassung über Investitionen in Anleihen finden Sie unter www.aaii.com/promo/20021118/bonds.shtml.

Abb. 4-1: Die weite Welt der Anleihen

Art	Laufzeit	Mindestanlagesumme	Ausfallrisiko	Risiko, wenn Zinsen steigen	Verkäuflichkeit vor Ende der Laufzeit	Von den meisten Bundesstaaten von der Steuer befreit?	Von der Einkommensteuer befreit?	Orientierungswert	Rendite am 31.12. 2002
Schatzwechsel (Treasury-Bill)	Weniger als 1 Jahr	1.000 $	Extrem gering	Sehr gering	Hoch	Ja	Nein	90 Tage	1,2
Schatzbrief (Treasury Note)	Zwischen 1 und 10 Jahren	1.000 $	Extrem gering	Mäßig	Hoch	Ja	Nein	5 Jahre	2,7
Schatzanleihen (Treasury-Bonds)	Mehr als 10 Jahre	1.000 $	Extrem gering	Hoch	Hoch Gering	Ja Ja	Nein Nein	10 Jahre 30 Jahre	3,8 4,8
Sparbriefe	Bis zu 30 Jahre	25 $	Extrem gering	Sehr gering	Gering	Ja	Nein	30 Jahre	4,2
Depositenzertifikate	1 Monat bis 5 Jahre	Normalerweise 500 $	Sehr gering, versichert bis zu 100.000 $	Gering	Gering	Nein	Nein	EE Anleihen, die nach dem Mai 1995 gekauft wurden	1,5
Geldmarktfonds	397 Tage oder weniger	Normalerweise 2.500 $	Sehr gering	Gering	Hoch	Nein	Nein	1 Jahr nationaler Durchschnitt	0,8

Art	Laufzeit	Mindestanlagesumme	Ausfallrisiko	Risiko, wenn Zinsen steigen	Verkäuflichkeit vor Ende der Laufzeit	Von den meisten Bundesstaaten von der Steuer befreit?	Von der Einkommensteuer befreit?	Orientierungswert	Rendite am 31.12. 2002
Hypothekenkredite	1 bis 30 Jahre	2.000 – 3.000 $	Im Allgemeinen mäßig, kann aber auch hoch werden	Mäßig bis hoch	Mäßig bis gering	Nein	Nein	Zu versteuernder Geldmarktdurchschnitt	4,6
Kommunalanleihen	1 bis 30 Jahre oder mehr	Normalerweise 2.500 $ (D) 2.000 – 3.000 $ (F)	Im Allgemeinen mäßig, kann aber auch hoch werden	Mäßig bis hoch	Mäßig bis gering	Nein	Ja	Lehman Brothers MBS-Index	4,3
Vorzugsaktien	unbestimmt	keine	Hoch	Hoch	Mäßig bis gering	Nein	Nein	keine	Sehr variabel
Anleihen mit hoher Verzinsung („Junk-Bonds")	7 bis 20 Jahre	2.000 – 3.000 $ (F)	Hoch	Mäßig	Gering	Nein	Nein	Merrill Lynch High Yield Index	11,9
Schuldscheine von Schwellenländern	Bis 30 Jahre	2.000 – 3.000 $ (F)	Hoch	Mäßig	Gering	Nein	Nein	Durchschnitt der Anleihen der Schwellenländer	8,8

Quellen: Bankrate.com, Bloomberg, Lehman Brothers, Merrill Lynch, Morningstar, www.savingsbonds.gov
Anmerkungen: (D) Direktkauf, (F) Kauf über Fondsgesellschaft. „Verkäuflichkeit vor Ende der Laufzeit" bezeichnet, wie leicht Sie zu einem fairen Preis vor dem Laufzeitende verkaufen können; das ist bei Fondsanteilen in der Regel leichter als bei einzelnen Anleihen. Geldmarktfonds sind bis zu einer Höhe von 100.000 $ staatlich gesichert, wenn sie bei einer Mitgliedsbank der FDIC gekauft wurden; ansonsten versprechen sie nur, dass sie nicht an Wert verlieren. Die Einkommensteuer auf Sparbriefe wird bis zum Ende der Laufzeit oder bis zur Rücknahme aufgeschoben. Kommunalanleihen sind generell nur in dem Bundesstaat von der bundesstaatlichen Einkommensteuer befreit, in dem sie gekauft wurden.

Bares ist kein Schrott

Wie kann man aus Barmitteln mehr Geld herausholen? Der intelligente Investor sollte sich überlegen, ob er nicht aus Bankzertifikaten oder Geldmarktkonten – die in der letzten Zeit nur magere Renditen abwarfen – aussteigt und eine der folgenden Alternativen wählt:

Schatzwechsel:

Als Schuldverschreibung der US-Regierung haben sie überhaupt kein Kreditrisiko – weil Uncle Sam, anstatt die Zahlungen auszusetzen, die Steuern erhöhen oder neues Geld drucken kann, wie es ihm beliebt. Schatzwechsel haben in den USA eine Laufzeit von vier, 13 oder 26 Wochen. Wegen ihrer sehr kurzen Laufzeit werden die T-Bills, wie man sie in den USA nennt, kaum berührt, wenn steigende Zinsen die Kurse anderer Anlagen, bei denen regelmäßige Auszahlungen erfolgen, in den Keller schicken; längerfristige Schatzanweisungen leiden jedoch ernsthaft, wenn die Zinsen steigen.

Die Zinseinkünfte auf Schatztitel sind in der Regel von der bundesstaatlichen Einkommensteuer befreit, nicht aber von der nationalen Einkommensteuer. Und da 3,7 Billionen $ in Händen der Bevölkerung sind, ist der Markt für diese Papiere enorm groß, sodass Sie leicht einen Käufer finden können, wenn Sie das Geld vor Ende der Laufzeit benötigen. Schatztitel können Sie unter www.publicdept.treas.gov direkt bei der Regierung kaufen, und in diesem Fall bezahlen Sie keine Broker-Gebühren. (Weitere Informationen über inflationsgeschützte TIPS finden Sie im Kommentar zu Kapitel 2).

Sparbriefe.

Anders als Schatztitel sind Sparbriefe nicht marktfähig; Sie können sie nicht an andere Anleger verkaufen, und Sie verlieren den Zins für drei Monate, wenn Sie die Papiere vor Ablauf von fünf Jahren zurückgeben. Deshalb eignen sie sich hauptsächlich dazu, Geld beiseite zu legen, um spätere Ausgaben damit bestreiten zu können – für ein Geschenk zu einem familiären oder religiösen Anlass, der noch Jahre entfernt liegt, oder für den finanziellen Grundstock, damit Ihr Neugeborenes später einmal in Harvard studieren kann. Es gibt sie in Stücken zu 25 $ und sind deshalb ideale Geschenke für die Enkel. Investoren, die ein wenig Bares für die kommenden Jahre beiseite legen wollen, bieten die inflationsgeschützten „I-Bonds", die es seit kurzem gibt, attraktive Zinsen von etwa 4 %. Mehr erfahren Sie unter www.savingsbonds.gov.

An Uncle Sam vorbei

Pfandbriefe.

Aus einem Pool von Tausenden von Hypotheken aus den gesamten Vereinigten Staaten werden diese Anleihen von staatlichen Behörden, wie etwa der Federal Mortgage Association („Fannie Mae") oder der Government National Mortgage Association („Ginnie Mae"), emittiert. Allerdings sind sie nicht vom amerikanischen Finanzministerium gedeckt, und deshalb reflektiert die höhere Rendite auch das höhere Risiko. Pfandbriefe bringen eine unterdurchschnittliche Rendite, wenn die Zinsen sinken, gehen aber hoch wie eine Rakete, wenn die Zinsen steigen. (Langfristig gleichen sich diese Schwankungen aus, und die höhere durchschnittliche Rendite zahlt sich aus.) Gute Fonds mit Pfandbriefen gibt es bei Vanguard, Fidelity und Pimco. Wenn allerdings ein Broker jemals versuchen sollte, Ihnen einen individuellen Pfandbrief oder „CMO" anzudrehen, dann sollten Sie ihm sagen, Sie müssten sich beeilen, weil Sie sonst den Termin bei Ihrem Proktologen versäumten.

Annuitäten.

Diese versicherungsähnlichen Investitionen ermöglichen Ihnen den Aufschub aktuell zu zahlender Steuern und erfassen einen Strom von Einkünften, wenn Sie im Ruhestand sind. Feste Annuitäten bieten eine feste Rendite, variable Annuitäten bieten schwankende Gewinne. Doch wogegen der defensive Investor sich wirklich verteidigen muss, das sind die aufdringlichen Versicherungsvertreter, Aktienbroker und Finanzplaner, die mit Annuitäten zu räuberisch hohen Kosten hausieren gehen. In den meisten Fällen werden die hohen Auslagen, die bei Annuitäten entstehen – wozu auch die Rückkaufgebühren zählen, die bei vorfälliger Auszahlung anfallen –, die Vorteile überwiegen. Die wenigen wirklich guten Annuitäten werden gekauft und nicht verkauft. Wenn Annuitäten dem Verkäufer satte Provisionen einbringen, dann ist die Wahrscheinlichkeit hoch, dass für den Käufer nur noch magere Gewinne übrig bleiben. Ziehen Sie nur solche in Betracht, die Sie direkt von den Anbietern bei niedrigsten Gebühren kaufen können, etwa bei Ameritas, TIAA-CREF und Vanguard.[84]

---

84 Im Allgemeinen sind variable Annuitäten für Anleger wenig attraktiv, wenn sie jünger als 50 Jahre sind und erwarten, dass sie im Ruhestand einem hohen Steuersatz unterliegen werden, oder die nicht schon das Maximum ihres 401 (k)- oder IRA-Kontos erreicht haben. Feste Annuitäten (mit der rühmlichen Ausnahme derer von TIAA-CREF) könnten ihre „garantierten" Zinssätze verändern und Sie mit hässlichen Rückkaufgebühren belasten. Eine gründliche und objektive Analyse von Annuitäten finden Sie in zwei ausgezeichneten Artikeln von Walter Updegrave: „Income for Life", Money, Juli 2002, S. 89–96, und „Annuity Buyer's Guide", Money, November 2002, S. 104–110.

Vorzugsaktien.

Vorzugsaktien sind die schlechteste Kapitalanlage „aus zwei Welten". Sie sind nicht so sicher wie Anleihen, weil sie in den USA nur einen nachrangigen Anspruch auf das Vermögen eines Unternehmens verbriefen, wenn dieses Konkurs anmeldet. Außerdem bieten sie ein geringeres Gewinnpotenzial als Stammaktien, weil die Unternehmen in der Regel ihre Vorzugsaktien zurückkaufen, wenn die Zinsen sinken oder ihre Bonität steigt. Anders als bei den Zinszahlungen für die meisten seiner Anleihen kann das emittierende Unternehmen die Dividendenzahlungen für Vorzugsaktien nicht steuerlich geltend machen. Fragen Sie sich doch einmal selbst: Wenn dieses Unternehmen finanziell so gesund ist, dass ich in es investiere, weshalb zahlt es dann Dividenden für Vorzugsaktien, anstatt Anleihen zu emittieren und damit steuerliche Vorteile zu erzielen? Die wahrscheinlichste Antwort ist, dass das Unternehmen eben nicht gesund ist, der Markt für seine Anleihen ausgereizt ist und Sie sich den Vorzugsaktien nähern sollten wie einem ungekühlten toten Fisch.

Stammaktien.

Ein Besuch beim Aktien-Screener unter http://screen.yahoo.com/stocks.html Anfang 2003 zeigte, dass 115 der Aktien, die im S&P 500 enthalten sind, eine Dividendenrendite von 3 % oder höher auswiesen. Kein intelligenter Investor - und sei er noch so scharf auf Rendite - würde eine Aktie nur wegen der Dividende kaufen. Das Unternehmen und seine Geschäfte müssen solide sein, und der Aktienkurs muss sich innerhalb vernünftiger Grenzen bewegen. Doch dank des Bärenmarktes, der im Jahr 2000 begann, gibt es einige führende Aktien, die eine bessere Rendite aufweisen als Schatzanleihen. Deshalb sollte auch der defensivste Investor zur Kenntnis nehmen, dass ausgewählte Aktien einem Portfolio, das ausschließlich oder weit überwiegend aus Anleihen besteht, durchaus zu einer verbesserten Rendite verhelfen kann - und den potenziellen Gewinn erhöhen kann.[85]

---

85 In Kapitel 19 erfahren Sie mehr über die Rolle, die Dividenden in einem Portfolio spielen.

Kapitel 5

Der defensive Investor und Stammaktien

Die Vorzüge von Stammaktien bei der Kapitalanlage

In unserer ersten Auflage von 1949 hielten wir es an diesem Punkt für erforderlich, ausführlich darzustellen, dass alle Portfolios einen gehörigen Anteil an Aktien enthalten sollten.[86] Stammaktien wurden allgemein als höchst spekulativ und deshalb unsicher angesehen; sie waren recht deutlich vom Niveau von 1946 gefallen. Doch statt dass sich nun Investoren wegen der vernünftigen Kurse für Aktien interessierten, hatte der Abschwung eine gegenteilige Auswirkung und untergrub das Vertrauen in Dividendenpapiere. Zu dieser Marktlage, die sich in den folgenden 20 Jahren entwickelte, haben wir bereits Stellung genommen, wobei der große Kurssprung Stammaktien als sicher erscheinen ließ und profitable Investitionen auf Rekordniveau tatsächlich auch ein nennenswertes Risiko bergen.[87]

---

86 Anfang des Jahres 1949 lag die durchschnittliche Rendite, die in den vorhergehenden 20 Jahren erwirtschaftet wurde, bei 3,1 % gegenüber 3,9 % für langfristige Schatzanleihen. Das bedeutet, dass 10.000 $, in Aktien investiert, über diesen Zeitraum hinweg auf 18.415 $ angewachsen wären, während Sie mit Anleihen auf 21.494 $ gekommen wären. Natürlich war 1949 ein hervorragender Zeitpunkt, um Aktien zu kaufen: Im folgenden Jahrzehnt legte der S&P 500 um durchschnittlich 20,1 % jährlich zu, einer der höchsten langfristigen Gewinne in der der amerikanischen Börsengeschichte.

87 Beachten Sie Grahams frühere Kommentare zu diesem Thema. Stellen Sie sich nur vor, was er über den Aktienmarkt gegen Ende der 90er-Jahre gedacht hätte, in denen jedes neue Rekordhoch als weiterer „Beweis" dafür angesehen wurde, dass Aktien ein risikoloser Weg zum Reichtum seien!

Unsere Argumente für Aktien aus dem Jahr 1949 richteten sich auf zwei Punkte. Der erste war, dass sie einen ansehnlichen Schutz gegen die Erosion der Kaufkraft des Investors durch Inflation boten, während Anleihen überhaupt keinen Schutz boten. Der zweite Vorteil der Aktien bestand in ihrem höheren durchschnittlichen Gewinn, den sie den Anlegern einbrachten. Dies wurde sowohl durch durchschnittliche Dividendenerträge, welche die Einkünfte aus guten Anleihen überstiegen, als auch durch eine tendenzielle Steigerung des Marktwerts als Folge der Reinvestition nicht ausgeschütteter Gewinne bewirkt.

Während diese beiden Vorteile von größerer Bedeutung waren - und den Aktien lange Zeit zu einer weitaus besseren Entwicklung als derjenigen von Anleihen verhalfen -, haben wir immer gewarnt, dass diese Vorteile dem Investor verloren gehen könnten, wenn er für seine Aktien einen zu hohen Preis bezahlt. Das war 1929 eindeutig der Fall, und es dauerte 25 Jahre, bis der Markt wieder auf den Stand zurückkehrte, von dem er von 1929 bis 1932 abgrundtief gefallen war.[88] Seit 1957 haben Aktien wegen der hohen Kurse ihren traditionellen Vorteil durch die Dividendenrendite gegenüber den Zinsen aus Anleihen wieder verloren. Es bleibt abzuwarten, ob der Faktor Inflation und der Faktor Wachstum in der Zukunft diese deutliche gegenläufige Entwicklung ausgleichen können.

Dem Leser sollte klar sein, dass wir bei einem Niveau des DJIA von 900 für Aktien im Allgemeinen keineswegs in Jubel ausbrechen. Aus Gründen, die wir bereits dargelegt haben[89], haben wir das Gefühl, dass der defensive Investor es sich nicht leisten kann, ohne einen größeren Anteil an Aktien in seinem Portfolio auszukommen, selbst dann nicht, wenn er sie als das kleinere von zwei Übeln betrachten muss - das Risiko ist allerdings größer, wenn man ausschließlich Anleihen im Portfolio hat.

---

88 Der Dow Jones Industrial Average schloss damals, am 3. September 1929, auf einem Rekordhoch von 318,17 Zählern. Es dauerte bis zum 23. November 1954, bis er - mehr als ein halbes Jahrhundert später - dieses Niveau wieder erreichte, als er mit 382,74 Punkten schloss. (Wenn Sie sagen, Sie wollen Aktien langfristig halten, wissen Sie denn, wie lange das sein kann - oder dass Anleger, die 1929 noch kauften, das Jahr 1954 überhaupt nicht mehr erlebten?) Für geduldige Anleger jedoch, die ihre Erträge reinvestierten, waren die Gewinne aus Aktien in dieser ansonsten trostlosen Zeit positiv - ganz einfach, weil die Dividendenrendite jährlich im Durchschnitt mehr als 5,6 % einbrachte. Laut den Professoren Elroy Dimson, Paul Marsh und Mike Staunton von der London Business School wäre Ihr Aktienportfolio, wenn Sie 1900 1 $ in Aktien investiert hätten, bis zum Jahr 2000 auf 198 $ angewachsen. Hätten Sie aber all Ihre Dividenden reinvestiert, so hätte Ihr Aktienportfolio einen Wert von 16.797 $! Ich bin weit davon entfernt, immer alles im Nachhinein zu betrachten, doch sind Dividenden die stärkste Kraft bei der Kapitalanlage in Aktien.

89 Siehe Seite 120ff.

Regeln für den Anteil der Aktien

Die Auswahl der Aktien für das Portfolio eines defensiven Investors ist eigentlich eine ziemlich einfache Angelegenheit. Wir möchten Ihnen hierzu vier Regeln vorschlagen, an die Sie sich halten sollten:

- Es sollte eine angemessene, doch keine übertriebene Diversifizierung geben. Das bedeutet unseres Erachtens, mindestens zehn und maximal 30 verschiedene Titel im Portfolio zu halten.[90]
- Jedes ausgewählte Unternehmen sollte groß, bedeutend und konservativ finanziert sein. So unbestimmt diese Adjektive auch sein mögen, es ist eindeutig, was wir meinen. Ansichten zu diesem Punkt haben wir am Ende dieses Kapitels angefügt.
- Jedes Unternehmen sollte lange Zeit ununterbrochen Dividenden gezahlt haben. (Im Jahr 1971 hatten alle Titel im Dow Jones Industrial Average diese Bedingung erfüllt.) An diesem Punkt möchten wir noch etwas genauer sein und fordern, dass seit 1950 ständig Dividenden ausgeschüttet worden sein müssen.[91]
- Der Investor sollte sich auch beim Kurs ein Limit auferlegen, das er für einen Titel zu zahlen bereit ist, und das in Relation zu den durchschnittlichen Gewinnen der vergangenen sieben Jahre. Wir würden vorschlagen, dass das KGV für die letzten zwölf Monate nicht höher sein sollte als 25 oder 20. Doch eine derartige Eingrenzung würde fast alle starken und bedeutenden Unternehmen aus dem Portfolio eliminieren. Insbesondere würden alle so genannten Wachstumsaktien verbannt werden, die in den zurückliegenden Jahren zu den Favoriten von Spekulanten und institutionellen Anlegern zählten. Wir müssen also unseren so drastischen Begründungen auch Ausnahmen zugestehen.

---

90 Eine weitere Betrachtung der Diversifizierung finden Sie im Kasten des Kommentars zu Kapitel 14.

91 Der defensive Investor von heute sollte wahrscheinlich darauf bestehen, dass zehn Jahre lang ununterbrochen Dividenden gezahlt wurden (Das würde nur Microsoft eliminieren – und es blieben immer noch 317 Aktien aus dem S&P 500, die diesen Ansprüchen genügen.) Selbst wenn man auf 20 Jahre ununterbrochener Dividendenzahlung besteht, wäre das nicht zu restriktiv; laut Morgan Stanley würden 255 Unternehmen des S&P 500 am Jahresende 2002 diese Bedingungen erfüllt haben.

Wachstumsaktien und der defensive Investor

Der Begriff „Wachstumsaktie" wird auf solche Aktien angewendet, die in der Vergangenheit ein zunehmendes Wachstum vorzuweisen hatten, das wesentlich höher war als das des Durchschnitts. Ferner muss man davon ausgehen können, dass dies auch in der Zukunft so sein wird. (Einige Experten würden sagen, dass eine echte Wachstumsaktie in der Lage sein sollte, den Gewinn je Aktie innerhalb von zehn Jahren mindestens zu verdoppeln – das heißt, dass sie eine jährliche Wachstumsrate von über 7,1 % aufweist.) Offensichtlich sind derartige Aktien attraktive Käufe, vorausgesetzt, der Kurs ist nicht überzogen hoch. Das Problem ist hier natürlich, dass Wachstumsaktien, in Relation zu ihren Gewinnen, schon lange zu hohen Kursen (also mit hohem KGV) gehandelt wurden. Dies verlieh dem spekulativen Element ein erhebliches Gewicht in der Landschaft der Wachstumsaktien und machte es recht schwierig, auf diesem Gebiet noch Erfolge feiern zu können.

Lange Zeit war IBM der führende Wachstumstitel, und die Aktie brachte denen, die sie schon vor Jahren gekauft und weiter gehalten hatten, enorme Gewinne. Doch haben wir bereits betont[92], dass diese „beste Aktie" in einem sechsmonatigem Kursrutsch zwischen 1961 und 1962 50 % ihres Marktwerts und 1969/1970 den fast gleichen Prozentsatz verloren hat. Andere Wachstumsaktien erwiesen sich unter schlechten Bedingungen als noch verletzlicher; in einigen Fällen fiel nicht nur der Kurs, sondern auch der Gewinn war rückläufig, was ein doppeltes Unbehagen bei all jenen auslöste, die diese Aktien besaßen. Ein weiteres gutes Beispiel ist Texas Instruments, dessen Aktienkurs innerhalb von sechs Jahren von 5 auf 256 $ stieg, ohne dass eine Dividende bezahlt wurde, während die Gewinne von 40 Cent auf 3,91 $ je Aktie stiegen. (Beachten Sie, dass der Kurs fünf Mal so schnell stieg wie der Gewinn; dies ist charakteristisch für beliebte Aktien.) Doch zwei Jahre später war der Gewinn um fast 50 % gesunken, und der Aktienkurs war um vier Fünftel auf 49 $ gefallen.[93]

---

92 Graham weist darauf auf Seite 89 hin.

93 Um zu zeigen, dass Grahams Beobachtungen richtig waren, können wir IBM durch Microsoft ersetzen und Texas Instruments durch Cisco. 30 Jahre später sind die Ergebnisse unglaublich ähnlich: Microsofts Aktienkurs fiel von 2000 bis 2002 um 55,7 %, während Ciscos Aktie – die ihren Wert in den vorangehenden sechs Jahren um das 50fache gesteigert hatte – zwischen 2000 und 2002 76 % ihres Werts verlor. Genau wie bei Texas Instruments war der Kursverlust bei Cisco deutlicher als der Rückgang der Gewinne, die lediglich um 39,2 % fielen (wenn man den dreijährigen Durchschnitt für 1997/1999 mit 2000/2002 vergleicht). Es gilt immer noch: Je heißer sie sind, umso tiefer fallen sie.

Vor diesem Hintergrund wird der Leser nun verstehen, weshalb wir Wachstumsaktien generell für defensive Investoren als zu unsicher und riskant ansehen. Natürlich kann man mit der richtigen individuellen Aktienauswahl Wunder bewirken, wenn man auf dem richtigen Niveau kauft und später, nach einem riesigen Kursanstieg, vor einem wahrscheinlichen Abschwung wieder verkauft. Doch der durchschnittliche Anleger kann nicht erwarten, dies zu erreichen, ebenso wenig, wie Geld an Bäumen wächst. Ganz im Gegenteil glauben wir, dass die Gruppe der großen Unternehmen, die relativ unbeliebt sind und deren Aktien zu einem vernünftigen Gewinnmulitplikator[94] erhältlich sind, eine gesunde, wenn auch wenig spektakuläre Auswahl bieten. Diesen Gedanken werden wir in unserem Kapitel zur Auswahl eines Portfolios darstellen.

Änderungen im Portfolio

Es ist üblich geworden, die Portfolios regelmäßig zu überprüfen, um zu sehen, ob deren Qualität verbessert werden kann. Dies ist natürlich ein großer Teil des Services, den Anlageberater ihren Klienten anbieten. Nahezu alle Broker-Häuser sind bereit, entsprechende Vorschläge zu unterbreiten, und zwar ohne zusätzliches Honorar, weil sie im Gegenzug an den Provisionen verdienen. Einige Broker bieten diesen Service allerdings nur gegen Honorar an.

Nach unserem Dafürhalten sollte ein defensiver Investor – zumindest ein Mal jährlich – sich einen solchen Rat einholen, wenn es um Veränderungen in seinem Portfolio geht, so wie damals, als er es einrichtete. Weil er wahrscheinlich selbst nicht über ausreichendes Wissen verfügt, auf das er sich wirklich verlassen kann, ist es unumgänglich, dass er sich nur Firmen mit bestem Ruf anvertraut. Ansonsten könnte er leicht in die Hände eines inkompetenten oder skrupellosen Beraters geraten. Auf alle Fälle ist es wichtig, im Rahmen einer solchen Beratung dem Berater deutlich zu machen, dass man sich ganz eng an die vier Regeln zur Aktienauswahl halten will, die wir in diesem Kapitel schon erläutert haben. Wenn diese Regeln schon bei der Einrichtung des Portfolios peinlich genau beachtet wurden

94 „Gewinnmultiplikator" ist ein Synonym für das Kurs-Gewinn-Verhältnis (KGV), das anzeigt, wie viel ein Anleger bereit ist, für eine Aktie zu bezahlen, verglichen mit der Rentabilität des zugrunde liegenden Unternehmens.

und die Auswahl fachmännisch erfolgte, dann sollte es nicht nötig sein, häufig zahlreiche Umschichtungen vorzunehmen.[95]

Der Cost-Average-Effekt

Die New York Stock Exchange hat einen großen Aufwand betrieben, um diesen Plan bekannt zu machen, nach dem ein Anleger jeden Monat den gleichen Betrag aufwendet, um eine oder mehrere Aktien zu kaufen. Dies ist die Anwendung einer speziellen Art des „Formel-Investments", das in den USA als Dollar-Cost-Averaging bekannt ist. Während des überwiegend steigenden Marktes seit 1949 waren die Ergebnisse eines derartigen Vorgehens durchaus zufrieden stellend, insbesondere weil es den Anwender dieser Methode daran hinderte, zur falschen Zeit zu kaufen.

In Lucile Tomlinsons ausführlicher Studie des „Formel-Investments" [16] präsentierte die Autorin eine Kalkulation der Ergebnisse des Cost-Average-Effekts einer Gruppe von Aktien, die den Dow Jones Industrial Index abbildeten. Getestet wurden 23 Zehn-Jahres-Perioden, wobei die erste 1929 endete und die letzte im Jahr 1952. Jeder Test wies entweder am Ende der Kaufperiode oder innerhalb der folgenden fünf Jahre einen Gewinn aus. Der durchschnittliche Gewinn am Ende der 23 Kaufperioden lag bei 21,5 %, ohne die ausgeschütteten Dividenden. Es ist überflüssig zu erwähnen, dass es vorübergehend deutliche Wertminderungen im Marktwert des Depots gab. Lucile Tomlinson beendet ihre Auseinandersetzung mit dieser äußerst einfachen Investmentformel mit dem beeindruckenden Satz: „Niemand hat bisher eine Formel zur Kapitalanlage entdeckt, die mit so viel Zuversicht auf letztlichen Gewinn angewendet werden kann, gleichgültig, was mit den Aktienkursen geschieht, wie das Dollar-Cost-Averaging."

Man könnte einwenden, dass diese Methode, obwohl sie grundsätzlich vernünftig ist, sich in der Praxis dennoch als unrealistisch erweist, weil nur wenige Menschen über 20 Jahre hinweg monatlich immer den gleichen Betrag zur Verfügung haben, um ihn in Aktien zu investieren. Wir haben den Eindruck, dass die-

---

95 Anleger können heute ihr eigenes automatisches System einrichten, um die Qualität ihrer Beteiligungen zu beobachten, indem sie einen interaktiven „Portfolio-Tracker" benutzen, die es auf den Websites von www.quicken.com, moneycentral.msn.com, finance.yahoo.com und www.morningstar.com gibt. Graham jedoch würde davor warnen, sich ausschließlich auf ein derartiges System zu verlassen; Sie müssen Ihr eigenes Urteilsvermögen nutzen, um die Software unterstützen zu können.

ser scheinbare Einwand in den vergangenen Jahren viel von seiner Plausibilität eingebüßt hat. Aktien werden im Allgemeinen als notwendige Komponente eines vernünftigen Sparplans akzeptiert. Aus diesem Grund machen systematische und regelmäßige Aktienkäufe auch nicht mehr psychologische und finanzielle Schwierigkeiten als ähnliche regelmäßige Einzahlungen in Sparbriefe oder Lebensversicherungen - die sie ergänzen sollten. Der monatliche Betrag kann zwar gering sein, doch die Ergebnisse nach 20 Jahren oder mehr können sehr eindrucksvoll und für den Sparer sehr wichtig sein.

Die persönliche Situation des Anlegers

Am Anfang dieses Kapitels gingen wir ganz kurz auf die Situation des Privatanlegers ein. Nun wollen wir dieses Thema nochmals aufgreifen und es im Licht unserer nachfolgenden Diskussion über die allgemeine Strategie betrachten. In welchem Umfang sollten die Arten der Wertpapiere, die der Investor ausgewählt hat, sich mit seinen Lebensumständen verändern? Als ein konkretes Beispiel, das sehr unterschiedliche Bedingungen berücksichtigt, nehmen wir: (1) eine Witwe, die 200.000 $ zur Verfügung hat, mit denen sie den Lebensunterhalt für sich und ihre Kinder bestreiten muss, (2) einen erfolgreichen Arzt, mitten in seiner Karriere, der 100.000 $ gespart hat und seinen Ersparnissen jährlich 10.000 $ hinzufügen kann, und (3) einen jungen Mann, der 200 $ in der Woche verdient und 1.000 $ pro Jahr spart.[96]

Für die Witwe ist es ziemlich schwierig, von ihren Einkünften leben zu können. Andererseits ist die Notwendigkeit, konservativ anzulegen, vorrangig. Eine Aufteilung ihres Vermögens zu gleichen Teilen auf US-Anleihen und erstklassige Aktien ist ein Kompromiss zwischen diesen Zielen und entspricht unserer Beschreibung eines konservativen Investors. (Der Anteil der Aktien kann bis zu 75 % ausmachen, wenn die Anlegerin psychologisch für diese Entscheidung gewappnet ist und wenn sie fast sicher sein kann, dass sie nicht auf zu hohem Niveau kauft. (Anfang 1972 ist das sicherlich nicht der Fall.)

Wir gehen nicht von der Möglichkeit aus, dass die Witwe ausreichende Kenntnisse hat, um als professionelle Anlegerin zu gelten, denn in diesem Fall wären ihre Ziele und Methoden ganz anders gelagert. Das Einzige, was die Witwe

96 Um Grahams Zahlen zu aktualisieren, multiplizieren Sie jeden genannten Betrag in diesem Abschnitt mit 5.

nicht tun darf, ist, sich auf spekulative Abenteuer einzulassen, um sich noch etwas nebenbei zu verdienen. Damit meinen wir, dass sie keinesfalls versuchen sollte, ohne das erforderliche Wissen Gewinne oder hohe Einkünfte zu erzielen und ohne sich sicher zu sein, dass sie damit Erfolg haben wird. Wesentlich besser wäre es für sie, wenn sie aus dem Anlagevermögen jährlich 2.000 $ entnehmen würde, damit sie finanziell zurechtkommt, anstatt die Hälfte des Kapitals bei spekulativen Abenteuern aufs Spiel zu setzen.

Der gut verdienende Arzt spürt nicht den Druck und die Zwänge, denen die Witwe ausgesetzt ist, und dennoch sind wir der Meinung, dass seine Auswahlmöglichkeiten so ziemlich die gleichen sein werden. Ist er bereit, sich ernsthaft für die Kapitalanlage zu interessieren? Wenn ihm dazu der Antrieb und das Gespür fehlen, dann wäre es am besten für ihn, in die Rolle eines defensiven Investors zu schlüpfen. Die Aufteilung seines Portfolios sollte sich kaum von jener der Witwe in unserem Beispiel unterscheiden, und auch den Anteil der Aktien in seinem Portfolio sollte er ähnlich festlegen. Die jährlichen Ersparnisse sollten zu gleichen Anteilen wie das gesamte Anlagevermögen investiert werden.

Ein durchschnittlicher Arzt wird sich vielleicht eher entscheiden, die Kapitalanlage etwas geschäftsmäßiger anzugehen als die durchschnittliche Witwe, und vielleicht wird ihm bei diesem Vorhaben auch mehr Erfolg beschieden sein. Er hat jedoch ein schwer wiegendes Handicap: die Tatsache, dass ihm weniger Zeit bleibt, sich in Sachen Kapitalanlage schlau zu machen und sein Vermögen zu verwalten. Es ist erwiesen, dass Mediziner bisher wenig Erfolg mit ihren Wertpapieren hatten. Dies liegt daran, dass sie in der Regel sehr viel Vertrauen in ihre Intelligenz haben und auch den dringenden Wunsch hegen, mit ihrem Geld hohe Gewinne zu erzielen, ohne dass sie wahrhaben wollen, dass der Erfolg hier sowohl beträchtliche Aufmerksamkeit erfordert als auch ein etwas professionelleres Konzept für den Umgang mit Wertpapieren.

Schließlich kommen wir zu dem jungen Mann, der jedes Jahr 1.000 $ spart – und erwartet, dass es immer ein wenig mehr sein wird. Er steht vor der gleichen Entscheidung, jedoch aus völlig anderen Gründen. Ein Teil seiner Ersparnisse sollte automatisch in Anleihen der Serie E angelegt werden. Das, was ihm übrig bleibt, ist so bescheiden, dass es sich für ihn kaum lohnt, sich einer harten Ausbildung und Disziplin zu unterwerfen, um letztlich als aggressiver Anleger zu agieren. Somit wird eine einfache Umschichtung in unser Standardprogramm für defensive Anleger gleichzeitig die einfachste und auch die angemessenste Strategie sein.

An diesem Punkt sollten wir die menschlichen Veranlagungen nicht vergessen. Finanzen üben auf viele intelligente junge Menschen mit begrenzten Mitteln eine große Faszination aus. Sie würden bei der Anlage ihrer Ersparnisse gern intelligent und unternehmungsfreudig vorgehen, selbst wenn die Einkünfte aus den Anlagen für sie weit weniger wichtig sind als ihr Gehalt. Diese Einstellung ist hervorragend. Für einen jungen Kapitalisten ist es von großem Vorteil, schon frühzeitig mit dem Lernen und dem Sammeln von Erfahrungen zu beginnen. Wenn er beabsichtigt, aggressiv anzulegen, dann wird er ganz sicher einige Fehler machen und Verluste hinnehmen müssen. Junge Menschen können derartige Enttäuschungen besser verarbeiten und daraus lernen. Wir raten einem Anfänger beim Kauf von Wertpapieren dringend, nicht seine Kraft und Zeit zu vergeuden, um zu versuchen, besser als der Markt zu sein. Er sollte sich mit Wertpapieren vertraut machen und zuerst einmal sein Urteilsvermögen in Bezug auf Kurs und Wert mit den kleinstmöglichen Beträgen prüfen.

Somit kommen wir wieder zur anfänglichen Aussage zurück, dass die Art der Wertpapiere, die man kaufen will, und der angestrebte Gewinn nicht von der Höhe des finanziellen Vermögens abhängig sind, sondern vielmehr vom finanziellen Rüstzeug, also von Wissen, Erfahrung und Temperament.

Anmerkung zum Thema „Risiko"

Es ist üblich, gute Anleihen für weniger riskant zu halten als gute Vorzugsaktien, und diese wiederum als weniger riskant als gute Stammaktien. Davon wurde das weit verbreitete Vorurteil gegen Stammaktien abgeleitet, diese seien nicht „sicher". Bestätigt wurde dieser Vorbehalt durch eine Umfrage des Federal Reserve Board im Jahr 1948. Wir wollen betonen, dass die Begriffe „Risiko" und „Sicherheit" auf Wertpapiere in doppeltem Sinn angewendet werden – und dies ist verwirrend.

Eine Anleihe erweist sich eindeutig als unsicher, wenn die Zinszahlungen verspätet erfolgen oder das eingesetzte Kapital nicht zurückgezahlt wird. Ähnlich ist es, wenn eine Vorzugsaktie oder auch eine Stammaktie in der Erwartung gekauft wird, dass eine bestimmte Dividende weiterhin gezahlt wird. Wenn dann die Dividende gekürzt wird oder ganz ausfällt, dann signalisiert dies ebenfalls, dass diese Papiere unsicher seien. Es ist auch richtig, dass eine Investition mit einem Risiko behaftet ist, wenn die Möglichkeit besteht, dass der Besitzer das Wertpapier gezwungenermaßen zu einem Zeitpunkt verkaufen muss, zu dem der Kurs weit unterhalb der Kosten liegt.

Dennoch wird der Begriff Risiko oft ausgeweitet und mit einem möglichen Kursverlust in Verbindung gebracht, selbst wenn der Abschwung konjunkturbedingt und nur vorübergehend ist, und selbst dann, wenn es höchst unwahrscheinlich ist, dass der Besitzer zu solchen Zeitpunkten verkaufen muss. Dies gilt für alle Wertpapiere, außer für US-Sparbriefe, und es trifft in größerem Ausmaß für den allgemeinen Kursverlauf von Stammaktien zu als bei vorrangigen Papieren. Wir glauben jedoch, dass das, was hier ins Spiel kommt, kein echtes Risiko im wörtlichen Sinn ist. Dies erklärt sich wie folgt: Der Mann, der eine Hypothek auf ein Gebäude aufgenommen hat, muss möglicherweise einen deutlichen Verlust hinnehmen, falls er gezwungen ist, das Haus zu einem ungünstigen Zeitpunkt zu verkaufen. Doch wird dieses Element nicht in Betracht gezogen, wenn man die Sicherheit respektive das Risiko von normalen Immobilienhypotheken betrachtet, wo pünktliche Zahlungen das einzige Kriterium sind. Ferner wird das Risiko, dem ein normales Unternehmen ausgesetzt ist, daran gemessen, ob die Möglichkeit besteht, dass es Verluste macht, und nicht an der Wahrscheinlichkeit, ob der Geschäftsinhaber zum Verkauf seiner Firma gezwungen sein könnte.

In Kapitel 8 werden wir zeigen, dass der Investor im Prinzip kein Geld verliert, nur weil der Kurs seiner Papiere sinkt. Deshalb bedeutet die Tatsache, dass ein Kursverlust eintreten könnte, auch nicht, dass der Anleger tatsächlich das Risiko eines Verlustes eingeht. Wenn eine Gruppe sorgfältig ausgesuchter Aktien, über mehrere Jahre hinweg betrachtet, insgesamt einen zufrieden stellenden Gewinn bringt, dann hat sie unter Beweis gestellt, dass sie „sicher" ist. Während dieser Zeit wird der Börsenwert schwanken, und möglicherweise wird er unter den Preis sinken, den der Käufer bezahlt hat. Wenn diese Tatsache die Anlage „riskant" macht, dann müsste man sie logischerweise als gleichzeitig riskant und sicher bezeichnen – ein Verwirrspiel. Diese Verwirrung kann vermieden werden, wenn wir den Begriff Risiko nur in folgenden drei Fällen anwenden: (1) wenn ein Wertverlust bei einem Verkauf realisiert wird, (2) wenn eine deutliche Verschlechterung der Situation des Unternehmens eintritt oder (3) wenn man – was vielleicht häufiger vorkommt – im Vergleich zum intrinsischen Wert der Aktie einen stark überhöhten Preis bezahlt hat [17].

Natürlich trifft es zu, dass viele Aktien das Risiko einer Kursrückgangs oder gar eines Kursverfalls in sich bergen. Doch unsere These geht davon aus, dass eine Investition in eine gründlich ausgewählte Gruppe von Aktien kein nennenswertes Risiko dieser Art mit sich bringt und dass man nicht allein deshalb von „riskant" sprechen kann, nur weil die Kurse Schwankungen unterworfen sind. Ein echtes

Risiko besteht nur, wenn sich herausstellen sollte, dass die Kurse im Verhältnis zu ihrem intrinsischen (inneren) Wert eindeutig zu hoch waren - selbst wenn ernsthafte Markteinbrüche erst viele Jahre später wieder ausgeglichen werden können.

Anmerkung zur Kategorie „Große, bedeutende und konservativ finanzierte Unternehmen"

All diese Begriffe wurden in vorliegendem Kapitel verwendet, um die Art der Aktien zu beschreiben, auf die sich defensive Investoren beschränken sollten - vorausgesetzt, sie haben über Jahre hinweg ununterbrochen Dividenden ausgeschüttet. Ein Kriterium, das auf Adjektiven basiert, ist immer undeutlich. Wo liegt die Grenze für Größe, für Bedeutung und für eine konservative Finanzstruktur? Zum letzten Punkt können wir Ihnen einen genaueren Standard vorgeben, der, auch wenn er willkürlich angenommen wurde, dem allgemeinen Standard entspricht. Die Finanzierung eines Industrieunternehmens ist nicht konservativ, wenn die Aktie (zum Buchwert) nicht zumindest die Hälfte der gesamten Kapitalisierung ausmacht, einschließlich aller Verbindlichkeiten [18]. Bei Eisenbahngesellschaften oder öffentlichen Versorgungsunternehmen sollte diese Zahl mindestens 30 % betragen.

Die Worte „groß" und „bedeutend" besagen, dass ein Unternehmen sehr groß ist und eine führende Stellung in der Branche einnimmt. Solche Unternehmen nennt man oft auch „erstklassig". Alle anderen Aktien nennt man dann „zweitrangig", außer, wenn Wachstumsaktien in einer separaten Kategorie erfasst werden und die Käufer auch wirklich Wachstumsaktien kaufen wollen. Um ein wenig konkreter zu werden, unterstellen wir, dass ein Unternehmen heute „groß" ist, wenn es über ein Anlagevermögen von mehr als 50 Millionen $ verfügt oder einen Umsatz von 50 Millionen $ erzielt.[97] Um als „bedeutend" zu gelten, sollte ein Unternehmen, gemessen an der Größe, im ersten Viertel oder Drittel seiner Branche angesiedelt sein.

Es wäre allerdings dumm, auf derartig willkürlichen Kriterien zu bestehen. Wir bieten sie zwar an, damit Sie eine Richtlinie haben, falls Sie eine benötigen. Doch

---

97 In den Märkten von heute sollte ein Unternehmen, wenn es als groß gelten soll, eine Marktkapitalisierung von mindestens 10 Milliarden $ aufweisen. Entsprechend dem Online-Screener unter http://screen.yahoo.com/stocks.html konnte man am Anfang des Jahres unter 300 Aktien auswählen.

es sollte auch jede andere Regel, die ein Anleger für sich selbst aufstellt und die nicht die Begriffe von „groß" und „bedeutend", so wie sie allgemein verstanden werden, verletzt, annehmbar sein. Es liegt in der Natur der Sache, dass es eine große Gruppe von Unternehmen geben muss, unter denen einige für den defensiven Anleger geeignet sind, andere jedoch nicht. Diese individuelle Regelsetzung ist durchaus positiv zu sehen, denn sie ermöglicht eine graduelle Differenzierung, einen Übergang zwischen der Kategorie der erstklassigen und jener der zweitklassigen Aktien und belebt auf diese Weise den Aktienmarkt

Kommentar zu Kapitel 5

Die menschliche Glückseligkeit wird nicht so sehr durch große, glückliche Ereignisse bestimmt, die nur sehr selten vorkommen, sondern durch kleine Vorteile, die ganz alltäglich sind.

Benjamin Franklin

Die beste Verteidigung ist ein guter Angriff

Weshalb sollte ein defensiver Investor nach dem Blutbad an den Börsen in den vergangenen Jahren auch nur zehn Cent in Aktien investieren?

Zunächst einmal sollten Sie sich in Erinnerung rufen, dass Graham stets betonte: Ein Aktieninvestment hängt weniger von Ihrer individuellen Risikobereitschaft ab denn davon, wie viel Zeit und Energie Sie aufbringen können, um Ihr Portfolio zu betreuen. Und wenn Sie es richtig anstellen, dann ist die Kapitalanlage in Aktien ebenso einfach wie die Anlage in Anleihen oder Barmittel. (Wie wir in Kapitel 9 sehen werden, können Sie einen Anteil an einem Aktienindex kaufen, was nicht mehr Aufwand macht als das morgendliche Ankleiden.)

Mitten im Bärenmarkt, der im Jahr 2000 begann, ist es durchaus verständlich, dass Sie das Gefühl haben, sich die Finger verbrannt zu haben, und - wenn dies tatsächlich der Fall war - in Ihnen der Entschluss reifte, nie wieder eine Aktie anzufassen. Ein altes türkisches Sprichwort sagt: „Wenn du dir mit heißer Milch einmal den Mund verbrannt hast, dann wirst du auch auf deinen Joghurt blasen." Weil der Crash von 2000 bis 2002 ein schreckliches Ereignis war, betrachten viele Anleger Aktien als höchst riskant. Doch hat der Kurseinbruch sehr viel Risiko aus dem Aktienmarkt genommen - zuvor war es heiße Milch, doch nun ist es lauwarmer Joghurt.

Wenn man die Sache logisch betrachtet, dann hat die Entscheidung, ob man heute in Aktien anlegt, nichts damit zu tun, wie viel Geld man damit vor ein paar Jahren verloren haben mag. Wenn die Aktienkurse auf einem Niveau notieren, von dem aus sie in der Zukunft auch noch steigen können, dann sollten Sie Aktien im Portfolio haben, gleichgültig, welche Verluste sie Ihnen in der jüngsten Vergangenheit zugefügt haben. Das ist besonders dann der richtige Weg, wenn die Renditen der Anleihen gering sind und damit die künftigen Gewinne aus ertragsorientierten Investitionen mindern.

Wie wir in Kapitel 3 gesehen haben, sind Aktien (zu Beginn des Jahres 2003), an historischen Maßstäben gemessen, nur geringfügig überteuert und bieten Anleihen bei den derzeitigen Kursen so geringe Renditen, dass ein Investor, der sie wegen der vermeintlichen Sicherheit kauft, mit einem Raucher zu vergleichen ist, der glaubt, er könne sich vor Lungenkrebs schützen, indem er Zigaretten mit geringerem Teergehalt raucht. Gleichgültig, wie defensiv Sie als Investor agieren – in Grahams Sinn mit geringem Verwaltungsaufwand oder im zeitgemäßen Sprachgebrauch mit geringem Risiko –: Die Werte von heute bedeuten, dass man zumindest einen Teil seines Geldes in Aktien anlegen sollte.

Zum Glück war es für einen defensiven Investor noch nie leichter als jetzt, Aktien zu kaufen. Und ein Portfolio, das wie von einem Autopiloten gesteuert wird und ohne Aufwand jeden Monat einen kleinen Teil Ihres Geldes in bestimmte Anlagen einspeist, kann es überflüssig machen, einen großen Teil Ihrer Zeit der Aktienauswahl zu widmen.

Sollten Sie „kaufen, was Sie kennen“?

Zunächst wollen wir darüber nachdenken, wogegen sich ein defensiver Investor immer verteidigen muss: gegen die Überzeugung, dass man Aktien auswählen kann, ohne zuvor seine Hausaufgaben gemacht zu haben. In den 80er- und den frühen 90er-Jahren war der Slogan „Kaufe, was du kennst“ sehr verbreitet. Peter Lynch, der von 1977 bis 1990 den Fidelity Magellan zur besten Performance steuerte, die ein Investmentfonds jemals erreicht hat, war der charismatischste Prediger dieses Evangeliums. Lynch behauptete, dass Privatanleger einen Vorteil hätten, den die Profis vergessen hätten: „Die Kraft des allgemein Bekannten“. Wenn Sie ein tolles neues Restaurant entdecken, ein Auto, eine Zahnpasta oder Jeans – oder wenn Sie bemerken, dass der Parkplatz des Supermarktes um die Ecke immer voll ist oder dass Menschen in der Zentrale eines Unternehmens immer noch arbeiten, während Joe Leno (amerikanischer Entertainer, A. d. Ü.) schon längst auf Sendung ist, dann haben Sie persönliche Kenntnisse, die kein professioneller Analyst und kein Portfoliomanager besitzt. Lynch sagte: „Im Verlauf Ihres Lebens, in dem Sie Autos oder Kameras kaufen, entwickeln Sie einen Sinn für das, was gut ist und was schlecht ist, was sich gut verkauft und was nicht ... und das Wichtigste ist: Sie wissen es, bevor es die Wall Street erfährt.“[98]

98 Peter Lynch mit John Rothschild, One Up on Wall Street (Penguin, 1989) S. 23.

Die Regel von Lynch lautet: „Sie können besser sein als die Experten, wenn Sie den Vorsprung nutzen und in Unternehmen oder Branchen investieren, die Sie bereits verstehen." Diese Regel ist nicht ganz von der Hand zu weisen, und Tausende von Investoren haben über viele Jahre hinweg ihr profitiert. Doch kann sie nur dann funktionieren, wenn Sie die logische Konsequenz daraus ebenfalls befolgen: „Ein viel versprechendes Unternehmen zu finden ist nur der erste Schritt. Der nächste Schritt ist, die erforderlichen Recherchen anzustellen." Lynch ist zugute zu halten, dass er darauf besteht, dass niemand je in ein Unternehmen investieren sollte, gleichgültig wie großartig seine Produkte sind oder wie viele Autos auf dem Parkplatz stehen, ohne sorgfältig die Bilanz und den Geschäftsbericht zu studieren und den Unternehmenswert zu bestimmen.

Leider haben die meisten Aktienkäufer diesen Teil nicht zur Kenntnis genommen.

Barbra Streisand, die Diva, die sich dem Daytrading widmete, personifizierte die Art und Weise, wie die Leute die Lehren von Peter Lynch missbrauchten. 1999 plapperte sie: „Wir gehen jeden Tag zu Starbucks, also kaufe ich auch deren Aktien." Doch das „Funny Girl" vergaß eines: Ganz egal, wie sehr man diese dünnen Latte Macchiatos auch immer mag, man muss immer noch die Geschäftsberichte von Starbuck analysieren und sicher sein, dass die Aktie nicht noch teurer ist als der Kaffee. Zahllose Aktienkäufer machten den gleichen Fehler und kauften in großen Mengen Aktien von Amazon.com, weil sie deren Website mochten, oder sie kauften e*Trade-Aktien, weil diese Firma ihr Online-Broker war.

„Experten" gaben dieser Idee ebenfalls einen „Persilschein". In einem Interview, das von CNN Ende 1999 gesendet wurde, wurde Kevin Landis von Firsthand Funds im Klageton gefragt: „Wie machen Sie das? Weshalb kann ich es nicht auch, Kevin?" (Von 1995 bis Ende 1999 erwirtschaftete der Firsthand Technology Value Fund einen erstaunlichen durchschnittlichen Jahresgewinn von 58,2 %.) „Nun, Sie *können* es auch", zwitscherte Landis. „Sie brauchen sich nur auf das zu konzentrieren, was Sie kennen, sich intensiv um eine Branche kümmern und mit Leuten sprechen, die dort jeden Tag arbeiten."[99]

---

99 Kevin Landis' Interview lief am 5. November 1999 im Rahmen der Sendung In the Money. Wenn Landis' eigene Leistung ein Indiz darstellt, ist „Konzentration auf das, was man kennt" nicht alles, „was man wirklich tun muss", um erfolgreich Aktien auszuwählen. Von Ende 1999 bis Ende 2002 verlor sein Fonds (vollgepackt mit Technologieunternehmen, von denen er behauptete, sie von seinem Sitz im Silicon Valley „aus erster Hand" zu kennen) 73,2 % seines Werts – eine noch schlimmere Tracht Prügel, als ein durchschnittlicher Technologiefonds in dieser Zeit einstecken musste.

Besonders falsch wäre es, die Regel von Peter Lynch auf die betriebliche Altersversorgung anzuwenden. Wenn Sie „kaufen sollten, was Sie kennen", was wäre dann besser für einen 401(k)-Plan geeignet als die Aktien des Unternehmens, in dem man selbst arbeitet? Immerhin sind Sie jeden Tag in dieser Firma. Wissen Sie deshalb nicht mehr über das Unternehmen, als ein Außenstehender es jemals könnte? Das ist leider ein Irrtum, wie beispielsweise die Angestellten von Enron, Global Crossing und WorldCom feststellen mussten: Viele legten fast ihr gesamtes Vermögen für den Ruhestand in Aktien des eigenen Unternehmens an und verloren alles. Das zeigt: Insider haben oft nur ein Trugbild des Unternehmens und kennen die Realität nicht.

Psychologen der Carnegie Mellon University haben unter der Leitung von Baruch Fischhoff eine beunruhigende Tatsache dokumentiert: Wenn Menschen mit einer Sache besser vertraut ist, dann mindert dies nicht ihre Neigung, das, was sie wirklich wissen, viel zu hoch einzuschätzen.[100] Das ist auch der Grund, weshalb ein „Investieren in das, was man kennt" so gefährlich sein kann. Je mehr man weiß, wenn man sich in eine Sache vertieft, desto weniger wahrscheinlich ist es, dass man eine Aktie auch auf ihre Schwächen hin abklopft. Diese schädliche Form zu großen Selbstvertrauens nennt man Befangenheit oder die Angewohnheit, bei dem zu bleiben, was man schon kennt:

- Privatanleger besitzen dreimal mehr Aktien der lokalen Telefongesellschaft als von allen anderen Telefongesellschaften zusammen.
- Der typische Investmentfonds hat Aktien von Unternehmen im Portfolio, deren Zentrale 150 Kilometer näher am Sitz der Fondsgesellschaft beheimatet ist, als die von durchschnittlich weit entfernten Unternehmen.
- Anleger in einen 401(k)-Plan halten zwischen 25 % und 30 % ihrer Altersversorgung in Aktien des Unternehmens, in dem sie arbeiten.[101]

Kurz gesagt: Vertrautheit erzeugt Selbstzufriedenheit. Wenn Sie im Fernsehen Nachrichten sehen, ist es dann nicht immer der Nachbar oder der beste Freund oder ein Elternteil eines Kriminellen, der mit schockierter Stimme sagt: „Er war doch immer ein so netter Kerl." Der Grund dafür ist, dass wir immer, wenn wir ei-

100 Sarah Lichtenstein und Baruch Fischhoff, „Do Those Who Know More Also Know More about How Much They Know?" Organizational Behavior and Human Performance, Band 20, Nr. 2, Dezember 1977, S. 159-183.

101 Siehe Gur Huberman, „Familiarity Breeds Investment"; und Gur Huberman und Paul Sengmuller, „Company Stock in 401(k) Plans", alle unter http://papers.ssrn.com.

ner Person oder einer Sache zu nahe stehen, unsere Überzeugungen als selbstverständlich ansehen, anstatt sie in Frage zu stellen, so wie wir es auch tun, wenn uns jemand oder etwas unbekannt ist. Je vertrauter uns eine Aktie ist, desto wahrscheinlicher ist es, dass aus einem defensiven Investor ein fauler Investor wird, der glaubt, er brauche keine Hausaufgaben mehr zu machen. Lassen Sie nicht zu, dass Ihnen das passiert.

Stehen Sie auf eigenen Beinen?

Ein defensiver Investor, der sich der Mühe unterzieht, ein Aktienportfolio zusammenzustellen, lebt heute in einem „goldenen Zeitalter": Noch nie zuvor in der Finanzgeschichte war der Besitz von Aktien so billig und so bequem.[102]

Selbst ist der Mann. Durch spezialisierte Online-Broker wie www.sharebuilder.com, www.foliofn.com und www.buyandhold.com können Sie automatisch Aktien kaufen, wenn Sie ein wenig Geld übrig haben. Diese Websites verlangen nur 4 $ für jeden regelmäßigen Kauf einer der Tausenden amerikanischer Aktien, die sie bereitstellen können. Sie können wöchentlich oder monatlich anlegen, Dividenden reinvestieren und sogar Ihr Geld in Aktien wandeln, indem Sie elektronisch von Ihrem Bankkonto aus oder direkt von Ihrem Gehaltskonto aus abbuchen lassen. Sharebuilder verlangt bei Verkäufen mehr Provision als beim Kauf – was Sie daran erinnert, so wie ein kleiner Nasenstüber, dass schnelle Verkäufe für die Kapitalanlage absolut tabu sind –, während FolioFN ein hervorragendes Hilfsmittel zur steuerlichen Betrachtung anbietet.

Anders als traditionelle Broker oder Investmentfonds, bei denen Sie gar nicht erst vorzusprechen brauchen, wenn Sie nicht mindestens 2.000 oder 3.000 $ auf den Tisch des Hauses legen, gibt es bei diesen Firmen keine Untergrenze für den Kontensaldo, und deshalb sind sie maßgeschneidert für Anleger, die gerade erst anfangen, Kapital zu bilden, und für die Portfolios, die noch in den Kinderschuhen stecken und zu unausgegoren sind, um sie quasi auf Autopilot zu stellen. Um es noch deutlicher zu machen: 4 $ sind geradezu riesige 8 %, wenn Sie monatlich

102 Laut Charles Jones, Professor der Finanzwissenschaften an der Columbia Business School, fielen die Kosten für einen kleinen Trade (Kauf oder Verkauf) mit einer Aktie, die an der New York Stock Exchange notiert ist, von etwa 1,25 %, als Graham noch lebte, auf 0,25 % im Jahr 2000. Für Institutionen wie Fondsgesellschaften sind diese Kosten derzeit höher. (Siehe Charles M. Jones, „A Century of Stock Market Liquidity and Trading Costs" unter http://papers.ssrn.com.)

50 $ investieren - wenn das aber alles ist, was Sie übrig haben, dann sind diese Websites für Mini-Investitionen die einzige Möglichkeit, ein diversifiziertes Portfolio einzurichten.

Einzelne Aktien können Sie auch direkt beim emittierenden Unternehmen kaufen. 1994 lockerte die U.S. Security and Exchange Commission die Handfesseln, die sie dem Direktverkauf von Aktien an die Öffentlichkeit vor langer Zeit angelegt hatte. Hunderte von Unternehmen reagierten darauf, indem sie es den Anlegern mit Internetprogrammen ermöglichten, ihre Aktien zu kaufen, ohne dass ein Broker eingeschaltet werden muss. Einige hilfreiche Informationsquellen zum Direktkauf von Aktien finden Sie unter www.dripcentral.com, www.netstockdirect.com (einer Tochtergesellschaft von Sharebuilder) und www.stockpower.com. Oft könnten Sie auf verschiedene ungerechtfertigte Gebühren stoßen, die jährlich mehr als 25 $ ausmachen. Doch auch wenn dies der Fall sein sollte, sind Aktien im Direktkauf normalerweise immer noch billiger als bei einem Broker.

Allerdings möchten wir Sie warnen: Wenn Sie jahrelang Aktien in winzigen Mengen kaufen, könnten Sie letztlich bei der Steuer starke Kopfschmerzen bekommen. Wenn Sie nicht darauf vorbereitet sind, permanent und ausführlich über Ihre Aktienkäufe Buch zu führen, dann sollten Sie sich erst gar keine Aktien kaufen. Letztlich investieren Sie nicht nur in eine einzige Aktie - oder nur in eine Hand voll verschiedener Aktien. Wenn Sie nicht bereit sind, Ihre Einsätze zu streuen, dann sollten Sie gar keinen Einsatz wagen. Grahams Richtlinie, die besagt, man solle zwischen zehn und 30 verschiedene Aktien im Portfolio haben, bleibt ein guter Ausgangspunkt für Anleger, die ihre eigene Aktienauswahl treffen wollen. Doch sollten Sie darauf achten, dass Sie sich nicht zu sehr einer einzigen Branche ausliefern.[103] (Weitere Informationen finden Sie in den Kapiteln 11, 14 und 15.)

Wenn Sie, nachdem Sie ein derartiges Online-Autopilot-Portfolio eingerichtet haben, bemerken, dass Sie öfter als zwei Mal jährlich traden - oder mehr als ein oder zwei Stunden pro Monat für Ihre Investitionen aufwenden -, dann ist irgendetwas schief gelaufen. Lassen Sie sich nicht von der Einfachheit und dem Gefühl der Aktualität, das vom Internet ausgeht, dazu verführen, ein Spekulant zu wer-

---

103 Wenn Sie sicher sein wollen, ob Sie Ihre Beteiligungen ausreichend über verschiedene Branchensektoren verteilt haben, dann können Sie kostenlos die „Instant X-Ray"-Funktion unter www.morningstar.com benutzen oder die Sektoreninformation (Global Industry Classification Standard) unter www.standardandpoors.com aufsuchen.

den. Ein defensiver Investor fährt sein Rennen – und gewinnt, indem er still sitzenbleibt.

Holen Sie sich Hilfe. Ein defensiver Anleger kann seine Aktien auch über einen Discount-Broker, über einen Finanzberater oder einen Full-Service-Broker kaufen. Bei einem Discount-Broker müssen Sie den größten Teil der Aktienauswahl selbst erledigen; Grahams Richtlinien werden Ihnen helfen, ein Kern-Portfolio einzurichten, das nur geringer Pflege bedarf und gute Chancen auf stetigen Gewinn verspricht. Wenn Sie jedoch nicht die Zeit haben oder nicht das Interesse aufbringen, das selbst zu tun, dann sollten Sie nicht zögern, jemanden zu engagieren, der die Aktien oder Investmentfonds für Sie aussucht. Doch gibt es einen Verantwortungsbereich, den Sie niemals delegieren dürfen: Sie – und niemand sonst – müssen herausfinden – und zwar *bevor* Sie jemandem Ihr Geld überlassen –, ob ein Berater vertrauenswürdig ist und vernünftige Honorare in Rechnung stellt. (Weitere Hinweise finden Sie in Kapitel 10).

Geben Sie die Arbeit außer Haus. Investmentfonds sind der beste Weg für einen defensiven Anleger, um die Vorteile des Eigentums an Aktien zu genießen, und das ohne den Nachteil, ständig sein Portfolio überwachen zu müssen. Zu relativ geringen Kosten können Sie ein hohes Maß an Diversifizierung und Bequemlichkeit kaufen – indem Sie es einem Profi überlassen, die Aktienauswahl für Sie zu treffen und das Portfolio zu beobachten. In der ausgefeiltesten Form – bei Indexfonds – brauchen die Fondsmanager das Portfolio weder zu beobachten noch in irgendeiner Form zu betreuen. Indexfonds sind eine Art von Investition, bei der es höchst unwahrscheinlich ist, dass Sie Überraschungen erleben oder Verluste einfahren, selbst wenn Sie, so wie Washington Irvings fauler Farmer, 20 Jahre lang schlafen würden. Das sind Investitionen, bei denen die Träume eines jeden defensiven Anlegers in Erfüllung gehen. Weitere Einzelheiten dazu finden Sie in Kapitel 9.

Die Schlaglöcher ausbessern

Wenn die Börsen tagtäglich ein Auf und Ab erleben, kann der defensive Investor die Kontrolle über das Chaos übernehmen. Ihre Weigerung, aktiv zu werden, Ihre Abkehr von der Überzeugung, man könne die Zukunft vorhersehen, können Ihre stärksten Waffen werden. Wenn Sie jede Anlageentscheidung quasi auf Autopilot stellen, lassen Sie jegliche Selbsttäuschung darüber fallen, dass Sie wüssten, wohin Ihre Aktien gehen werden, und Sie regen sich nicht über den Markt auf, gleichgültig, wie seltsam er sich auch verhält.

Wie Graham schon sagte, ermöglicht Ihnen das Cost-Averaging, einen bestimmten Geldbetrag in regelmäßigen Abständen zu investieren. Jede Woche, jeden Monat oder jedes Quartal kaufen Sie hinzu – unabhängig davon, ob die Kurse gestiegen oder gefallen sind oder ob sie sich seitwärts bewegen. Jeder größere Investmentfonds und jede Broker-Firma kann automatisch und sicher das Geld für Sie elektronisch transferieren, sodass Sie niemals einen Scheck ausstellen oder bewusst das negative Gefühl empfinden müssen, das einen befällt, wenn man Geld hergeben muss. Alles ist außer Sichtweite, aus Ihrem Sinn.

Der ideale Weg des Cost-Averaging ist es, in ein Portfolio oder in einen Index einzuzahlen, der jede Aktie oder Anleihe enthält, deren Besitz sich lohnt. Auf diese Weise verzichten Sie nicht nur auf das Spielchen mit den Vermutungen, wie der Markt sich bewegen wird, sondern auch auf die Wetten darüber, welche Marktsektoren – und welche speziellen Aktien oder Anleihen mit ihnen – am besten abschneiden werden.

Nehmen wir an, Sie könnten monatlich 500 $ entbehren. Wenn Sie mit dem Verfahren des Cost-Averaging in nur drei Indexfonds anlegen – 300 $ in einen, der den gesamten amerikanischen Aktienmarkt umfasst, 100 $ in einen, der ausländische Aktien enthält, und 100 $ in einen, der US.-Anleihen enthält –, so können Sie sicher sein, dass Sie fast an jeder Investition auf der Welt beteiligt sind, die es wert ist, dass man sein Geld darin anlegt.[104] Jeden Monat, pünktlich wie ein Uhrwerk, kaufen Sie hinzu. Wenn der Markt nachgegeben hat, dann zahlen Sie den gleichen Betrag ein, erhalten dafür aber mehr Anteile als im Monat zuvor. Hat der Markt angezogen, dann erhalten Sie entsprechend weniger Anteile. Wenn Sie auf diese Art und Weise Ihr Portfolio auf automatischen Betrieb stellen, dann verhindern Sie, dass Sie entweder Geld an der Börse verschleudern, wenn der Reiz sehr groß ist (und damit wirklich gefährlich geworden ist), oder dass Sie sich weigern, mehr zu kaufen, nachdem ein Markteinbruch die Anlagen wirklich billiger (anscheinend jedoch „riskanter") gemacht hat.

Laut Ibbotson Associates, dem führenden Haus für Finanzrecherchen, hätten Sie, wenn Sie Anfang September 1929 12.000 $ in den S&P 500 investiert hätten, zehn Jahre später nur noch 7.223 $ übrig gehabt. Hätten Sie aber mit dürftigen 100 $ begonnen und jeden Monat weitere 100 $ eingezahlt, dann wäre Ihr Ver-

---

104 Weitere Gründe dafür, dass man ein Teil des Portfolios für ausländische Aktien reservieren sollte, finden Sie auf den Seiten 207–208.

mögen bis zum August 1939 auf 15.571 $ angewachsen! Das ist die Kraft des disziplinierten Kaufens – selbst angesichts der Großen Depression und des schlimmsten Bärenmarkts aller Zeiten.[105]

Abbildung 5-1 zeigt die Magie des Cost-Average-Effekts in einem nicht so weit zurückliegenden Bärenmarkt.

Am besten ist es allerdings, wenn Sie ein stetiges Autopilot-Portfolio einrichten, in dem Index-Fonds sowohl das Herz als auch die Seele sind, denn dann können Sie jede Frage zum Marktgeschehen mit dem überzeugendsten Argument beantworten, das einem defensiven Investor zur Verfügung steht: „Ich weiß es nicht, und ich mache mir auch keine Gedanken darüber." Wenn jemand fragt, ob Anleihen besser laufen werden als Aktien, dann antworten Sie nur: „Ich weiß es nicht, und ich mache mir auch keine Gedanken darüber." Immerhin kaufen Sie automatisch beides. Wer ist die nächste Microsoft? „Ich weiß es nicht, und ich mache mir auch keine Gedanken darüber." Wenn dieses Unternehmen groß genug geworden ist, dann wird es im Index-Fonds sein, und Sie sind mit dabei. Werden die ausländischen Aktien im nächsten Jahr besser laufen als amerikanische Aktien? „Ich weiß es nicht, und ich mache mir auch keine Gedanken darüber." Wenn es so ist, dann sind Sie auch dabei. Falls nicht, dann können Sie zu niedrigeren Kursen mehr Anteile kaufen.

Wenn Sie sagen können „Ich weiß es nicht, und ich mache mir auch keine Gedanken darüber", dann befreit ein automatisch gesteuertes Portfolio Sie von dem Zwang zu prognostizieren, wie die Märkte sich verhalten werden, und auch von der Illusion, dass irgendjemand sonst es kann. Das Wissen darüber, wie wenig Sie von der Zukunft wissen können, gepaart mit der Akzeptanz des „Nicht-Wissens", ist die stärkste Waffe eines defensiven Investors.

---

105 Quelle: Tabellenkalkulation, zur Verfügung gestellt von Ibbotson Associates. Obwohl es den Kleinanlegern erst 1976 ermöglicht wurde, den gesamten S&P 500 Index zu kaufen, beweist dieses Beispiel dennoch die Wirkung, die davon ausgeht, wenn man bei niedrigen Kursen mehr Aktien kauft.

Abb. 5-1: Jedes kleine Stückchen hilft

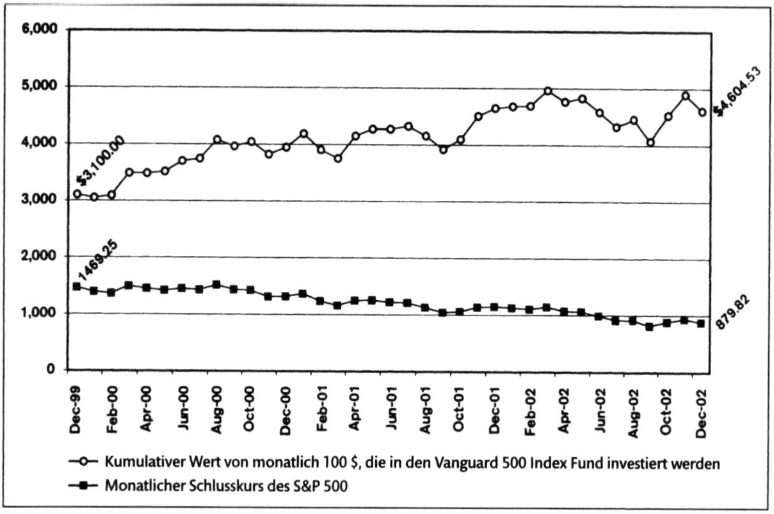

Von Ende 1999 bis Ende 2002 fiel der S&P 500 stetig. Wenn Sie jedoch ein Konto mit einem Index-Fonds mit der Mindesteinlage von 3.000 $ eröffnet und jeden Monat weitere 100 $ eingezahlt hätten, dann hätten sie mit Ihrer Gesamteinlage von 6.600 $ einen Verlust von 30,2 % erlitten – deutlich weniger als der Markteinbruch um 41,4 %. Das Beste daran ist aber, dass Sie, weil Sie zu niedrigen Kursen stetig weiter gekauft haben, explosive Gewinne erwarten können, wenn der Markt sich wieder erholt hat.

Quelle: The Vanguard Group

Kapitel 6

Die Portfoliostrategie für den professionellen Investor: Der negative Ansatz

Der „aggressive" Investor sollte an der gleichen Basis beginnen wie der defensive Investor, nämlich mit einer Aufteilung seines Anlagevermögens zwischen erstklassigen Anleihen und erstklassigen Aktien, die zu vernünftigen Kursen gekauft werden.[106] Er ist darauf vorbereitet, sich auch mit anderen Wertpapieren zu befassen, doch in jedem Fall wird er für seinen Ansatz eine gut begründete Rechtfertigung haben wollen. Es ist ein wenig schwierig, dieses Thema umfassend abzuhandeln, weil es kein einziges und schon gar kein ideales Muster für aggressives Handeln gibt. Der Entscheidungsbereich ist sehr groß; die Auswahl sollte nicht nur von der Kompetenz und der Ausstattung des Einzelnen abhängen, sondern gleichermaßen von seinen Interessen und seinen Präferenzen.

Die allgemeinen Charakteristika eines professionellen Investors sind eher negativ. Erstklassige Vorzugsaktien sollte er Käufern überlassen, die selbst ein Unter-

106 Hier leistete sich Graham einen Versprecher. Nachdem er im ersten Kapitel darauf bestand, dass die Definition des „unternehmerischen" (oder professionellen) Investors nicht vom Umfang des eingegangenen Risikos abhängt, sondern von der Menge der Arbeit, die man bereit ist, auf sich zu nehmen, kehrt er nun wieder zur konventionellen Meinung zurück, dass professionelle Anleger „aggressiver" seien. Der Rest des Kapitels jedoch verdeutlicht, dass Graham an seiner ursprünglichen Definition festhält. (Der große britische Ökonom John Maynard Keynes scheint der Erste gewesen zu sein, der den Begriff „unternehmerisch" als Synonym für analytische Kapitalanlage verwendete.)

nehmen betreiben. Außerdem sollte er minderwertige Anleihen und Vorzugsaktien meiden, wenn er sie nicht zu besonders günstigen Preisen kaufen kann – was normalerweise bedeutet, dass man sie zumindest 30 % unter dem Preis von hoch verzinslichen Anleihen und weit unter denen für niedriger verzinsten Anleihen bekommt.[107] Den Kauf von ausländischen Staatsanleihen überlässt er anderen, auch dann, wenn die Rendite attraktiv ist. Er weiß auch über alle Neuemissionen Bescheid, einschließlich Wandelanleihen und Stammaktien mit herausragenden Gewinnen aus der letzten Zeit.

Für normale Anlagen in Anleihen wäre der aggressive Investor gut beraten, dem Muster zu folgen, das ich seinen defensiven Mitstreitern empfohlen habe. Er sollte zwischen erstklassigen zu versteuernden Emissionen, die es derzeit auf eine Rendite von 7,25 % bringen, und steuerfreien Anleihen guter Qualität wählen, die bei längerer Laufzeit auf eine Rendite von bis zu 5,3 % kommen.[108]

Zweitklassige Anleihen und Vorzugsaktien

Da es seit Ende 1971 möglich ist, erstklassige Industrieanleihen mit einer Rendite von 7,25 % und mehr zu finden, würde es keinen Sinn machen, zweitklassige Anleihen ausschließlich wegen der etwas höheren Rendite zu kaufen. Tatsächlich mussten Unternehmen mit relativ schwacher Bonität feststellen, dass es in den vergangenen zwei Jahren nahezu unmöglich wurde, pure Anleihen zu verkaufen – das heißt Anleihen, die nicht zu Aktien gewandelt werden können. Daher finanzierten sie ihre Schulden mit dem Verkauf von Wandelanleihen (oder Anleihen mit einer Bescheinigung des Bezugsrechts), was sie in eine eigene Kategorie einordnet. Daraus folgt, dass alle nicht wandelbaren Anleihen oder solche mit geringerer Bonität ältere Emissionen sind, die mit hohen Rabatten gehandelt werden.

---

107 „Hoch verzinsliche Anleihen" sind Industrieanleihen, die eine überdurchschnittlich hohe Verzinsung bieten (zu den derzeitigen Marktbedingungen zumindest 8 %), oder Vorzugsaktien mit hoher Dividendenrendite (10 % oder mehr). Wenn ein Unternehmen hohe Zinsen zahlen muss, um sich Geld leihen zu können, dann ist das grundsätzlich ein Anzeichen dafür, dass es riskant ist. Weitere Informationen zu hoch verzinslichen Anleihen oder „Junk-Bonds" finden Sie auf den Seiten 166ff.

108 Anfang des Jahres 2003 liegen die entsprechenden Renditen bei 5,1 % für erstklassige Industrieanleihen und 4,7 % für steuerfreie Kommunalanleihen mit 20-jähriger Laufzeit. Aktualisieren Sie diese Zahlen und sehen Sie unter www.bondsonline.com/asp/news/composites/html oder unter www.bloomberg.com/markets/rates.html und www.bloomberg.com/markets/psamuni.html im Internet nach.

Somit bieten sie die Möglichkeit deutlicher Gewinne beim Wert des Grundkapitals unter sehr günstigen künftigen Bedingungen - was an dieser Stelle bedeuten würde, dass man eine verbesserte Bonität des Unternehmens und geringere allgemeine Zinssätze kombinieren würde.

Doch selbst bei den Kursrückgängen und der sich daraus ergebenden Chance auf einen Kapitalgewinn konkurrieren zweitklassige Anleihen mit besseren Emissionen. Einige der etablierten Schuldverschreibungen mit den „alten" Coupon-Raten (von 2,5 % bis 4 %) wurden 1970 zu 50 % des Nennwerts gehandelt. Einige Beispiele: American Telephone & Telegraph 2,625 %-Anleihen, fällig 1986, wurden zu 51 gehandelt, Atchison Topeka & Santa Fe RR 4 %, fällig 1995 zu 51, und McGraw-Hill 3,875 %-Anleihen, fällig 1992, zu 50,5.

Somit können, unter den Bedingungen von Ende 1971, professionelle Anleger von guten Anleihen, die mit großzügigen Preisnachlässen gehandelt werden, wahrscheinlich alles bekommen, was sie vernünftigerweise aus den Zinserträgen und der Chance auf Wertzuwachs erwarten können.

In diesem Buch beziehen wir uns immer wieder auf die Möglichkeit, dass jede gut definierte und längere Marktsituation aus der Vergangenheit sich auch in der Zukunft wiederholen könnte. Deshalb ist es interessant herauszufinden, für welche Strategie der aggressive Investor im Bereich der Anleihen sich entscheiden könnte, falls die Kurse und die Renditen erstklassiger Emissionen zu den früheren normalen Bedingungen zurückkehren. Aus diesem Grund schreiben wir hier unsere Beobachtungen nieder, die wir schon in der Auflage von 1965 beschrieben haben, als erstklassige Anleihen eine Rendite von nur 4,5 % erzielten.

An dieser Stelle eine Anmerkung zu Investitionen in zweitklassige Emissionen, die leicht eine Rendite von bis zu 8 % oder noch mehr erzielen könnten. Der Hauptunterschied zwischen erst- und zweitklassigen Anleihen besteht zumeist darin, wie oft die Zinsbelastung durch die Gewinne gedeckt ist. Hier ein Beispiel: Anfang 1964 erzielten die Chicago-Milwaukee-St. Paul-and-Pacific-Anleihen mit 5 % jährlicher Zinsausschüttung, bei einem Kurs von 68 eine Rendite von 7,35 %. Doch die gesamten Zinsbelastungen der Bahngesellschaft vor Einkommensteuer wurden 1963 nur 1,5-mal verdient, während wir das Fünffache für eine Emission einer gegen Kurseinbrüche gut geschützten Eisenbahn forderten [19].

Viele Anleger kaufen derartige Wertpapiere, weil sie „Erträge brauchen" und mit den eher mageren Renditen der erstklassigen Anleihen nicht auskommen. Die Erfahrung zeigt eindeutig, dass es nicht besonders klug ist, eine Anleihe oder Vorzugsaktie zu kaufen, der die entsprechende Sicherheit fehlt, nur weil sie eine attraktive Rendite verspricht.[109] (Das Wort „nur" bedeutet an dieser Stelle, dass die Emission nicht mit hohem Rabatt gehandelt wird und somit auch keine Chance für einen deutlichen Gewinn im Anlagewert bietet.) Wenn derartige Papiere zu ihrem vollen Preis gekauft werden – das heißt, nur wenige Punkte unter 100[110] –, dann ist die Wahrscheinlichkeit ziemlich hoch, dass der Besitzer in Zukunft auch wesentlich niedrigere Notierungen sehen wird. Denn wenn die Geschäfte schleppend laufen und der Markt gerade in einer schlechten Verfassung ist, sind solche Emissionen für ernsthafte Schwächeanfälle höchst anfällig. Oftmals werden Zinszahlungen oder Dividenden ausgesetzt, oder zumindest sind sie gefährdet, und häufig kommt es zu ausgesprochenen Kursschwächen, obwohl die operativen Ergebnisse gar nicht so schlecht sind.

Zur besonderen Darstellung dieser Eigenschaften älterer zweitklassiger Emissionen wollen wir das Kursverhalten einer Gruppe von zehn Anleihen von Eisenbahngesellschaften in den Jahren 1946 bis 1947 zusammenfassen. Diese Gruppe enthält alle Anleihen, die 1946 zu 96 oder besser gehandelt wurden; ihre Höchstkurse lagen im Durchschnitt bei 102,5. Im folgenden Jahr musste diese Gruppe niedrigere Kurse verzeichnen und kam nur auf einen Durchschnitt von 68, ein Verlust von einem Drittel des Marktwerts innerhalb kürzester Zeit. Eigentümlich ist, dass die Eisenbahngesellschaften des Landes im Jahr 1947 wesentlich bessere Gewinne auswiesen als 1946. Somit verlief der drastische Kurseinbruch entgegen dem Geschäftsverlauf; er war ein Spiegelbild des Ausverkaufs im allgemeinen Markt. Es sollte jedoch betont werden, dass der Rückgang dieser Anleihen proportional deutlicher ausfiel als jener der Aktien im Dow Jones (etwa 23 %). Offensichtlich konnten die Käufer der Anleihen nicht erwarten, dass diese Anleihen bei einem Kurs von über 100 noch von einem weiteren Aufschwung im Aktienmarkt profitieren könnten. Die einzige attraktive Eigenschaft war die Ertragsrendite, die sich auf 4,25 % belief (gegenüber 2,5 % für erstklassige Anleihen ist das ein Vorteil von 1,75 % im jährlichen Ertrag). Dennoch kam das Nachspiel zu schnell, und es war zu einfach: Die Käufer der zweitklassigen Anleihen wollten nur wegen dieses

---

109 Ein Beispiel aus neuerer Zeit, das auf schmerzliche Weise Grahams Standpunkt bestätigt, finden Sie unten im Kommentar zu diesem Kapitel.

110 Anleihenkurse werden in Prozentsätzen des Nennwerts oder von 100 notiert. Eine Anleihe, die mit 85 notiert ist, wird zu 85 % seines Nennwerts gehandelt; eine Anleihe, die ursprünglich für 10.000 $ verkauft wurde und nun zu 85 gehandelt wird, kostet 8.500 $. Wenn Anleihen unter 100 gehandelt werden, dann sind das Anleihen zu Rabattpreisen; werden sie über 100 gehandelt, so sind es Premium-Anleihen.

eher geringen Vorteils im Ertrag nicht das Risiko eingehen, eine wesentliche Einbuße des eingesetzten Kapitals hinnehmen zu müssen.

Das obige Beispiel erlaubt uns, den weit verbreiteten Trugschluss zu erkennen, der unter dem Begriff „geschäftliche Investition" bekannt ist. Das heißt, dass ein Wertpapier gekauft wird, das einen höheren Ertrag abwirft, als es bei einer erstklassigen Emission möglich ist, aber auch ein entsprechend höheres Risiko birgt. Es ist ein schlechtes Geschäft, die Möglichkeit eines Verlustes beim Kapitaleinsatz hinzunehmen, nur um 1 oder 2 % mehr Ertrag im Jahr zu erzielen. Wenn Sie bereit sind, ein gewisses Risiko einzugehen, dann sollten Sie sicher sein, dass Sie einen wirklich ansehnlichen Gewinn im Kapitaleinsatz erzielen, wenn die Sache gut läuft. Somit ist eine zweitklassige Anleihe mit einem Jahresertrag von 5 bis 6 %, die zum Nennwert gehandelt wird, fast immer ein schlechter Kauf. Dieselbe Emission zu 70 könnte ganz sinnvoll sein – und wenn Sie geduldig sind, werden Sie wahrscheinlich die Möglichkeit bekommen, auf diesem Niveau zu kaufen.

Zweitklassige Anleihen und Vorzugsaktien haben zwei widersprüchliche Eigenschaften, die ein intelligenter Investor immer beachten muss: Einerseits erleiden fast alle Kursverluste in Zeiten schwacher Märkte. Andererseits erholen sich sehr viele, wenn sich die Bedingungen verbessern und alles ein gutes Ende nimmt. Das gilt sogar für (kumulative) Vorzugsaktien, die jahrelang keine Dividenden ausschütten. Anfang der 40er-Jahre geschah dies bei einer Reihe dieser Wertpapiere nach der langen Depression der 30er-Jahre. Während des Aufschwungs in den Jahren 1945 bis 1947 wurden viele dieser angesammelten Erträge entweder in bar oder in neuen Wertpapieren bezahlt, und auch das Anlagekapital wurde oft zurückgezahlt. Im Ergebnis führte dies für diejenigen, die ein paar Jahre zuvor diese Papiere gekauft hatten, als sie keine Abnehmer finden konnten und zu geringen Kursen gehandelt wurde, zu hohen Gewinnen [20].

Es mag wohl stimmen, dass unter dem Strich die höheren Erträge von zweitklassigen älteren Emissionen die unwiderruflichen Verluste beim Anlagekapital ausgeglichen haben. Mit anderen Worten: Ein Investor, der all diese Emissionen zum Ausgabekurs gekauft hat, könnte *langfristig* ebenso gut gefahren sein wie einer, der sich auf erstklassige Papiere beschränkte – vielleicht sogar noch etwas besser [21].

Doch praktisch ist diese Frage weitgehend irrelevant. Gleichgültig, wie die Sache ausgeht, der Käufer zweitklassiger Emissionen zum vollen Preis wird sich Sorgen machen müssen und sich schlecht fühlen, wenn die Kurse abstürzen. Außerdem kann er nicht genügend Emissionen kaufen, um ein „Durchschnittsergebnis" zu erzielen. Auch ist er in der Lage, einen Teil der höheren Erträge beiseite zu legen, um damit die dauerhaften Verluste beim Anlagekapital auszugleichen oder zu „amortisieren". Schließlich widerstrebt es dem gesunden Menschenverstand, Anleihen um einen Kaufkurs von etwa 100 zu kaufen, wenn langjährige Erfahrungen zeigen, dass man sie im nächsten schwächelnden Markt zu 70 oder weniger kaufen kann.

Ausländische Staatsanleihen

Alle Investoren, auch wenn sie nur wenig Erfahrung haben, wissen, dass ausländische Anleihen, insgesamt gesehen, seit 1914 eine schlechte Anlage waren. Dies wurde insbesondere durch die beiden Weltkriege verursacht, aber auch durch eine beispiellose weltweite Depression. Dennoch sind die Marktbedingungen alle paar Jahre so günstig, dass einige neue Auslandsanleihen zum Nennwert verkauft werden. Dieses Phänomen sagt uns sehr viel über das Denken des durchschnittlichen Anlegers – und das nicht nur im Bereich von Anleihen.

Wir haben keinen *konkreten Grund*, uns über die künftige Geschichte angesehener Auslandsanleihen Gedanken zu machen, etwa Anleihen, die von Australien oder Norwegen emittiert werden. Doch wir wissen, dass, wenn es zu Problemen kommt, den Besitzern von Auslandsanleihen keine rechtlichen oder andere Mittel zur Verfügung stehen, ihre Ansprüche durchzusetzen. Alle, die im Jahr 1953 die 4,5-%-Anleihen von Kuba zu einem Kurs von 117 gekauft hatten, mussten zuerst erleben, dass die Zinsen nicht mehr gezahlt wurden und 1963 jeder Dollar nur noch 20 Cent wert war. Zu den Anleihen, die in diesem Jahr an der NYSE notiert wurden, gehörten auch Anleihen von Belgisch Kongo mit 5,5 % Zinsen und einer Notierung von 36, griechische Anleihen mit einem Zins von 7 % und einem Kurs von 30 und auch verschiedene polnische Emissionen, die nur noch mit 7 notiert wurden. Wie viele Leser können sich die wiederholten Schwankungen der 8-%-Anleihen der Tschechoslowakei vorstellen, seit sie in den USA erstmals im Jahr 1922 zu 96,5 angeboten wurden? Im Jahr 1928 waren sie bis auf 112 gestiegen, rutschten 1932 auf 67,75 ab, erholten sich bis 1936 auf 106, brachen 1939 bis auf 6 ein, erholten sich 1946 (schier unglaublich) bis auf 117, fielen danach bis 1948 auf 35 und wurden 1970 nur noch zu 8 gehandelt!

Vor Jahren wurde diskutiert, ob der Kauf von Auslandsanleihen in den USA, einer reichen Geber-Nation, nicht auch eine moralische Verpflichtung sei, Kredite ins Ausland zu vergeben. Die Zeit, die so viel ahndet, bringt es mit sich, dass wir es nunmehr selbst mit hartnäckigen Problemen in der Zahlungsbilanz zu tun haben, von denen ein Teil dadurch entstand, dass amerikanische Investoren in großen Mengen Auslandsanleihen kauften, nur weil diese einen geringen Ertragsvorteil versprachen. Viele Jahre lang haben wir, aus der Sicht des Käufers, die Attraktivität derartiger Investitionen in Frage gestellt. Vielleicht sollten wir jetzt noch hinzufügen, dass Käufer heute sowohl ihrem Land als auch sich selbst einen Gefallen tun würden, wenn sie auf solche Chancen verzichteten.

Neuemissionen im Allgemeinen

Man scheint schlecht beraten zu sein, irgendwelche ausführliche Aussagen über Neuemissionen insgesamt zu machen, weil damit der größtmögliche Bereich an Qualität und Attraktivität angesprochen wird. Sicherlich gibt es Ausnahmen zu jeder empfohlenen Regel. Unsere einzige Empfehlung ist, dass alle Anleger sich vor Neuemissionen in Acht nehmen sollten – was ganz einfach bedeutet, dass diese sehr sorgfältig untersucht und ungewöhnlich harten Tests unterzogen werden sollten, bevor man sie zeichnet.

Es gibt zwei Gründe für diese doppelte Warnung. Der erste ist, dass hinter Neuemissionen eine spezielle Verkaufsmannschaft steht, und deshalb braucht man ein besonders hohes Maß an Zurückhaltung.[111] Der zweite Grund ist, dass die meisten Neuemissionen unter „günstigen Marktbedingungen" verkauft werden – das heißt, günstig für den Verkäufer und folglich weniger günstig für den Käufer.[112]

Die Wirkung dieser Betrachtungen wird immer wichtiger, wenn wir die Skala hinuntergehen, angefangen mit den Anleihen höchster Qualität über zweitklassige vorrangige Emissionen bis hinunter zu den Emissionen von Aktien. In der Ver-

111 Neuemissionen von Aktien – Initial Public Offerings oder IPOs – werden normalerweise mit einem Zeichnungsrabatt (einer eingebauten Provision) von 7 % verkauft. Im Gegensatz dazu beträgt die Provision beim Kauf älterer Aktien in der Regel weniger als 4 %. Immer, wenn die Wall Street etwa doppelt so viel verdient, wenn sie etwas Neues verkauft, anstatt etwas Altes, wird es schwieriger, das Neue an den Anleger zu bringen.

112 Erst kürzlich haben die Professoren für Finanzwissenschaften Owen Lamont von der University of Chicago und Paul Schultz von der University of Notre Dame dargelegt, dass Unternehmen ihre neuen Aktien der Öffentlichkeit anbieten, wenn der Aktienmarkt sich in der Nähe eines Hochs befindet. Eine technische Diskussion zu diesem Thema finden Sie bei Lamont, „Evaluating Value Weighting: Corporate Events and Market Timing", und bei Schultz, „Pseudo Market Timing and the Long-Run Performance of IPOs", unter http://papers.ssrn.com.

gangenheit wurde ein enormer Finanzierungsaufwand betrieben, die Rückzahlung der bestehenden Anleihen zum Rückkaufkurs und ihr Ersatz durch neue Anleihen mit geringerer Rendite. Die meisten davon gehörten zu den erstklassigen Anleihen und zu Vorzugsaktien. Die Käufer waren weitestgehend Finanzinstitute, die bestens gerüstet sind, um ihre Interessen zu schützen. Daher wird der Ausgabekurs bei diesen Angeboten sehr sorgfältig festgelegt, um den Bedingungen vergleichbarer Emissionen zu entsprechen, und der starke Druck seitens der Verkäufer hatte wenig Auswirkung auf das Ergebnis. Als die Zinsen immer weiter fielen, zahlten die Käufer letztlich einen zu hohen Preis für diese Emissionen, und viele rutschten im Markt deutlich ab. Dies ist ein Aspekt der allgemeinen Tendenz, neue Wertpapiere aller Art dann zu verkaufen, wenn die Bedingungen für den Emittenten am günstigsten sind; aber im Fall von erstklassigen Emissionen sind die negativen Auswirkungen für den Käufer eher unangenehm als schwer wiegend.

Diese Situation beweist etwas anderes, wenn wir uns die Anleihen geringerer Qualität und die Vorzugsaktien, die 1945/1946 und 1960/1961 verkauft wurden, genau ansehen. Hier wird die Auswirkung des Aufwandes beim Verkauf deutlicher sichtbar, weil die meisten dieser Emissionen wahrscheinlich bei Privatanlegern und unerfahrenen Investoren platziert wurden. Charakteristisch für diese Angebote war, dass sie keine angemessenen Leistungen vorweisen konnten, wenn man sie nach der Performance beurteilt, die andere Unternehmen über mehrere Jahre hinweg erbrachten. Zum größten Teil schienen sie nicht sicher genug, weil angenommen werden konnte, dass die letzten Gewinne ohne ernsthafte Rückschläge auch in der Zukunft erzielt werden könnten. Die Investmentbanker, die diese Emissionen anboten, akzeptierten wahrscheinlich diese Annahme, und ihre Verkaufsabteilung hatte wenig Schwierigkeiten, sich selbst und ihre Kunden zu überreden anzunehmen, dass ein ähnlicher Effekt eintreten werde. Dennoch war es eine unvernünftige Anlagestrategie, die sich letztlich als ziemlich teuer erweisen sollte.

Zeiten einer Hausse sind normalerweise durch die Umwandlung vieler Privatunternehmen in börsennotierte Aktiengesellschaften gekennzeichnet. Dies war 1945/1946 und zu Beginn des Jahres 1960 der Fall. Dieses Vorgehen erreichte überproportionale Ausmaße, bis es im Mai 1962 zu einem katastrophalen Ende führte. Nach der üblichen Phase des „Abschwörens", die einige Jahre dauerte, wiederholte sich diese Tragikomödie in den Jahren 1967 bis 1969 Schritt für Schritt.[113]

Erstemissionen von Aktien

Die folgenden Absätze wurden, mit einem Kommentar, unverändert aus der Auflage von 1959 übernommen:

> Die Finanzierung von Aktien geschieht auf zwei unterschiedliche Arten. In dem Fall, in dem Aktiengesellschaften bereits an einer Börse notiert werden, werden neue Aktien denjenigen, die schon Aktien der Gesellschaft besitzen, in einem bestimmten Verhältnis zum bisherigen Besitzanteil angeboten. Der Subskriptionspreis wird unter dem aktuellen Marktwert angesetzt, und die Bezugsrechte haben damit bereits am Anfang einen bestimmten Geldwert.[114] Der Verkauf neuer Aktien wird zumeist von einer oder mehreren Banken übernommen, doch besteht im Allgemeinen die Hoffnung, dass alle neuen Aktien durch die Ausübung des Bezugsrechts platziert werden können. Somit erfordert der Verkauf zusätzlicher Aktien von bereits börsennotierten Unternehmen keinen besonderen Aufwand beim Verkauf seitens der Vertriebsfirmen.

---

113 In den beiden Jahren von Juni 1960 bis zum Mai 1962 gingen mehr als 850 Aktiengesellschaften erstmals an die Börse - durchschnittlich mehr als eine pro Tag. Ende 1967 wurde der IPO-Markt wiederum angeheizt; 1969 kamen, so unglaublich es scheinen mag, 781 neue Aktien auf den Markt. Dieses Überangebot trug zu den Baisse-Märkten von 1969 und 1973/1974 bei. Im Jahr 1974 war der IPO-Markt so tot, dass im ganzen Jahr lediglich neun neue Aktien auf den Markt kamen. Dieses geringe Angebot wiederum trug dazu bei, den Bullenmarkt der 80er-Jahre aufzubauen, als, grob geschätzt, 4.000 neue Aktien den Markt überfluteten - was dazu führte, dass eine ungerechtfertigt hohe Welle der Begeisterung den Crash von 1987 auslöste. Dann schwang das Pendel wieder zurück, als es in den Jahren 1988 bis 1990 kaum noch zu Erstemissionen kam. Dieser Mangel half dem Bullenmarkt der 90er-Jahre auf die Beine - und schon war die Wall Street wieder im Geschäft mit Erstemissionen und brachte fast 5.000 IPOs hervor. Als dann 2000 die Blase platzte, wurden 2001 nur noch 88 neue Aktiengesellschaften an die Börse gebracht - das war seit 1979 die geringste Anzahl von Börsengängen. In jedem Fall verbrannten sich die Anleger die Finger und hielten sich zumindest zwei Jahre lang zurück, doch kamen sie immer wieder, um sich erneut die Finger zu verbrennen. Solange es den Aktienmarkt gibt, durchlebten die Anleger manisch-depressive Zyklen. Im ersten großen IPO-Boom Amerikas im Jahr 1825 wurde angeblich ein Mann von Spekulanten zu Tode getrampelt, als er versuchte, Aktien der neuen Bank of Southwark zu kaufen. Die reichsten Käufer engagierten Schläger, die sich ihren Weg an die Spitze der Warteschlange freiboxten. Wie zu erwarten war, hatten die Aktien bis 1829 etwa ein Viertel ihres Werts eingebüßt.

114 Hier beschreibt Graham die Bezugsrechte, bei denen Investoren, die bereits Aktien besitzen, gebeten werden, noch mehr Geld in die Gesellschaft einzubringen, damit der proportionale Anteil erhalten bleibt. Diese Art der Finanzierung ist in Europa immer noch weit verbreitet, in den USA, ausgenommen bei geschlossenen Fonds, ist dies aber selten geworden.

Die zweite Variante ist die Platzierung von Aktien beim Publikum, wenn sich die Aktiengesellschaft zuvor in privater Hand befand. Die meisten dieser Aktien werden auf Rechnung der Mehrheitsteilhaber verkauft, um ihnen zu ermöglichen, in einem günstigen Markt Geld einzunehmen und die eigenen Finanzen zu diversifizieren. (Wenn für ein Unternehmen neues Geld eingesammelt wird, dann geschieht dies oft über den Verkauf von Vorzugsaktien, wie bereits erwähnt.) Diese Aktion folgt einem gut ausgeklügelten Fahrplan, der, nach Art der Aktienmärkte, den Anlegern viele Verluste und Enttäuschungen bringen muss. Die Gefahr geht sowohl von der Charakteristik der Unternehmen aus, die auf diese Weise finanziert werden, als auch von den Marktbedingungen, welche die Finanzierung erst ermöglichen.

Zu Beginn des Jahrhunderts wurde ein großer Teil unserer führenden Aktiengesellschaften an die Börse gebracht. Mit der Zeit wurden die erstklassigen Aktiengesellschaften, an denen die Anleger festhielten, immer weniger. Somit konzentrierten sich die Erstemissionen von Aktien bald immer mehr auf relativ kleine Firmen. Im gleichen Zeitraum entwickelten die Aktienkäufer, ausgelöst durch eine unglückliche Korrelation, eine tief verwurzelte Vorliebe für die großen Aktiengesellschaften und eine ähnlich ausgeprägte Abneigung gegen kleine Aktiengesellschaften. Wie so oft, ließ diese Voreingenommenheit nach, als sich Bullenmärkte aufbauten. Der große und schnelle Profit, der sich mit Aktien erzielen lässt, reicht aus, um die Kritikfähigkeit der Öffentlichkeit zu dämpfen, gerade dann, wenn ihr Kauftrieb steigt. Zu dieser Zeit gab es auch eine Anzahl von Unternehmen in Privathand, die herausragende Ergebnisse erzielten – auch wenn die meisten nicht auf eindrucksvolle Erfolge in den zurückliegenden zehn oder mehr Jahren verweisen konnten.

Wenn diese Faktoren zusammengerechnet werden, dann ergeben sich folgende Konsequenzen: Irgendwann in der Mitte eines Bullenmarktes tauchen die ersten Erstemissionen auf. Sie haben einen attraktiven Ausgabekurs, und einige Käufer der ersten Emissionen können hohe Gewinne einstreichen. Setzt sich der Marktanstieg fort, dann häuft sich diese Art der Unternehmensfinanzierung. Die Qualität der emittierenden Unternehmen wird immer schlechter, die Kurse, die verlangt und gezahlt werden, werden fast unerschwinglich. Ein ziemlich zuverlässiges Anzeichen für das nahende Ende eines Aufschwungs ist die Tatsache, dass Erstemissionen von kleinen und uninteressanten Unternehmen zu Kursen angeboten werden, die noch etwas höher liegen als das aktuelle Kursniveau vieler mittelgroßer Unternehmen, die schon lange auf dem Markt sind. (Hinzugefügt werden sollte, dass nur wenige dieser durch Aktien finanzierten Kapitalbeschaffungen von großen Banken mit gutem Ruf durchgeführt werden.)[115]

Die Kopflosigkeit der Öffentlichkeit und die Bereitschaft der Vertriebsgesellschaften, alles zu verkaufen, was irgendwie Gewinn bringt, kann nur zu einem Endergebnis führen - einem Kurszusammenbruch. In vielen Fällen verlieren die Erstemissionen 75 % und mehr ihres Ausgabekurses. Diese Situation wird zusätzlich durch die bereits erwähnte Tatsache verschärft, dass die Öffentlichkeit letztlich eine regelrechte Aversion gegen jegliche Art kleiner Emissionen entwickelt, die sie in ihrer Bedenkenlosigkeit so bereitwillig gekauft hatte. Viele derartige Emissionen fallen proportional so weit unter ihren wahren Wert, wie sie zuvor darüber verkauft wurden.

Eine unabdingbare Eigenschaft des intelligenten Investors ist, dass er den Lockrufen der Verkäufer widerstehen kann, die in einem Bullenmarkt versuchen, Erstemissionen von Aktien zu verkaufen. Selbst wenn es eine oder zwei Emissionen gibt, die anspruchsvolle Tests zu Qualität und Wert bestehen, ist es wahrscheinlich eine schlechte Strategie, sich auf diese Art Geschäfte überhaupt einzulassen. Natürlich wird jeder Verkäufer auf viele Emissionen verweisen, die sich am Markt gut behaupten konnten - auch auf solche, die am ersten Handelstag schon rasante Kurssteigerungen hinlegten. Doch all dies gehört in die spekulative Umgebung. Es ist leicht verdientes Geld. Bei jedem Dollar, den

115 Als Graham noch lebte, hielten sich die angesehensten Banken in der Regel aus dem Geschäft mit IPOs heraus, weil dies als eine unwürdige Ausbeutung naiver Anleger galt. Auf dem Gipfel des IPO-Booms Ende des Jahres 1999 und zu Beginn des Jahres 2000 jedoch standen die größten Investmentbanken der Wall Street mit beiden Beinen mitten in diesem Geschäft. Ehrwürdige Firmen ließen ihren traditionellen Stolz fallen und verhielten sich wie betrunkene Schlammcatcher, balgten sich darum, einer extrem gierigen Öffentlichkeit lachhaft überbewertete Aktien anzudrehen. Grahams Beschreibung des Vorgangs bei Erstemissionen gehört schon der Klassik an, die Investmentbanken heute in einen Ehrenkodex aufnehmen sollten, wenn es einen solchen überhaupt gäbe.

> Sie auf diese Weise verdienen, können Sie glücklich sein, nicht zwei Dollars verloren zu haben.
>
> Einige dieser Erstemissionen können sich zwar als hervorragende Käufe erweisen – einige Jahre später, wenn niemand sie haben will; dann kann man sie zu einem geringen Teil ihres wahren Wertes erwerben.

In der Auflage von 1965 setzten wir die Erörterung dieses Themas wie folgt fort:

> Während das Marktverhalten seit 1949 bei einer Analyse auf der Grundlage langjähriger Erfahrungen nicht gut abschnitt, setzte sich die Entwicklung der Erstemissionen von Aktien so fort, wie es zuvor schon beschrieben wurde. Es ist zweifelhaft, ob wir schon einmal erlebt haben, dass so viele Erstemissionen von so schlechter Qualität angeboten wurden, und das mit so extremen Kurseinbrüchen, wie wir es in den Jahren 1960 bis 1962 gesehen haben [22]. Die Fähigkeit der Börsen, sich schnell von einem solchen Desaster zu erholen, ist ein außergewöhnliches Phänomen, das lange verschüttete Erinnerungen an eine ähnliche Unverletzlichkeit weckt, die sich beim großen Zusammenbruch des Immobilienmarktes in Florida im Jahr 1925 gezeigt hatte.
>
> Muss es denn wirklich zu einer Rückkehr des Wahnsinns der Erstemissionen von Aktien kommen, bevor der gegenwärtige Bullenmarkt sein Ende findet? Wer weiß das schon? Wir aber wissen, dass ein intelligenter Investor nicht vergessen wird, was 1962 geschah, und anderen den schnellen Gewinn in diesem Bereich überlassen wird – und damit auch die enormen Verluste.
>
> In der Auflage von 1965 zitierten wir nach diesen Absätzen „ein schreckliches Beispiel", nämlich den Verkauf der Aktien von Aetna Maintenace Co. zu 9 $ im November 1961. Ganz typisch stieg der Kurs auf 15 $, fiel im folgenden Jahr auf 2,375 $ und 1964 auf 0,825 $. Die weitere Geschichte dieses Unternehmens war ungewöhnlich und zeigt einige der sonderbarsten Metamorphosen der amerikanischen Firmen – großer wie kleiner – der vergangenen Jahre. Der interessierte Leser findet die ältere und die jüngere Geschichte dieser Firma im Anhang 5.

Es ist nicht schwierig, noch grauenvollere Beispiele für die neuere Version der „gleichen alten Geschichte" zu finden, die von 1967 bis 1970 reicht. Nichts könnte für unser Vorhaben besser geeignet sein als der Fall AAA Enterprises, der ersten Aktiengesellschaft, die im Standard & Poor's *Stock Guide* aufgeführt ist.1968 wurden die Aktien zu 14 $ unters Volk gebracht, sie stiegen sofort auf 28 $, doch Anfang 1971 notierten sie bei jämmerlichen Cent-Beträgen. (Selbst dieser Kurs stellte eine hohe Überbewertung des Unternehmens dar, da es in hoffnungslosem Zustand gerade Konkurs angemeldet hatte.) Man kann so viel lernen und so wichtige Warnungen aus der Geschichte dieser Emission entnehmen, dass wir dafür eine ausführliche Darstellung in Kapitel 17 reserviert haben.

Kommentar zu Kapitel 6

Die Schläge, die nicht treffen, sind diejenigen, die dich ermüden.
Angelo Dundee, Boxtrainer

Für den aggressiven und ebenso für den defensiven Anleger ist das, was er nicht tut, ebenso wichtig für den Erfolg wie das, was er tut. In diesem Kapitel führt Graham die „Verbote" für aggressive Anleger auf. Hier eine Liste, die heute Gültigkeit besitzt.

Hunde vom Schrottplatz?

Anleihen mit hoher Rendite – Graham nennt sie „zweitklassig" oder „unterstufig"; sie sind heute unter dem Namen „Junk Bonds" bekannt – werden von Graham kurzerhand vom Tisch gewischt. Zu seiner Zeit war es zu teuer und zu lästig für den Privatanleger, die Risiken des Kursverfalls durch Diversifizierung zu beseitigen.[116] (Um zu erfahren, wie schlimm ein Kursverfall sein kann und wie sorglos selbst ausgebuffte professionelle Investoren sich in einen derartigen Fonds einkaufen, lesen Sie bitte den Text im folgenden Kasten.) Heute jedoch haben sich mehr als 130 Investmentfonds auf Junk Bonds spezialisiert. Diese Fonds kaufen den Schrott in riesigen Mengen; sie halten Dutzende verschiedener Anleihen. Das lindert Grahams Beschwerden hinsichtlich der Schwierigkeit der Diversifizierung. (Allerdings bleibt seine Abneigung gegen hoch verzinste Vorzugsaktien immer noch gültig, weil es keine einfache und weit verbreitete Möglichkeit mehr gibt, die Risiken zu streuen.)

Von 1978 an verfielen jährlich 4,4 % dieser Junk-Bonds – doch danach haben Junk Bonds immerhin einen jährlichen Gewinn von 10,5 % erwirtschaftet, gegenüber 8,6 % für US-Schatzanleihen mit zehnjähriger Laufzeit.[117] Leider verlangen

116 In den frühen 70er-Jahren, als Graham noch lebte, gab es weniger als ein Dutzend Junk-Bond-Fonds, von denen fast alle Provisionen bis zu 8,5 % verlangten; einige davon verlangten sogar noch eine Gebühr, wenn Anleger ihre monatlichen Dividenden wieder im Fonds reinvestieren wollten.

117 Edward I. Altman und Gaurav Bana, „Defaults and Returns on High-Yield Bonds", Forschungspapier, Stern School of Business, New York University, 2002.

die meisten Junk-Bond-Fonds hohe Gebühren und schaffen es oft nicht, den Wert ihrer Investition zu erhalten. Ein Junk-Bond-Fonds könnte für Sie geeignet sein, wenn Sie sich im Ruhestand befinden und nach zusätzlichem Geld suchen, um Ihre Rente aufzubessern, und wenn vorübergehende Wertschwankungen Ihnen nichts ausmachen. Wenn Sie in einer Bank oder einer anderen Finanzinstitution beschäftigt sind, könnte ein deutlicher Zinsanstieg Ihre Einkünfte einschränken oder gar die Sicherheit Ihres Arbeitsplatzes gefährden – und so könnte ein Junk-Bond-Fonds, der oft besser abschneidet als die meisten anderen Anleihenfonds, wenn die Zinsen steigen, als Gegengewicht in Ihrem 401(k)-Konto durchaus sinnvoll sein. Ein Junk-Bond-Fonds ist dennoch nur eine nachrangige Option – keine Verpflichtung – für den intelligenten Investor.

Eine Welt der Leiden für WorldCom-Anleihen

Wenn man eine Anleihe nur wegen des Zinsertrags kauft, dann ist das so, als ob man nur heiratetet, um Sex zu haben. Wenn das, was Ihnen anfangs attraktiv erschien, langsam schwindet, dann werden Sie sich fragen: „Was gibt es sonst noch?" Ist die Antwort „Nichts!", dann stehen Eheleute ebenso wie Besitzer von Anleihen mit einem gebrochenen Herzen da.

Am 9. Mai 2001verkaufte WorldCom die größte Anleihenemission in der Geschichte amerikanischer Unternehmen – im Wert von 11,9 Milliarden $. Unter den gierigen Übereifrigen, die von der Rendite bis zu 8,3 % angezogen wurden, war auch die California Public Employees´ Retirement System, eine der größten Pensionskassen der Welt; ferner Retirement Systems of Alabama, deren Manager später erklärten, dass „die höhere Rendite zu der Zeit, als wir kauften, für uns sehr attraktiv war"; des Weiteren der Strong Corporate Bond Fund, dessen Manager sich so sehr über die fette Rendite der WorldCom-Anleihen freute, dass er sich brüstete: „Für dieses Risiko bekommen wir mehr als ausreichend zusätzliche Erträge."*

Doch selbst ein kurzer Blick auf den Anleihenprospekt hätte gezeigt, dass diese Anleihen nichts anzubieten hatten *außer* der Verzinsung – aber alles zu verlieren. In zwei der vorangehenden fünf Jahre reichte der Gewinn vor Steuern nicht aus, um die festen Verbindlichkeiten zu decken (die Kosten der Zinszahlungen an die Besitzer der Anleihen). Es fehlten gewaltige 4,1 Milliarden $. WorldCom konnte diese Zinszahlungen nur aufbringen, weil man bei den Banken weitere Kredite aufnahm. Und nun, mit diesem Berg von Anleihen, die aus der Patsche helfen sollten, stockte WorldCom seine Zinszahlungen um weitere 900 Millionen $ pro Jahr auf!** Wie Mr. Creosote in Monty Pythons *The Meaning of Life*, blähte sich WorldCom selbst bis zum Platzen auf.

Keine Zinszahlung konnte hoch genug sein, um einen Investor für dieses Risiko einer Explosion zu entschädigen. Die WorldCom-Anleihen warfen ein paar Monate lang fette Zinsen bis zu 8 % ab. Dann, wie Graham prognostiziert hätte, bot der Ertrag keinen Schutz mehr:

- WorldCom meldete im Juli 2002 Konkurs an.
- WorldCom gestand im August 2002, dass die Gewinne um mehr als 7 Milliarden $ zu hoch ausgewiesen wurden.***
- WorldComs Anleihen verfielen, als die Gesellschaft ihre Zinslast nicht mehr begleichen konnte; die Anleihen verloren mehr als 80 % ihres Werts.

---

* Siehe www.calpers.ca.gov/whatshap/press/2002/071a.htm; Retirement Systems of Alabama Quarterly Investment Report vom 31. Mai 2001 unter www.rsa.state.alus/investments/quarterly_report.htm. und John Bender, Strong Corporate Bond Fund comanager, zitiert in www.businessweek.com/magazine/content/01_22/b3734118.htm.

** Diese Zahlen stammen aus dem Prospekt von WorldCom oder den Verkaufsinformationen zum Anleihenangebot. Am 11. Mai 2001 wurde der Prospekt bei der SEC eingereicht und kann unter www.sec.gov/edgar/searchedgar/companysearch.html eingesehen werden (im Feld „Company name" geben Sie „WorldCom" ein.). Selbst im Nachhinein, ohne das genaue Wissen, dass die Gewinne von WorldCom auf betrügerische Weise zu hoch angegeben wurden, hätte das Anleihenangebot von WorldCom Graham entsetzt.

*** Die Geschichte des Zusammenbruchs von WorldCom finden Sie unter www.worldcom.com/infodesk.

Das Wodka-und-Burrito Portfolio

Graham hielt von Auslandsanleihen nicht mehr als von als Junk Bonds.[118] Heute jedoch könnte eine Reihe von Anleihen durchaus für Anleger interessant sein, die

---

118 Graham kritisierte Auslandsanleihen nicht nur oberflächlich, da er am Anfang seiner Karriere mehrere Jahre lang als Agent in New York für Anleger in Japan arbeitete.

mit einem hohen Risiko leben können: etwa ein Dutzend Investmentfonds, spezialisiert auf Anleihen, die in Schwellenländern emittiert wurden (auch Länder der „Dritten Welt"), wie etwa Brasilien, Mexiko, Nigeria, Russland oder Venezuela. Kein vernünftiger Investor würde mehr als 10 % seines gesamten Portfolios in derartig unsicheren Anleihen wie diese anlegen. Doch Fonds mit Anleihen der Schwellenländer bewegen sich nur selten im Gleichschritt mit dem amerikanischen Aktienmarkt, und deshalb sind diese eine der seltenen Investitionen, die wahrscheinlich keine Verluste erleiden, nur weil der Dow in die Knie geht. Das soll Ihnen in Ihrem Portfolio dann ein wenig Trost spenden, wenn Sie ihn am nötigsten haben.[119]

Tod eines Traders

Wie wir bereits in Kapitel 1 gesehen haben, ist das Daytrading - wenn man Aktien nur ein paar Stunden lang hält - eine der besten Waffen, die je erfunden wurden, um finanziellen Selbstmord zu begehen. Mit einigen Ihrer Trades können Sie Gewinne machen, doch mit den meisten Trades werden Sie Geld verlieren. Ihr Broker jedoch wird immer Geld verdienen.

Und Ihre eigene Sucht, eine Aktie zu kaufen oder zu verkaufen, kann Ihren Gewinn schmälern. Jemand, der unbedingt eine Aktie kaufen will, wird am Ende sehr schnell 10 Cent mehr bieten müssen als den aktuellen Kurs, bevor Verkäufer bereit sind, sich von der Aktie zu trennen. Die zusätzlichen Kosten - man nennt sie „Börsenaufschlag" - erscheinen niemals auf den Kontoauszügen Ihres Brokers, doch es gibt sie wirklich. Wenn Ihr Übereifer Sie dazu treibt, 1.000 Stücke einer Aktie zu kaufen, und Sie treiben den Kurs um nur 5 Cent in die Höhe, dann haben Sie unsichtbare, allerdings reale 50 $ Mehrkosten. Die andere Seite der Medaille ist: Wenn Anleger in Panik geraten und eine Aktie unbedingt verkaufen wollen, verschleudern sie diese für weniger als den aktuellen Kurs - und wiederum war der Börsenaufschlag im Spiel.

---

119 Zwei gut geführte Fonds mit Anleihen aus Schwellenländern, die zudem relativ preisgünstig sind, sind der Fidelity New Markets Income Fund und T. Rowe Price Emerging Markets Bond Fund; weitere Informationen finden Sie bei www.fidelity.com, www.troweprice.com und www.morningstar.com. Kaufen Sie aber keine Anteile an einem Anleihenfonds für Schwellenländer, die mehr als 1,25 % jährliche Bearbeitungsgebühren verlangen, und seien Sie gewarnt, dass einige dieser Fonds auch kurzfristige Rücknahmegebühren verlangen, um Anleger abzuschrecken, die Anteile weniger als nur drei Monate lang halten.

Die Transaktionskosten mindern Ihre Gewinne so sehr wie das Schmirgeln mit Sandpapier ein Stück Holz. Der Kauf oder Verkauf einer „heißen" Aktie kann Sie 2 bis 4 % kosten (oder 4 bis 8 %, wenn Sie kaufen und wieder verkaufen).[120] Wenn Sie 1.000 $ in eine Aktie investieren, dann betragen die Transaktionskosten leicht 40 $, bevor Sie überhaupt angefangen haben. Verkaufen Sie die Aktie, dann kostet Sie das weitere 4 % an Transaktionskosten.

Und da ist noch etwas: Wenn Sie traden, anstatt zu investieren, dann wird aus langfristigen Gewinnen (die in den USA mit maximal 20 % besteuert werden) ganz normales Einkommen (das in den USA mit maximal 38,6 % besteuert wird).

Zählen Sie nun einmal alles zusammen, dann werden Sie feststellen, dass ein Trader mindestens 10 % Gewinn machen muss, wenn er eine Aktie kauft und wieder verkauft, *nur um seine Kosten zu decken.*[121] Wem dies ein Mal gelingt, der hat eben Glück gehabt. Oft erfolgreich zu traden, um die zwanghafte Aufmerksamkeit zu rechtfertigen, die dazu erforderlich ist – zusätzlich zu dem Stress, der zu Alpträumen führen kann –, ist geradezu unmöglich.

Tausende von Menschen haben es versucht, und die Beweise sind eindeutig: Je öfter Sie traden, umso weniger bleibt für Sie übrig.

Brad Barber und Terrance Odean, Professoren der Finanzwissenschaften an der University of California, untersuchten die Aufzeichnungen von mehr als 66.000 Tradern, die Kunden eines großen Discount-Brokers waren. Von 1991 bis 1996 machten diese Kunden mehr als 1,9 Millionen Trades. Bevor die Transaktionskosten ihre Gewinne abgeschliffen hatten, übertrafen diese Leute den Markt tatsächlich um durchschnittlich 0,5 % pro Jahr. Doch nach Transaktionskosten verloren die aktivsten Trader – die mehr als 20 % ihrer Aktien im Monat umschichteten – gegenüber dem Markt satte 6,4 Prozentpunkte im Jahr. Den geduldigsten Anlegern jedoch – die nur winzige 0,2 % ihrer gesamten Bestände in einem durchschnittlichen Monat bewegten – gelang es immerhin, den Markt um

---

120 Die maßgebliche Quelle für die Broker-Kosten ist die Plexus Group of Santa Monica in Kalifornien, und deren Website finden Sie unter www.plexusgroup.com. Plexus behauptet überzeugend, dass, ebenso wie bei einem Eisberg, bei dem der größte Teil unterhalb der Meeresoberfläche liegt, der größte Teil der Broker-Kosten unsichtbar bleibt – und straft damit die Anleger Lügen, die glauben, dass die Transaktionskosten unbedeutend sind, wenn die Provisionen gering sind. Die Kosten, wenn sie an der Nasdaq notierte Aktien traden, sind für Privatanleger deutlich höher, als wenn man Aktien tradet, die an der NYSE notiert sind.

121 Die realen Kosten sind sogar noch einschneidender, da wir in diesem Beispiel die Einkommensteuer, die in den USA an die Bundesstaaten abgeführt wird, nicht berücksichtigt haben.

einen Wimpernschlag zu übertreffen, selbst nach Abzug der Transaktionskosten. Anstatt einen großen Teil ihrer Gewinne ihren Brokern und dem Finanzamt zu überlassen, behielten sie fast alles.[122] Schauen Sie sich diese Ergebnisse in Abbildung 6-1 an.

Die Lehre daraus ist eindeutig: Tun Sie nicht irgendetwas, bleiben Sie standhaft. Es ist an der Zeit, dass jeder anerkennt, dass der Begriff „langfristiger Investor" eigentlich redundant ist. Ein langfristiger Investor ist der einzige Investor, den es überhaupt gibt. Jemand, der seine Aktien nicht länger als nur ein paar Monate halten kann, wird mit Sicherheit nicht als Sieger, sondern als Opfer enden.

Diejenigen, die zu früh kommen, sind letztlich die Gelackmeierten

Unter den „Schnell-reich-werden-Giften", die den Verstand der Anleger in den 90er-Jahren vernebelten, war die Vorstellung, dass man mit IPOs ein Vermögen aufbauen könne, eines der tödlichsten dieser Gifte. Ein IPO ist ein „erstes öffentliches Angebot" oder der erste Verkauf der Aktien eines Unternehmens an die breite Öffentlichkeit. Auf den ersten Blick scheint es eine ganz tolle Idee zu sein, in IPOs zu investieren - immerhin, hätten Sie 100 Microsoft-Aktien gekauft, als man am 13. März 1986 an die Börse ging, dann wäre Ihre Investition von 2.100 $ bis Anfang 2003 auf 720.000 $ angewachsen.[123] Die Professoren für Finanzwissenschaften Jay Ritter und William Schwert haben Folgendes nachgewiesen: Wenn Sie nur 1.000 $ zum Ausgabekurs auf jedes IPO im Januar 1960 gestreut, sie am Ende des Monats verkauft und dann jeden folgenden Monat in neue IPOs investiert hätten, dann hätte Ihr Portfolio am Ende des Jahres 2001 einen Wert von mehr als 533 Dezilliarden $ aufgewiesen. Schreibt man das in Ziffern, dann sieht das so aus:

533.000.000.000.000.000.000.000.000.000.000.000 $

(Im Deutschen gibt es die Dezilliarde nicht. Sie liegt aber zwischen der Quintillion und der Sextillion. Eine amerikanische Dezilliarde entspricht also 500 Quintillionen, demnach handelt es sich bei der genannten Zahl um 266.500 Quintillionen. A. d. Ü.)

---

122 Barbers und Odeans Ergebnisse finden Sie unter http://faculty.haas.berkeley.edu/odean/current%20research.htm. und unter http://faculty.gsm.ucdavis.edu/ bmbarber/research/default.html. Zahlreiche Studien haben zufällig wirklich identische Ergebnisse bei professionellen Geldmanagern erbracht - und so ist dies kein Problem, das auf „naive Privatanleger" beschränkt ist.

123 Siehe www.microsoft.com/msft/stock.htm, „IPO investment results".

Abb. 6-1: Je schneller man läuft, umso weiter fällt man zurück

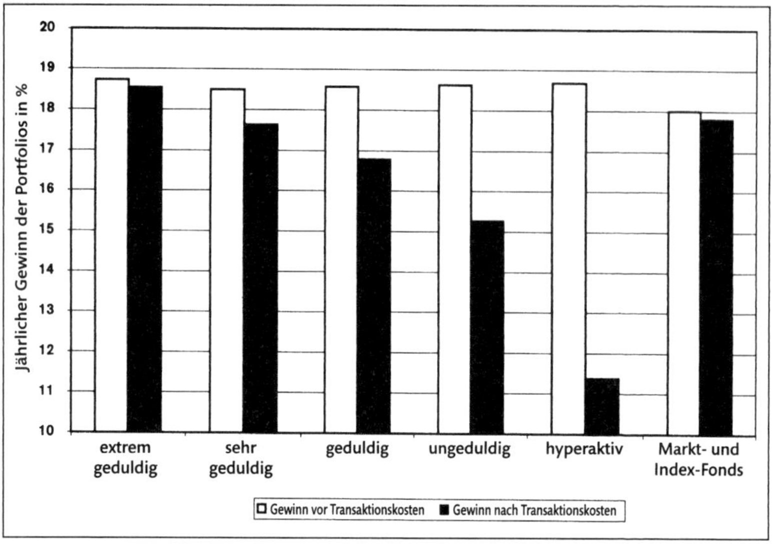

Die Forscher Brad Barber und Terrance Odean teilten Tausende von Tradern in fünf Ränge ein. Unterscheidungsmerkmal war, wie oft sie ihre Beteiligungen umschlugen. Diejenigen, die am wenigsten tradeten (ganz links), behielten den größten Teil ihrer Gewinne. Doch die ungeduldigen und hyperaktiven Trader machten ihre Broker reich, nicht jedoch sich selbst. (Die Säulen ganz rechts zeigen zum Vergleich einen Marktindex-Fonds.

Quelle: Prof. Brad Barber, University of California in Davis, und Prof. Terrance Odean, University of California in Berkeley

Leider gibt es für jedes IPO wie Microsoft, das sich als großer Gewinner erwies, Tausende von Verlierern. Die Psychologen Daniel Kahneman und Amos Tversky haben Folgendes nachgewiesen: Wenn wir Menschen die Wahrscheinlichkeit oder die Häufigkeit eines Ereignisses schätzen, beruht dies nicht darauf, wie oft dieses Ereignis tatsächlich schon eingetreten ist, sondern darauf, wie lebhaft wir die Vergangenheit im Gedächtnis bewahrt haben. Wir alle wollen die nächste Microsoft kaufen – genau genommen, weil wir die erste Microsoft verpasst haben. Doch übersehen wir – dazu passend – die Tatsache, dass die meisten anderen IPOs schreckliche Investitionen waren. Sie hätten diesen Gewinn von 566.500 Quintillionen $ nur dann verdienen können, wenn Sie keinen einzigen der seltenen IPO-Gewinner verpasst hätten. Und das ist, praktisch gesehen, einfach unmöglich. Schließlich wird der größte Teil der hohen Gewinne bei IPOs von den Mitgliedern eines exklusiven Privatklubs abgeräumt – den großen Investmentbanken und Fondsgesellschaften, die die Aktien zum Ausgabekurs bekommen, noch bevor der öffentliche Handel an den Börsen beginnt. Die größten Kurssteigerungen finden wir meist bei Aktien, deren Stückzahl so gering ist, dass nicht einmal viele große Investoren welche zugeteilt bekommen; es gibt einfach nicht genügend, um alle Zeichner zu berücksichtigen.

Wenn Sie, wie fast jeder andere Investor auch, an die IPOs erst dann herankommen, *nachdem* die Kurse schon über den exklusiven Ausgabekurs hinausgeschossen sind, dann werden die Ergebnisse schrecklich sein. Wenn Sie zwischen 1980 und 2001 die durchschnittlichen IPOs zum Schlusskurs am ersten öffentlichen Handelstag gekauft und die Aktien dann drei Jahre lang gehalten hätten, dann hätten Sie jährlich um 23 % schlechter abgeschnitten als der Gesamtmarkt.[124]

Es gibt wohl keine Aktie als VA Linux, die den Traum vom „Reichwerden" besser verdeutlicht. „LNUX THE NEXT MSFT (Linux ist die nächste Microsoft)", jubelte ein früher Aktionär: „Kaufen Sie jetzt, und in fünf Jahren können Sie in den Ruhestand gehen."[125]

Am 9. Dezember 1999 wurde die Aktie in einem IPO zum Kurs von 30 $ platziert. Doch die Nachfrage nach dieser Aktie war so extrem stark, als die Nasdaq an diesem Morgen eröffnete, dass keiner der ursprünglichen Besitzer von VA Linux auch nur eine einzige Aktie verkaufte, bis der Kurs auf 299 $ gestiegen war. Die Aktie erreichte mit 329 $ ihren Höhepunkt und schloss mit 239,25 $, also einem Kursgewinn von 697,5 % *an einem einzigen Tag*. Doch der Kursgewinn wurde nur von einer Hand voll institutioneller Trader mitgenommen, Einzelanleger blieben fast ausnahmslos außen vor.

Noch wichtiger: Der Kauf von IPOs ist keine besonders gute Idee, weil sie offensichtlich eine der grundlegendsten Regeln Grahams verletzt: Ganz gleichgültig, wie viele andere Leute die Aktie kaufen wollen, Sie sollten nur kaufen, wenn der Kauf eine billige Möglichkeit darstellt, sich an einem begehrenswerten Unternehmen zu beteiligen. Am Höchststand des Kurses am ersten Tag bewerteten die Anleger die Aktien von VA Linux mit insgesamt 12,7 Milliarden $. Waren die Ge-

124 Jay. R. Ritter und Ivo Welch, „A Review of IPO Activity, Pricing and Allocations", Journal of Finance, August 2002, S. 1797. Ritters Website finden Sie unter http://bear.cba.ufl.edu/ritter/ und Welchs Homepage unter http://welch.som.yale.edu/. Diese sind wahre Goldgruben an Daten für alle, die sich für IPOs interessieren.

125 Message Nr. 9, gepostet von „GoldFingers 69" auf dem Linux-Message-Board unter messages. Yahoo.com vom 16. Dezember 1999. MSFT ist das Tickersymbol für Microsoft Corp.

schäfte dieser neuen Aktiengesellschaft das überhaupt wert? Noch nicht ganz fünf Jahre alt, hatte Linux insgesamt Software und Dienstleistungen im Wert von 44 Millionen $ verkauft - aber damit 25 Millionen $ Verlust gemacht. Im letzten Steuerquartal hatte VA Linux 25 Millionen $ umgesetzt, dabei aber 10 Millionen $ verloren. Diese Firma verlor also von jedem Dollar, den sie einnahm, 70 Cent. VA Linux' Gesamtdefizit (der Betrag, um den die Ausgaben die Einnahmen übertrafen) betrug 30 Millionen $.

Wäre VA Linux ein Privatunternehmen gewesen, das dem Nachbarn gehörte, und er hätte sich über den Lattenzaun gelehnt und Sie gefragt, wie viel Sie für sein sich abstrampelndes kleines Unternehmen zahlen würden, dann würden Sie sagen: „Oh, 12,7 Milliarden $ klingt eigentlich ganz gut"? Oder würden Sie stattdessen höflich lächeln, wieder an Ihren Grill zurückgehen und sich fragen, was Ihr Nachbar gerade geraucht haben mag. Würden sich alle ausschließlich auf ihr eigenes Urteilsvermögen verlassen, dann würde niemand dabei ertappt werden, fast 13 Milliarden $ für einen Verlierer zu bezahlen, der schon mit 30 Millionen $ in den Miesen steht.

Wenn man aber an der Börse notiert wird und kein Privatunternehmen mehr ist, wenn die Bewertung plötzlich ein Wettbewerb der Popularität wird, dann scheint der Kurs einer Aktie wichtiger zu sein als der Firmenwert, den er repräsentiert. Solange irgendjemand sogar noch mehr für Ihre Aktie bezahlt, als Sie schon bezahlt haben, weshalb spielt es dann eine Rolle, was die Firma wert ist?

Der folgende Chart zeigt Ihnen, weshalb es eine Rolle spielt.

Nachdem die Aktie am ersten Handelstag abging wie eine Rakete, fiel VA Linux wie ein Stein. Am 9. Dezember 2002, auf den Tag genau drei Jahre später, als der Kurs noch bei 239,50 $ lag, schloss Linux mit 1,19 $.

Gewichtet man die Beweise objektiv, sollte der intelligente Investor daraus schließen, dass IPO nicht nur „Initial Public Offering" bedeutet. Vielleicht ist es auch eine Abkürzung für

It´s Probabably Overpriced (Der Kurs ist wahrscheinlich zu hoch) oder
Imaginary Profits Only (Nur imaginäre Gewinne) oder
Insider´s Private Opportunity (die private Chance für Insider) oder
Idiotic, Preposterous and Outrageous (idiotisch, grotesk und hanebüchen).

Abb 6-2: Die Legende von VA Linux

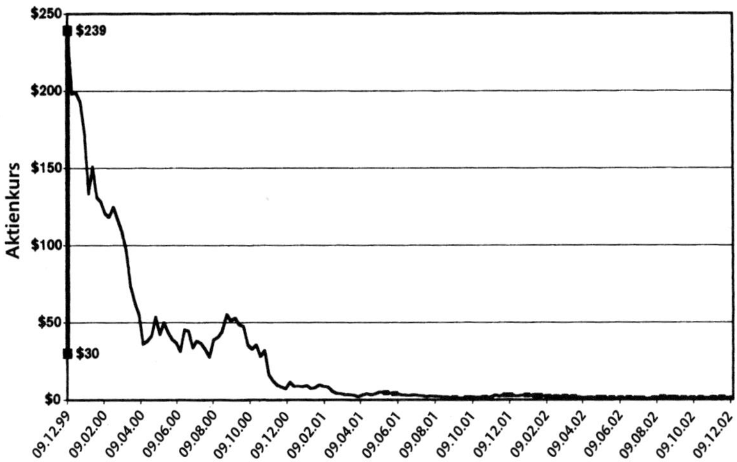

Quelle: VA Linux Systems Inc.; www.morningstar.com

Kapitel 7

Die Portfoliostrategie für den professionellen Investor: Die positive Seite

Der professionelle Investor wird, entsprechend der Definition, wesentlich mehr Aufmerksamkeit einsetzen und Aufwand betreiben, um ein besseres Ergebnis zu erzielen, als normalerweise üblich. In unserer Diskussion der allgemeinen Anlagestrategie haben wir Ihnen schon einige Vorschläge hinsichtlich der *Anlage in Anleihen* gemacht, die sich aber hauptsächlich an den professionellen Investor richten. Er könnte auch an den folgenden Möglichkeiten interessiert sein:

- Steuerfreie New Housing Authority Bonds, die von den Vereinigten Staaten gedeckt sind.
- Zu besteuernde, jedoch hoch verzinsliche New Community Bonds, die ebenfalls von den Vereinigten Staaten gedeckt sind.
- Steuerfreie Industrieanleihen, die von Kommunen emittiert werden, jedoch durch Kreditzahlungen starker Unternehmen bedient werden.

Hinweise auf diese ungewöhnlichen Arten von Anleihenemissionen wurden bereits in Kapitel 4 gegeben.[126]

Am anderen Ende des Spektrums gibt es Anleihen geringerer Qualität in einem Bereich – dem Bereich der „besonderen Umstände", also Sondersituationen,

126 Wie bereits erwähnt, werden die New-Housing-Authority- und die New-Community-Anleihen nicht mehr emittiert.

in dem es keinen wirklichen Unterschied zwischen Anleihen und Stammaktien gibt.[127]

Transaktionen von Stammaktien

Die Aktivitäten, die besonders für professionelle Anleger in Aktien charakteristisch sind, können in vier Kategorien eingeteilt werden:

- Bei niedrigen Kursen kaufen und bei hohen Kursen verkaufen
- Sorgfältig ausgewählte Wachstumsaktien kaufen
- Wertpapiere zu Schnäppchenpreisen kaufen
- Bei „Sondersituationen" kaufen

Allgemeine Börsenstrategie – Timing nach Formeln

Das nächste Kapitel behalten wir unserer Darstellung der Möglichkeiten, aber auch der Grenzen einer Strategie vor, bei der man in einen gedrückten Markt einsteigt und im fortgeschrittenen Stadium eines Booms verkauft. Viele Jahre lang schien dies eine blendende Idee zu sein, einfach und leicht durchführbar – zumindest dann, wenn man zum ersten Mal einen Chart sah, der die periodisch wiederkehrenden Schwankungen darstellte. Wir haben bereits reumütig eingestanden, dass die Marktschwankungen der letzten 20 Jahre für ein derartiges Vorgehen auf mathematischer Grundlage nicht geeignet waren. Die Schwankungen, die sich ereignet haben, obwohl sie in ihrem Ausmaß nicht gerade gering waren, hätten ein besonderes Talent oder Gefühl für das Traden erfordert, um daraus einen Vorteil ziehen zu können. Dies ist etwas ganz anderes als die Intelligenz, die

---

127 Heute ist bekannt, dass diese Anleihen geringerer Qualität „unter besonderen Umständen" eher verfallene Anleihen genannt werden. Wenn ein Unternehmen in Konkurs ist oder geradewegs darauf zusteuert, werden auch die Stammaktien wertlos, da das amerikanische Konkursrecht den Besitzern von Anleihen wesentlich stärkere Ansprüche zubilligt als Aktionären. Wenn das Unternehmen jedoch erfolgreich neu organisiert wird, erhalten die Besitzer von Anleihen oft neue Aktien der neuen Firma, und der Wert der Anleihen erholt sich normalerweise, wenn das Unternehmen in der Lage ist, wieder Zinsen zu zahlen. Somit sind die Anleihen eines Unternehmens mit Problemen fast ebenso gut wie die Aktien eines gesunden Unternehmens. In diesen Sondersituationen, wie Graham sie nennt, „gibt es kaum einen Unterschied zwischen Anleihen und Stammaktien".

wir bei unseren Lesern vermuten, und wir müssen auch solche Aktionen als Referenz ausschließen, die auf einem derartigen Talent beruhen.

Der 50:50-Plan, den wir unserem defensiven Investor vorgeschlagen haben, ist die wohl beste spezielle oder automatische Formel, die wir, unter den Bedingungen von 1972, allen Anlegern empfehlen können. Doch haben wir bei Aktien noch eine breite Spanne zwischen dem 25-%-Minimum und dem 75-%-Maximum gelassen, die wir jenen Anlegern zugestehen, die entweder an die Gefahr oder an die Attraktivität des allgemeinen Marktniveaus glauben. Vor etwa 20 Jahren war es noch möglich, ausführlich über eine Reihe von eindeutigen Formeln zu diskutieren, deren Ergebnis den prozentualen Anteil der Aktien in einem Portfolio ergeben sollte, und das in der Zuversicht, dass diese Pläne auch in der Praxis umzusetzen sind [23]. Die Zeit hat diese Konzepte wohl überholt, und es würde nicht viel bringen zu versuchen, auf der Grundlage der Marktentwicklungen seit 1949 neue Niveaus für Käufe und Verkäufe zu bestimmen. Dieser Zeitraum ist zu kurz, um irgendeinen zuverlässigen Hinweis auf die Zukunft zu geben.[128]

Ein Konzept für Wachstumsaktien

Jeder Investor würde gerne Aktien von Unternehmen auswählen, die über einige Jahre hinweg erfolgreicher waren als andere. Eine Wachstumsaktie könnte man als eine Aktie definieren, die in der Vergangenheit gewachsen ist und von der erwartet wird, dass dies auch in der Zukunft so sein wird [24]. Somit scheint es nur logisch zu sein, dass ein intelligenter Investor sich auf die Auswahl von Wachstumsaktien konzentrieren sollte. Tatsächlich ist diese Angelegenheit jedoch komplizierter, wie wir im Folgenden zeigen.

Es ist eine rein statistische Routinearbeit, Unternehmen zu identifizieren, die in der Vergangenheit besser liefen als der Durchschnitt. Der Investor kann sich

---

128 Beachten Sie, was Graham hier vorsichtig andeutet. Als er 1972 diese Zeilen schrieb, behauptet er, dass der Zeitraum seit 1949 - mehr als 22 Jahre - zu kurz sei, um daraus verlässliche Schlüsse zu ziehen. Trotz seiner herausragenden Mathematikkenntnisse vergisst Graham nie, dass objektive Schlussfolgerungen sehr viele Beispiele aus riesigen Datenmengen benötigen. Die Scharlatane, die „bewährte" Tricks zur Aktienauswahl anpreisen, begründen ihre Erkenntnisse auf der Grundlage weit weniger Beispiele, als Graham es jemals akzeptiert hätte. (Um Daten aus der Vergangenheit zu analysieren, verwendete Graham oft Daten aus Zeiträumen von 50 Jahren.)

eine Liste mit 50 bis 100 solcher Unternehmen bei seinem Broker besorgen.[129] Weshalb sollte er dann nicht die 15 oder 20 Aktien auswählen, die am wahrscheinlichsten weiter wachsen werden, und dann loslegen? Hat er dann nicht ein garantiert erfolgreiches Aktienportfolio?

Diese einfache Vorstellung hat allerdings zwei Haken. Der erste ist, dass Aktien mit guten Ergebnissen in der Vergangenheit und offenbar guten Aussichten für die Zukunft zu entsprechend hohen Kursen gehandelt werden. Der Investor könnte mit seinem Urteil über die Aussichten im Recht sein und dennoch nicht besonders gut wegkommen, nur weil er für den erwarteten Erfolg voll bezahlt hat (und vielleicht auch zu viel bezahlt hat). Der zweite Haken ist, dass sein Urteil, was die Zukunft anbelangt, falsch sein könnte. Ungewöhnlich schnelles Wachstum kann sich nicht immer weiter fortsetzen. Wenn ein Unternehmen bereits eine brillante Expansion hinter sich hat, erschwert allein das Größenwachstum eine Wiederholung dessen, was es erreicht hat. An irgendeinem Punkt jedoch flacht die Wachstumskurve ab, und in vielen Fällen dreht sie dann nach unten.

Es ist offensichtlich, dass jemand, der sich auf einige wenige ausgewählte Augenblicke beschränkt, und das auch noch im Rückblick, zeigen kann, welche Gewinne oder Verluste im Bereich der Wachstumsaktien gemacht werden können. Wie aber kann jemand auf der Grundlage erreichbare Ergebnisse faire Urteile fällen? Wir glauben, dass einigermaßen vernünftige Schlussfolgerungen aus einer Studie zu den Ergebnissen eines Investmentfonds gezogen werden können, der sich auf Wachstumsaktien spezialisiert hat. Ein zuverlässiges Handbuch mit dem Titel *Investment Companies*, das jährlich von Arthur Wiesenberger & Company, Mitglied der NYSE, veröffentlicht wird, berechnet über einige Jahre hinweg die jährliche Performance von etwa 120 „Wachstumsfonds". Von diesen haben 45 eine Erfolgsstatistik, die zehn Jahre oder weiter zurück reicht. Der durchschnittliche Gesamtgewinn dieser Gesellschaften – nicht nach der Größe des Fonds gewichtet – beträgt für das Jahrzehnt von 1961 bis 1970 108 %, im Vergleich zu den 105 %, die der S&P Composite erzielte, oder mit den 83 % für den DJIA [25]. In den beiden Jahren 1969 und 1970 schnitten die meisten der 126 Wachstumsfonds schlechter ab als irgendein Index. Ähnliche Ergebnisse fanden wir in früheren Studien. Die logische Schlussfolgerung daraus ist, dass diversifizierte Investiti-

129 Heute kann der professionelle Investor sich eine derartige Liste über das Internet zusammenstellen, indem er Websites wie www.morningstar.com (versuchen Sie es mit dem Stock Quickrank-Tool), www.quicken.com/investments/stocks/search/full und http://yahoo.marketguide.com aufsucht.

onen in Wachstumsunternehmen im Vergleich zu Aktien im Allgemeinen keine besonderen Vorteile bringen.[130]

Es gibt überhaupt keinen Grund anzunehmen, dass der durchschnittliche intelligente Investor, trotz seiner großen Bemühungen, über Jahre hinweg mit dem Kauf von Wachstumsaktien bessere Ergebnisse erzielen kann als die Fondsgesellschaften, die sich auf diesen Bereich spezialisiert haben. Es ist ziemlich sicher, dass diese Institutionen mehr Sachverstand und bessere Möglichkeiten zum Recherchieren haben als Sie. Folglich sollten wir Ihnen, als professionellem Investor, davon abraten, sich mit den üblichen Wachstumsaktien zu beschäftigen.[131] Dies ist eine Anlage, bei dem gute Aussichten vom Markt voll anerkannt werden und sich bereits im aktuellen KGV widerspiegeln, das dann leicht über 20 liegen kann. (Dem defensiven Investor haben wir eine Obergrenze mit dem 25fachen der Gewinne der durchschnittlichen Gewinne der zurückliegenden sieben Jahren gesetzt. Diese beiden Kriterien gelten eigentlich in den meisten Fällen.)[132]

---

130 Über zehn Jahre hinweg, bis Ende Dezember 2002, verdienten Fonds, die in große Wachstumsunternehmen investieren – das, was Graham „Wachstumsfonds" nennt – durchschnittlich 5,8 % im Jahr und waren damit um durchschnittlich 3,7 % schlechter als der Gesamtmarkt im selben Zeitraum (ein ganzer Prozentpunkt pro Jahr). Liegt das Problem allein darin, dass Wachstumsfonds nicht zuverlässig Aktien auswählen können, die in der Zukunft den Gesamtmarkt übertreffen werden? Oder liegt es daran, dass die hohen Kosten, die anfallen, um einen normalen Fonds zu betreuen (gleich, ob er Wachstums- oder Value-Aktien kauft), jeden zusätzlichen Gewinn übertreffen, den ein Portfoliomanager mit seiner eigenen Aktienauswahl erzielen kann? Um die Performance der Fonds, je nach Variante, zu aktualisieren, suchen Sie die Website www.morningstar.com und klicken „Category Returns" an. Eine sehr aufschlussreiche Übersicht, wie gefährlich die Performance verschiedener Anlagestrategien sein kann, finden Sie unter www.callan.com/resource/periodic_table/pertable.pdf.

131 Graham betont dies, um Sie daran zu erinnern, dass ein professioneller Investor kein überdurchschnittliches Risiko eingeht, sondern lediglich bereit ist, mehr Zeit aufzuwenden und mehr Aufwand zu betreiben, um sein Portfolio zu pflegen.

132 Beachten Sie bitte, dass Graham darauf besteht, das KGV auf der Grundlage mehrerer Jahre zu berechnen. Auf diese Weise senken Sie die Wahrscheinlichkeit, dass Sie den Wert eines Unternehmens zu hoch ansetzen, weil es ganz plötzlich eine höhere Rendite erzielte. Stellen Sie sich vor, ein Unternehmen verdiente in den vorhergehenden zwölf Monaten 3 $ je Aktie, doch in den davor liegenden sechs Jahren nur 50 Cent je Aktie. Welche Zahl – die plötzlichen 3 $ oder die stetigen 50 Cents – wird wahrscheinlich am ehesten einen andauernden Trend signalisieren? Bei 25 mal 3 $, die das Unternehmen im vergangenen Jahr verdiente, würde man auf einen Kurs von 75 $ kommen. Doch der Durchschnitt der letzten sieben Jahre (Gesamtgewinn von 6 $ dividiert durch 7) ist gleich 85,7 Cent Gewinn je Aktie in den letzten sieben Jahren. Dann beliefe sich der Kurs auf lediglich 21,43 $. Welche Zahl Sie wählen, macht einen großen Unterschied aus. Schließlich sollte noch angemerkt werden, dass die heute an der Wall Street vorherrschende Methode – dass das KGV in erster Linie auf das kommende Jahr bezogen wird – Graham völlig zuwiderlaufen würde. Wie kann man ein Unternehmen auf der Grundlage von Gewinnen bewerten, die es überhaupt noch nicht erwirtschaftet hat? Das ist in etwa so, als ob man den Preis eines Hauses lediglich auf der Grundlage des Gerüchtes festlegen würde, Cinderella würde ihr neues Schloss gleich um die Ecke errichten lassen.

Das Auffällige an Wachstumsaktien ist, dass sie häufig großen Kursschwankungen unterliegen. Das gilt für die größten und bestens etablierten Unternehmen - etwa General Electric und IBM - und noch viel mehr für die neueren und kleineren erfolgreichen Unternehmen. Dies unterstreicht unsere These: Das wichtigste Merkmal des Aktienmarkts seit 1949 ist, dass mit den Aktien, die sehr erfolgreich waren und sich selbst ein hohes Investitionsrating zugestehen, ein höchst spekulatives Element hinzukam. (Ihre Kreditwürdigkeit ist bestens, und sie zahlen bei Krediten die niedrigsten Zinssätze.) Der Wert als Kapitalanlage eines derartigen *Unternehmens* muss sich auch über viele Jahre hinweg nicht ändern, doch das Risiko der Eigenschaften der Aktie ist davon abhängig, was an der Börse geschieht. Je begeisterter die Öffentlichkeit von ihr ist und je schneller der Kurs steigt - im Vergleich zum tatsächlichen Gewinnwachstum -, desto riskanter wird es, sie zu kaufen.[133]

Stimmt es denn nicht, könnte der Leser fragen, dass die wirklich großen Reichtümer aus Aktien von denen erzielt werden, die schon in den frühen Jahren eines Unternehmens starkes Vertrauen in die Zukunft hatten und die ihre Aktien unerschütterlich hielten, als deren Wert sich verhundertfachte? Die Antwort lautet „Ja". Aber der große Reichtum, der aus der Investition in ein einziges Unternehmen resultiert, wurde immer schon von denen gemacht, die zu diesem Unternehmen eine enge Beziehung hatten - etwa weil sie dort angestellt waren oder familiäre Verbindungen hatten. Dies rechtfertigte es, dass sie einen großen Teil ihres Vermögens in nur ein Medium investierten und durch alle Krisen daran festhielten, trotz zahlreicher Versuchungen, die Papiere zu offensichtlich hohen Kursen zu verkaufen. Ein Investor, der nicht über derart enge Kontakte verfügt, wird sich immer mit der Frage beschäftigen, ob er nicht zu viel in ein einziges Papier angelegt

---

133 Die letzten Ereignisse bestätigen Graham. Am 21. Oktober 2000 gab Intel Corp., der Hersteller von Computer-Chips, bekannt, dass die erwarteten Gewinne im kommenden Quartal um 5 % zulegen würden. Auf den ersten Blick scheint dies großartig zu sein. Die meisten großen Unternehmen wären überglücklich, wenn sie ihre Gewinne innerhalb von drei Monaten um 5 % steigern könnten. Doch als Reaktion darauf fiel der Aktienkurs von Intel um 22 %, ein Verlust von nahezu 91 Milliarden $ an nur einem Tag. Weshalb? Die Analysten an der Wall Street hatten erwartet, dass die Gewinne um bis zu 10 % steigen würden. Ganz ähnlich erging es EMC Corp., einer Datenlager-Firma, als sie am 21. Februar 2001 bekannt gab, dass man erwarte, die Erlöse würden im Jahr 2001 um mindestens 25 % steigen - dass jedoch eine „neue Vorsicht" unter den Kunden zu einem längeren Verkaufszyklus führen könne. Nach diesem Hauch eines Zögerns verloren die Aktien von EMC an einem einzigen Tag 12,8 % ihres Werts.

hat.[134] Jeder Abschwung – ganz gleich, als wie kurzfristig er sich später herausstellen mag – wird dieses Problem verstärken, und exogener wie auch endogener Druck werden ihn wahrscheinlich zwingen, einen Gewinn mitzunehmen, der zwar ganz ansehnlich ist, aber nicht die ultimative Goldgrube darstellt [26].

Tabelle 7-1: Die Durchschnittsgewinne von „Wachstumsfonds" zwischen 1961 und 1970[a]

	1 Jahr (1970) in %	5 Jahre (1966–1970) in %	10 Jahre (1961–1970) in %	Dividendenrendite 1970 in %
17 große Wachstumsfonds	- 7,5	+ 23,2	+ 121,1	2,3
106 kleinere Wachstumsfonds (Gruppe A)	- 17,7	+ 20,3	+ 102,1	1,6
106 kleinere Wachstumsfonds (Gruppe B)	- 4,7	+ 23,2	+ 106,7	1,4
15 Fonds, die Wachstum in ihrem Namen tragen	- 14,2	+ 13,8	+ 97,4	1,7
S&P Composite	+ 3,5	+ 16,1	+ 104,7	3,4
Dow Jones Industrial Average	+ 8,7	+ 2,9	+ 83,0	3,7

a) Diese Zahlen wurden von Wiesenberger Financial Services zur Verfügung gestellt.

Drei empfehlenswerte Bereiche für „professionelles Investieren"

Um bei der Kapitalanlage langfristig bessere als nur durchschnittliche Ergebnisse zu erzielen, ist eine Strategie der Auswahl und des richtigen Vorgehens erforder-

134 Die heutige Entsprechung für diejenigen, „die eine enge Beziehung zu diesem Unternehmen haben", sind die so genannten kontrollierenden Personen – Mitglieder des Vorstands, die helfen, das Unternehmen zu leiten, und riesige Aktienpakete besitzen. Vorstände wie Bill Gates von Microsoft oder Warren E. Buffett von Berkshire Hathaway haben die direkte Kontrolle über das Schicksal ihres Unternehmens – und außen stehende Investoren wollen sehen, dass diese Vorstandsvorsitzenden ihre großen Beteiligungen behalten, um damit ihre Zuversicht zum Ausdruck zu bringen. Doch untergeordnete Manager und normale Arbeiter können den Aktienkurs des Unternehmens nicht beeinflussen; deshalb sollten sie auch nicht mehr als einen geringen Prozentsatz ihres Vermögens in die Aktien ihres Arbeitgebers investieren. Für Außenstehende, gleichgültig, wie gut sie das Unternehmen zu kennen glauben, gilt der gleiche Vorbehalt.

lich, die zwei Vorteile bietet: (1) Sie muss objektive oder rationale Tests ihrer Solidität bestehen und (2) sie muss sie sich von jenen Strategien unterscheiden, die von den meisten Anlegern oder Spekulanten verfolgt wird. Unsere Erfahrung und unsere Untersuchungen lassen uns drei Anlagekonzepte empfehlen, die diesen Kriterien entsprechen. Sie unterscheiden sich deutlich voneinander, und jedes könnte unterschiedliches Wissen und Temperament bei dem erfordern, der diese anwendet.

Die relativ unpopuläre große Aktiengesellschaft

Wenn wir unterstellen, dass es eine Angewohnheit des Marktes ist, Aktien, die herausragendes Wachstum gezeigt haben oder aus einem anderen Grund besonders auffällig sind, zu hoch zu bewerten, dann wäre es logisch zu erwarten, dass er – zumindest relativ – Unternehmen unterbewertet, die aus der Mode sind, weil es im Unternehmen negative Entwicklungen gab, die eigentlich nur vorübergehend waren. Dies kann als Grundsatz des Aktienmarktes gelten, und es verweist auf eine Anlagestrategie, die sich sowohl als konservativ als auch als viel versprechend erweisen sollte.

Die wichtigste Bedingung ist hier, dass der professionelle Investor sich auf die größeren Unternehmen konzentriert, die gerade nicht besonders beliebt sind. Während kleine Unternehmen ebenfalls aus ähnlichen Gründen unpopulär sein und in vielen Fällen später sowohl den Aktienkurs als auch die Gewinne steigern können, enthalten sie das Risiko, jegliche Rentabilität zu verlieren und, trotz verbesserter Gewinne, später auch die Gunst des Marktes. Die großen Unternehmen hingegen haben einen doppelten Vorteil gegenüber den erstgenannten. Erstens verfügen sie über Kapitalquellen und Wissensressourcen, die ihnen über manche Krise hinweghelfen und sie zu zufrieden stellenden Gewinnen zurückführen. Zweitens wird der Markt schnell auf jede erwiesene Verbesserung reagieren.

Eine bemerkenswerte Demonstration der Plausibilität dieser These findet sich in Studien über das Kursverhalten der unpopulären Titel im DJIA. In diesen wurde angenommen, dass jedes Jahr in die sechs bis zehn Titel mit dem geringsten KGV das laufenden Jahres oder des Vorjahres investiert wurde. Man könnte sie die billigsten Aktien aus dem Index nennen, und der niedrige Kurs war offensichtlich ein Spiegelbild der relativen Unbeliebtheit bei Anlegern oder Tradern. Weiterhin wurde unterstellt, dass sie am Ende der Haltezeit von fünf Jahren verkauft wurden. Die Ergebnisse dieser Anlagen wurden dann mit denen des DJIA als Ganzem oder mit der populärsten Gruppe des DJIA verglichen.

Die detaillierten Materialien, die uns zur Verfügen stehen, beinhalten die Ergebnisse der unterstellten jährlich getätigten Käufe in jedem der letzten 53 Jahre [27]. Im früheren Zeitraum, also zwischen 1917 und 1933, erwies sich diese Strategie als nicht rentabel. Doch seit 1933 zeitigte diese Methode höchst erfolgreiche Ergebnisse. In 34 Tests, die von Drexel & Company (jetzt Drexel Firestone)[135] nach einem Jahr des Haltens - von 1937 bis 1969 - durchgeführt wurden, schlugen sich die billigen Aktien gegenüber dem DJIA nur in drei Abschnitten schlechter; die Ergebnisse waren in sechs Fällen in etwa gleich, und in 25 Jahren zeigten die billigeren Aktien deutlich bessere Ergebnisse als der Durchschnitt. Die ständig bessere Performance der Aktien mit dem geringeren KGV können Sie aus Tabelle 7-2 ersehen, wobei die Durchschnittsergebnisse aufeinander folgender Fünfjahresperioden im Vergleich zu denen des DJIA und der Aktien mit hohem KGV angegeben sind.

Tabelle 7-2: Durchschnittlicher Jahresgewinn oder Jahresverlust bei Testtiteln in % in den Jahren 1937 bis 1969

Zeitraum	Zehn Titel mit geringem KGV	Zehn Titel mit hohem KGV	30 DJIA-Aktien
1937- 1942	- 2,2	- 10,0	- 6,3
1943- 1947	17,3	8,3	14,9
1948- 1952	16,4	4,6	9,9
1953- 1957	20,9	10,0	13,7
1958- 1962	10,2	- 3,3	3,6
1963- 1969 (acht Jahre)	8,0	4,6	4,0

Die Berechnung von Drexel zeigt weiterhin, dass eine Investition von 10.000 $ in Aktien mit geringem KGV im Jahr 1936 bei alljährlicher Aktualisierung nach diesem Prinzip bis 1962 auf 66.900 $ angewachsen wäre. Die gleichen Aktionen mit Aktien mit hohem KGV hätten 1962 nur einen Wert von 25.300 $ erbracht, während diese Aktionen mit allen 30 Aktien den ursprünglichen Einsatz auf 44.000 $ erzielt hätten.[136]

---

135 Drexel Firestone, eine Investmentbank in Philadelphia, fusionierte 1973 mit Burnham & Co. und wurde danach zu Drexel Burnham Lambert, die durch die Finanzierung des Übernahme-Booms der 80er-Jahre durch Junk Bonds bekannt wurde.

136 Diese Strategie des Kaufens der billigsten Aktien des DJIA hat heute den Spitznamen „Dogs of the Dow"-Strategie. Informationen über den „Dow 10" erhalten Sie unter www.djindexes.com/jsp/dow510faq.jsp.

Die Strategie des Kaufs unpopulärer großer Unternehmen und der Kauf auf der Grundlage einer ganzen Gruppe, wie oben beschrieben, sind einander sehr ähnlich. Wenn man jedoch die einzelnen Unternehmen betrachtet, muss noch ein weiterer Faktor bedacht werden: Unternehmen, die an sich schon spekulativ sind, weil ihre Gewinne stark schwanken, werden in ihren guten Jahren zu hohen Kursen und einem relativ geringem KGV gehandelt und zu niedrigen Kursen bei hohem KGV, wenn es ihnen nicht so gut geht. Diese Beziehungen werden in Tabelle 7-3 am Beispiel der Schwankungen der Chrysler-Corp.-Stammaktien dargestellt. In diesen Fällen ist der Markt so skeptisch gegenüber der Fortsetzung der ungewöhnlich hohen Gewinne, als dass er sie konservativ bewerten würden, und umgekehrt, wenn die Gewinne gering ausfallen oder gar ausbleiben. (Beachten Sie, dass, rein mathematisch gesehen, die Aktien angesichts der winzigen Profite zu einem hohen KGV gehandelt werden müssen, wenn ein Unternehmen fast nichts verdient.)

Wie es der Zufall will, war Chrysler immer eine Ausnahme im DJIA, und deshalb beeinflusste es die Berechnung der Aktien mit geringem KGV nicht besonders stark. Es wäre ein Leichtes, derartige Anomalien aus einer Liste der Titel mit geringem KGV auszuschließen, indem man auch verlangt, dass der Kurs in Beziehung zu den früheren *durchschnittlichen* Gewinnen gering sein muss, oder durch einen ähnlichen Test.

Tabelle 7-3: Kurse und Gewinne der Chrysler-Stammaktien von 1952 bis 1970

Jahr	Gewinn je Aktie in $	Höchster oder niedrigster Kurs	KGV
1952	9,04	H 98	10,8
1954	2,13	T 56	26,2
1955	11,49	H 101,5	8,8
1956	2,29	T 52 (1957)	22,9
1957	13,75	H 82	6,7
1958	(def.) 3,88	T 44[a]	-
1968	24,92[b]	H 294[b]	11,8
1970	Def.	T 65[b]	-

a) Das Tief von 1962 lag bei 37,5.

b) Angepasst um Aktiensplits. Def.: Nettoverlust

Während wir diese Auflage überarbeiteten, testeten wir die Ergebnisse der Methode der DJIA-Titel mit geringem KGV und wendeten sie auf eine Gruppe von Aktien an, wobei wir unterstellten, wir hätten sie Ende 1968 gekauft und am 30. Juni 1971 neu bewertet. Dieses Mal erwiesen sich die Zahlen als sehr enttäuschend, denn sie zeigten einen deutlichen Verlust der Titel mit geringem KGV. Dieser einzige schlechte Zeitraum sollte die Schlussfolgerungen der über 30 Experimente nicht beeinträchtigen, doch weil die Ergebnisse ganz aktuell sind, haben sie ein besonderes Gewicht. Vielleicht sollte der aggressive Investor mit dem Konzept der Titel mit niedrigem KGV beginnen, allerdings weitere quantitative und qualitative Anforderungen stellen, wenn er sein Portfolio zusammenstellt.

Der Kauf von Titeln zum Schnäppchenpreis

Ein Schnäppchen definieren wir als einen Titel, dessen - empirisch nachgewiesener - tatsächlicher Wert höher ist als die augenblickliche Notierung. Zu dieser Gattung zählen sowohl Anleihen als auch Vorzugsaktien, die weit unter dem Nennwert gehandelt werden, sowie Stammaktien. Um möglichst konkret zu sein, lassen Sie uns einmal unterstellen, dass ein Titel kein wirkliches Schnäppchen ist, wenn der wirkliche Wert nicht um mindestens 50 % über dem aktuellen Kurs liegt. Welche Fakten würden die Schlussfolgerung erlauben, dass es eine so große Diskrepanz überhaupt gibt? Wie kommt es zu derartigen Schnäppchen, und wie kann ein Investor davon profitieren?

Es gibt zwei Tests, anhand derer man Schnäppchen-Aktien erkennen kann. Der erste ist die Methode der Bewertung. Dieser Test beruht weitestgehend auf der Bestimmung der künftigen Gewinne und der anschließenden Multiplikation mit einem Faktor, der dem entsprechenden Titel angemessen ist. Wenn der daraus resultierende Wert ausreichend hoch über dem Börsenwert liegt - und wenn der Investor dieser Technik Vertrauen schenkt -, kann er diesen Titel als Schnäppchen bezeichnen. Der zweite Test ist der Wert, den das Unternehmen für einen Privateigentümer hat. Dieser Wert wird oftmals durch die künftig zu erwartenden Gewinne bestimmt - in diesem Fall könnte das Ergebnis so aussehen wie nach dem ersten Test. Doch wird im zweiten Test dem realisierbaren Wert des Anlagevermögens mehr Aufmerksamkeit geschenkt, wobei vor allem das Nettoumlaufvermögen oder das Betriebsvermögen unter die Lupe genommen wird.

An Tiefpunkten das allgemeinen Marktgeschehens gibt es eine ganze Menge von Titeln zum Schnäppchenpreis, wenn man diese Maßstäbe anlegt. (Ein typisches Beispiel war General Motors, als es 1941 zu weniger als 30 $ gehandelt wurde, was 5 $ im Jahr 1971 entspricht. GM verdiente 4 $ und zahlte 3,50 $ oder mehr an Dividenden aus.) Es trifft zu, dass sowohl die aktuellen Gewinne als auch die derzeitigen Aussichten schwach sein können, doch eine vernünftige Bewertung der durchschnittlichen künftigen Bedingungen würde auf Werte weit über den aktuellen Kursen hinweisen. Deshalb werden die Cleverness und der Mut, in schwachen Märkten zu kaufen, nicht nur durch Erfahrung, sondern auch durch Anwendung plausibler Techniken der Wertanalyse bestätigt.

Die gleichen Launen der Börsen, die immer wieder Situationen zum billigen Einkauf schaffen, sind für viele einzelne Schnäppchen auf fast allen Marktniveaus verantwortlich. Der Markt macht aus Maulwurfshügeln gern Berge und aus ganz normalen Unbeständigkeiten große Rückschläge.[137] Selbst mangelndes Interesse oder nicht vorhandene Begeisterung können einen Kurs auf ein lächerlich geringes Niveau drücken. Somit scheint es zwei Gründe zu geben, die für eine Unterbewertung verantwortlich sind: (1) aktuell enttäuschende Ergebnisse und (2) lang andauernde Vernachlässigung oder Unbeliebtheit.

Allerdings kann man sich auf keine dieser beiden Ursachen, für sich allein genommen, als Richtschnur für erfolgreiche Anlagen in Aktien verlassen. Wie können wir sicher sein, dass die aktuell enttäuschenden Ergebnisse tatsächlich nur vorübergehender Natur sind? Es stimmt zwar, dass dies vorkommt, und dafür gibt es hervorragende Beispiele. Die Aktien von Stahlproduzenten waren bekannt für ihre konjunkturellen Schwankungen, und der clevere Käufer konnte sie billig erwerben, wenn die Gewinne gering waren, und sie in einer Hochkonjunktur mit ansehnlichem Profit verkaufen. Ein spektakuläres Beispiel bietet Chrysler, wie Sie aus den Daten in Abbildung 7-3 erkennen konnten. Wäre dies das normale Verhalten von Aktien mit schwankenden Gewinnen, dann wäre es sehr einfach, an der Börse Geld zu verdienen. Leider könnten wir aber auch zahlreiche Beispiele

---

137 Zu den steilsten Bergen, die in der letzten Zeit aus Maulwurfshügeln entstanden sind: Im Mai 1998 gaben Pfizer Inc. und die US Food and Drug Association bekannt, dass sechs Männer Pfizers Potenzpille Viagra genommen hätten und während des Geschlechtsverkehrs verstorben seien. Pfizers Aktie machte sofort schlapp, verlor an einem einzigen Tag bei sehr starkem Umsatz 3,4 %. Doch Pfizers Aktie schoss in die Höhe, als Untersuchungen später ergaben, dass es für diesen Alarm überhaupt keinen Anlass gab. In den nächsten beiden Jahren legte der Aktienkurs um ein Drittel zu. Ende 1997 fiel der Aktienkurs von Warner-Lambert an einem Tag um 19 %, als der Verkauf des neuen Produktes gegen Diabetes vorübergehend eingestellt wurde; innerhalb von sechs Monaten hatte sich der Aktienkurs fast verdoppelt. Ende 2002 verlor Carnival Corp., das Kreuzfahrten organisiert, etwa 10 % seines Wertes, nachdem einige Passagiere an schweren Durchfällen und Erbrechen erkrankt waren – auf Schiffen, die von anderen Reedereien betrieben wurden.

nennen, bei denen auf schwindende Gewinne und sinkende Kurse nicht automatisch eine Erholung dieser beiden Größen folgte. Ein Beispiel ist Anaconda Wire and Cable, die bis 1956 hohe Gewinne einfuhr, bei einem Höchstkurs von 85 $ in diesem Jahr. Danach sanken die Gewinne sechs Jahre lang unregelmäßig, der Aktienkurs fiel 1962 bis auf 23,5 $, und im folgenden Jahr wurde das Unternehmen von der Konzernmutter (Anaconda Corporation) zu einem Kurs von 33 $ übernommen.

Viele Erfahrungen dieser Art legen nahe, dass der Investor mehr braucht als nur sinkende Gewinne und Kurse, damit er eine solide Grundlage für eine Kaufentscheidung hat. Er sollte zumindest eine gewisse Stabilität der Gewinne über das letzte Jahrzehnt hinweg oder länger fordern – das heißt kein Jahr, in dem es zu Verlusten kam – und außerdem eine ausreichende Größe und finanzielle Stärke, um mögliche Rückschläge in der Zukunft wegzustecken. Die ideale Kombination ist deshalb eine aus großen und prominenten Unternehmen, die sowohl unterhalb des früheren Durchschnittskurses als auch unterhalb des früheren KGV gehandelt werden. Dies würde zweifellos die größten Chancen von Unternehmen wie Chrysler ausschließen, weil dessen Jahre niedriger Kurse in der Regel auch mit hohen KGVs einhergingen. Nun wollen wir dem Leser jedoch versichern – und zweifellos werden wir es wieder tun –, dass zwischen „Gewinnen im Nachhinein" und „echten Gewinnen" eine ganze Welt liegt. Wir haben ernsthafte Zweifel, ob Aktien wie Chrysler – eine Achterbahn-Aktie – das geeignete Medium für Aktionen unseres unternehmerischen Investors sind.

Wir haben bereits die Vernachlässigung oder Unbeliebtheit eines Unternehmens als zweiten Grund für ungerechtfertigte Kurseinbrüche erwähnt. Ein aktueller Fall dieser Art scheint National Presto Industries zu sein. Im Bullenmarkt von 1968 wurde es mit 45 $ gehandelt, was nur dem 5,81fachen Gewinn von 5,61 $ je Aktie in diesem Jahr entsprach. Der Gewinn je Aktie stieg 1969 und 1970, doch der Kurs sank 1970 auf nur 21 $. Das war weniger als der vierfache Gewinn in diesem Jahr und weniger als das Nettoumlaufvermögen. Im März 1972 wurde National Presto mit 34 $ gehandelt, also immer noch dem 5,5fachen der jüngsten bekannt gegebenen Gewinne und etwa dem etwas vergrößerten Nettoumlaufvermögen.

Ein weiteres Beispiel ist Standard Oil of California, ein bedeutender Konzern. Anfang 1972 wurde die Aktie in etwa zum gleichen Kurs gehandelt wie schon 13 Jahre zuvor, nämlich bei etwa 52 $. Die Gewinne waren bemerkenswert stabil, zwar mit relativ geringem Wachstum, aber nur mit einem kleinen Einbruch im gesamten Zeitraum. Der Buchwert entsprach immer dem Marktwert. Mit diesem, konservativ gesehen, doch recht eindrucksvollen Leistungsnachweis kam das Unternehmen mit seinem Kurs nie über die fünffachen Gewinne hinaus. Anfang 1972 lag das KGV bei zehn.

Eine dritte Ursache für einen ungerechtfertigt niedrigen Kurs einer Aktie könnte das Versagen des Marktes darstellen, weil er das wahre Bild der Gewinne nicht erkannt hat. Unser klassisches Beispiel dafür ist Northern Pacific Railway, dessen Kurs 1946/1947 von 36 auf 13,5 $ fiel. Die wirklichen Gewinne der Eisenbahn im Jahr 1947 lagen fast bei 10 $ je Aktie. Der Kurs der Aktie wurde jedoch zum größten Teil gebremst, weil nur 1 $ Dividende ausgezahlt wurde. Das Papier wurde auch deshalb vernachlässigt, weil ein großer Teil der Ertragskraft durch die Methode der Rechnungslegung, die bei Eisenbahnen einen Sonderfall darstellen, verborgen blieb.

Diese Schnäppchen-Titel, die man sehr leicht erkennen kann, sind Stammaktien, die unter dem Nettoumlaufvermögen gehandelt werden, nachdem bereits alle Verbindlichkeiten abgezogen sind.[138] Die würde bedeuten, dass der Käufer für das Anlagevermögen – Gebäude, Maschinen oder den Firmenwert, wenn er noch existiert – nichts bezahlen müsste. Es gibt nur sehr wenige Unternehmen, deren Börsenwert unter dem Wert des Umlaufvermögens liegt, auch wenn man ab und zu derartige Situationen finden kann. Überraschend jedoch ist, dass es sehr viele Unternehmen gibt, die von der Börse zu diesem Schnäppchenpreis bewertet wurden. 1957, als der Markt keineswegs am Boden lag, wurden 150 derartige Unternehmen ausfindig gemacht. In Tabelle 7-4 fassen wir die Ergebnisse zusammen, die man erzielt hätte, wenn man am 31. Dezember 1957 je eine von 85 dieser Aktien gekauft hätte, die im Standard & Poor´s *Monthly Stock Guide* veröffentlicht wurden, und sie zwei Jahre lang gehalten hätte.

Durch einen Zufall stiegen die Kurse der beiden Gruppen in die Nähe des Nettoumlaufvermögens. Der Gewinn des gesamten „Portfolios" lag in dieser Zeit bei etwa 75 %, im Vergleich zu 50 %, um die der Standard & Poor´s 425 Industrial zulegte. Noch bemerkenswerter ist, dass kein Titel signifikante Verluste hinnehmen musste, sieben gleich blieben und 78 ansehnliche Gewinne zeigten.

138 Mit Nettoumlaufvermögen meint Graham das aktuelle Vermögen eines Unternehmens (etwa Barmittel, marktfähige Wertpapiere und Lagerbestände) abzüglich der gesamten Verbindlichkeiten (einschließlich der Vorzugsaktien und langfristiger Schulden).

Tabelle 7-4: Erfahrungen mit Gewinnen unterbewerteter Aktien, 1957 bis 1959

Börse	Anzahl der AGs	Nettoumlaufvermögen je Aktie in $	Kumulierter Kurs im Dezember 1957 in $	Kumulierter Kurs im Dezember 1959 in $
NYSE	35	748	419	838
American S.E.	25	495	289	492
Midwest S.E.	5	163	87	141
Tafelgeschäfte	20	425	288	433
Gesamt	80	1.831	1.083	1.904

Unsere Erfahrung mit dieser Art von Aktienauswahl - auf diversifizierter Grundlage - war vor 1957 über Jahre hinweg gleichmäßig gut. Man kann ohne zu zögern bestätigen, dass diese Methode der Auswahl sicher und rentabel ist und dass man die Vorteile unterbewerteter Situationen nutzen kann. Allerdings war die Zahl solcher Gelegenheiten nach dem allgemeinen Kursanstieg nach 1957 sehr begrenzt, und viele von denen, die noch verfügbar waren, konnten lediglich geringe operative Gewinne vorweisen oder mussten sogar mit Verlusten aufwarten. Der Börsenniedergang von 1969 bis 1970 schuf eine neue Gruppe dieser Aktien, deren Kurs unter dem Umlaufvermögen lag. Über diese Gruppe sprechen wir in Kapitel 15, wenn es um die Aktienauswahl für den professionellen Investor geht.

Die Muster der Schnäppchen-Titel bei nachrangigen Unternehmen. Nachrangige Unternehmen haben wir folgendermaßen definiert: Es sind Gesellschaften, die in einer wichtigen Branche nicht in vorderster Reihe stehen. Deshalb handelt es sich normalerweise um eine kleinere Firma in ihrem Bereich, doch kann sie auch in einem eher unwichtigen Feld Branchenführer sein. Es gibt zwar Ausnahmen, doch wird normalerweise ein Unternehmen, das sich als Wachstumsunternehmen bezeichnet, nicht als „nachrangig" angesehen.

Im großen Bullenmarkt der 20er-Jahre gab es relativ wenige Unterschiede zwischen Branchenführern und den anderen notierten Titeln, vorausgesetzt, sie hatten eine bestimmte Größe erreicht. Die Öffentlichkeit hatte das Gefühl, dass ein mittelgroßes Unternehmen stark genug sei, um Stürme zu überstehen und bessere Chancen auf eine wirklich spektakuläre Expansion hätte als ein Unternehmen, das bereits sehr groß ist. Die Jahre der Depression 1931/1932 jedoch hatten einen besonders verheerenden Einfluss auf nicht erstklassige Unternehmen, sowohl in puncto Größe als auch in puncto Stabilität. Folglich haben die Anleger seither eine besondere Präferenz für Branchenführer und mangelndes Interesse an normalen Unternehmen zweitrangiger Bedeutung entwickelt. Dies bedeutete, dass Aktien der letztgenannten Gruppe normalerweise im Verhältnis zu Gewinnen und Vermögen zu wesentlich geringeren Kursen gehandelt wurden als die der ersten Gruppe. Es bedeutete weiterhin, dass zu verschiedenen Zeiten die Kurse so weit gefallen waren, dass man diese der „Schnäppchen-Gruppe" zuordnen konnte.

Als die Anleger die Aktien der zweitklassigen Unternehmen ablehnten, selbst wenn diese zu relativ günstigen Kursen zu haben waren, waren sie der festen Überzeugung – oder sie hatten zumindest Angst davor –, diese Unternehmen würden einer finsteren Zukunft entgegensehen. Zumindest unbewusst rechneten sie damit, dass *jeder* Kurs für sie zu hoch war, weil sie dem Konkurs zustrebten – genauso wie 1929, als man glaubte, für Blue Chips sei kein Kurs zu hoch, weil deren Zukunftsaussichten geradezu unbegrenzt erschienen. Beide Ansichten waren Übertreibungen und legten den Grundstein für schwere Anlagefehler. Tatsächlich jedoch ist ein typisches börsennotiertes mittelgroßes Unternehmen immer noch groß, wenn man es mit den durchschnittlichen Firmen in Privathand vergleicht. Es gibt also keinen vernünftigen Grund, weshalb solche Unternehmen nicht weiter überleben, sich den wechselhaften Bedingungen unserer Wirtschaft nicht weiter stellen und nicht auch eine vernünftige Rendite auf das eingesetzte Kapital erzielen sollten.

Dieser kurze Überblick deutet darauf hin, dass das Verhalten der Börse gegenüber zweitrangigen Unternehmen unrealistisch ist und folglich in normalen Zeiten zahllose krasse Unterbewertungen bewirkt. Wie sich herausstellte, erwiesen sich die Zeit des Zweiten Weltkriegs und der darauf folgende Boom für kleinere Unternehmen günstiger als für große Unternehmen, weil damals der normale Wettbewerb beim Verkauf ausgesetzt war und die kleineren Unternehmen ihren Umsatz und ihre Gewinnspanne deutlich anheben konnten. Deshalb hatten sich 1946 die Muster des Aktienmarktes vollkommen von denen der Vorkriegszeit gelöst. Während die führenden Aktien im Dow Jones Industrial Average von Ende 1938 bis zum Höchststand im Jahr 1946 nur um 40 % stiegen, steigerte sich der Standard & Poor´s-Index der billigen Aktien im gleichen Zeitraum um sage und schreibe 280 %. Spekulanten und viele selbst ernannte Investoren – mit dem sprichwörtlich kurzen Gedächtnis der Menschen an den Börsen – waren ganz wild darauf, alte und neue Titel von unbedeutenden Unternehmen zu inflationären Kursen zu kaufen. Somit schwang das Pendel in die entgegengesetzte Richtung. Die zweitrangigen Titel, die früher den bei weitem größten Teil der Schnäppchen ausmachten, waren nunmehr das beste Beispiel für eine übertriebene Begeisterung und Überbewertung der Aktien. Auf ganz andere Weise wiederholte sich dieses Phänomen 1961 und 1968 - die Betonung lag jetzt allerdings auf Erstemissionen kleinerer Unternehmen, die noch kleiner waren als die, wie Graham sie nannte, „zweitrangigen" Unternehmen, und auf Bereichen wie „Electronics", „Computers", „Franchise" und anderen.[139]

Wie zu erwarten war, wurden die meisten dieser überbewerteten Aktien von den darauf folgenden Marktabschwüngen am stärksten belastet. In einigen Fällen schlug das Pendel bis zur *Unterbewertung* aus.

Wenn die meisten zweitklassigen Titel normalerweise unterbewertet sind, weshalb sollte der Investor dann glauben, er könne von derartigen Situationen profitieren? Sollte es immer so bleiben, ist er dann nicht in der gleichen Situation, als hätte er sie gekauft? Die Antwort darauf ist ein wenig komplizierter. Wesentliche Gewinne aus dem Kauf von zweitklassigen Unternehmen zu Schnäppchenpreisen gibt es auf verschiedene Wege. Erstens sind die Dividenden relativ hoch. Zweitens sind die reinvestierten Mittel im Vergleich zum bezahlten Kurs ziemlich hoch und werden sich letztlich auf den Kurs auswirken. In einem Zeitraum von fünf bis sieben Jahren könnten sich diese Vorteile bei einer gut getroffenen Auswahl sehr wohl zu hohen Gewinnen auswachsen. Drittens ist ein Bullenmarkt gegenüber preisgünstigen Titeln recht großzügig, und somit steigt der Titel, der zu einem besonders niedrigem Kurs erworben wurde, zumindest auf ein vernünftiges Niveau. Viertens vollzieht sich selbst in relativ langweiligen Zeiten an der Börse ein stetiger Prozess der Kursanpassungen, wobei zweitklassige Titel, die unterbewertet waren, zumindest auf das normale Niveau für Aktien dieser Art ansteigen. Fünftens könnten die speziellen Faktoren, die in vielen Fällen für eine enttäuschende Leistungsbilanz bei den Gewinnen verantwortlich waren, durch neue Bedingungen oder durch neue Strategien oder durch ein neues Management korrigiert werden.

139 Von 1975 bis 1983 übertrafen die kleinen („zweitrangigen") Unternehmen große Aktien um erstaunliche 17,6 Prozentpunkte pro Jahr. Die Anleger stürzten sich ganz wild auf kleine Aktien, Fondsgesellschaften legten Hunderte von Fonds auf, die sich auf kleine Aktien spezialisierten, und kleine Aktien mussten im folgenden Jahrzehnt gegenüber großen Aktien Nachteile von fünf Prozentpunkten jährlich hinnehmen. Dieser Zyklus wiederholte sich 1999, als kleine Aktien die großen um fast neun Prozentpunkte schlugen und damit die Investmentbanker inspirierten, erstmalig Hunderte von kleinen „heißen" High-Tech-Aktien zu verkaufen. Anstatt „Electronics", „Computer" oder „Franchise" waren die neuen Reizworte „.com", „optical", „wireless" und sogar Vorsilben wie „e" und „i". Reizwörter in der Kapitalanlage entwickeln sich unweigerlich zu „Kreissägen", die jeden zerstückeln, der an sie glaubt.

Ein wichtiger neuer Faktor war in den letzten Jahren die Akquisition kleinerer Unternehmen durch große Unternehmen, im Normalfall mit dem Ziel der Diversifizierung. In diesen Fällen waren die Übernahmeprämien oft recht großzügig und lagen weit über den günstigen Kursen, zu denen die kleinen Aktien noch kurz zuvor gehandelt worden waren.

Als die Zinsen im Jahr 1970 noch wesentlich niedriger waren, weitete sich der Bereich der Schnäppchen auch auf Anleihen und Vorzugsaktien aus, die mit hohen Abschlägen vom Nennwert gehandelt wurden. Zurzeit haben wir eine ganz andere Situation, in der selbst gut abgesicherte Titel mit hohen Abschlägen gehandelt werden, wenn sie mit Coupons versehen sind, die gerade einmal 4,5 % oder weniger bringen. Beispiel: AT&T 2,625 %, fällig 1986, wurden 1970 mit 51 gehandelt, Deere & Co 4,5 %, fällig 1983, mit 62. Diese Titel könnten sich bald als Schnäppchen erweisen – wenn die derzeitigen Zinsen noch wesentlich weiter fallen werden. Für ein Anleihen-Schnäppchen im eher traditionellen Sinn sollten wir noch einmal auf die erstrangigen Pfandbriefe von Eisenbahngesellschaften, die sich nun in Schwierigkeiten befinden, zurückkommen, die aktuell zwischen 20 und 30 gehandelt werden. Das ist keine Sache für einen unerfahrenen Investor; ihm fehlt der wirkliche Sinn für Werte in diesem Bereich, und er könnte sich daran leicht die Finger verbrennen. Doch gilt die grundsätzliche Tendenz für einen Marktabschwung in diesem Bereich als ein wenig übertrieben; folglich lädt diese Gruppe als Ganze zu einer sorgfältigen und mutigen Analyse ein. Im Jahrzehnt, das 1948 endete, boten die in Verzug geratenen Anleihen von Eisenbahngesellschaften zahlreiche und spektakuläre Chancen in diesem Bereich. Derartige Gelegenheiten waren seither sehr selten, doch es hat den Anschein, als würden sie sich in den 70er-Jahren wieder auftun.[140]

Sondersituationen oder „Umwandlungen"

Vor nicht allzu langer Zeit war dies ein Bereich, bei dem man fast sicher sein konnte, dass man eine attraktive Rendite kassieren konnte, wenn man wusste, wie das funktioniert. Das galt für fast alle Marktsituationen. Dieser Bereich war auch

140 Heute bieten verfallene Anleihen von Eisenbahngesellschaften keine besonderen Chancen. Allerdings könnten, wie bereits gesagt, in Not geratene und verfallene Junk Bonds, aber auch Wandelanleihen, die von High-Tech-Firmen emittiert wurden, in den Nachwehen des Crashs von 2000 bis 2002 echte Werte darstellen. Wichtig ist allerdings, dass man in diesem Bereich großzügig diversifiziert – und unter einem Einsatz von zumindest 100.000 $ lohnt es sich nicht, in in Not geratene Wertpapiere einzusteigen. Wenn Sie nicht gerade Multimillionär sind, dann ist diese Art der Diversifizierung keine Option für Sie.

dem normalen Anleger zugänglich. Einige, die ein Gefühl dafür entwickelt hatten, konnten sich einarbeiten und recht geschickte Praktiker werden, ohne lange studieren oder eine Lehre absolvieren zu müssen. Andere waren scharfsinnig genug, um die grundsätzliche Vernunft der Strategie zu erkennen und sich intelligenten jungen Leuten anzuschließen, die Investmentfonds betreuten und sich hauptsächlich mit solchen Sondersituationen beschäftigten. In den vergangenen Jahren jedoch und aus Gründen, auf die wir später noch zurückkommen werden, wurde der Bereich Arbitrage und „Umwandlungen" riskanter und brachte nicht mehr so viel Gewinn ein. Es könnte sein, dass die Bedingungen in diesem Bereich in den kommenden Jahren günstiger werden. Auf alle Fälle lohnt es sich, die Art und den Ursprung dieser Aktionen anhand von Beispielen zu erläutern.

Die typische „Sondersituation" erwuchs aus der zunehmenden Zahl von Übernahmen kleinerer Firmen durch größere Unternehmen, da das Gesetz der Diversifikation der Produkte durch das Management von immer mehr Unternehmen beachtet wurde. Oft hatte es den Anschein, dass es für ein Unternehmen ein gutes Geschäft ist, eine bestehende Firma in einer Branche zu erwerben, in die es Zugang bekommen will, anstatt selbst ein neues Unternehmen von Grund auf aufzubauen. Um derartige Akquisitionen zu ermöglichen und dafür die Zustimmung der großen Mehrheit der Aktionäre des umworbenen kleineren Unternehmens zu erhalten, ist es meist erforderlich, einen Kurs anzubieten, der deutlich über dem derzeitigen Niveau liegt. Diese Übernahmepläne führen oft zu interessanten und Gewinn bringenden Situationen für jene Anleger, die sich auf diesem Gebiet schlau gemacht haben, über ein gutes Urteilsvermögen verfügen und außerdem noch jede Menge an Erfahrung mitbringen.

Noch vor nicht allzu langer Zeit gewannen kluge Investoren viel Geld durch den Ankauf von Anleihen von Eisenbahngesellschaften, die Konkurs anmelden mussten – Anleihen, von denen sie wussten, dass sie mehr wert waren, als sie kosteten, wenn die Eisenbahngesellschaften letztlich umstrukturiert werden würden. Nach Bekanntwerden der Umstrukturierungspläne entstand ein Markt für neue Wertpapiere, die dann emittiert würden. Diese konnten fast immer zu deutlich höheren Preisen als den Kosten der alten Titel verkauft werden, gegen die sie eingetauscht wurden. Es bestand zwar das Risiko, dass der Plan nicht umgesetzt oder es zu unerwarteten Verzögerungen kommen könnte, doch im Großen und Ganzen erwiesen sich derartige „Arbitrage-Aktionen" als höchst rentabel.

Ähnliche Gelegenheiten ergaben sich nach der Gesetzgebung von 1935 aus der Auflösung von Holdings öffentlicher Versorgungsunternehmen. Fast alle diese

Firmen waren deutlich mehr wert, wenn aus den Holdings eine Gruppe selbstständig operierender Unternehmen wurde.

Der grundlegende Faktor ist hier die Tendenz der Wertpapierbörsen, Titel unterzubewerten, die in komplizierte rechtliche Angelegenheiten verwickelt sind. Ein altes Motto der Wall Street lautete: „Kaufe niemals, wenn eine Klage droht." Das könnte für Spekulanten, die den schnellen Gewinn suchen, ein guter Rat sein. Doch wenn auch alle anderen so denken, dann ergeben sich Chancen für Aktien, die darin verwickelt sind, weil die Vorurteile gegen sie die Kurse auf ein ungerechtfertigt niedriges Niveau senken.[141]

Die Wahrnehmung dieser Sondersituationen ist ein technischer Zweig der Kapitalanlage, der eine etwas ungewöhnliche Mentalität und ein spezielles Wissen erfordert. Wahrscheinlich beschäftigt sich nur ein ganz geringer Teil der professionellen Investoren damit, und dieses Buch ist nicht das geeignete Medium, um diese komplizierte Materie zu erläutern. Wir wollten sie lediglich ansprechen [28].

Die weiteren Auswirkungen unserer Anlageregeln

Eine Anlagestrategie, so wie sie hier entwickelt wurde, ist in erster Linie von der Entscheidung des Anlegers abhängig, ob er entweder eine defensive (passive) oder eine aggressive (professionelle) Rolle übernehmen will. Der aggressive Investor muss ein enormes Wissen über den Wert der Aktien haben – so viel, dass er seine Anlageentscheidungen so zu treffen in der Lage ist, als müsste er damit seinen Lebensunterhalt verdienen. In seiner Philosophie ist kein Platz für Mittelmaß oder für graduelle Abstufungen zwischen dem passiven und dem professionellen Ansatz. Viele Investoren, wenn nicht sogar die meisten, versuchen sich irgendwo in der Mitte anzusiedeln. Unserer Meinung nach ist das ein Kompromiss, der eher zu Enttäuschungen als zu Ergebnissen führt.

---

141 Ein klassisches Beispiel dafür, das sich erst kürzlich ereignet hat, ist Philip Morris, dessen Aktie zwei Tage, nachdem ein Gericht in Florida die Richter ermächtigt hatte, eine Klage auf Schadenersatz in Höhe von 200 Millionen $ zuzulassen, um 23 % verlor – letztlich gab das Unternehmen zu, dass Zigaretten Krebs verursachen können. Innerhalb eines Jahres hatte sich der Kurs von Philip Morris verdoppelt, nur um wieder zurückzufallen, nachdem später auch in Illinois ein Urteilsspruch über mehrere Millionen $ erging. Einige andere Aktien wurden durch Schadenersatzklagen ruiniert, unter ihnen Johns Manville, W. R. Grace und USG Corp. Somit bleibt „Kaufe nie, wenn eine Klage droht" eine gültige Regel für die meisten Anleger – außer den wirklich unerschrockenen, die mit diesem Risiko leben können.

Als Investor können Sie normalerweise nicht „zur Hälfte Geschäftsmann sein" und nebenbei die andere Hälfte der Einnahmen „so nebenher" verdienen.

Aus dieser Überlegung folgt, dass sich die Mehrheit der Besitzer von Wertpapieren der defensiven Kategorie zuordnen sollte. Sie haben nicht die Zeit, nicht die Entschlossenheit und auch nicht die mentale Einstellung, die Kapitalanlage als einen Beruf oder ein Geschäft zu betrachten. Sie sollten sich deshalb auch mit den Gewinnen zufrieden geben, die sie derzeit mit einem defensiven Portfolio erzielen können (oder auch mit weniger), und sie sollten der Versuchung widerstehen, diesen Gewinn dadurch zu erhöhen, dass sie den für sie passenden Weg verlassen.

Der professionelle Investor hingegen kann sich auf jedes Wertpapiergeschäft einlassen, für das seine Ausbildung und sein Urteilsvermögen ausreichen und das ihm aussichtsreich genug erscheint, *wenn man die üblichen Maßstäbe anlegt.*

Mit unseren Empfehlungen und Warnungen für diese Gruppe von Investoren haben wir versucht, diese professionellen Maßstäbe anzulegen. Mit den Maßstäben für defensive Anleger wurden wir weitgehend von drei Bedingungen geleitet: der zugrunde liegenden Sicherheit, der Einfachheit der Entscheidungen und dem Versprechen befriedigender Ergebnisse, sowohl aus psychologischer als auch als mathematischer Sicht. Die Anwendung dieser Kriterien führte dazu, dass wir aus den empfohlenen Anlageformen eine Reihe von Wertpapieren ausschlossen, die sich jedoch für bestimmte Investoren durchaus eignen. Diese Vorkehrungen haben wir im ersten Kapitel des Buchs getroffen.

Lassen Sie uns nunmehr etwas ausführlicher als zuvor betrachten, was es mit diesen Ausschlüssen auf sich hat. Wir haben uns gegen Käufe zum vollen Preis von drei wichtigen Arten von Wertpapieren ausgesprochen: (1) Auslandsanleihen, (2) normale Vorzugsaktien und (3) zweitklassige Stammaktien, eingeschlossen natürlich die Erstemissionen solcher Papiere. Mit „vollem Preis" meinen wir Kurse, die bei Anleihen und Vorzugsaktien nahe beim Nennwert liegen, und bei Stammaktien Kurse, die in etwa den fairen Geschäftswert der Firma darstellen. Der größere Teil der defensiven Anleger sollte diese Bereiche um jeden Preis meiden, und der professionelle Investor sollte sie nur dann kaufen, wenn er sie zum Schnäppchenpreis bekommt – wobei wir den Schnäppchenpreis als den Kurs definieren, der nicht höher liegt als zwei Drittel des Schätzwertes der Wertpapiere.

Was würde geschehen, wenn sich alle Anleger von unseren Ratschlägen leiten ließen? Diese Frage tauchte schon bei den Auslandsanleihen auf, und dem haben wir hier nichts hinzuzufügen. Vorzugsaktien, die sich zur Kapitalanlage eignen, würden nur von anderen Unternehmen gekauft, etwa von Versicherungen, die von einem speziellen Steuervorteil profitieren, wenn sie Aktien besitzen.

Im Bereich der nachrangigen Stammaktien kann unsere Strategie zu folgendem Problem führen: Wenn die Mehrheit der Investoren, die zur defensiven Anlegerkategorie zählen, sie überhaupt nicht kauft, dann wird das Feld der möglichen Käufer ziemlich eingeschränkt. Wenn außerdem aggressive Investoren nur zu Schnäppchenpreisen kaufen, dann müssten diese Titel zu weniger als ihrem fairen Wert gehandelt werden, außer wenn sie von wenig intelligenten Investoren gekauft werden.

Dies mag sich hart und vielleicht sogar unmoralisch anhören. Dennoch sagen wir in Wirklichkeit nur das, was sich im größten Teil der zurückliegenden 40 Jahre ereignet hat. Die meisten zweitklassigen Emissionen schwanken um ein Niveau, das weit unter dem fairen Wert liegt. Zuweilen erreichen und übertreffen sie diesen Wert, doch das geschieht in den oberen Bereichen eines Bullenmarktes, wenn die praktische Erfahrung gegen den Kauf der Aktie zum dann gültigen Kurs spricht.

Somit fordern wir lediglich, dass der aggressive Investor die Tatsachen erkennt, dass er das Niveau kennt, das für diese Kategorie normal ist, und dass er dieses berücksichtigt, wenn er seine eigenen Anlagerichtlinien festlegt.

Dennoch gibt es hier ein Paradoxon. Das durchschnittliche, sorgfältig ausgewählte zweitrangige Unternehmen könnte sich als ebenso aussichtsreich erweisen wie der durchschnittliche Branchenführer. Was dem kleineren Betrieb an Stabilität fehlt, könnte er leicht durch Wachstumsmöglichkeiten ausgleichen. Folglich mag es vielen Lesern unlogisch erscheinen, dem Kauf derartiger Aktien das Attribut „unintelligent" voranzustellen, wenn man diese zweitrangigen Aktien zum vollen Unternehmenswert kauft. Wir sind allerdings der Überzeugung, dass die Erfahrung das stärkste Argument ist. Die Finanzgeschichte sagt deutlich, dass der Investor im Durchschnitt befriedigende Ergebnisse von zweitrangigen Aktien nur dann erwarten kann, wenn er sie für weniger als den Preis kaufen kann, den ein Privatbesitzer dafür ansetzt, also zu einem Schnäppchenpreis.

Der letzte Satz weist darauf hin, dass dieser Grundsatz auf den normalen, außenstehenden Investor zutrifft. Jeder, der ein zweitrangiges Unternehmen kontrollieren kann – also einer geschlossenen Gruppe angehört, die diese Kontrolle ausüben kann –, kauft völlig gerechtfertigt diese Aktien, so wie wir in eine „geschlossene Gesellschaft" oder in eine andere private Firma investieren würden. Die Unterscheidung zwischen der Position und der konsequenten Anlagestrategie von Insidern und Außenstehenden wird in dem Maße wichtiger, in dem das Unternehmen selbst an Bedeutung verliert. Es ist eine grundlegende Eigenschaft der erstklassigen oder führenden Unternehmen, dass eine einzige Aktie normalerweise ebenso viel wert ist wie eine Aktie in der oben zitierten „geschlossenen Gesellschaft". Bei zweitklassigen Unternehmen ist der Marktwert einer einzelnen Aktie deutlich geringer als der Wert eines Anteils, den ein Mehrheitsaktionär hält. Deshalb sind die Beziehungen zwischen Management und Aktionären und die zwischen Insidern und Außenstehenden bei zweitklassigen Unternehmen in der Regel wesentlich wichtiger - und auch problematischer - als bei erstklassigen Unternehmen.

Am Ende von Kapitel 5 gehen wir auf die Schwierigkeit ein, zwischen erst- und zweitklassigen Unternehmen zu unterscheiden. Die vielen Aktien im Grenzbereich könnten ein mittleres Kursverhalten aufweisen. Es wäre für einen Investor nicht unlogisch, solche Aktien mit einem geringen Abschlag vom notierten oder berechneten Kurs zu kaufen. In der Theorie ist das nur ein geringfügiger Unterschied zu erstrangigen Papieren, wenn sie in nicht allzu ferner Zukunft - auch wenn sie nicht dafür qualifiziert sind - ein solches Rating bekommen.

Somit muss die Unterscheidung zwischen erst- und zweitklassigen Titeln nicht allzu genau sein, denn wenn es sie gäbe, dann müsste eine geringfügige Differenz in der Qualität einen riesigen Unterschied beim gerechtfertigten Kaufpreis ausmachen. Wenn wir dies sagen, dann gestehen wir ein, dass es in der Einordnung von Aktien ein Mittelfeld gibt - auch wenn wir, als es um die Investoren ging, gegen ein derartiges Mittelfeld argumentiert haben. Der Grund für diese scheinbare Inkonsequenz ist folgender: Wenn man sich bei der Einschätzung einer einzelner Aktie nicht ganz sicher ist, dann kann kein großer Schaden entstehen, weil solche Fälle nur ausnahmsweise vorkommen und dabei nicht viel auf dem Spiel steht. Doch die grundlegende Entscheidung eines Investors zwischen einem defensiven und einem aggressiven Anlagestil ist für ihn von weit reichender Konsequenz, und er sollte sich bei dieser Entscheidung weder beeinflussen noch verwirren lassen.

Kommentar zu Kapitel 7

> Man muss schon recht mutig und vorsichtig sein, wenn man es zu großem Reichtum bringen will. Und wenn man ihn dann erreicht hat, erfordert es zehn Mal so viel Verstand, ihn zu behalten.
>
> *Nathan Mayer Rothschild*

„Timing" ist nichts

In einer idealen Welt würde der intelligente Investor nur dann Aktien kaufen, wenn sie billig sind, und sie verkaufen, wenn sie überbewertet sind; dann würde er sich zwischen Anleihen und Barmitteln verstecken, bis die Aktien wieder so billig geworden sind, dass man sie kaufen kann. Von 1966 bis Ende 2001, so behauptet eine Studie, wäre 1 $, der ständig in Aktien investiert geblieben wäre, auf 11,71 $ angewachsen. Wäre man jedoch vor den fünf schlimmsten Tagen eines jeden Jahres ausgestiegen, dann wäre dieser 1 $ auf 987,12 $ angewachsen.[142]

Wie die meisten wundersamen Börsenideen basiert auch diese auf einem Taschenspielertrick. Wie sollte jemand genau herausfinden, welche die schlimmsten Tage sein werden – bevor sie eingetroffen sind? Am 7. Januar 1973 veröffentlichte die *New York Times* ein Interview mit einem der bekanntesten „Hellseher" der Finanzbranche, der den Anlegern dringend empfahl, ohne zu zögern Aktien zu kaufen: „Es kommt nur sehr selten vor, dass Sie so unbesorgt optimistisch sein können wie jetzt." Dieser Hellseher war Alan Greenspan, und es ist wirklich sehr selten, dass jemand so sehr daneben lag wie der spätere Vorsitzende der Federal Reserve an diesem Tag: 1973 und 1974 erwiesen sich als die schlimmsten Jahre für das wirtschaftliche Wachstum und die Börsen seit der Großen Depression.[143]

Können Profis das Timing an der Börse besser beurteilen als Alan Greenspan? „Ich sehe keinen Grund, nicht zu glauben, dass der größte Teil des Abschwungs

142 „The Truth About Timing", Barron's, 5. November 2001, S. 20. Die Überschrift zu diesem Artikel erinnert an das Grundprinzip für den intelligenten Investor. Immer, wenn Sie das Wort „Truth" (Wahrheit) in einem Artikel über Kapitalanlage sehen, dann halten Sie sich zurück; viele der folgenden Aussagen sind wahrscheinlich Lügen. (Einerseits hätte ein Investor, der 1966 für einen Dollar Aktien gekauft hätte, letztlich 40 $ und nicht 11,71 $ gehabt haben. Die in Barron's veröffentlichte Studie scheint die reinvestierten Dividenden übersehen zu haben.)

143 The New York Times, 7. Januar 1973, Sonderdruck „Economic Survey", S. 2, 19, 44.

hinter uns liegt", erklärte Kate Leary Lee, Präsidentin der Market-Timing-Firma R. M. Leary & Co., am 3. Dezember 2001. „Das ist der Zeitpunkt, zu dem man wieder einsteigen sollte", fügte sie hinzu und sagte voraus, dass im ersten Quartal 2002 die „Aktien gut aussehen" werden.[144] In den nächsten drei Monaten verdienten Aktien magere 0,28 % und waren damit um 1,5 Prozentpunkte schlechter als Barmittel.

Leary ist nicht allein. Eine Studie von zwei Professoren für Finanzwissenschaften an der Duke University stellte fest: Wenn man den Empfehlungen von 10 % der besten Newsletter zum Market-Timing gefolgt wäre, hätte man zwischen 1991 und 1995 einen Gewinn von jährlich 12,6 % realisiert. Hätte man aber nicht darauf gehört und sein Geld in einem Indexfonds angelegt, dann hätte man jährlich 16,4 % verdient.[145]

Wie schon der dänische Philosoph Sören Kierkegaard sagte: „Man kann das Leben nur im Rückblick verstehen – man muss es allerdings vorwärts leben." Im Rückblick kann man immer genau sehen, wann man hätte kaufen sollen und wann man sich von seinen Aktien hätte trennen sollen. Aber lassen Sie sich dadurch nicht zum Narren machen, der glaubt, er könne in Echtzeit erkennen, wann er einsteigen und wann er aussteigen sollte. An den Finanzmärkten ist im Rückblick immer alles richtig, doch der Blick in die Zukunft ist einem verstellt. Und deshalb ist das Market-Timing für die meisten Investoren praktisch und emotional unmöglich.[146]

What goes up ... (must come down)

Wie ein Raumschiff, das Geschwindigkeit aufnimmt, um in den Orbit vorzudringen, scheinen auch Wachstumsaktien der Schwerkraft widerstehen zu können.

---

144 Pressemeldung vom 3. Dezember 2001: „It´s a good time to be in the Market, sagt R. M. Leary & Company".

145 Sie hätten jährlich auch Tausende von Dollars an Abonnementkosten gespart (die von den Kalkulationen dieser Newsletter beim Errechnen des Gewinns nicht berücksichtigt wurden). Auch die Broker-Kosten und die Steuern auf kurzfristige Kapitalgewinne sind bei den Spekulanten, die immer den richtigen Zeitpunkt erwischen wollen, wesentlich höher als bei Investoren, die kaufen und ihre Papiere halten. Die Duke-Studie finden Sie bei John R. Graham und Campbell R. Harvey, „Grading the performance of Market-Timing Newsletters", Financial Analysts Journal, November/Dezember 1997, S. 54–66, auch unter www.duke.edu/ charvey/research.htm.

146 Vernünftigere Alternativen zum Market-Timing – Cost-Averaging und Umschichtung (Rebalancing) – finden Sie in den Kapiteln 5 und 8.

Sehen wir uns einmal die Flugbahnen der drei heißesten Wachstumsaktien der 90er-Jahre an: General Electrics (GE), Home Depot und Sun Microsystems (siehe Abbildung 7-1).

Von 1995 bis 1999 wurden sie jährlich größer und rentabler. Bei Sun verdoppelten sich die Erlöse, und bei Home Depot war es sogar noch mehr als das Doppelte. Laut *Value Line* wuchsen die Erlöse von GE um 29 % und der Gewinn um 65 %. Bei Sun und Home Depot verdreifachten sich die Gewinne nahezu.

Aber es ereignete sich noch etwas anderes – und das hätte Graham überhaupt nicht in Erstaunen versetzt: Je schneller diese Unternehmen wuchsen, desto teurer wurden ihre Aktien. Und wenn die Kurse schneller wachsen als die Unternehmen, dann meistens zum Leidwesen der Aktionäre. Wie Abbildung 7-2 zeigt: *Ein großartiges Unternehmen ist keine großartige Kapitalanlage, wenn man für die Aktie zu viel bezahlt.*

Je höher der Kurs einer Aktie gestiegen ist, umso eher scheint er weiterhin zu steigen. Doch dieser instinktive Glaube widerspricht einem Grundgesetz der Finanzphysik: Je größer sie werden, umso langsamer wachsen sie. Ein Unternehmen kann seinen Umsatz von 1 Milliarde $ leicht verdoppeln, aber wohin soll sich ein Unternehmen wenden, das 50 Milliarden $ umsetzt, um die anderen 50 Milliarden $ zu finden?

Wachstumsaktien sind einen Kauf wert, wenn die Kurse vernünftig sind. Doch wenn ihr KGV wesentlich über 25 oder 30 steigt, dann werden die Aussichten schlecht:

- Die Journalistin Carol Loomis fand heraus, dass von 1960 bis 1999 nur acht der 150 größten Unternehmen aus der Liste der *Fortune 500* es schafften, den durchschnittlichen Jahresgewinn mindestens 20 Jahre lang alljährlich um 15 % zu steigern.[147]
- Mit Blick auf die Daten von 50 Jahren zeigte die Research-Firma Sanford C. Bernstein & Co. dass sich nur 10 % der großen amerikanischen Unternehmen zumindest in fünf aufeinander folgenden Jahren um 20 % vergrößern konnten; nur 3 % wuchsen zumindest zehn Jahre nacheinander um 20 %, und kein einziges Unternehmen schaffte es 15 Jahre in Folge.[148]
- Eine akademische Untersuchung von Tausenden amerikanischer Aktien von 1951 bis 1998 deckte auf, dass alle zehn Jahre die Nettogewinne jährlich um 9,7 % gestiegen waren. Doch die 20 % der größten Unternehmen legten im Jahresdurchschnitt um nur 9,3 % zu.

---

147 Carol L. Loomis, „The 15 % Delusion". Fortune, 5. Februar 2001, S. 102–108.
148 Siehe Jason Zweig, „A Matter of Expectations", Money, Januar 2001, S. 49–50.

Abb. 7-1: Up, up and away

		1995	1996	1997	1998	1999
General Electric	Erlös (Mio. $)	43.013	46.119	48.952	51.546	55.645
	Gewinn/Aktie ($)	0,65	0,73	0,83	0,93	1,07
	Jährliche Aktien-rendite (%)	44,5	40,0	50,6	40,7	53,2
	KGV zum Jahresende	18,4	22,8	29,9	36,4	47,9
Home Depot	Erlös (in Mio. $)	15.470	19.536	24.156	30.219	38.434
	Gewinn/Aktie ($)	0,34	0,43	0,52	0,71	1,00
	Jährliche Aktien-rendite (%)	4,2	5,5	76,8	108,3	68,8
	KGV zum Jahresende	32,3	27,6	37,5	61,8	73,7
Sun Micro-systems	Erlös (in Mio. $)	5.902	7.095	8.598	9.791	11.726
	Gewinn/Aktie ($)	0,11	0,17	0,24	0,29	0,36
	Jährliche Aktien-rendite (%)	157,0	12,6	55,2	114,7	261,7
	KGV zum Jahresende	20,3	17,7	17,9	34,5	97,7

Quellen: Bloomberg, *Value Line*
Anmerkungen: Erlöse und Gewinn je Fiskaljahr; Aktiengewinn je Kalenderjahr, KGV = Kurs vom 31. Dezember, dividiert durch die verkündeten Gewinne der vorhergehenden vier Quartale

Abb. 7-2: Ausblick nach unten

	Aktienkurs 31.12.1999	Aktienkurs 31.12.2002	KGV 31.12.1999	KGV März 2003
General Electric	51,58 $	24,35 $	48,1	15,7
Home Depot	68,75 $	23,96 $	97,4	14,3
Sun Microsystems	38,72 $	38,72 $	12,3	Nicht möglich.

Quellen: www.morningstar.com, yahoo.marketguide.com

Selbst viele Unternehmensführer können diese Wahrscheinlichkeiten nicht verstehen (siehe folgender Kasten). Der intelligente Investor jedoch interessiert sich für große Wachstumsunternehmen nicht dann, wenn sie am populärsten sind, sondern dann, wenn etwas passiert, was nicht hätte passieren sollen. Im Juli 2002 gab Johnson & Johnson bekannt, dass Beamte der Fed Vorwürfe wegen falscher Buchführung bei einer seiner pharmazeutischen Fabriken untersuchten, und die

Aktie verlor an einem Tag 16 %. Dies hatte zur Folge, dass das KGV von 24 aus den vorhergehenden zwölf Monaten auf nur 20 fiel. Auf einem noch niedrigeren Niveau hätte J & J eine Wachstumsaktie werden können, mit viel Raum für Wachstum – und würde so zu einem „relativ unpopulären Großunternehmen", wie Graham es nannte.[149] Eine solche vorübergehende Unbeliebtheit kann dauernden Wohlstand begründen, wenn Sie in der Lage sind, ein großes Unternehmen zu einem guten Kurs zu kaufen.

Hohes Potenzial für potenziellen Rummel

Investoren sind nicht die Einzigen, die dem Wahn verfallen, dass Superwachstum ewig andauern kann. Im Februar 2000 wurde John Roth, der Vorstandsvorsitzende von Nortel Networks, gefragt, um wie viel seine riesige Glasfaserfabrik noch wachsen könne. „Die Branche wächst jährlich um 14 bis 15 %", antwortete Roth, „und wir werden um sechs Punkte schneller wachsen. Für ein Unternehmen unserer Größe ist das ziemlich viel." Nortels Aktie, die in den vergangenen Jahren fast jedes Jahr um 51 % zugelegt hatte, wurde damals mit dem 87fachen der von der Wall Street für 2000 erwarteten Gewinne gehandelt. War die Aktie zu teuer? „Es geht aufwärts", meinte Roth, „doch ist immer noch genügend Raum, unseren Wert zu erhöhen, da wir auf dem Gebiet der drahtlosen Strategie agieren." (Immerhin fügte er noch hinzu, dass Cisco mit einem KGV von 121 gehandelt würde!)[150]

Was Cisco anbelangt, so bestand dessen Vorstandsvorsitzender John Chambers noch im November 2000 darauf, dass sein Unternehmen jährlich um 50 % wachsen könne. „Die Logik", so sagte er, „wird erweisen, dass dies ein Durchbruch ist." Ciscos Aktie war gestrauchelt – damals wurde sie

149 Fast 20 Jahre zuvor, im Oktober 1982, verlor Johnson & Johnsons Aktie innerhalb einer Woche 17,5 %, denn es waren mehrere Menschen gestorben, nachdem sie Tylenol eingeatmet hatten, das von einem Unbekannten mit Zyanid vermischt worden war. Johnson & Johnson reagierte darauf , indem es als Erster Verpackungen verwendete, die gegen Eingriffe gesichert waren, und die Aktie wurde wieder zu einer der besten Investitionen der 80er-Jahre.

150 Lisa Gibbs, „Optic Uptick", Money, April 2000, S. 54–55.

zum 98fachen der Gewinne des Vorjahrs gehandelt –, und Chambers drängte die Anleger zu kaufen. „Auf wen wollen Sie also setzen?", fragte er. „Jetzt haben Sie die große Chance."[151]

Stattdessen schrumpften die Wachstumsunternehmen – und ihre überteuerten Aktien dümpelten vor sich hin. Nortels Erlöse fielen im Jahr 2001 um 37 %, und das Unternehmen verlor in diesem Jahr mehr als 26 Milliarden $. Ciscos Erlöse stiegen zwar 2001 um 18 %, doch letztlich musste man einen Nettoverlust von mehr als 1 Milliarden $ hinnehmen. Als Roth seine Ansichten kundtat, stand die Aktie bei 113,50 $, am Ende des Jahres waren es nur noch 1,65 $. Ciscos Aktien, die, als Chambers von seinem Unternehmen behauptete, es sei ein Ausreißer, noch zu 52 $ gehandelt wurden, schrumpften auf 13 $ zusammen.

Beide Aktiengesellschaften sind inzwischen sehr vorsichtig, wenn es um Vorhersagen über die Zukunft geht.

Sollten Sie alle Eier in einen Korb legen?

„Legen Sie alle Eier in einen Korb und passen sehr gut auf den Korb auf", sagte Andrew Carnegie vor 100 Jahren. „Streuen Sie Ihre Ziele nicht ... Die großen Erfolge des Lebens resultieren aus Konzentration." Und Graham sagt dazu: „Die wirklich großen Vermögen aus Aktien wurden von Leuten erzielt, die ihr gesamtes Vermögen in eine Investition packten, die sie außerordentlich gut kannten."

Fast alle reichen Leute in Amerika führen ihren Reichtum auf die konzentrierte Investition in eine Branche oder in ein einziges Unternehmen zurück (denken Sie an Bill Gates und Microsoft, Sam Walton und Wal-Mart oder die Rockefellers und Standard-Oil). Die *Forbes 400*, die Liste der reichsten Amerikaner, wurde beispielsweise immer von Menschen mit nicht diversifiziertem Vermögen dominiert, seit sie im Jahr 1982 zum ersten Mal erstellt wurde.

Allerdings hat nahezu keines von den mittelgroßen Vermögen diesen Weg genommen – und nur wenige große Vermögen sind auf diesem Weg geblieben. Was Carnegie nicht erwähnte, ist, dass die Konzentration auch für die größten

151 Brooke Southall, „Cisco's Endgame Strategie", InvestmentNews, 30. November 2000, S. 1, 23.

Fehler der Welt verantwortlich ist. Schauen wir noch einmal auf die Liste der Reichen von *Forbes*. Damals, 1982, lag der Nettowert eines Mitglieds der Liste bei durchschnittlich 230 Millionen $. Um es 2002 auf diese Liste zu schaffen, musste ein Mitglied der Liste durchschnittlich nur 4,5 % Rendite auf sein Vermögen erzielen – und das in einer Zeit, in der selbst Bankkonten weit mehr einbrachten und der Aktienmarkt im Durchschnitt um 13,2 % zulegte.

Wie viele standen auch noch 20 Jahre später auf der *Forbes*-Liste? Nur 64 der ursprünglichen Mitglieder – das sind kümmerliche 16 %. Weil sie alle Eier in einem Korb hielten, waren sie überhaupt auf die Liste gekommen – einstmals blühende Branchen wie Öl, Gas oder Computer. Alle anderen früheren Mitglieder schafften das nicht. Auf schwierige Zeiten war keiner dieser Menschen vorbereitet, obwohl ihnen alle Vorteile zur Verfügung stehen, die großer Reichtum mit sich bringt. Sie konnten nur danebenstehen und immer zusammenzucken, wenn sie das grausame Knacken hörten, das ertönte, wenn die ständig wechselnden Wirtschaftsbedingungen ihren Korb mit all ihren Eiern zerbrachen.[152]

Auf dem Wühltisch der Schnäppchen

Sie mögen nun vielleicht denken, dass es in unserer endlos vernetzten Welt doch eine Leichtigkeit sein müsste, eine Liste zusammenzustellen, die Grahams Bedingungen für Schnäppchen entspricht, und diese dann zu kaufen. Doch obwohl das Internet eine große Hilfe darstellt, müssen Sie einen großen Teil der Arbeit immer noch per Hand erledigen.

Nehmen Sie nur einmal eine Ausgabe des *Wall Street Journals* von heute, suchen Sie die Rubrik „Geld und Investitionen" und werfen einen Blick auf die NYSE- und Nasdaq-Ranglisten: Hier finden Sie die aktuelle Liste von Aktien, die auf neue Tiefs des letzten Jahres fielen – eine schnelle und einfache Möglichkeit, nach Unternehmen zu suchen, die Grahams Kriterien hinsichtlich des Nettoumlaufvermögens entsprochen hätten. (Gehen Sie im Internet zur Adresse http://quote.morningstar.com/highlow.html?msection=HighLow.)

Um herauszufinden, ob eine Aktie zu weniger als dem Nettoumlaufvermögen des Unternehmens gehandelt wird (die Graham-Anhänger „Nets Nets" nennen), laden Sie den neuesten Quartalsbericht oder Jahresbericht des Unternehmens

152 Für die Beobachtung, wie man auf der Liste bleibt – was erstaunlich schwierig ist –, bin ich dem Investmentmanager Kenneth Fisher (Kolumnist bei *Forbes*) zu großem Dank verpflichtet.

aus der EDGAR-Datenbank unter www.sec.gov auf Ihren Computer. Vom Umlaufvermögen ziehen Sie die gesamten Verbindlichkeiten ab, ebenso die Vorzugsaktien oder langfristigen Kredite. (Oder Sie sehen einfach in der örtlichen Bibliothek in der letzten Ausgabe von *Value Line Investment Survey* nach und sparen damit auch noch die hohen Abonnementkosten. In jeder Ausgabe finden Sie eine Liste von „Bargain Basement Stocks", die der Beschreibung von Graham recht nahe kommen.) Die meisten dieser Aktien kommen aus den kürzlich ausgebombten Bereichen High-Tech und Telekommunikation.

Am 31. Oktober 2002 zum Beispiel hatte Comverse Technology ein Umlaufvermögen von 2,4 Milliarden $ und Gesamtschulden in Höhe von 1 Milliarde $, womit ein Nettoumlaufvermögen von 1,4 Milliarden $ verbleibt. Bei weniger als 190 Millionen Aktien und einem Aktienkurs von weniger als 8 $ wies Comverse eine Marktkapitalisierung von knapp unter 1,4 Milliarden $ auf. Weil die Aktie nicht teurer gehandelt wurde, als es dem Wert der Barmittel und des Inventars von Comverses entspricht, wurden die laufenden Geschäfte praktisch gratis dazugegeben. Wie Graham wusste, kann man aber auch mit einer Aktie wie Comverse Geld verlieren – und genau deshalb sollten Sie diese nur dann kaufen, wenn Sie gleichzeitig einige Dutzend dieser Art finden und sie geduldig halten. Doch bei all diesen sehr seltenen Gelegenheiten, wenn Mr. Market so viele wirkliche Schnäppchen hervorbringt, können Sie nicht sicher sein, ob Sie damit Geld verdienen.

Und wie sieht es mit Ihrer Auslandsstrategie aus?

In ausländische Aktien anzulegen ist für den intelligenten Investor kein Muss, doch ist es unbedingt anzuraten. Weshalb? Lassen Sie uns einen Gedanken durchspielen. Es ist Ende 1989, und Sie sind Japaner. Hier sind die Fakten:

- In den vergangenen zehn Jahren wuchs der Aktienmarkt um durchschnittlich 21,2 % – viel mehr als die 17,5 %, die in den USA zu erzielen waren.
- Japanische Unternehmen kaufen alles, was es in den USA zu kaufen gibt: angefangen beim Pebble-Stone-Golfkurs bis hin zum Rockefeller Center; inzwischen melden amerikanische Firmen wie Drexel Burnham Lambert, Financial Corp of America und Texaco Konkurs an.
- Die High-Tech-Branche in den USA stirbt. Japan boomt.

1989 können Sie im Land der aufgehenden Sonne nur zu dem Schluss kommen, es sei das Dümmste seit der Erfindung der Sushi-Automaten, nicht in Japan zu investieren. Natürlich legen Sie Ihr gesamtes Geld in japanischen Aktien an.

Das Ergebnis? Im nächsten Jahrzehnt verlieren Sie etwa zwei Drittel Ihres Geldes.

Die Lehre? Es ist nicht so, dass Sie keinesfalls im Ausland, etwa in Japan, investieren sollten. Die Lehre lautet vielmehr, dass die Japaner niemals ihr gesamtes Geld im Inland hätten halten sollen. Und Sie sollten es auch nicht tun. Wenn Sie in den USA leben und Ihr Gehalt in US-$ ausbezahlt bekommen, dann setzen Sie ja bereits auf die amerikanische Wirtschaft. Wenn Sie umsichtig sind, dann investieren Sie einen Teil Ihres Geldes im Ausland - ganz einfach, weil niemand nirgendwo wissen kann, was die Zukunft im Inland oder im Ausland bringen wird. Legen Sie etwa ein Drittel Ihres Geldes für Aktien in Investmentfonds an, die ausländische Aktien halten (auch in Emerging Markets). Das hilft, sich gegen das Risiko abzusichern, dass Ihr eigener Hinterhof nicht unbedingt der beste Platz der Welt ist, um dort Geld anzulegen.

Kapitel 8

Der Investor und die Schwankungen an der Börse

In dem Ausmaß, in dem das Anlagekapital eines Investors in erstklassigen Anleihen mit relativ kurzer Restlaufzeit angelegt ist – etwa sieben Jahre oder weniger –, wird er nicht stark von Veränderungen der Marktpreise beeinflusst und braucht auch nicht besonders darauf zu achten. (Dies gilt auch für die US-Savings-Bonds, die er immer zum Einstandspreis oder höher zurückgeben kann.) Seine langfristigeren Anleihen machen während ihrer Laufzeit relativ weite Kursausschläge durch, und sein Aktienportfolio wird mit ziemlicher Sicherheit immer wieder über einige Jahre hinweg Wertschwankungen unterworfen sein.

Der Investor sollte diese Möglichkeiten kennen und darauf sowohl finanziell als auch psychologisch vorbereitet sein. Er wird sich bemühen, von den Schwankungen im Marktniveau zu profitieren – sicherlich von einem Kursanstieg seiner Aktienbeteiligungen im Zeitablauf, vielleicht auch durch Käufe und Verkäufe zu vorteilhaften Kursen. Dieses Interesse seinerseits ist unausweichlich und auch legitim. Doch birgt es auch die konkrete Gefahr, dass er zu spekulativen Einstellungen und Verhaltensweisen verführt wird. Für uns ist es einfach, Ihnen zu empfehlen, nicht zu spekulieren, Sie aber werden Schwierigkeiten haben, diesem Rat zu folgen. Wiederholen wir noch einmal, was wir am Anfang gesagt haben: Wenn Sie spekulieren wollen, dann sollten Sie es mit offenen Augen tun, weil Sie wissen, dass Sie letztlich Geld verlieren werden. Stellen Sie sicher, dass Sie das Risiko begrenzen, und halten Sie dieses Geld vollkommen getrennt von Ihrem Anlageprogramm.

Zuerst werden wir uns mit dem wichtigen Aspekt der Kursschwankungen bei Aktien beschäftigen und später zum Bereich der Anleihen kommen. In Kapitel 3 stellten wir einen historischen Überblick des Aktienmarktes über einen Zeitraum von 100 Jahren vor. In diesem Abschnitt werden wir immer wieder auf dieses Datenmaterial zurückkommen, um zu sehen, was die frühere Leistungsbilanz dem Investor verspricht – zum einen in Bezug auf die langfristige Kurssteigerung eines Portfolios, das relativ unverändert über Anstiege und Rückschläge hinweg gehalten wird, zum anderen hinsichtlich der Käufe in der Nähe eines Bärenmarktes und des Verkaufs nicht zu weit unter den Hochs eines Bullenmarktes.

Marktschwankungen als Richtlinie für Anlageentscheidungen

Da Aktien stets Opfer wiederholter und weiter Kursschwankungen sind, sollte sich der intelligente Investor überlegen, ob und wie er von diesen Pendelausschlägen profitieren kann. Es gibt zwei mögliche Wege, auf denen dies gelingen kann: den Weg des *Timings* und den Weg des *Kurses*. Wenn wir von Timing sprechen, dann meinen wir die Methode, die Aktionen des Aktienmarkts zu antizipieren – also zu kaufen und zu halten, wenn die Kurse wahrscheinlich steigen werden, und zu verkaufen oder sich bei Käufen zurückzuhalten, wenn die Kurse voraussichtlich fallen werden. Mit dem Ausrichten an Kursen meinen wir das Vorhaben, Aktien zu kaufen, wenn sie unter ihrem fairen Wert notiert sind, und sie zu verkaufen, sobald sie diesen Wert überschritten haben. Eine weniger ehrgeizige Form des Pricing (Kursbeobachtung) besteht schlichtweg darin, nicht zu viel zu bezahlen, wenn Sie Aktien kaufen. Für den defensiven Investor mag das ausreichen, weil sein Anlageschwerpunkt darauf liegt, die Titel langfristig zu halten; dies erfordert nur ein Minimum an Aufmerksamkeit [29].

Wir sind überzeugt, dass der intelligente Investor mit Pricing zufrieden stellende Ergebnisse erzielen kann. Wir sind uns aber auch sicher, dass er, wenn er seinen Schwerpunkt auf das Timing im Sinne von Prognosen legt, letztlich als Spekulant – und mit den Ergebnissen eines Spekulanten – enden wird. Für den Laien wird dieser Unterschied ziemlich klein sein, und an der Wall Street wird er nicht allgemein akzeptiert. Aus Geschäftsgebaren, oder vielleicht auch aus echter Überzeugung, scheinen die Aktien-Broker und die Anlageberater an den Grundsatz gebunden zu sein, dass sowohl Aktieninvestoren als auch Aktienspekulanten den Prognosen zum Aktienmarkt unbedingt Beachtung schenken sollten.

Wir sind überzeugt: Je weiter man sich von der Wall Street entfernt, umso mehr wird man auf Skepsis in Bezug auf Börsenprognosen und Timing stoßen. Der Investor kann die zahlreichen Prognosen, die alltäglich veröffentlicht werden, kaum ernst nehmen und wird sie in Frage stellen. Dennoch beachtet er sie in vielen Fällen und agiert auch entsprechend. Weshalb? Weil er überredet wurde, dass es für ihn wichtig sei, sich über den künftigen Weg der Börse eine Meinung zu bilden, und weil er das Gefühl hat, dass die Prognosen der Broker oder Anlageberater zuverlässiger sind als seine eigenen.[153]

Es würde den Umfang des vorliegenden Buches sprengen, wenn wir die Vor- und Nachteile der Börsenvorhersagen in allen Einzelheiten diskutierten. Viel Geisteskraft wird auf diesem Gebiet verschwendet, und zweifelsohne gibt es *einige* Leute, die mit guten Aktienanalysen viel Geld verdienen. Doch ist es absoluter Unsinn zu glauben, dass die allgemeine Öffentlichkeit jemals von derartigen Prognosen profitieren könnte. Denn wer wird kaufen, wenn die Allgemeinheit, wie auf ein Signal hin, losrennt und mit Gewinn verkauft? Wenn Sie erwarten, in einigen Jahren reich zu sein, weil Sie irgendeinem System folgen oder einem „Leithammel" nachlaufen, dann müssen Sie damit rechnen, dass Sie genau das zu tun versuchen, was zahllose Konkurrenten an der Börse ebenfalls tun wollen. Weder aus logischen Gründen noch aus der Erfahrung heraus gibt es einen Grund anzunehmen, dass irgendein typischer oder durchschnittlicher Investor die künftigen Marktbewegungen erfolgreicher antizipieren kann als die Allgemeinheit, zu der ja auch er zählt.

153 In den späten 90er-Jahren wurden die Prognosen der „Marktstrategen" einflussreicher als je zuvor. Leider waren sie nicht besonders genau. Am 10. März 2000, genau an dem Tag, als die Nasdaq mit 5.048,62 Punkten den höchsten Stand aller Zeiten erreichte, sagte Ralph Acampora, der Chefanalyst der technischen Analyse bei Prudential Securities in USA Today, er erwarte, dass die Nasdaq innerhalb von zwölf bis 18 Monaten 6.000 Punkte erreichen werde. Fünf Wochen später war sie bereits auf 3.321,29 Punkte geschrumpft – doch Thomas Galvin, der Marktstratege bei Donaldson, Lufkin & Jenrette, erklärte, dass es an der Nasdaq nur noch um 200 oder 300 Punkte abwärts gehen könne, während nach oben hin 2.000 Punkte Luft sei. Wie sich herausstellte, gab es keinen einzigen Punkt nach oben, dafür 2.000 Punkte nach unten, als die Nasdaq weiter abstürzte, bis sie letztlich, am 9. Oktober 2002 bei 1.114,11 Punkten landete. Im März 2001 sagte Abby Joseph Cohen, Chefstrategin für Kapitalanlagen, voraus, der S&P 500 werde am Jahresende mit 1.650 Punkten schließen, und der Dow Jones Industrial Average werde es noch bis auf 13.000 Punkte schaffen. „Wir erwarten keine Rezession", sagte Cohen, „und wir sind überzeugt, dass die Unternehmensgewinne wahrscheinlich gegen Ende des Jahres den Wachstumstrend wieder aufnehmen werden." Die amerikanische Wirtschaft versank in einer Rezession, noch während sie sprach, der S&P schloss 2001 mit 1.148,08 Punkten, während der Dow das Jahr mit 10.021,50 Punkten beendete, also mit 30 und 23 % weniger als ihre Vorhersagen.

Es gibt einen Aspekt der „Timing-Philosophie", die der Aufmerksamkeit aller entgangen zu sein scheint. Das Timing ist für den Spekulanten von großer psychologischer Bedeutung, weil er seine Gewinne schnell mitnehmen will. Die Vorstellung, ein Jahr lang warten zu müssen, bis der Kurs seiner Aktie steigt, wirkt auf ihn geradezu abschreckend. Doch für den Investor hat eine Zeit des Wartens an sich keine Konsequenzen. Welchen Vorteil hat er, wenn er sein Geld gerade nicht investiert hat, bis er ein (vermutlich) zuverlässiges Signal erhält, dass es nun an der Zeit sei zu kaufen? Wenn er sein Geld gerade nicht investiert hat, dann hat er nur dann einen Vorteil, wenn er später zu günstigeren Kursen kaufen kann, die seinen Einkommensverlust durch fehlende Dividenden ausgleichen können. Das bedeutet, dass Timing für den Investor an sich wertlos ist, außer es trifft mit dem richtigen Kurs zusammen – das heißt, wenn sich die Möglichkeit bietet, seine Aktien zu einem Kurs zurückzukaufen, der wesentlich unter dem vorherigen Verkaufspreis liegt.

In dieser Hinsicht kann die berühmte Dow-Theorie für das Timing von Kauf und Verkauf auf eine äußerst ungewöhnliche Geschichte zurückblicken.[154] Diese Technik erhält ihr Kaufsignal von einer speziellen Art des „Durchbruchs" des Aktiendurchschnitts nach oben und das Verkaufssignal von einem ähnlichen Durchbruch nach unten. Die kalkulierten – nicht unbedingt aktuellen – Ergebnisse dieser Methode wiesen von 1897 bis in die frühen 60er-Jahre eine fast ununterbrochene Serie von Gewinnen aus. Auf der Grundlage dieser Präsentation hätte sich der praktische Wert der Dow-Theorie tatsächlich etabliert; Zweifel – wenn es denn welche gab – hätten sich nur auf die Zuverlässigkeit der veröffentlichten Leistungsbilanz als ein Bild dessen bezogen, was der Dow-Theoretiker tatsächlich getan hätte.

Ein genaueres Studium der Zahlen lässt darauf schließen, dass die Qualität der Ergebnisse der Dow-Theorie sich nach 1938 radikal veränderte – nur wenige Jahre, nachdem diese Theorie an der Wall Street ernst genommen wurde. Die spektakuläre Leistung bestand darin, dass bei 306 Punkten, etwa einen Monat vor dem Crash von 1929, ein Verkaufssignal gegeben wurde und die Anhänger dieser Theorie vor dem riesigen Bärenmarkt bewahrt wurden, bis sich 1933, bei 84, die Situation wieder normalisierte. Doch von 1938 an funktionierte die Dow-Theorie nur noch insofern, als sie den Anhängern sagte, sie sollten bei einem recht günstigen Kurs aussteigen und bei einem höheren Kurs wieder einsteigen. Die folgen-

154 Siehe Seite 19.

den 30 Jahre wäre man besser gelegen, wenn man den DJIA nur gekauft und gehalten hätte [30].

Unserer Ansicht nach - und auf der Grundlage vieler Studien zu diesem Thema - ist die Veränderung der Ergebnisse der Dow-Theorie kein Zufall. Sie macht eine angeborene Eigenschaft der Prognose und des Formel-Tradings im Bereich Wirtschaft und Finanzen deutlich. Diese Formeln, die Anhänger gewinnen und an Bedeutung zunehmen, funktionieren eine Zeit lang nur, weil sie plausibel auf die Ergebnisse der Vergangenheit angewendet wurden. Wenn die Akzeptanz jedoch zunimmt, verlieren sie meist ihre Zuverlässigkeit. Das hat zwei Gründe: Erstens bringt der Lauf der Zeit neue Bedingungen mit sich, zu denen die alte Formel nicht mehr passt. Zweitens hat die Popularität einer Trading-Theorie an der Börse selbst einen Einfluss auf das Marktverhalten, was damit langfristig die rentablen Chancen mindert. (Die Popularität etwa der Dow-Theorie scheint ihre eigene Rechtfertigung zu schaffen, da sie durch die Aktionen der Anhänger die Kurse steigen oder fallen lässt, wenn ein Kaufsignal oder ein Verkaufssignal gegeben wird. Ein „Ansturm" dieser Art ist für den normalen Trader natürlich eine wesentlich größere Gefahr, als es einen Vorteil darstellt.)

Das Konzept „Billig kaufen – teuer verkaufen"

Wir sind überzeugt, dass der durchschnittliche Investor mit Kursbewegungen nicht erfolgreich umgehen kann, wenn er versucht, diese zu prognostizieren. Kann er davon profitieren, nachdem sie sich ereignet haben - das heißt, wenn er nach jedem Abschwung kauft und nach jedem größeren Aufschwung verkauft? Die Schwankungen an der Börse über mehrere Jahre hinweg im Zeitraum bis 1950 schienen dieses Vorgehen empfehlenswert zu machen. Tatsächlich war es ein Kennzeichen eines „scharfsinnigen" Investors, dass er in einem Bärenmarkt kauft, wenn alle anderen verkaufen, und in einem Bullenmarkt verkauft, wenn alle anderen kaufen. Wenn wir Chart I untersuchen, der die Schwankungen des S&P Composite Index zwischen 1900 und 1970 aufzeichnet, und dazu die Zahlen in Tabelle 3-1 betrachten, so können wir leicht erkennen, weshalb diese Ansicht bis vor wenigen Jahren durchaus ihre Gültigkeit hatte.

Zwischen 1897 und 1949 gab es zehn komplette Marktzyklen, die vom Tiefpunkt des Bärenmarkts zum Höchstpunkt des Bullenmarkts und wieder zurück verliefen. Sechs dieser Zyklen dauerten nicht länger als vier Jahre, vier dauerten sechs oder sieben Jahre, und einer - der berühmte Zyklus des „neuen Zeitalters" von 1921 bis 1932 – dauerte elf Jahre lang. Die Raten des Aufschwungs von den Tiefs bis zu den Hochs reichten von 44 % bis zu 500 %, die meisten lagen zwischen 50 % und 100 %. Der Prozentsatz der folgenden Abschwünge reichte von 24 % bis 89 %, wobei die meisten zwischen 40 % und 50 % lagen. (Wir sollten an dieser Stelle daran erinnern, dass ein Abschwung von 50 % einen vorherigen Aufschwung von 100 % zunichtemacht.)

Fast allen Bullenmärkte war eine Reihe genau definierter Eigenschaften gemein, etwa (1) ein historisch hohes Kursniveau, (2) ein hohes KGV, (3) geringe Dividendenerträge im Vergleich zu den Renditen von Anleihen, (4) viel Spekulation auf Marge und (5) viele Erstemissionen von Aktien minderer Qualität. Somit erschien es demjenigen, der die Aktiengeschichte verfolgte, dass der intelligente Investor in der Lage gewesen sein sollte, die immer wiederkehrenden Bären- und Bullenmärkte zu erkennen, im Ersteren zu kaufen und im Letzteren zu verkaufen und das Procedere innerhalb von relativ kurzen Abständen zu wiederholen. Verschiedene Methoden wurden entwickelt, um die Niveaus für Kauf und Verkauf zu bestimmen, basierend entweder auf Wertfaktoren oder auf prozentualen Kursbewegungen oder gar beidem.

Wir müssen jedoch betonen, dass es selbst vor dem unvorhergesehenen Bullenmarkt, der 1949 begann, noch genügend Variationen in den aufeinander folgenden Marktzyklen gab, die das Billig-Kaufen und Teuer-Verkaufen erschwerten und manchmal auch zu Frustrationen führten. Die bemerkenswerteste Abweichung war natürlich der große Bullenmarkt Ende der 20er-Jahre, der alle Berechnungen über den Haufen warf.[155] Selbst im Jahr 1949 war es deshalb keinesfalls sicher, dass der Investor seine Anlagestrategie und seine Vorhaben hauptsächlich darauf richten konnte, in Bärenmärkten billig zu kaufen und in Bullenmärkten teuer zu verkaufen.

---

155 Ohne die Bärenmärkte, die Aktienkurse fallen lassen, wird sich jeder, der billig kaufen will, verlassen vorkommen – und allzu oft wird er alle Vorsicht fallen lassen und mit beiden Füßen in den Markt springen. Deshalb ist Grahams Botschaft zur Bedeutung der emotionalen Disziplin so wichtig. Von Oktober 1990 bis Januar 2000 stieg der Dow Jones unentwegt an, verlor nie mehr als 20 %, und nur drei Mal erlitt er einen Verlust von 10 % oder mehr. Der Gesamtgewinn (ohne Dividenden) betrug 395,7 %. Laut Crandall, Pierce & Co. war dies der zweitlängste ununterbrochene Bullenmarkt des letzten Jahrhunderts. Lediglich der Boom von 1949 bis 1962 dauerte länger. Je länger ein Bullenmarkt andauert, umso stärker sind Investoren der Vergesslichkeit ausgesetzt; nach etwa fünf Jahren glauben viele Anleger, dass es gar nicht mehr zu Bärenmärkten kommen könne. All diejenigen, die vergessen, werden erinnert; und an der Börse sind die wieder gefundenen Erinnerungen immer sehr unangenehm.

In der Folge stellte sich heraus, dass das Gegenteil richtig war. Das Verhalten der Börsen in den zurückliegenden 20 Jahren folgte weder den früheren Mustern, noch gehorchte es den früher zuverlässigen Signalen, noch ermöglichte es eine gute Ernte, wenn man die alten Regeln anwendete, billig zu kaufen und teuer zu verkaufen. Ob das alte, ziemlich regelmäßige Muster der Bullen- und Bärenmärkte letztlich wiederkehren wird, wissen wir nicht. Doch halten wir es für eher unrealistisch, dass der Investor sich darauf einlassen wird, seine derzeitige Strategie auf die klassische Formel zu stützen - das heißt, auf einen deutlich erkennbaren Bärenmarkt zu warten, bevor er überhaupt daran denkt, Aktien zu kaufen. Die von uns empfohlene Strategie sorgt jedoch vor, dass es Veränderungen beim Anteil der Aktien zugunsten des Anleihenanteils geben kann, wenn der Investor dies wünscht - je nachdem, wie attraktiv oder weniger attraktiv die Aktienkurse auf der Grundlage ihrer Werte erscheinen mögen.

Formel-Pläne

In den frühen Jahren des Börsenaufschwungs, der zwischen 1945 und 1950 begann, interessierten sich viele Anleger für verschiedene Methoden, wie man von den Zyklen der Börse profitieren könnte. Diese waren unter dem Namen „Formula Investmentplans" bekannt. Das Wesentliche dieser Pläne - außer beim einfachen Cost-Averaging - ist, dass der Investor automatisch immer nur ein wenig verkauft, wenn der Markt deutlich angestiegen ist. In vielen Fällen würde ein sehr starker Anstieg der Kurse zum Verkauf sämtlicher Aktien führen; andere würden unter allen Umständen einen kleinen Aktienanteil behalten.

Diese Strategie war doppelt reizvoll: Erstens erschien sie logisch (und auch konservativ), und zweitens zeitigte sie hervorragende Ergebnisse, wenn sie im Rückblick über mehrere Jahre hinweg angewendet wurde. Leider kam sie just zu der Zeit in Mode, als sie am schlechtesten funktionierte. Viele „Formel-Planer" waren irgendwann Mitte 1950 komplett oder teilweise aus dem Aktienmarkt gefegt. Es trifft zwar zu, dass sie hervorragende Gewinne erzielt hatten, doch dann war ihnen der Markt davongelaufen, und ihre Formeln gaben ihnen kaum Gelegenheit, eine Aktienposition zurückzukaufen.[156]

156 Viele dieser „Formel-Planer" hätten Ende 1954 all ihre Aktien verkauft, nachdem der Aktienmarkt um 52,6 % gestiegen war; das war damals der zweithöchste Jahresgewinn, der je erzielt wurde. In den nächsten fünf Jahren wären diese Market-Timer wahrscheinlich aus dem Spiel geblieben, als sich das Kursniveau verdoppelte.

Es gibt eine Ähnlichkeit zwischen der Erfahrung jener, die diese Strategie des „Formel-Investing" zu Beginn der 50er-Jahre anwendeten, und der Sichtweise der Anhängern einer rein mechanischen Version der Dow-Theorie 20 Jahre zuvor. In beiden Fällen kennzeichnete die beginnende Popularität fast genau den Zeitpunkt, zu dem das System aufhörte zu funktionieren. Wir selbst hatten eine ähnlich beunruhigende Situation mit unserer eigenen „Central Value Method", die das Niveau des DJIA für Kauf und Verkauf bestimmen sollte. Die Lehre daraus scheint zu sein, dass jede Strategie, mit der man an der Börse Geld verdienen kann, die zudem einfach beschrieben werden kann und von vielen Anlegern befolgt wird, schlichtweg zu einfach und zu leicht zu begreifen ist, um von Dauer zu sein.[157] Spinozas abschließende Bemerkung trifft auf die Wall Street ebenso zu wie auf die Philosophie: „Alles Herausragende ist ebenso schwierig wie selten."

Marktschwankungen im Portfolio des Investors

Jeder Investor, der Aktien besitzt, muss damit rechnen, dass deren Wert über die Jahre hinweg schwankt. Das Verhalten des DJIA seit der letzten Auflage des Buches, die wir 1964 schrieben, zeigt recht gut, was mit dem Portfolio eines konservativen Anlegers geschieht, der seine Aktienbeteiligungen auf große, prominente und konservativ finanzierte Unternehmen begrenzt. Der gesamte Wert stieg von durchschnittlich 890 auf ein Hoch von 995 im Jahr 1966 (und 1968 wieder auf 985), fiel 1970 auf 631 und erholte sich 1971 auf 940 Zähler. (Da die einzelnen Titel ihre Höchst- und Tiefstmarken zu unterschiedlichen Zeiten erreichten, wogen die Schwankungen im Dow Jones weniger schwer als bei den einzelnen Unternehmen.) Wir haben die Kursschwankungen anderer diversifizierter und konservativer Aktienportfolios untersucht und entdeckt, dass die Ergebnisse nicht weit von den obigen abweichen. Im Allgemeinen schwanken die Kurse von Aktien von Unternehmen aus der zweiten Reihe[158]

---

157 Einfache Wege, um an der Börse Geld zu verdienen, schwinden aus zwei Gründen: die natürliche Tendenz zu einer Trendwende – „die Rückkehr zum Durchschnitt" – und die schnelle Übernahme des Schemas der Aktienauswahl durch viele Menschen, die sich in den Aktienmarkt drängen und all jenen den Spaß verderben, die zuerst da waren. (Beachten Sie: Wenn sich Graham auf die beunruhigende Situation bezieht, dann ist er – wie immer – ehrlich genug, seine Fehler einzugestehen.) Siehe Jason Zweig, „Murphy was an Investor", Money, Juli 2002, S. 61–62, und Jason Zweig, „New Year's Play", Money, Dezember 2000, S. 89–90.

158 Das, was Graham „Unternehmen der zweiten Reihe" nennt, würde heute jede der Tausenden von Aktien erfüllen, die 500 Aktien aus dem S&P nicht eingeschlossen. Eine regelmäßig überarbeitete Liste der Aktien im S&P finden Sie unter www.standardandpoors.com.

wesentlich stärker als die Aktien großer Unternehmen. Doch das bedeutet nicht automatisch, dass eine Gruppe etablierter, jedoch kleinerer Unternehmen über einen längeren Zeitraum hinweg schlechter abschneiden muss. In jedem Fall sollte der Investor sich im Voraus damit abfinden und die Möglichkeit in Erwägung ziehen, dass die meisten seiner Aktien um mehr als 50 % von ihrem Tiefpunkt steigen und dann in den nächsten fünf Jahren wieder um ein Drittel oder mehr sinken.[159]

Ein ernsthafter Investor wird wahrscheinlich nicht davon ausgehen, dass die täglichen oder monatlichen Schwankungen an der Börse ihn reicher oder ärmer machen. Was ist aber mit den langfristigen und stärkeren Schwankungen? Hier stellt sich eine praktische Frage ganz von selbst, und die psychologischen Probleme werden wahrscheinlich komplizierter. Ein deutlicher Anstieg im Markt ist plötzlich ein legitimer Grund, zufrieden zu sein, aber auch ein Grund für vorsichtigen Pessimismus. Er könnte aber auch eine starke Versuchung mit sich bringen, etwas Unvorsichtiges zu tun. Ihre Aktien sind gestiegen, gut! Sie sind nun reicher als zuvor, gut! Ist der Kurs jedoch *zu hoch* gestiegen, und Sie denken daran, den Titel zu verkaufen? Oder sollten Sie sich selbst in den Allerwertesten treten, weil Sie nicht mehr gekauft haben, als das Niveau noch niedriger war? Oder – das wäre das Schlimmste – sollten Sie sich nicht einfach dem Gefühl des Bullenmarktes hingeben, sich von der Begeisterung anstecken lassen, von zu großem Selbstvertrauen oder der Gier der großen Mehrheit (wovon Sie immerhin auch ein Teil sind) und sich auf größere und gefährlichere Abenteuer einlassen? Wenn man das so liest, ist die Antwort auf die letzte Frage ein klares „NEIN", aber selbst ein intelligenter Investor braucht einen ungeheuer starken Willen, um nicht den Massen zu folgen.

Gerade wegen dieser menschlichen Eigenschaften – viel mehr als wegen der Berechnung von finanziellem Gewinn oder Verlust – bevorzugen wir eine mechanische Methode, um den Anteil der Aktien und Anleihen im Portfolio eines Anlegers zu variieren. Der vielleicht wichtigste Vorteil besteht darin, dass eine derartige

159 Beachten Sie genau, was Graham hier sagt. Es ist nicht nur möglich, sondern wahrscheinlich, dass die meisten Ihrer Aktien von ihrem Tiefstpunkt aus um 50 % steigen und danach etwa 33 % von ihrem Höchststand verlieren – gleichgültig, welche Aktien Sie besitzen, oder ob der Markt insgesamt steigt oder fällt. Wenn Sie damit nicht leben können – oder wenn Sie glauben, dass Ihr Portfolio auf wundersame Weise davon ausgenommen ist –, dann dürfen Sie sich auch nicht Investor nennen. (Graham bezieht sich auf einen Abschwung von 33 % als dem Drittel, weil eine 10-$-Aktie, die um 50 % steigt, auf 15 $ kommt. Ein Verlust von 33 % oder ein Rückschlag um 5 $ bringt sie genau auf die Marke von 10 $, bei der sie angefangen hat.)

Formel *dem Anleger etwas zu tun gibt.* Wenn der Markt zulegt, dann wird er ab und zu einige seiner Aktien verkaufen und den Erlös in Anleihen anlegen; wenn der Markt fällt, wird er es genau umgekehrt machen. Diese Aktivitäten ermöglichen es ihm, seiner aufgestauten Energie freien Lauf zu lassen. Wenn er ein richtiger Investor ist, dann wird er die steigende Zufriedenheit daraus schöpfen, dass er genau das Gegenteil von dem tut, was die Massen tun.[160]

Unternehmensbewertung oder Börsenwert

Die Auswirkungen der Marktschwankungen auf die wahre Situation des Investors können auch aus der Perspektive eines Aktionärs betrachtet werden, der sich an mehreren Unternehmen beteiligt. Der Eigner marktfähiger Anteile hat einen doppelten Status und damit auch das Privileg, wahlweise von dem einen oder dem anderen zu profitieren. Einerseits ist seine Position analog der eines Kleinaktionärs oder eines stillen Gesellschafters einer Firma in Privathand. In diesem Fall sind seine Gewinne völlig von den Gewinnen der Firma oder von einer Veränderung des zugrunde liegenden Vermögenswertes abhängig. Wahrscheinlich würde er den Wert einer derartigen Beteiligung an einem Privatunternehmen berechnen, indem er seinen Anteil aus dem in der letzten Bilanz ausgewiesenen Nettowert berechnet. Andererseits hat der Aktionär ein Stück Papier, ein Aktienzertifikat, das er zu einem Kurs, der sich jeden Augenblick ändern kann, innerhalb weniger Minuten verkaufen kann – wenn die Börse geöffnet ist – und der von dem in der Bilanz ausgewiesenen Wert oft sehr weit entfernt ist.[161]

Die Entwicklung der Börsen in den zurückliegenden Jahrzehnten machten den Investor wesentlich stärker abhängig von den Kursnotierungen und weniger frei als früher, als er sich noch als Miteigentümer eines Unternehmens fühlen konnte. Dies liegt daran, dass die erfolgreichen Firmen, in die er wahrscheinlich den größten Teil seines Anlagekapitals investieren wird, fast ständig zu Kursen gehandelt werden, die weit über dem Nettoanlagewert (oder Buchwert oder Bilanzwert) gehandelt werden. Wenn der Investor diese Aufschläge bezahlt, dann setzt

160 Für den Investor von heute wäre es wohl am besten, die Formel des „Rebalancing" zu nutzen, die wir auf den Seiten 122–123 beschrieben haben.

161 Die meisten Unternehmen stellen nur dann ein Aktienzertifikat aus, wenn dies ausdrücklich gewünscht wird. Zum größten Teil existieren Aktien in rein elektronischer Form (ebenso wie Ihr Bankkonto nur vom Computer berechnete Salden enthält, nicht jedoch Währung in irgendeiner Form), und damit wurde es einfacher, sie zu handeln, als es noch zu Grahams Zeiten war.

er sich dem Glücksfaktor aus, denn er macht sich von der Börse abhängig, die seine Beteiligungen bewertet.[162]

Dies ist beim heutigen Investieren ein äußerst wichtiger Faktor, hat aber leider weniger Aufmerksamkeit erfahren, als er es eigentlich verdient hätte. Die gesamte Struktur der Aktiennotierungen birgt einen Widerspruch in sich: Je besser die Leistungsbilanz und die Aussichten eines Unternehmens sind, desto kleiner ist das Verhältnis der Kurse zu ihrem Buchwert. Doch je weiter der Aufschlag den Buchwert übersteigt, desto unsicherer ist die Grundlage, nach der der intrinsische Wert bestimmt wird - das heißt, umso mehr ist der „Wert" von den sich ändernden Stimmungen und Maßstäben der Börsen abhängig. Deshalb kommen wir zum abschließenden Paradoxon: Je erfolgreicher ein Unternehmen ist, umso größer wird die Wahrscheinlichkeit, dass es zu Kursschwankungen kommt. Das bedeutet im wahrsten Sinne des Wortes: Je besser die Qualität einer Aktie ist, desto spekulativer wird sie sein - zumindest im Vergleich zu den wenig spektakulären Titeln mittlerer Qualität.[163] (Was wir sagten, bezieht sich auf einen Vergleich der führenden Wachstumsunternehmen mit etablierten Firmen; aus diesem Bereich schließen wir die hoch spekulativen Titel aus, weil deren Geschäfte ebenso spekulativ sind.)

Das obige Argument sollte das oftmals irrwitzige Kursverhalten der Aktien unserer erfolgreichsten und besten Unternehmen erklären. Unser Lieblingsbeispiel dafür ist - wieder einmal - International Business Machines. Der Kurs der IBM-

---

162 Nettovermögenswert, Buchwert, Bilanzwert und Sachwert sind Synonyme für den Nettowert oder den Gesamtwert aller dinglicher und finanzieller Vermögen eines Unternehmens, abzüglich der Verbindlichkeiten. Er kann berechnet werden, wenn man die Bilanz aus einem Jahresbericht oder einem Quartalsbericht verwendet; vom gesamten Eigenkapital subtrahiert man die „weichen" Vermögensteile wie beispielsweise den Firmenwert, den Markenwert und andere immaterielle Werte. Dividieren Sie diesen Betrag durch die im Umlauf befindlichen Aktien, dann haben Sie den Buchwert je Aktie.

163 Grahams Anwendung des Wortes „Paradoxon" ist wahrscheinlich eine Anspielung auf einen klassischen Artikel von David Durand, „Growth Stocks and the Petersburg Paradox", The Journal of Finance, Band XII, Nr. 3, September 1957, S. 348-363, der das Investment hochpreisiger Wachstumsaktien mit der Wette auf eine Reihe von Münzwürfen vergleicht, wobei der Gewinn mit jedem Münzwurf steigt. Durand betont: Wenn der Kurs einer Wachstumsaktie über eine unendliche Zeit mit einem hohen Prozentsatz steigt, dann sollte ein Investor (in der Theorie) bereit sein, für diese Aktie einen unendlich hohen Preis zu bezahlen. Weshalb aber wurde noch nie eine Aktie zu einem unendlich hohen Kurs gehandelt? Die Antwort ist einfach: Je höher die angenommene künftige Wachstumsrate ist und je größer der Zeitraum ist, für den das Wachstum angenommen wird, umso mehr wächst der Spielraum für Irrtümer, und selbst der kleinste Fehler kommt enorm teuer. Graham behandelt dieses Thema in Anhang 4.

Aktien fiel innerhalb von sieben Monaten (1962/63) von 607 auf 300; nach zwei Splits ging er 1970 von 387 auf 219 zurück. Ähnlich erging es Xerox – in den letzten Jahrzehnten ein noch eindrucksvollerer Gewinner. Xerox fiel in den Jahren 1962/63 von 171 auf 87 Punkte und 1970 von 116 auf 65. Diese auffälligen Verluste waren nicht auf Zweifel am langfristigen Wachstum von IBM oder Xerox zurückzuführen; sie reflektierten vielmehr mangelndes Vertrauen in die erstrangige Bewertung.

Insgesamt ist folgender Schluss für den konservativen Aktienanleger zu ziehen: Wenn er der Portfoliozusammenstellung schon eine solch große Aufmerksamkeit widmen muss, dann sollte er sich auf Titel konzentrieren, deren Kurse nahe am Sachvermögen liegen, maximal ein Drittel darüber. Käufe, die auf einem solchen Niveau getätigt werden oder die noch günstiger sind, können als bilanzbezogen und als unabhängig von den Börsenkursen angesehen werden. Ein möglicher Aufschlag über den Buchwert hinaus wäre dann eine Zusatzgebühr für die Börsennotierung und die Marktfähigkeit.

Allerdings ist hier Vorsicht geboten. Eine Aktie wird nicht allein deshalb zu einer vernünftigen Investition, weil man sie in der Nähe des Vermögenswerts kaufen kann. Der Investor kann zusätzlich ein vernünftiges KGV verlangen, eine ausreichend starke finanzielle Position und die Aussicht, dass die Gewinne zumindest einige Jahre gehalten werden können. Dies könnte nun den Eindruck erwecken, dass ein solcher Investor zu viel von einer solchen Aktie verlangt, doch diese Anforderungen sind für normale Börsenzeiten nicht zu hoch. Doch ist er bereit, auf erwartetes überdurchschnittliches Wachstum zu verzichten, dann wird er keine Schwierigkeiten haben, unter einer großen Auswahl von Titeln einen zu finden, der alle anderen Kriterien erfüllt.

In unseren Kapiteln über die Aktienauswahl (Kapitel 14 und 15) werden wir Ihnen anhand von Daten zeigen, dass Ende 1970 mehr als die Hälfte der Aktien im DJIA das Vermögenswert-Kriterium erfüllten. Die Aktie, die am weitesten gestreut ist – AT & T –, wird gerade jetzt, da wir an dieser Auflage arbeiten, unterhalb ihres Sachvermögens gehandelt. Die meisten Aktien von Elektrizitätswerken sind nun (Anfang 1972), zusätzlich zu ihren anderen Vorteilen, zu Kursen zu haben, die ihren Vermögenswerten weitgehend entsprechen.

Der Investor mit einem Aktienportfolio, das solche Buchwerte aufweist, ist von Marktschwankungen wesentlich unabhängiger als ein Anleger, der sowohl für ein hohes KGV als auch für Sachvermögen viel bezahlt hat. Solange die Ertragskraft seiner Beteiligungen befriedigend bleibt, braucht er die Launen an der Börse kaum zu beachten. Mehr als das: Zuweilen kann er diese Launen benutzen, um billig zu kaufen und teuer zu verkaufen.

Das Beispiel A. & P.

An dieser Stelle werden wir eines unserer ursprünglichen Beispiele anführen, das schon viele Jahre zurückliegt, aber eine gewisse Faszination auf uns ausübt, weil es viele Aspekte unternehmerischer Erfahrung und Erfahrungen bei der Kapitalanlage vereint. Es geht um die Great Atlantic & Pacific Tea Co.

Die A. & P.-Aktien wurden 1929 am „Curb-Markt" eingeführt, heute die American Stock Exchange; sie hatten einen Kurs von 494. 1932 war der Kurs auf 104 gesunken, obwohl die Gewinne des Unternehmens in diesem Katastrophenjahr nahezu gleich geblieben waren. 1936 schwankte die Notierung zwischen 111 und 131. Dann fiel der Kurs in der allgemeinen Depression und im Bärenmarkt von 1938 auf einen neuen Tiefststand von 36.

Dieser Kurs bedeutete, dass die Vorzugsaktien und die Stammaktien zusammengenommen 126 Millionen $ kosteten, obwohl das Unternehmen gerade bekannt gegeben hatte, dass es Barmittel in Höhe von 85 Millionen $ hielt und ein Umlaufvermögen von 134 Millionen $ aufwies. A. & P. war die größte Lebensmitteleinzelhandelskette in ganz Amerika, wenn nicht gar der ganzen Welt, mit einer eindrucksvollen Leistungsbilanz, die über viele Jahre hinweg hohe Gewinne auswies. Dennoch glaubte man an der Wall Street, das Unternehmen sei nicht mehr wert als das Umlaufvermögen allein – also weniger als der Liquidationswert einer laufenden Firma. Weshalb glaubte man das? Dafür gab es drei Gründe: Erstens, weil Verkaufsketten besonderen Steuern unterlagen; zweitens, weil der Nettogewinn im Vorjahr gesunken war; und drittens, weil sich die Wirtschaft in einer depressiven Phase befand. Der erste dieser Gründe war eine übertriebene und letztlich unbegründete Angst; die beiden anderen waren typisch für die damalige Zeit.

Nehmen wir nun an, dass ein Investor im Jahr 1937 A. & P.-Stammaktien zum Zwölffachen der durchschnittlichen Gewinne der letzten fünf Jahre gekauft hätte, also etwa zu 80 $. Wir sind weit davon entfernt zu behaupten, dass der folgende Absturz auf 36 für ihn bedeutungslos gewesen sei. Er wäre gut beraten gewesen, das Gesamtbild mit Sorgfalt zu untersuchen, um zu sehen, ob er sich nicht verrechnet hat. Doch wenn die Ergebnisse seiner Überlegungen zuversichtlich gewesen wären – wie es auch der Fall gewesen sein sollte –, dann hätte er den Niedergang des Marktes ruhig als vorübergehendes Ereignis wegstecken können. Vielleicht hatte er auch das Geld und den Mut, den Vorteil zu nutzen und weitere Aktien zu diesem Schnäppchenpreis zu kaufen.

Die Folgen und einige Überlegungen hierzu

Im folgenden Jahr, 1939, stiegen die Aktien von A. & P. auf 117,5 $, also um das Dreifache des Tiefststandes von 1938 und weit über den Durchschnitt von 1937. Ein derartiges Verhalten von Stammaktien ist zwar keinesfalls ungewöhnlich, doch im Fall von A. & P. war die Wende doch überraschend. In den Jahren nach 1949 stiegen die Aktien der Lebensmittelketten mit dem allgemeinen Markt, bis 1961 die im Verhältnis 1:10 gesplittete Aktie einen Höchststand von 70,5 erreichte, was einem Stand von 705 für die Aktien von 1938 entsprach.

Der Kurs von 70,5 war insofern bemerkenswert, als er das 30fache der Gewinne von 1961 ausmachte. In einem derartigen KGV – im Vergleich zu 23 des DJIA in diesem Jahr – muss die Erwartung enormer Gewinnzuwächse berücksichtigt worden sein. Dieser Optimismus war wegen der Gewinne in den Vorjahren keineswegs gerechtfertigt, und er erwies sich auch als völlig falsch. Anstatt schnell zu steigen, waren die Gewinne in den folgenden Zeiträumen im Allgemeinen rückläufig. Im Jahr nach dem Hoch von 70,5 $ fiel der Kurs um mehr als die Hälfte auf 34 $. Doch anders als im Jahr 1938 waren die Aktien dieses Mal kein Schnäppchen. Nach mehreren Schwankungen fiel der Kurs im Jahr 1970 auf ein weiteres Tief von 21,5 und 1972 auf 18 $ – als zum ersten Mal in der Unternehmensgeschichte ein Geschäftsquartal mit einem Defizit schloss.

An dieser Geschichte können wir erkennen, wie stark die geschäftliche Entwicklung eines Unternehmens schwanken kann und mit welcher Fehleinschätzung und mit welch übertriebenem Optimismus und Pessimismus die Öffentlichkeit Aktien bewertet. 1938 wurde das Unternehmen fast verschenkt, aber niemand wollte es haben; 1961 gierte die Öffentlichkeit nach den Aktien zu einem exorbitant hohen Kurs. Danach kam ein schneller Verlust in Höhe fast des halben Marktwerts, und einige Jahre später folgte ein weiterer ernsthafter Abschwung. In der Zwischenzeit lieferte das Unternehmen hervorragende bis mittelmäßige Ergebnisse; der Gewinn im Boom-Jahr war niedriger als im Jahr 1958. Und es hatte Dividenden ausgeschüttet, die nicht so recht zu den hohen Gewinnen passen wollten. A. & P. war 1961 und 1972 zwar größer als 1938, aber es war nicht so gut geführt, wirtschaftete nicht so rentabel und war für Anleger nicht so attraktiv.[164]

Aus diesem Beispiel können wir zwei wichtige Lehren ziehen. Die erste lautet: Die Börse liegt häufig komplett schief, und ein wacher und mutiger Investor kann von den offenkundigen Irrtümern profitieren. Die andere lautet: Unternehmen können im Lauf der Zeit ihren Charakter und sozusagen ihre Güteklasse verändern, manchmal zum Besseren, manchmal zum Schlechteren. Der Anleger braucht die Performance der Unternehmen, in die er investiert hat, zwar nicht mit Argusaugen zu beobachten; aber von Zeit zu Zeit sollte er doch genauer hinsehen.

Kommen wir zurück zum Vergleich zwischen dem Besitzer marktfähiger Papiere und einem Anleger, der an einer Privatfirma beteiligt ist. Der Aktieninvestor kann sich selbst entweder als Teileigentümer jener Unternehmen sehen, deren Aktien er gekauft hat, oder als Besitzer von Anteilen zu einem notierten Kurs, die er jederzeit wieder verkaufen kann.

Beachten Sie aber folgende wichtige Tatsache: Der wahre Investor *ist nur sehr selten gezwungen*, seine Aktien zu verkaufen. Deshalb können ihm die Kurse im Prinzip egal sein; er braucht nur dann auf die Notierungen achten und entsprechend handeln, wenn es „in sein Buch passt", ansonsten jedoch nicht.[165] Deshalb macht ein Investor, der sich übermäßige Sorgen wegen ungerechtfertigter Kursrückgänge macht und sich der Hysterie der Börse hingibt, auf seinem Vorteil einen Nachteil. Es ginge ihm besser, wenn es nicht an der Börse notierte Papiere hätte, denn dann würden ihm die Seelenqualen erspart bleiben, die durch die Fehlurteile anderer Menschen verursacht werden. Während der Depression von 1931 bis 1933 war es ein psychologischer Vorteil, an Unternehmen beteiligt zu sein, die an keiner Börse notiert waren. Beispielsweise konnten sich Anleger, die erstrangige Hypotheken auf Immobilien hatten und ihre Zinsen weiter zahlten, damit beruhigen, dass ihre Investitionen den vollen Wert behielten – eben weil es keine Notierungen gab, die etwas anderes aussagten. Andererseits mussten viele börsennotierte Industrieanleihen besserer Qualität bei ihren Börsennotierungen

---

164 Die neuere Geschichte von A & P hat sich kaum geändert.. Am Jahresende 1999 lag der Kurs der Aktie bei 22,875 $, ein Jahr später bei 23,78 $, am Jahresende 2002 nur noch bei 8,06 $. Obwohl später einige Buchhaltungsfehler bei A. & P. ans Tageslicht kamen, spottete es jeder Beschreibung, dass der Wert einer relativ stabilen Firma wie einer Lebensmittelkette innerhalb eines Jahres drei Viertel seines Wertes verlieren kann, den Wert im folgenden Jahr verdreifacht und im folgenden Jahr wieder um zwei Drittel fällt.

165 „Ins Buch passen" bedeutet hier: Der Preis ist so günstig, dass der Verkauf gerechtfertigt ist. In der traditionellen Broker-Sprache ist das Buch der Ordner, in dem der Investor seine Beteiligungen und seine Trades aufzeichnet.

schwere Einbußen hinnehmen und ließen so bei ihren Besitzer den Eindruck einstehen, dass diese immer ärmer würden. Tatsächlich jedoch hatten die Besitzer börsennotierter Anleihen große Vorteile, und das trotz der niedrigen Kurse. Denn notfalls hätten sie ihre Papiere verkaufen können – möglicherweise, um sie gegen besser laufende Papiere einzutauschen. Ebenso hätten sie die Aktionen an der Börse als vorübergehend ignorieren und ihnen einfach keine Beachtung schenken können. Doch wäre es Selbstbetrug zu sagen, man hätte keine Einbußen hinnehmen müssen, nur weil die Wertpapiere an keiner Börse notiert sind.

Kommen wir zu unserem Aktionär von A. & P. aus dem Jahr 1938 zurück: Solange er die Aktie hielt, musste er – selbst bei einem Kursrückgang – keine Verluste hinnehmen, außer wenn ihm sein eigenes Urteilsvermögen gesagt hätte, der Rückgang sei durch Werteinbußen in der Aktie selbst eingetreten. Davon abgesehen, konnte er zu Recht erwarten, dass die Börsennotierungen bald auf den Stand von 1937 zurückkehren oder sogar noch höher steigen würden – was im folgenden Jahr dann auch geschah. In dieser Hinsicht war seine Position zumindest ebenso gut, als wäre er Teilhaber an einem Privatunternehmen gewesen, für dessen Anteile es keinen Markt gibt. Denn auch in diesem Fall hätte er angesichts der Rezession 1938 einen Teil der Kosten seiner Beteiligung mental abhaken können – je nachdem, was mit dem Unternehmen passiert wäre.

Kritiker dieses Wertansatzes behaupten, dass eine börsennotierte Gesellschaft nicht ebenso genau bewertet werden könne wie ein vergleichbares Privatunternehmen, weil die Existenz eines geregelten Marktes „dem Kapital die neue und äußerst wichtige Eigenschaft der Liquidität verleiht". Liquidität bedeutet in diesem Fall zweierlei: Der Investor hat erstens den Vorteil, täglich die veränderten Bewertungen seiner Beteiligungen beobachten zu können, *gleichgültig, welchen Wert diese Bewertungen auch immer haben mögen*. Und zweitens kann er, je nachdem, wie die Zahlen aussehen, sein Aktienengagement aufstocken oder abbauen – und zwar dann, wenn er dies wünscht. Somit gibt die Existenz eines geregelten Marktes dem Investor auf der einen Seite *bestimmte Optionen*, die er nicht hat, wenn seine Beteiligung nicht notiert wird. Auf der anderen Seite wird der Investor nicht gezwungen, Anteile zu kaufen oder zu verkaufen, wenn er es vorzieht, sein Geld anderswo anzulegen.

Diesen Abschnitt wollen wir mit einem Gleichnis schließen. Stellen Sie sich vor, dass Sie an einer kleinen Firma mit einem kleinen Anteil beteiligt sind, für den Sie 1.000 $ bezahlt haben. Einer Ihrer Partner, Mr. Market, ist sehr zuvorkommend: Jeden Tag sagt er Ihnen, was Ihr Anteil seiner Meinung nach wert ist, und außerdem bietet er Ihnen an, Ihren Anteil zu kaufen oder Ihnen weitere Anteile zu verkaufen. Manchmal scheinen Ihnen seine Bewertungen plausibel und gerechtfertigt zu sein, je nach der Geschäftsentwicklung und den Geschäftsaussichten, so weit Sie sie kennen. Oft aber gehen Optimismus oder Ängste mit ihm durch, und der Wert, den er Ihnen vorschlägt, erscheint Ihnen ein wenig albern.

Wenn Sie ein umsichtiger Investor oder ein vernünftiger Geschäftsmann sind und den wahren Wert der 1.000 $, die Sie in das Geschäft gesteckt haben, bestimmen wollen: Werden Sie sich dann von den täglichen Mitteilungen von Mr. Market beeinflussen lassen? Sicherlich nur in dem Fall, in dem sie mit ihm einer Meinung sind oder wenn Sie mit ihm handeln wollen. Sie freuen sich, wenn Sie an ihn zu einem übertrieben hohen Preis verkaufen können, und ebenso freuen Sie sich, wenn Sie zu einem niedrigen Preis kaufen können. Ansonsten ist es besser, die Geschäftsberichte des Unternehmens zu lesen, die Aktivitäten der Firma zu beobachten und sich auf diese Weise eine eigene Vorstellung vom Wert Ihrer Beteiligung zu machen.

In genau dieser Situation befindet sich der vernünftige Anleger, wenn er eine börsennotierte Aktie besitzt. Er kann die Vorteile der täglichen Börsennotierungen nutzen oder es auch sein lassen. Er muss die Kursbewegungen lediglich zur Kenntnis nehmen, denn sonst könnte er seine eigene Investition nicht beurteilen. Vielleicht gibt ihm die Börse ein Warnsignal, das er möglichst sofort beachtet, was auf gut Deutsch bedeutet, dass er seine Aktien verkauft, *weil* der Kurs gefallen ist – ein Vorbote dafür, dass Schlimmeres kommen könnte. Unserer Ansicht nach sind derartige Signale ebenso oft irreführend wie hilfreich. Grundsätzlich haben Kursschwankungen für den wahren Investor nur eine einzige signifikante Bedeutung: Sie vermitteln ihm die Information, dass es eine günstige Gelegenheit gibt zu kaufen, wenn die Kurse deutlich sinken, und zu verkaufen, wenn sie stark gestiegen sind. Ansonsten ist es besser, er vergisst die Kurse und achtet eher auf die Dividendenrendite und auf die operativen Ergebnisse der Unternehmen, an denen er beteiligt ist.

Zusammenfassung

Ein Investor und ein Spekulant unterscheiden sich in ihrer jeweiligen Einstellung zu den Kursbewegungen an der Börse. Dem Spekulanten kommt es darauf an, die Marktschwankungen zu antizipieren und davon zu profitieren. Das Hauptinteresse des Investors hingegen liegt darin, geeignete Wertpapiere zu günstigen Kursen zu kaufen und dann zu halten. Marktbewegungen sind für ihn nur insofern von praktischer Bedeutung, als sie entweder niedrige Kurse verursachen, zu denen man kaufen kann, oder hohe Kurse, bei denen man Kaufzurückhaltung übt und gut beraten ist zu verkaufen.

Man sollte nun nicht behaupten, dass sich der typische Investor immer so lange mit Käufen zurückhält, bis der Markt ganz am Boden liegt. Denn damit würde er sich der Möglichkeit berauben, andere, Gewinn bringende Investments einzugehen. Richtig ist vielmehr, dass der Anleger immer dann Aktien kaufen sollte, wenn er Geld dafür übrig hat, *außer*, wenn die Kurse die normalen Wertmaßstäbe übertreffen. Denn dann kann er immer noch nach Schnäppchen unter den einzelnen Aktien suchen.

Von der Wall Street gehen viele Impulse aus, die Aufwand verursachen und Können erfordern, um Aktien oder Branchen auszuwählen, die besser abschneiden als die anderen. Solchen Impulsen zu folgen erscheint zwar logisch, doch den Ansprüchen und auch dem Temperament eines wahren Investors entspricht dies nicht – insbesondere weil er dann mit vielen Tradern und mit erstklassigen Analysten, die das gleiche Ziel haben, in Konkurrenz treten würde. Wie bei allen anderen Aktivitäten, die in erster Linie auf Kursbewegungen achten und dann erst auf die zugrunde liegenden Werte, scheint die Arbeit vieler intelligenter Köpfe, die sich ständig mit diesem Bereich befassen, sich mit den Jahren selbst zu neutralisieren und zu zerstören.

Der Investor mit einem Portfolio aus vernünftigen Aktien muss auf der einen Seite damit rechnen, dass die Kurse schwanken, und er sollte sich keine Sorgen machen, wenn es zu größeren Verlusten kommt. Auf der anderen Seite sollte er sich auch nicht von der allgemeinen Begeisterung bei ansehnlichen Kurssteigerungen anstecken lassen. Er muss sich immer wieder eines bewusst machen: Die Notierungen dienen seiner Bequemlichkeit, entweder weil er sie zu seinem Vorteil nutzt oder weil er sie ganz einfach ignoriert. Er sollte niemals eine Aktie kaufen, nur weil der Kurs gerade gestiegen ist, oder verkaufen, nur weil er gesunken ist. Er sollte also Folgendes beherzigen: „Kaufe nie eine Aktie, wenn der Kurs deutlich gestiegen ist, oder verkaufe nie sofort nach einem deutlichen Kursrückgang."

Eine weitere Überlegung

Ein wichtiger Faktor ist die Kompetenz der Manager. Der Aktionär beurteilt, ob seine eigene Investition, gemessen an der erhaltenen Dividenden und der allgemeinen Börsenentwicklung, erfolgreich war oder nicht. Die gleichen Kriterien sollten angelegt werden, wenn es darum geht, die Effektivität des Managements des Unternehmens und die Einstellung der Manager gegenüber Aktionären zu prüfen.

Diese Aussage mag sich zwar wie eine Binsenweisheit anhören, aber wir halten sie für äußerst wichtig. Denn bisher gibt es noch keine anerkannte Technik oder Strategie, mit der Aktionäre das Management in die Schranken weisen können. Ganz im Gegenteil haben die Manager immer darauf bestanden, dass sie keinerlei Verantwortung für das übernehmen, was mit den Aktienkursen geschieht. Es ist natürlich richtig, dass sie nicht für Kursschwankungen zur Rechenschaft gezogen werden können, die, wie wir schon betont haben, keinerlei Beziehungen zu den zugrunde liegenden Bedingungen und Werten haben. Doch könnte man daran etwas ändern: Es liegt nämlich nur an der mangelnden Wachsamkeit - und zuweilen auch Intelligenz - unter den Aktionären, dass sie eine solche Immunität zulassen, die bis in den Bereich der Börsennotierungen im Allgemeinen und fallender Kurse im Besonderen reicht. Denn letztlich ist es so, dass gute Manager gute durchschnittlichen Börsenkurse erwirtschaften und schlechte Manager schlechte Börsenkurse produzieren.[166]

Schwankungen bei den Anleihenkursen

Der Investor sollte eines wissen: Das Anlagekapital ist sicher und die Zinszahlungen sind garantiert - doch die Kurse einer langfristigen Anleihe sind eine Reaktion auf Veränderungen der Zinssätze und können deshalb stark variieren. In Tabelle 8-1 finden Sie Daten für verschiedene Jahre ab 1902, die auch die Renditen für erstklassige Anleihen und steuerfreie Titel umfassen. Für Vergleichszwecke fügen wir die Kursschwankungen zweier repräsentativer Emissionen von Eisenbahngesellschaften für einen ähnlichen Zeitraum hinzu. Dies sind die Atchinson, Topeka & Santa Fe, allgemeine Hypotheken zu 4 %, fällig 1995, generationenlang eine unserer nicht kündbaren Anleihen, und die Northern Pacific Ry. Mit 3%, fällig 2047 - ursprünglich war eine 150-jährige Laufzeit geplant -, eine Anleihe, die lange Zeit ein typischer Bond mit einer Bonität von Baa war.

Wegen ihrer umgekehrten Relation zueinander korrespondieren geringe Renditen mit hohen Kursen und umgekehrt. Der Kursverfall von Northern Pacific mit 3 % war ein Hauptgrund für die Sicherheit der Emission. Es war aber außerge-

166 Graham hat noch viel mehr zu dem zu sagen, was man heute Unternehmensführung nennt. Siehe Kommentar zu Kapitel 19.

wöhnlich, dass der Kurs in den nächsten Jahren auf ein Allzeithoch stieg und danach zwei Drittel verlor, hauptsächlich wegen des allgemeinen Zinsanstiegs. In den zurückliegenden 40 Jahren gab es jedoch selbst bei den Kursen erstklassiger Anleihen so einige Überraschungen.

Beachten Sie, dass die Kurse nicht im gleichen (inversen) Verhältnis schwanken wie die berechneten Erträge, weil der festgelegte Wert beim Ablauf 100 % beträgt und deshalb einen mäßigenden Einfluss hat. Bei sehr langen Laufzeiten jedoch, wie bei unserem Beispiel mit Northern Pacific, verändern sich Kurse und Renditen fast parallel.

Seit 1964 haben sich bei erstklassigen Anleihen rekordverdächtige Bewegungen in beide Richtungen vollzogen. So hat sich beispielsweise die Rendite (steuerfreier) Kommunalanleihen von 3,2 % im Januar 1965 auf 7 % im Juni verdoppelt. Der Kurs rutschte entsprechend von 110,8 auf 67,5 ab. Mitte 1970 waren die Renditen auf erstklassige langfristige Anleihen höher *als in den fast 200 Jahren der amerikanischen Wirtschaftsgeschichte.*[167] 25 Jahre zuvor, kurz bevor unser langer Bullenmarkt begann, lagen die Anleihenrenditen an ihrem Tiefpunkt; langfristige Kommunalanleihen wurden nur mit 1 % verzinst, und Industrieanleihen lieferten 2,40 % im Vergleich zu 4,5 bis 5 %, die zuvor als normal angesehen wurden. Diejenigen Anleger, die langjährige Erfahrungen an der Wall Street haben, konnten beobachten, wie Newtons Gesetz von Aktion = Reaktion sich an der Börse ständig wiederholte – das bemerkenswerteste Beispiel war der Anstieg des DJIA von 64 im Jahr 1921 auf 381 im Jahr 1929, gefolgt von einem Zusammenbruch auf 41 im Jahr 1932. Dieser starke Pendelausschlag fand in der normalerweise ruhigen Umgebung von Anleihenkursen und Renditen erstklassiger Anleihen statt. Um es auf den Punkt zu bringen: Auf nichts, was an der Wall Street von Bedeutung ist, ist so viel Verlass wie auf das, was zuvor geschehen ist. Dies ist nur die erste Hälfte unseres am liebsten zitierten geflügelten Wortes: „Je mehr sich etwas verändert, umso gleicher bleibt es."

167 Gemäß Grahams Regel der Gegensätze fielen 2002 die Renditen der langfristigen US-Schatzanleihen auf ihren tiefsten Stand seit 1963. Weil die Renditen der Anleihen sich gegenläufig zu den Kursen bewegen, bedeuteten die niedrigen Renditen, dass die Kurse sehr hoch stiegen – und bewogen die Investoren zu kaufen, so, als ob Anleihen am teuersten seien und die künftigen Gewinne garantiert niedrig ausfallen würden. Dies ist ein weiterer Beweis für Grahams Lehre, dass der intelligente Investor seine Entscheidungen keinesfalls auf der Grundlage von Marktschwankungen treffen darf.

Tabelle 8-1: Schwankungen der Renditen von Anleihen und Kursen zweier repräsentativer Anleihenemissionen, 1902-1970

Anleihenrendite			Anleihenkurse		
	S&P AAA Composite in %	S&P Kommunalanleihen in %		A.T. & S. F 4 %, 1995	Nor. Pac. 3 %, 2047
1902 tief	4,31	3,11	1905 hoch	105,5	79
1920 hoch	6,40	5,28	1920 tief	69	49,5
1928 tief	4,53	3,90	1930 hoch	105	73
1932 hoch	5,52	5,27	1932 tief	75	46,75
1946 tief	2,44	1,45	1936 hoch	117,5	85,25
1970 hoch	8,44	7,06	1939/40 tief	99	31,50
1971 Schlusskurs	7,14	5,35	1946 hoch	5,141	94,75
			1970 tief	51	32,34
			1971 Schlusskurs	64	37,25

Wenn es bereits unmöglich ist, einigermaßen vernünftige Vorhersagen zu den Kursbewegungen von Aktien zu treffen, dann ist es für Anleihen komplett unmöglich.[168] Früher konnte man wenigstens einen nützlichen Hinweis auf das kommende Ende eines Bullen- oder Bärenmarkts finden, wenn man die Bewegungen auf dem Anleihenmarkt analysierte, doch gab es keine vergleichbaren Hinweise auf Zinsänderungen und Anleihenkurse. Somit musste sich der Investor zwischen langfristigen und kurzfristigen Anleihen entscheiden und konnte dazu lediglich seine persönlichen Präferenzen zu Hilfe nehmen. Wenn er sich sicher war, dass die Marktwerte nicht sinken würden, dann waren wahrscheinlich die bereits beschriebenen US-Savings Bonds, Serie E oder H, die beste Wahl. Gleichgültig, welche Emission es ist, der Investor erhält 5 % Zinsen (nach einem Jahr), bei Serie E bis fünf Jahre und zehn Monate, bei Serie H bis zu zehn Jahren, wobei die Rückzahlung des Einsatzes (oder mehr) garantiert ist.

168 Eine aktualisierte Analyse für die Leser, die die jüngsten Renditen und die weitere Schwankungsbreite von Anleihen und Anleihenfonds, die heute zur Verfügung stehen, erklärt, finden Sie im Kommentar zu Kapitel 4.

Wenn der Investor die 7,5 % erzielen will, die es derzeit auf gute Industrieanleihen gibt, oder die 5,3 % bei steuerfreien Kommunalanleihen, dann muss er sich auf Kursschwankungen gefasst machen. Banken und Versicherungen haben das Privileg, hoch eingestufte Anleihen dieser Art auf der mathematischen Grundlage der „amortisierten Kosten" zu bewerten, die sich nicht nach den Marktkursen richten. Für den Privatanleger wäre es keine schlechte Idee, etwas Ähnliches zu tun.

Die Kursschwankungen der Wandelanleihen und der Vorzugsaktien sind auf drei Ursachen zurückzuführen: (1) Schwankungen im Kurs der damit verbundenen Stammaktien, (2) Schwankungen in der Kreditwürdigkeit des Unternehmens und (3) Schwankungen der allgemeinen Zinssätze. Viele Emissionen von Wandelanleihen wurden von Unternehmen verkauft, deren Kreditwürdigkeit nicht die beste war [31]. Einige wurden von der Finanzkrise im Jahr 1970 stark in Mitleidenschaft gezogen. Deshalb waren die Wandelanleihen insgesamt in den vergangenen Jahren den genannten, dreifach beunruhigenden Einflüssen ausgesetzt, und die Schwankungsbreite war ungewöhnlich hoch. Ein Investor würde sich selbst täuschen, wenn er erwartete, Wandelanleihen als ideale Kombination der Sicherheit einer erstklassigen Anleihe mit dem Schutz vor Kursschwankungen zu finden und zudem noch von einem möglichen Kursgewinn der Stammaktie zu profitieren.

Das ist eine gute Gelegenheit, Ihnen folgenden Vorschlag zu machen: Weshalb nicht die Auswirkungen der Zinsänderungen zwischen Kreditgeber und Kreditnehmer aufteilen? Eine Möglichkeit wäre die Emission langfristiger Anleihen mit variablen Zinszahlungen, die an einen Index der aktuellen Zinsen gebunden wäre. Die wichtigsten Ergebnisse einer solchen Vereinbarung wären: (1) Die Anleihe des Investors hätte immer einen Wert des Kapitaleinsatzes von etwa 100, wenn das Unternehmen die Kreditwürdigkeit halten kann, doch würden die Zinszahlungen variieren, beispielsweise mit den Zinsen neu aufgelegter Anleihen; (2) das Unternehmen hätte den Vorteil langfristiger Verbindlichkeiten – wobei die Probleme und die Kosten der Refinanzierung hier vernachlässigt werden –, doch die Zinskosten würden jährlich variieren [32].

Im letzten Jahrzehnt befand sich der Anleihenanleger in einem Dilemma: Sollte er sich für die völlige Stabilität des eingesetzten Kapitals entscheiden und dafür schwankende und in der Regel niedrige (kurzfristige) Zinsen in Kauf nehmen? Oder sollte er sich für ein festes Einkommen mit beträchtlichen Schwankungen in seinem Kapitaleinsatz – meist nach unten – entscheiden? Gut wäre ein Kompromiss zwischen diesen beiden Extremen: Hier könnten die Anleger sicher sein, dass weder der Zinserlös noch der Kapitaleinsatz über einen Zeitraum von 20 Jahren hinweg unter ein vereinbartes Minimum fällt. Dies könnte man problemlos vertraglich vereinbaren. Hierzu eine wichtige Anmerkung: Die amerikanische Regierung handelte in ähnlicher Weise, als sie die ursprünglichen Verträge der Sparanleihen mit Erweiterungen zu höheren Zinsen kombinierte. Der Vorschlag, den wir hier unterbreiten, würde einen längeren festgelegten Zeitraum abdecken als die Sparanleihen, und er würde in die Bestimmungen zu den Zinsen mehr Flexibilität bringen.[169]

Es lohnt sich fast nicht, hier über nicht wandelbare Vorzugsaktien zu sprechen, da ihr besonderer Steuerstatus zwar für Unternehmen immer interessanter wird – beispielsweise für Versicherungsgesellschaften –, nicht aber für Privatanleger. Vorzugsaktien geringerer Qualität schwanken, prozentual gesehen, meist über einen weiten Bereich, das ist im Prinzip nicht anders als bei Stammaktien. Tabelle 16-2 zeigt die Kursveränderungen nachrangiger , nicht wandelbarer Vorzugsaktien zwischen Dezember 1969 und Dezember 1970. Der durchschnittliche Verlust betrug 17 % gegenüber 11,3 % für den S&P.

169 Wie zuvor schon in den Kommentaren zu den Kapiteln 2 und 4 erwähnt, sind die so genannten TIPS (Treasury Inflation-Protected Securities) eine neue und verbesserte Version dessen, was Graham hier vorschlägt.

Kommentar zu Kapitel 8

> Das Glück derer, die berühmt sein wollen, hängt von anderen ab; das Glück derer, die Vergnügen suchen, schwankt mit den Stimmungen, die sie nicht kontrollieren können; doch das Glück der weisen Menschen erwächst aus dem, was sie freiwillig tun.
>
> *Marcus Aurelius*

Dr. Jekyll und Mr. Market

Die meiste Zeit bewertet der Markt die meisten Aktien richtig. Millionen von Käufern und Verkäufern feilschen um einen Kurs und leisten damit einen wichtigen Beitrag zur Bewertung von Unternehmen – im Durchschnitt. Doch manchmal ist der Kurs nicht richtig; gelegentlich ist er sogar völlig falsch. Und genau vor diesem Hintergrund ist Grahams fiktiver „Mr. Market" zu sehen – die beste Metapher, um zu erklären, wie Aktien zu einem falschen Kurs kommen können.[170] Der manisch-depressive Mr. Market legt die Kurse nicht immer wie ein Gutachter fest oder auf die Art und Weise, wie ein privater Käufer ein Unternehmen bewerten würde. Im Gegenteil: Wenn die Aktienkurse steigen, dann zahlt er gern etwas mehr als deren objektiven Wert, und wenn die Kurse fallen, ist er so verzweifelt, dass er sie für weniger als ihren wahren Wert verschleudert.

Gibt es Mr. Market noch? Und, wenn ja, ist er immer noch manisch-depressiv? Sie können darauf wetten, dass es ihn noch gibt und dass er immer noch manisch-depressiv ist.

Am 17. März 2000 erreichte die Aktie von Inktomi Corp. einen neuen Höchstkurs von 231,625 $. Seit sie im Juni 1998 zum ersten Mal an der Börse notiert wurden, hatten die Aktien des Herstellers von Internetsoftware für Suchmaschinen um rund 1.900 % zugelegt. In den wenigen Wochen seit Dezember 1999 hatte sich der Kurs fast verdreifacht.

Was war es eigentlich bei Inktomi, was die Geschäfte die Aktie so wertvoll machte? Die Antwort schien offensichtlich: phänomenales Wachstum. In den drei

---

170 Siehe Grahams Text auf den Seiten 224–225.

Monaten, die im Dezember 1999 endeten, verkaufte Inktomi für 36 Millionen $ Produkte und Dienstleistungen, mehr, als man im ganzen Jahr 1998 abgesetzt hatte. Wenn Inktomi diese Wachstumsrate der zurückliegenden zwölf Monate für weitere fünf Jahre halten könnte, würden die Erlöse von 36 Millionen $ je Quartal auf 5 Milliarden $ im Monat explodieren. Mit einem derartigen Wachstum im Blick stieg der Aktienkurs schneller, als man sich vorstellen konnte.

Doch in seiner wilden Liebesaffäre mit Inktomis Aktie übersah Mr. Market einen wichtigen Faktor über das Geschäft an sich. Das Unternehmen verlor Geld – eine ganze Menge Geld. Im letzten Quartal hatte es 6 Millionen $ verloren, 24 Millionen $ in den zwölf Monaten zuvor und 24 Millionen $ im Jahr davor. Während der gesamten Zeit, in der die Firma bestand, hatte sie keinen einzigen Cent Gewinn gemacht. Jetzt, am 17. März 2000, bewertete Mr. Market diese winzige Firma mit insgesamt 25 Milliarden $. (Ja, Milliarden und nicht Millionen)

Und dann verfiel Mr. Market plötzlich in eine alptraumhafte Depression. Am 30. September 2002, nur zweieinhalb Jahre, nachdem Inktomis Aktie 231,625 $ erreicht hatte, schloss das Papier mit einem Kurs von 25 Cent – und stürzte von einem Marktwert von 25 Milliarden $ auf weniger als 40 Millionen $. Liefen Inktomis Geschäfte so schlecht? Überhaupt nicht! In den vorhergehenden zwölf Monaten machte das Unternehmen einen Umsatz von 113 Millionen $. Was also hatte sich geändert? Lediglich Mr. Markets Stimmung: Anfang 2000 waren die Anleger so wild auf Internet-Aktien, dass sie den Kurs der Inktomi-Aktien auf das 250fache des Umsatzes trieben. Jetzt aber würden sie nur das 0,35fache des Umsatzes bezahlen. Mr. Market war von Dr. Jekyll zu Mr. Hyde mutiert und verschleuderte wütend sämtliche Aktie, die ihn so sehr zum Narren gemacht hatten.

Doch Mr. Market hatte in seinen Alpträumen ebenso wenig Recht wie in seiner manischen Euphorie. Am 23. Dezember 2002 nämlich gab Yahoo bekannt, dass es Inktomi für 1,65 $ je Aktie kaufen würde. Das war fast das Siebenfache des Kurses vom 30. September. Wahrscheinlich wird die Geschichte erweisen, dass Yahoo ein Schnäppchen machte. Weil Mr. Market die Aktien so billig machte, ist es kein Wunder, dass ihm ganze Unternehmen weggekauft wurden.[171]

---

171 Wie Graham schon 1932 in einer Serie von Beiträgen anmerkte, führte die Große Depression dazu, dass die Aktien von Dutzenden von Unternehmen unter den Wert ihres Barvermögens und anderer liquider Mittel fielen, wodurch sie tot mehr wert waren als lebendig.

Denken Sie selbst

Würden Sie freiwillig einem diagnostizierten Verrückten erlauben, mindestens fünf Mal in der Woche zu Ihnen zu kommen, um Ihnen zu sagen, Sie sollten sich ebenso fühlen, wie er sich gerade fühlt? Wären Sie jemals damit einverstanden, euphorisch zu sein, nur weil er es ist – oder sich miserabel zu fühlen, weil er der Überzeugung ist, dass Sie es sein sollten? Natürlich nicht! Sie würden auf Ihrem Recht bestehen, Ihr eigenes Seelenleben zu kontrollieren, und dies auf der Grundlage Ihrer Erfahrungen und Überzeugungen. Wenn es allerdings um ihre finanziellen Belange geht, lassen sich Millionen Menschen von Mr. Market vorschreiben, wie sie sich zu fühlen haben und was sie tun sollen – trotz der offensichtlichen Tatsache, dass Mr. Market von Zeit zu Zeit verrückt ist.

1999, als Mr. Market vor Freude jubelte, legten die amerikanischen Bürger 8,6 % ihres Gehalts in Pensionsfonds an. Im Jahr 2002, nachdem Mr. Market drei Jahre lang Aktien in den Müll geworfen hatte, fiel diese Zahl um fast ein Viertel auf nur noch 7 %.[172] Je billiger die Aktien wurden, umso weniger Lust hatten die Leute, sie zu kaufen – weil sie Mr. Market nachahmten, anstatt selbst zu denken.

Als intelligenter Investor sollten Sie Mr. Market nicht völlig ignorieren. Stattdessen sollten Sie mit ihm handeln – aber nur insoweit, als es Ihren Interessen entspricht. Mr. Market hat die Aufgabe, Sie mit Kursen zu versorgen; Ihre Aufgabe ist es zu entscheiden, ob es Ihnen zum Vorteil gereicht, darauf zu reagieren. *Sie müssen nicht mit ihm handeln, nur weil er sie ständig darum bittet.*

Wenn Sie sich weigern, Mr. Market zu Ihrem Herrn werden zu lassen, dann machen Sie ihn zu Ihrem Diener. Immerhin: Wenn es den Anschein hat, er zerstöre Werte, dann schafft er an anderer Stelle neue Werte. 1999 legte der Wilshire-Index – der am breitesten angelegte Maßstab für die Performance amerikanischer Aktien – um 23,8 % zu, angetrieben von Technologie- und Telekommunikations-Aktien. Doch 3.743 der 7.234 Aktien im Wilshire mussten Wertverluste hinnehmen, selbst als der Durchschnitt wieder anstieg. Während die High-Tech- und Telekommunikations-Aktien heißer waren als die Motorhaube eines Rennwagens an einem Nachmittag im August, versanken Tausende Aktien der „Old Economy" im Morast – sie wurden immer billiger.

---

172 Pressemitteilung der The Speciman Group, „Plan Sponsors Are Loosing the Battle to Prevent Declining Participation and Deferrals into Defined Contribution Plans", 25. Oktober 2002.

Die Aktienkurs von CMGI, einem „Brutkasten" - Holdinggesellschaft - für Internetgründungen, stieg 1999 um erstaunliche 939,9%. In der gleichen Zeit fiel Berkshire Hathaway - die Holdinggesellschaft, über die Warren E. Buffett, Grahams berühmtester und erfolgreichster Schüler, an Unternehmen wie Coca-Cola, Washington Post oder Gillette beteiligt ist - nur um 24,9 %.[173]

Doch dann, wie es so oft passiert, kam es am Markt zu einem plötzlichen Stimmungsumschwung. Abbildung 8-1 zeigt, wie die Versager von 2000 zu den Stars von 2002 wurden.

Was die beiden Holdings betrifft: CMGI verlor im Jahr 2000 96 %, 2001 weitere 70,9 % und noch einmal 39,8 % im Jahr 2002, was einem kumulierten Verlust von 99,3 % entspricht. Berkshire Hathaway stieg 2000 um 26,6 % und um 6,5 % im Jahr 2001, musste dann 2002 einen geringfügigen Verlust von 3,8 % hinnehmen und erzielte insgesamt einen Gewinn von 30 %.

Können Sie die Profis in ihrem eigenen Spiel besiegen?

Eine der wichtigsten Erkenntnisse Grahams ist diese: „Der Investor, der sich entschließt, wegen unberechtigter Kursrückgänge in seinen Beteiligungen am Boden zerstört zu sein oder sich grundlos Sorgen zu machen, wandelt seinen grundsätzlichen Vorteil in einen grundsätzlichen Nachteil um."

Was meint Graham mit den Worten „grundsätzlicher Vorteil"? Er meint damit, dass der intelligente Privatanleger die völlige Freiheit hat, sich zu entscheiden, ob er Mr. Market folgen will oder nicht. Sie haben den Luxus, für sich selbst denken zu können.[174]

---

173 Einige Monate später, am 10. März 2000 - am Tag, als die Nasdaq ihr Allzeithoch erreichte -, schrieb der Online-Trading-Experte James J. Cramer, er sei in den letzten Tagen „wiederholt" in Versuchung geraten, Berkshire Hathaway leerzuverkaufen, also eine Wette einzugehen, dass Buffetts Aktie weiter fallen würde. In vulgärem Stil schrieb er: „Berkshires Aktien sind nun reif für eine Tracht Prügel." An diesem Tag fragte Ralph Acampora, der Börsenstratege von Prudential Securities: „Norfolk Southern oder Cisco Systems: Was wollen Sie in Zukunft haben?" Cisco, ein Schlüssel zum Internet-Superhighway der Zukunft, schien Norfolk Southern, einem Teil des Eisenbahnsystems „von gestern", in allen Belangen überlegen zu sein. (Im Verlauf des folgenden Jahres legte Norfolk Southern um 35 % zu, während Cisco 70 % verlor.)

174 Als er einmal gefragt wurde, was die meisten Privatanleger vom Erfolg abhalte, hielt Graham eine präzise Antwort bereit: „Der wichtigste Grund ist, dass sie zu viel daran denken, was der Aktienmarkt gerade macht." Siehe „Benjamin Graham: Thoughts on Security Analysis" (Mitschrift einer Vorlesung an der Northeast Missouri State University Business School, im März 1972), Financial History Magazine, Nr. 42, März 1991, S. 8.

Abb. 8-1: Von Versagern zu Stars

		Gesamtgewinn				Wert von 1.000 $, die am 1.1.1999 anglegt wurden
Unternehmen	**Geschäftsbereich**	**1999**	**2000**	**2001**	**2002**	
Angelica	Arbeitsbekleidung	-43,7	1,8	19,3	94,1	1.328
Ball Corp.	Metall- und Plastikverpackung	-12,7	19,2	55,3	46,0	2.359
Checkers Drive-in Restaurants	Fast Food	-45,5	63,9	66,2	2,1	1.517
Family Dollar Stores	Discount-Einzelhandel	-25,1	33,0	41,1	5,0	1.476
Intern. Game Technology	Ausrüstung für Glücksspiele	-16,3	136,1	42,3	11,2	3.127
J B Hunt Transportation	LKW-Transporte	-39,1	21,9	38,0	26,3	1.294
Jos. A. Bank Clothiers	Bekleidung	-62,5	50,0	57,1	201,6	2.665
Lockheed martin	Rüstung und Luftfahrt	-46,9	58,0	39,0	24,7	1.453
Pier 1 Imports	Wohnungsmöbel	-33,2	63,9	70,5	10,3	2.059
UST Inc.	Schnupftabak	-23,5	21,6	32,2	1,0	1.241
Wilshire Internet Index		139,1	-55,5	-46,2	-45,0	315
Wilshire 5000 Index (der gesamte Aktienmarkt)		23,8	-10,9	-11,0	-20,8	778

Der typische Money Manager jedoch hat keine andere Wahl, als jede Bewegung von Mr. Market nachzuvollziehen – teuer kaufen, billig verkaufen, fast gedankenlos in seinen wirren Fußstapfen bleiben. Nachstehend listen wir einige Handicaps auf, die Managern von Investmentfonds und anderen professionellen Investoren aufgebürdet werden:

- Mit Milliarden von Dollars, die sie zu verwalten haben, müssen sie auf die ganz großen Aktien zugehen – das sind die einzigen, die sie in solchen multimillionenfachen Mengen kaufen können, die sie brauchen, um ihre Portfolios zu füllen. Und somit haben viele Fonds letztlich die gleichen - überteuerten - Giganten in ihrem Portfolio.

- Die Anleger neigen dazu, noch mehr Geld in ihre Fonds zu schütten, wenn das Kursniveau steigt. Die Manager verwenden das neue Geld dazu, noch mehr von den Aktien zu kaufen, die sie schon besitzen, und treiben damit die Kurse in noch gefährlichere Höhen.
- Falls Anleger in Fonds ihr Geld zurückhaben wollen, wenn das Kursniveau sinkt, dann kann es sein, dass die Fonds gezwungen sind, Aktien zu verkaufen. So wie sie gezwungen sind, Aktien zu überteuerten Kursen zu kaufen, so müssen sie notgedrungen verkaufen, wenn die Aktien wieder billiger werden.
- Viele Portfoliomanager bekommen Prämien, wenn sie besser sind als der Gesamtmarkt, und so messen sie ihre Gewinne zwangsweise an Vergleichsmaßstäben wie dem S&P-Index. Wenn ein Unternehmen neu in einen Index aufgenommen wird, ist es für Hunderte von Fonds geradezu eine Pflicht, diese Aktien zu kaufen. (Wenn sie es nicht tun, und die Aktie läuft gut, dann sehen die Manager ziemlich dumm aus. Wenn sie die Aktie jedoch kaufen, und sie wird kein Renner, dann wird sie niemand dafür verantwortlich machen.)
- Zunehmend erwartet man von Fondsmanagern, dass sie sich spezialisieren - so wie in der Medizin, wo der Allgemeinmediziner den Fachärzten weichen musste. Fondsmanager dürfen demnach nur kleine Aktien kaufen, nur Aktien von mittlerem Wert oder nur Aktien namhafter Firmen.[175] Wenn ein Unternehmen zu groß wird oder zu klein oder zu billig oder ein bisschen zu teuer, dann muss der Fonds sie verkaufen - selbst wenn der Portfoliomanager die Aktie mag.

Und deshalb gibt es keinen Grund, ebenso gut sein zu müssen wie die Profis. Und in diesem Spiel der Profis können Sie nicht besser sein als diese selbst (auch wenn alle Experten sagen, Sie könnten es). *Die Profis können nicht einmal ihr eigenes Spiel gewinnen.* Weshalb sollten Sie dann überhaupt mitspielen? Wenn Sie deren Regeln befolgen, dann werden Sie verlieren - weil Sie letztlich ebenfalls von Mr. Market versklavt werden, ebenso wie die Profis.

---

175 Überlegen Sie nicht, was diese Namen zu bedeuten haben oder bedeuten sollen. Während diese Kategorien in der Öffentlichkeit respektvoll beachtet werden, werden sie von Investmentexperten mit der Geringschätzung bedacht, die normalerweise Witzen vorbehalten ist, die gar nicht witzig sind.

Stattdessen sollten Sie erkennen, dass intelligentes Investieren bedeutet, das zu kontrollieren, was kontrollierbar ist. Beispielsweise können Sie nicht kontrollieren, ob die Aktien oder Fondsanteile, die Sie kaufen, heute, morgen, übermorgen, nächste Woche, nächsten Monat oder nächstes Jahr besser sein werden als der Markt. Kurzfristig werden Ihre Gewinne immer ein Spielball von Mr. Market und seinen Launen sein. Aber Folgendes können Sie unter Kontrolle halten:

- **Ihre Brokerkosten**, indem Sie selten traden, und wenn überhaupt, dann geduldig und billig,
- **Ihre Kosten als Eigentümer**, indem Sie sich weigern, Fondsanteile mit überhöhten jährlichen Verwaltungsgebühren zu kaufen,
- **Ihre Erwartungen**, indem Sie realistisch bleiben, sich keinen Träumen hingeben und Ihre Gewinne nicht prognostizieren,[176]
- **Ihr Risiko**, indem Sie entscheiden, wie viel von Ihrem Geld Sie an der Börse aufs Spiel setzen, ferner indem Sie diversifizieren und Ihr Portfolio im Gleichgewicht halten,
- **Ihre Steuerbelastung**, indem Sie Ihre Aktien mindestens ein Jahr lang halten und, wenn immer möglich, wenigstens fünf Jahre lang, um die Kapitalertragsteuer niedrig zu halten,
- und am meisten, indem Sie **Ihr Verhalten** unter Kontrolle halten.

Wenn Sie im Fernsehen Finanzsendungen sehen oder Artikel von Börsenkommentatoren lesen, dann könnten Sie den Eindruck gewinnen, die Kapitalanlage sei eine Art von sportlicher Betätigung ist oder ein Krieg oder ein Kampf ums Überleben in einer feindlichen Wildnis. *Doch bei der Kapitalanlage geht es nicht darum, andere in ihrem Spiel zu besiegen. Es geht darum, sich selbst im eigenen Spiel unter Kontrolle zu halten.* Die Herausforderung für den intelligenten Investor ist es nicht, diejenigen Aktien zu finden, deren Kurse am höchsten steigen und am tiefsten fallen, sondern die wirkliche Herausforderung besteht darin, sich selbst davon abzuhalten, sein eigener schlimmster Feind zu werden – nicht teuer zu kaufen, nur weil Mr. Market sagt: „Kaufen!", und nicht billig zu verkaufen, nur weil Mr. Market sagt: „Verkaufen!"

Wenn Ihr Anlagehorizont sehr weit ist – mindestens 25 oder 30 Jahre –, dann gibt es nur eine vernünftige Strategie: Kaufen Sie jeden Monat, automatisch und immer dann, wenn Sie etwas Geld übrig haben. Die beste Entscheidung für diese

---

176 Siehe den hervorragenden Kommentar von Walter Updegrave, „Keep It Real", Money, Februar 2002, S. 53–56.

lebenslange Kapitalanlage ist ein reiner Aktienindexfonds. Verkaufen Sie nur, wenn Sie Bares brauchen (um den psychologischen Druck zu erhöhen, schneiden Sie Ihren „Investment's Owner's Contract" aus und unterzeichnen ihn - Sie finden ihn auf Seite 245).

Um ein intelligenter Investor zu werden, müssen Sie auch der Versuchung widerstehen können, Ihren finanziellen Erfolg so zu beurteilen, wie es Fremde tun würden. Sie sind um keinen Cent ärmer, wenn jemand in Dubai oder Dallas oder Denver besser ist als der S&P 500 und Sie nicht. Niemand lässt sich auf seinen Grabstein gravieren: „Er war besser als der Markt".

Einmal interviewte ich eine Gruppe von Rentnern in Boca Raton, einer der reichsten „Ruhestandsgemeinden" in Florida. Ich fragte diese Leute - die meisten waren in den Siebzigern -, ob sie es in ihrem Leben geschafft hätten, den Markt zu schlagen. Einige sagten ja, andere nein; die meisten waren sich nicht sicher. Nur ein Mann antwortete: „Wen kümmert es? Alles, was ich weiß, ist, dass meine Investitionen dafür ausreichten, dass ich jetzt in Boca Raton leben kann."

Könnte es eine bessere Antwort geben? Bei der Kapitalanlage geht es einzig und allein darum, die eigenen Bedürfnisse befriedigen zu können, und nicht darum, eine bessere Rendite zu erzielen als der Durchschnitt. Die beste Methode, Ihren Anlageerfolg zu messen, ist nicht, festzustellen, ob Sie besser waren als der Markt, sondern ob Sie Geld in einen Einzahlungsplan eingezahlt haben und ob Sie einen Finanzplan haben, der Sie dorthin bringt, wo Sie einmal sein wollen. Was letztlich zählt, ist nicht, dass Sie die Ziellinie vor allen anderen erreichen, sondern dass Sie sicher sein können, sie überhaupt zu erreichen.[177]

Ihr Geld und Ihr Gehirn

Weshalb finden Investoren Mr. Market so verführerisch? Dies liegt daran, dass die Teile unseres Gehirns wie durch ein Kabel miteinander verbunden sind, um uns in Schwierigkeiten bei der Geldanlage zu bringen; Menschen sind wie Tiere, die immer nach einem Muster suchen. Psychologen haben Folgendes bewiesen: Wenn man Menschen eine zufällige Zahlenreihe zeigt und ihnen sagt, die Reihe sei unvorhersehbar, werden dennoch alle nach einem Muster suchen, um zu erraten, welche Zahl als nächste kommen wird. Ganz ähnlich „wissen" wir, dass der näch-

177 Siehe Jason Zweig, „Did You Beat the Market?" Money, Januar 2000, S. 55-58.

ste Wurf eines Würfelpaares eine Sieben zeigen wird, dass ein Baseballspieler einen Schlag über die Banden erzielen wird, dass die nächste Gewinnreihe beim Lotto 4 - 27 - 9 - 16 - 42 - 10 sein wird und dass diese kleine, heiße Aktie die nächste Microsoft darstellen wird.

Bahnbrechende neue Forschungen in der Neurowissenschaft zeigen: Unser Gehirn ist so eingerichtet, dass es in der Lage ist, Trends wahrzunehmen, selbst wenn diese nicht existieren. Wenn ein Ereignis zwei oder drei Mal nacheinander eintrifft, dann antizipieren bestimmte Gehirnregionen (Anterior Cingulate und Nucleus Accumbens) automatisch, dass es wieder eintreten wird. Und wenn es sich tatsächlich wiederholt, dann wird Dopamin ausgeschüttet, das Ihr Gehirn mit einer leichten Euphorie durchflutet. Wenn somit ein Aktienkurs ein paar Mal nacheinander steigt, dann erwarten Sie reflexartig, dass es so weitergehen wird – und die Chemie in Ihrem Gehirn verändert sich, sobald der Aktienkurs ansteigt, und vermittelt Ihnen ein ganz natürliches Hochgefühl. Sie werden regelrecht süchtig nach Ihren eigenen Vorhersagen.

Wenn die Aktienkurse jedoch fallen, dann regt dieser finanzielle Verlust Ihre Amygdala an – den Teil Ihres Gehirns, der Angst und Furcht produziert und die berühmte „Kämpfen oder Fliehen"-Reaktion auslöst, die allen Tieren eigen ist, wenn sie sich umstellt fühlen. Ebenso wenig wie Sie Ihren Pulsschlag niedrig halten können, wenn ein Feueralarm ausgelöst wird, ebenso wenig wie Sie vermeiden können, vor einer Klapperschlange zurückzuschrecken, wenn sie Ihren Weg kreuzt, können Sie nicht anderes als Angst empfinden, wenn die Aktienkurse in den Keller rutschen.[178]

Die renommierten Psychologen Daniel Kahneman und Amos Tversky haben bewiesen, dass der Schmerz über einen finanziellen Verlust mehr als doppelt so intensiv ist wie die Freude über einen gleich großen Gewinn. Wenn man mit einer Aktie 1.000 $ verdient, dann fühlt man sich großartig. Aber ein Verlust von 1.000 $ verursacht einen mehr als doppelt so starken Schmerz. Geld zu verlieren ist so schmerzlich, dass viele Leute, entsetzt über die Aussicht auf weitere Verluste, fast alle Aktien verkaufen oder sich weigern, neue Aktien hinzuzukaufen.

Das hilft zu erklären, weshalb wir uns auf die reine Größe eines Marktabschwungs fixieren und dabei vergessen, den Verlust proportional zu betrachten.

---

178 Die Neurologie der Kapitalanlage wird von Jason Zweig in seinem Artikel „Are You Wired for Wealth", Money, Oktober 2002, S. 74 bis 83 untersucht, ebenfalls verfügbar unter http://money.cnn.com/2002/09/pf/investing/agenda_brain_short/index.htm. Siehe auch Jason Zweig, „The Trouble with Humans", Money, November 2000, S. 67–70.

Wenn also ein Fernsehkommentator brüllt: „Der Markt fällt - der Dow ist um 100 Punkte gesunken!", dann erschaudern die Leute instinktiv. Doch beim kürzlichen Stand des Dow von etwa 8.000 Zählern macht das gerade einmal einen Rückgang um 1,2 % aus. Überlegen Sie nun einmal, wie lächerlich es wäre, wenn es an einem Tag 81 Grad Fahrenheit warm ist und der Meteorologe kreischen würde: „Die Temperatur sinkt - sie fiel von 81 Grad auf 80 Grad!" - auch das ist ein Rückgang um 1,2 %. Wenn Sie vergessen, die Veränderungen der Kurse in Prozenten zu betrachten, dann ist es sehr leicht, wegen kleiner Vibrationen in Panik zu geraten. (Wenn Sie noch Jahrzehnte vor sich haben, in denen Sie anlegen können, dann gibt es eine bessere Möglichkeit, die Finanznachrichten zu visualisieren; siehe den folgenden Kasten.)

In den späten 90er-Jahren hatten viele Anleger das Gefühl, sich so lange im Dunkeln zu befinden, bis sie die Kurse ihrer Aktien mehrmals täglich überprüft hatten. Aber, wie Graham sagte, der typische Investor „wäre besser beraten, wenn seine Aktien überhaupt nicht notiert würden, denn dann würde ihm die mentale Pein erspart, die Fehlinterpretationen anderer bei ihm verursachen". Wenn Sie, nachdem Sie nachmittags um 13.24 Uhr den Wert Ihres Aktiendepots kontrolliert haben, das Gefühl haben, Sie müssten um 13.37 Uhr noch einmal nachsehen, dann sollten Sie sich die folgenden Fragen stellen:

- Habe ich meinen Immobilienmakler angerufen, um den Marktwert meines Hauses um 13.24 Uhr zu erfahren. Habe ich um 13.37 Uhr noch einmal angerufen?
- Wenn ich es getan hätte, hätte der Preis sich dann geändert? Für den Fall, er hätte sich geändert, hätte ich mich dann beeilt, mein Haus zu verkaufen?
- Wenn Sie den Marktwert Ihres Hauses nicht jede Minute nachprüfen, können Sie dann verhindern, dass der Wert des Hauses mit der Zeit steigt?[179]

179 Es lohnt sich auch zu fragen, ob Sie noch Freude haben, in Ihrem Haus zu wohnen, wenn über den Marktwert Ihres Hauses jeden Tag bis auf den letzten Cent in den Zeitungen und im Fernsehen berichtet wird.

Nachrichten, die wichtig für Sie sind

Aktien erleiden Einbrüche, und deshalb schalten Sie Ihr Fernsehgerät ein, um die aktuellsten Wirtschaftsnachrichten mitzubekommen. Doch stellen Sie sich vor, dass Sie, anstatt CNBC oder CNN einzuschalten, plötzlich im Benjamin Graham Financial Network landen. Auf BGFN hören Sie nicht den berühmten Klang der Schlussglocke der NYSE, das Bild erfasst nicht die Broker, die wie verärgerte Hamster über das Parkett flitzen. Außerdem zeigt BGFN nicht die Spuren der Anleger, die auf gefrorenen Fußwegen nach Luft schnappen, und auch nicht die roten Pfeile, die auf den elektronischen Anzeigetafeln aufblinken.

Stattdessen ist das Bild, das den Bildschirm füllt, das der Fassade der NYSE, geschmückt mit einem großen Banner, auf dem steht: „AUSVERKAUF! Preisermäßigungen um 50 %". Als Begleitmusik erklingen ein paar Zeilen des alten Dauerbrenners von Bachman Turner Overdrive „You Ain't See Nothing Yet". Dann gibt der Moderator fröhlich bekannt: „Die Aktien wurden heute wieder deutlich attraktiver, da der Dow bei heftigen Umsätzen um weitere 2,5 Prozentpunkte fiel – das ist der vierte Tag nacheinander, an dem Aktien billiger wurden. Technologie-Investoren schnitten sogar noch besser ab, da führende Unternehmen wie Microsoft heute fast 5 % verloren, wodurch man sie sich noch leichter leisten kann. Das kommt zu den guten Nachrichten hinzu, als die Aktien bereits um 50 % billiger wurden, auf ein Schnäppchen-Niveau fielen, das wir seit Jahren nicht mehr erlebt haben. Einige bekannte Analysten sind optimistisch und glauben, dass die Kurse in den nächsten Wochen und Monaten weiter fallen werden."

Die Nachrichtenredaktion schaltet nun zu Ignatz Anderson, dem Marktstrategen der Wall-Street-Firma Ketchum & Skinner, der sagt: „Meine Prognose ist, dass die Aktien bis Juni weitere 15 % verlieren werden. Ich bin vorsichtig optimistisch, denn wenn alles gut läuft, könnten die Kurse um 25 % nachgeben, vielleicht sogar stärker."

Der Moderator sagt daraufhin fröhlich: „Hoffen wir, dass Ignatz Anderson Recht behält. Fallende Aktienkurse wären eine wunderbare Nachricht für jeden Investor mit einem weiten Anlagehorizont. Und nun zu Wally Wood mit ihrem exklusiven Accu-Wetterbericht."

Die einzig mögliche Antwort auf diese Fragen ist: „Natürlich nicht!" Ihr Portfolio sollten Sie ebenso betrachten. Über einen Zeithorizont von zehn, 20 oder 30 Jahre hinweg spielen die Späße von Mr. Market keine Rolle mehr. Auf alle Fälle werden fallende Kurse für jeden, der in den kommenden Jahren investieren will, gute und keine schlechten Nachrichten sein, weil sie so mehr für weniger Geld kaufen können. Je länger und je tiefer die Aktienkurse fallen, und je regelmäßiger Sie bei fallenden Kursen kaufen, umso mehr Geld werden Sie letztlich verdienen - wenn Sie bis zum Ende standhaft bleiben. Anstatt einen Bärenmarkt zu fürchten, sollten Sie sich darauf freuen. Der intelligente Investor sollte völlig zufrieden sein, eine Aktie oder einen Fondsanteil zu besitzen, selbst wenn die Börse in den nächsten zehn Jahren keine Kurse mehr liefern würde.[180]

Paradoxerweise „werden Sie sich wesentlich besser unter Kontrolle haben", erklärt der Neurologe Antonio Damasio, „wenn Sie feststellen, wie wenig Sie kontrollieren können". Wenn Sie Ihre biologische Veranlagung akzeptieren, zu hohen Kursen zu kaufen und zu niedrigen Kursen zu verkaufen, dann können Sie auch eingestehen, dass Sie einen Cost-Average-Vertrag brauchen. Wenn Sie einen großen Teil Ihres Portfolios auf permanente Selbststeuerung stellen, dann können Sie sich davon lösen, ständig zu prognostizieren, sich auf Ihre langfristigen finanziellen Ziele konzentrieren und Mr. Markets Stimmungsschwankungen ignorieren.

Wenn Mr. Market Ihnen Zitronen gibt, dann machen Sie daraus eben Zitronenlimonade

Auch wenn Graham lehrt, dass Sie kaufen sollten, wenn Mr. Market schreit „Verkaufe!", gibt es eine Ausnahme, die ein intelligenter Investor verstehen muss. In einem Bärenmarkt zu verkaufen kann durchaus vernünftig sein, wenn Sie damit Steuern sparen. Die amerikanischen Steuergesetze erlauben Ihnen, bis zu 3.000 $ von ihrem normalen Einkommen abzuziehen, wenn Sie realisierte Verluste haben (jeden Wertverlust, den Sie realisieren, wenn Sie verkaufen).[181] Nehmen wir an, Sie kauften im Januar 2000 200 Aktien von Coca-Cola zu je 60 $ - insgesamt also

---

180 In einer Reihe bemerkenswerter Experimente zeigte Paul Andreassen, ein Psychologe von Columbia und Harvard, dass Investoren, die häufig über den Stand ihres Portfolios unterrichtet wurden, nur halb so viel verdienten wie Investoren, die überhaupt nicht informiert wurden. Siehe Jason Zweig, „Here's How to Use the News and Tune Out the Noise", Money, Juli 1998, S. 63/64.

181 Das föderale Steuergesetz verändert sich ständig. Das Beispiel mit der Aktie von Coca-Cola gilt unter den Bedingungen des US-Steuergesetze Stand Anfang 2003.

für 12.000 $. Am Jahresende 2002 fiel der Kurs auf 44 $ beziehungsweise auf 8.000 $ für Ihren Anteil - ein Verlust von 3.200 $

Sie könnten tun, was die meisten Menschen tun - entweder beklagen Sie ihren Verlust, oder Sie kehren ihn unter den Teppich und tun so, als sei er nie eingetreten. Oder Sie könnten die Initiative übernehmen. Kurz vor dem Jahresende 2002 hätten Sie Ihre gesamten Coke-Aktien verkaufen und einen Verlust von 3.200 $ realisieren können. Wenn Sie dann 31 Tage lang warten, um den Steuergesetzen gerecht zu werden, könnten Sie alle 200 Coke-Aktien wieder zurückkaufen. Das Ergebnis: Sie könnten Ihr zu versteuerndes Einkommen für 2002 um 3.000 $ senken und den verbleibenden Verlust von 200 $ auf 2003 vortragen. Es kommt aber noch besser: Sie würden immer noch an einem Unternehmen beteiligt sein, an dessen Zukunft Sie glauben - aber nun kostet Sie der Anteil fast ein Drittel weniger, als Sie beim ersten Mal bezahlt haben.[182]

Weil Uncle Sam Ihre Verluste subventioniert, kann es sinnvoll sein, einen Verlust zu realisieren. Wenn Uncle Sam Mr. Market vergleichsweise logisch aussehen lassen will, weshalb sollten Sie sich beschweren?

---

182 Dieses Beispiel geht davon aus, dass der Investor keine realisierten Kapitalgewinne im Jahr 2002 hatte und die Dividende von Coke nicht reinvestierte. Steuergeschäfte sind nicht einfach, weil sie leicht falsch angewendet werden können. Bevor Sie einen Verlust anmelden, lesen Sie die IRS Publikation 550 (www.irs.gov/pub/irspdf/p550.pdf.) Ein gutes Handbuch für Steuerfragen schrieben Robert N. Gordon und Jan M. Rosen, Wall Street Secrets for Tax-Efficient Investing (Bloomberg Press, Princeton, New Jersey, 2001). Bevor Sie loslegen, sollten Sie den Rat eines Steuerberaters einholen.

Vertrag eines Investors

Ich, ___________________________, bestätige hiermit, dass ich ein Investor bin, der versucht, noch viele Jahre Geld anzusparen.

Ich weiß, dass Zeiten kommen werden, in denen ich versucht bin, in Aktien oder Anleihen zu investieren, weil ihr Kurs gestiegen ist (oder gerade steigt), es aber auch Zeiten geben wird, in denen die Versuchung groß ist, meine Anlagen zu verkaufen, weil sie einen Teil ihres Werts verloren haben (oder gerade verlieren).

Hiermit erkläre ich, dass ich mich weigern werde zuzulassen, dass Fremde die finanziellen Entscheidungen für mich treffen. Außerdem erkläre ich verbindlich, niemals eine Aktie zu kaufen, nur weil ihr Kurs gestiegen ist, und niemals eine Aktie zu verkaufen, nur weil der Kurs gefallen ist. Stattdessen werde ich ______ $ je Monat über einen automatischen Einzahlungsplan oder einen Cost-Averaging-Plan in die folgenden Investmentfonds oder diversifizierten Portfolios einzahlen:

____

____

____

Außerdem werde ich zusätzliche Beträge investieren, wann immer ich es mir leisten kann (und es mir auch leisten kann, sie kurzfristig zu verlieren).

Hiermit erkläre ich, dass ich jede dieser Anlagen zumindest bis zu den folgenden Zeitpunkten halten werde (die mindestens zehn Jahre nach diesem Vertragsabschluss liegen) ___________________, 20____. Die einzige erlaubte Ausnahme nach diesem Vertrag ist eine plötzliche finanzielle Notlage, etwa aus gesundheitlichen Gründen oder aufgrund des Verlusts meines Arbeitsplatzes oder einer geplante Ausgabe, beispielsweise die Anzahlung für ein Haus oder die Kosten für die Ausbildung meiner Kinder.

Indem ich diesen Vertrag unterzeichne, bestätige ich, dass ich ausschließlich an den Bedingungen dieses Vertrags festhalten werde, jedoch dieses Dokument immer wieder lesen werde, wenn ich in Versuchung gerate, eine meiner Kapitalanlagen zu verkaufen.

Dieser Vertrag gilt, wenn er von mindestens einem Zeugen gegengezeichnet ist. Er muss an einem sicheren Ort aufbewahrt werden, der für künftige Einsichtnahmen auch leicht erreichbar sein muss.

Gezeichnet ______________________________ Datum ______________________________

Zeugen:

______________________________ ______________________________

Kapitel 9

Kapitalanlage in Investmentfonds

Ein Weg für den defensiven Investor ist der Kauf von Fondsanteilen. Diese werden auf Verlangen des Investors zum Nettowert zurückgenommen und sind normalerweise unter dem Namen Investmentfonds bekannt (oder offene Fonds). Die meisten verkaufen zusätzlich über ein Vertriebsnetz. Fonds, bei denen die Anteile nicht zurückgenommen werden, sind „geschlossene Fonds". Die Anzahl der Fondsanteile bleibt relativ konstant. Alle wichtigen Fonds sind bei der Security & Exchange Commission (SEC) registriert und unterliegen deren Regeln und Kontrollen.[183]

Diese Branche ist ziemlich groß. Ende 1970 waren 383 Fonds mit einem Gesamtvermögen von 54,6 Milliarden $ bei der SEC registriert. Von diesen waren 356 offene Investmentfonds mit einem Gesamtvermögen von 50,6 Milliarden $, und 27 Gesellschaften mit einem Vermögen von 4,0 Milliarden $ waren geschlossene Fonds.[184]

183 Bei einem offenen Fonds, einem geschlossenen Fonds oder einem börsennotierten Fonds gilt es als Regelverletzung, wenn Anteile an die Öffentlichkeit verkauft werden, wenn sie nicht zuvor bei der SEC registriert wurden.

184 Die Fondsbranche ist inzwischen von „sehr groß" auf „immens" angewachsen. Am Jahresende 2002 gab es 8.279 Investmentfonds, die 6,56 Billionen $ verwalteten; 514 geschlossene Fonds mit einem Vermögen von 149,6 Milliarden $ und 116 börsennotierte Fonds mit 109,7 Milliarden $. Diese Zahlen schließen fondsähnliche Anlagen wie variable Annuitäten und Investment-Trusts nicht ein.

Es gibt verschiedene Möglichkeiten, diese Fonds einzuordnen. Eine Möglichkeit ist, nach der breiten Aufteilung ihres Portfolios vorzugehen; sie sind „Balanced Fonds", wenn sie einen größeren Anteil (normalerweise ein Drittel) an Anleihen aufweisen, oder „Aktienfonds", wenn ihre Beteiligungen fast ausschließlich aus Aktien bestehen. (Es gibt noch einige andere Variationen, etwa „Anleihenfonds", „Hedgefonds oder „Letter-Stock"-Fonds.)[185] Eine weitere Möglichkeit der Kategorisierung ist die nach den vorrangigen Zielen, etwa nach Erlösen, Kursstabilität oder Wertzuwachs (beispielsweise Wachstumsaktien). Eine weitere Variante ist die Einteilung nach der Art des Verkaufs. Anleihen mit Ausgabeaufschlag verlangen einen Zuschlag (im Allgemeinen etwa 9 % des Anlagebetrags bei Kleinstkäufen) auf den Wert des Anteils vor dem Kauf [33]. Andere Fondsanteile, die ohne Ausgabeaufschlag verkauft werden, erheben diese Gebühr nicht; das Management gibt sich hier mit den üblichen Beratungsgebühren für die Verwaltung des Vermögens zufrieden. Da sie keine Provisionen für Verkäufer bezahlen können, sind diese Fonds in der Regel ziemlich klein. Die Kauf- und Verkaufspreise der geschlossenen Fonds werden von der Fondsgesellschaft nicht festgelegt, sondern schwanken an der Börse, genau wie die normaler Aktien.

Die meisten Fondsgesellschaften richten sich nach besonderen Bedingungen des Einkommensteuergesetzes, wonach die Gewinne der Anteilsinhaber nicht der Doppelbesteuerung unterliegen. Damit müssen die Fondsgesellschaften alle normalen Erlöse – also Dividenden und erhaltene Zinsen abzüglich Auslagen – auszahlen. Zusätzlich können sie die realisierten langfristigen Gewinne aus den Verkäufen von Anlagen ausschütten – in Form von Dividenden aus Kapitalgewinnen –, die vom Anteilsinhaber so behandelt werden, als seien sie seine eigenen Gewinne aus Wertpapieren. (Es gibt noch eine andere Option, die wir aber nicht behandeln, um Sie nicht zu verwirren.)[186] Die meisten Fonds haben nur eine Klasse

185 Eine Liste der wichtigsten Fondsarten finden Sie unter www.ici.org/pdf/g2understanding.pdf und unter http://news.morningstar.com/fundreturns/categoryreturns.html. Letter-Stock-Fonds gibt es inzwischen nicht mehr, während es den Hedgefonds im Allgemeinen verboten ist, Anteile an Investoren zu verkaufen, die jährlich weniger als 200.000 $ verdienen oder ein Vermögen von weniger als 1 Million $ haben.

186 Fast jeder Investmentfonds wird heute als „regulated investment company" (RIC) besteuert, die so lange von der Einkommensteuer für Unternehmen befreit sind, wie sie ihre gesamten Einnahmen an die Anteilinhaber ausschütten. In der „Option", die Graham nicht behandelt, um Verwirrungen zu vermeiden, kann ein Fonds bei der SEC eine besondere Erlaubnis beantragen, eine ihrer Anlagen direkt an die Anteilinhaber des Fonds zu verteilen – wie es Grahams Graham-Newman Corp 1948 gemacht hat, als man einen Teil der GEICO-Aktien an Graham-Newmans eigene Investoren ausgab. Diese Art der Verteilung ist außerordentlich selten.

von Anteilscheinen im Umlauf. Ein neuer Kniff, der 1967 eingeführt wurde, teilt die Kapitalisierung in eine Vorzugsemission auf, die normale Erlöse erhält, und eine Kapitalemission oder Stammaktie, die alle Gewinne aus dem Verkauf von Wertpapieren bekommt; diese werden „Dual-Purpose-Fonds" genannt.[187]

Viele Fondsgesellschaften, die behaupten, ihr vorrangiges Ziel seien Kapitalgewinne, konzentrieren sich auf den Kauf so genannter „Wachstumsaktien", und oft tragen sie den Begriff Wachstum auch in ihrem Namen. Einige Fonds spezialisieren sich auf Bereiche wie Chemie, Luftfahrt oder Investitionen in Übersee. Auch darauf wird normalerweise schon in ihrem Namen hingewiesen.

Ein Investor, der sich intelligent in Fonds engagieren will, hat somit eine große und zuweilen etwas verwirrende Auswahl – nicht viel anders als beim unüberschaubaren Angebot beim Kauf der einzelnen Aktien. In diesem Kapitel werden wir uns mit einigen wichtigen Fragen beschäftigen, nämlich:

- Gibt es eine Möglichkeit, bei der der Investor sicher sein kann, dass er bessere Ergebnisse erzielt als die durchschnittlichen Ergebnisse, wenn er die richtigen Fonds auswählt? (Zusatzfrage: Was ist mit den „Performance-Fonds"?)[188]
- Falls nicht, wie kann er vermeiden, solche Fonds auszuwählen, die ihm unterdurchschnittliche Ergebnisse bringen?
- Kann er intelligente Entscheidungen zwischen verschiedenen Arten von Fonds treffen – das heißt, allgemeine Investmentfonds oder Aktienfonds, offene oder geschlossene Fonds, Fonds mit Ausgabeaufschlag oder solche ohne Ausgabeaufschlag?

Die allgemeine Performance der Investmentfonds

Bevor wir versuchen, diese Fragen zu beantworten, sollten wir etwas zur Performance der Investmentfonds insgesamt sagen. Haben sie für ihre Anleger gute Arbeit geleistet? Wie haben Fonds, ganz allgemein gesehen, gegenüber Anlegern abgeschnitten, die selbst direkt anlegten? Wir sind ziemlich sicher, dass Fonds im All-

187 Dual-Purpose-Fonds, die in den 80er-Jahren sehr populär waren, sind im Wesentlichen vom Markt verschwunden – eigentlich eine Schande, da sie den Investoren eine flexiblere Möglichkeit boten, von Managern zu profitieren, die bei der Aktienauswahl besonders gut waren, etwa John Neff. Vielleicht wird der letzte Bärenmarkt zu einer Renaissance dieses attraktiven Anlageinstruments führen.

188 „Performance-Fonds" waren in den späten 60er-Jahren der letzte Schrei. Sie entsprachen den aggressiven Wachstumsfonds der späten 90er-Jahre – und ihren Investoren erging es nicht besser.

gemeinen eine gute Sache sind. Sie haben Spar- und Anlagegewohnheiten gefördert; sie haben zahllose Privatanleger vor teuren Fehlern an der Börse bewahrt; sie haben ihren Anteilsinhabern Einkommen und Gewinne gebracht, die denen der Gewinne aus Aktien entsprechen. Müssten wir vergleichen, so würden wir die Aussage wagen, dass der durchschnittliche Privatanleger, der sein Vermögen ausschließlich in Investmentfonds investiert hat, in den zurückliegenden zehn Jahren gegenüber dem Durchschnittsanleger, der seine Aktien direkt erworben hat, im Vorteil war.

Der letzte Punkt stimmt wahrscheinlich auch, selbst wenn die tatsächliche Performance der Fonds nicht besser zu sein scheint als die der Aktien insgesamt und selbst wenn die Kosten der Anlage in Investmentfonds höher waren als bei einer Direktanlage. Die einzige wirkliche Entscheidung, die der normale Anleger treffen musste, war, ein gut ausgewogenes Aktienportfolio einzurichten oder sich in einen Fonds einzukaufen, was in etwa das Gleiche ist, jedoch ein wenig teurer. Wahrscheinlich hatte er die Wahl, sich entweder dem Verkäufer auszuliefern, der ständig an seiner Haustür klingelte und Fondsanteile verkaufen wollte, oder sich den sogar noch gerisseneren und wesentlich gefährlicheren Hausierern von zweit- oder drittklassigen Neuemissionen auszusetzen. Auch wir können uns nicht vorstellen, dass ein normaler Mensch, der konservativ in Aktien anlegen will, ein Konto bei einem Broker eröffnet und sich Einflüssen in Richtung Spekulation und spekulativer Verluste aussetzt. Diesen Versuchungen erliegt er kaum, wenn er sich einem Investmentfonds anvertraut und dessen Anteile kauft.

Doch wie steht es um die Leistung der Fonds im Vergleich zum allgemeinen Markt? Dies ist ein etwas kontroverses Thema, doch werden wir es auf leicht verständliche Weise behandeln Tabelle 9-1 zeigt Ihnen einige Ergebnisse der zehn größten Aktienfonds aus den Jahren 1961 bis Ende 1970; dabei wählten wir nur die größten aus jeder Fondsgesellschaft aus. Die Tabelle fasst den Gesamtgewinn eines jeden dieser Fonds für 1961 bis 1965, für 1966 bis 1970 und für die Jahre 1969 und 1970 zusammen. Wir nennen auch die Durchschnittsergebnisse auf der Basis der Summe je eines Anteils eines jeden der zehn Fonds. Diese Fondsgesellschaften hatten am Ende des Jahres 1969 ein Vermögen von insgesamt über 15 Milliarden $ angesammelt, in etwa ein Drittel aller Aktienfonds. Deshalb sollten sie eigentlich für die Branche als Ganzes repräsentativ sein. (In der Theorie sollte es in dieser Liste ein Übergewicht zugunsten derer geben, die bessere Leistungen als die gesamte Branche erbrachten, weil diese besseren Fondsgesellschaften schneller expandieren können als die anderen Gesellschaften. Doch in der Praxis muss das nicht unbedingt der Fall sein.)

Tabelle 9-1: Ergebnisse der zehn größten Investmentfonds[a]

	(angedeutet) 5 Jahre, 1961 bis 1965 (alle +) in %	5 Jahre, 1966 bis 1970 in %	10 Jahre, 1961 bis 1970 (alle +) in %	1969 in %	1970 in %	Nettovermögen im Dezember 1970 in Millionen $
Affiliated Fund	71	+19,7	105,3	-14,3	+2,2	1.600
Dreyfus	97	+18,7	135,4	-11,9	-6,4	2.232
Fidelity Fund	79	+31,8	137,1	-7,4	+2,2	819
Fundamental Inv.	79	+1,0	81,3	-12,7	-5,8	1.054
Invest. Co. of Am.	82	+37,9	152,2	-10,6	+2,3	1.168
Investors Stock Fund	54	+5,6	63,5	-80,0	-7,2	2.227
Mass.Inv. Trust	18	+16,2	44,2	-4,0	+0,6	1.956
National Investors	61	+31,7	112,2	+4,0	-9,1	747
Putnam Growth	62	+22,3	104,0	-13,3	-3,8	684
United Accum.	74	-2,0	72,7	-10,3	-2,9	1.141
Durchschnitt	**72**	**+18,3**	**105,8**	**-8,9**	**-2,2**	**13.628 (gesamt)**
S&P Composite Index	77	+16,1	104,7	-8,3	+3,5	
DJIA	78	+2,9	83,0	-11,6	+8,7	

a) Dies sind die Aktienfonds mit dem größten Nettovermögen zum Ende 1970, aber jeweils nur ein Fonds einer Fondsgesellschaft. Die Daten wurden freundlicherweise von Wiesenberger Financial Services zur Verfügung gestellt.

Dieser Tabelle kann man einige interessante Fakten entnehmen. Erstens sind wir der Meinung, dass die Gesamtergebnisse dieser zehn Fonds für den Zeitraum von 1961 bis 1970 nicht deutlich von denen des S&P 500 abweichen (oder dem S&P 425 Industrial Stock Average). Jedoch waren sie wesentlich besser als die Zahlen des DJIA. (Dies wirft die faszinierende Frage auf, weshalb die 30 Giganten im DJIA schlechter abschnitten als die vielen einzelnen Unternehmen auf der Liste des S&P.)[189] Ein zweiter Punkt ist, dass sich die Performance aller Fonds zusammengenommen gegenüber dem S&P leicht verbessert hat, wenn man die vorherigen fünf Jahre zum Vergleich heranzieht. Der Gewinn der Fonds war in den Jahren 1961-1965 ein wenig geringer als der des S&P und 1966-1970 ein wenig höher. Der dritte Punkt ist, dass es zwischen den Ergebnissen der einzelnen Fonds große Unterschiede gibt.

Nach unserer Meinung können die Investmentfonds nicht dafür gescholten werden, dass sie nicht besser waren als der Gesamtmarkt. Die Manager und deren professionelle Konkurrenten verwalten so viele marktfähige Aktien, dass das, was im Markt passiert, sich unweigerlich auch in der Summe ihrer Fonds abbildet. (Beachten Sie, dass das treuhänderisch verwaltete Vermögen der versicherten Geschäftsbanken Ende 1969 einen Betrag von 181 Milliarden $ ausmachte. Wenn wir diesen Betrag zu dem Betrag addieren, der auf den Konten von Anlageberatern liegt, zuzüglich der 56 Milliarden $ von Investmentfonds und ähnlichen Einrichtungen, dann müssen wir den Schluss ziehen, dass die gesamten Entscheidungen dieser Profis ziemlich genau die Bewegungen des Gesamtmarktes reflektieren und dass die Aktiendurchschnitte das Gesamtergebnis der Fonds recht gut beschreiben.)

Sind sie besser als die durchschnittlichen Fonds und kann der Investor diese so auswählen, damit er selbst höhere Gewinne erzielt? Offensichtlich schafften das nicht alle Investoren, denn dann stünden wir wieder am Ausgangspunkt, und keiner wäre besser als ein anderer. Lassen Sie uns diese Frage zunächst vereinfacht betrachten. Weshalb sollte der Investor nicht herausfinden können, welcher Fonds über einen ausreichenden Zeitraum in der Vergangenheit den besten Auftritt hatte? Daraus könnte er ableiten, dass die Fondsmanager besonders gut sind und auch in der Zukunft bessere Ergebnisse erzielen werden als der Durchschnitt. Weshalb sollte er sein Geld nicht in diesen Fonds anlegen? Diese Idee scheint einfach umzusetzen zu sein, denn im Fall von Investmentfonds könnte er das fähigste Management bekommen, ohne dafür einen besonderen Aufschlag zahlen zu müssen. (Im Gegensatz dazu werden die Unternehmen mit dem besten Management in Relation zu Gewinnen und Anlagevermögen zu entsprechend hohen Kursen gehandelt.)

---

189 Für Zeiträume von mehr als zehn Jahren können die Gewinne des Dow und des S&P deutlich voneinander abweichen. Im Lauf der normalen und üblichen Laufzeit von Kapitalanlagen, also etwa 25 bis 50 Jahre, haben sich die Ergebnisse stark angenähert.

Der Beweis für diese Aussage war jahrelang ein Grund für Konflikte. Doch Tabelle 9-1, die die zehn größten Fonds umfasst, weist darauf hin, dass die Ergebnisse der besten fünf Fonds von 1961 bis 1965 insgesamt besser waren als 1966 bis 1970, selbst wenn zwei dieser Fonds nicht so gut abschnitten wie zwei der anderen fünf. Unsere Untersuchungen deuten an, dass der Investor in Fondsanteile die Performance der Fonds über einen längeren Zeitraum der Vergangenheit (etwa fünf Jahre) genauestens vergleichen muss, vorausgesetzt, die Daten zeigen keine große Aufwärtsbewegung des Gesamtmarktes. In letzterem Fall könnten herausragend spektakuläre Ergebnisse auf sehr unorthodoxe Weise erzielt worden sein – wie wir im folgenden Abschnitt noch zeigen werden. Derartige Ergebnisse an sich könnten lediglich zeigen, dass die Fondsmanager ungerechtfertigt spekulative Risiken eingegangen sind und in diesem Augenblick damit Erfolg hatten.

„Performance-Fonds"

Eines der neuen Phänomene der zurückliegenden Jahre war der Kult um die „Performance-Fonds" innerhalb der Investmentfonds (und sogar in vielen Treuhandfonds). Es ist wichtig zu wissen, dass dies nicht auf die große Mehrheit der etablierten Fondsgesellschaften zutrifft, sondern nur auf einen relativ kleinen Teil der Branche, die ungewöhnlich viel Aufmerksamkeit auf sich zog. Die Geschichte ist eigentlich recht einfach: Einige Verantwortliche begannen, wesentlich bessere Ergebnisse erzielen zu wollen als der Durchschnitt (oder DJIA). Sie hatten damit eine Zeit lang Erfolg, viel Publicity und das Angebot, zusätzliche Fonds zu managen. Das Ziel war eigentlich legitim; doch leider scheint es, dass beim Management großer Fonds dieses Ziel nicht erreicht werden kann, ohne beträchtliche Risiken einzugehen. Und in vergleichsweise kurzer Zeit kamen die Risiken wieder zurück.

Eine Reihe von Umständen, die das Phänomen der „Performance" umgaben, verursachte verständnisloses Kopfschütteln bei allen, die viel Erfahrung hatten – sogar bis in die 20er-Jahre zurück – und deren Ansichten aus genau diesem Grund als altmodisch und als irrelevant für diese zweite „neue Ära" angesehen wurden. Erstens, und an genau diesem Punkt, waren all diese brillanten Manager junge Männer zwischen 30 und 40 Jahren, deren finanzielle Erfahrung sich auf den Bullenmarkt von 1948 bis 1968 beschränkte. Zweitens handelten sie oft so, als sei die Definition eines vernünftigen Investments eine Aktie, die in den nächsten Monaten wahrscheinlich einen steilen Kursanstieg erleben würde. Dies führte zu größeren Engagements in neuere Projekte zu Kursen, die in einem völligen Missverhältnis zum Vermögen und zu den Gewinnen der Unternehmen standen. Sie konnten nur durch eine Kombination naiver Hoffnung auf die künftigen Leistungen dieser Unternehmen mit scheinbarem Scharfsinn bei der Nutzung der spekulativen Begeisterung der ahnungslosen und gierigen Öffentlichkeit „gerechtfertigt" werden.

In diesem Abschnitt werden wir keine Namen nennen. Doch haben wir allen Grund, konkrete Beispiele für solche Fondsgesellschaften aufzuführen. Der „Performance-Fonds", der von der Öffentlichkeit am meisten beobachtet wurde, war zweifellos Manhattan Fund, Inc., der Ende 1965 aufgelegt wurde. Die Erstemission betrug 27 Millionen Anteile zu einem Kurs zwischen 9,25 und 10,0 $. Die Fondsgesellschaft begann also mit einem Kapital von 247 Millionen $. Der Schwerpunkt lag, wie sollte es anders sein, auf Kursgewinnen. Das meiste Geld war in Titel mit sehr hohem KGV investiert, die keine oder nur sehr geringe Dividenden zahlten. Sie hatten eine spekulative Gefolgschaft und spektakuläre Kursbewegungen. Der Fonds wies 1967 einen Gewinn von 38,6 % aus, während der S&P Composite es nur auf 11 % brachte. Doch danach ließ die Performance sehr zu wünschen übrig, wie man in Tabelle 9-2 erkennen kann.

Tabelle 9-2: Ein Portfolio eines „Performance-Fonds" und seine Performance (größere Beteiligungen des Manhattan Fund am 31. Dezember 1969)

Anteile (in TSD)	Titel	Kurs in $	Gewinn 1969 in $	Dividende 1969 in $	Marktwert in Mio. $
60	Teleprompter	99	0,99	Keine	6,0
190	Deltona	60,5	2,32	Keine	11,5
280	Fedders	34	1,28	0,35	9,5
105	Horizon Corp.	53,5	2,68	Keine	5,6
150	Rouse Co.	34	0,07	Keine	5,1
130	Mattel Inc.	64,25	1,11	0,20	8,4
120	Polaroid	125	1,90	0,32	15,0
244[a]	Nat'l Student Mkt'g	28,5	0,32	Keine	6,1
56	Telex Corp.	90,5	0,68	Keine	5,0
100	Bausch & Lomb	77,75	1,92	0,80	7,8
190	Four Seasons Nursing	66	0,80	Keine	12,3[b]

Anteile (in TSD)	Titel	Kurs in $	Gewinn 1969 in $	Dividende 1969 in $	Marktwert in Mio. $
20	Int. Business Machines (IBM)	365	8,21	3,60	7,3
41,5	Nat'l Cash Register	160	1,95	1,20	6,7
100	Saxon Ind.	109	3,81	Keine	10,9
105	Career academy	50	0,43	Keine	5,3
285	King Resources	28	0,69	keine	8,1
	Gesamt				**130,6**
	Andere Aktien				93,8
	Andere Beteiligungen				19,6
	Gesamtinvestition[c]				244,0

a) nach einem Split im Verhältnis 2 : 1
b) auch 1,1 Mio. $ angeschlossene Aktien
c) ohne Barmittel

Jährlicher Vergleich mit dem S&P Composite

	1966	1967	1968	1969	1970	1971
Manhattan Fund	-6 %	+38,6 %	-7 %	-13,3 %	-36,9 %	+ 9,6 %
S&P Composite	-10,1 %	+23,0 %	+10,4 %	-8,3 %	+3,5 %	+13,5 %

Das Portfolio des Manhattan Fund war am Ende 1969, gelinde gesagt, das Letzte. Es ist ungewöhnlich, dass zwei der größten Investitionen in Unternehmen getätigt wurden, die sechs Monate später Konkurs anmelden mussten, und ein drittes Unternehmen sah sich 1971 Angriffen der Gläubiger ausgesetzt. Ungewöhnlich ist auch, dass Aktien zumindest einer dieser zum Untergang verurteilten Unternehmen nicht nur von Investmentgesellschaften, sondern auch von Fonds von Universitäten gekauft wurden, von Treuhandabteilungen großer Banken und Ähnlichen.[190] Eine

190 Eines der zum Untergang verurteilten Unternehmen, auf die Graham sich bezieht, war National Student Marketing Corp., eine Betrugsfirma, das sich als Aktiengesellschaft ausgab und dessen Geschichte in Andrew Tobias Buch The Funny Money Game hervorragend beschrieben wird (Playboy Press, New York, 1971). Zu den angeblich kundigen Investoren, die von NSMs charismatischem Gründer, Cort Randell, in die Falle gelockt wurden, zählten die Fonds von Cornell und Harvard und die Treuhandabteilungen solch vornehmer Banken wie Morgan Guaranty und Bankers Trust.

dritte außergewöhnliche Tatsache war, dass der Gründer-Manager von Manhattan Fund seine Aktien im Wert von über 20 Millionen $ in einer getrennt organisierten Vermögensverwaltung an eine andere große Firma verkaufte, und das zu einer Zeit, als die Vermögensverwaltung ein Volumen von weniger als 1 Million $ aufwies. Dies ist zweifellos eines der größten Missverhältnisse aller Zeiten zwischen den Ergebnissen für die „Manager" und jenen für die „Gemanagten".

Ein Buch, das Ende 1969 [34] veröffentlicht wurde, erzählt die Selbstdarstellung von 19 Männern, „die in diesem anspruchsvollen Spiel der Verwaltung des Vermögens anderer Leute absolute Spitze sind". Die Zusammenfassung sagte weiterhin, dass „sie jung sind ... einige verdienen mehr als 1 Million $ pro Jahr ... sie sind eine ganz neue ‚Art' im Finanzbereich ... alle sind von der Börse fasziniert ... und haben ein besonderes Talent, auf Gewinner zu setzen." Einen recht guten Eindruck von den Errungenschaften dieser Spitzengruppe kann man durch die Überprüfung der veröffentlichten Ergebnisse der von ihnen betreuten Fonds gewinnen. Die Ergebnisse der Fonds von zwölf dieser 19 Männer werden in *The Money Managers* beschrieben. Typisch ist, dass sie im Jahr 1966 gute, 1967 brillante Ergebnisse hatten. 1968 war die Performance insgesamt noch gut, aber bei einzelnen Fonds sehr unterschiedlich. Im Jahr 1969 mussten alle Verluste ausweisen, außer einem, der ein wenig besser war als der S&P. 1970 waren ihre Ergebnisse im Vergleich zu 1969 noch schlechter.

Wir haben dieses Bild aufgezeigt, um auf einen Punkt hinzuweisen, der vielleicht am besten durch ein altes französisches Sprichwort ausgedrückt werden kann: „Plus ça change, plus c´est la même chose." Schlaue Menschen voller Energie – normalerweise ziemlich jung – haben schon immer versprochen, mit dem Geld anderer Wunder wirken zu können. In der Regel gelang es ihnen nur kurze Zeit – oder zumindest hatte es diesen Anschein –, doch letztlich brachten sie immer nur Verluste ein.[191] Vor etwa 50 Jahren wurden diese „Wunder" oft von schamlosen Manipulationen, in die Irre führenden Unternehmensberichten, skandalösen Kapitalisierungsstrukturen und anderem, an der Grenze zum Betrug

191 Nun noch einen letzten Beweis für die Aussage: „Je mehr sich die Bedingungen verändern, umso mehr bleiben sie die gleichen". Denken Sie an Ryan Jacob, einen 29-jährigen Wunderknaben, der am Jahresende 1999 den Jacob Internet Fund auflegte, nachdem er mit seinem letzten .com-Fonds einen Gewinn von 216 % erzielt hatte. In den ersten drei Wochen im Jahr 2000 schaufelten die Investoren 300 Millionen $ in diesen Fonds. Danach realisierte er nur noch Verluste: 79,1 % in 2000, 56,4 % in 2001 und 13 % in 2002 – ein Gesamtverlust von 92 %. Diese Verluste machten die Investoren wahrscheinlich älter und klüger als Jacobs selbst.

stehendem, Finanzgebaren begleitet. All das führte zu einem ausgefeilten Kontrollsystem der SEC auf Seiten der Öffentlichkeit, aber auch zu einem allgemeinen Misstrauen gegenüber Aktien. Die Aktionen der neuen „Money Manager" in den Jahren 1965 bis 1969 kamen etwas später als eine Generation nach den Schwindeleien von 1926 bis 1929 auf. Derlei Verhaltensweisen, die nach dem Crash von 1929 verboten wurden, waren verpönt, sie bargen das Risiko, im Gefängnis zu landen. Doch an vielen Ecken der Wall Street wurden sie durch neue Spielereien und Tricks ersetzt, die letztlich zu den gleichen Ergebnissen führten. Offenkundige Kursmanipulationen verschwanden, doch gab es viele andere Methoden, die Aufmerksamkeit der Öffentlichkeit auf die Gewinnmöglichkeiten bei „heißen Emissionen" zu lenken. Pakete von „Letter Stocks" [35] konnten weit unter dem notierten Börsenkurs gekauft werden, allerdings unter dem Vorbehalt unbekannter Restriktionen bei ihrem Verkauf; sie konnten in den Unternehmensberichten zum vollen Marktwert notiert werden, was einen netten, aber illusorischen Gewinn vorspiegelte. Es ist schon erstaunlich, wie es der Wall Street gelang, in einer völlig anderen Umgebung, voll von Reglementierungen und Verboten, so viele Exzesse und Irrtümer der 20er-Jahre zu wiederholen.

Kein Zweifel, es wird zu neuen Reglementierungen und zu neuen Verboten kommen. Die spezifischen Missbräuche der späten 6oer-Jahre werden weitestgehend von der Wall Street verbannt werden. Doch wird man kaum erwarten können, dass der Drang zur Spekulation jemals abgeschafft werden kann. Es ist ein Teil der Rüstung des intelligenten Investors, diese „außergewöhnlich populären Wahnvorstellungen" zu kennen [36] und sich von ihnen so weit wie nur möglich fern zu halten.

Das Bild der meisten Performance-Fonds sieht nach ihrem spektakulären Rekord im Jahr 1967 ziemlich schlecht aus. Einschließlich der Zahlen von 1967 ist das Gesamtbild aber nicht ganz so katastrophal. Auf dieser Basis war einer dieser „Money Manager" ein wenig besser als der S&P, drei waren wesentlich schlechter, und sechs von ihnen schafften in etwa das, was dem S&P auch gelang. Nehmen wir zur Überprüfung eine Gruppe anderer Performance-Fonds - die zehn, die 1967 die beste Leistung zeigten, wobei die Gewinne in diesem einzigen Jahr von 84 % bis 301 % reichten. Unter diesen waren vier, die besser waren als der S&P, wenn die Gewinne von 1967 hinzugerechnet werden; zwei davon übertrafen den S&P von 1968 bis 1970 weit. Keiner dieser Fonds war groß, und die durchschnittliche Kapitalisierung lag bei 60 Millionen $. Somit gibt es deutliche Anzeichen dafür, dass eine geringere Größe ein notwendiger Faktor ist, um ständig überragende Ergebnisse zu erzielen.

Diese Darstellung enthält die stillschweigende Schlussfolgerung, dass es besondere Risiken gibt, wenn man eine überragende Performance mit Hilfe von Fondsmanagern sucht. Alle Erfahrungen in finanziellen Belangen weisen darauf hin, dass große Fonds, wenn sie vernünftig gemanagt werden, über Jahre hinweg bestenfalls ein wenig bessere als durchschnittliche Ergebnisse erwirtschaften können. Werden sie nicht vernünftig gemanagt, können sie für kurze Zeit spektakuläre, aber weitgehend illusorische Gewinne erzielen, auf die aber unweigerlich verhängnisvolle Verluste folgen. Es gab Zeitpunkte, zu denen Fonds den Marktdurchschnitt zehn oder mehr Jahre lang überboten. Doch waren dies seltene Ausnahmen, die sich auf besondere Bereiche spezialisierten, sich Grenzen beim eingesetzten Kapital auferlegten – und auch nicht aktiv an die Öffentlichkeit verkauften.[192]

Geschlossene oder offene Fonds?

Fast alle Investmentfonds sind offene Fonds, die ihren Anteilsinhabern das Recht geben, ihre Anteile zum Tageswert des Portfolios gegen Bargeld einzutauschen. Sie haben eine entsprechende Einrichtung, um neue Anteile zu verkaufen. Dadurch haben sie mit der Zeit an Größe gewonnen. Die geschlossenen Fonds, von denen fast alle schon vor langer Zeit aufgelegt wurden, haben eine feste Kapitalstruktur und deshalb an Bedeutung verloren. Offene Fonds werden von Tausenden energiegeladener und überzeugend argumentierender Verkäufer angeboten; geschlossene Fondsgesellschaften dagegen haben kein besonderes Interesse daran, ihre Anteile zu verkaufen. Folglich war es möglich, die meisten Investmentfonds bei Anlegern unterzubringen, meist mit einer festen Provision von 9 % über dem Wert des eingesetzten Kapitals (um damit unter anderem die Provisionen der Verkäufer zu bezahlen), während die meisten geschlossenen Fonds immer unter ihrem Nettokapitalwert zu haben waren. Dieser Preisnachlass variierte unter den verschiedenen Fondsgesellschaften, und der durchschnittliche Preisnachlass variierte auch noch von einem Zeitpunkt zum anderen. Die entsprechenden Zahlen für den Zeitraum von 1961 und 1970 finden Sie in Tabelle 9-3.

192 Die heutige Entsprechung für Grahams „seltene Ausnahmen" sind wahrscheinlich die offenen Fonds, die aber keine neuen Investoren aufnehmen – was bedeutet, dass die Manager kein neues Geld mehr bekommen. Das reduziert die Managementgebühren, die sie verdienen können, es maximiert aber auch die Gewinne, die schon beteiligte Investoren verdienen können. Weil die meisten Fondsmanager lieber nach der Nummer eins schielen, als selbst die Nummer eins zu sein, ist es ein seltener und mutiger Schritt, keine neue Investoren in einen Fonds aufzunehmen.

Es bedarf keiner besonderen Weisheit anzunehmen, dass der geringere relative Preis für geschlossene Fonds im Vergleich zu offenen Fonds sehr wenig mit dem Unterschied in den Anlageergebnissen dieser beiden Gruppen zu tun hat. Dass dies jedoch der Fall ist, zeigen wir durch einen Vergleich der Jahresergebnisse für 1961 bis 1970, die für beide Gruppen ebenfalls in der Tabelle 9-3 enthalten sind.

Somit kommen wir zu klar erkennbaren Regeln für die Entscheidungen des Investors. Wenn Sie Geld in einen Investmentfonds investieren wollen, dann sollten Sie eine Gruppe geschlossener Fonds mit einem Preisabschlag von etwa 10 % bis 15 % kaufen, anstatt einen Aufschlag von 9 % über dem Anlagewert für die Anteile offener Fonds zu zahlen. Wenn wir unterstellen, dass die künftigen Dividenden und die Veränderungen im Anlagewert bei beiden Gruppen in etwa gleich sind, dann können Sie mit geschlossenen Fonds etwa ein Fünftel mehr verdienen.

Tabelle 9-3: Daten zu geschlossenen Fonds, zu offenen Fonds und zum S&P Composite Index

Jahr	Durchschnittlicher Abschlag bei geschlossenen Fonds in %	Durchschnittliche Ergebnisse geschlossener Fonds in %[a]	Durchschnittliche Ergebnisse offener Aktienfonds in %[b]	Ergebnisse des S&P-Index in %[c]
1970	-6	gleichbleibend	-5,3	+3,5
1969	-	-7,9	-12,5	-8,3
1968	(+7)[d]	+13,3	+15,4	+10,4
1967	-5	+28,2	+37,2	+23,0
1966	-12	-5,9	-4,1	-10,1
1965	-14	+14,0	+24,8	+12,2
1964	-10	+16,9	+13,6	+14,8
1963	-8	+20,8	+19,3	+24,0
1962	-4	-11,6	-14,6	-8,7
1961	-3	+23,6	+25,7	+27,0
Durchschnitt der Zahlen von 10 Jahren	+9,14	+9,95	+9,79	

a) Wiesenberger-Durchschnitt von zehn diversifizierten Fondsgesellschaften
b) Durchschnitt von fünf Wiesenberger-Durchschnitten von Aktienfonds pro Jahr
c) In allen Fällen wurden die Ausschüttungen zurückgerechnet
d) Aufschlag

Der Verkäufer von Investmentfonds wird sehr schnell mit dem Gegenargument kommen: „Aber wenn Sie Anteile geschlossener Fonds besitzen, dann können Sie nie sicher sein, zu welchem Kurs Sie diese verkaufen können. Der Preisabschlag kann größer sein als heute, und Sie müssen eine größere Spanne hinnehmen. Mit unseren Anteilen haben Sie die Garantie, Ihre Anteile zu 100 % des Anlagewertes zurückzugeben. Niemals weniger." Dieses Argument wollen wir ein wenig genauer untersuchen. Dies wird eine gute Übung in Logik und gesundem Menschenverstand. Frage: Angenommen, der Preisabschlag bei geschlossenen Fonds wird höher. Wie wahrscheinlich ist es, dass Sie mit diesen Anteilen schlechter fahren als mit einem ansonsten vergleichbaren Kauf von Anteilen offener Fonds?

Nun muss man ein wenig rechnen. Nehmen wir an, Investor A kauft einige Anteile offener Fonds zu 109 % des Anlagewertes, und Investor B kauft Anteile von geschlossenen Fonds zu 85 % zuzüglich 1,5 % Provision. Beide Fondsanteile verdienen und zahlen 30 % des Anlagewertes in vier Jahren und haben am Ende den gleichen Wert wie am Anfang. Investor A gibt seine Anteile zum Wert von 100 % zurück – und verliert den Ausgabeaufschlag von 9 %. Sein Gesamtgewinn innerhalb von vier Jahren ist 30 % abzüglich 9 % oder 21 % des angelegten Kapitals. Dies wiederum sind 19 % auf sein eingesetztes Kapital. Wie viel muss Investor B realisieren, um die gleiche Rendite wie Investor A zu erzielen? Die Antwort ist: 73 % oder ein Preisabschlag von 27 % vom Anlagewert. Mit anderen Worten: Der geschlossene Fonds könnte einen Marktabschlag von 12 % hinnehmen (etwa das Doppelte), damit sein Gewinn ebenso hoch ist wie der des Investors in offene Fonds. Eine schlechtere Veränderung ist, wenn überhaupt, nur sehr selten vorgekommen. Somit ist es sehr unwahrscheinlich, dass man mit einem (repräsentativen) Anteil eines geschlossenen Fonds, der mit einem Preisabschlag gekauft wird, einen geringeren Gewinn erzielt, wenn die Performance der Investitionen in etwa der eines repräsentativen offenen Fonds entspricht. Wenn ein Fonds mit geringfügigem (oder gar keinem) Ausgabeaufschlag durch einen mit dem üblichen Aufschlag von 8,5 % ersetzt wird, wird der Vorteil des geschlossenen Fonds natürlich gemindert, aber dennoch bleibt ein Vorteil.

Die Tatsache, dass einige geschlossene Fonds mit einem Preisaufschlag von mehr als 9 % verkauft werden, die als Provision für die meisten offenen Fonds anfallen, wirft für den Investor eine weitere Frage auf: Haben diese Gesellschaften ein besonders gutes Management, das schon ausreichend unter Beweis gestellt hat, dass es den erhöhten Preis wert ist? Sucht man die Antwort in den vergleichbaren Ergebnissen der vergangenen fünf oder zehn Jahre, dann müsste man diese Frage verneinen. Drei der sechs Gesellschaften, die einen Aufschlag verlangen, legen hauptsächlich im Ausland an. Eine überraschende Eigenschaft dieser Auslandsengagements ist die Schwankungsbreite der Preise innerhalb weniger Jahre. Ende 1970 wurde eine der Gesellschaften zu nur einem Viertel ihres Höchststandes gehandelt, eine andere zu einem Drittel, eine weitere zu etwas weniger als der Hälfte. Wenn wir die drei heimischen Gesellschaften in Betracht ziehen, die über dem Anlagewert gehandelt werden, dann glauben wir, dass der Durchschnitt der Gewinne über zehn Jahre hinweg etwas besser war als jener der zehn Fonds, die mit einem Preisabschlag gehandelt wurden, doch in den letzten fünf Jahren war das Gegenteil der Fall. Ein Vergleich der Leistungsbilanz von Lehman Corp. und der von General American Investors, zwei der ältesten und größten geschlossenen Fondsgesellschaften, aus den Jahren 1961 bis 1970 finden Sie in Tabelle 9-5. Eine von diesen wurde Ende 1970 mit 14 % über dem Anlagebetrag gehandelt, die andere mit 7,6 % unter dem Anlagebetrag. Der Unterschied im Verhältnis von Preis zu Netto-Anlagevermögen scheint demnach nicht gewährleistet zu sein.

Investitionen in ausgewogene Fonds

Die 23 ausgewogenen Fonds, die im Wiesenberger-Bericht erfasst sind, hatten zwischen 25 % und 59 % ihres Vermögens in Vorzugsaktien und Anleihen angelegt, der Durchschnitt lag bei nur 40 %. Der Saldo wurde in Aktien gehalten. Er wäre logischer, wenn der typische Investor seine Investitionen, etwa Anleihen, direkt tätigen würde, anstatt sie in einem Fonds zu halten. Der durchschnittliche Erlös aus dieser ausgewogenen Portfolios lag im Jahr 1970 bei nur 3,9 % des Anlagewertes oder etwa 3,6 % des Ausgabekurses. Die bessere Entscheidung bei den Anleihen wäre der Kauf von US Savings Bonds oder von Industrieanleihen, die mit mindestens A bewertet wurden, oder der Kauf steuerfreier Anleihen.

Tabelle 9-4: Durchschnittliche Ergebnisse diversifizierter geschlossener Fonds, 1961 bis 1970[a]

	1970	**5 Jahre, 1966 - 1970**	**1961 - 1970**	**Auf- oder Abschlag im Dezember 1970**
Drei Fonds, die mit einem Aufschlag verkauften	-5,2 %	+25,4 %	+115 ,0 %	11,4 % Aufschlag
Zehn Fonds, die mit einem Abschlag verkauften	+1,3 %	+22,6 %	+102,9 %	9,2 % Abschlag

a) Daten wurden von Wiesenberger Financial Services zur Verfügung gestellt

Tabelle 9-5: Vergleich zweier führender geschlossener Fondsgesellschaften[a]

	1970	**5 Jahre, 1966 - 1970**	**1961 - 1970**	**Auf- oder Abschlag im Dezember 1970**
General American Investors Corp.	-0,3 %	+34,0 %	+165,6 %	7,6 % Abschlag
Lehman Corp.	-7,2 %	+20,6 %	+108,0 %	13,9 % Aufschlag

a) Daten wurden von Wiesenberger Financial Services zur Verfügung gestellt

Kommentar zu Kapitel 9

> Der Lehrer fragt Billy Bob: „Wenn du zwölf Schafe hast, und eines springt über den Zaun, wie viele Schafe bleiben dann noch übrig?"
> Billy Bob antwortet: „Keines."
> „Nun", sagt der Lehrer, „ich glaube, du kannst nicht gut subtrahieren."
> „Vielleicht nicht", antwortet Bob, „aber meine Schafe kenne ich verdammt gut."
>
> *Alter texanischer Witz*

Fast perfekt

Eine rein amerikanische Kreation, der Investmentfonds, wurde 1924 von einem früheren Verkäufer von Aluminiumtöpfen und Aluminiumpfannen namens Edward G. Leffler eingeführt. Investmentfonds sind relativ billig, sehr bequem, im Allgemeinen diversifiziert, sie werden professionell gemanagt und unterliegen einer der schärfsten Regulierungen nach dem amerikanischen Wertpapiergesetz. Dadurch, dass Kapitalanlage einfach wurde und fast jeder sie sich leisten konnte, brachten die Fonds etwa 54 Millionen amerikanische Familien (und weltweit noch einige Millionen mehr) zu dieser Art von Investment – wahrscheinlich der größte Fortschritt, der in der finanziellen Demokratie je erreicht wurde.

Doch Investmentfonds sind nicht perfekt; sie sind nur *fast* perfekt, und dieses Wort ist entscheidend. Wegen dieser Unzulänglichkeiten erreichen sie fast nie den Marktdurchschnitt, verlangen von den Investoren zu hohe Gebühren, bereiten Kopfschmerzen bei der Steuer und leiden unter wirren Schwankungen in der Performance. Der intelligente Investor muss sich seine Fonds sehr sorgfältig aussuchen, um letztlich nicht einen Haufen Scherereien zu haben.

Die Ersten der Rangliste

Die meisten Investoren kaufen einfach einen Fondsanteil, der im Wert schnell gestiegen ist und weil sie davon ausgehen, dass es so weitergehen wird. Weshalb eigentlich nicht? Psychologen haben nachgewiesen, dass die Menschen eine angeborene Neigung haben zu glauben, dass die fernere Zukunft aus einer kurzen Reihe von Vorkommnissen vorhergesagt werden kann. Außerdem wissen wir aus Erfahrung, dass einige Klempner weit besser sind als andere, dass einige Baseballspieler mit größerer Wahrscheinlichkeit Home-Runs schlagen als andere, dass unser Lieblingsrestaurant immer gutes Essen serviert und schlaue Kinder immer auch gute Noten erhalten. Geschick, Intelligenz und harte Arbeit werden anerkannt, belohnt – und immer wiederholt, überall um uns herum. Wenn also ein Fonds besser ist als der Gesamtmarkt, dann sagt uns unser Gefühl, dass er auch weiterhin besser sein wird als der Gesamtmarkt.

Leider ist Glück in den Finanzmärkten wichtiger als Fähigkeiten. Wenn ein Manager zufällig zur richtigen Zeit in der richtigen Ecke der Börse steht, dann sieht er hervorragend aus – doch allzu oft wird das, was soeben noch „heiß" war, plötzlich „eiskalt", und der Intelligenzquotient des Managers scheint um 50 Punkte zu schrumpfen. Abbildung 9-1 zeigt, was 1999 mit den „heißesten" Fonds passiert ist.

Der heißeste Sektor des Marktes – im Jahr 1999 war das Technologie – wird plötzlich so kalt wie flüssiger Stickstoff, er bewegt sich mit unheimlicher Geschwindigkeit, und dies ohne Anzeichen einer Warnung.[193] Der Kauf von Fondsanteilen ausschließlich auf der Grundlage früherer Leistungen ist so ziemlich das Dümmste, was ein Investor tun kann. Studenten der Finanzwissenschaften haben die Performance von Investmentfonds über ein halbes Jahrhundert lang untersucht, und in einigen Punkten stimmen alle überein:

- Der durchschnittliche Fonds wählt seine Aktien nicht sorgsam genug aus, um die Kosten für Research und Vertrieb zu decken.
- Je höher die Auslagen einer Fondsgesellschaft sind, desto geringer sind die Gewinne.
- Je häufiger ein Fonds seine Aktien umschichtet, umso unwahrscheinlicher ist es, dass er Gewinne erzielt.
- Hoch volatile Fonds, die häufiger auf und ab springen als der Durchschnitt, werden wahrscheinlich auch volatil bleiben.
- Fonds, die in der Vergangenheit hohe Gewinne erwirtschafteten, werden wahrscheinlich nicht lange zu den Gewinnern zählen.[194]

---

193 Sektorfonds spezialisieren sich auf fast jede nur vorstellbare Branche – und gehen bis in die 20er-Jahre zurück. Nach fast 80 Jahren sind die Beweise überwältigend: Der lukrativste und somit beliebteste Fonds in einem beliebigen Jahr stellt sich im Folgejahr oft als besonders leistungsschwach heraus. So wie faule Hände die Werkstätten des Teufels sind, so sind Sektorfonds der Untergang der Anleger.

194 Die Recherchen zur Performance von Investmentfonds sind zu umfangreich, um sie an dieser Stelle zu zitieren. Nützliche Zusammenfassungen und Links finden Sie unter www.investorhome.com/mutual.htm#do, www.ssrn.com (klicken Sie auf „mutual fund") und unter www.stanford.edu/~wfsharpe/art/.htm.

Abb. 9-1: Der „Crash-and-Burn Club"

Fonds	Gesamtgewinn				Wert an 31.12.2002 von 10.000 $, die am 1.1. 1999 investiert wurden
	1999	2000	2001	2002	
Van Wagoner Emerging Growth	291,2	-20,9	-59,7	-64,6	4.419
Monument Internet	273,1	-56,9	-52,2	-51,2	3.756
Amerindo Technology	248,9	-64,8	-50,8	-31,0	4.175
PBHG Technology & Communications	243,9	-43,7	-52,4	-54,5	4.198
Van Wagoner Post-Venture	237,2	-30,3	-62,1	-67,3	2.907
ProFunds Ultra OTC	233,2	-73,7	-69,1	-69,4	829
Van Wagoner Technology	223,8	-28,1	-61,9	-65,8	3.029
Thurlow Growth	213,2	-56,0	-26,1	-31,0	7.015
Firsthand Technology Innovators	212,3	-37,9	-29,1	-54,8	6.217
Janus Global Technology	211,6	-33,7	-40,0	-40,9	7.327
Wilshire 5000 Index (der gesamte Aktienmarkt)	23,8	-10,9	-11,0	-20,8	7.780

Quelle: Lipper
Anmerkung: Monument Internet wurde später in Orbitex Emerging Technology umbenannt.

Diese zehn Fonds zählten zu den heißesten Gewinnern des Jahres 1999 - und auch zu den erfolgreichsten Jahresgewinnern aller Zeiten. Doch die folgenden drei Jahre löschten all die riesigen Gewinne von 1999 aus, und noch ein wenig mehr.

Ihre Chancen, die besten Fonds der Zukunft auf der Grundlage der Gewinne in der Vergangenheit auszuwählen, sind in etwa so groß, wie wenn ein Yeti und ein Schneemann in rosa Ballettschuhen bei Ihrer nächsten Party auftauchten. Mit anderen Worten: Ihre Chancen sind nicht null - aber fast null. (Siehe Kasten S. 275f.)

Doch es gibt auch gute Nachrichten. Erstens: Wenn Sie erst einmal verstehen, weshalb es so schwierig ist, einen guten Fonds zu finden, wird Ihnen das helfen, ein intelligenterer Investor zu werden. Zweitens: Während die vergangene Leistungsbilanz nur schlecht künftige Ergebnisse vorhersagen kann, gibt es andere Faktoren, die Sie nutzen können, um Ihre Chancen zu verbessern, einen guten Fonds zu finden. Schließlich kann ein Fonds einen hervorragenden Wert darstellen, selbst wenn er den Markt nicht schlagen kann – indem er einen ökonomischen Weg darstellt, Ihr Vermögen zu diversifizieren und Ihnen die Freizeit zu geben für all die anderen Dinge, die Sie lieber machen, als selbst Aktien auszuwählen.

Die Ersten werden die Letzten sein

Weshalb sind nicht mehr gute Fonds unter den Gewinnern?

Je bessere die Leistungen sind, die ein Fonds liefert, desto höher werden die Hürden für den Investor:

Ausscheidende Manager: Wenn ein Manager bei der Auswahl der Aktien ein „goldenes Händchen" hat, dann will ihn jeder haben – sogar rivalisierende Fondsgesellschaften. Hätten Sie Transamerica Premier Equity Fund gekauft, weil Sie sich vom Können von Glen Bickerstaff Vorteile versprachen, der 1997 47,5 % hinzugewann, dann hätte Sie bald das Glück verlassen. TCW schnappte sich ihn Mitte 1998, um den TCWGalileo Select Equities Fund zu managen, und der Transamericana Fund lief in den nächsten drei der vier folgenden Jahren dem Markt hinterher. Hätten Sie Anfang 2000 den Fidelity Aggressive Growth Fund gekauft, weil Sie von den hohen Gewinnen von Erin Sullivan profitieren wollten, der seit 1997 das Geld der Anleger fast verdreifacht hatte, was wäre dann passiert? Sullivan stieg aus der Fondsgesellschaft aus, gründete 2000 ihren eigenen Hedgefonds, und ihr früherer Fonds verlor in den folgenden drei Jahren mehr als drei Viertel seines Wertes.[195]

Vermögens-Elefantitis. Wenn ein Fonds hohe Renditen erzielt, dann bemerken das auch die Investoren – und innerhalb weniger Wochen schütten sie hunderte Millionen $ in den Fonds. Nun hat der Fondsmanager nur noch wenige Wahlmöglichkeiten – und alle sind schlecht. Er kann das Geld in Sicherheit bringen, wenn es einmal schlecht läuft, doch dann wird die geringe Rendite auf Barmittel die Ergebnisse des Fonds mindern, wenn die Aktienkurse weiter steigen. Er kann das Geld in die Aktien investieren, die er bereits im Portfolio hat – deren Kurs aber

195 Damit soll nicht gesagt werden, dass diese Fonds bessere Leistungen geliefert hätten, wenn ihr „Superstar" geblieben wäre; wir können nur sagen, dass die Fonds ohne sie schlecht liefen.

wahrscheinlich schon gestiegen ist, seit er sie zum ersten Mal gekauft hat, und sie werden gefährlich überbewertet, wenn er weitere Millionen $ darin investiert. Er kann aber auch Aktien kaufen, die ihm noch nicht so gut gefallen haben, als dass er sie schon im Portfolio hätte - doch muss er sie von Grund auf neu recherchieren und viel mehr Unternehmen im Auge behalten, als er gewohnt ist.

Schließlich, wenn der 100-Millionen-$-Nimble-Fonds 2 % seines Vermögens (oder 2 Millionen $) in Minnow Corp. anlegt, eine Aktie mit einem Gesamtmarktwert von 500 Millionen $, dann kauft er weniger als 0,5 % von Minnow. Doch wenn eine „heiße" Performance den Nimble-Anteil auf 10 Milliarden $ steigert, dann würde eine Investition von 2 % schon 200 Millionen $ ausmachen - fast die Hälfte des Gesamtwerts von Minnow, ein Niveau ,das gesetzlich nicht erlaubt ist. Wenn Nimbles Portfoliomanager immer noch kleine Aktien kaufen will, dann muss er sein Geld auf wesentlich mehr Unternehmen streuen - und wird letztlich auch seine Konzentration aufteilen.

Keine Lust auf lästige Arbeit. Einige Fondsgesellschaften spezialisieren sich darauf, ihre Fonds „auszubrüten" - private Testfahrten sozusagen, bevor sie an die Öffentlichkeit verkauft werden. (In der Regel sind die einzigen Anteilsinhaber Angestellte und Partner der Fondsgesellschaft.) Indem die Fonds klein gehalten werden, kann der Sponsor diese „ausgebrüteten" Fonds als „Versuchskaninchen" für riskante Strategien benutzen, die am besten mit wenig Kapital funktionieren, etwa den Kauf winziger Aktien oder schnelles Traden mit IPOs. Wenn die Strategie funktioniert, kann die Fondsgesellschaft eine Menge Investoren anlocken, indem sie die privaten Ergebnisse publiziert. In anderen Fällen „verzichtet" der Fondsmanager auf die Managementgebühren, erhöht damit die Nettorendite - und schlägt die Gebühren dann auf, wenn die hohen Gewinne viele Kunden angezogen haben. Fast ausnahmslos fielen die „ausgebrüteten" oder die Fonds „ohne Managementgebühren" ins Mittelmaß zurück, nachdem Investoren Millionen von Dollars investiert hatten.

Die Auslagen erhöhen. Oft ist es wesentlich teurer, Aktien in sehr großen Paketen zu handeln, als in kleineren Stückelungen; bei weniger Käufern und Verkäufern ist es schwieriger, einen Handel zustande zu bringen. Ein Fonds mit einem Vermögen von 100 Millionen $ kommt jährlich auf Transaktionskosten von etwa 1 %. Doch wenn hohe Gewinne den Fonds auf 10 Milliarden $ anwachsen lassen, dann können die Kosten leicht 2 % der Transaktionen ausmachen. In der Regel halten Fonds ihre Aktien etwa elf Monate lang, sodass die Transaktionskosten die Gewinne aufzehren wie ein ätzendes Gift. Zwischenzeitlich fallen die anderen Betriebskosten eines Fonds nur sehr selten - manchmal steigen sie sogar -, wenn das Anlagevermögen größer wird. Bei Betriebskosten von 1,5 % und Transaktionskosten von etwa 2 % muss der typische Fonds den Markt jährlich um 3,5 Prozentpunkte schlagen, damit die Anleger keine Verluste machen.

Ängstliches Verhalten. Wenn ein Fonds letztlich erfolgreich wird, werden die Manager meist ängstlich und ahmen andere nach. Wenn ein Fonds wächst, werden die Gebühren attraktiver - und die Manager zögern, weil sie nicht für Aufregung sorgen wollen. Die wirklichen Risiken, die die Manager eingingen, um die anfänglichen Gewinne zu erzielen, könnten nunmehr die Kunden abschrecken - und die fetten Erlöse aus den Gebühren aufs Spiel setzen. Deshalb versammeln die größten Fonds eine Herde von identischen und überfütterten Schafen, alle traben im Gleichschritt, und alle blöken gleichzeitig. Fast jeder Wachstumsfonds hat Cisco, General Electric, Microsoft, Pfizer und Wal-Mart im Portfolio - auch in fast identischen Größenordnungen. Dieses Verhalten ist so weit verbreitet, dass Finanzwissenschaftler es schlicht und einfach Herdenbildung nennen.[196] Aber indem sie ihr eigenes Einkommen durch Gebühren schützen, begrenzen die Fondsmanager die Möglichkeit, überdurchschnittliche Gewinne für ihre Kunden zu erwirtschaften.

Wegen ihrer üppigen Kosten und ihres schlechten Verhaltens versagen die meisten Fonds, wenn es darum geht, ihren Unterhalt zu verdienen. Kein Wunder, dass hohe Gewinne beinahe ebenso vergänglich sind, wie ungekühlter Fisch verderblich ist. Hinzu kommt: Mit der Zeit lassen die exzessiven Kosten der meisten Fonds den größten Teil der Gewinne immer weiter zurückgehen, wie Abbildung 9-2 zeigt.[197]

---

196 Es gibt hier noch eine zweite Lehre: Um erfolgreich zu sein, muss der Privatanleger entweder vermeiden, aus der gleichen Liste der Lieblingsaktien auszuwählen, aus der sich bereits die riesigen Finanzinstitutionen bedient haben, oder er muss sie geduldiger und damit länger halten. Siehe Erik R. Sirri und Peter Tufano, „Costly Search and Mutual Fund Flows", The Journal of Finance, Band 53, Nr. 8, Oktober 1998, S. 1589-1622; Keith C. Brown, W. V. Harlow und Laura Starks, „Of Tournaments and Temptations", The Journal of Finance, Bd. 51, Nr. 1, März 1996, S. 85-110; Josef Lakonishok, Andrei Shleifer und Robert Vishny, „What Do Money Managers Do?" Arbeitspapier, University of Illinois, Februar 1997; Stanley Eakins, Stanley Stansell und Paul Wertheim, „Institutional Portfolio Composition", Quarterly Review of Economics and Finance, Bd. 38, Nr. 1, Frühjahr 1998, S. 93-110; Paul Gompers und Andrew Metrick, „Institutional Investors and Equity Prices", The Quarterly Journal of Economics, Bd. 116, Nr. 1, Februar 2001, S. 229-260.

197 Erstaunlicherweise untertreibt diese Darstellung den Vorteil von Indexfonds, da die Datenbank, aus der die Daten entnommen wurden, nicht die Leistungsbilanz Hunderter Fonds einschließt, die über diese Zeiträume hinweg verschwunden sind. Genau gemessen ist der Vorteil der Indexfonds überwältigend.

Abb. 9-2: Der Trichter der Performance von Investmentfonds

Rückblickend vom 31. Dezember 2002: Wie viele amerikanische Aktienfonds haben den Vanguard 500 Index Fund geschlagen?

Ein Jahr:	1.186 von 2.423 Fonds (oder 48,9 %)
Drei Jahre:	1.157 von 1.944 Fonds (oder 59,5 %)
Fünf Jahre:	768 von 1.494 Fonds (oder 51,4 %)
Zehn Jahre:	227 von 728 Fonds (oder 31,2 %)
15 Jahre:	125 von 445 Fonds (oder 28,1 %)
20 Jahre:	37 von 248 Fonds (oder 14,9 %

Quelle: Lipper Inc.

Was aber sollte der intelligente Investor tun?

Erstens sollte er erkennen, dass ein Indexfonds – der immer alle Aktien im Markt umfasst, ohne irgendeine Möglichkeit, die „besten" auszuwählen und die „schlechtesten" zu vermeiden – die meisten Fonds langfristig schlägt. Wenn in Ihrem Betrieb kein preisgünstiger Indexfonds im Rahmen des 401(k)-Programms angeboten wird, dann sollten Sie mit Ihren Kollegen eine Petition bei der Geschäftsleitung einreichen, damit auch ein solcher Fonds angeboten wird. Die äußerst niedrigen Gemeinkosten von nur 0,2 % jährlich und Transaktionskosten von nur 0.1 % jährlich verleihen diesem Fonds einen nicht zu überbietenden Vorteil. Wenn Aktien in den folgenden 20 Jahren eine Rendite von 7 % einfahren, dann bringt es ein Fonds mit niedrigen Kosten wie der Vanguard Total Stock Market auf immerhin 6,7 %. (Das würde aus einer Investition von 10.000 $ mehr als 36.000 $ machen.) Doch der durchschnittliche Aktienfonds, mit 1,5 % Betriebskosten und etwa 2 % Transaktionskosten, wäre glücklich, wenn er jährlich 3,5 % schaffen würde. (Das würde aus einer Investition von 10.000 $ gerade einmal 20.000 $ machen – oder fast *50 % weniger* als das Ergebnis des Indexfonds.)

Indexfonds haben nur einen einzigen entscheidenden Haken: Sie sind langweilig. Sie werden nie zu einer Grillparty gehen und prahlen können, dass Sie Anteile des besten Fonds des Landes besitzen. Sie werden nie verkünden können, dass Sie den Markt geschlagen haben, weil es die Aufgabe eines Indexfonds ist, genau die Rendite des Marktes abzubilden, sie aber nicht zu übertreffen. Der Manager Ihres Indexfonds wird wahrscheinlich kein Glücksspieler sein und auch nicht darauf wetten, dass Teleportation die nächste große Branche sein wird oder bestimmte Websites, die man riechen kann, oder dass telepathische Schlankheitskliniken der große Hit werden. Der Fonds wird immer jede Aktie besitzen, aber nicht das beste Gespür des Fondsmanagers, wenn es etwas Neues gibt. Doch über die Jahre hinweg werden auch die Kosten der Indexfonds unaufhaltsam steigen. Halten Sie einen Indexfonds 20 Jahre oder länger, dann können Sie sicher sein, dass Sie besser sein werden als die große Mehrheit der professionellen und individuellen Investoren. Im hohen Alter lobte Graham die Indexfonds als die beste Wahl für Privatanleger, ebenso wie Warren Buffett.[198]

So erzielt man Vorteile

Wenn Sie sämtliche Handicaps zusammenrechnen, dann ist es kein Wunder, dass so wenige Fonds den Index schlagen. Es ist ein Wunder, dass es überhaupt jemandem gelingt. Und dennoch schaffen es einige. Welche besonderen Qualitäten haben sie gemeinsam?

Ihre Manager halten die meisten Anteile. Der Interessenkonflikt zwischen dem, was am besten für den Fondsmanager ist, und dem, was für die Investoren am besten ist, wird entschärft, wenn die Fondsmanager zu den größten Anteilinhabern zählen. Einige Firmen, wie beispielsweise Longleaf Partners, verbieten ihren Mitarbeitern sogar, Anteile anderer als der eigenen Fonds zu halten. Bei Longleaf und anderen Firmen wie Davis und FPA besitzen die Manager so viele Anteile, dass sie Ihr Geld so gut verwalten, als wäre es ihr eigenes – und vermindern damit die Wahrscheinlichkeit, dass sie die Gebühren in die Höhe treiben, die Fonds riesig werden lassen oder Sie mit einem „ordentlichen" Steuerbescheid reinlegen. Eine Handlungsvollmacht über einen Fonds und eine zusätzliche Bescheinigung

198 Siehe Benjamin Graham, Benjamin Graham: Memoirs of the Dean of Wall Street, Seymour Chatman, Hrsg. (McGraw-Hill, New York, 1996) S. 273, und Janet Lowe, The Undiscovered Benjamin Graham: Selected Writings of the Wall Street Legend (John Wiley & Sons, New York, 1999) S. 273. Wie Warren Buffett in seinem Jahresbericht von 1996 schrieb: „Die meisten Investoren, sowohl institutionelle als auch Privatanleger, werden herausfinden, dass die beste Möglichkeit, Aktien zu besitzen, ist, wenn man einen Indexfonds kauft, der nur minimale Gebühren verlangt. Diejenigen, die diesen Weg beschreiten, können sicher sein, die Nettoergebnisse (nach Gebühren und Auslagen) zu überbieten, die von der Mehrheit der Investmentprofis erzielt werden." (Siehe www.berkshirehathaway.com/1996ar/1996.html).

der SEC - beides ist bei der Datenbank EDGAR unter www.sec.gov nachzusehen - decken auf, ob die Manager zumindest 1 % der Anteile des Fonds besitzen.

Sie sind billig. Eine der am weitesten verbreiteten Mythen im Fondsgeschäft ist, „dass man bekommt, wofür man bezahlt" - dass höhere Renditen die beste Rechtfertigung für höhere Gebühren sind. Bei dieser Behauptung gibt es zwei Probleme. Erstens: Sie stimmt nicht. Jahrzehntelange Untersuchungen haben bewiesen, dass Fonds mit höheren Gebühren im Lauf der Zeit geringere Renditen aufweisen. Zweitens: Hohe Renditen sind nur vorübergehender Natur, während hohe Gebühren fast so dauerhaft sind wie Granit. Wenn Sie einen Fonds kaufen, weil die Gewinne so „heiß" sind, dann werden Sie letztlich mit einer Hand voll kalter Asche allein dastehen - aber Ihre Kosten für den Besitz der Anteile werden mit Sicherheit nicht sinken, wenn die Gewinne geringer werden.

Sie wagen es, anders zu sein. Als Peter Lynch den Fidelity Magellan managte, kaufte er alles, was ihm billig erschien - gleichgültig, was andere Fondsmanager im Portfolio hatten. 1982 bestand seine größte Investition aus Schatzanleihen; kurz danach machte er Chrysler zu seinem Favoriten, auch wenn die meisten Experten erwarteten, dass der Autohersteller Konkurs anmelden müsste. Dann, 1986, legte Lynch fast 20 % des Kapitals des Fidelity Magellan in ausländische Aktien wie beispielsweise Honda, Norsk Hydro und Volvo an. Wenn Sie also vorhaben, einen amerikanischen Aktienfonds zu kaufen, dann sollten Sie die Beteiligungen aus dem letzten Quartalsbericht mit der Liste des S&P 500 vergleichen. Wenn sie wie Zwillinge aussehen, dann sollten Sie sich einen anderen Fonds aussuchen.[199]

Sie schließen die Tür. Die besten Fonds nehmen oft keine weiteren Investoren auf - sie erlauben nur denen, die bereits Anteilinhaber sind, weitere Anteile zu kaufen. Das stoppt den Zulauf neuer Käufer, die ganz oben einsteigen wollen, und schützt den Fonds vor der Kapital-Elefantitis. Es ist auch ein Anzeichen dafür, dass die Fondsmanager nicht die eigene Brieftasche der Ihrigen vorziehen. Doch die Aufnahmesperre erfolgt, bevor der Fonds aus allen Nähten platzt. Einige Fondsgesellschaften mit beispielhaften Leistungsbilanzen, die eine Aufnahmesperre verhängten, waren Longleaf, Numeric, Oakmark, T. Rowe Price, Vanguard und Wasatch.

199 Eine vollständige Liste der Aktien, die den S&P bilden, finden Sie unter www.standardandpoors.com.

Sie inserieren nicht. Wie Plato schon in seiner Schrift *Die Republik* sagte, sind die idealen Regenten diejenigen, die nicht herrschen wollen, und die besten Fondsmanager verhalten sich oft so, als wollten sie Ihr Geld nicht. Sie sind nicht ständig im Fernsehen und inserieren nicht ständig, dass sie die besten Renditen erzielten. Der beständig kleine Mairs & Power Growth Fund hatte bis 2001 nicht einmal eine eigene Website und verkauft ihre Anteile nur in 24 Bundesstaaten. Und der Torray Fund hat seit seiner Gründung im Jahr 1990 noch niemals eine Verkaufsanzeige geschaltet.

Worauf sollte man noch achten? Die meisten Käufer von Fondsanteilen schauen zuerst auf die frühere Leistungsbilanz, dann auf den Ruf des Managers, dann auf das Risiko des Fonds und erst an letzter Stelle (wenn überhaupt) auf die Auslagen des Fonds.[200]

Der intelligente Investor beachtet die gleichen Fakten – jedoch in umgekehrter Reihenfolge.

Da die Auslagen eines Fonds weitaus besser vorhersehbar sind als das künftige Risiko oder der künftige Gewinn, sollten diese auch der erste Filter sein. Es gibt keinen guten Grund, mehr zu bezahlen als die folgenden jährlichen Betriebsausgaben, die, je nach Fondskategorie, etwa so aussehen:

- Zu versteuernde und kommunale Anle ihen: 0,75 %
- US-Wertpapiere (große und mittlere Aktien): 1,00 %
- Hochverzinsliche Anleihen (Junk-Bonds): 1,00 %
- US-Wertpapiere (kleine Aktien): 1,25 %
- Ausländische Aktien: 1,50 %[201]

Danach bewerten Sie das Risiko. In seinem Prospekt muss jeder Fonds eine Balkengrafik zeigen, in der der schlimmste Verlust in einem Kalenderquartal verzeichnet ist. Wenn Sie es sich nicht leisten können, so viel Geld innerhalb von drei Monaten zu verlieren, dann müssen Sie woanders hingehen. Es lohnt sich auch,

---

200 Siehe Noel Capon, Gavan Fitzsimons und Russ Alan Prince, „An Individual Level Analysis of the Mutual Fund Investment Decision", Journal of Financial Services Research, Bd. 10, 19996, S. 59 bis 82; Investment Company Institute, „Understanding Shareholders' Use of Information and Advisers", Frühjahr 1997 unter www.ici.org/pdf/rpt_undstnd_share.pdf, S. 21; Gordon Alexander, Jonathan Jones und Peter Nigro, „Mutual Fund Shareholders: Characteristics, Investor Knowledge, and Sources of Information", OCC Arbeitspapier, Dezember 1997, unter www.occ.treas.gov/ftp/workpaper/wp97-13.pdf.

201 Investoren können leicht nach Fonds suchen, die diese Kostenhürden nehmen, wenn sie das Fund-Screening-Tool unter www.morningstar.com und http://money.cnn.com benutzen.

das Morningstar-Rating eines Fonds zu überprüfen. Als eine der führenden Investment-Research-Firmen vergibt Morningstar „Sterne" an die Fonds auf der Grundlage des Risikos, das eingegangen wurde, um die Gewinne zu erzielen (ein Stern ist am schlechtesten, fünf Sterne ist am besten). Sie erfahren auch, welche Fonds die besten waren, und nicht nur, welche die besten sein werden. Fonds mit fünf Sternen haben die beunruhigende Gewohnheit, schlechter zu sein als Fonds mit nur einem Stern. Suchen Sie also zuerst nach einem Fonds mit geringen Gebühren, deren Manager selbst einen großen Anteil besitzen, wagen Sie es, etwas anders zu machen, überbewerten Sie die Gewinne nicht und seien Sie bereit auszusteigen, bevor die Fonds zu groß für kurze Hosen werden. Dann, und erst dann, sehen Sie das Rating bei Morningstar nach.[202]

Schließlich achten Sie auf die frühere Performance und denken daran, dass dies nur ein schwacher Indikator für künftige Gewinne ist. Wie wir bereits gesehen haben, sind die Gewinner von gestern oftmals die Verlierer von morgen. Doch Forscher haben nachgewiesen, dass eines fast sicher ist: Die Verlierer von gestern werden fast nie die Gewinner von morgen sein. Meiden Sie also Fonds, die ständig magere Gewinne erwirtschaften – insbesondere wenn sie überdurchschnittlich hohe Jahresgebühren verlangen.

Die geschlossene Welt der geschlossenen Fonds

Geschlossene Fonds waren während der 80er-Jahre sehr populär, doch allmählich wurden sie immer weniger. Heute gibt es in den USA nur noch 30 diversifizierte Wertpapierfonds. Viele davon sind sehr klein, traden nur einige hundert Aktien pro Tag, haben hohe Auslagen und eigenartige Strategien – wie etwa Morgan Fun-Shares, der sich auf die Aktien von „gewohnheitsbildenden" Branchen spezialisiert, etwa Schnaps, Spielkasinos und Zigaretten. Recherchen von Donald Cassidy, einem Experten für geschlossene Fonds bei Lipper Inc., bestärken Grahams frühere Beobachtungen: Geschlossene diversifizierte Aktienfonds, die mit einem Abschlag gehandelt werden, sind nicht nur oft besser als diejenigen mit einem Ausgabeaufschlag, sondern sie bringen wahrscheinlich auch höhere Gewinne als

202 Siehe Matthew Morey: Rating the Raters. An Investigation of Mutual Fund Rating Services. Journal of Investment Consulting, Vol. 5, Nr. 2, November/Dezember 2002. Für den Privatanleger ist Morningstar die beste Quelle für Informationen über Fonds.

der durchschnittliche offene Investmentfonds. Leider jedoch sind diversifizierte geschlossene Aktienfonds mit einem Abschlag in einem angestaubten und schrumpfenden Markt nicht immer verfügbar.[203]

Doch gibt es im Bereich der Kommunalanleihen Hunderte geschlossener Anleihenfonds mit besonders strenger Auswahl. Wenn diese mit einem Abschlag gehandelt werden, wird die Rendite vergrößert, und sie können attraktiv sein, solange die jährlichen Auslagen unterhalb der oben aufgeführten Grenzen bleiben.[204]

Es kann sich auch lohnen, sich die neue Art der an den Börsen gehandelten Indexfonds genauer anzusehen. Diese billigen „ETFs" (Exchange Traded Funds) bieten zuweilen die einzige Möglichkeit, mit der ein Anleger in einen engen Markt kommen kann, beispielsweise mit Unternehmen mit Sitz in Belgien oder in der Halbleiterbranche. Andere Index-ETFs bieten wesentlich breitere Märkte. Wie auch immer, im Grunde sind sie für Anleger, die regelmäßig Geld einzahlen wollen, nicht geeignet, weil die meisten Broker immer dann, wenn Sie eine neue Provision einzahlen, nochmals eine verlangen.[205]

Sie sollten wissen, wann Sie sie „knicken" können

Wenn Sie erst einmal Besitzer von Fondsanteilen sind, wie wissen Sie dann, wann es an der Zeit ist, sie zu verkaufen? Der übliche Rat lautet hier, einen Fondsanteil zu verkaufen, wenn er ein oder zwei oder gar drei Jahre nacheinander schlechter ist als der Markt (oder ähnliche Portfolios). Doch macht dieser Ratschlag keinen Sinn. Seit seiner Gründung im Jahr 1970 bis 1999 war der Sequoia Fund in zwölf von 29 Jahren schlechter als der S&P 500 – das sind mehr als 41 % der Zeit. Dennoch verdiente Sequoia in dieser Zeit mehr als 12.500 % im Vergleich zu 4.900 % für den Index.[206]

203 Anders als ein Investmentfonds emittiert ein geschlossener Fonds neue Anteile nicht direkt an jedermann, der sie kaufen will. Stattdessen muss ein Anleger die Anteile nicht bei der Fondsgesellschaft selbst kaufen, sondern von einem anderen Besitzer von Anteilen, der bereit ist, sich von ihnen zu trennen. Deshalb schwankt der Kurs über und unter dem Nettoanlagewert, abhängig von Angebot und Nachfrage.

204 Weitere Informationen finden Sie unter www.morningstar.com und www.etfconect.com.

205 Anders als Investmentfonds unterliegen ETFs den normalen Aktienprovisionen, sobald Sie sie kaufen oder verkaufen – und diese Provisionen werden oft auf jeden zusätzlichen Kauf oder auch die Reinvestition von Dividenden erhoben. Einzelheiten finden Sie unter www.ishares.com, www.streettracks.com, www.amex.com und www.indexfonds.com.

206 Siehe Sequoia Bericht an die Anteilinhaber vom 30.6.1999 unter www.sequoiafund.com/reports/quarterly/semiann99.htm. Sequoia wurde 1982 für neue Anleger geschlossen, was zu einer hervorragenden Performance führte.

Die Performance der meisten Fonds schrumpft ganz einfach deshalb, weil die Art der Aktien, die sie bevorzugen, vorübergehend aus der Mode kommt. Wenn Sie einen Portfoliomanager engagieren, um auf eine ganz bestimmte Weise anzulegen, weshalb sollten Sie ihn nur deshalb feuern, weil er genau das tut, wofür er eingestellt wurde? Wenn Sie verkaufen, weil ein bestimmter Investmentstil aus der Mode gekommen ist, dann realisieren Sie nicht nur einen Verlust, sondern schließen sich von der unvermeidlichen Erholung aus. Eine Studie zeigte, dass Fondsmanager ihre Fonds zwischen 1998 und 2001 jährlich um 4,7 % verschlechterten, weil sie ganz einfach zu teuer kauften und zu billig verkauften.[207]

Wann sollten Sie also verkaufen? Hier einige absolute „rote Karten":

- *Ein deutlicher und unerwarteter Strategiewechsel*, etwa dann, wenn ein Value-Fonds 1999 plötzlich jede Menge Technologie-Aktien kauft oder wenn ein Wachstumsfonds 2002 tonnenweise Aktien von Versicherungen kauft.
- *Ein Anstieg der Kosten*, was vermuten lässt, dass die Manager sich die Taschen füllen.
- *Hohe und häufige Steuerbescheide*, die dann kommen, wenn zu viel getradet wird.
- *Plötzliche schwankende Gewinne*, etwa wenn ein vormals konservativer Fonds einen hohen Verlust erlebt (oder auch einen riesigen Gewinn macht).

Weshalb wir unsere Ouija-Boards so lieben

Wenn wir glauben – oder selbst wenn wir es nur hoffen –, dass wir die besten Fonds der Zukunft finden könnten, dann haben wir ein besseres Gefühl. Es vermittelt uns das angenehme Feeling, unser eigenes Schicksal bestimmen zu können. Dieses Gefühl „Hier habe ich das Sagen" gehört einfach zum Menschen; es ist das, was die Psychologen ein überhöhtes Selbstbewusstsein nennen. Hier ein paar Beispiele dafür, wie es funktioniert:

- 1999 befragte *Money* mehr als 500 Anleger, ob ihre Portfolios den Markt geschlagen hätten. Einer von Vieren antwortete mit „Ja". Als man weiter fragte, wie hoch denn die Gewinne ausgefallen seien, berichte-

207 Jason Zweig, „What Fund Investors Really Need to Know", Money, Juni 2002, S. 110 b–115.

ten 80 % der Befragten über Gewinne, die niedriger lagen als die des Marktes. 4 % hatten keine Ahnung, um wie viel ihr Portfolio anstieg – sie waren sich aber dennoch sicher, sie hätten den Markt geschlagen.

- Eine schwedische Studie bat Autofahrer, die in schwere Unfälle verwickelt waren, ihre Fahrkünste einzuschätzen. Diese Leute – auch einige, bei denen die Polizei festgestellt hatte, sie hätten den Unfall verursacht, und andere, die so schwer verletzt waren, dass sie die Fragen vom Krankenhaus aus beantworteten – bestanden darauf, sie seien überdurchschnittlich gute Autofahrer.
- Bei einer Umfrage, die im Jahr 2000 durchgeführt wurde, fragten *Time* und CNN mehr als 1.000 Leute, ob sie glaubten, hinsichtlich ihres Einkommens zu den besten 1 % der Bevölkerung zu gehören. 19 % zählten sich zu den reichsten 1 % der Amerikaner.
- Ende 1997 stellte sich bei einer Umfrage unter 750 Anlegern heraus, dass 74 % glaubten, ihre Investmentfonds würden den S&P jährlich überbieten – obwohl es den meisten Fonds nicht gelingt, den S&P 500 langfristig zu schlagen, und viele es überhaupt nicht schaffen.[208]

Auch wenn diese Art von Optimismus ein Anzeichen für eine gesunde Psyche ist, wird daraus immer noch keine gute Anlagestrategie. Es ist nicht sinnvoll zu glauben, dass man etwas vorhersagen kann, wenn es überhaupt vorherzusagen ist. Wenn Sie nicht realistisch sind, dann wird Ihr Streben nach Selbstwertgefühl letztlich in der Selbstaufgabe enden.

Wie der Anlageberater Charles Ellis sagte: „Wenn Sie sich nicht darauf eingerichtet haben, verheiratet zu bleiben, dann sollten Sie gar nicht heiraten."[209] Das Investieren in Fonds ist nichts anderes: Wenn Sie sich nicht darauf eingerichtet haben, sich mindestens drei Jahre an einen Fonds zu binden, dann sollten Sie ihn überhaupt nicht kaufen. Geduld ist der mächtigste Verbündete des Anlegers in Fonds.

---

208 Siehe Jason Zweig, „Did You Beat the Market?" Money, Januar 2000, S. 55–58; Time/CNN Umfrage # 15, 25./26. Oktober 2000, Frage 29.

209 Siehe das Interview von Jason Zweig mit Charles Ellis, „Wall Street's Wisest Man", Money, Juni 2001, S. 49–52.

Kapitel 10

Der Investor und seine Berater

Die Investition von Geld in Wertpapiere ist einzigartig unter den Geschäftstätigkeiten, weil es in hohem Maße auf Ratschlägen anderer beruht. Die große Masse der Anleger sind Amateure. Natürlich glauben sie, dass sie bei der Auswahl ihrer Papiere von professioneller Beratung profitieren können. Dennoch gibt es einige Besonderheiten bei der Anlageberatung.

Wenn der Grund für Investitionen darin besteht, mit ihnen Geld zu verdienen, dann fragen Sie eigentlich andere, wie man Geld verdienen kann. Diese Vorstellung ist ein wenig naiv: Geschäftsleute suchen in verschiedenen Bereichen ihres Geschäfts professionellen Rat, sie können aber nicht erwarten, dass man ihnen sagt, wie man Geld verdient. Das ist ihre eigene Angelegenheit. Wenn Sie sich auf andere verlassen, damit diese für Sie Anlagegewinne erzielen, dann erwarten Sie ein Ergebnis, für das es im allgemeinen Geschäftsleben keine Entsprechung gibt.

Wenn wir davon ausgehen, dass es reguläre *Einkommen* aus der Investition von Geld gibt, dann kann die Rolle des Beraters genauer definiert werden. Er wird seine überlegene Ausbildung und seine Erfahrung nutzen, um seine Klienten vor Fehlern zu bewahren, und sicherstellen, dass sie die Ergebnisse erzielen, für die das Geld vorgesehen ist. Denn wenn der Investor mehr als den durchschnittlichen Gewinn erwartet oder wenn der Berater etwas Besseres für ihn unternimmt, erhebt sich die Frage, ob mehr verlangt oder ob mehr versprochen wurde, als wahrscheinlich zu erzielen ist.

Ratschläge zur Kapitalanlage kann man aus verschiedenen Quellen beziehen. Dazu gehören: (1) ein Verwandter oder ein Freund, der wahrscheinlich Ahnung von Wertpapiergeschäften hat, (2) ein Banker Ihrer Hausbank, (3) eine Brokerfirma oder eine Investmentbank, (4) ein Finanzdienst (Newsletter) oder eine Zeitschrift und (5) ein Anlageberater.[210]

Die Zusammensetzung dieser Liste lässt vermuten, dass sich in der Meinung der Anleger noch keine logische oder systematische Strategie herauskristallisiert hat.

Vernünftige Überlegungen stehen in Bezug zu normalen oder Standardergebnissen, die oben schon erwähnt wurden. Unsere grundsätzliche Meinung dazu lautet: Wenn sich ein Investor hauptsächlich auf den Rat anderer verlassen muss, wie er sein Vermögen verwalten soll, dann muss er sich oder seine Berater strikt auf normale, konservative Formen der Kapitalanlage festlegen, oder er muss die Person, die sein Vermögen in andere Kanäle leitet, sehr gut kennen. Im normalen Verhältnis zwischen einem Investor und seinen Beratern kann der Anleger auch weniger konventionelle Vorschläge befolgen, allerdings nur in dem Maße, in dem er selbst hinzugelernt und Erfahrungen gesammelt hat und somit ein objektives Urteil über die Empfehlungen anderer fällen kann. Dann hat er aber auch die Grenze vom defensiven (weniger professionellen) Investor zum aggressiven (professionellen) Anleger überschritten.

Anlageberatung und Treuhanddienste der Banken

Die wirklich professionellen Anlageberater - die etablierten Vermögensverwaltungen, die hohe jährliche Gebühren verlangen - sind in ihren Versprechungen und Behauptungen ziemlich bescheiden. Zum größten Teil legen sie das Vermögen ihrer Klienten in Standardwerten an, und sie verlassen sich hauptsächlich auf ihre Erfahrung. Im Normalfall legt ein professioneller Anlageberater nicht mehr

210 Die Liste der Quellen für Ratschläge zur Kapitalanlage bleibt so „gemischt" wie zu der Zeit, als Graham diesen Titel verfasste. Eine Umfrage unter Anlegern, die Ende 2002 für die Securities Industry Association durchgeführt wurde, einer Trading-Gruppe an der Wall Street, fand heraus, dass 17 % der Anleger sich in Geldangelegenheiten auf ihren Ehepartner oder einen Freund verlassen, 2 % auf einen Banker, 16 % auf einen Broker, 10 % auf Finanzzeitschriften und 24 % auf einen Finanzplaner. Der einzige Unterschied seit der Zeit Grahams ist, dass 8 % der Anleger sich schwerpunktmäßig auf Quellen im Internet und 3 % auf Wirtschaftsprogramme im Fernsehen verlassen (siehe www.sia.com).

als 10 % des eingesetzten Kapitals in Unternehmen an, die nicht zu den führenden ihrer Branche zählen, außerdem in Staatsanleihen (einschließlich Anleihen der Bundesstaaten und der Kommunen); sie strengen sich auch nicht besonders an, von den Schwankungen des allgemeinen Marktes zu profitieren.

Die führenden Vermögensverwaltungen behaupten auch nicht, sie seien brillant, sondern verweisen stolz darauf, dass sie vorsichtig, konservativ und kompetent sind. Wichtigstes Ziel ist, den Wert des eingesetzten Kapitals zu erhalten und eine aus konservativer Sicht akzeptable Rendite zu erzielen. Alles, was sie darüber hinaus erreichen – und sie streben auch an, ihr Ziel zu übertreffen –, betrachten sie als zusätzlichen Service. Ihr vielleicht wichtigster Wert für die Kunden besteht darin, dass sie diese vor teuren Fehlern schützen. Sie bieten das, was der konservative Investor zu Recht von einem Berater erwartet, der seine Dienstleistung öffentlich anbietet.

Was wir über die gut etablierten Vermögensverwaltungen gesagt haben, gilt in der Regel auch für die Treuhand- und Beratungsdienste der größeren Banken.[211]

Finanzdienste

Finanzdienste sind Einrichtungen, die Newsletters (zuweilen in der Form von Telegrammen) an ihre Abonnenten versenden. Themen sind die Geschäftsaussichten der Unternehmen, das Verhalten und die Aussichten der Wertpapiermärkte, ebenso Informationen und Ratschläge zu individuellen Fragestellungen. Oft gibt es einen „Kundenservice", der Fragen einzelner Abonnenten beantwortet. Die Kosten dieser Dienstleistungen sind im Durchschnitt weitaus niedriger als das Honorar, das Anlageberater von ihren Klienten verlangen. Einige Einrichtungen – insbesondere Standard & Poor's – agieren auf mehreren Ebenen: als Anlageberater und als Finanzdienst. (Rein zufällig arbeiten andere Organisationen – wie Scudder, Stevens & Clark – getrennt als Anlageberater und betreiben gleichzeitig einen oder mehrere Investmentfonds.)

211 Die Eigenschaften der Vermögensverwaltungen und der Treuhandbanken haben sich nicht geändert, aber heute bieten sie ihre Dienste nicht mehr an, wenn man nicht mindestens 1 Million $ anlegt; in einigen Fällen werden sogar 5 Millionen $ oder mehr verlangt. Heute erfüllen Tausende unabhängiger Finanzberater sehr ähnliche Funktionen, obwohl (wie der Analyst Robert Veres sagt) die Investmentfonds die Blue Chips als Kapitalanlage der Wahl ersetzt haben und Diversifizierung die Qualität als Maßstab für Sicherheit abgelöst hat.

Die Finanzdienste wenden sich an eine ganz andere Zielgruppe als die Kapitalanlageberater. Die Klienten der Anlageberater möchten im Allgemeinen, dass ihnen die Entscheidungen abgenommen werden. Die Finanzdienste hingegen bieten Informationen und Anleitungen für diejenigen, die ihre Finanzen selbst verwalten oder selbst andere beraten. Viele dieser Newsletters beschränken sich auf Prognosen von Marktbewegungen mittels „technischer" Methoden. Auf diese Methoden verzichten wir hier, weil wir festgestellt haben, dass deren Arbeit nichts mit den Investoren zu tun hat, die wir mit diesem Buch erreichen wollen.

Andererseits werden einige der bekanntesten – etwa Moody´s Investment Service und Standard & Poor´s – mit den statistischen Einrichtungen in Verbindung gebracht, die die umfangreichen Daten liefern, auf denen die gesamte seriöse Aktienanalyse beruht. Diese Dienstleister haben eine ganz unterschiedliche Klientel, angefangen bei den konservativsten Investoren bis hin zu den krassesten Spekulanten. Daher ist es schwierig, einer scharf abgegrenzten Philosophie zu folgen, um den Wünschen dieser Klientel zu entsprechen.

Finanzservices wie beispielsweise Moody's bieten offenbar etwas an, das für eine so breite Schicht von Investoren von Wert ist. Was ist es? Grundsätzlich befassen sie sich mit den Themen, die für den durchschnittlichen aktiven Investor oder Spekulanten interessant sind, und geben ihre Meinung dazu bekannt. Sie sind eine Art Autorität – zumindest sind ihre Einschätzungen vergleichsweise verlässlich.

Jahrelang haben diese Finanzdienste auch Prognosen zum Börsengeschehen abgegeben, ohne dass jemand diese Tätigkeit besonders ernst genommen hätte. Manchmal haben sie Recht, manchmal nicht. Wo immer dies möglich ist, verklausulieren sie ihre Aussagen, um das Risiko zu vermeiden, völlig daneben zu liegen. (Sie pflegen eine hoch entwickelte Kunst der verschlüsselten Sprache, ähnlich der des Orakels von Delphi, das sich erfolgreich allem anpasst, was die Zukunft auch immer bringen mag.) Unserer Ansicht nach – vielleicht ist dies auch ein Vorurteil – hat dieser Bereich keine wirkliche Bedeutung, außer dass er ein Licht auf das Menschliche an den Börsen wirft. Kaum jemand, der sich für Aktien interessiert, möchte sich von anderen sagen lassen, was diese von der künftigen Marktentwicklung halten. Doch weil es eine Nachfrage gibt, wird sie auch befriedigt.

Ihre Interpretationen und Prognosen der wirtschaftlichen Bedingungen hingegen haben eine hohe Aussagekraft und sind deutlich informativer. Sie sind sozusagen ein wichtiger Teil der wirtschaftlichen Intelligenz, die ständig zwischen Käufern und Verkäufern von Wertpapieren ausgetauscht wird, um einigermaßen vernünftige Kurse für Aktien und Anleihen zu finden. Das Material, das von diesen Finanzdiensten veröffentlicht wird, erweitert und verbessert die verfügbaren Informationen und stärkt das Urteilsvermögen der Abonnenten in Finanzangelegenheiten.

Schwierig ist es, ihre Empfehlungen zu einzelnen Wertpapieren zu beurteilen. Jeder Finanzservice verdient es, einzeln beurteilt zu werden, und ein realistisches Urteil kann im Prinzip nur auf der Grundlage einer mehrjährigen, umfassenden Studie gefällt werden. Allerdings gibt es auch Aspekte, die das ansonsten sehr positive Bild ein wenig trüben: Zu ihnen zählt ihre Einstellung, dass Aktien zeitnah zu günstigen Geschäftsprognosen gekauft werden sollten und dass man sie verkaufen sollte, wenn die Aussichten ungünstig sind – *unabhängig vom aktuellen Kurs*. Derartig oberflächliche Grundsätze verhindern, dass diese Finanzdienste gründlich analysieren – wozu die Redaktionsabteilungen jedoch durchaus in der Lage wären. Insbesondere wäre zu prüfen, ob eine Aktie zum aktuellen Kurs über- oder unterbewertet erscheint, wenn man die Hinweise auf die langfristige Ertragskraft berücksichtigt.

Der intelligente Investor wird seine Käufe und Verkäufe nicht allein auf der Grundlage der Informationen tätigen, die er von einem Finanzdienst erhält. Wenn er sich dies vor Augen hält, sind Finanzdienste sehr sinnvoll, weil sie Informationen und Vorschläge für die Anlageentscheidung anbieten.

Der gute Rat von Brokerhäusern

Wahrscheinlich stammen die meisten Informationen und Ratschläge für Wertpapierbesitzer von Aktienbrokern. Broker sind Mitglieder der New York Stock Exchange oder auch anderer Börsen, die Kauf- und Verkaufsaufträge gegen eine einheitliche Provision ausführen. In der Praxis unterhalten alle Brokerhäuser, die mit Publikum zu tun haben, eine „statistische" oder analytische Abteilung, die Anfragen bearbeitet und Empfehlungen gibt. Ein großer Teil der analytischen Literatur – einiges davon ist sehr gut ausgearbeitet und entsprechend teuer – wird kostenlos an die Kunden der Firma verteilt, die man in der Regel Klienten nennt, wohl weil dies eindrucksvoller klingt.

Bei der so harmlos wirkenden Frage, ob es besser ist, Kunde oder Klient zu sagen, steht viel auf dem Spiel. Ein Geschäft hat Kunden; ein Freiberufler oder eine Organisation hat Klienten. Die Bruderschaft der Broker an der Wall Street hat wahrscheinlich die höchsten moralischen Grundsätze eines Geschäfts, doch strebt sie immer noch nach den Standards und dem hohen Ansehen eines wirklichen Berufs.[212]

Früher blühte an der Wall Street hauptsächlich die Spekulation, und die Aktienspekulanten als Gruppe konnten sicher sein, Geld zu verlieren. Somit war es für Broker logischerweise unmöglich, auf wirklich moralischer Grundlage zu arbeiten. Das zu tun hätte erfordert, eine Verkleinerung und nicht eine Vergrößerung ihrer Geschäfte anzustreben.

Am weitesten in diese Richtung gingen die Brokerhäuser - und man konnte auch erwarten, dass sie niemanden dazu verführten oder ermutigten zu spekulieren. Sie beschränkten sich darauf, die Aufträge auszuführen, die ihnen erteilt worden waren, Informationen und Analysen zu finanziellen Themen anzubieten und ihre Meinung zu den Verdiensten der Wertpapiere bei der Kapitalanlage zu äußern. Somit sind sie, zumindest in der Theorie, von jeglicher Verantwortung für Gewinne und Verluste ihrer spekulativen Kunden befreit.[213]

Die meisten Aktienbroker jedoch halten sich immer noch an ihr altes Motto, wonach sie im Geschäft sind, um Provisionen zu kassieren, und dass der Weg zum geschäftlichen Erfolg darin besteht, dem Kunden das zu geben, was er haben will. Weil die rentabelsten Kunden spekulative Ratschläge erwarten, ist das Denken und Handeln der meisten Brokerhäuser ziemlich stark auf das Daytrading ausgerichtet. Deshalb sind sie bemüht, ihren Kunden zu helfen, in einem Bereich Geld zu verdienen, in dem diese allerdings dazu verurteilt sind, letztlich Geld zu verlieren.[214] Damit meinen wir, dass dieser spekulative Teil der Tätigkeit für die Kunden

---

212 Insgesamt kann man sagen: Graham war der härteste und zynischste Beobachter, den die Wall Street je erlebte. In diesem speziellen Fall jedoch war er nicht zynisch genug. Die Wall Street mag vielleicht höhere moralische Ansprüche stellen als manches Geschäft (Schmuggelei, Prostitution, Lobbyismus im Kongress und Journalismus fallen mir dazu ein). Dennoch kann die Welt der Kapitalanlage mit genügend Lügnern, Betrügern und Dieben aufwarten, um den Pförtner zur Hölle jahrzehntelang zu beschäftigen.

213 Die Tausende, die in den späten 90er-Jahren Aktien in dem Glauben kauften, dass die Analysten an der Wall Street objektive und wertvolle Ratschläge anbieten, haben auf schmerzliche Weise erfahren, wie richtig Graham in diesem Punkt lag.

214 Interessanterweise führte diese harsche Kritik, die Graham an den Full-Service-Brokern übte, in den späten 90er-Jahren letztlich zu den Discount-Internet-Brokern. Diese Firmen gaben Millionen für aggressive Werbung aus, die ihre Kunden dazu brachte, mehr und schneller zu traden. Die meisten dieser Kunden endeten damit, dass sie quasi ihr eigenes Geld klauten, anstatt jemanden dafür zu bezahlen, es für sie zu tun - die geringen Kosten bei dieser Art von Transaktionen sind nur ein schwacher Trost. Immer mehr traditionellere Brokerhäuser begannen auf Finanzplanung und auf die „integrierte Vermögensverwaltung" Wert zu legen, anstatt ihre Broker nur auf der Grundlage der von ihnen erzielten Provisionen zu bezahlen.

langfristig nicht rentabel sein kann. Doch in dem Ausmaß, in dem ihre Tätigkeit sich auf wahres Investieren beschränkt, können sie mehr verdienen und somit ihre Verluste aus den spekulativen Anlagen mehr als ausgleichen.

Bei Brokerhäusern arbeiten zwei Arten von Angestellten Rat und Informationen: die so genannten Kunden-Broker (Account Executives) und die Finanzanalysten.

Die Kunden-Broker, auch „registrierte Repräsentanten" genannt, trugen früher den weniger würdevollen Titel „Der Mann des Kunden". Heute sind es zum größten Teil charakterfeste Personen mit viel Wissen über Wertpapiere, die auf der Grundlage eines strengen Verhaltenskodex arbeiten. Doch weil es sein Geschäft ist, Provisionen zu erwirtschaften, kann der Kunden-Broker es kaum vermeiden, sich stärker auf Spekulationen zu konzentrieren. Somit muss der Kunde, der nicht von spekulativen Überlegungen beeinflusst werden möchte, sehr vorsichtig sein und sich dem Broker gegenüber eindeutig ausdrücken: Er muss klar zu erkennen geben, durch Wort und Tat, dass er an nichts interessiert ist, was nur im Entferntesten mit einem „Aktientipp" zu tun hat. Wenn der Kunden-Broker erst einmal verstanden hat, dass er es mit einem wirklichen Investor zu tun hat, wird er dessen Standpunkt respektieren und mit ihm zusammenarbeiten.

Der Finanzanalyst, auch Aktienanalyst genannt, ist eine Person mit einer besonderen Beziehung zum Autor, der selbst mehr als 50 Jahre lang diesen Beruf ausübte und dazu beitrug, zahllose andere Analysten auszubilden. Die folgenden Aussagen beziehen sich ausschließlich auf Finanzanalysten, die von Brokerhäusern beschäftigt werden. Die Tätigkeit des Aktienanalysten lässt sich aus seinem Titel deutlich ablesen: Er ist es, der die detaillierten Studien zu einzelnen Aktien erstellt, sorgfältige Vergleiche verschiedener Emissionen in der gleichen Branche entwickelt und eine Expertise ausarbeitet, in der die Sicherheit, die Attraktivität oder der intrinsische Wert der verschiedensten Aktien und Anleihen beschrieben werden.

Wie unsinnig muss es einem Außenstehenden erscheinen, dass es keine verbindlichen Ausbildungsvorschriften gibt, damit sich jemand Aktienanalyst nennen darf. Im Gegensatz dazu muss ein Kunden-Broker eine Prüfung ablegen, seine charakterliche Eignung nachweisen und von der New York Stock Exchange akzeptiert und registriert werden. Doch haben fast alle jüngeren Analysten eine intensive Ausbildung an einer Business School durchlaufen, und die älteren haben zumindest eine gleichwertige Ausbildung in der „Schule der langen Erfahrung" absolviert. In der großen Mehrheit aller Fälle kann man davon ausgehen, dass der Arbeitgeber, also das Brokerhaus, sich von den Qualifikationen und der Kompetenz seiner Analysten überzeugt hat.[215]

Der Kunde der Brokerfirma kann mit dem Aktienanalysten selbst verhandeln, der Kontakt kann aber auch indirekt über den Kunden-Broker erfolgen. In jedem Fall steht der Analyst dem Klienten für ausführliche Informationen und zur Beratung zur Verfügung. An dieser Stelle möchten wir eine wichtige Aussage machen. Der Wert eines Aktienanalysten für den Investor ist weitestgehend von der Einstellung des Investors abhängig. Wenn der Investor die richtigen Fragen stellt, dann wird er wahrscheinlich die richtigen – oder zumindest wertvolle – Antworten erhalten. Die Analysten, die von Brokerhäusern eingestellt werden – davon sind wir überzeugt –, werden in ihrer Arbeit häufig dadurch behindert, dass man sie auch für Marktanalysten hält. Wenn sie gefragt werden, ob eine bestimmte Aktie „gesund" ist, dann bedeutet die Frage meistens: „Wird der Kurs der Aktie in den nächsten Monaten wahrscheinlich steigen?" Das Ergebnis ist, dass viele mit einem Auge die Aktie analysieren und mit dem anderen Auge den Ticker beobachten müssen – eine Haltung, die vernünftigem Denken oder wertvollen Schlussfolgerungen nicht gerade dienlich ist.[216]

---

215 Das ist auch weiterhin richtig, obwohl viele der besten Wall-Street-Analysten den Titel des „Chartered Financial Analyst" (CFA) tragen. Die CFA-Zertifizierung wird von der Association of Investment Management & Research (früher Financial Analysts Federation) vorgenommen, nachdem der Kandidat viele Jahre studiert und eine Reihe schwieriger Prüfungen abgelegt hat. Weltweit wurden mehr als 50.000 Analysten als CFAs zertifiziert. Leider stellte eine Umfrage von Prof. Stanley Block fest, dass die meisten CFAs Grahams Lehren nicht beachten: Wachstumspotenzial rangiert höher als die Qualität, die Gewinne, die Risiken und die Dividendenstrategie, die Bestimmung des KGV, während weitaus mehr Analysten ihre Kauf-Ratings auf der Grundlage des aktuellen Kurses anstatt der langfristigen Aussichten des Unternehmens erstellen. Siehe Stanley Block, „A Study of Financial Analysists: Practice and Theory", Financial Analysts Journal, Juli/August 1999 unter www.aimrpubs.org. Wie Graham zu sagen pflegte: Seine eigenen Bücher wurden von mehr Menschen gelesen als alle anderen Bücher über Finanzen – und von ihnen nicht beachtet.

216 Heute ist es höchst ungewöhnlich, dass Otto Normalbürger direkten Zugang zu einem Aktienanalysten hat. Hauptsächlich ist es nur dem „Geldadel" und institutionellen Investoren erlaubt, sich dem Thron eines allmächtigen Wall-Street-Analysten auch nur zu nähern. Ein Privatanleger könnte vielleicht, wenn er Glück hat, einen Analysten in einem Regionalbüro telefonisch erreichen, deren Hauptstelle nicht in New York gelegen ist. Der Bereich der Investor Relations auf den Websites der meisten börsennotierten Unternehmen wird Ihnen eine Liste der Analysten nennen können, die die Aktie des Unternehmens beobachten. Websites wie www.zacks.com und www.multex.com bieten ebenfalls Zugang zu Berichten von Analysten – doch der intelligente Investor sollte daran denken, dass die meisten Analysten keine Unternehmen analysieren, sondern sich mit Vermutungen über künftige Aktienkurse befassen.

Im nächsten Abschnitt dieses Buches werden wir uns mit einigen Strategien und möglichen Ergebnissen der Aktienanalyse befassen. Viele Analysten, die für Maklerfirmen arbeiten, könnten dem vertrauensvollen Investor eine große Hilfe sein, wenn er sichergehen will, dass er für sein Geld auch wirklichen Wert erhält, und vielleicht noch ein wenig mehr. Im Fall des Kunden-Brokers ist wichtig, dass er gleich zu Beginn die Einstellung und die Ziele des Investors kennt. Ist der Analyst erst einmal davon überzeugt, dass er es mit jemandem zu tun hat, der sich mehr für Werte als für Notierungen interessiert, dann besteht die Chance, dass seine Empfehlungen im Allgemeinen von Vorteil sind.

Das CFA-Zertifikat für Finanzanalysten

Ein wichtiger Schritt wurde 1963 unternommen, um den Finanzanalysten professionelles Ansehen und Verantwortung zu verleihen. Der offizielle Titel des „Chartered Financial Analyst" (CFA) wird nunmehr an die leitenden Fachleute verliehen, die die erforderlichen Prüfungen und andere Tests bestanden haben [37]. Zu den Fächern gehören Aktienanalyse und Portfoliomanagement. Die Analogie zu der schon lange etablierten Berufsbezeichnung „Certified Public Accountant" (CPA, vergleichbar dem Wirtschaftsprüfer) ist offensichtlich und beabsichtigt. Diese relativ junge Anerkennung und Kontrolle soll dazu beitragen, die Anforderungen an Finanzanalysten zu steigern und ihre Arbeit endlich auf eine professionelle Grundlage zu stellen.[217]

Der Umgang mit Brokerhäusern

Eine der beunruhigendsten Entwicklungen in der Zeit, in der wir dieses Buch überarbeiteten, war die – nett ausgedrückt – finanzielle Verlegenheit etlicher New Yorker Brokerfirmen, sprich: Konkurse und Fast-Konkurse. Unter ihnen waren zwei von ansehnlicher Größe.[218] Dies war das erste Mal innerhalb von 50 Jahren

---

217 Benjamin Graham war die treibende Kraft hinter der Einrichtung des Berufsbildes des CFA, für das er fast 20 Jahre lang gekämpft hatte, bis es schließlich Realität wurde.

218 Die beiden Firmen, die Graham im Sinn hatte, waren wahrscheinlich Du Pont, Glore Forgan & Co. und Goodbody & Co. Du Pont (gegründet von den Erben des Chemie-Giganten) wurde 1970 nur deshalb vor der Insolvenz gerettet, weil der texanische Unternehmer H. Ross Perot der Firma mehr als 50 Millionen $ lieh. Goodbody, die fünftgrößte Brokerfirma der USA, wäre Ende 1970 kollabiert, wäre es nicht von Merrill Lynch aufgekauft worden. Hayden, Stone & Co. wären ebenfalls untergegangen, wenn es nicht aufgekauft worden wäre. 1970 machten nicht weniger als sieben Brokerfirmen dicht. Die absurde Geschichte der ekstatischen Expansion der Wall Street Ende der 60er-Jahre wird in John Brooks Buch The GO-GO-Years (John Wiley & Sons, New York, 1999) wunderbar erzählt.

oder mehr, dass so etwas passierte, und es ist aus mehreren Gründen alarmierend. Viele Jahrzehnte lang bewegte sich die NYSE in die Richtung genauerer und strikterer Kontrollen der Tätigkeiten und finanziellen Verhältnisse ihrer Mitglieder – einschließlich einer finanziellen Minimalausstattung, unangemeldeter Überprüfungen und dergleichen. Außerdem gab es 37 Jahre lang die Kontrolle über die Börsen und deren Mitglieder durch die SEC. Letztlich arbeitete die Branche der Aktienbroker selbst unter günstigen Bedingungen – nämlich einem enormen Umsatzzuwachs, festen Minimumprovisionen (die weitestgehend die konkurrierenden Honorare beseitigten) und einer begrenzten Anzahl von Mitgliedsfirmen.

Die ersten finanziellen Schwierigkeiten der Brokerhäuser (1969) wurden den steigenden Umsätzen zugeschrieben. Dies, so wurde behauptet, machte die Auswahlpalette zu groß, erhöhte die Gemeinkosten und bereitete Schwierigkeiten beim Abschluss von Finanzgeschäften. Es sollte jedoch betont werden, dass dies das erste Mal in der Geschichte war, dass wichtige Unternehmen zusammenbrachen, weil sie mehr Geschäfte machten, als sie bewältigen konnten. 1970, als die Zahl der Pleiten von Brokerfirmen zunahm, wurde dies hauptsächlich auf den Rückgang des Umsatzes geschoben. Eine eigenartige Begründung, wenn man bedenkt, dass der Umschlag der NYSE im Jahr 1970 insgesamt 2.937 Millionen Stücke betrug, der größte Umsatz in der Geschichte der NYSE und mehr als doppelt so hoch als in jedem Jahr vor 1965. Während des 15 Jahre andauernden Bullenmarktes, der 1964 zu Ende ging, betrug der jährliche Durchschnitt beim Umsatz „nur" 712 Millionen Stücke – ein Viertel der Zahl von 1970 –, doch das Geschäft der Broker erfreute sich der größten Blüte in seiner Geschichte. Wenn, wie es den Anschein hat, die Mitgliedsfirmen insgesamt zuließen, dass zu hohe Gemeinkosten und andere Auslagen in einem Umfang anstiegen, der nicht einmal eine geringfügige Minderung des Umsatzes während des Jahres ausgleichen konnte, dann spricht dies nicht unbedingt für guten Geschäftssinn oder für ein konservatives Finanzgebaren.

Eine dritte Erklärung für die finanziellen Schwierigkeiten tauchte aus dem Nebel von Unterschlagungen auf, und wir vermuten, dass dies der plausibelste und bedeutendste der drei Gründe ist. Es hat den Anschein, dass ein großer Teil des Kapitals bestimmter Brokerhäuser von den einzelnen Eigentümern in Form von Aktien gehalten wurde. Einige dieser Aktien waren wohl recht spekulativ und wurden zu hoch bewertet. Als der Markt 1969 rückläufig war, fielen die Notierungen dieser Aktien drastisch, und ein wesentlicher Teil des Kapitals der Firmen verschwand [38]. Tatsächlich spekulierten die Partner mit dem Kapital, das die Kunden vor den normalen finanziellen Risiken der Brokerhäuser schützen sollte, um somit einen doppelten Profit herauszuschlagen. Dies war nicht zu entschuldigen, und wir halten uns zurück, mehr dazu zu sagen.

Der Investor sollte seine Intelligenz nicht nur zur Formulierung seiner Finanzstrategien nutzen, sondern auch für die damit verbundenen Einzelheiten. Dazu gehört die Auswahl eines angesehenen Brokers, der die Aufträge ausführt. Bisher reichte es aus, unsere Leser dahingehend zu beraten, nur mit einem Mitglied der NYSE Geschäfte zu machen, wenn er nicht schwer wiegende Gründe hatte, eine Firma zu wählen, die kein Mitglied war. Mit einem gewissen Zögern müssen wir in diesem Bereich einige weitere Ratschläge geben. Wir sind der Meinung, dass Anleger, die kein Margenkonto unterhalten – und in unserem Vokabular sind das alle nicht professionellen Anleger –, ihre Anlagegeschäfte über ihre Bank abwickeln sollten. Wenn Sie Ihrem Broker einen Kaufauftrag erteilen, dann können Sie ihn beauftragen, die gekauften Wertpapiere an Ihre Bank zu liefern, wofür die Bank natürlich bezahlen muss. Umgekehrt, wenn sie verkaufen, können Sie Ihre Bank beauftragen, dem Broker die Wertpapiere gegen Zahlung der Erlöse zu liefern. Dieser Service kostet ein wenig mehr, doch könnte es sich wegen der Sicherheit und der eigenen Beruhigung sehr wohl lohnen. Diesen Rat mag der Investor ignorieren, wenn er ihn nicht mehr braucht und er sicher ist, dass alle Probleme der Brokerfirmen beseitigt sind – aber nicht eher.[219]

Investmentbanken

Eine Investmentbank trifft auf ein Unternehmen, das sich in großem Umfang an der Gründung von Aktiengesellschaften, an der Übernahme einer Aktienemission und am Verkauf neuer Emissionen von Aktien und Anleihen beteiligt (Übernahme einer Aktienemission bedeutet, dem emittierenden Unternehmen oder einem anderen Emittenten zu garantieren, dass das Wertpapier vollzählig verkauft wird.)

---

219 Fast alle Transaktionen über Broker werden nunmehr elektronisch ausgeführt, und Wertpapiere werden nicht mehr materiell „geliefert". Dank der Einrichtung der Securities Investor Protection Corporation (SIPC – Anlegerschutzgemeinschaft) im Jahr 1970, sind Anleger grundsätzlich geschützt und erhalten den vollen Wert des Kontos erstattet, wenn eine Brokerfirma in Insolvenz gerät. SIPC ist ein von der Regierung eingerichtetes Konsortium von Brokern; alle Mitglieder vereinbaren, ihr Vermögen zusammenzulegen, um die Verluste auszugleichen, die den Kunden einer in Insolvenz geratenen Brokerfirma entstanden sind. Der Schutz durch die SIPC macht es für den Investor überflüssig, Zahlungen zu leisten und die Lieferung durch eine Bank als Mittelsmann in Anspruch zu nehmen, so wie Graham es vorgeschlagen hat.

Einige Brokerhäusern übernehmen einen bestimmten Anteil der Emission. Grundsätzlich bilden sich zur Emission Konsortien, die von führenden Investmentbanken geleitet werden. Bei Brokerfirmen gibt es eine zusätzliche Tendenz, in kleinerem Umfang Aktiengesellschaften mitzugründen und zu fördern, indem neue Emissionen finanziert werden - insbesondere in Form kleinerer Emissionen von Aktien in einem Bullenmarkt.

Investmentbanking ist vielleicht der angesehenste Bereich an der Wall Street, weil gerade hier die Finanzen eine konstruktive Rolle spielen, indem neues Kapital für die Expansion der Industrie beschafft wird. Tatsächlich liegt ein großer Teil der theoretischen Berechtigung, Aktienbörsen zu unterhalten - abgesehen von den spekulativen Exzessen -, in der Tatsache, dass organisierte Wertpapierbörsen den Verkauf neuer Aktien und Anleihen ermöglichen. Wenn Investoren und Spekulanten keinen aufnahmefähigen Markt für eine neue Aktie sehen, die ihnen angeboten wird, dann kann es gut sein, dass sie sich weigern, sie zu kaufen.

Die Beziehung zwischen Investmentbankern und Investoren ist grundsätzlich die gleiche wie die zwischen einem Verkäufer und einem möglichen Käufer. Viele Jahre lang bestand die große Masse der Emissionen aus Anleihen, die hauptsächlich von Finanzinstitutionen gekauft wurden, etwa von Banken und Versicherungsgesellschaften. In diesem Geschäft hatten es die Verkäufer von Wertpapieren mit scharfsinnigen und erfahrenen Käufern zu tun. Somit mussten die Empfehlungen der Investmentbanker diesen Kunden nach kritischer und sorgfältiger Prüfung gegeben werden. Damit wurden diese Transaktionen fast immer auf sehr professionellem Niveau durchgeführt.

Doch in der Beziehung zwischen Investmentbankern, einschließlich der Aktienbroker, die ebenfalls als Mitglieder des Konsortiums fungierten, und *Privatanlegern* ergibt sich ein völlig anderes Bild. In dieser Situation ist der Käufer häufig unerfahren und sehr selten besonders schlau. Er lässt sich leicht durch das beeinflussen, was der Verkäufer ihm sagt, besonders im Fall von Aktienemissionen, weil sein oft uneingestandener Kaufwunsch mit schnellem Profit in Verbindung steht. Die Folge ist, dass der Schutz des normalen Investors weniger in seiner eigenen kritischen Einstellung liegen muss als in den Skrupeln und der moralischen Einstellung der anbietenden Banken und Broker [39].

Die Mitglieder des Konsortiums sind zur Ehrlichkeit und Kompetenz verpflichtet, damit sie die konträren Rollen als Verkäufer und Berater unter einen Hut bringen können. Und doch ist es dumm, wenn der Käufer sich einfach dem Urteil des Verkäufers anvertraut. 1959 sagten wir an diesem Punkt: „Die schwachen Ergebnisse dieser unvernünftigen Einstellung zeigen sich immer wieder bei der Übernahme einer Effektenemission mit bemerkenswerten Auswirkungen im Verkauf neuer Aktien in spekulativen Phasen." Kurz danach stellte sich heraus, dass diese Warnung richtig war. Wie gezeigt, waren die Jahre 1960/1961 und 1968/1969 durch einen noch nie da gewesenen Ausstoß von Emissionen schlechtester Qualität gekennzeichnet, die der Öffentlichkeit zu absurd hohen Preisen angeboten und in vielen Fällen durch hirnlose Spekulation noch wesentlich höher nach oben gedrückt wurden - auch durch Praktiken, die an Manipulation grenzten. Einige bedeutende Wall-Street-Firmen beteiligten sich an diesen unrühmlichen Aktivitäten, was wiederum beweist, dass die uns schon vertraute Kombination aus Gier, Dummheit und Verantwortungslosigkeit aus dem Finanzbereich noch nicht verbannt werden konnte.

Der intelligente Investor wird sich an den Rat und die Empfehlungen halten, die er von Investmentbanken erhält, insbesondere von denen, deren guten Ruf er kennt. Doch wird er sicherlich einem vernünftigen und unabhängigem Urteil folgen wollen, auf dem diese Vorschläge gründen - entweder seinem eigenen, wenn er sich gut genug auskennt, oder dem eines anderen Beraters.[220]

Andere Berater

Insbesondere in Kleinstädten ist es guter alter Brauch, die Hausbank zu konsultieren, um nach Kapitalanlagen zu fragen. Ein Bankangestellter mag vielleicht nicht über das gründliche Fachwissen verfügen, um den Wert von Aktien feststellen zu können, doch meistens hat er viel Erfahrung und ist konservativ eingestellt. Besonders nützlich ist er für den unbedarften Investor, der oft versucht ist, vom geraden und wenig aufregenden Weg einer defensiven Strategie abzuweichen, und den beruhigenden Einfluss eines umsichtigen Menschen braucht. Je flinker und aggressiver der Investor ist, der sich auf der Suche nach Schnäppchen unter den Wertpapieren befindet, desto weniger wird er den Standpunkt des durchschnittlichen Bankangestellten für seine eigenen Ziele für geeignet halten.[221]

---

220 Diejenigen, die den Rat Grahams berücksichtigen, hätten sich niemals auf die Internet-IPOs von 1999 und 2000 eingelassen.

221 Diese traditionelle Rolle haben Bankangestellte in den meisten Fällen von Buchhaltern, Anwälten oder Finanzplanern übernommen.

Wir stehen dem weit verbreiteten Brauch, sich in Finanzangelegenheiten von Verwandten und Freunden beraten zu lassen, sehr kritisch gegenüber. Derjenige, der fragt, glaubt immer, er habe Grund zur Annahme, dass derjenige, den er fragt, ein größeres Wissen oder besondere Erfahrungen hat. Unsere eigenen Beobachtungen jedoch weisen darauf hin, dass es ebenso schwierig ist, gute Laien als Berater zu finden, wie wenn man die richtigen Wertpapiere selbst auswählt. Viele schlechte Ratschläge sind kostenlos.

Zusammenfassung

Investoren wissen, dass sie für das Management ihres Vermögens ein Honorar bezahlen müssen, und werden deshalb klugerweise eine Vermögensverwaltung auswählen, die etabliert ist und einen guten Ruf genießt. Als Alternative könnten sie die Abteilung für Kapitalanlage einer großen Treuhandgesellschaft wählen oder auch den Beratungsservice, der gegen Honorar von einem der führenden Börsenmakler angeboten wird. Die zu erwartenden Ergebnisse sind nicht überragend, aber sie sind ebenso gut wie die von durchschnittlich gut informierten und vorsichtigen Investoren.

Die meisten Wertpapierkäufer erhalten Rat, ohne extra dafür bezahlen zu müssen. Deshalb ist anzunehmen, dass sie mehrheitlich keine besseren als nur durchschnittliche Ergebnisse erwarten dürfen. Sie sollten sich vor allen in Acht nehmen – gleichgültig, ob vor Kunden-Brokern oder vor Verkäufern von Wertpapieren –, die spektakuläre Renditen oder Gewinne versprechen. Dies betrifft sowohl die Auswahl der Wertpapiere als auch die Empfehlungen bei der schwer fassbaren (und vielleicht auch trügerischen) Kunst, an der Börse zu handeln.

Defensive Investoren, so wie wir sie definiert haben, werden normalerweise nicht gerüstet sein, eigene Urteile über Anlageempfehlungen ihrer Berater abzugeben. Doch können sie ausdrücklich – und auch wiederholt – sagen, welche Art von Wertpapieren sie kaufen wollen. Wenn sie unserer Beschreibung folgen, werden sie sich auf hochwertige Anleihen und Aktien führender Unternehmen festlegen, vorzugsweise solcher, die zu individuellen Kursen gekauft werden können und nicht ständig im Rampenlicht der Analysten stehen. Der Aktienanalyst eines angesehenen Börsenmaklers kann leicht eine Liste solcher Aktien aufstellen und dem Investor sagen, ob das derzeitige Kursniveau seiner Erfahrung nach einigermaßen konservativ eingeschätzt werden kann.

Der aggressive Investor wird normalerweise aktiver mit seinen Beratern zusammenarbeiten. Er möchte deren Empfehlungen in allen Einzelheiten erklärt bekommen, und er wird darauf bestehen, dass auch er seine Meinung dazu äußern kann. Das bedeutet, dass der Investor seine Erwartungen und die Art seiner Aktionen auf seine eigenen Kenntnisse und Erfahrungen in diesem Bereich aufeinander abstimmen muss. Nur im Ausnahmefall, wenn Integrität und Kompetenz der Berater über jeden Zweifel erhaben sind, sollte der Anleger nach den Empfehlung anderer handeln, auch wenn er die zu treffende Entscheidung nicht versteht und sie vielleicht auch nicht gut findet.

Es gab schon immer gewissenlose Aktienverkäufer und lichtscheues Gesindel unter den Aktienbrokern, und – natürlich – haben wir unseren Lesern geraten, deren Aktivitäten, wenn möglich, den Mitgliedern der NYSE zu melden. Doch zögern wir noch, den besonders vorsichtigen Rat hinzuzufügen, dass die Lieferung der Wertpapiere und die Zahlungen über die Bank der Investoren abgewickelt werden sollten. Das furchterregende Bild der Wall-Street-Broker könnte sich schon in wenigen Jahren aufgehellt haben, doch Ende 1971 sind wir immer noch der Meinung: „Better safe than sorry."

Kommentar zu Kapitel 10

> Ich bin dem Mädchen aus Miles, die gesehen hat, wie der Philosoph Thales ständig seine Zeit damit verbrachte, das Himmelszelt zu beobachten, und seinen Blick immer nach oben richtete, immer noch dankbar dafür, dass sie ihm etwas in den Weg legte, damit er stolperte und sie ihn ermahnte, es sei an der Zeit, seine Gedanken mit Dingen in den Wolken erst dann aufzuheitern, wenn er gesehen hat, was es auf der Erde gibt. Tatsächlich gab sie ihm den guten Rat, lieber auf sich selbst zu sehen, als nur den Himmel.
>
> *Michel de Montaigne*

Brauchen Sie Hilfe?

In der glorreichen Zeit der späten 90er-Jahre entschlossen sich viele Anleger, ihren eigenen Weg zu gehen. Indem sie selbst recherchierten, die Aktien selbst auswählten und ihre Aufträge über Online-Broker platzierten, umgingen sie die kostenträchtige Infrastruktur der Wall Street mit Research, Beratung und Handel. Leider verteidigten viele derer, die alles selbst machten, ihre Unabhängigkeit genau vor dem schlimmsten Bärenmarkt seit der Großen Depression - und mussten erleben, dass es dumm war, allein zu gehen. Das muss natürlich nicht unbedingt stimmen: Die Anleger, die jede Entscheidung einem traditionellem Aktienbroker überließen, mussten ebenfalls Verluste hinnehmen.

Doch viele Anleger trösten sich damit, dass sie Erfahrung, Urteilsvermögen und eine zweite Meinung brauchen, die ihnen ein guter Finanzberater bieten kann. Einige Anleger brauchen vielleicht einen Außenstehenden, der ihnen zeigt, welche Rendite sie bei einer Anlage brauchen oder wie viel Geld sie nebenbei sparen müssen, um ihre finanziellen Ziele zu erreichen. Andere wiederum profitieren einfach davon, dass sie jemanden kennen, den sie dafür verantwortlich machen können, wenn ihre Kapitalanlagen schief laufen. Dann können sie, anstatt sich selbst in einem Anfall von Selbstzweifeln zu peinigen, jemanden kritisieren, der sich normalerweise verteidigen und gleichzeitig auch Zuspruch vermitteln kann. Das gibt ihnen vielleicht den psychologischen Anstoß, den sie brauchen, weiterhin regelmäßig zu investieren, während andere Anleger einen Herzinfarkt erleiden. Alles in allem: So wie es keinen Grund gibt, Ihr Portfolio selbst zu managen, so ist es keine Schande, beim Management professionelle Hilfe in Anspruch zu nehmen.[222]

Hohe Verluste. Wenn Ihr Portfolio von Anfang 2000 bis Ende 2002 mehr als 40 % an Wert verloren hat, dann waren Sie schlechter als der Markt selbst mit seiner trostlosen Performance. Es spielt dabei kaum eine Rolle, ob Sie Geld verloren, weil Sie faul waren, wagemutig oder nur Pech hatten. Nach einem derart hohen Verlust schreit Ihr Portfolio geradezu nach Hilfe.

Leere Konten. Wenn Sie sich alljährlich abstrampeln, damit Sie finanziell zurechtkommen, keine Vorstellung haben, wohin Ihr Geld geht, wenn Sie nicht regelmäßig sparen können, Ihre Rechnungen ständig zu spät bezahlen, dann sind Ihre Finanzen außer Kontrolle geraten. Ein Berater kann Ihnen helfen, Ihre Finanzen wieder in den Griff zu bekommen, indem er einen ausführlichen Wirtschaftsplan erstellt, der Ihnen zeigt, wie - und wie viel - Sie ausgeben, leihen, sparen und investieren können.

Chaotische Portfolios. Viel zu viele Anleger glaubten, sie hätten in den 90er-Jahren ihr Portfolio diversifiziert, weil sie 39 „verschiedene" Internet-Aktien oder sieben „verschiedene" Wachstumsfonds hatten. Doch das ist in etwa so, als ob ein Chor von Sopranistinnen „Old Man River" besser singen kann als eine Sopranistin allein. Ganz gleichgültig, wie viele Sopranistinnen noch mitsingen, dieser Chor wird es nie schaffen, die tiefen Töne zu treffen, bis ein Bariton hinzukommt. Genauso ist es, wenn all Ihre Aktien im Gleichschritt steigen oder fallen: Es fehlt einfach eine gewisse Harmonie unter den Kapitalanlagen, die durch eine echte Diversifizierung zustande kommt. Hier kann ein professionell erstellter Plan zur Einrichtung eines Portfolios helfen.

Größere Veränderungen. Wenn Sie selbstständig sind und einen Plan zur Finanzierung Ihres Ruhestandes erstellen müssen, Ihre betagten Eltern ihre Finanzen nicht geordnet haben oder es den Anschein hat, dass Sie Ihren Kindern die Ausbildung an einem College nicht bezahlen können, dann kann Ihnen ein Berater nicht nur den Seelenfrieden wiederherstellen, sondern Ihnen auch helfen, eine echte Verbesserung Ihrer Lebensqualität zu bewirken. Darüber hinaus kann ein Profi sicherstellen, dass Sie von der Komplexität der Steuergesetze und Ruhestandsregelungen profitieren können.

---

222 Eine besonders bedenkenswerte Betrachtung dieses Themas verfasste Walter Updegrave: „Advice on Advice", Money, Januar 2003, S. 53–55.

Erst vertrauen, dann nachprüfen

Vergessen Sie nicht, dass betrügerische Finanz-Artisten viel Geld damit verdienen, dass sie zunächst um Ihr Vertrauen buhlen und Ihnen dann ausreden wollen, sie genauer zu überprüfen. Bevor Sie Ihre finanzielle Zukunft in die Hände eines Beraters legen, müssen Sie jemanden finden, der Sie nicht nur von Ihren Sorgen befreit, sondern auch jemanden, dessen Ehrlichkeit ohne Zweifel ist. Wie Ronald Reagan schon sagte: „Erst vertrauen, dann überprüfen." Fangen Sie damit an, an die wenigen Menschen zu denken, die sie am besten kennen und denen Sie am meisten vertrauen. Dann fragen Sie diese, ob sie Ihnen einen guten Berater empfehlen können, dem auch sie vertrauen und dem sie zutrauen, für sein Honorar auch gute Arbeit zu leisten. Die Empfehlung von jemandem, dem Sie vertrauen, ist schon einmal ein guter Anfang.[223]

Wenn Sie den Namen des Beraters und den seiner Firma haben und auch wissen, worauf er sich spezialisiert hat – ein Aktienbroker, ein Finanzplaner, ein Buchhalter, ein Wirtschaftsprüfer oder ein Versicherungsagent –, dann können Sie anfangen. Geben Sie seinen Namen oder den seiner Firma in eine Suchmaschine im Internet ein, etwa Google, um nachzusehen, ob Sie etwas finden können. Achten Sie auf die folgenden Worte: gut, Beschwerde, Klage, Disziplinarverfahren oder Amtsenthebung. Wenn der Berater Aktienbroker oder Versicherungsagent ist, dann nehmen Sie Kontakt zum Büro der Wertpapierkommission Ihres Bundesstaates auf (eine entsprechende Linkliste für die USA finden Sie unter www.nasaa.org) und fragen Sie nach, ob gegen den Berater irgendwelche Beschwerden oder disziplinarische Angelegenheiten vorliegen.[224] Wenn Sie in Betracht ziehen, einen Buchhalter oder Wirtschaftsprüfer zu engagieren, der auch als Finanzberater arbeitet, dann kann die Aufsichtsbehörde (die Sie durch die National Association of State Boards of Accountancy unter www.nasba.org finden) Ihnen sagen, ob er „sauber" ist oder nicht.

---

223 Wenn es Ihnen nicht möglich ist, eine Empfehlung von jemandem zu bekommen, dem Sie vertrauen können, dann sollten Sie versuchen, einen unabhängigen Berater zu finden, der nur ein Honorar verlangt, nicht aber selbst Anlagen vermittelt. Siehe unter www.napfa.org (oder www.feeonly.org). Die Mitglieder dieser Organisationen liefern in der Regel gute Leistungen und legen hohe moralische Maßstäbe an.

224 Eine Kundenbeschwerde an sich ist nicht ausreichend, um den Berater nicht in Betracht zu ziehen; doch wenn es mehrere Beschwerden sind, dann ist dies sehr wohl ausreichend. Und sollte eine disziplinarische Maßnahme durch die Aufsichtsbehörden vorliegen, dann sollten Sie doch nach einem anderen Berater suchen. Eine weitere Quelle, um die Leistungsbilanz eines Brokers zu überprüfen, finden Sie unter http://pdpi.nasdr.com/PDPI.

Finanzplaner (oder ihre Firmen) müssen sich entweder bei der SEC oder den Wertpapieraufsichtsbehörden in dem Bundesstaat, in dem sie tätig sind, registrieren lassen. Ein Teil der Registrierung besteht darin, dass der Berater ein zweiteiliges Dokument einreichen muss (Form ADV). Sie können es unter www.advisorinfo.sec.gov, www.iard.com einsehen oder herunterladen oder die Website der Wertpapieraufsichtsbehörde Ihres Bundesstaates aufrufen. Achten Sie besonders auf die „Disclosure Reporting Pages", auf denen der Berater alle Disziplinarmaßnahmen durch die Aufsichtsbehörden bekannt geben muss. (Weil es skrupellose Berater gab, die diese Seiten entfernt hatten, bevor sie einem Klienten ein ADV überreichten, sollten Sie sich unabhängig davon eine vollständige Kopie besorgen.) Es ist eine gute Idee, die Leistungsbilanz eines Finanzplaners unter www.cfp-board.org zu überprüfen, da einige Planer, die außerhalb des Bundesstaates, in dem sie arbeiten, schon Disziplinarverfahren am Hals hatten, durch das Raster fallen. Weitere Tipps finden Sie im folgenden Kasten.

Bei diesen Wörtern sollten die Alarmglocken schrillen

„Offshore"
„exklusiv"
„Die Chance Ihres Lebens"
„Sie sollten sich auf die Performance konzentrieren, nicht auf die Gebühren."
„erstklassige Bank"
„Wollen Sie nicht reich werden?"
„Diese Sache läuft"
„Man kann nicht verlieren."
„garantiert"
„Die Gewinnmöglichkeiten sind enorm."
„Sie müssen sich beeilen"
„Es gibt keine Möglichkeit zu verlieren."
„Das ist eine sichere Sache"
„Beim Leben meiner Mutter."
„unser eigenes Computermodell"
„Vertrauen Sie mir."
„Die Leute mit einem Riecher für Geld kaufen es."

„Warentermingeschäfte"
„Optionsstrategie"
„Monatliche Gewinne"
„Da braucht man nicht zu überlegen."
„aktive Strategie zur Portfoliobildung"
„Sie können es sich gar nicht leisten, es nicht zu haben.
„Wir können Ihre Verluste begrenzen."
„Wir können besser sein als der Markt."
„Niemand sonst weiß, wie man das macht."
„Es wird Ihnen leidtun, wenn Sie nicht ..."

Lernen Sie sich selbst kennen

Ein führender Newsletter zur Finanzplanung klapperte kürzlich Dutzende von Finanzplanern ab, um deren Vorstellungen herauszufinden, wie man sie am besten befragen sollte.[225] Wenn Sie einen Berater überprüfen wollen, dann sollten dies Ihre Ziele sein:

- Stellen Sie fest, ob er sich darum kümmert, seinen Klienten zu helfen, oder ob er nur die Bewegungen in Ihrem Portfolio durchsieht.
- Ermitteln Sie, ob er die grundlegenden Anlageprinzipien versteht, so wie sie in diesem Buch dargelegt werden.
- Stellen Sie fest, ob er ausreichend ausgebildet ist, an Fortbildungsmaßnahmen teilgenommen hat und über die Erfahrung verfügt, die er braucht, um Ihnen helfen zu können.

Und hier sind einige von prominenten Finanzplanern empfohlene Fragen, die jeder Rat suchende Anleger einem Berater stellen sollte:

„Weshalb sind Sie in diesem Geschäft tätig?" – „Wie lautet das Mission-Statement Ihrer Firma?" – „Was außer Ihrem Wecker treibt Sie morgens aus dem Bett?" – „Wie sieht Ihre Investmentphilosophie aus?" – „Empfehlen Sie Aktien oder Investmentfonds?" – „Wenden Sie die technische Analyse an?" – „Wenden Sie das

225 Robert Veres, Redakteur und Verleger des Inside Information Newsletter, war so freundlich, uns die Antworten für dieses Buch zur Verfügung zu stellen. Weitere Checklisten mit Fragen finden Sie unter www.cfp-board.org und www.napfa.org.

Market-Timing an? (Ein „Ja" auf eine der beiden letzten Fragen bedeutet für Sie ein „Nein".)

„Konzentrieren Sie sich ausschließlich auf Vermögensverwaltung, oder bieten Sie auch Beratung hinsichtlich Steuern, finanzielle Absicherung des Ruhestandes, Haushaltsplanung und Schuldenberatung und Beratung in Versicherungsfragen an?" – „Welche Ausbildung, Erfahrung und Zeugnisse qualifizieren Sie für diese Art der Finanzberatung?"[226] – „Welche gemeinsamen Probleme haben Ihre Klienten im Allgemeinen?" – „Wie können Sie mir bei der Lösung meiner Probleme helfen?" – „Wie wollen Sie meine Fortschritte verfolgen und dokumentieren?" – „Haben Sie eine Checkliste, die ich verwenden kann, um die Umsetzung eines Finanzplans zu verfolgen, den wir entwerfen werden?"

„Wie wählen Sie die Kapitalanlagen aus?" – „Welche Anlagestrategie, glauben Sie, ist am erfolgreichsten, und welche Belege haben Sie, um mir zu zeigen, dass Sie derartige Erfolge für Ihre Klienten schon erzielt haben?" – „Was tun Sie, wenn sich eine Kapitalanlage ein ganzes Jahr lang schlecht entwickelt?" (Jeder Berater, der darauf sagt „Verkaufen", ist es nicht wert, engagiert zu werden.)

„Werden Sie, wenn Sie eine bestimmte Kapitalanlage empfehlen, noch von dritter Seite entlohnt?" – „Weshalb, oder weshalb nicht?" – „Zu welchen Bedingungen?" – „Wie viel, schätzen Sie, müsste ich bei Ihnen im ersten Jahr bezahlen?" – „Wovon würde es abhängen, wenn dieser Betrag im Lauf der Zeit steigt oder fällt?" (Wenn das Honorar mehr als 1 % des Anlagekapitals ausmacht, dann sollten Sie sich einen anderen Berater suchen.[227])

„Wie viele Klienten haben Sie, und wie kommunizieren Sie mit ihnen?" – „Was war das Beste, was Sie jemals für einen Klienten erreichen konnten?" – „Welche Eigenschaften haben Ihre Klienten gemeinsam?" – „Welches war die schlimmste Erfahrung, die Sie je mit einem Klienten hatten, und wie lösten Sie das Problem?"

---

226 Zertifikate wie CFA, CFP oder CPA bestätigen, dass der Berater ernsthafte Studien betrieben und schwierige Prüfungen bestanden hat. (Die meisten anderen „Zertifikate", die lediglich aus einer Aneinanderreihung von Buchstaben bestehen und von Finanzplanern entworfen wurden, einschließlich CFM oder CMFC, sagen recht wenig aus.) Wesentlich wichtiger ist, dass Sie durch Kontaktaufnahme mit der Organisation, die diese Zertifikate ausstellt, seine Leistungsbilanz verifizieren und überprüfen können, dass er nicht gegen die Regeln oder ethische Grundsätze verstoßen hat.

227 Wenn Sie weniger als 100.000 $ investieren wollen, ist es gut möglich, dass Sie keinen Berater finden, der Ihr Konto übernehmen will. In diesem Fall kaufen Sie einen preisgünstigen Indexfonds, halten sich an die Verhaltensvorschläge in diesem Buch, und Ihr Konto sollte letztlich auf das Volumen anwachsen, zu dem Sie sich einen Berater leisten können.

– „Was entscheidet darüber, ob ein Klient mit Ihnen spricht oder mit Ihren Mitarbeitern?" – „Wie lange bleiben die Klienten durchschnittlich bei Ihnen?"

„Kann ich ein Beispiel für einen Bericht zu einem Klientenkonto sehen?" (Wenn Sie es nicht verstehen können, bitten Sie den Berater, es zu erläutern. Können Sie seine Erklärungen nicht verstehen, dann ist es nicht der richtige Berater für Sie.)

„Halten Sie sich selbst für finanziell erfolgreich?" – „Weshalb?" – „Wie definieren Sie finanziellen Erfolg?" – „Was glauben Sie, welche durchschnittliche Rendite ich mit meinen Investitionen erzielen kann?" (Alles über 8 % bis 10 % ist unrealistisch.)

„Können Sie mir Ihren Lebenslauf, Ihr ADV-Zertifikat und mindestens drei Referenzen zur Verfügung stellen?" (Wenn der Berater oder seine Firma ein ADV einreichen muss und er Ihnen nicht sofort eine Kopie aushändigt, dann stehen Sie auf und gehen – und halten Sie dabei Ihre Brieftasche fest!)

„Wurde jemals eine Beschwerde gegen Sie eingereicht?" – „Weshalb hat der letzte Klient die Zusammenarbeit aufgekündigt?"

Besiegen Sie Ihren schlimmsten Feind

Letztlich sollten Sie immer daran denken, dass gute Finanzberater nicht auf den Bäumen wachsen. Oft haben die besten Berater schon so viele Klienten, wie sie betreuen können – und wollen Sie nur dann betreuen, wenn Sie gut zu ihm passen. Und deshalb werden auch die Berater Ihnen einige harte Fragen stellen, zu denen die folgenden zählen könnten:

- Weshalb glauben Sie, einen Finanzberater zu brauchen?
- Welches sind Ihre langfristigen Ziele?
- Welches war die größte Enttäuschung, die Sie mit anderen Beratern machten (einschließlich Ihrer selbst)?
- Haben Sie einen Haushaltsplan? Leben Sie nach dem, was Sie sich leisten können? Welchen Prozentsatz Ihres Einkommens geben Sie jährlich aus?
- Wenn wir von jetzt an ein Jahr zurückblicken: Was werde ich tun müssen, damit ich erreiche, dass Sie mit dem Fortschritt zufrieden sind?
- Wie bewältigen Sie Konflikte oder Meinungsverschiedenheiten?
- Wie reagierten Sie emotional auf den Bärenmarkt, der 2000 begann?
- Welches sind Ihre schlimmsten finanziellen Befürchtungen? Welches Ihre größten Hoffnungen?

- Welche Rendite auf Ihre Kapitalanlagen halten Sie für vernünftig? (Geben Sie die Antwort auf der Grundlage dessen, was Sie in Kapitel 3 gelesen haben.)

Ein Berater, der keine derartigen Fragen stellt - und der an Ihnen nicht genügend Interesse zeigt, um intuitiv zu wissen, welche weiteren Fragen Ihnen richtig erscheinen -, passt nicht zu Ihnen.

Vor allem jedoch sollten Sie dem Berater so viel Vertrauen entgegenbringen können, dass Sie ihm erlauben, Sie vor Ihrem schlimmsten Feind zu beschützen - vor sich selbst. „Sie engagieren einen Berater", erklärt der Kommentator Nick Murray, „nicht um Ihr Geld zu verwalten, sondern um Sie zu führen."

„Wenn der Berater eine Verteidigungslinie zwischen Ihnen und Ihren impulsiven Regungen darstellt", sagt der Analyst und Finanzplaner Robert Veres, „dann sollte er Systeme haben, die Ihnen beiden helfen, diese unter Kontrolle zu bringen." Zu diesen Systemen zählen:

- Ein umfangreicher Finanzplan, der Ihnen vorgibt, wie Sie Ihr Geld verdienen, sparen, leihen und investieren.
- Eine Aussage zur Anlagestrategie, die den grundlegenden Ansatz zur Kapitalanlage beschreibt.
- Ein Plan zum Vermögensaufbau, der in allen Einzelheiten darstellt, wie viel Geld Sie in den unterschiedlichen Anlagekategorien halten sollten.

Dies sind die Bausteine, auf denen gute finanzielle Entscheidungen gegründet sein müssen, und diese sollten gemeinsam erstellt werden - von Ihnen und dem Berater -, anstatt dass dieses Gerüst nur einseitig vom Berater vorgegeben wird. Sie sollten nicht einen Dollar (Euro) investieren oder eine Entscheidung treffen, wenn Sie nicht sicher sind, dass diese Bausteine am richtigen Platz sind und auch Ihren Wünschen entsprechen.

Kapitel 11

Wertpapieranalyse für Anfänger: Eine allgemeine Strategie

Die Finanzanalyse ist heute ein etablierter und blühender akademischer oder halbakademischer Beruf. Die verschiedenen Verbände der Analysten, aus denen die National Federation of Financial Analysts besteht, zählt mehr als 13.000 Mitglieder, von denen die meisten ihren Lebensunterhalt aus dieser Tätigkeit bestreiten. Finanzanalysten haben Lehrbücher, einen Ehrenkodex und eine Zeitschrift, die vierteljährlich erscheint.[228] Aber sie haben auch eine Reihe ungelöster Probleme. In den vergangenen Jahren gab es die Tendenz, das allgemeine Konzept der „Wertpapieranalyse" durch das der „Finanzanalyse" zu ersetzen. Der letztere Begriff hat eine umfassendere Bedeutung und ist besser geeignet, die Arbeit der meisten leitenden Analysten an der Wall Street zu beschreiben. Man sollte wissen, dass die Wertpapieranalyse sich auf die Untersuchung und Bewertung von Aktien und Anleihen beschränkt, während die Finanzanalyse darüber hinaus die Anlagestrategie festlegt (Einrichtung eines Portfolios), zusätzlich zu umfangreichen allgemeinen wirtschaftlichen Analysen [40]. In diesem Kapitel werden wir die Bezeichnungen anwenden, die am zutreffendsten erscheinen, allerdings mit der Betonung auf der Arbeit eines echten Aktienanalysten.

228 The National Federation of Financial Analysts ist heute die Association for Investment Management and Research; die „vierteljährliche" Publikation, das Financial Analysts Journal, erscheint nunmehr alle zwei Monate.

Der Wertpapieranalyst hat es mit der Vergangenheit, mit der Gegenwart und der Zukunft einer jeglichen Aktie zu tun. Er beschreibt das Geschäft; er fasst die operativen Ergebnisse und die finanzielle Situation zusammen; er stellt die Stärken und die Schwächen heraus, die Chancen und Risiken; er schätzt die künftige Ertragskraft unter verschiedenen Annahmen oder nennt seine „wahrscheinlichste Vermutung". Er stellt sorgfältige Vergleiche verschiedener Unternehmen an, oder er vergleicht den Zustand desselben Unternehmens zu verschiedenen Zeitpunkten. Schließlich äußert er sich zur Sicherheit des Titels, gleichgültig ob Anleihe oder Vorzugsaktie, sowie dazu, ob ein Kauf attraktiv erscheint, wenn es sich um eine Stammaktie handelt.

Bei all diesen Tätigkeiten stützt sich der Analyst auf eine Reihe von Techniken, die von elementar bis abstrus reichen. Er kann die Zahlen in der Bilanz eines Unternehmens deutlich verändern, selbst wenn sie das „heilige" Testat eines Wirtschaftsprüfers tragen. Er ist immer auf der Suche nach Dingen in diesem Bericht, die wesentlich mehr oder weniger bedeuten, als sie aussagen.

Der Aktienanalyst entwickelt Sicherheitsstandards und wendet sie an, anhand derer wir schließen können, ob eine bestimmte Anleihe oder Vorzugsaktie als „gesund" genug bezeichnet werden kann, um sie als Investition zum Kauf zu empfehlen. Diese Standards beziehen sich in erster Linie auf die früheren durchschnittlichen Gewinne, doch befassen sie sich auch mit der Kapitalstruktur, dem Umlaufvermögen, dem Anlagewert und anderen Faktoren.

Wenn es um Stammaktien geht, standen dem Aktienanalysten bis vor kurzem nur wenige Wertmaßstäbe für die Sicherheit zur Verfügung, die ebensogut definiert waren wie die für Anleihen und Vorzugsaktien. Den größten Teil seiner Zeit gab man sich mit einer Zusammenfassung der früheren Performance zufrieden, einer mehr oder weniger allgemeinen Prognose für die Zukunft – mit dem Schwerpunkt auf die nächsten zwölf Monate – und einer ziemlich willkürlichen Schlussfolgerung. Letztere wurde, und wird immer noch, sehr oft mit einem Blick auf den Ticker auf den Anzeigetafeln an den Börsen gezogen. In den vergangenen Jahren jedoch schenkten die praktizierenden Analysten der Bewertung der Wachstumsaktien viel Beachtung. Viele wurden, in Relation zu früheren und aktuellen Gewinnen, zu so hohen Kursen gehandelt, dass diejenigen, die diese zum Kauf empfohlen hatten, eine besondere Verpflichtung fühlten, die Kaufempfehlung zu rechtfertigen, indem sie ziemlich genaue Projektionen der erwarteten Gewinne bis weit in die Zukunft hinein anstellten. Mathematische Techniken, die besonders kompliziert sind, wurden notgedrungen eingesetzt, um die erreichten Bewertungen stützen zu können.

Wir werden uns ein wenig später, und zwar in verkürzter Form, mit diesen Techniken befassen. Allerdings möchten wir bereits an dieser Stelle auf ein problematisches Paradoxon hinweisen, nämlich dass die mathematischen Bewertungen genau in den Bereichen vorherrschend wurden, in denen man sie am wenigsten für zuverlässig hält. Je abhängiger die Bewertung von der Antizipation der Zukunft wird - und je weniger sie an eine Zahl gebunden ist, die durch die frühere Performance ausgedrückt wird -, umso anfälliger wird sie für mögliche Fehlberechnungen und schwer wiegende Irrtümer. Ein großer Anteil des Wertes, der für Wachstumsaktien mit hohem KGV berechnet wird, wird aus Zukunftsprognosen abgeleitet, die deutlich von der früheren Performance abweichen - außer vielleicht bei der Wachstumsrate selbst. Deshalb könnte man sagen, dass Aktienanalysten sich heute verpflichtet fühlen, sich in besonderen Situationen höchst mathematisch und „wissenschaftlich" auszudrücken, was ihnen selbst zumindest ein viel verheißendes genaues Vorgehen unterstellt.[229]

Fahren wir dennoch mit unserer Erläuterung der wichtigeren Bestandteile und Techniken der Aktienanalyse fort. Das gegenwärtige, höchst verdichtete Verfahren dient den Bedürfnissen des nicht professionellen Investors. Er sollte zumindest verstehen, worüber ein Analyst spricht und worauf er hinaus will. Darüber hinaus sollte er, wenn möglich, so kundig sein, dass er zwischen oberflächlicher und vernünftiger Analyse unterscheiden kann.

---

229 Je höher die prognostizierte Wachstumsrate ist und je weiter man sie in die Zukunft rechnet, umso empfindlicher wird Ihre Vorhersage gegenüber dem kleinsten Fehler. Wenn Sie beispielsweise unterstellen, dass ein Unternehmen, das jährlich 1 $ Gewinn pro Aktie macht, diesen Gewinn in den nächsten 15 Jahren jährlich um 15 % steigern kann, dann würde der Gewinn pro Aktie letztlich 8,14 $ ausmachen. Bewertet der Markt die Aktie mit dem35fachen der Gewinne, dann müsste die Aktie in 15 Jahren einen Kurs von etwa 285 $ haben. Wenn die Gewinne allerdings mit 14 und nicht mit 15 % wachsen, dann würde das Unternehmen am Ende des Zeitraums nur 7,14 $ je Aktie verdienen - und nach dem Schock, dass die 15 % Wachstum nicht erreicht wurden, würden die Anleger auch nicht den 35fachen Gewinn bezahlen. Bei etwa dem 20fachen der Gewinne käme die Aktie auf einen Kurs von 140 $, oder mehr als 50 % weniger. Weil die höhere Mathematik dem eigentlich vagen Vorgang der Zukunftsvorhersage den Anschein der Präzision vermittelt, müssen Anleger gegenüber jedem höchst skeptisch sein, der behauptet, er habe ein Computerprogramm zur Lösung grundsätzlicher finanzieller Probleme. Graham sagte dazu: „In den 44 Jahren meiner Erfahrungen an der Wall Street und nach 44-jährigem Studium habe ich noch kein zuverlässiges mathematisches Modell zu Stammaktien gefunden, das weiter ging als die einfachste Arithmetik oder die elementarste Algebra. Immer dann, wenn Berechnungen oder höhere Mathematik ins Spiel kommen, können Sie dies als Warnsignal verstehen, dass derjenige, der dies tut, die Theorie als Ersatz für Erfahrung nimmt und in der Regel Spekulation als Investition verkleidet."

Die Aktienanalyse für den Anfänger sollte mit der Interpretation der Bilanz eines Unternehmens beginnen. Dies ist ein Thema, dem wir für Laien ein eigenes Buch mit dem Titel *The Interpretation of Financial Statements* [41] gewidmet haben. Wir halten es nicht für nötig oder angebracht, in diesem Kapitel alles noch einmal zu wiederholen, insbesondere da der Schwerpunkt des vorliegenden Buches auf Grundsätzen und Einstellungen liegt und nicht so sehr auf Information und Beschreibung. Gehen wir weiter zu zwei Fragen, die die Auswahl von Anlagen betreffen: Welche sind die wichtigsten Kontrollen der Sicherheit einer Industrieanleihe oder einer Vorzugsaktie? Und welche sind die wichtigsten Faktoren, mit denen man in die Bewertung von Stammaktien einsteigt?

Die Analyse von Anleihen

Der zuverlässigste und somit angesehenste Zweig der Wertpapieranalyse beschäftigt sich mit der Sicherheit und Qualität von Anleihenemissionen und Vorzugsaktien. Das wichtigste Kriterium bei Anleihen lautet: Wie oft waren in der Vergangenheit die gesamten Zinszahlungen durch die verfügbaren Gewinne gedeckt? Bei den Vorzugsaktien lautet die Frage, wie oft der Anleihenzins und die Dividenden der Vorzugsaktien zusammen gedeckt waren.

Die genauen Maßstäbe in der Anwendung variieren bei den verschiedenen Experten. Da die Überprüfungen letztlich willkürlich sind, gibt es keine Möglichkeit, die am besten geeigneten Kriterien genau zu bestimmen. In der Überarbeitung der Version von 1961 des Buchs *Security Analysis* empfehlen wir bestimmte „Deckungsmaßstäbe," die Sie in Tabelle 11-1 finden.[230]

Unser Basistest wird nur auf die *durchschnittlichen* Ergebnisse eines Jahres angewandt. Andere Experten verlangen auch eine Mindestdeckung für jedes Jahr, das betrachtet werden soll. Wir empfehlen als *Alternative* einen Test, den wir den Test „des schlechtesten Jahres" nennen; es würde ausreichen, wenn eine Anleihe oder eine Vorzugsaktie einem dieser Kriterien genügen würde.

---

230 1972 hatte ein Anleger in Industrieanleihen kaum eine andere Wahl, als sein eigenes Portfolio zusammenzustellen. Heute gibt es etwa 500 Investmentfonds, die in Industrieanleihen investieren und damit ein komfortables, gut diversifiziertes Bündel an Wertpapieren schaffen. Da es nicht realisierbar ist, ein diversifiziertes Anleihenportfolio allein einzurichten, wenn man nicht mindestens 100.000 $ zur Verfügung hat, ist der intelligente Investor am besten beraten, wenn er einen preisgünstigen Anleihenfonds kauft und die Kreditwürdigkeitsprüfung den Managern überlässt. Mehr über Anleihenfonds finden Sie im Kommentar zu Kapitel 4.

Tabelle 11-1: Empfohlene „Minimaldeckung" für Anleihen und Vorzugsaktien

A. Für eine Investition geeignete Anleihen
Minimalverhältnis der Gewinne zu den gesamten festen Belastungen

	Vor Steuern		Nach Steuern	
Art des Geschäfts	**Durchschnitt der letzten sieben Jahre**	**Alternative: gemessen am „schlechtesten Jahr"**	**Durchschnitt der letzten sieben Jahre**	**Alternative: gemessen am „schlechtesten Jahr"**
Öffentliche Versorgungs-unternehmen	4-mal	3-mal	2,65-mal	2,10-mal
Eisenbahnen	5	4	3,20	2,65
Industrie	7	5	4,30	3,20
Einzelhandels-konzerne	5	4	3,20	2,65

B. Für eine Investition geeignete Vorzugsaktien
Die gleichen Minimalzahlen wie oben sollten auch für die Rendite vor Steuern für die Summe der Festkosten zuzüglich der doppelten Vorzugsdividenden gelten.
Anmerkung: Die doppelten Vorzugsdividenden werden berücksichtigt, weil die Vorzugsdividenden nicht vom Einkommen abzugsfähig sind, während die Zinszahlungen von der Steuer befreit sind.

C. Andere Kategorien von Anleihen und Vorzugsaktien
Die Standards, die oben vorgegeben wurden, sind nicht anwendbar auf (1) öffentliche Versorgungsholdinggesellschaften, (2) Finanzfirmen und (3) Immobiliengesellschaften. Die Bedingungen für diese speziellen Gruppen werden hier vernachlässigt.

Man könnte nun einwenden, dass die starke Renditesteigerung bei Anleihen seit 1961 es rechtfertigen würde, die erforderliche Deckung der Belastungen zu reduzieren. Offensichtlich wäre es für ein Industrieunternehmen wesentlich schwieriger, eine siebenfache Deckung nachzuweisen, wenn die Belastungen bei 8 % und nicht bei 4,5 % liegen. Um der veränderten Situation gerecht zu werden, schlagen wir nun eine alternative Bedingung vor, die in Beziehung zu dem Prozentsatz steht, der mit dem Betrag der Verbindlichkeiten erwirtschaftet wurde. Diese Zahlen könnten bei 33,3 % vor Steuern für ein Industrieunternehmen liegen, bei 20 % für ein öffentliches Versorgungsunternehmen und bei 25 % für eine Eisenbahn. Man sollte dabei nicht vergessen, dass die Rate, die gegenwärtig von den meisten Unternehmen auf ihre Verbindlichkeiten gezahlt wird, deutlich geringer ist als die aktuellen 8 %, weil sie ältere Emissionen mit geringeren Couponraten sind. Die Bedingung „schlechtestes Jahr" könnte auf zwei Drittel der Bedingung „Durchschnitt der letzten sieben Jahre" festgelegt werden.

Zusätzlich zum Gewinndeckungs-Test werden in der Regel auch andere Tests angewandt. Dazu gehören:

1. *Größe des Unternehmens.* Es gibt ein Minimal-Standard beim Geschäftsumsatz eines Unternehmens – das zwischen Industrie, Versorgung und Eisenbahnen variiert – und bei der Bevölkerungsdichte einer Kommune.

2. *Aktien-Eigenkapital-Verhältnis.* Dies ist das Verhältnis des Marktpreises der nachrangigen Aktien[231] zum Gesamtwert der Schulden oder der Schulden zuzüglich der Vorzugsaktien. Dies ist ein etwas grober Maßstab für das „Polster", das benötigt wird, wenn junge Aktien ausgegeben wurden, die am stärksten den wirtschaftlichen Schwankungen ausgesetzt sind. Dieser Faktor enthält die Einschätzung des Marktes zu den künftigen Aussichten des Unternehmens.

3. *Wert des Anlagevermögens.* Der Buchwert, so wie er in der Bilanz ausgewiesen oder geschätzt wird, galt früher als die wichtigste Sicherheit und als Schutz für die Emission von Anleihen. Die Erfahrung hat jedoch gezeigt, dass in den meisten Fällen die Sicherheit in der Ertragskraft liegt, und wenn diese unzulänglich ist, dann verliert der Buchwert den größten Teil seines vermeintlichen Wertes. Der Buchwert behält hingegen seine Bedeutung als gesonderter Test der Sicherheit für Anleihen und Vorzugsaktien in drei Kategorien von Unternehmen: öffentliche Versorgungsunternehmen (weil die Zinsrate weitgehend von der Investition in Grundbesitz abhängig sein kann), Immobilienkonzerne und Investmentgesellschaften.

An diesem Punkt sollte der aufmerksame Investor fragen: „Wie zuverlässig sind die Sicherheitstests, die an der früheren und gegenwärtigen Performance ansetzen, wenn man überlegt, was die Zukunft bringen mag?" Die Antwort kann nur die Erfahrung geben. Die Geschichte der Kapitalanlage zeigt, dass Anleihen und Vorzugsaktien strenge Sicherheitstests bestanden und in den allermeisten Fällen den Unwägbarkeiten der Zukunft erfolgreich die Stirn geboten haben. Dies wurde eindrucksvoll im Bereich der Eisenbahnanleihen demonstriert – einem Bereich,

231 Mit „nachrangig" meint Graham die Anteile der Stammaktien. Vorzugsaktien werden als bevorrechtigt gegenüber Stammaktien betrachtet, weil das Unternehmen erst alle Dividenden der Vorzugsaktien auszahlen muss, bevor Dividenden an die Inhaber von Stammaktien ausgezahlt werden.

der von einer verheerenden Zahl von Konkursen und schweren Verlusten gezeichnet war. In fast jedem Fall hatten die Eisenbahngesellschaften, die in Schwierigkeiten gerieten, zu lange zu viele Anleihen emittiert, zeigten in Zeiten durchschnittlicher Konjunktur eine unangemessene Deckung der Fixkosten und wären schon deshalb von Anlegern, die strenge Sicherheitstests anwenden, links liegen gelassen worden. Doch das Gegenteil war der Fall: Praktisch jede Eisenbahngesellschaft, die diesen Tests unterzogen wurde, konnte die finanziellen Schwierigkeiten überwinden. Unsere Voraussetzung wurde überraschend durch die Finanzgeschichte bestätigt, weil zahlreiche Eisenbahngesellschaften in den 40er- und 50er-Jahren neu strukturiert wurden. Mit einer Ausnahme begannen alle ihre Laufbahn neu, mit festen Tarifen, die bis an den Punkt reduziert wurden, an dem die laufende Deckung der Fixkosten gerade erreicht wurde oder zumindest akzeptabel war. Die Ausnahme war die New Haven Railroad, die 1947, im Jahr ihrer Neustrukturierung, die neuen Belastungen nur zum 1,1fachen decken konnte. In der Folgezeit, als alle anderen Eisenbahnen die schwierigen Zeiten ohne Insolvenz überstehen konnten, musste die New Haven 1961 zum dritten Mal in Treuhänderschaft übernommen werden.

In Kapitel 17 werden wir einige Aspekte des Konkurses der Penn Central Railroad betrachten, der die Finanzgesellschaften 1970 erschütterte. Eine grundlegende Tatsache war in diesem Fall, dass die Deckung der Fixkosten schon 1965 nicht den konservativen Maßstäben entsprach. Somit hätte ein umsichtiger Anleger diese Anleihen schon lange vor dem Zusammenbruch meiden oder verkaufen können.

Unsere Beobachtungen, ob Leistungen in der Vergangenheit dazu taugen, die künftige Sicherheit zu beurteilen, bezieht sich hauptsächlich auf öffentliche Versorgungsunternehmen, die einen wichtigen Bereich der Investitionen in Anleihen abdecken. Der Konkurs eines vernünftig kapitalisierten (elektrischen) Versorgungsunternehmens ist fast unmöglich. Seit die Securities and Exchange Commission (SEC), fast gleichzeitig mit der Zerschlagung der meisten Holding-Systeme, eingerichtet wurde,[232] kam die Finanzierung öffentlicher Versorger in geordnete Bahnen, und Insolvenzen sind seither nicht bekannt. Die finanziellen

232 Nachdem Investoren in den Jahren 1929 bis 1932 Milliarden von Dollars mit Aktien waghalsig zusammengebastelter Versorgungsunternehmen verloren hatten, ermächtigte der Kongress die SEC, die Ausgabe von Versorger-Aktien nach dem Public Utility Holding Company Act von 1935 zu regulieren.

Schwierigkeiten der Gas- und Elektrizitätsunternehmen in den 30er-Jahren waren fast ausschließlich auf finanzielle Exzesse und schlechtes Management zurückzuführen, was in der Kapitalstruktur der Unternehmen Spuren hinterließ. Einfache, aber strenge Sicherheitsüberprüfungen hätten die Investoren von den Anleihen fernhalten können, die später verfielen.

Bei den Industrieanleihen fiel die langfristige Leistungsbilanz unterschiedlich aus. Auch wenn die Ertragskraft der Industrieanleihen insgesamt stärker wuchs als die der Eisenbahnen und Versorger, zeigten sie bei einzelnen Unternehmen und Branchen wenig Stabilität. Deshalb gab es, zumindest in der Vergangenheit, zwingende Gründe, nur Industrieanleihen und Vorzugsaktien von großen Unternehmen zu kaufen, die zudem bewiesen hatten, dass sie eine Depression überstehen konnten.

Seit 1950 gab es nur wenige Ausfälle von Industrieanleihen, doch wird dies teilweise der Tatsache zugeschrieben, dass es während dieser langen Zeit zu keiner größeren Depression kam. Seit 1966 entwickelte sich jedoch die finanzielle Situation schlecht, unter anderem als Konsequenz unkluger Expansionen. Einerseits blähte dies die Bankkredite und langfristigen Verbindlichkeiten auf, andererseits wurden operative Verluste statt der erwarteten Gewinne erwirtschaftet. Anfang 1971 berechnete man, dass in den vorherigen sieben Jahren die Zinszahlungen aller Unternehmen, die nicht dem Finanzbereich angehörten, von 9,8 Milliarden Dollar im Jahr 1963 auf 26,1 Milliarden Dollar im Jahr 1970 angewachsen waren und dass 1971 die Zinszahlungen 29 % der gesamten Gewinne vor Zinsen und Steuern auffraßen, im Vergleich zu nur 16 % im Jahr 1963 [42]. Offensichtlich waren die Belastungen einzelner Unternehmen weit stärker gestiegen. Unternehmen, die zu viele Anleihen ausgegeben hatten, gehörten fast schon zum Alltag. Es gibt allen Grund, die Warnung zu wiederholen, die wir schon 1965 ausgesprochen haben:

Wir sind noch nicht bereit zu behaupten, dass der Investor auf eine unbestimmt lange Fortsetzung dieser günstigen Situation bauen kann, und deshalb sollte er seine Maßstäbe bei Industrieanleihen und auch bei anderen Anleihen ein wenig lockern.

Die Analyse von Stammaktien

Die ideale Aktienanalyse ergibt einen Wert des Titels, der mit dem aktuellen Kurs verglichen werden kann, um zu entscheiden, ob das Papier ein attraktiver Kauf ist oder nicht. Diese Bewertung wiederum kann man normalerweise nur vornehmen, wenn man die durchschnittlichen *künftigen* Gewinne über einige Jahre schätzt und dann diese Schätzung mit einem angemessenen „Kapitalisierungsfaktor" multipliziert.

Das heutige Standardvorgehen zur Schätzung der künftigen Ertragskraft beginnt mit den Daten der Vergangenheit für den physischen Umsatz, die erzielten Preise und die operative Spanne. Der Betrag des künftigen Umsatzes wird dann auf der Grundlage von Annahmen zu Veränderungen beim Umsatz und dem Preisniveau gegenüber der vorhergehenden Basis geschätzt. Diese Schätzungen wiederum gründen in erster Linie auf allgemeinen wirtschaftlichen Prognosen zum Bruttoinlandsprodukt und dann auf speziellen Berechnungen, die auf die fragliche Branche und das einzelne Unternehmen angewendet werden können.

Eine Darstellung dieser Methode können Sie der Auflage von 1965 entnehmen, die jedoch aktualisiert wurde. *Value Line*, ein führender Investmentservice, stellt Prognosen zu künftigen Gewinnen und Dividenden an, so wie es oben beschrieben wurde, und kommt dann zu einer Zahl, dem „Kurspotenzial" (oder dem prognostizierten Marktwert), indem eine Bewertungsformel auf jeden Titel angewendet wird, die weitgehend auf verschiedenen Relationen aus der Vergangenheit basiert. In Tabelle 11-2 bilden wir die Prognosen aus den Jahren 1967 bis 1969 ab, die im Juni 1964 aufgestellt wurden, und vergleichen diese mit den Gewinnen und dem durchschnittlichen Kurs, der 1968 erreicht wurde, was in etwa dem Zeitraum von 1967 bis 1969 entspricht

Die kombinierten Vorhersagen erwiesen sich als etwas zu niedrig, was allerdings nicht gravierend war. Die entsprechenden Vorhersagen sechs Jahre zuvor hatten sich hinsichtlich der Gewinne und der Dividenden als zu optimistisch erwiesen; doch dies wurde durch einen Multiplikator ausgeglichen mit dem Ergebnis, dass die Zahl für das Kurspotenzial in etwa gleich den Kursen von 1963 war.

Der Leser wird bemerken, dass eine ganze Reihe individueller Vorhersagen weit an der Realität vorbeigingen. Dies bekräftigt unsere Auffassung, dass Schätzungen für Gruppen von Unternehmen wahrscheinlich ein wenig zuverlässiger sind als für einzelne Gesellschaften. Der auf Sicherheit bedachte Aktienanalyst sollte deshalb die drei oder vier Unternehmen aussuchen, deren Zukunft er am besten zu kennen glaubt, und nach seinen eigenen Interessen und im Sinn seiner Kunden handeln und sich auf das konzentrieren, was er für diese Unternehmen vorhersagt. Leider scheint es fast unmöglich zu sein, zwischen Vorhersagen, auf die man sich verlassen kann, und Prognosen, die großen Irrtümern aufsitzen können, zu unterscheiden. Letztlich ist dies der Grund für die weite Diversifizierung, so wie sie von Investmentfonds praktiziert wird. Denn zweifellos ist es besser, sich auf nur eine Aktie zu konzentrieren, von der man *weiß*, dass sie sich als höchst rentabel erweisen wird, anstatt Rendite zu opfern, um nur ja dem Gebot der Diversifizierung zu folgen. Doch das wird nicht getan, weil es nicht *zuverlässig* sein kann [43]. Das Überhandnehmen der weit gestreuten Diversifizierung ist im Prinzip nichts anderes, als sich vom „Fetisch Selektivität" abzuwenden, zu dem sich die Wall Street ständig bekennt.[233]

Faktoren, die die Kapitalisierungsrate beeinflussen

Auch wenn die durchschnittlichen künftigen Gewinne als Hauptbestimmungsfaktor des Wertes gelten, zieht der Aktienanalyst eine Reihe weiterer Faktoren für seine Anlageentscheidung heran, die mehr oder weniger eindeutig sind. Die meisten von ihnen gehen in die Kapitalisierungsrate ein, die in einem weiten Bereich variieren kann, abhängig von der „Qualität" der Aktie. Somit könnte selbst für den Fall, dass zwei Unternehmen die gleichen Zahlen aufweisen, die auch für 1973 bis 1975 als Gewinn je Aktie erwartet wurden – etwa 4 $ –, der Analyst die eine Aktie mit 40 und die andere mit 100 bewerten. Mit diesen divergierenden Multiplikatoren wollen wir uns kurz beschäftigen.

1. Allgemeine langfristige Aussichten. Niemand weiß, was in ferner Zukunft geschehen wird, doch Analysten und Investoren haben zum gleichen Thema feste

---

233 In den letzten Jahren haben die Investmentfonds fast automatisch den S&P 500 abgebildet, lediglich unterschiedlich hohe Beteiligungen begründen die Abweichungen vom Ergebnis des Index. In einem gegenläufigen Trend haben einige Fondsgesellschaften „konzentrierte" Fonds aufgelegt, die 25 bis 50 Aktien enthalten, von denen die Manager glauben, sie seien die „erste Wahl". Das bringt die Anleger zum Nachdenken, ob die anderen Fonds, die von denselben Managern betreut werden, ihre „schlechteste Wahl" beinhalten. Überlegt man, dass die meisten Fonds mit der „ersten Wahl" nicht wesentlich besser sind als der Durchschnitt, dann dürfen die Anleger auch darüber nachdenken, ob die „Wahlen" der Manager es rechtfertigen, sie überhaupt zu kaufen. Für geschickte Investoren wie Warren Buffett würde eine weite Diversifizierung dumm erscheinen, weil er damit die konzentrierte Kraft einiger weniger großartiger Ideen verwässern würde. Doch für den normalen Fondsmanager oder den Privatanleger ist es dumm, nicht zu diversifizieren, da es schwierig ist, die Gruppe von Aktien zu finden, unter denen sich mehr Gewinner als Verlierer befinden. Wenn Sie mehrere Aktien besitzen, dann wird der Schaden geschmälert, den ein einzelner Verlierer anrichten kann, und die Wahrscheinlichkeit, dass Sie nur Gewinner im Portfolio haben, wird steigen. Die ideale Entscheidung für die meisten Anleger ist ein Indexfonds, der den gesamten Markt umfasst; das ist eine preiswerte Möglichkeit, alle jene Aktien im Depot zu haben, die es wert sind, gekauft zu werden.

Tabelle 11-2: Der Dow Jones Industrial Average
(Die Prognose von Value Line 1967-1969 (erstellt Mitte 1964) im Vergleich zu den tatsächlich realisierten Ergebnissen, die 1968 erzielt wurden)

	Gewinne		Kurs am 30. Juni 1964 in $	Kursprognose 1967 bis 1969 in $	Durchschnittskurs 1968[a] in $
	Prognose 1967 bis 1969 in $	Tatsächlich 1968[a] in $			
Allied Chemical	3,70	1,46	54,5	67	36,5
Aluminium Corp. of Am.	3,85	4,75	71,5	85	79
American Can	3,50	4,25	47	57	48
American Tel & Tel	4,00	3,75	73,5	68	53
American Tobacco	3,00	4,38	51,5	33	37
Anaconda	6,00	8,12	44,5	70	106
Bethlehem Steel	3,25	3,55	36,5	45	31
Chrysler	4,75	6,23	48,5	45	60
Du Pont	8,50	7,82	253	240	163
Eastman Kodak	5,00	9,32	133	100	320
General Electric	4,50	3,95	80	90	90,5
General Foods	4,70	4,16	88	71	84,5
General Motors	6,25	6,02	88	78	81,5
Goodyear Tire	3,25	4,12	43	43	54
Internat. Harvester	5,75	5,38	82	63	69
Internat. Nickel	5,20	3,86	79	83	76
Internat. Paper	2,25	2,04	32	36	33
Johns Manville	4,00	4,78	57,5	54	71,5
Owens-Ill. Glass	5,25	6,20	99	100	125,5
Procter & Gamble	4,20	4,30	83	70	91
Sears Roebuck	4,70	5,46	118	78	122,5
Standard Oil of Cal.	5,25	5,59	64,5	60	67
Standard Oil of N.J.	6,0	5,94	87	73	76
Swift & Co.	3,85	3,41[b]	54	50	57
Texaco	5,50	6,04	79,5	70	81
Union Carbide	7,35	5,20	126,5	165	90
United aircraft	4,00	7,65	49,5	50	106
U.S. Steel	4,50	4,69	57,5	60	42
Westinghouse Elec.	3,25	3,49	30,5	50	69
Woolworth	2,25	2,29	29,5	32	29,5
Gesamt	**138,25**	**149,20**	**2.222**	**2.186**	**2.450**
DJIA (gesamt % 2.67)	52,00	56,00	832	820	918[c]
DJIA tatsächlich 1968	57,89				906[c]
DJIA tatsächlich 1967 - 1969	56,26				

a) Korrigiert wegen Aktiensplits seit 1964
b) Durchschnitt 1967-1969
c) Differenz aufgrund verändertem Divisor

Überzeugungen. Diese werden in den krassen Unterschieden zwischen dem KGV einzelner Unternehmen und Branchen deutlich. Hierzu schrieben wir in der Auflage von 1965:

Zum Beispiel wurden die Chemieunternehmen im DJIA mit wesentlich höheren Multiplikatoren gehandelt als Ölgesellschaften, was darauf hinwies, dass das Vertrauen in die Zukunftsaussichten der Chemie größer war als das in die Zukunft der Ölbranche. Derartige Unterscheidungen, die der Markt macht, sind oft vernünftig begründet, aber wenn sie überwiegend von der Performance in der Vergangenheit bestimmt werden, dann können sie gleichermaßen richtig oder falsch sein.

Tabelle 11-3 zeigt das Datenmaterial der Chemie- und Öl-Aktien im DJIA vom Jahresende 1963 und ihre Gewinne bis Ende 1970. Man kann erkennen, dass die Chemieunternehmen, trotz ihrer hohen Multiplikatoren, in der Zeit nach 1963 praktisch keinen Gewinn erzielten. Die Ölgesellschaften hingegen machten es wesentlich besser als die Chemieunternehmen und entsprachen damit dem Wachstum, das ihren Multiplikatoren von 1963 zugrunde lag [44]. Somit erwies sich unser Beispiel mit den Chemie-Aktien als einer der Fälle, in denen die Multiplikatoren falsch waren.[234]

2. *Management*. An der Wall Street wird sehr viel über dieses Thema gesprochen, doch wirklich hilfreich war nur weniges. Bis objektive, quantitative und einigermaßen zuverlässige Maßstäbe für die Kompetenz eines Managers entwickelt und angewendet werden, wird dieser Faktor weiterhin wie durch einen Nebel betrachtet werden. Man wird in der Regel annehmen können, dass ein außerordentlich erfolgreiches Unternehmen ein ungewöhnlich gutes Management hat. Dies wird sich schon in ihrer bisherigen Leistungsbilanz gezeigt haben, und es wird sich

234 Grahams Meinung zu den Chemie- und Ölgesellschaften in den 60er-Jahren lässt sich auf nahezu alle Branchen zu fast jeder Zeit anwenden. Die gemeinsame Ansicht der Wall Street über die Zukunft irgendeines Sektors ist entweder zu optimistisch oder zu pessimistisch. Schlimmer noch, die Übereinstimmung findet den meisten Beifall dann, wenn die Aktien am stärksten überbewertet sind – und sehr düster sieht es aus, wenn sie sehr billig sind. Die jüngsten Beispiele sind natürlich die Aktien aus den Bereichen Technologie und Kommunikation, die ihr Rekordhoch erreichten, als 1999 und Anfang 2000 die Zukunft am strahlendsten erschien, und danach stürzten bis 2002 alle ab. Die Geschichte beweist, dass die „Experten" (Hellseher) von der Wall Street ebenso unfähig sind, die Performance vorherzusagen: (1) des gesamten Marktes, (2) der Branchen und (3) einzelner Aktien. Wie Graham betont, ist die Wahrscheinlichkeit, dass ein Privatanleger besser sein kann, nicht besonders groß. Der intelligente Investor ist herausragend, wenn er Entscheidungen trifft, die nicht von der Genauigkeit der Vorhersage von irgendjemandem abhängig sind, einschließlich der eigenen Prognosen (siehe Kapitel 8).

Tabelle 11-3: Performance der Öl- und Chemie-Aktien im DJIA, 170 und 1964 im Vergleich

	1963			1970		
	Schluss-kurs	Gewinn/ Aktie	KGV	Schluss-kurs	Gewinn/ Aktie	KGV
Allied Chemical	55	2,77	19,8	24,125	1,56	15,5
Du Pont[a]	77	6,55	23,5	133,50	6,76	19,8
Union Carbideb	60,25	2,66	22,7	40	2,60	15,4
Durchschnitt			25,3			
Standard Oil of Cal.	59,5	4,50	13,2	54,5	5,36	10,2
Standard Oil of N.J.	76	4,74	16,0	73,5	5,90	12,4
Texaco[b]	35	2,15	16,3	35	3,02	11,6
Durchschnitt			15,3			

a) Die Zahlen von 1963 wurden um die Verteilung der Aktien von General Motors berichtigt.
b) Die Zahlen von 1963 wurden um die folgenden Aktiensplits berichtigt.

auch in den Schätzungen für die nächsten fünf Jahre niederschlagen und ebenso in den zuvor besprochenen langfristigen Aussichten. Die Tendenz, die ganzen optimistischen Faktoren wiederholt zu betrachten, kann leicht zu teuren Überbewertungen führen. Der Faktor Management spielt unserer Meinung nach in den Fällen eine Rolle, in denen erst kürzlich eine Veränderung stattgefunden hat, die noch nicht ausreichend Zeit hatte, sich in aktuellen Zahlen niederzuschlagen.

Zwei spektakuläre Ereignisse dieser Art standen im Zusammenhang mit Chrysler Motor Corporation. Das erste fand bereits 1921 statt, als Walter Chrysler das Kommando bei der fast schon dem Tode geweihten Maxwell Motors übernahm und die Firma in nur wenigen Jahren zu einem großen und rentablen Unternehmen machte, während zahlreiche andere Automobilhersteller aus dem Markt gefegt wurden. Das zweite datiert von 1962, als Chrysler weit von seinem hohen Status gefallen war und die Aktie zum niedrigsten Kurs der letzten Zeit gehandelt wurde. Danach übernahmen neue Interessenten, die in Verbindung mit Consolidation Coal standen, das Ruder. Die Gewinne stiegen von den Werten von 1961 (1,24 $/Aktie) auf 17 $ im Jahr 1963, und der Kurs der Aktie kletterte von seinem Tief bei 38,5 $ im Jahr 1962 im Folgejahr auf 200 $ [45].

3. *Finanzielle Stärke und Kapitalstruktur.* Das Grundkapital eines Unternehmens mit einem Überschuss an Barmitteln – und nicht mehr als dem Üblichen – ist ein deutlich besserer Kauf (zum gleichen Kurs) als ein anderes Unternehmen

mit den gleichen Gewinnen je Aktie, doch hohen Bankkrediten und vorrangigen Wertpapieren. Solche Faktoren werden von Aktienanalysten genauestens betrachtet. Ein bescheidener Bestand an Anleihen oder Vorzugsaktien ist aber nicht unbedingt ein Nachteil für die Stammaktien, ebenso wenig die moderate Inanspruchnahme eines vorübergehenden Bankkredits. (Rein zufällig kann eine kopflastige Struktur – zu wenige Stammaktien im Verhältnis zu Anleihen und Vorzugsaktien – unter günstigen Umständen für einen riesigen spekulativen Gewinn bei den Stammaktien sorgen. Dies ist der Faktor, den wir Fremdkapitalaufnahme nennen.)

4. *Dividendenbilanz.* Eines der besten Qualitätskriterien sind ununterbrochene Dividendenzahlungen über mehrere Jahre hinweg. Ein Unternehmen, das 20 Jahre lang ununterbrochen Gewinne ausschüttet, darf durchaus positiv eingeschätzt werden. Der defensive Investor sollte nur solche Aktien kaufen, die diese Bedingung erfüllen.

5. *Die aktuelle Dividendenrendite.* Dies ist der letzte zusätzliche Bestimmungsfaktor. Es ist aber auch der schwierigste. Zum Glück folgt inzwischen die Mehrheit der Unternehmen einer standardisierten Dividendenstrategie. Das heißt: Sie schütten rund zwei Drittel der durchschnittlichen Gewinne aus, außer wenn in den vergangenen Jahren hohe Gewinne anfielen und die Nachfrage nach mehr Kapital geringer war. (1969 waren es 59,5 % für den Dow Jones und 55 % für alle amerikanischen Aktiengesellschaften.)[235] Wo die Dividende in einem normalen Verhältnis zu den Gewinnen steht, kann die Bewertung auf beiden Grundlagen vorgenommen werden, ohne das Ergebnis wesentlich zu beeinflussen. Hierzu ein Beispiel: Ein typisches zweitrangiges Unternehmen mit einem erwarteten durchschnittlichen Gewinn von 3 $ je Aktie und einer erwarteten Dividende von 2 $ kann entweder mit dem Zwölffachen der Gewinne oder dem 18fachen der Dividende bewertet werden, was in beiden Fällen einen Wert von 36 ergibt.

Allerdings rücken immer mehr Wachstumsunternehmen davon ab, 60 % der Gewinne oder mehr als Dividenden auszuschütten, weil den Interessen der Aktionäre besser gedient ist, wenn fast alle Gewinne einbehalten werden, um die Ex-

---

235 Diese Zahl, die nunmehr unter dem Begriff „Auszahlungsverhältnis" bekannt ist, ist seit den Tagen Grahams deutlich gesunken, weil die amerikanischen Steuergesetze die Investoren entmutigten, nach hohen Dividenden zu suchen, und die Unternehmen, hohe Dividenden zu zahlen. Am Jahresende 2002 stand das Auszahlungsverhältnis des S&P 500 bei 34,1 %, und im April 2000 erreichte es ein Allzeit-Tief von nur 25,3 % (siehe www.barra.com/research/fundamentals.asp). Auf die Dividendenpolitik gehen wir im Kommentar zu Kapitel 19 ausführlicher ein.)

pansion zu finanzieren. Dieses Thema bringt Probleme mit sich und erfordert eine sorgfältige Differenzierung. Wir werden diese wichtige Frage nach der richtigen Dividendenpolitik in Kapitel 19 behandeln, wo wir uns mit den – oftmals problematischen – Beziehungen zwischen dem Management und den Aktionären beschäftigen.

Kapitalisierungsraten für Wachstumsaktien

Die meisten offiziellen Analystenbewertungen beschäftigen sich auch mit Wachstumsaktien. Auf der Grundlage unserer Untersuchung der verschiedenen Methoden haben wir eine verkürzte und ziemlich einfache Formel zur Bewertung von Wachstumsaktien erarbeitet. Dabei werden Zahlen verwendet, die denen aus den verfeinerten mathematischen Kalkulationen ähneln. Unsere Formel lautet:

Wert = aktuelle (normale) Gewinne x (8,5 zuzüglich der doppelten erwarteten Wachstumsrate)

Die Zahl steht für das Wachstum, das für die nächsten sieben bis zehn Jahre erwartet werden kann [46].

In Tabelle 11-4 zeigen wir, wie sich unsere Formel auf die verschiedenen unterstellten Wachstumsraten auswirkt. Es ist einfach, die umgekehrte Berechnung anzustellen und zu bestimmen, welche Wachstumsrate vom aktuellen Börsenkurs unterstellt wird, vorausgesetzt, dass unsere Formel stichhaltig ist. In unserer letzten Auflage führten wir diese Berechnung für den DJIA und für sechs weitere wichtige Aktien durch. Diese Zahlen finden Sie in Tabelle 11-5. Damals kommentierten wir folgendermaßen:

Der Unterschied zwischen der eingerechneten jährlichen Wachstumsrate von 32,4 % für Xerox und die extrem bescheidenen 2,8 % für General Motors ist tatsächlich überraschend. Teilweise kann man ihn damit erklären, dass an der Börse die Meinung herrschte, die Gewinne von General Motors aus dem Jahr 1963 – die höchsten eines Unternehmens in der gesamten Geschichte – könnten nur mit großen Schwierigkeiten gehalten und allenfalls gering übertroffen werden. Das KGV von Xerox ist repräsentativ für die spekulative Begeisterung, die man für ein Unternehmen mit großartigen Leistungen und vielleicht noch höheren Versprechungen hegt.

Die erwartete Wachstumsrate von 5,1 % für den DJIA in den Jahren 1951-1953 und 1961-1963 liegt über seinem tatsächlichen jährlichen Anstieg um 3,4 % (zusammengefasst).

Tabelle 11-4: Jährliche Gewinnmultiplikatoren für erwartete Wachstumsraten, basierend auf einer vereinfachten Formel

Erwartete Wachstumsrate	0,0 %	2,5 %	5,0 %	7,2 %	10,0 %	14,3 %	20,0 %
Wachstum nach 10 Jahren	0,0 %	28,0 %	63,0 %	100,0 %	159,0 %	280,0 %	319,0 %
Multiplikator der aktuellen Gewinne	8,5	13,5	18,5	22,9	28,5	37,1	48,5

Tabelle 11-5: Erwartete Wachstumsraten, Dezember 1963 und Dezember 1969

Aktiengesellschaft	KGV 1963	Erwartete[a] Wachstumsrate 1963 in %	Gewinn je Aktie		Tatsächliches Wachstum, 1963/69 in %	KGV 1969	Erwartete[a] Wachstumsrate 1969 in %
			1963	1969			
American Tel. & Tel.	23,0	7,3	3,03	4,00	4,75	12,2	1,8
General Electric	29,0	10,3	3,00	3,79[b]	4,0	20,4	6,0
General Motors	14,1	2,8	5,55	5,95	1,17	11,6	1,6
IBM	38,5	15,0	3,48c	8,21	16,0	44,4	17,9
International Harvester	13,2	2,4	2,29[c]	2,30	0,1	10,8	1,1
Xerox	25,0	32,4	0,38[c]	2,08	29,2	50,8	21,2
DJIA	18,6	5,1	41,11	57,02	5,5	14,0	2,8

a) auf der Basis der Formel von S. 315
b) Durchschnitt von 1968 und 1970, da 1969 die Gewinne auf Grund von Streiks niedriger ausfielen
c) Korrigiert um Aktiensplit

Wir hätten eine Warnung hinzufügen sollen, etwa die folgende: Die Bewertungen der Aktien mit sehr hohem erwartetem Wachstum sind notwendigerweise niedriger, wenn wir unterstellen, dass diese Wachstumsraten wirklich erreicht werden können. Denn wenn ein Unternehmen entsprechend der Berechnungen ein Wachstum von 8 % oder mehr unendlich weit in die Zukunft hinein durchhalten könnte, wäre sein Wert unendlich hoch, und kein Kurs wäre zu hoch, als dass man ihn für diese Aktie bezahlen würde. Tatsächlich führt der Analyst in diesen Fällen ein Sicherheitspolster in seine Berechnungen ein – etwa so, wie es ein Architekt macht, wenn er ein Gebäude entwirft. Auf dieser Grundlage würden die Käufe sein angestrebtes Ziel erreichen (1963 einen Gewinn von 7,5 % pro Jahr), selbst wenn die tatsächlich realisierte Wachstumsrate sich als wesentlich geringer erweist, als in der Formel angenommen. Würde die Wachstumsrate tatsächlich realisiert, könnte sich der Investor eines ansehnlichen zusätzlichen Gewinns sicher sein. Es gibt wirklich keine Möglichkeit, ein Unternehmen mit hohem Wachstum (mit einer erwarteten Rate von etwa 8,5 % jährlich) zu bewerten, wobei der Analyst realistische Annahmen für den richtigen Multiplikator sowohl für die aktuellen als auch für die künftigen Gewinne treffen kann.

Und tatsächlich lag das wirkliche Wachstum für Xerox und IBM nahe den hohen Raten, die in unserer Formel unterstellt wurden. Wie gerade erklärt, führte dieses wunderbare Ergebnis unausweichlich zu einem riesigen Kurssprung bei beiden Aktien. Das Wachstum des DJIA selbst lag ebenso, wie prognostiziert, in etwa nahe dem von 1963. Doch die bescheidene Rate von nur 5 % hatte nichts mit dem – mathematischen – Dilemma von Xerox und IBM zu tun. Es stellte sich heraus, dass der Kursanstieg von 23 % bis zum Ende des Jahres 1970, zuzüglich zu den insgesamt 28 % erhaltenen Dividendengewinnen, nicht weit entfernt war von den 7,5 % jährlichem Gesamtgewinn, den wir in unsere Formel eingestellt hatten. Im Fall der anderen vier Unternehmen genügt es zu sagen, dass sie die Erwartungen für den Kurs von 1963 nicht erfüllen konnten und auch ihre Notierungen nicht so stark anstiegen wie der DJIA.

Warnung: Dieses Beispiel dient ausschließlich zur Illustration, weil es für die Aktienanalyse unbedingt erforderlich ist, die künftige Wachstumsrate der untersuchten Aktien zu prognostizieren. Der Leser sollte sich nicht verleiten lassen zu glauben, dass derartige Prognosen sehr zuverlässig sind oder, im umgekehrten Fall, dass die künftigen Kurse sich zuverlässig so verhalten werden, dass die Prophezeiungen in der Realität übertroffen oder unterschritten werden.

Wir sollten noch besonders betonen, dass jede „wissenschaftliche" oder zumindest einigermaßen verlässliche Aktienanalyse, die auf angenommenen künftigen Gewinnen beruht, auch die künftige Zinsentwicklung in Betracht ziehen muss. Ein vorgegebenes Schema erwarteter Gewinne oder Dividenden hätte einen geringeren aktuellen Wert, wenn wir einen höheren Zins annehmen, als wenn wir eine niedrigere Zinsstruktur unterstellen.[236] Derartige Annahmen und Prognosen waren schon immer schwierig, und die jüngsten heftigen Schwankungen der langfristigen Zinsen machen solche Vorhersagen fast anmaßend. Deshalb haben wir unsere oben genannte alte Formel beibehalten – ganz einfach, weil keine andere Formel plausibler erscheint.

Die Analyse von Branchen

Weil die allgemeinen Geschäftsaussichten bei der Festlegung von Kursen eine so wichtige Rolle spielen, ist es für einen Aktienanalysten ganz natürlich, einen großen Teil seiner Aufmerksamkeit der wirtschaftlichen Situation der Branche und des einzelnen Unternehmens zu widmen. Studien dieser Art können bis in die kleinsten Einzelheiten reichen. Sie fördern zuweilen wertvolle Erkenntnisse über Faktoren zutage, die erst in der Zukunft wirksam werden und vom aktuellen Markt noch nicht ausreichend zur Kenntnis genommen werden. Um eine solche Schlussfolgerung zu ziehen, muss die Anlageentscheidung auf eine vernünftige Grundlage gestellt werden.

Unsere Beobachtungen veranlassen uns jedoch, den praktischen Wert der meisten den Anlegern zugänglichen Branchenstudien ein wenig zu mindern. Das gesammelte Material ist der Öffentlichkeit oft schon hinreichend bekannt und hat seine Wirkungen bei den Börsennotierungen bereits hinterlassen. Nur sehr selten findet man eine Studie eines Brokerhauses, die mit überzeugenden Fakten herausstellt, dass eine populäre Branche auf eine Konjunkturschwäche zugeht oder dass eine unpopuläre Branche kurz vor der Blüte steht. Die Ansichten der Wall Street, was die fernere Zukunft anbelangt, sind fast immer falsch, und das ist auf

236 Wieso dies? Nach der „Regel der 72" verdoppelt sich jeder angenommene Betrag bei einem Zinssatz von 10 % innerhalb von sieben Jahren, während er sich bei einem Zinssatz von 7 % innerhalb von zehn Jahren verdoppelt. Wenn also die Zinsen hoch sind, dann ist der Betrag, den Sie heute beiseite legen können, um in der Zukunft einen bestimmten Betrag zu erreichen, niedriger – weil ansonsten die hohen Zinssätze den Betrag wesentlich schneller wachsen lassen. Somit macht ein Zinsanstieg von heute den Zustrom von Gewinnen oder Dividenden in der Zukunft weniger wertvoll – weil die Alternative, die Investition in Anleihen, relativ attraktiver geworden ist.

diesen wichtigen Teil der Untersuchungen zurückzuführen, der sich mit der Vorhersage der Gewinne in verschiedenen Branchen beschäftigt.

Wir müssen jedoch anerkennen, dass das schnelle und überall vorhandene Wachstum der Technologie in den letzten Jahren nicht ohne Auswirkungen auf die Einstellung und die Arbeit der Analysten geblieben ist. Viel mehr noch als in der Vergangenheit wird der Fortschritt oder Rückschritt eines Unternehmens im kommenden Jahrzehnt von neuen Produkten und neuen Herstellungstechniken abhängig sein, die der Analyst *schon im Voraus* kennen, beobachten und bewerten muss. Deshalb gibt es zweifellos einen Bereich, in dem ein Analyst effektive Arbeit leisten kann, wenn er Untersuchungen vor Ort anstellt, Gespräche mit Forschern führt und sich selbst intensiv in die Bereiche der Technologie einarbeitet. Es gibt Risiken bei Investitionen, die hauptsächlich aus den Vorhersagen resultieren und von den aktuellen realen Werten noch nicht gestützt werden. Doch die gleichen Risiken gibt es, wenn man nahe an die Grenzen jener Werte geht, die aus nüchternen Berechnungen und tatsächlichen Ergebnissen beruhen. Der Investor kann nicht beides haben: Er kann phantasievoll sein und auf den großen Gewinn setzen, der die Belohnung für eine realisierte Vision darstellt; aber dann muss er das Risiko kleinerer oder größerer Fehleinschätzungen in Kauf nehmen. Er kann aber auch konservativ bleiben und sich weigern, mehr als einen geringfügigen Aufschlag für noch nicht sichere Profite zu bezahlen. Allerdings muss er dann damit rechnen, gute Chancen zu verpassen.

Eine zweiteilige Bewertung

Kehren wir für einen Augenblick zur Aktienbewertung zurück, über die wir schon gesprochen haben. Wir haben viel über dieses Thema nachgedacht, und das führte uns zu der Schlussfolgerung: Die Aktienbewertung könnte ganz anders ablaufen, als dies heute ständige Praxis ist. Unser Vorschlag lautet: Analysten sollten zunächst das ausarbeiten, was wir den „Wert der verflossenen Performance" nennen, die sich ausschließlich auf die Leistungsbilanz der Vergangenheit bezieht. Dies würde einen Hinweis darauf geben, was die Aktie wert wäre - absolut oder als Prozentsatz des DJIA oder des S&P Composite –, allerdings nur, wenn man davon ausgeht, dass die relative Performance der Vergangenheit auch in der Zukunft unverändert bleiben wird. (Dies schließt auch die Annahme ein, dass die relative Wachstumsrate der zurückliegenden sieben Jahre auch in den folgenden sieben Jahren unverändert bleiben wird.) Dieser Vorgang könnte mechanisch durchgeführt werden, indem man eine Formel benutzt und die einzelnen Daten der Vergangenheit für Rentabilität, Stabilität und Wachstum einsetzt, aber der aktuellen finanziellen Situation ein anderes Gewicht verleiht. Im zweiten Teil der Analyse sollte bestimmt werden, in welchem Ausmaß der Wert, der ausschließlich auf der Performance der Vergangenheit beruht, modifiziert werden müsste, um den neuen Bedingungen, die für die Zukunft erwartet werden, gerecht werden zu können.

Ein derartiges Vorgehen würde die Arbeit unter Analysten höheren (Senior-Analysten) und niedrigeren (Junior-Analysten) Ranges wie folgt aufteilen: (1) Der Senior-Analyst würde die Formel erstellen, die auf alle Unternehmen anzuwenden ist, um den Wert der vergangenen Performance zu bestimmen. (2) Die Junior-Analysten würden die Faktoren für die in Frage kommenden Unternehmen aufarbeiten – weitgehend mechanisch. (3) Der Senior-Analyst würde dann bestimmen, in welchem Ausmaß die Performance eines Unternehmens – absolut oder relativ – wahrscheinlich von der früheren Performance abweichen wird und welche Veränderungen im Wert vorgenommen werden sollten, um die antizipierten Veränderungen zu verdeutlichen. Am besten wäre es, wenn der Bericht des Senior-Analysten sowohl die ursprüngliche Bewertung als auch die modifizierte Bewertung darstellen und begründen würde.

Ob es sich lohnt, sich dieser Mühe zu unterziehen? Wir meinen ja, auch wenn unsere Begründung dem Leser vielleicht ein wenig zynisch erscheinen mag. Wir bezweifeln, dass die Bewertungen, die auf diese Weise erreicht werden können, sich im Fall eines typischen Industriebetriebs, ob groß oder klein, als hinreichend zuverlässig erweisen. Darauf werden wir im Rahmen der Diskussion um die Aluminium Company of America im folgenden Kapitel näher eingehen. Dennoch sollte auch für solche Unternehmen diese Methode gewählt werden. Warum? Erstens, weil Aktienanalysten die Aufgabe haben, aktuelle oder prognostizierte Bewertungen zu erstellen. Das ist ein Teil ihrer alltäglichen Arbeit. Die Methode, die wir vorschlagen, sollte eine Verbesserung gegenüber denen sein, die heute schon angewandt werden. Zweitens, weil sie den Analysten, die diese Methode anwenden, nützliche Erfahrungen und Erkenntnisse bringen soll. Drittens, weil diese Methode einen unschätzbaren Wert an Erfahrungen aus früheren Zeiten bringen könnte – so wie es lange Zeit in der Medizin der Fall war –, was zu besseren Bewertungsverfahren führen könnte und das Wissen um die Möglichkeiten, aber auch um die Grenzen der Bewertung, erweitern würde. Die Aktien der öffentlichen Versorgungsunternehmen könnten sehr wohl einen wichtigen Bereich darstellen, in dem sich unsere Methode in der Praxis bewährt. Letztlich wird sich der intelligente Analyst auf die Gruppen von Unternehmen beschränken, deren Zukunft einigermaßen vorhersehbar erscheint[237] oder bei denen die Sicherheitsspanne des Wertes der früheren Performance gegenüber dem aktuellen Kurs so groß ist, dass er das Risiko künftiger Veränderungen eingehen kann - so wie er es auch bei der Auswahl vorrangiger Wertpapiere macht.

In den folgenden Kapiteln werden wir konkrete Beispiele für die Anwendung analytischer Techniken vorstellen. Doch werden es immer nur Illustrationen sein. Wenn der Leser dieses Thema interessant findet, sollte er sich systematisch und gründlich damit beschäftigen, bevor er eine endgültige Kauf- oder Verkaufsentscheidung trifft.

237 Diese Branchen sind üblicherweise von so unvorhersehbaren Faktoren wie schwankenden Zinssätzen oder der künftigen Richtung der Preise für Rohmaterialien wie Öl oder Metalle nicht so stark abhängig wie andere. Beispiele sind die Bereiche Glücksspiel, Kosmetik, alkoholische Getränke, Altenheime oder Abfallverwertung.

Kommentar zu Kapitel 11

> „Würden Sie mir bitte sagen, welchen Weg ich von hier aus nehmen sollte?"
> „Das hängt weitgehend davon ab, wohin Sie wollen", sagte die Katze.
>
> *Lewis Carroll, Alice im Wunderland*

Legen Sie einen Preis für die Zukunft fest

Welche Faktoren bestimmen, wie viel Sie für eine Aktie zu zahlen bereit sind? Was führt dazu, dass die Aktie eines Unternehmens das Zehnfache und eine andere Aktie das 20fache der Gewinne wert ist? Wie können Sie einigermaßen sicher sein, dass Sie nicht zu viel bezahlen für eine scheinbar rosige Zukunft, die sich später als düsterer Alptraum herausstellt?

Graham glaubt, dass dafür fünf Elemente ausschlaggebend sind.[238] Er fasst sie wie folgt zusammen:

- die langfristigen Aussichten des Unternehmens,
- die Qualität des Managements,
- die finanzielle Stärke und die Kapitalstruktur,
- die früheren Dividenden und
- die aktuelle Dividendenrendite.

Betrachten wir diese Punkte im Lichte des heutigen Marktes.

Die langfristigen Aussichten. Heutzutage sollte der intelligente Investor seine Anlageentscheidung damit beginnen, die Geschäftsberichte der vergangenen Jahre (Form 10-K) von der Website des Unternehmens oder von der EDGAR-Datenbank unter www.sec.gov. herunterzuladen.[239] Dann kämmen Sie die Jahres-

---

238 Weil heute so wenige Privatanleger einzelne Anleihen kaufen – oder kaufen sollten –, beschränken wir diese Diskussion auf die Analyse von Aktien. Über Anleihenfonds erfahren Sie im Kommentar zu Kapitel 4 mehr.

239 Sie sollten sich auch die Quartalsberichte des vergangenen Jahres (Form 10-Q) besorgen. Laut Definition gehen wir davon aus, dass Sie ein geschäftstüchtiger Investor sind, der bereit ist, einen beträchtlichen Teil seiner Kraft seinem Portfolio zu widmen. Wenn Sie der Meinung sind, dass die Schritte in diesem Kapitel Ihnen zu viel Arbeit machen, dann sind Sie vom Temperament her nicht geeignet, Ihre Aktien selbst auszuwählen. Sie werden nicht die erwünschten Ergebnisse erzielen, wenn Sie sich scheuen vorzugehen, wie hier beschrieben.

abschlüsse durch und sammeln Hinweise, die Ihnen helfen, zwei Fragen zu beantworten: Was führt dazu, dass dieses Unternehmen wächst? und: Woher kommen die Gewinne (und woher werden sie kommen)? Auf folgende Probleme sollten Sie besonders achten:

- Das Unternehmen ist ein „Serien-Aufkäufer". Ein Durchschnitt von mehr als zwei oder drei Akquisitionen pro Jahr ist ein Anzeichen für möglichen Ärger. Immerhin: Wenn das Unternehmen Aktien anderer Unternehmen kauft, anstatt das Geld in die eigenen Aktien zu investieren, sollten Sie sich womöglich anderweitig umsehen. Prüfen Sie auch, ob das Unternehmen früher schon als Aufkäufer aufgetreten ist. Hüten Sie sich vor Unternehmen, die scheinbar unter Bulimie leiden – Firmen, die große Akquisitionen tätigen, nur um sie letztlich wieder auszuspucken. Lucent, Mattel, Quaker Oats und Tyco International zählen zu diesen Unternehmen, die ihre Akquisitionen mit schweren Verlusten hinunterwürgen mussten. Andere Firmen nehmen ständig Abschreibungen vor oder verbuchen Verbindlichkeiten, die beweisen, dass sie für ihre letzten Akquisitionen zu viel bezahlt haben.
- Das Unternehmen ist „kreditsüchtig". Es nimmt Kredite auf oder verkauft Aktien, um an das Geld anderer Leute zu kommen. Diese fetten Infusionen durch Kredite findet man im Jahresbericht im Finanzstatus unter dem Posten „Barmittel aus Finanzierungen". Das kann dazu führen, dass ein „krankes" Unternehmen zu wachsen scheint, obwohl die zugrunde liegenden Geschäfte nicht genügend Barmittel einbringen – wie man bei Global Crossing und WorldCom erst kürzlich beobachten konnte.[240]
- Das Unternehmen verlässt sich bei seinen Erlösen auf nur einen Kunden (oder nur ganz wenige Kunden). Im Oktober 1999 ging der Glasfaserhersteller Sycamore Networks Inc. an die Börse. Der Prospekt enthüllte, dass ein Kunde, Williams Communications, für 100 % der Erlöse von Sycamores Jahresumsatz von 11 Millionen $ verantwortlich war. Die Trader bewerteten Sycamores Aktien ganz munter mit 15 Milliarden $. Leider ging Williams gerade einmal zwei Jah-

240 Um zu bestimmen, ob ein Unternehmen „kreditsüchtig" ist, lesen Sie den Finanzstatus im Jahresbericht. Auf dieser Seite werden die Einnahmen und Ausgaben des Unternehmens als „operative Aktivitäten", „Kapitalanlagen" und „Finanzierungsaktivitäten" ausgewiesen. Wenn Barmittel aus operativen Aktivitäten stetig negativ sind, während Barmittel aus Finanzierungsaktivitäten ständig positiv sind, dann kratzt das Unternehmen mehr Geld zusammen, als es verdienen kann – und ein solch missbräuchliches Verhalten sollten Sie nicht als Anleger unterstützen. Zu Global Crossing lesen Sie den Kasten im Kommentar zu Kapitel 6.

re später in Konkurs. Obwohl Sycamore weitere Kunden gewann, verlor die Aktie zwischen 2000 und 2002 insgesamt 97 % ihres Wertes.

Wenn Sie die Quellen von Wachstum und Profit bei einem Unternehmen herausfinden wollen, dann achten Sie sowohl auf das Positive als auch auf das Negative. Zu den guten Zeichen zählen:

- Das Unternehmen hat einen breiten „Burggraben", sprich einen großen Wettbewerbsvorteil. Wie Burgen, so können auch Unternehmen von marodierenden Wettbewerbern erstürmt werden, während andere fast uneinnehmbar sind. Verschiedene Kräfte können den Burggraben eines Unternehmens verbreitern: eine starke Marke (denken Sie nur an Harley Davidson, das Motorrad, deren Besitzer sich das Logo des Unternehmens auf die Haut tätowieren lassen); ein Monopol oder ein „Fast-Monopol" im Markt; Größenvorteile oder die Fähigkeit, große Mengen von Gütern oder Dienstleistungen billig zu liefern (denken Sie an Gillette, das Rasierklingen milliardenfach produziert); ein einmaliges immaterielles Produkt (beispielsweise Coca-Cola, dessen geheime Formel zwar keinen materiellen Wert hat, aber eine unbezahlbare Kundenbindung aufrechterhält); eine Verteidigung gegen ein Verdrängungsprodukt (die meisten Unternehmen haben keine Alternative zur Elektrizität; insofern werden Versorgungsunternehmen in der nächsten Zeit kaum bedrängt werden).[241]
- Das Unternehmen ist ein Marathonläufer und kein Sprinter. Wenn Sie in die Erfolgsrechnung schauen, dann werden Sie erkennen, ob die Erlöse und der Nettogewinn in den vergangenen zehn Jahren langsam und stetig gewachsen sind. Ein kürzlich veröffentlichter Artikel im *Financial Analysts Journal* bestätigte, was andere Studien (und die traurigen Erfahrungen vieler Anleger) schon gezeigt haben: Die am schnellsten wachsenden Unternehmen neigen dazu, zu überhitzen und auszubrennen.[242] Wenn die Gewinne langfristig mit 10 % vor Steuern (oder 6 bis 7 % nach Steuern) steigen, kann dieses Wachstum aufrechterhalten werden. Doch das Ziel, um 15 % zu wachsen, das sich einige Firmen selbst gesetzt haben, ist purer Wahnsinn. Und eine noch höhere Wachstumsrate – oder ein plötzlicher Ausbruch von Wachstum innerhalb von einem

241 Weitere Erkenntnisse über „Burggräben" finden Sie in dem Klassiker Competitive Strategy von Michael E. Porter, Professor an der Harvard School of Business (Free Press, New York, 1998).

242 Siehe Cyrus A. Ramezani, Luc Soenen und Alan Jung,"Growth, Corporate Profitability, and Value Creation", Financial Analysts Journal, November/Dezember 2002, S. 56 - 67; auch unter http://cyrus.cob.calpoly.edu/.

oder zwei Jahren – ist geradezu die Garantie dafür, schnell wieder vom Markt zu verschwinden, so wie ein unerfahrener Marathonläufer, der versucht, das ganze Rennen so zu laufen, als wäre er ein 100-Meter-Sprinter.

- Ein Unternehmen, das sät *und* reift. Gleichgültig, wie gut die Produkte sind und wie stark die Marke ist: Ein Unternehmen muss Geld ausgeben, um neue Geschäftsfelder zu erschließen. Während die Ausgaben für Forschung und Entwicklung heute vielleicht noch keine Quelle des Wachstums sind, könnten sie dies morgen durchaus sein – insbesondere wenn eine Firma in der Vergangenheit ihr Geschäft immer schon durch neue Produkte und Produktionsanlagen verjüngt hat. Das durchschnittliche Budget für Forschung und Entwicklung variiert zwischen den Branchen, aber auch zwischen den verschiedenen Unternehmen. Im Jahr 2002 gab Procter & Gamble 4 % des Nettoumsatzes für Forschung und Entwicklung (F & E) aus, während 3M 6,5 % und Johnson & Johnson 10,9 % in diesen Bereich steckten. Langfristig wird ein Unternehmen, das nicht in F & E investiert, mindestens so leicht angreifbar sein wie eines, das zu viel dafür ausgibt.

Die Qualität und das Verhalten des Managements. Die leitenden Angestellten eines Unternehmens sollten sagen, was sie tun wollen, und dann das tun, was sie gesagt haben. Lesen Sie die Jahresberichte der vergangenen Jahre, um zu sehen, welche Vorhersagen die Manager gemacht haben und ob sie die Versprechungen erfüllt haben. Manager sollten ihre Fehler ehrlich zugeben und dafür die Verantwortung übernehmen, anstatt ständig einen Sündenbock zu suchen – etwa „die Wirtschaft", die „Unsicherheit" oder die „schwache Nachfrage". Prüfen Sie, ob der Ton und die Substanz im Bericht des Vorstandsvorsitzenden konstant bleiben oder sich mit den neuesten Launen der Wall Street ändern. (Besonders sollten Sie auf Jahre der Hochkonjunktur wie 1999 achten: Erklärten die Vorstände von Zement- oder Unterwäscheherstellern plötzlich, sie seien „führend in der transformativen Software-Revolution"?)

Die folgenden Fragen können ebenfalls bei der Beurteilung helfen, ob die Leute, die die Firma führen, im Interesse der Aktionäre handeln:

- Suchen Sie nach der Nummer eins?
  Eine Gesellschaft, die ihrem CEO100 Millionen $ pro Jahr bezahlt, sollte dafür sehr gute Gründe haben. (Vielleicht hat er den Quell der Jugend entdeckt – und patentieren lassen? Oder er hat El Dorado gefunden und es für 1 $ je 100 qm gekauft? Oder vielleicht hat er auch Kontakt zu Außerirdischen und mit den „kleinen grünen Männchen" einen Vertrag ausgehandelt, sie würden alle

Vorräte nur von einer Firma auf der Erde kaufen?) Ansonsten ist diese obszön üppige Zahlung ein Anzeichen dafür, dass die Manager die Firma für sich selbst betreiben.

Wenn ein Unternehmen seine Aktienoptionen für Insider mit neuen Kursen versieht (oder sie „neu emittiert" oder „austauscht"), dann sollten Sie die Finger davon lassen. Bei diesem Tauschgeschäft annulliert ein Unternehmen die bestehenden (und meist wertlosen) Aktienoptionen für leitende Angestellte und Vorstandsmitglieder, die dann durch neue Optionen ersetzt werden, die vorteilhaftere Kurse haben. Wenn es unmöglich ist, dass ihr Wert gleich null wird, während der potenzielle Gewinn immer unendlich ist, wie können Optionen dann dazu motivieren, das Vermögen des Unternehmens gut zu verwalten? Wenn ein etabliertes Unternehmen die Kurse der Optionen neu ansetzt - so wie es Dutzende von High-Tech-Unternehmen getan haben -, ist dies eine Blamage. Und jeder Investor, der Aktien eines derartigen Unternehmens kauft, ist ein Schaf, das darum bettelt, geschoren zu werden.

Wenn man in den Jahresbericht die Pflicht-Fußnoten zu den Aktienoptionen liest, dann kann man erkennen, wie hoch der Überhang der Optionen ist. AOL Time Warner schrieb beispielsweise gleich auf dem ersten Blatt des Jahresberichts, dass es am 31. Dezember 2002 4,5 Milliarden Stammaktien im Umlauf habe - aber eine Fußnote mitten im Bericht enthüllte, dass das Unternehmen Optionen auf weitere 657 Millionen Aktien ausgegeben hatte. So müssen die künftigen Gewinne von AOL auf 15 % mehr Aktien verteilt werden. Sie sollten die potenzielle Flut von Aktienoptionen einrechnen, wenn Sie den künftigen Wert eines Unternehmens bewerten wollen.[243]

„Form 4", das bei der EDGAR Datenbank unter www.sec.gov abrufbar ist, zeigt, ob die Vorstände und Direktoren eines Unternehmens Optionen gekauft oder verkauft haben. Dafür, dass ein Insider verkauft, kann es legitime Gründe geben - Diversifizierung, ein größeres Haus, die Folgen einer Scheidung -, aber wiederholte große Verkäufe stellen eine knallrote Karte dar. Ein Manager kann nicht Ihr Partner sein, wenn er verkauft, während Sie kaufen.

- Sind es Manager oder Werbefachleute?

  Leitende Angestellte sollten ihr Unternehmen die meiste Zeit im Stillen leiten und es nicht bei den Anlegern anpreisen. Allzu oft kommt es vor, dass CEOs

243 Jason Zweig ist Angestellter von AOL Time Warner und hält Optionen am Unternehmen. Wie Aktienoptionen funktionieren, erfahren Sie genauer im Kommentar zu Kapitel 19.

sich beschweren, ihre Aktien seien unterbewertet, gleichgültig, wie hoch der Kurs auch sein mag. Dabei vergessen Sie Grahams Forderung[244], dass die Manager versuchen sollten, den Aktienkurs weder zu hoch noch zu niedrig werden zu lassen. Zwischenzeitlich geben die Finanzvorstände „Richtlinien zu den Gewinnen" heraus oder Vermutungen zu den vierteljährlichen Gewinnen. Und manche Firmen sind regelrechte Hypochonder, die ständig Pressemitteilungen verschicken, in denen sie sich mit vorübergehenden, trivialen oder hypothetischen „Chancen" brüsten.

Nur wenige Unternehmen – darunter Coca-Cola, Gillette und USA Interactive – sagen zum kurzfristigen Denken der Wall Street einfach „nein". Diese wenigen tapferen Ausnahmen veröffentlichen in ihren Budgets und langfristigen Plänen mehr Einzelheiten, weigern sich jedoch, darüber zu spekulieren, was die kommenden 90 Tage bringen werden. (Wenn Sie ein Modell dafür suchen, wie ein Unternehmen ehrlich und fair mit seinen Aktionären kommunizieren kann, dann gehen Sie unter www.sec.gov in die Datenbank EDGAR und sehen sich die 8-K-Formulare an, die von Expeditors International of Washington eingereicht wurden. Dieses Unternehmen stellt hier regelmäßig die Frage-und-Antwort-Dialoge mit den Aktionären ins Netz.)

Schließlich sollten Sie prüfen, ob die Rechnungslegung transparent ist – oder undurchsichtig. Wenn „einmalige" Belastungen immer wieder auftauchen, „außerordentliche" Vorgänge so oft vorkommen, dass sie schon „regelmäßig" werden, wenn Akronyme wie EBITDA häufiger vorkommen als Nettoeinnahmen oder „Pro-forma-Gewinne" dazu genutzt werden, tatsächliche Verluste zu verschleiern, dann haben Sie eine Firma gefunden, die noch nicht weiß, dass die langfristigen Interessen der Aktionäre Vorrang haben.[245]

Finanzielle Stärke und Kapitalstruktur. Die einfachste Definition eines guten Unternehmens lautet so: Es erwirtschaftet mehr Barmittel, als es verbraucht. Gute Manager finden immer Möglichkeiten, Barmittel produktiv zu nutzen. Langfristig gewinnen Unternehmen, die dieser Definition entsprechen, mit an Sicherheit grenzender Wahrscheinlichkeit an Wert, gleichgültig, was die Börse gerade macht.

---

244 Siehe Anmerkung 19 im Kommentar zu Kapitel 19

245 Mehr zu diesen Themen finden Sie im Kommentar zu Kapitel 12 und in einem hervorragenden Essay von Joseph Fuller und Michael C. Jensen, „Just Say No to Wall Street" unter http://papers.ssrn.com.

Lesen Sie zunächst den Finanzstatus im Jahresbericht des Unternehmens. Schauen Sie nach, ob die Bareinnahmen aus dem operativen Geschäft in den zurückliegenden zehn Jahren stetig gestiegen sind. Dann können Sie weiterlesen. Warren Buffett hat das Konzept der Eigentümer-Gewinne bekannt gemacht: Nettoerlöse zuzüglich Amortisation und Abschreibungen abzüglich der normalen Kapitalausgaben. Wie der Portfoliomanager Christopher Davis von Davis Selected Advisors sagt: „Wenn Ihnen 100 % des Unternehmens gehörten, wie viel Bargeld hätten Sie dann am Jahresende in der Tasche?" Weil die „Eigentümer-Gewinne" die Einträge in der Buchhaltung um Amortisation und Abschreibung korrigieren, weil sie die Barbilanz des Unternehmens nicht beeinflussen, sind sie ein besserer Maßstab als der Nettoerlös. Um die Definition der Eigentümer-Gewinne noch zu verfeinern, sollten Sie von den Nettoerlösen noch Folgendes abziehen:

- Alle Kosten für die Gewährung von Aktienoptionen, die die Gewinne der Aktionäre schmälern und sie in die Hände von Insidern legen
- Alle „außergewöhnlichen", „einmaligen" oder „außerordentlichen" Belastungen
- Alle „Erlöse" aus den Pensionsrückstellungen des Unternehmens

Wenn die „Eigentümer-Gewinne" je Aktie in den zurückliegenden zehn Jahren mit einem stetigen Durchschnitt von etwa 6 oder 7 % pro Jahr gestiegen sind, dann ist das Unternehmen eine echte „Gelddruckerei", und die Aussichten auf weiteres Wachstum sind gut.

Danach betrachten Sie die Kapitalstruktur des Unternehmens. Nehmen Sie die Bilanz zur Hand, um nachzusehen, wie hoch die Verbindlichkeiten (einschließlich der Vorzugsaktien) des Unternehmens sind. In der Regel sollten die langfristigen Verbindlichkeiten unter 50 % des Gesamtkapitals liegen. In den Fußnoten zum Finanzstatus stellen Sie fest, ob die langfristigen Verbindlichkeiten fest verzinst werden (also mit immer gleichen Zinszahlungen) oder ob sie variabel verzinst werden (in diesem Fall schwanken die Zahlungen, was teuer werden könnte, wenn die Zinsen steigen).

Suchen Sie im Jahresbericht nach der Anlage, die das Verhältnis der Gewinne zu den Festkosten darstellt. Diese zeigte beispielsweise bei Amazon.com, dass im Jahr 2002 die Gewinne um 145 Millionen $ niedriger waren als die Fixkosten. In der Zukunft wird Amazon entweder im operativen Bereich viel mehr verdienen oder einen Weg finden müssen, Kredite zu günstigeren Konditionen zu bekommen. Ansonsten könnte es dazu kommen, dass das Unternehmen nicht mehr den Aktionären, sondern den Inhabern von Anleihen gehört, die einen Anspruch auf das Vermögen von Amazon haben, wenn es keine andere Möglichkeit gibt, die geschuldeten Zinszahlungen sicherzustellen. (Um fair zu sein: Amazons Verhältnis der Gewinne zu den

Fixkosten war im Jahr 2002 besser als zwei Jahre zuvor, als die Gewinne um 1,1 Milliarden $ geringer waren als die Fixkosten zur Schuldentilgung.)

Noch ein paar Anmerkungen zu Dividenden und Aktienstrategien (mehr erfahren Sie in Kapitel 19):

- Die Beweislast liegt beim Unternehmen, denn es muss Ihnen zeigen, dass es besser für Sie ist, wenn Sie keine Dividende ausgezahlt bekommen. Wenn das Unternehmen in guten und in schlechten Märkten ständig besser war als die Wettbewerber, dann verwenden die Manager die Barmittel optimal. Wenn das Unternehmen jedoch ins Wanken gerät und die Aktien schwächer sind als die der Konkurrenz, dann missbrauchen die Manager das Geld, wenn sie keine Dividende zahlen.
- Unternehmen, die wiederholt ihre Aktien splitten – und diese Splits mit großem Trara pausenlos in Pressemeldungen verbreiten –, behandeln ihre Aktionäre wie Idioten. Wie Yogi Berra, der eine Pizza in vier Teile geschnitten haben wollte, weil „ich glaube, dass ich acht essen könnte", so verstehen Aktionäre, die Aktiensplits mögen, nicht, worum es wirklich geht. Zwei Aktien zu einem Kurs von 50 $ sind nicht 100 $ wert. Manager, die Splits vornehmen, um die Aktien zu bewerben, sprechen die niedrigsten Instinkte der meisten Anleger an und fördern sie. Der intelligente Investor wird es sich zwei Mal überlegen, ob er solchen „gnädigen" Managern noch einmal sein Geld anvertraut.[246]
- Unternehmen sollten ihre eigenen Aktien zurückkaufen, wenn sie billig sind – und nicht wenn sie in der Nähe oder an ihrem Rekordhoch stehen. Leider ist es bei den Unternehmen in der letzten Zeit Sitte geworden, Aktien zurückzukaufen, *wenn der Kurs zu hoch* steht. Es gibt keine zynischere Möglichkeit, das Geld den Unternehmens zu verschwenden – denn der wirkliche Grund für dieses Manöver ist, es den Spitzenmanagern zu ermöglichen, Millionen zu kassieren, indem sie ihre eigenen Aktienoptionen verkaufen und sagen, sie würden die Aktien zurückkaufen, um den Shareholder Value zu erhöhen.

Viele solcher Berichte können als Beweis dafür herangezogen werden, dass viele Manager, die kundtun, den „Shareholder Value steigern zu wollen", dies in Wirklichkeit nur selten tun. Bei der Kapitalanlage, ebenso wie im wirklichen Leben, geht der Sieg letztlich an diejenigen, die etwas tun, und nicht an diejenigen, die nur sagen, sie würden etwas tun.

---

246 Aktiensplits werden im Kommentar zu Kapitel 13 ausführlicher besprochen.

Kapitel 12

Darüber sollte man bei den Gewinnen je Aktie nachdenken

Dieses Kapitel beginnt mit zwei Ratschlägen für Investoren, die in ihren Aussagen nicht unterschiedlicher sein könnten. Der erste Rat lautet: Nehmen Sie den Gewinn je Aktie aus einem Jahr nicht allzu ernst. Der zweite Rat besagt: Wenn Sie auf die langfristigen Gewinne achten, dann besonders auf die Fußangeln bei den Gewinnen je Aktie. Würde man dem ersten Rat folgen, dann wäre der zweite Rat völlig überflüssig. Doch kann man nicht erwarten, dass die meisten Aktionäre ihre Entscheidungen im Bereich der Aktienanlage nach der langfristigen Leistungsbilanz und den langfristigen Aussichten ausrichten. Die Quartalszahlen, und besonders die Zahlen am Jahresende, erfahren in Finanzkreisen sehr große Beachtung. Diese kann ihren Einfluss auf das Denken der Investoren kaum verfehlen. Er braucht in diesem Bereich durchaus Wissen, denn gerade hier gibt es irreführende Möglichkeiten.

Wir arbeiteten gerade an diesem Kapitel, als die Gewinne der Aluminium Company of America (Alcoa) im *Wall Street Journal* veröffentlicht wurden. Die ersten Zahlen, die genannt wurden, sind:

	1970	1969
Gewinn je Aktie[a]	5,20 $	5,58 $

Das kleine „a" wird in einer Fußnote erklärt, die sich auf die „Anfangsgewinne" vor außerordentlichen Aufwendungen bezieht. In den Fußnoten gibt es noch viel mehr Material, und sie nehmen doppelt so viel Platz ein wie die Zahlen selbst.

Allein für das vierte Quartal werden die „Gewinne je Aktie" mit 1,58 $ für 1970 gegenüber 1,56 $ für 1969 angegeben.

Der Investor oder der Spekulant, der sich für Alcoa-Aktien interessiert, liest diese Zahlen und sagt sich: „Gar nicht so schlecht. Ich wusste, dass 1970 für Aluminium ein Rezessionsjahr werden würde. Doch das vierte Quartal weist einen Gewinn gegenüber 1969 aus, mit einem Gewinn von 6,32 $ pro Jahr. Die Aktie wird mit 62 $ gehandelt. Das ist ja weniger als das Zehnfache der Gewinne! Das sieht ja ziemlich billig aus, wenn ich es mit16 für Nickel International vergleiche."

Doch hat unser Investor/Spekulant nicht alles gelesen, was in der Fußnote steht, denn dann hätte er herausgefunden, dass die eine Zahl für die Gewinne je Aktie eigentlich aus vier Zahlen besteht:

	1970	1969
Anfangsgewinn	5,20 $	5,58 $
Nettoerlös (nach außerordentlichen Aufwendungen)	4,32 $	5,58 $
Verwässerung (vor außerordentlichen Aufwendungen)	5,01 $	5,35 $
Verwässerung (nach außerordentlichen Aufwendungen)	4,19 $	5,35 $

Für das vierte Quartal allein werden die Zahlen wie folgt angegeben:

	1970	1969
Anfangsgewinn	1,58 $	1,56 $
Nettoerlös (nach außerordentlichen Aufwendungen)	0,70 $	1,56 $

Was haben all diese zusätzlichen Gewinnzahlen zu bedeuten? Welche Gewinne sind wirkliche Gewinne für das ganze Jahr und welche für das vierte Quartal? Wenn Letztere mit 70 Cent angegeben werden – Nettoerlös nach außerordentlichen Aufwendungen –, dann lautete der Jahresgewinn 2,80 $ und nicht 6,32 $, und der Kurs beliefe sich auf das 22fache der Gewinne anstatt auf das Zehnfache, mit dem wir begonnen haben.

Ein Teil der Fragen zu den „wahren Gewinnen" von Alcoa kann ganz einfach beantwortet werden. Die Minderung von 5,20 $ auf 5,01 $ wegen der Verwässerungseffekte ist eindeutig. Alcoa hat eine große Wandelanleihenemission in Stammaktien getätigt; um die Ertragskraft der Stammaktien auf der Basis der Zahlen von 1970 zu berechnen, muss angenommen werden, dass der Wandel dann vorgenommen wird, wenn es den Inhabern dieser Wandelanleihen günstig erscheint. Der Betrag, der bei Alcoa auftaucht, ist relativ gering und bedarf eigentlich keiner weiteren Erörterung. Doch in anderen Fällen, in denen man den Preisnachlass für die Wandelrechte berücksichtigt – und die Bezugsrechte für Aktien –, kann dies die scheinbaren Gewinne halbieren oder noch weiter schmälern. Später werden wir ein Beispiel für wirklich signifikante Verwässerungsfaktoren nennen. (Die Finanzdienste sind in ihren Berichten und Analysen bei den Verwässerungsfaktoren nicht immer widerspruchsfrei.)[247]

Kehren wir nun zu den außerordentlichen Aufwendungen zurück. Die Zahl von 18.000.000 $ oder 88 Cent je Aktie, die im vierten Quartal abgezogen wurde, ist nicht unwichtig. Kann man sie vollkommen als Gewinnminderung betrachten oder sie zum einen Teil anerkennen, zum anderen Teil nicht? Der aufmerksame Investor würde sich zudem fragen, wie es geschehen konnte, dass eine wahre Epidemie solcher außerordentlichen Aufwendungen Ende 1970 auftrat, nicht jedoch in den Vorjahren. Wäre es vielleicht möglich, dass eine einfallsreiche Buchhaltung am Werk war – allerdings immer noch innerhalb der Grenzen des Erlaubten? Wenn wir genauer hinsehen, dann erkennen wir, dass derartige Verluste ausgebucht werden, bevor sie überhaupt eintreten. Sie können vertuscht werden, wie es der Fall war, ohne dass dies negative Auswirkungen auf frühere oder künftige „Anfangsgewinne" hat. In einigen extremen Fällen könnten sie dazu genutzt werden, folgende Gewinne fast doppelt so hoch erscheinen zu lassen, wie sie wirklich sind – durch eine mehr oder weniger geschickte steuerliche Behandlung.

Beschäftigt man sich mit den außerordentlichen Aufwendungen bei Alcoa, dann muss man zuerst einmal feststellen, wie sie entstanden sind. In den Fußnoten findet man Genaueres. Die Aufwendungen entstammen vier Quellen:

- Den Schätzungen des Managements zu den Kosten für die Schließung der Abteilung, in der Produkte per Hand hergestellt wurden.

---

247 „Verwässerungseffekt = dilution" ist eines der vielen Wörter, die Aktien in einer Sprache der „fließender Dynamik beschreiben". Von einer Aktie mit einem hohen Handelsumsatz sagt man, sie sei „liquid". Wenn ein Unternehmen mit einem IPO an die Börse geht, dann „floatet = begibt" sie die Aktien. Und früher nannte man ein Unternehmen, das seine Aktien drastisch verwässerte (durch große Mengen an Wandelanleihen oder mehrfache Emissionen von Aktien), es habe die Aktien „verdünnt". Dieser Ausdruck wird mit dem legendären Börsenmanipulator Daniel Drew in Verbindung gebracht (1797–1879), der als Viehhändler begann. Er trieb seine Rinder südwärts nach Manhattan und fütterte sie unterwegs mit Salz. Als sie dann an den Harlem River kamen, tranken Sie große Mengen Wasser, um ihren Durst zu stillen. Drew brachte die Rinder zum Markt, wo das Wasser, das sie getrunken hatten, ihr Gewicht erhöhte. Damit erzielte er höhere Preise, weil seine Rinder nach Gewicht bezahlt wurden. Später verwässerte Drew die Aktien der Erie Railroad, indem er ohne Vorwarnung neue Aktien emittierte.

- Das gilt ebenfalls für die Schließung der Alcoa-Castings-Co.-Fabriken.
- Das gilt ebenfalls für Verluste bei der Schließung der Alcoa Credit Co.
- Ebenfalls gilt es für geschätzte Kosten von 5,3 Millionen $ im Zusammenhang mit dem Abschluss des Vertrags für eine „Ringmauer".

All diese Punkte haben etwas mit künftigen Gewinnen und Verlusten zu tun. Es ist einfach zu sagen, dass sie nichts mit den normalen operativen Ergebnissen von 1970 zu tun haben - aber wenn das so ist, wohin gehören sie dann? Sind sie wirklich so „außerordentlich" und „einmalig", dass man sie nirgendwo sonst unterbringen kann? Ein so weit diversifiziertes Unternehmen wie Alcoa, das alljährlich Geschäfte im Wert von 1,5 Milliarden $ macht, muss eine Menge Abteilungen, Geschäftsbereiche, Tochtergesellschaften und dergleichen haben. Wäre es nicht „normal" statt „außerordentlich", dass eine Sparte sich als unrentabel erweist und deshalb geschlossen werden muss? Ganz ähnlich ist es mit dem Vertrag, eine „Ringmauer" errichten zu lassen. Nehmen Sie an, dass immer, wenn ein Unternehmen einen Verlust in einem Teilbereich hinnehmen muss, jemand auf die geniale Idee kommt, ihn als einen „besonderen Buchungsposten" auszubuchen und dennoch einen „anfänglichen Gewinn" zu berichten, sodass man nur noch rentable Verträge und operative Bereiche hat. So wie die Sonnenuhr von König Edward VII., die immer nur die sonnigen Stunden anzeigte.[248]

Der Leser sollte zwei wichtige Aspekte des Vorgangs bei Alcoa beachten, über die wir gerade gesprochen haben. Der erste Aspekt ist, dass man, wenn man künftige Verluste antizipiert, sie später nicht einem bestimmten Jahr zuordnen muss. Sie gehören nicht in das Jahr 1970, weil sie in diesem Jahr effektiv nicht anfielen. Und in dem Jahr, in dem sie sich ereignen, werden sie nicht auftauchen, weil dafür schon vorgesorgt wurde. Eine hübsche Arbeit, aber vielleicht ist sie doch ein wenig irreführend?

---

248 Der König bezog diese Eingebung wahrscheinlich aus einem einstmals berühmten Essay des englischen Autoren William Hazlitt, der über eine Sonnenuhr in der Nähe von Venedig grübelte, über der die folgenden Worte standen: „Horas non numero nisi serenas", was so viel heißt wie: „Ich zähle nur die heiteren Stunden." Unternehmen, die ihre negativen Ergebnisse ständig aus dem Vorwort ihres Jahresberichts fernhalten, indem sie negative Vorkommnisse als „außerordentlich" oder „einmalig" bezeichnen, richten sich nach Hazlitt, der seinen Lesern dringend empfahl, „die Zeit nur nach ihren Vorteilen zu beurteilen, nur auf das Lächeln zu achten und die finsteren Blicke des Schicksals zu missachten, damit unser Leben nur aus lichten und zärtlichen Augenblicken besteht, man sich immer den sonnigen Seiten des Lebens zuwendet und den Rest ganz einfach unbeachtet lässt, vergisst oder ganz aus der Vorstellung streicht!" (William Hazlitt, „Über eine Sonnenuhr", ca. 1827.) Leider müssen Anleger neben den sonnigen Stunden auch die dunklen Stunden zählen.

Die Alcoa-Fußnote sagt nichts über die künftigen Steuerersparnisse dieser Verluste aus. (Die meisten anderen Jahresberichte dieser Art weisen speziell darauf hin, dass lediglich der Steuerspareffekt ausgebucht wurde.) Wenn die Alcoa-Zahl künftige Verluste vor der damit in Verbindung stehenden Steuergutschrift darstellt, dann werden nicht nur künftige Gewinne von der Steuerlast befreit (wenn sie tatsächlich eingetreten sind), sondern sie werden um eine Steuergutschrift von rund 50 % erhöht. Es fällt schwer zu glauben, dass die Buchhaltung in dieser Weise geführt wird. Doch ist es eine Tatsache, dass Unternehmen, die in der Vergangenheit hohe Verluste hinnehmen mussten, in der Lage waren, künftige Gewinne zu berichten, ohne dafür die normalen Steuern gegenzubuchen, sodass auf diese Weise tatsächlich sehr schöne Gewinne vorgetäuscht werden – paradoxerweise auf der Grundlage früherer Blamagen. (Steuergutschriften, die aus Verlusten aus Vorjahren resultieren, werden heute als Sonderbuchungen ausgewiesen, doch werden sie in künftige Statistiken als Teil des endgültigen Nettogewinns eingehen. Allerdings sollte eine Rücklage für künftige Verluste gegen erwartete Steuergutschriften aufgerechnet werden, die die Nettogewinne späterer Jahre nicht erhöhen.)

Die andere geniale Eigentümlichkeit ist, dass Alcoa und viele andere Unternehmen sie am Jahresende 1970 nutzten, um diese Sonderausbuchungen vorzunehmen. Die Börse erlebte im ersten Halbjahr 1970 geradezu ein Blutbad. Jeder erwartete bei allen Unternehmen relativ schlechte Jahresergebnisse, und die Wall Street sah für die kommenden Jahre bessere Zahlen ins Land kommen. Welch hübsches Arrangement, in einem schlechten Jahr so viel wie möglich auszubuchen, das mental ohnehin schon abgeschrieben und bereits in die Vergangenheit entfleucht war, und damit den Weg frei zu machen für hübsch aufgebesserte Zahlen in den kommenden Jahren! Vielleicht ist dies eine geschickte Buchführung, eine gute Geschäftsstrategie und gut für das Verhältnis zwischen den Aktionären und dem Management. Wir jedoch haben da unsere Zweifel.

Die Kombination der weit (oder sollte es „wild" heißen?) diversifizierten Vorgänge mit der Absicht, das Haus am Ende 1970 „aufzuräumen", hat einige seltsam anmutende Fußnoten in den Jahresberichten geliefert. Der Leser könnte sich über die folgende Erklärung amüsieren, die von einer New Yorker Börsenfirma (deren Namen wir nicht nennen wollen) zu den „Sonderbuchungen" abgegeben wurde, die insgesamt immerhin 2.357.000 $ oder ein Drittel der Erlöse vor den Ausbuchungen ausmachten: „Besteht aus Provisionen für die Schließung der Tätigkeiten für Spalding United Kingdom; Provisionen für Kosten zur Neustrukturierung eines Geschäftsbereichs, den Kosten für den Verkauf einer kleinen Firma, die Kinderhöschen und Lätzchen herstellt, das Abstoßen eines Teils der Beteiligung an einer spanischen Auto-Leasinggesellschaft und der Liquidation einer Firma, die Skischuhe herstellt."[249]

Jahre zuvor pflegten die starken Unternehmen aus den Gewinnen guter Jahre „Rückstellungen für Unvorhergesehenes" zu bilden, um die schlimmen Auswirkungen künftiger konjunkturschwacher Jahre ausgleichen zu können. Dem lag die Idee zugrunde, die berichteten Gewinne mehr oder weniger zu neutralisieren und die Stabilität des Unternehmens zu erhöhen. Ein ehrenwertes Motiv, so hat es den Anschein; doch die Buchhalter sträubten sich - zu Recht - gegen dieses Vorgehen, weil dies die wahren Gewinne nicht richtig ausweist. Sie bestanden darauf, dass die Ergebnisse eines jeden Jahres wahrheitsgetreu dargestellt wurden, gleich ob gut oder schlecht, und den Aktionären und Analysten sollte es erlaubt sein, die Abgleichungen selbst vorzunehmen. Wir scheinen nunmehr Zeugen des gegenteiligen Phänomens zu werden, weil jeder so viel wie möglich gegen das ausbucht, was 1970 vergessen wurde, sodass man 1971 mit einer frischen, leeren Tafel beginnt, die nicht nur sauber, sondern speziell präpariert ist, um in den kommenden Jahren Gewinne je Aktie auszuweisen zu können.

Nun ist es an der Zeit, zu unserer ersten Frage zurückzukehren. Wie sähen die wirklichen Zahlen für Alcoa für 1970 aus? die genaue Antwort wäre: Die 5,01 $ nach der Verwässerung, abzüglich des Teils der 82 Cent der „außerordentlichen Aufwendungen", die man korrekt den Vorfällen im Jahr 1970 zuordnen kann. Doch wissen wir nicht, wie hoch dieser Teil ist, und somit können wir die wirklichen Gewinne für dieses Jahr nicht ausweisen. Das Management und die Wirtschaftsprüfer hätten uns darüber aufklären sollen, aber das war nicht geschehen. Und außerdem hätten das Management und die Prüfer für einen Abzug des Saldos dieser Aufwendungen von den *normalen Gewinnen* für eine angemessene Anzahl von Jahren - nicht mehr als fünf - sorgen müssen. Auch dies haben sie offensichtlich nicht getan, weil sie sich 1970 recht elegant der gesamten Summe als „außerordentliche Aufwendungen" entledigten.

Je wichtiger Investoren die Gewinne je Aktie, die veröffentlicht werden, nehmen, umso wichtiger ist es für sie, auf der Hut zu sein vor Faktoren, die in die

249 Das Unternehmen, auf das sich Graham bezieht, scheint American Machine & Foundry (oder AMF Corp.) zu sein, eines der am meisten umjubelten Konglomerate der späten 60er-Jahre. Es war der Vorgänger des heutigen AMF Bowling Worldwide, das Bowlinghallen betreibt und Ausrüstungen zum Bowling herstellt.

Buchhaltung eingehen und einen echten Vergleich der Zahlen unmöglich machen. Drei dieser Faktoren haben wir bereits erwähnt: die Anwendung außerordentlicher Aufwendungen, die sich in den Gewinnen je Aktie möglicherweise kaum zeigen, die Minderung des normalen Einkommensteuerabzugs aufgrund früherer Verluste und den Faktor der Verwässerung, der in vielen Wandelanleihen oder Bezugsrechten enthalten ist [47]. Ein vierter Buchungsposten, der früher einen großen Einfluss auf die veröffentlichten Gewinne hatte, ist die Methode, mit der man die Abschreibung vornahm – entweder die lineare oder die progressive Abschreibung. Auf Einzelheiten wollen wir an dieser Stelle verzichten, doch zumindest ein Beispiel anführen: den Jahresbericht 1970 der Trane Co., der gerade aktuell ist. Diese Firma wies gegenüber 1969 eine Gewinnsteigerung um fast 20 % je Aktie aus – 3,29 $ gegenüber 2,75 $ –, doch die Hälfte der Gewinne resultierte aus dem Übergang zur älteren linearen Abschreibungsmethode, die sozusagen schonender für die Gewinne ist als die beschleunigte Methode, die noch im Vorjahr zum Einsatz kam. (Bei der Steuererklärung wird die Firma weiterhin die beschleunigte Methode anwenden und so die Steuerzahlungen auf die Differenz aufschieben.) Ein weiterer Faktor ist auch die Art und Weise, wie die Kosten für Forschung und Entwicklung gebucht werden. Sie können in dem Jahr, in dem sie anfallen, gebucht werden oder über einen bestimmten Zeitraum hinweg. Schließlich wollen wir bei der Lagerbewertung noch die Wahl zwischen der FIFO-Methode (first in, first out) und der LIFO-Methode (last in, first out) erwähnen.[250]

Nun könnte man sagen, dass Anleger diesen Möglichkeiten der Buchhaltung keine Beachtung schenken sollten, wenn die damit in Zusammenhang stehenden Beträge

---

250 Heute müssen die Investoren einige andere „Faktoren der Buchhaltung" kennen, die veröffentlichte Gewinne verzerren können. Einer davon ist der „Pro-forma-Geschäftsbericht", der die Gewinne so darstellt, als ob die allgemein anerkannten Buchhaltungsgrundsätze nicht angewendet worden wären. Ein zweiter Faktor ist der verwässernde Effekt der Ausgabe von Millionen von Aktienoptionen zur Entlohnung leitender Angestellter oder Vorstandsmitglieder, wobei danach Millionen von Aktien zurückgekauft werden, damit der Wert der Stammaktien nicht verwässert wird. Ein dritter Faktor ist die unrealistische Annahme von Gewinnen aus dem Pensionsfonds des Unternehmens, was in guten Jahren zu einer künstlichen Erhöhung der Gewinne führt, in schlechten Jahren jedoch die Gewinne senkt. Ein weiterer Faktor ist die Gründung von „Unternehmen für besondere Zwecke" oder Tochterfirmen oder Partnerschaften, die risikobehaftete Anlagegüter kaufen oder Schulden des Unternehmens übernehmen und somit diese finanziellen Risiken aus der Bilanz des Unternehmens „entfernen". Ein weiteres Element der Verzerrung ist die Behandlung der Kosten für Marketing oder anderer „weicher" Kosten als Vermögen des Unternehmens, anstatt sie als „ordentliche Geschäftstätigkeit" auszuweisen. Im Kommentar zu diesem Kapitel werden wir derlei Praktiken kurz untersuchen.

nur relativ gering sind. Doch die Wall Street - weil sie so ist, wie sie ist - kann selbst geringfügige Buchungsposten sehr ernst nehmen. Zwei Tage, bevor der Jahresbericht von Alcoa im *Wall Street Journal* erschien, veröffentlichte die Zeitung eine ziemlich umfangreiche Diskussion des Jahresberichts von Dow Chemical. Der Bericht schloss mit der Bemerkung, dass „viele Analysten" sich Gedanken machten, weil Dow Chemical einen Posten von 21 Cent in die ordentlichen Gewinne von 1969 gebucht hatte, anstatt sie als außerordentliche Erlöse auszuweisen. Weshalb ein derartiger „Zirkus"? Weil die Bewertung von Dow Chemical von insgesamt mehreren Millionen Dollar davon abhing, was den prozentualen Gewinn für 1969 gegenüber 1968 ausmachte - in diesem Fall entweder 9 % oder 4,5 %. Dies halten wir für absurd. Es ist unwahrscheinlich, dass so geringfügige Beträge im Ergebnis eines Jahres derartige Auswirkungen auf künftige durchschnittliche Gewinne oder künftiges Wachstum haben könnten, und besonders nicht auf eine konservative realistische Bewertung des Unternehmens.

Betrachten wir nun einen anderen Jahresbericht, der ebenfalls im Januar 1971 erschien: den der Northwest Industries Inc. für das Jahr 1970.[251] Das Unternehmen plante, sage und schreibe 264 Millionen $ auf einmal als außerordentliche Aufwendungen zu buchen. Davon waren 200 Millionen $ einem Verlust zuzurechnen, der aus einem beabsichtigten Verkauf der Eisenbahnsparte an die Mitarbeiter resultierte, und der Rest der Abwertung eines erst kürzlich durchgeführten Aktienkaufs. Diese Zahlen hätten, vor Ausgleich durch Verwässerungen, zu einem Verlust von etwa 35 $ je Stammaktie geführt oder des Doppelten des aktuellen Börsenkurses. Hier haben wir etwas wirklich Signifikantes. Wenn die Transaktion läuft und wenn die Steuergesetze nicht geändert werden, dann wird der Verlust aus dem Jahr 1970 der Northwest Industries innerhalb der kommenden fünf Jahre einen Gewinn von 400 Millionen $ aus den anderen diversifizierten Beteiligungen ermöglichen, ohne dass diese versteuert werden müssen.[252] Wie

---

251 Northwest Industries war die Holdinggesellschaft unter anderem für die Chicago and Northwestern Railway Co. und Union Underwear (die Hersteller von BVD und Fruit of the Loom). 1985 wurde es vom überschuldeten Finanzier William Farley übernommen, der das Unternehmen zugrunde richtete. Fruit of the Loom wurde Anfang 2002 in einem Konkursverfahren von Warren Buffetts Berkshire Hathaway Inc. gekauft.

252 Graham bezieht sich auf die Regelung der Steuergesetze, die Unternehmen einen Verlustvortrag ihrer operativen Nettoverluste erlauben. Nach derzeitigem Stand können die Verluste 20 Jahre lang vorgetragen werden, was die Steuerlast des Unternehmens über den gesamten Zeitraum hinweg reduziert (und somit den Gewinn nach Steuern erhöht). Deshalb sollten sich Investoren überlegen, ob aktuelle hohe Verluste tatsächlich die Nettogewinne des Unternehmens in der Zukunft verbessern können.

werden dann die tatsächlichen Gewinne dieses Unternehmens aussehen: Sollten sie mit oder ohne Berücksichtigung dessen berechnet werden, dass nahezu 50 % an Steuern tatsächlich nicht bezahlt werden müssen? Unserer Meinung nach würde die richtige Methode der Berechnung zunächst die angegebene Ertragskraft auf der Grundlage der vollen Steuerpflicht heranziehen und dann auf der Basis dieser Schätzung einen groben Betrag vom Wert der Aktie abziehen. Hierzu sollte ein Bonus hinzugefügt werden, der für die hohe, wenn auch vorübergehende Steuerbefreiung steht. (Allerdings muss in diesem Fall auch noch eine mögliche Verwässerung berücksichtigt werden. Tatsächlich würden die wandelbaren Vorzugsaktien und Bezugsrechte die Anzahl der in Umlauf befindlichen Stammaktien verdoppeln, wenn die Rechte ausgeübt würden.)

Das alles mag für unsere Leser ein wenig verwirrend und mühsam erscheinen, doch es gehört zu unserer Geschichte. Die Buchhaltung in Aktiengesellschaften ist oftmals, sagen wir, einfallsreich, die Aktienanalyse kann kompliziert sein, und Aktienbewertungen sind nur in Ausnahmefällen zuverlässig. Für die meisten Anleger wäre es wahrscheinlich am besten, selbst sicherzustellen, dass sie für den Kurs, den sie bezahlen, auch einen guten Wert erhalten, und erst dann zu kaufen.

Die Verwendung der durchschnittlichen Gewinne

Früher widmeten Analysten und Investoren den durchschnittlichen Gewinnen über einen längeren Zeitraum hinweg viel Beachtung – normalerweise sieben bis zehn Jahre zurück in die Vergangenheit. Dieser „Mittelwert"[253] war recht nützlich zum „Ausbügeln" des häufigen Aufs und Ab der Konjunktur, und er war dafür gedacht, eine bessere Vorstellung von den Gewinnen eines Unternehmens zu vermitteln als nur die Vorjahrsgewinne. Ein wichtiger Vorteil bei der Berechnung des Durchschnitts ist, dass damit die Probleme gelöst werden, die etwas mit außerordentlichen Aufwendungen und Erträgen zu tun haben. Sie sollten nämlich in die durchschnittlichen Gewinne einfließen. Denn die meisten dieser Verluste und Gewinne stellen einen Teil der operativen Vergangenheit des Unternehmens dar. Wenn wir dies auf Alcoa anwenden, dann scheint der Durchschnittsgewinn für 1961 bis 1970 (zehn Jahre) bei 3,62 $ und für die sieben Jahre von 1964 bis 1970 bei 4,62 $ je Aktie zu liegen. Wenn solche Zahlen in Verbindung mit dem Wachs-

253 „Mittelwert" bezieht sich auf den einfachen oder arithmetischen Durchschnitt, den Graham im vorhergehenden Satz beschreibt.

tum und der Stabilität der Gewinne für den gleichen Zeitraum genutzt werden, dann wurde dies wesentlich mehr über die frühere Performance des Unternehmens aussagen.

Die Berechnung der früheren Wachstumsraten

Es ist sehr wichtig, dass die Wachstumsrate in der Leistungsbilanz eines Unternehmens angemessen berücksichtigt wird. Immer wenn das Wachstum hoch war, werden die letzten Wachstumsraten weit über dem Durchschnitt der vergangenen sieben bis zehn Jahre liegen, doch für die Analysten können diese langfristigen Zahlen bedeutungslos sein. Das muss aber nicht der Fall sein. Die Gewinne kann man sowohl als Durchschnitt als auch als den letzten Gewinn darstellen. Wir schlagen vor, die Wachstumsrate zu ermitteln, indem man den Durchschnitt der letzten drei Jahre mit den entsprechenden Zahlen zehn Jahre zuvor vergleicht. (Dort, wo es Probleme mit außerordentlichen Aufwendungen und Erträgen gibt, könnte man eine Kompromisslösung finden.) Betrachten Sie die folgende Berechnung des Wachstums von Alcoa im Vergleich zu der von Sears Roebuck und des DJIA als Ganzem:

Tabelle 12-1:

	Alcoa	Sears Roebuck	DJIA
Durchschnittsgewinn 1968–1970	4,95 $[a]	2,87 $	55,40 $
Durchschnittsgewinn 1958–1960	2,08 $	1,23 $	31,49 $
Wachstum	141 %	134,0 %	75,0 %
Kumulierte Wachstumsrate	9,0 %	8,7 %	5,7 %

a) Drei Fünftel der Sonderbelastungen von 82 Cent wurden hier abgezogen.

Anmerkung: Diese wenigen Zahlen könnten Stoff für eine lange Diskussion liefern. Sie zeigen, wahrscheinlich ebenso wie andere, die durch genaue mathematische Berechnung entstanden sind, das tatsächliche Wachstum der Gewinne für den relativ langen Zeitraum von 1958 bis 1970. Aber wie relevant ist diese Zahl, die allgemein als sehr wichtig für die Bewertung von Aktien gilt, im Fall von Alcoa? Die Wachstumsrate in der Vergangenheit war ausgezeichnet, sogar noch ein wenig besser als die der bejubelten Sears Roebuck und wesentlich höher als das Wachstum des DJIA Composite. Doch der Kurs zu Beginn des Jahres 1971 schien von dieser wunderbaren Performance keine Kenntnis zu nehmen. Alcoa wurde mit einem Multiplikator von nur 11,5 (als dem Durchschnitt der letzten drei Jahre) gehandelt, während Sears mit einem Multiplikator von 27 und der DJIA mit 15 gehandelt wurde. Wie kam es dazu? Offenbar sah die Wall Street die künftige Richtung der Gewinne von Alcoa recht pessimistisch, was aber in völligem Gegensatz zur Leistungsbilanz steht. Überraschend ist jedoch, dass der hohe Kurs von Alcoa aus dem Jahr 1959 stammt. In diesem Jahr wurde Alcoa mit 116 $ gehandelt, dem 45fachen der Gewinne. (Im Vergleich dazu stand Sears Roebuck gerade einmal bei 25,5 $, was dem 20fachen der damaligen Gewinne entsprach.) Weil selbst Alcoa danach kein besonderes Gewinnwachstum aufwies, ist es offensichtlich, dass in diesem Fall die Zukunftsaussichten im Kurs weitaus überschätzt wurden. Der Kurs schloss 1970 bei genau der Hälfte des Rekordhochs von 1959, während Sears den Kurs verdreifachte und der DJIA um fast 30 % stieg.

Es sollte noch erwähnt werden, dass Alcoas Gewinne auf das Kapitalvermögen[254] immer nur durchschnittlich oder unterdurchschnittlich waren, und dies könnte der Ausschlag gebende Faktor gewesen sein. Hohe Multiplikatoren konnten sich an der Börse nur behaupten, wenn das Unternehmen auch eine bessere Rentabilität nachweisen konnte als der Durchschnitt.

In Bezug auf Alcoa wollen wir den im vorherigen Kapitel beschriebenen „zweiteiligen Bewertungsvorgang" vorschlagen.[255] Ein derartiger Ansatz hätte für Alcoa einen Wert der vorherigen Performance von 10 % des DJIA oder 84 $ je Aktie in Relation zum Schlusskurs des DJIA von 840 im Jahr 1970 ergeben. Auf dieser Grundlage wären die Aktien mit einem Kurs von 57,25 $ recht attraktiv gewesen.

In welchem Umfang sollte der „Senior-Analyst" den Wert der früheren Performance abwerten, um ungünstige Entwicklungen zu berücksichtigen, die er für die Zukunft gesehen hat? Offen gesagt: Wir haben keine Ahnung. Unterstellen wir, er hätte Grund zur Annahme, dass die Gewinne für 1971 auf 2,50 $ je Aktie fallen würden – ein deutlicher Rückgang vom Gewinn von 1970 und gegenüber einer erwarteten Steigerung beim DJIA –: Sehr wahrscheinlich würde die Börse diesen Gewinneinbruch ernst nehmen, aber würde sie die einstmals so mächtige Aluminium Company of America als ein relativ unrentables Unternehmen sehen, das

254 Es hat den Anschein, also benutzte Graham „Gewinne auf das Kapitalvermögen" im traditionellen Sinn von Gewinn auf den Buchwert – im Wesentlichen der Nettoerlös dividiert durch das materielle Nettovermögen.

255 Siehe Seite 301ff.

mit weniger als dem Wert des Anlagevermögens hinter den Aktien steht? (1971 fiel der Kurs von einem Hoch von 70 im Mai auf ein Tief von 36 im Dezember, wobei der Buchwert 55 $ betrug.)

Alcoa ist zweifellos ein repräsentatives Industrieunternehmen von enormer Größe, doch wir glauben, dass die Entwicklung des KGV eher außergewöhnlich ist, ja sogar widersprüchlicher als die der meisten anderen großen Unternehmen. Dennoch belegt die Gegenwart in gewissem Umfang unsere Zweifel an der Zuverlässigkeit der Bewertung, wenn sie auf typische Industrieunternehmen angewendet wird.

Kommentar zu Kapitel 12

> Von einem Kerl mit einem Füllhalter können Sie schneller ausgeraubt werden als von einem Kerl mit einer Knarre.
>
> *Bo Diddley*

Das Nummernspiel

Selbst Graham wäre erstaunt über das Ausmaß, in dem Unternehmen und ihre Buchhalter die Grenzen des Anstandes in den vergangenen Jahren überschritten haben. Mit Aktienoptionen geradezu himmlisch bezahlt, bemerkten die Spitzenmanager, dass sie fabelhaft reich werden konnten, wenn sie die Gewinne ihrer Unternehmen nur ein paar Jahre lang erhöhten.[256] Hunderte von Unternehmen verletzten den Geist, wenn nicht gar die Buchstaben der Grundregeln ordnungsgemäßer Buchführung, indem sie ihre Finanzberichte in Geschwafel verwandelten, hässliche Ergebnisse mit kosmetischen Mitteln verschönten oder Gewinne einfach herbeizauberten. Betrachten wir einige dieser zwielichtigen Praktiken.

Als ob!

Der wohl meistverbreitete Gag im Buchhaltungs-Hokuspokus waren wohl die „Pro-forma-Gewinne". An der Wall Street gibt es ein altes Sprichwort, wonach jede schlechte Idee als gute Idee beginnt, und bei den „Pro-forma-Gewinnen" war es nicht anders. Die ursprüngliche Absicht war es, ein genaueres Bild des langfristigen Wachstums der Gewinne zu bekommen, indem der Trend um kurzfristige Abweichungen oder vermutlich „einmalige" Vorkommnisse korrigiert wurde. Eine „Pro-forma-Pressemitteilung" könnte zum Beispiel zeigen, welche Gewinne ein Unternehmen im abgelaufenen Jahr gemacht hätte, wenn eine andere Firma, die gerade gekauft wurde, schon ein ganzes Jahr lang Teil der „Familie" gewesen wäre.

---

256 Mehr darüber, wie sich Manager von Aktiengesellschaften durch Aktienoptionen bereichern – aber nicht notwendigerweise auch die außen stehenden Aktionäre –, finden Sie im Kommentar zu Kapitel 19.

Aber als die „Naughty 1990s" sich dem Ende neigten, konnten die Unternehmen nicht gut allein weggehen. Werfen Sie einen kurzen Blick auf die folgenden Beispiele des „Pro-forma-Spielchens":

- Für das dritte Quartal 1999 präsentierte InfoSpace seine „Pro-forma-Gewinne", als hätte es nicht gerade 159,9 Millionen $ Dividenden für Vorzugsaktien bezahlt.
- Für das Quartal, das am 31. Oktober 2001 endete, präsentierte BEA Systems, Inc. seine „Pro-forma-Gewinne", als hätte man nicht gerade 193 Millionen $ an Lohnsteuer bezahlt, weil Aktienoptionen von den Angestellten ausgeübt wurden.
- Für das erste Quartal 2001 präsentierte JDS Uniphase Corp. seine „Pro-forma-Gewinne, als hätte man nicht gerade 4 Millionen $ an Lohnsteuer gezahlt und 7 Millionen $ bei Investitionen in lausige Aktien verloren und als wären nicht 2,5 Milliarden $ an Belastungen im Zusammenhang mit Fusionen und Goodwill aufgelaufen.

Kurz: „Pro-forma-Gewinne" ermöglichen es den Unternehmen zu zeigen, wie gut sie hätten sein können, wenn sie nicht so schlecht gewesen wären, wie sie waren.[257] Als intelligenter Investor sollten Sie derartige „Pro-forma-Gewinne" ganz einfach nicht beachten.

Hungrig nach Anerkennung

Im Jahr 2000 sah Qwest Communications Inc., der Telekommunikationsgigant, sehr stark aus. Der Aktienkurs fiel um weniger als 5 %, selbst als die Börse in diesem Jahr 9 % verlor.

Doch Qwests Finanzberichte enthielten eine seltsame, kleine Enthüllung. Ende 1999 entschied Qwest, die Erlöse aus den Telefonverzeichnissen sofort zu buchen, sobald die Telefonbücher veröffentlicht wurden – obwohl, wie jeder weiß, der schon einmal eine Anzeige in den „Gelben Blättern" gesucht hat, viele

257 Alle oben angeführten Beispiele wurden direkt aus Pressemitteilungen übernommen, die von den Unternehmen selbst veröffentlicht wurden. Eine hervorragende Satire über das, was das Leben sein könnte, wenn wir alle unser Verhalten so rechtfertigen müssten, wie die Unternehmen ihre Gewinne ausweisen müssen, finden Sie in dem Artikel „My Pro Forma Life" von Rob Walker unter http://slate.msn.com/?d=2063953. („ ... das Lunch nach dem Training bei Smith & Wollensky, ein 650-Gramm-„bone in rib-Steak", dazu drei Glas Bourbon, werden hier als einmalige Ausgaben behandelt. Das mache ich nie wieder!")

Geschäfte für diese Anzeigen in monatlichen Raten bezahlen. Abrakadabra! Diese winzige „Veränderung der Buchhaltungsgrundsätze" blies den Nettoerlös für 1999 um 240 Millionen $ nach Steuern auf - ein Fünftel der Gesamteinnahmen, die Qwest in diesem Jahr erzielte.

Wie ein Stückchen Eis, das auf einem ganzen Eisberg liegt, ist eine aggressive Buchung oftmals ein Anzeichen für Gefahren, die sehr tief greifend sind und eine wichtige Rolle spielen - und genau so war es bei Qwest. Anfang 2003, nachdem die Finanzberichte der Vorjahre überprüft worden waren, gab das Unternehmen bekannt, man habe vorzeitig Gewinne aus dem Verkauf von Anlagen gebucht, die Dienstleistungskosten Dritter nicht sauber verbucht, Kosten unangemessen gebucht, so, als ob sie Kapitalvermögen seien und keine Ausgaben, und ungerechtfertigt Vermögen als Umsätze verbucht. Insgesamt waren die Umsätze von Qwest in den Jahren 2000 und 2001 um 2,2 Milliarden $ zu hoch ausgewiesen worden - einschließlich 80 Millionen $ aus früheren „Veränderungen der Buchhaltungsgrundsätze", was nunmehr rückgängig gemacht worden sei.[258]

Wirtschaftsstraftaten

Ende der 90er-Jahre hatte Global Crossing Ltd. große Ambitionen. Das Unternehmen mit Hauptquartier auf den Bermudas baute etwas auf, das es das „erste integrierte globale optische Glasfasernetzwerk" nannte, mehr als 160.000 Kilometer Kabel, die weitgehend auf dem Meeresgrund verlegt werden sollten. Nachdem sie die Welt verkabelt hatten, würde Global Crossing anderen Kommunikations-

---

258 Im Jahr 2002 war Qwest eines der 330 börsennotierten Unternehmen, die frühere Finanzberichte berichtigten. Ein Rekord, so die Huron Consulting Group. Alle Informationen über Qwest wurden aus den Unterlagen entnommen, die das Unternehmen bei der SEC eingereicht hatte (Jahresbericht, Form 8K und Form 10K), die ich in der Datenbank EDGAR unter www.sec.gov gefunden habe. Es war kein Problem, die „Änderung der Grundsätze der Buchhaltung" festzustellen, die Qwest damals schon bekannt gab. Was aber machten die Aktien von Qwest in dieser Zeit? Am Jahresende 2000 lag der Kurs bei 41 $, ein Gesamtmarktwert von 67,9 Milliarden $. Anfang 2003 lag der Kurs bei 4 $, womit das gesamte Unternehmen nur noch 7 Milliarden $ wert war - ein Verlust von 90 %. Der Kursrückgang ist nicht allein auf die Scheingewinne zurückzuführen. Eine kürzlich durchgeführte Studie ergab, dass nach einer Stichprobe 27 Unternehmen von der SEC des Betrugs bei der Rechnungslegung angeklagt wurden, weil sie 320 Millionen $ zu viel an Einkommensteuer abgeführt hatten. Obwohl ein großer Teil dieses Geldes letztlich vom Finanzamt erstattet wird, werden die Aktionäre von der Erstattung wahrscheinlich nichts abbekommen. (Siehe Merle Erickson, Michelle Hanlon und Edward Madew „How Much Will Firms Pay for Earnings that Do Not Exist?" unter http://papers.ssrn.com.)

unternehmen die Rechte verkaufen, ihren Datenverkehr über dieses Netzwerk von Kabeln zu leiten. Allein im Jahr 1998 gab Global Crossing mehr als 600 Millionen $ aus, um das optische Glasfasernetz auszubauen. In diesem Jahr wurde fast ein Drittel des Haushalts für den Bau des Netzes als Ausgaben gegen Erlöse gebucht, die man „bereits verkaufte Kapazitäten" nannte. Wenn es die 178 Millionen Ausgaben nicht gegeben hätte, dann hätte Global Crossing – das einen Verlust von 96 Millionen $ veröffentlichte – einen Nettogewinn von rund 82 Millionen $ vermelden können.

Im folgenden Jahr, so sagt eine eher unscheinbare Fußnote im Jahresbericht von 1999, habe Global Crossing „Serviceverträge verbucht". Das Unternehmen würde nunmehr nicht länger den größten Teil der Baukosten gegen die gerade anfallenden Erlöse aus dem Verkauf von Kapazitäten des Netzwerks buchen. Stattdessen würde ein großer Teil der Baukosten nicht als operative Ausgaben behandelt, sondern als Kapitalausgabe – wodurch das Gesamtvermögen des Unternehmens erhöht würde, anstatt dass es die Nettoerlöse senken würde.[259]

Wumm! Mit einem Streich stieg der Wert der Anlagen und Ausrüstungsgegenstände um 575 Millionen $, während die Kosten des Verkaufs gerade einmal um 350 Millionen $ stiegen – obwohl das Unternehmen das Geld ausgab wie ein betrunkener Seemann.

Kapitalausgaben sind ein wichtiges Instrument für Manager, ein gutes Unternehmen noch größer und besser erscheinen zu lassen. Doch dehnbare Buchhaltungsvorschriften ermöglichen es ihnen, die berichteten Gewinne maßlos zu überhöhen, indem sie normale operative Ausgaben zu Kapitalvermögen machen. Wie der Fall Global Crossing zeigt, sollte sich der intelligente Investor sicher sein, dass er wirklich versteht, was und warum ein Unternehmen etwas in Kapital umwandelt.

---

259 Zuvor behandelte Global Crossing einen großen Teil der Baukosten als Ausgaben, die gegen die Erlöse gebucht wurden, die aus dem Verkauf oder der Vermietung der Nutzungsrechte des Netzwerks entstanden. Die Kunden bezahlten für die Rechte im Voraus, obwohl einige auch in Raten von bis zu vier Jahren zahlen konnten. Doch verbuchte Global Crossing die Erlöse nicht im Voraus, sondern verschob sie über die Laufzeit des Mietvertrags. Nun jedoch, weil das Netzwerk eine geschätzte nutzbare Lebensdauer von bis zu 25 Jahren hatte, begann Global Crossing sie als langlebige Wirtschaftsgüter abzuschreiben. Zwar geht dieses Vorgehen mit den allgemein anerkannten Buchführungsgrundsätzen konform, doch ist es unklar, weshalb Global Crossing dies nicht schon vor dem 1. Oktober 1999 tat oder was genau zu dieser Umstellung führte. Im März 2001 hatte Global Crossing einen Börsenwert von 12,6 Milliarden $; das Unternehmen meldete am 28. Januar 2002 Konkurs an, und die Aktien waren regelrecht wertlos.

Eine Geschichte über Inventar

Wie viele Hersteller von Halbleiter-Chips, erlitt auch Micron Technology, Inc., nach 2000 einen Umsatzeinbruch. Micron wurde vom Nachfragerückgang so schwer getroffen, dass es anfangen musste, den Wert der Lagerbestände abzuwerten – weil die Kunden sie zu dem Preis, den Micron verlangte, einfach nicht haben wollten. Im Quartal, das am 1. Mai endete, wertete Micron den Lagerbestand um 261 Millionen $ ab. Die meisten Investoren interpretierten die Abwertung nicht als normale, sondern als einmalige Kosten der Geschäftsführung, allerdings als einen eher ungewöhnlichen Vorgang. Doch sehen Sie, was danach passierte:

Abb. 12-1: Ein Haufen alter Chips

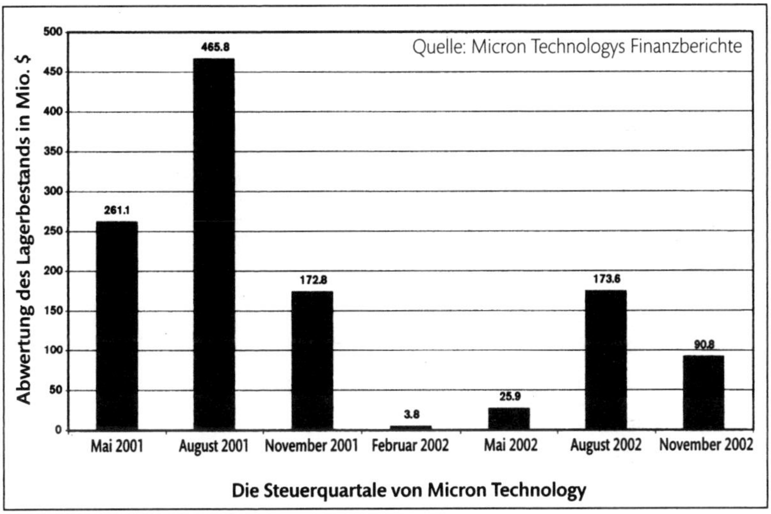

Micron nahm in jedem der folgenden sechs Steuerquartale weitere Abwertungen des Inventars vor. War die Abwertung des Inventars von Micron nun eine einmaliges Ereignis, oder wurde es zu einem chronischen Zustand? Vernünftige Menschen können in diesem besonderen Fall unterscheiden, doch eines ist klar: Der intelligente Investor muss immer auf der Hut sein, wenn „einmalige" Kosten laufen und laufen und ... wie der VW-Käfer.[260]

260 Ich bedanke mich bei Howard Schilit und Mark Hamel vom Center for Financial Research and Analysis, dass sie mir dieses Beispiel zur Verfügung stellten.

Die betriebliche Altersversorgung

Im Jahr 2001 machte SBC Communications, Inc., das an Cingular Wireless, PacTel und Southern New England Telephone beteiligt ist, 7,2 Milliarden $ Nettogewinn - eine glänzende Performance in einem schlechten Jahr für die zu groß gewordene Telekommunikationsbranche. Doch dieser Gewinn kam nicht allein aus den Geschäften von SBC. Ganze 1,4 Milliarden $ - 13 % des Nettoerlöses des Unternehmens - stammten aus den Pensionsrücklagen von SBC.

Weil SBC mehr Geld in den Pensionsrücklagen hatte, als es für notwendig erachtet hatte, um die künftigen Vergütungen der Angestellten zu zahlen, behandelte das Unternehmen die Differenz wie laufende Erlöse. Ein einfacher Grund für diesen Überschuss: Im Jahr 2001 war die Rendite aus den angelegten Pensionsrückstellungen höher, als SBC angenommen hatte - 9,5 % statt 8,5 % -, was natürlich den Betrag senkte, den man zur Seite legen musste.

SBC erklärte seine neuen rosigen Erwartungen, indem es sagte, dass in den 36 Monaten vor dem 31. Dezember 2001 der tatsächliche Gewinn auf das eingesetzte Kapital (ROI) in den letzten zehn Jahren 10 % überstieg. Mit anderen Worten: Unsere früheren Gewinne waren hoch, also können wir unterstellen, dass dies bei den künftigen Gewinnen ebenso sein wird. Aber das entsprach nicht einmal den grundlegendsten Gesetzen der Logik. Die Zinssätze fielen fast auf ein Rekordtief und drückten damit die künftigen Gewinne des Anleihenanteils in einem Portfolio, das zur Pensionsrückstellung eingerichtet wurde.

Im gleichen Jahr senkte Warren Buffetts Berkshire Hathaway die erwartete Rendite aus den Pensionsrückstellungen von 8,3 % auf 6,5 %. War es von SBC realistisch anzunehmen, dass der Manager seines Pensionsfonds den besten Investor der Welt übertreffen könnte? Wahrscheinlich nicht: Im Jahr 2001 machte Berkshire Hathaways Pensionsfonds einen Gewinn von 9,8 %, und der von SBC verlor 6,9 %.[261]

Nun noch einige Überlegungen für den intelligenten Investor: Beträgt der „Nettogewinn aus den Pensionsrücklagen" mehr als 5 % des Nettoerlöses des Unternehmens? *(Wäre das der Fall, wären Sie dann immer noch mit den anderen Gewinnen des Unternehmens zufrieden, wenn die Gewinne aus dem Pensionsfonds in*

261 Gewinne werden geschätzt, indem der gesamte Nettowert des Vermögens aus den Pensionsrücklagen zu Anfang des Jahres durch „den tatsächlichen Gewinn aus den Pensionsrücklagen dividiert" wird.

den kommenden Jahren wegfielen?) Ist die „langfristig unterstellte Rendite aus dem Pensionsplan" vernünftig? *(Für das Jahr 2003 ist alles nicht plausibel, was über 6,5 % hinausgeht, weil eine steigende Rendite absolut wahnwitzig ist.)*

Vorsichtsmaßnahmen für den Investor

Einige Hinweise werden Ihnen helfen zu vermeiden, eine Aktie zu kaufen, die sich als in der Rechnungslegung versteckte Zeitbombe herausstellt:

Lesen Sie rückwärts: Wenn Sie den Finanzbericht eines Unternehmens untersuchen, beginnen Sie auf der letzten Seite und arbeiten sich langsam nach vorn durch. Alles, was das Unternehmen vor Ihnen verbergen will, ist im hinteren Teil des Jahresberichts versteckt – und genau deshalb sollten Sie zuerst dort nachsehen.

Lesen Sie die Anmerkungen und Fußnoten: Kaufen Sie nie eine Aktie, bevor Sie nicht die Fußnoten im Finanzstatus des Jahresberichts gelesen haben. Unter dem Titel „Zusammenfassung wichtiger Buchhaltungsstrategien" beschreibt eine Fußnote, wie das Unternehmen Erlöse verbucht, Lagerbestände bewertet, mit Ratenzahlungen oder mit dem Verkauf von Verträgen umgeht, wie die Kosten für das Marketing zusammengesetzt sind und was auf die anderen wichtigen Aspekte des Geschäfts entfällt.[262] In den anderen Fußnoten sollten Sie auf Verbindlichkeiten, Aktienoptionen, Kundenkredite, Rückstellungen für Verluste und andere „Risiken" achten, die einen großen Teil der Gewinne aufzehren können. Zu den Faktoren, bei denen Ihre Alarmglocken schrillen sollten, zählen auch technische Begriffe

262 Stören Sie sich nicht an der verdummenden und langweiligen Weise der Formulierung in den Fußnoten über die Rechnungslegung – genau deshalb müssen Sie durchhalten. Eine Fußnote im Jahresbericht 1996 der Informix Corp., zum Beispiel, enthüllte, dass „das Unternehmen in der Regel die Erlöse aus dem Verkauf von Lizenzen verbucht, sobald die Software an den Kunden ausgeliefert wird. Allerdings verbucht das Unternehmen den Erlös schon bei Vertragsabschluss, auch wenn die Hardware-Hersteller oder auch die Endverbraucher ein Zahlungsziel von zwölf Monaten eingeräumt bekamen, und auch, wenn der Kunde nur eine nicht rückzahlbare Anzahlung tätigt, wenn diese Hardware-Hersteller und Endverbraucher Lizenzen bestimmte Kriterien erfüllen, die vom Unternehmen festgelegt werden." Auf gut Deutsch: Informix sagte damit, dass es bereits den Erlös gutschreibt, auch wenn das Produkt noch nicht an den Endverbraucher, also den tatsächlichen Anwender der Informix-Software, verkauft wurde Unter den Beschuldigungen durch die SEC, dass Informix Betrug im Bereich der Rechnungslegung betrieben habe, berichtigte das Unternehmen später die Erlöse, wodurch 244 Millionen $ derartiger „Umsätze" weggewischt wurden. Dieser Fall ist ein eindrucksvoller Appell, dass man das Kleingedruckte mit besonderer Skepsis lesen sollte. Ich bedanke mich bei Martin Fridson, dass er dieses Beispiel vorgeschlagen hat.

wie „kapitalisiert", „aufgeschoben" und „Neustrukturierung" - und deutliche Worte, die signalisieren, dass das Unternehmen die Buchhaltungsmethode geändert hat, beispielsweise „beginnen", „verändern" oder „jedoch". Keines dieser Worte bedeutet, dass Sie diese Aktie nicht kaufen sollten, doch alle signalisieren, dass Sie noch ein bisschen genauer nachsehen sollten. Auf alle Fälle sollten Sie die Fußnoten mit denen im Finanzstatus mindestens eines starken Wettbewerbers vergleichen, um herauszufinden, wie einfallsreich die Buchhalter Ihres Unternehmens sind.

Lesen Sie mehr. Wenn Sie ein professioneller Investor sind, der bereit ist, viel Zeit und Energie für sein Portfolio zu opfern, dann sind Sie es sich selbst schuldig, mehr über Finanzberichte zu lesen. Dies ist die einzige Möglichkeit, die Wahrscheinlichkeit zu mindern, dass Sie durch einen manipulierten Gewinnbericht in die Irre geführt werden. Drei gute Bücher, voll von zeitgemäßen und speziellen Beispielen, sind *Financial Statement Analysis* von Martin Fridson und Fernando Aalvarez, *The Financial Numbers Game* von Charles Mulford und Eugene Comiskey und *Financial Shenanigans* von Howard Schilit.[263]

263 Financial Statement Analysis: A Practitioner's Guide von Martin Fridson und Fernando Alvarez (John Wiley & Sons, New York, 2002); Charles W. Mulford und Eugene E. Comiskey: The Financial Numbers Game: Detecting Creative Accounting Practices (John Wiley & Sons, New York, 2002); Howard Schilit: Financial Shenanigans (McGraw-Hill, New York, 2002). Benjamin Grahams eigenes Buch The Interpretation of Financial Statements (HarperBusiness, New York, 1998 als Nachdruck der Auflage von 1937) ist nach wie vor eine hervorragende kurze Einführung in die Grundregeln von Gewinnen und Ausgaben, Vermögen und Verbindlichkeiten.

Kapitel 13

Ein Vergleich von vier börsennotierten Aktiengesellschaften

In diesem Kapitel wollen wir eine Muster-Aktienanalyse anbieten. Wir haben dazu, mehr oder weniger zufällig, vier Aktiengesellschaften ausgewählt, die man unter den Notierungen der New York Stock Exchange findet: Eltra Corp. (eine Fusion von Electric Autolite und Mergenthaler Linotype), Emerson Electric Co. (ein Hersteller elektrischer und elektronischer Produkte), Emery Air (ein heimischer Luftfrachtspediteur) und Emhart Corp. (ursprünglich ein Hersteller von Maschinen zur Flaschenherstellung, doch jetzt auch Hersteller von Baumaschinen)[264]. Es gibt einige Ähnlichkeiten zwischen den drei Produktionsfirmen, doch die Unterschiede sind größer. Bei den finanziellen und operativen Daten bestehen ausreichend Unterschiede, damit die Untersuchung interessant wird.

In Tabelle 13-1 präsentieren wir eine Zusammenfassung der Notierungen der vier Aktiengesellschaften Ende 1970 und einige Zahlen zum operativen Geschäft. Danach gehen wir bei einigen wichtigen Verhältniszahlen ins Detail und betrach-

264 Von Grahams vier Beispielen existiert nur noch Emerson Electric in der ursprünglichen Form. ELTRA Corp. ist nicht mehr unabhängig, es fusionierte in den 70er-Jahren mit Bunker Ramo Corp. und stieg damit in das Geschäft ein, die Aktiennotierungen über ein frühes Netzwerk von Computern in die Büros von Brokern zu bringen. Die übrigen Geschäftsfelder von ELTRA sind nun ein Teil von Honeywell Corp. Die Firma, die man früher unter dem Namen Emery Air Freight kannte, ist heute eine Sparte von CFN Inc. Emhart Corp. wurde 1989 von Black & Decker Corp. aufgekauft.

ten einerseits die *Performance* und andererseits den *Kurs*. Wir zeigen auf, inwieweit verschiedene Aspekte des Musters der Performance mit dem relativen Muster des Kurses übereinstimmen. Schließlich werden wir alle vier Unternehmen nebeneinander betrachten, einige Vergleiche und Relationen vorschlagen und jedes Unternehmen entsprechend den Kriterien eines konservativen Anlegers in Aktien bewerten.

Tabelle 13-1: Ein Vergleich von vier börsennotierten Aktiengesellschaften

	Eltra	Emerson Electric	Emery Air Freight	Emhart Corp.
A. Kapitalisierung				
Kurs der Stammaktien am 31.12.1970	27 $	66 $	57,75 $	32,75 $
Anzahl der Stammaktien	7.714.000	24.884.000[a]	3.807.000	4.932.000
Börsenwert der Stammaktien	208.300.000 $	1.640.000.000 $	220.000.000 $	160.000.000 $
Anleihen und Vorzugsaktien	8.000.000	42.000.000	-	9.200.000 $
Gesamtkapitalisierung	216.300.000 $	1.682.000.000 $	220.000.000 $	169.200.000 $
B. Erlös-Daten				
Umsatz 1970	454.000.000 $	657.000.000 $	108.000.000 $	227.000.000 $
Nettoerlös 1970	20.773.000 $	54.600.000 $	5.679.000 $	13.551.000 $
Gewinn je Aktie 1970	2,70 $	2,30 $	1,49 $	2,75 $[b]
durchschn. Gewinn/Aktie 1968-1970	2,78 $	2,10 $	1,28 $	2,81 $
durchschn. Gewinn/Aktie 1963-1965	1,54 $	1,06 $	0,54 $	2,46 $
durchschn. Gewinn/Aktie 1958-1960	0,54 $	0,57 $	0,17 $	1,21 $
Aktuelle Dividende	1,20 $	1,16 $	1,00 $	1,20 $
C. Bilanz-Daten 1970[c]				
Umlaufvermögen	205.000.000 $	307.000.000 $	20.400.000$	121.000.000 $
Laufende Verbindlichkeiten	71.000.000 $	72.000.000 $	11.800.000 $	34.800.000 $
Nettovermögen der Stammaktien	207.000.000 $	257.000.000 $	15.200.000 $	133.000.000 $
Buchwert je Aktie	27,05 $	10,34 $	3,96 $	27,02 $

a) Angenommen, Vorzugsaktien werden gewandelt
b) Nach außergewöhnlichen Belastungen von 13 Cent je Aktie
c) Das Jahr endete am 30. September 1970

Das Auffälligste an diesen vier Unternehmen ist, dass ihre aktuelle KGVs weiter voneinander abweichen als ihre operative Performance oder finanzielle Lage. Zwei der Unternehmen – Eltra und Emhart – wurden mit einem Multiplikator von 9,7 nur mäßig notiert und entsprach dem Zwölffachen der durchschnittlichen

Tabelle 13-2: Ein Vergleich von vier börsennotierten Aktiengesellschaften (Fortsetzung)

	Eltra	Emerson Electric	Emery Air Freight	Emhart Corp.
B. Verhältniszahlen				
KGV 1970	10 x	30 x	38,5 x	11,9 x
KGV 1968 - 1970	9,7 x	33 x	45,0 x	11,7 x
Kurs/Buchwert	1,00 x	6,37x	14,3 x	1,22 x
Nettogewinn/Umsatz	4,6 %	8,5 %	5,4 %	5,7 %
Nettoumsatz je Aktie/Buchwert	10,0 %	22,2 %	34,5 %	10,2 %
Dividendenrendite	4,45 %	1,78 %	1,76 %	3,65 %
Umlaufkapital zu kurzfristigen Verbindlichkeiten	2,9 x	4,3 x	1,7 x	3,4 x
Umlaufvermögen/Schulden	Sehr hoch	5,6 x	Keine Schulden	3,4 x
Gewinnwachstum je Aktie				
1968-1970 zu 1963 - 1965	+81 %	+87 %	+135 %	+14 %
1968 - 1970 zu 1858 - 1970	+400 %	+250 %	Sehr hoch	+132 %
C. Kursbilanz				
1936 - 1968 Tiefststand	0,75	1	0,125	3,625
1936 - 1968 Höchststand	50,75	61,5	66	58,25
Tief 1970	18,625	42,125	41	23,5
Hoch 1971	29,375	78,675	72	44,375

Gewinne von 1968 bis 1970 gegenüber einem Multiplikator von 15,5 für den DJIA. Die anderen beiden – Emerson und Emery – zeigten sehr hohe Multiplikatoren, das 35fache und 45fache der Gewinne. Für einen solch großen Unterschied muss es eine Erklärung geben, und man kann sie im überlegenen Wachstum der favorisierten Unternehmen in den vergangenen Jahren erkennen, insbesondere beim Speditionsunternehmen. (Doch waren die Zahlen der beiden anderen Unternehmen ebenfalls befriedigend.)

Um sich mit der Angelegenheit ein wenig ausführlicher zu befassen, wollen wir kurz auf die wichtigsten Elemente der Performance eingehen, so wie wir sie aus der Tabelle ablesen können.

1. Rentabilität. (a) Alle Unternehmen weisen befriedigende Ergebnisse in Relation zu ihrem Buchwert auf, doch die Zahlen für Emerson und Emery sind wesentlich höher als bei den beiden anderen Unternehmen. Eine hohe Rendite auf das investierte Kapital geht oft mit einer hohen jährlichen Wachstumsrate des Gewinns je Aktie einher.[265] Alle Unternehmen, außer Emery, zeigten 1969 höhere Gewinne auf den Buchwert als noch 1961; doch die Zahlen für Emery waren in beiden Jahren sehr hoch. (b) Bei produzierenden Unternehmen ist der Gewinn je Dollar Umsatz normalerweise ein Indikator für die Relative Stärke oder Schwäche. Wir benutzen hier das Verhältnis der operativen Erlöse zum Umsatz, so wie es auch in den *Listed Stock Reports* von Standard & Poor´s angegeben wird. Auch hier sind die Zahlen für alle vier Unternehmen befriedigend, wobei die Zahlen bei Emerson doch sehr eindrucksvoll sind. Die Veränderungen zwischen 1961 und 1969 weichen bei den Unternehmen deutlich voneinander ab.

2. Stabilität. Diese messen wir am höchsten Rückgang des Gewinns je Aktie in jedem der zehn Jahre und vergleichen sie mit dem Durchschnitt der drei vorhergehenden Jahre. Kein Rückgang entsprach 100 %, und dies wurde bei den beiden bekannten Unternehmen festgestellt. Doch der Rückgang bei Eltra und Emhart war im „schlechten Jahr" 1970 recht bescheiden und betrug lediglich 8 % gegenüber dem DJIA, der um 7 % rückläufig war.

3. Wachstum. Die beiden Aktien mit dem niedrigen Multiplikator zeigten zufrieden stellende Zuwachsraten, beide waren besser als der Dow Jones. Die Zahlen für Eltra sind besonders eindrucksvoll, wenn man sie zu dem niedrigen KGV in Beziehung setzt. Wesentlich eindrucksvoller ist das Wachstum bei den beiden Aktien mit dem hohen Multiplikator.

4. Finanzielle Lage. Die drei produzierenden Unternehmen sind in einer „gesunden" Situation und haben ein besseres als das normale Verhältnis, das da lautet: 2 $ Umlaufvermögen zu 1 $ kurzfristige Verbindlichkeiten. Emery Air Freight hat ein niedrigeres Verhältnis; doch fällt dieses Unternehmen in eine andere Kategorie, und mit seiner eindrucksvollen Leistungsbilanz hätte es keine Probleme, Kapital aufzunehmen. Alle Unternehmen haben relativ geringe langfristige Verbindlichkeiten. Noch eine Anmerkung zur „Verwässerung": Emerson Electric hatte Ende 1970 einen Marktwert von 163 Millionen $ wandelbarer Vorzugsaktien im Umlauf. In unserer Analyse legten wir einen Verwässerungsfaktor zugrunde, wie er normalerweise berechnet wird: Die Vorzugsaktien werden so behandelt, als seien sie in Stammaktien gewandelt worden. Dies senkt die letzten Gewinne um etwa zehn Cent je Aktie oder etwa 4 %.

---

265 Diese Größe wird in der Tabelle 13-2 in der Zeile „Nettogewinn je Aktie/Buchwert" erfasst, wobei der Nettogewinn des Unternehmens als Prozentwert des materiellen Buchwerts angegeben wird.

5. *Dividenden*. Was wirklich zählt, ist, ob die Dividenden stetig und ohne Unterbrechung gezahlt wurden. Die beste Leistungsbilanz in diesem Bereich hat Emhart, das seit 1902 noch nie eine Dividende ausgesetzt hat. Auch Eltra ist hier sehr gut, Emerson recht zufrieden stellend, und Emery Freight ist ein Neuling. Die Unterschiede in den Ausschüttungen in Prozent scheinen nicht besonders signifikant zu sein. Die aktuelle Dividendenrendite ist bei den beiden „Billigen" doppelt so hoch wie bei den beiden „Teuren", was aber durchaus dem KGV entspricht.

6. *Die Vergangenheit der Kurse*. Die Fortschritte, die alle vier Titel in den letzten 34 Jahren beim Kurs gemacht haben, gemessen vom niedrigsten bis zum höchsten Punkt, ist beeindruckend. (In allen Fällen wurden die niedrigen Kurse wegen der darauf folgenden Aktiensplits angepasst.) Beachten Sie, dass beim DJIA der Bereich vom Tief bis zum Hoch ein Verhältnis von 11:1 aufweist; bei unseren vier Unternehmen variierte die Spanne von „nur" 17:1 für Emhart bis 528:1 für Emery Air Freight.[266] Diese vielfachen Kurssteigerungen sind charakteristisch für die meisten unserer älteren Aktien, und sie verdeutlichen die großen Gewinnchancen, die es in der Vergangenheit an den Börsen gab. (Sie können allerdings auch darauf verweisen, wie übertrieben die Abschwünge in den Bärenmärkten vor 1950 waren, als die Tiefstkurse verzeichnet wurden.) Sowohl Eltra als als auch Emhart widersetzten sich im Kurseinbruch von 1969/1970 den Kursrückgängen von mehr als 50 %. Emerson und Emery hatten ernsthafte, aber weniger schmerzhafte Kursrückgänge zu verzeichnen; Emerson kehrte schon vor Jahresende zu einem Rekordhoch zurück, Emery schaffte es Anfang 1971.

Allgemeine Betrachtungen zu den vier Unternehmen

Emerson Electric hat einen riesigen Börsenwert und lässt in dieser Hinsicht die anderen drei Unternehmen wie Zwerge erscheinen.[267] Es ist einer unserer „Goodwill-Giganten", auf die wir später noch eingehen werden. Ein Finanzanalyst, der mit einem guten Gedächtnis gesegnet ist (oder dadurch gehandicapt ist), wird an

266 In jedem Fall bezieht sich Graham auf den Abschnitt C der Tabelle 13-2 und dividiert den Höchstkurs in der Zeit von 1936 bis 1968 durch den Tiefstkurs. Beispielsweise wird Emerys Höchstkurs von 66 $ durch den Tiefstkurs von 0,125 $ dividiert, was zum Ergebnis 528 führt oder eben zu einem Verhältnis von 528 zwischen Höchst- und Tiefstkurs.

267 Am Jahresende 1970 war Ermersons Börsenwert von 1,6 Milliarden $ wirklich enorm, wenn man die durchschnittlichen Aktien zu dieser Zeit betrachtet. Am Jahresende 2002 hatte Emerson einen gesamten Börsenwert von etwa 21 Milliarden $.

einen Vergleich zwischen Emerson Electric und Zenith Radio denken, und dies wäre nicht beruhigend. Zenith hatte ein langjähriges hervorragendes Wachstum hinter sich und besaß 1966 einen Börsenwert von 1,7 Milliarden $. Doch die Gewinne fielen von 43 Millionen im Jahr 1968 auf die Hälfte im Jahr 1970, und im Riesen-Ausverkauf dieses Jahres fiel der Kurs auf 22 % seines Spitzenwertes von 89 $. Hohe Bewertungen enthalten eben auch hohe Risiken.

Emery Air Freight müsste eigentlich dasjenige der vier Unternehmen sein, das künftig am stärksten wachsen wird, wenn sein höchstes KGV von nahezu 40 auch nur teilweise gerechtfertigt ist. Das bisherige Wachstum ist natürlich höchst eindrucksvoll. Doch sind diese Zahlen für die Zukunft nicht so bedeutsam, wenn wir in Betracht ziehen, dass das Unternehmen ziemlich klein anfing (mit nur 570.000 $ Nettogewinn im Jahr 1958). Oft erweist es sich als wesentlich schwieriger, mit einer hohen Rate weiterzuwachsen, nachdem Umsatz und Gewinne bereits hohe Beträge erreicht haben. Der überraschendste Aspekt der Geschichte von Emerson ist, dass die Gewinne und der Börsenwert auch im Jahr 1970 schnell stiegen, dem schlimmsten Jahr in der amerikanischen Luftfahrtgeschichte (Passagierflüge). Ein bemerkenswertes Ergebnis – doch stellt sich die Frage, ob auch die künftigen Gewinne gegenüber ungünstigen Entwicklungen nicht zu verwundbar wurden, etwa durch zunehmende Konkurrenz oder Druck durch neue Vereinbarungen zwischen Spediteuren und Fluggesellschaften. Eine aufwändige Studie wäre erforderlich, bevor man zu diesen Punkten verlässliche Aussagen machen könnte, doch der konservative Investor kann sie nicht aus seinen allgemeinen Betrachtungen aussparen.

Emhart und Eltra. Emhart machte 14 Jahre lang bessere Geschäfte, als sich an der Börse niederschlug. 1958 wurde es zum 22fachen der aktuellen Gewinne gehandelt – in etwa das gleiche Verhältnis wie beim DJIA. Seither verdreifachten sich die Gewinne gegenüber einem Anstieg des Dow um nur weniger als 100 %, doch der Schlusskurs von 1970 lag nur um ein Drittel über dem Höchststand von 1958 gegenüber 43 % beim Dow. Die Leistungsbilanz von *Eltra* ist ähnlich. Es hat den Anschein, dass im derzeitigen Markt keines der beiden Unternehmen einen besonderen Glanz oder „Sexappeal" ausstrahlt. Doch im Allgemeinen stellen sich die statistischen Daten durchaus gut dar. Die Aussichten für die Zukunft? Dazu können wir keine klugen Aussagen machen, doch Standard & Poor's sagte über die vier Unternehmen:

> Eltra – „Langfristige Perspektive: Bestimmte operative Bereiche sind konjunkturabhängig, doch eine etablierte und wettbewerbsfähige Position und Diversifizierung können dies ausgleichen."

Emerson Electric – „Zwar hat die Aktie derzeit einen angemessenen Kurs (71), doch scheint es, als sollte man diesen Titel langfristig betrachten ... Eine fortgesetzte Akquisitionsstrategie zusammen mit einer starken Position in industriellen Bereichen und einem beschleunigten internationalen Programm deuten auf weitere Fortschritte bei Umsatz und Gewinn hin."

Emery Air Freight – „Die Aktie scheint hinsichtlich der aktuellen Aussichten sehr großzügig bewertet (mit 57), aber durchaus geeignet, um sie langfristig zu halten."

Emhart – „Obwohl Emhart in diesem Jahr von geringeren Ausgaben in der Glasbehälter-Branche betroffen war, sollte den Gewinnen durch eine verbesserte Wirtschaftslage in 1972 auf die Beine geholfen werden. Mit 42 sind es die Aktien wert, gehalten zu werden."

Schlussfolgerungen: Viele Finanzanalysten werden Emerson und Emery interessanter und attraktiver finden als die beiden anderen Unternehmen. Vielleicht, weil sie besser im Markt agieren und weil die Gewinne schneller wuchsen. Nach unseren Grundregeln der konservativen Kapitalanlage ist Ersteres kein Grund, diese Titel auszuwählen – das ist etwas für Spekulanten, die damit herumspielen können. Der zweite Grund ist innerhalb gewisser Grenzen zutreffend. Können das Wachstum der Vergangenheit und die vermutlich guten Aussichten von Emerson Air Freight einen Kurs rechtfertigen, der mehr als das 60fache der derzeitigen Gewinne ausmacht? [48] Unsere Antwort lautet: Vielleicht für jemanden, der sich ausführlich mit den Möglichkeiten dieses Unternehmens befasst hat und zu extrem optimistischen Schlussfolgerungen kommt. Nicht aber für den vorsichtigen Investor, der jetzt schon einigermaßen sicher sein will, nicht den typischen Fehler der Wall Street zu machen, die allzu leicht zu begeistern ist, wenn es um eine gute Performance bei den Gewinnen und an der Börse geht.[268] Die gleichen vorsichti-

268 Graham hatte Recht. Unter den „Nifty-Fifty"-Aktien, die im Jahr 1972 in Mode und hoch bewertet waren, erging es Emery am schlechtesten. In der Ausgabe vom 1. März 1982 berichtete Forbes, dass Emery seit 1972 72,8 % seines Wertes verloren hatte (nach Inflation). Ende 1974, so die Investmentforscher der Leuthold Group in Minneapolis, war der Kurs von Emerys Aktie bereits um 58 % gefallen, und das KGV war von 64 auf 15 abgestürzt. Die „zu große Begeisterung", vor der Graham gewarnt hatte, war schon kurz danach aufgetreten. Kann der Lauf der Zeit eine derartige Übertreibung wettmachen? Nicht immer: Leuthold berechnete, dass von 1.000 $, die man 1972 in Emery investiert hätte, 1999 nur noch 839 $ übrig geblieben wären. Es ist wahrscheinlich, dass die Internet-Aktien in den späten 90er-Jahren weit überbezahlt wurden. Die Käufer werden ihren Verlust auch noch nach Jahrzehnten nicht wettgemacht haben – wenn überhaupt jemals (siehe Kommentar zu Kapitel 20).

gen Aussagen scheinen im Fall von Emerson Electric angebracht zu sein, allerdings mit einer besonderen Bezugnahme auf die derzeitige Bewertung des immateriellen Faktors der Ertragskraft mit über 1 Milliarde $ durch den Markt. Wir möchten noch hinzufügen, dass die Elektronikbranche, einst ein kleines Licht an der Börse, in katastrophalen Situationen besonders gelitten hat. Emerson ist eine rühmliche Ausnahme, doch wird es weiterhin und für sehr lange Zeit eine solche Ausnahme bleiben, bis der Schlusskurs von 1970 durch die folgende Performance gerechtfertigt ist.

Im Gegensatz dazu weisen Eltra mit einem Wert von 27 und Emhart mit 33 bereits auf ausreichende Werte hinter ihren Kursen hin, sodass sie als relativ sichere Investitionen in Betracht kommen. Hier kann sich der Investor, wenn er will, als Teilhaber fühlen, und das zu Kosten, die, wie die Bilanz zeigt, das Geld wert sind, das hier investiert wird.[269] Die Rendite auf das investierte Kapital war schon lange Zeit zufrieden stellend, ebenso die Stabilität der Gewinne und überraschenderweise auch die Wachstumsrate in der Vergangenheit. Diese beiden Unternehmen würden unseren sieben *statistischen* Anforderungen genügen, um in das Portfolio eines defensiven Investors aufgenommen zu werden. Wir behandeln dieses Thema ausführlich im nächsten Kapitel, doch möchten wir hier schon einmal das Wichtigste zusammenfassen:

- Angemessene Größe
- Ausreichende finanzielle Stärke
- Stetige Dividendenzahlungen, mindestens in den vergangenen 20 Jahren
- Keine Verluste in den vergangenen zehn Jahren
- Zehn Jahre Gewinnwachstum um mindestens ein Drittel
- Der Kurs der Aktie darf nicht höher sein als das 1,5fache des Nettoanlagevermögens
- Der Kurs darf das 15fache der durchschnittlichen Gewinne der letzten drei Jahre nicht überschreiten.

Wir machen keine Vorhersagen zur künftigen Performance von Eltra oder Emhart. Auf der diversifizierten Liste der Aktien des Investors stehen mit Sicherheit einige, die sich als enttäuschend herausstellen werden, und dies kann auch bei einer oder sogar beiden Aktien der Fall sein. Doch die diversifizierte Liste, ergänzt um

---

269 Graham meint damit, dass, auf der Grundlage der Kurse zu dieser Zeit, ein Investor Aktien dieser beiden Unternehmen zu etwas mehr als ihrem Buchwert kaufen könnte, wie in der dritten Zeile des Abschnitts B in der Tabelle 13-2 zu ersehen ist.

weitere Kriterien, die der Investor selbst auswählt, sollte langfristig gesehen zu guten Ergebnissen führen. Zumindest sagt uns das unsere langjährige Erfahrung.

Noch eine letzte Beobachtung: Ein erfahrener Aktienanalyst, selbst wenn er unsere allgemeinen Überlegungen zu diesen vier Unternehmen teilt, hätte wahrscheinlich gezögert zu empfehlen, dass ein Aktionär von Emerson oder Emery Ende 1970 seine Aktien gegen die von Eltra oder Emhart eintauscht – außer, wenn der Aktionär die Philosophie, die dahintersteht, genau verstanden hat. Es gab keinen Grund zu erwarten, dass das Duo mit dem niedrigen KGV innerhalb kurzer Zeit eine bessere Performance aufweisen würde als das Duo mit dem hohen KGV. Letztere waren an der Börse angesehen und hatten deshalb ein entsprechendes Momentum hinter sich, was sich über einen unbestimmten Zeitraum fortsetzen könnte. Die richtige Basis für die Schlussfolgerung des Klienten wäre, Eltra und Emhart den Vorzug vor Emerson und Emery zu geben, wenn er Value-Aktien gegenüber Glamour-Aktien bevorzugt. Somit hängt in gewissem Umfang die Anlagestrategie in Aktien von der Einstellung des individuellen Anlegers ab. Diesen Ansatz behandeln wir ausführlicher in unserem nächsten Kapitel.

Kommentar zu Kapitel 13

> Bei der Air Force haben wir folgende Regel: Prüfe sechs! Ein Pilot fliegt dahin, blickt in alle Richtungen und fühlt sich sehr sicher. Ein anderer Pilot fliegt genau hinter ihm (auf 6 Uhr - 12 Uhr heißt direkt davor) und schießt. Die meisten Flugzeuge werden auf diese Art und Weise abgeschossen. Es ist sehr gefährlich, sich in Sicherheit zu wiegen! Irgendwo gibt es eine Schwäche, die man herausfinden muss. Man muss immer auch nach hinten (6 Uhr) sehen.
>
> *U.S. Air Force Gen. Donald Kutyna*

E-Business

So wie es Graham getan hat, wollen auch wir vier Aktien vergleichen und einander gegenüber stellen, und wir verwenden dazu die veröffentlichten Zahlen vom 31. Dezember 1999 - einer Zeit, in der wir die dramatischsten Bewertungsextreme aller Zeiten beobachten können.

Emerson Electric Co. (Tickersymbol: EMR) wurde 1890 gegründet und ist das einzige überlebende Mitglied aus Grahams ursprünglichem Quartett; es stellt eine ganze Reihe von Produkten her, einschließlich elektrische Werkzeuge, Ausrüstungen für Klimaanlagen und Elektromotoren.

EMC Corp. (Tickersymbol: EMC) wurde 1979 gegründet und ermöglicht Unternehmen die automatische Speicherung elektronischer Informationen über Computernetzwerke.

Expeditors International of Washington, Inc. (Tickersymbol: EXPD) wurde 1979 in Seattle gegründet und hilft Speditionsfirmen, den Transport von Gütern rund um die Welt zu organisieren und durchzuführen

Exodus Communications, Inc. (Tickersymbol: EXDS) betreut und managt Websites für gewerbliche Kunden, im Verbund mit anderen Internetdienstleistungen. Das Unternehmen ging im März 1998 an die Börse.

Die folgende Abbildung fasst den Kurs, die Performance und die Bewertung dieser Unternehmen zum Jahresende 1999 zusammen.

Abb. 13-1: Bewertungen

	Emerson Electric	EMC Corp.	Exodus Communications, Inc.	Expeditors International of Washington
Kapitalisierung				
Schlusskurs am 31.12.1999 in $	57,37	54,26	44,41	21,68
Gesamtgewinn 1999 in %	-3,1	157,1	1.005,8	109,1
Gesamte Marktkapitalisierung am 31.12.1999 in Mio. $	24..845,9	111.054,3	14.358,4	2.218,8
Gesamtverschuldung (inkl. Vorzugsaktien) in Mio. $	4.600,1	27,1	2.555,7	0
Gewinne				
Gesamterlöse 1999 in Mio. $	14.385,8	6.715,6	242,1	1.444,6
Nettoerlös 1999 in Mio. $	1.313,6	1.010,6	-130,3	59,2
Gewinnwachstum 1995 bis 1999 (im Jahresdurchschnitt) in %	7,7	28,8	nn	19,8
Gewinn je Aktie 1999 („verwässert") in $	3,00	0,53	-0,38	0,55
Gewinnwachstum je Aktie 1995 bis 1999 (Jahresdurchschnitt) in %	8,3	28,8	nn	25,8
Jahresdividende 1999 je Aktie in $	1,30	0	0	0,08
Bilanz				
Umlaufvermögen in Mio. $	5.124,4	4.320,4	1.093,2	402,7
Kurzfristige Verbindlichkeiten in Mio. $	4.590,4	1.397,9	150,6	253,1
Buchwert je Aktie am 31.12.1999 in $	14,27	2,38	0,05	2,79
Bewertung				
Kurs-Gewinn-Verhältnis (x)	17,7	103,1	nn	39,4
Kurs-Buchwert-Verhältnis (x)	3,7	22,9	888,1	7,8
Nettoertrag/Erlöse (Nettogewinnspanne in %)	9,2	17,4	nn	4,1
Nettoertrag/Buchwert in %	21,0	22,2	nn	19,7
Betriebsvermögen/Verbindlichkeiten (x)	0,1	107,8	0,4	Keine Schulden
Marktkapitalisierung/Erlöse (x)	1,7	16,5	59,3	1,5

Quellen: Value Line, Thomson/Baseline, Bloomberg,finance.yahoo.com, die bei der SEC eingereichten Unterlagen der Unternehmen

Anmerkungen: Alle Zahlen wurden um spätere Aktiensplits korrigiert. Schulden, Erlöse und Gewinne gelten für das Steuerjahr. Gesamtmarktkapitalisierung: Gesamtwert der Stammaktien.

nn = nicht nennenswert.

Electric, nicht aufregend

Die teuerste der vier Graham-Aktien, Emerson Electric, war die billigste in unserer aktualisierten Gruppe. Mit seinem Standbein in „Old-Economy-Branchen" sah Emerson in den späten 90er-Jahren recht langweilig aus. (Wer kümmerte sich im Zeitalter des Internet schon um Emersons Industriestaubsauger?) Die Aktien fielen in einen Winterschlaf. 1998 und 1999 lag Emersons Aktie um insgesamt 49,7 % hinter dem S&P-500-Index, eine miserable Performance.

Was war mit dem Unternehmen Emerson los? 1999 verkaufte Emerson Waren und Dienstleistungen im Wert von 14,4 Milliarden $, fast 1 Milliarde $ mehr als im Vorjahr. Bei diesem Umsatz machte Emerson einen Nettogewinn von 1,3 Milliarden $ oder 6,9 % mehr als 1998. In den fünf vorhergehenden Jahren war der Gewinn je Aktie um satte 8,3 % gestiegen. Emersons Dividende hatte sich auf 1,30 $ je Aktie verdoppelt; der Buchwert war von 6,69 $ auf 14,27 $ je Aktie gestiegen. Laut *Value Line* waren Emersons Nettogewinnspanne und die Kapitalrendite auf hohem Niveau - 9 % und 18 % - stabil geblieben. Weiterhin hatte Emerson seine Gewinne 43 Jahre lang stetig erhöht - einer der längsten Zeiträume des Gewinnwachstums in der amerikanischen Wirtschaftsgeschichte. Zum Jahresende lag der Kurs beim 17,7fachen des Nettoertrags je Aktie. Wie seine elektrischen Werkzeuge war auch das Unternehmen Emerson niemals glänzend, doch es war zuverlässig - und zeigte keine Anzeichen einer Überhitzung.

Konnte EMC Kurs, Zuverlässigkeit und Qualität steigern?

EMC Corp. war in den 90er-Jahren eine der Aktien mit der besten Performance, sie stieg im Kurs - oder sollte man sagen, sie entschwebte? - um mehr als 81.000 %. Hätten Sie Anfang 1990 10.000 $ in EMC-Aktien investiert, dann wären daraus bis 1999 8,1 Millionen $ geworden. Die Aktien von EMC warfen allein im Jahr 1999 einen Gewinn von 157,1 % ab - mehr als Emersons Aktie in den acht Jahren von 1992 bis 1999 zusammengerechnet. EMC zahlte nie eine Dividende, sondern behielt die Gewinne ein, „um Kapital für das stetige Wachstum des Unternehmens zu haben".[270] Bei einem Kurs von 54,625 am 31. Dezember wurden die Aktien von EMC mit dem 103fachen Unternehmensgewinn gehandelt, den das Unternehmen für das Gesamtjahr auswies - nahezu das sechsfache Bewertungsniveau der Aktie von Emerson.

270 Wie wir in Kapitel 19 noch sehen werden, bedeutet diese Erklärung in der Praxis, „das Kapital für das stetige Wachstum des Reichtums der Spitzenmanager bereitzuhalten".

Und wie liefen die Geschäfte bei EMC? Die Erlöse wuchsen 1999 um 24 % und stiegen damit auf 6,7 Milliarden $. Der Gewinn je Aktie stieg von 61 Cent im Vorjahr auf 92 Cent im Jahr 1999, ein Zuwachs um 51 %. In den fünf Jahren, deren letztes am 31.12.1999 endete, waren die Gewinne von EMC mit einer schwindelerregenden Geschwindigkeit von jährlich 28,8 % gewachsen. Und weil jeder erwartete, dass die Flutwelle des Internethandels weiterhin rollen würde, sah die Zukunft noch glänzender aus. 1999 prognostizierte der Vorstandsvorsitzende wiederholt, dass die Erlöse 2001 auf 10 Milliarden steigen würden - 1998 waren es noch 5,4 Milliarden $.[271] Das würde eine jährliche Steigerung um 23 % erfordern, eine geradezu monströse Expansionsrate für ein so großes Unternehmen. Doch die Analysten der Wall Street - und die meisten Investoren - waren sich sicher, dass EMC es schaffen könne. Immerhin hatte EMC seine Erlöse in den vergangenen fünf Jahren verdoppelt und den Nettoertrag mehr als verdreifacht.

Doch von 1995 bis 1999, so *Value Line*, ging EMCs Nettogewinnspanne von 19 % auf 17,4 % zurück, während der Gewinn auf das Kapital von 26,8 % auf 21 % fiel. Obwohl EMC immer noch höchst rentabel war, geriet es bereits ins Rutschen. Im Oktober 1999 kaufte EMC Data General Corp., was die Erlöse in diesem Jahr um etwa 1,1 Milliarden $ erhöhte. Wenn man ganz einfach die Erlöse von Data General abzieht, dann kann man erkennen, dass das bestehende Geschäft vom EMC von 5,4 Milliarden $ im Jahr 1998 auf nur 5,6 Milliarden $ im Jahr 1999 anwuchs, ein Anstieg um nur 3,6 %. Mit anderen Worten: Die wirkliche Wachstumsrate von EMC war gleich null - selbst in einem Jahr, als die Angst vor dem Y2K-Computer-Fehler viele Unternehmen dazu veranlasste, Rekordbeträge für die neue Technologie auszugeben.[272]

---

271 Am 30. Dezember 1999 trat EMCs CEO Michael Ruettgers bei CNBC auf und wurde vom Gastgeber Ron Insana gefragt, ob „2000 und darüber hinaus" ebenso gut werden würde, wie es die 90er-Jahre waren. „Es sieht tatsächlich danach aus, als ob es noch schneller gehen würde", prahlte Ruettgers. Als Insana ihn fragte, ob die Aktie vom EMC nicht überbewertet sei, antwortete Ruettgers: „Ich glaube, wenn Sie die vor uns liegenden Chancen betrachten, dann ist der Kurs fast unbegrenzt ... Es ist zwar schwierig vorherzusagen, ob das alles zu teuer ist, doch findet derzeit eine solche Veränderung statt, dass man die Gewinner schon heute erkennen kann - und ich bin davon überzeugt, dass EMC dazugehören wird - dann werden Sie in der Zukunft gut belohnt werden."

272 Mit dem Y2K-Fehler oder dem Jahr-2000-Problem bezeichnete man die Überzeugung, dass Millionen von Computern weltweit eine Sekunde nach Mitternacht nicht mehr funktionieren würden, weil die Programmierer in den 60er und 70er-Jahren nicht an die Möglichkeit dachten, dass es auch noch nach dem 31.12.1999 einen Tag für die Betriebssysteme geben könnte. Die Unternehmen in den USA gaben 1999 Milliarden Dollars aus, um sicher zu sein, dass ihre Computer keinen Schaden nehmen würden. Letztlich war am 1.1.2000 alles wieder in Ordnung.

Ganz einfach ein Frachtgut vertauscht

Anders als EMC war Expeditors International noch nicht „entschwebt". Obwohl der Aktienkurs der Firma in den 90er-Jahren jährlich um 30 % gestiegen war, kam ein großer Teil des Gewinns erst ganz am Ende zustande, als die Aktie 1999 um 109,1 % zulegte. Im Jahr zuvor war der Aktienkurs nur um 9,5 % gestiegen und lag damit um 19 Prozentpunkte hinter dem S&P 500.

Wie liefen die Geschäfte? Expeditors wuchs tatsächlich schnell. Seit 1995 hatten sich die Erlöse jährlich um durchschnittlich 19,8 % erhöht, verdreifachten sich in diesem Zeitraum und erreichten 1999 1,4 Milliarden $. Der Gewinn je Aktie war jährlich um 25,8 % gestiegen, während die Dividenden jährlich um 27 % kletterten. Expeditors hatte keine langfristigen Verbindlichkeiten, und das Umlaufvermögen hatte sich seit 1995 nahezu verdoppelt. Laut *Value Line* hatte sich Expeditors Buchwert um 129 % erhöht, und die Kapitalrendite war um ein Drittel auf 21 % gestiegen.

In jeder Hinsicht war Expeditors eine hervorragende Firma, doch die kleine Spedition mit Hauptsitz in Seattle und vielen Aufträgen in Asien war an der Wall Street nahezu unbekannt. Nur 32 % der Aktien befanden in den Händen institutioneller Anleger. Tatsächlich hatte Expeditors lediglich 8.500 Aktionäre. Nachdem sich der Kurs 1999 verdoppelt hatte, wurde die Aktie zum 39fachen der Nettoerlöse gehandelt, den Expeditors in diesem Jahr erwirtschaften würde – nun war die Aktie keinesfalls mehr billig, sondern lag knapp hinter der schwindelerregenden Bewertung von EMC.

Das gelobte Land?

Ende 1999 schien Exodus Communications direkt in das Land geführt worden zu sein, in dem Milch und Honig fließen. Die Aktie raste 1999 um 1.005,8 % in die Höhe – hoch genug, um eine Investition von 10.000 $ am 1. Januar bis zum 31. Dezember auf 110.000 $ anwachsen zu lassen. Die führenden Internet-Aktien-Analysten der Wall Street, einschließlich des enorm einflussreichen Henry Blodget von Merrill Lynch, sagten voraus, dass der Kurs im folgenden Jahr um weitere 25 % bis 125 % steigen würde.

In den Augen der Online-Trader, die an den Gewinnen von Exodus fast erstickten, war das Beste, dass im Jahr 1999 drei Mal ein Split im Verhältnis von 2 zu 1 vorgenommen wurde. Ein Unternehmen verdoppelt die Anzahl der Aktien und halbiert damit den Kurs – und so hat ein Aktionär doppelt so viele Aktien, die nur noch die Hälfte wert sind. Und was ist daran so toll? Stellen Sie sich vor, Sie geben mir ein Zehn-Cent-Stück, ich gebe Ihnen zwei Fünf-Cent-Stücke zurück und würde Sie fragen: „Fühlen Sie sich nun reicher?" Wahrscheinlich würden Sie nun annehmen, ich sei ein Idiot oder ich hätte Sie für einen Idioten gehalten. Und dennoch: Im Wahnsinn von 1999 um die Dotcoms agierten die Online-Trader genau so, als wären zwei Fünf-Cent-Stücke wertvoller als ein Zehn-Cent-Stück. Allein die Nachricht, es werde zu einem Split von 2:1 kommen, konnte den Wert der Aktie um 20 % oder mehr nach oben treiben.

Weshalb? Weil die Leute sich reicher *fühlen*, wenn sie mehr Aktien besitzen. Jemand, der im Januar 100 Stücke von Exodus gekauft hatte, hatte im April plötzlich 200 Stücke, im August waren es schon 400 Stücke, und im Dezember wurden aus den 400 Stücken plötzlich 800 Stücke. Es war für diese Leute absolut aufregend, dass sie 100 Stücke gekauft hatten und 700 Stücke hinzubekamen. Sie hatten das Gefühl, sie hätten Geld gefunden – ohne daran zu denken, dass sich bei jedem Split auch der Wert halbierte.[273] Im Dezember 1999 schrieb ein freudig erregter Exodus-Aktionär in einem Internetforum: „Diese Aktie werde ich halten, bis ich 80 bin, denn wenn in den nächsten Jahren noch Hunderte von Splits vorgenommen werden, dann bin ich nahe daran, CEO zu werden."[274]

Und was ist mit den Geschäften von Exodus? Graham hätte diese Aktie nicht mit einer Zange angefasst. Die Erlöse von Exodus explodierten – sie wuchsen von 52,7 Millionen $ im Jahr 1998 auf 242,1 Millionen $ im Jahr 1999 –, doch selbst bei diesen Erlösen machte Exodus 1999 einen Verlust von 130,3 Millionen $, fast doppelt so viel wie im Vorjahr. Exodus hatte Gesamtschulden von 2,6 Milliarden $ – und gierte so sehr nach Barmitteln, dass es allein im Dezember Kredite in der Höhe von 971 Millionen $ aufnahm. Laut Exodus-Geschäftsbericht würde diese neue Kreditaufnahme mehr als 50 Millionen $ zu den Zinszahlungen im kommenden Jahr hinzufügen. Das Unternehmen begann 1999 mit einem Barbetrag von 156 Millionen $ und, selbst nachdem man 1,3 Milliarden Dollar neue Finanzmittel aufgetrieben hatte, beendete das Jahr mit einer Bar-Bilanz von 1 Milliarde $ – was bedeutet, dass das Geschäft mehr als 400 Millionen $ in bar verschlungen

273 Mehr über die Verrücktheiten bei Aktiensplits lesen Sie bei Jason Zweig, „Splitsville", Money, März 2001, S. 55–56.

274 Posting 3622 vom 7.12.1999 im Exodus-Message-Board auf der Website Raging Bull (http://ragingbull.lycos.com/mboard/boards.cgi?board=EXD&read=3622).

hatte. Wie sollte ein solches Unternehmen jemals seine Schulden bezahlen können?

Aber natürlich waren die Online-Trader begeistert, wie weit und wie schnell der Aktienkurs gestiegen war - ob das Unternehmen selbst gesund war, interessierte sie nicht. „Diese Aktie", prahlte ein Trader, der unter dem Namen „Launch_Pad 1999" postete, „wird ewig weiter und darüber hinaus steigen."[275]

Die Absurdität von „Launch_Pads Vorhersage - was soll denn nach der Ewigkeit noch kommen? - ist eine perfekte Erinnerung an eine der klassischen Warnungen Grahams. „Der Investor von heute", würde Graham uns sagen, ist so sehr damit befasst, die Zukunft zu antizipieren, dass er schon im Voraus viel dafür ausgegeben hat. Somit könnte das, was er nach vielen und sorgfältigen Studien prognostiziert hatte, doch eintreten und ihm keinerlei Gewinn bringen. Sollte es sich doch nicht in dem Maß ereignen, in dem er es erwartet hat, stünde er tatsächlich vor einem ernsthaften vorübergehenden und vielleicht sogar dauerhaften Verlust.

Wo die „E's" endeten

Welche Performance zeigten die vier Unternehmen nach 1999?

Emerson Electric gewann im Jahr 2000 weitere 40,7 %. Obwohl die Aktien sowohl 2001 als auch 2002 im Kurs nachgaben, beendeten sie 2002 mit weniger als 4 % unter ihrem Schlusskurs von 1999.

Auch EMC stieg im Jahr 2000 und gewann 21,7 %. Doch dann verloren die Aktien im Jahr 2001 79,4 %, und 2002 waren es weitere 54,3 %. Damit blieben noch 88 % vom Niveau vom Jahresende 1999 übrig. Und was war mit der Vorhersage zu den 10 Milliarden $ Umsatz im Jahr 2001? EMC beendete dieses Jahr mit Erlösen von nur 7,1 Milliarden $ (und einem Nettoverlust von 508 Millionen $).

In der Zwischenzeit, so, als habe es den Bärenmarkt nie gegeben, stiegen die Aktien von Expeditors weiter um 22,9 % im Jahr 2000, 6,5 % im Jahr 2001 und um weitere 15,1 % im Jahr 2002 - und das Jahr endete mit einem um 51 % höheren Kurs 1999.

Exodus' Aktie verlor im Jahr 2000 55 % und 99,8 % im Jahr 2001. Am 26. September 2001 beantragte Exodus Gläubigerschutz. Der größte Teil des Vermögens

275 Posting 3910 vom 15.12.1999 auf dem Exodus- Communications Message-Board auf der Website Raging Bull (http://ragingbull.lycos.com/mboard/boards.cgi?board=EXD&read=3910).

wurde von Cable & Wireless, dem britischen Telefongiganten, gekauft. Anstatt die Aktionäre ins gelobte Land zu führen, ließ Exodus sie in der Wüste im Stich. Zu Beginn des Jahres 2003 wurde der letzte Handel mit Exodus durchgeführt: 1 Cent je Aktie.

Kapitel 14

Aktienauswahl für den defensiven Investor

Nun ist es an der Zeit, einige Techniken zur Aktienanalyse anzuwenden. Da wir bereits die allgemeinen Bedingungen der Anlagestrategie für unsere beiden Typen von Anlegern beschrieben haben,[276] kommt nun die Wertpapieranalyse ins Spiel, um diese Strategien in die Tat umzusetzen. Der defensive Investor, der unseren Vorschlägen folgt, wird nur erstklassige Anleihen und eine diversifizierte Liste führender Aktien kaufen. Er muss sicher sein, dass der Kurs, zu dem er Aktien kauft, nicht übermäßig hoch ist, wenn man normale Maßstäbe anlegt.

Bei der Aufstellung dieser diversifizierten Liste hat er die Wahl zwischen zwei Ansätzen: einem Portfolio, das dem DJIA gleicht, oder einem quantitativ geprüften Portfolio. Im ersten Fall kauft er einen wirklichen Querschnitt der führenden Aktien, in dem sowohl einige beliebte Wachstumsunternehmen enthalten sind, deren Aktien mit besonders hohen Multiplikatoren gehandelt werden, als auch weniger populäre und billigere Unternehmen. Am einfachsten wäre es, immer die gleiche Stückzahl der 30 im Dow enthaltenen Aktien zu kaufen. Jeweils zehn Stücke, bei einem durchschnittlichen Niveau von 900, würden insgesamt etwa 16.000 $ kosten [49]. Auf der Grundlage der Leistungsbilanz der Vergangenheit

276 Graham beschreibt seine empfohlenen Anlagestrategien in den Kapiteln 4 bis 7.

könnte der Anleger in etwa die gleichen Resultate erwarten, wie wenn er Anteile mehrerer repräsentativer Investmentfonds kauft.[277]

Die zweite Variante wäre, dass der Anleger bei jedem Kauf eine Reihe von Bedingungen aufstellt, um sicherzugehen, dass er (1) ein Minimum an Qualität der früheren Leistungsbilanz und der aktuellen finanziellen Situation des Unternehmens erhält und (2) ein gesundes Verhältnis zwischen den Gewinnen und des Eigenkapitals je einem Dollar Fixkosten. Am Ende des vorhergehenden Kapitels haben wir sieben solcher qualitativen und quantitativen Kriterien genannt, die wir bei der Auswahl spezieller Aktien empfehlen. Nun wollen wir sie der Reihe nach beschreiben.

1. Angemessene Größe des Unternehmens

Kleine Unternehmen sollten unberücksichtigt bleiben, da sie überdurchschnittlich stark den Launen im industriellen Bereich ausgesetzt sind. (Es gibt oft sehr gute Gelegenheiten bei diesen Unternehmen, doch halten wir sie für die Bedürfnisse eines defensiven Investors nicht geeignet.) Lassen Sie uns runde Beträge nennen: nicht weniger als 100 Millionen $ Umsatz bei einem Industrieunternehmen und nicht weniger als 50 Millionen $ an Gesamtvermögen bei einem öffentlichen Versorgungsunternehmen.

2. Eine ausreichende Finanzstärke

Bei Industrieunternehmen sollte das Umlaufvermögen mindestens doppelt so hoch sein wie die kurzfristigen Verbindlichkeiten. Außerdem sollten die langfristigen Verbindlichkeiten das Nettoumlaufvermögen oder das Betriebskapital nicht überschreiten. Bei öffentlichen Versorgungsunternehmen sollten die Schulden den doppelten Wert der Aktien (zum Buchwert) nicht überschreiten.

3. Stabilität der Gewinne

Gewinne bei den Stammaktien in jedem der vergangenen zehn Jahre.

4. Dividenden

Ununterbrochene Dividendenzahlungen in den zurückliegenden 20 Jahren.

---

277 Wie wir bereits in den Kommentaren zu Kapitel 5 und 9 besprochen haben, kann der defensive Investor von heute dieses Ziel auch erreichen, wenn er ganz einfach einen preisgünstigen Indexfonds kauft, idealerweise einen, der die Gewinne des gesamten amerikanischen Aktienmarktes abbildet.

5. *Gewinnwachstum*

Mindestzuwachs von einem Drittel der Gewinne je Aktie in den letzten zehn Jahren (zu Beginn und am Ende der dreijährige Durchschnitt).

6. *Moderates KGV*

Der aktuelle Kurs sollte nicht höher liegen als der 15fache Durchschnitt der Gewinne der letzten drei Jahre.

7. *Moderates KBV (Kurs-Buchwert-Verhältnis)*

Der aktuelle Kurs sollte nicht höher liegen als das 1,5fache des letzten ausgewiesenen Buchwerts. Ein Multiplikator der Gewinne unter 15 könnte jedoch einen entsprechend höheren Multiplikator des Vermögens rechtfertigen. Als Faustregel schlagen wir Ihnen vor, dass das Produkt aus Multiplikator und dem Verhältnis von Kurs zu Buchwert nicht höher sein sollte als 22,5. (Diese Zahl entspricht den 15fachen Gewinnen und dem 1,5fachen Buchwert. Dies bedeutet, dass eine Aktie nur zum Neunfachen der Gewinne und dem 2,5fachen des Anlagevermögens gehandelt werden dürfte.)

Allgemeine Anmerkungen: Diese Bedingungen sind in erster Linie auf den defensiven Anleger abgestellt. Damit würden sehr viele Aktien als Kandidaten für das Portfolio ausgeschlossen, und zwar aus verschiedenen Gründen. Einerseits schließen diese Bedingungen Unternehmen aus, die (1) zu klein sind, (2) finanziell relativ schwach auf der Brust sind, (3) in ihrer zehnjährigen Leistungsbilanz ein Minus aufweisen und (4) nicht viele Jahre ununterbrochen Dividenden gezahlt haben. Andererseits ist die Bedingung der ausreichenden Finanzkraft nur schwer zu erfüllen. Viele unserer großen und früher starken Unternehmen haben in den zurückliegenden Jahren ihr KBV geschwächt oder sich zu sehr verschuldet oder beides getan.

Unsere letzten beiden Kriterien gehen in die entgegengesetzte Richtung, weil sie mehr Gewinne und mehr Vermögen für einen Dollar im Kurs fordern, als die populären Aktien bieten können. Das ist keinesfalls der allgemeine Standpunkt der Finanzanalysten; tatsächlich werden die meisten darauf bestehen, dass selbst konservative Anleger sich darauf einrichten sollten, großzügige Kurse für die ausgewählten Unternehmen zu bezahlen. Wir haben oben schon unsere gegensätzliche Ansicht zum Ausdruck gebracht; sie beruht weitestgehend auf dem nicht vorhandenen *Faktor der Sicherheit*, wenn ein zu großer Teil des Kurses von stetig wachsenden Gewinnen in der Zukunft abhängig ist. Der Leser muss diese wichtige Frage für sich selbst entscheiden – nachdem er die Argumente beider Seiten gegeneinander abgewogen hat.

Dennoch haben wir uns für die Einbeziehung eines bescheidenen Wachstums im vergangenen Jahrzehnt entschieden. Ohne dieses Wachstum würde sich ein Unternehmen rückläufig entwickeln, zumindest was die Gewinne je Dollar investierten Kapitals betrifft. Für den defensiven Anleger gibt es keinen Grund, solche Unternehmen in seine Portfolioentscheidung einzubeziehen - außer wenn der Kurs so niedrig ist, dass man sie als Schnäppchen sehen könnte. Das empfohlene Maximum der 15fachen Gewinne könnte leicht zu einem typischen Portfolio führen, das einen durchschnittlichen Multiplikator von, sagen wir, zwölf bis 13 aufweist. Beachten Sie, dass American Tel. & Tel. im Februar 1972 zum Elffachen der Gewinne der letzten drei Jahre (und des aktuellen Gewinns) gehandelt wurden und Standard Oil of California mit weniger als dem Zehnfachen der Gewinne. Unsere grundlegende Empfehlung lautet, dass bei einem Aktienportfolio, wenn es erstellt wird, das gesamte Gewinn-Kurs-Verhältnis - das Gegenteil des KGV - zumindest ebenso hoch sein sollte wie die aktuelle Rendite erstklassiger Anleihen. Dies würde einem KGV von nicht mehr als 13,3 entsprechen, im Vergleich zu einer Anleihenrendite von 7,5 % für AA-Anleihen.[278]

Die Anwendung unserer Kriterien auf den DJIA Ende 1970

All unsere vorgeschlagenen Kriterien wurden von den Aktien im DJIA am Ende des Jahres 1970 erfüllt, wobei es zwei „gerade noch" schafften. Nachfolgend eine Übersicht auf der Grundlage der Schlusskurse von 1970 und der relevanten Zahlen. (Die grundlegenden Daten für jedes Unternehmen finden Sie in den Tabellen 14-1 und 14-2.)

1. Die Mindestgröße wird von allen Unternehmen weit überschritten.
2. Die Finanzkraft ist insgesamt angemessen, allerdings nicht bei jedem Unternehmen [50].

278 Anfang 2003 betrug die Rendite für zehnjährige AA-Industrieanleihen 4,6 %, was - nach Grahams Formel - besagt, dass ein Aktienportfolio ein Kurs-Gewinn-Verhältnis aufweisen sollte, das mindestens ebenso hoch ist. Nehmen wir das Umgekehrte dieser Zahl (indem man 100 durch 4,6 teilt), dann können wir ein „empfohlenes maximales KGV" von 21,7 ableiten. Am Anfang dieses Absatzes empfiehlt Graham, dass die „durchschnittliche" Aktie einen Kurs von etwa 20 % unterhalb des maximalen Verhältnisses aufweisen sollte. Das bedeutet: Graham zieht nur solche Aktien in Betracht, die nicht mit einem höheren als dem 17fachen der durchschnittlichen dreijährigen Gewinne gehandelt werden, um den heutigen Zinssätzen und Marktbedingungen zu entsprechen. Am 31.12.2002 hatten mehr als 200 - oder mehr als 40 % - der Aktien des S&P 500 einen Drei-Jahres-Durchschnitt beim KGV von 17,0 oder weniger. Aktualisierte Anleihenrenditen für Anleihen mit einem Rating von AA finden Sie unter www.bondtalk.com.

3. Dividenden wurden von allen Unternehmen ausbezahlt, zumindest seit 1940. Fünf Aufzeichnungen der Dividenden gehen bis ins 19. Jahrhundert zurück.
4. Die gesamten Gewinne waren im letzten Jahrzehnt relativ stabil. Kein Unternehmen wies während der Blütezeit von 1961 bis 1969 ein Defizit auf, allerdings musste Chrysler 1970 ein kleines Defizit hinnehmen.
5. Das Gesamtwachstum - wir vergleichen Drei-Jahres-Durchschnitte, die ein Jahrzehnt auseinander liegen - betrug 77 % oder etwa 6 % pro Jahr. Doch fünf Unternehmen schafften es nicht, um ein Drittel zu wachsen.
6. Das Verhältnis der Kurse zum Jahresende der dreijährigen Durchschnittsgewinne lag bei 839 zu 55,5 $ oder 15 zu 1 - genau an unserem oberen Limit.
7. Das Verhältnis der Kurse zum Nettovermögenswert lag bei 839 zu 562 - ebenfalls genau innerhalb unseres vorgeschlagenen Limits von 1 bis 1,5.

Wendet man jedoch die gleichen sieben Kriterien auf jedes einzelne Unternehmen an, stellt sich heraus, dass nur fünf Unternehmen all unsere Bedingungen erfüllen würden, nämlich American Can, American Tel. & Tel., Anaconda, Swift und Woolworth. Die Gesamtzahlen für diese fünf Unternehmen finden Sie in Tabelle 14-3. Natürlich sehen sie statistisch besser aus als der gesamte DJIA, außer bei der letzten Wachstumsrate [51].

Unsere Anwendung der speziellen Kriterien auf diese Industrie-Aktien weist darauf hin, dass nur wenige börsennotierten Industrieunternehmen diese Prüfungen bestehen würden. Wir wagen die Vermutung, dass Ende 1970 rund 100 Titel dieser Art im *Stock Guide* von Standard & Poor´s gefunden werden könnten - eigentlich ausreichend, um dem Investor eine zufrieden stellende persönliche Auswahl zu ermöglichen.

Die „Lösung" öffentliche Versorgungsunternehmen

Wenn wir uns nun dem Bereich der Aktien von öffentlichen Versorgungsunternehmen zuwenden, dann finden wir eine wesentlich bequemere Situation für den Anleger vor. Hier scheint die große Mehrheit der Titel wegen ihrer Performance und ihrer Kursverhältnisse ausgenommen zu sein, was mit den Eigenschaften des defensiven Anlegers übereinstimmt. Ein Kriterium klammern wir bei unserer Prüfung der Versorger-Aktien aus - nämlich das Verhältnis des Umlaufvermögens zu den kurzfristigen Verbindlichkeiten. Der Faktor Betriebskapital sorgt in dieser Branche für sich selbst, da er als Teil der stetigen Finanzierung des Branchenwachstums durch die Ausgabe von Anleihen und Aktien gilt. Wir verlangen jedoch ein angemessenes Verhältnis von Aktienkapital zu Schulden [52].

Tabelle 14-1: Grundlegende Daten zu 30 Aktien in DJIA am 30. September 1971

	Kurs am 30.9.1970	Gewinne je Aktie[a]			Dividende seit	Netto-vermögenswert	Aktuelle Dividende
		30.9.1970	Durchschnitt 1968–1970	Durchschnitt 1958–1960			
Allied Chemical	32,5	1,40	1,82	2,14	1887	26,02	1,20
Aluminium Co. of Am.	45,5	4,25	5,18	2,08	1939	55,01	1,80
Amer. Brands	43,5	4,32	3,69	2,24	1905	13,46	2,10
Amer. Cans	33,25	2,68	3,76	2,42	1923	40,01	2,20
Amer. Tel. & Tel.	43	4,03	3,91	2,52	1881	45,47	2,60
Anacona	15	2,06	3,90	2,17	1936	54,28	Keine
Bethlehem Steel	25,5	2,64	3,05	2,62	1939	44,62	1,20
Chrysler	28,5	1,05	2,72	-0,13	1926	42,40	0,60
DuPont	154	6,31	7,32	8,09	1904	55,22	5,00
Eastman Kodak	87	2,45	2,44	0,72	1902	13,70	1,32
General Electric	61,25	2,63	1,78	1,37	1899	14,92	1,40
General Foods	34	2,34	2,23	1,13	1922	14,13	1,40
General Motors	83	3,33	4,69	2,94	1915	33,39	3,40
Goodyear	33,5	2,11	2,01	1,04	1937	18,49	0,85
Inter. Harvester	28,5	1,16	2,30	1,87	1910	42,06	1,40
Inter. Nickel	31	2,27	2,10	0,94	1934	14,53	1,00
Inter. Paper	33	1,46	2,22	1,76	1946	23,68	1,50
Johns-Manville	39	2,02	2,33	1,62	1935	24,51	1,20
Owens-Illinois	52	3,89	3,69	2,24	1907	43,75	1,35
Procter & Gamble	71	2,91	2,33	1,02	1891	15,41	1,50
Sears Roebuck	68,5	3,19	2,87	1,17	1935	23,97	1,55
Std. Oil of Calif.	56	5,78	5,35	3,17	1912	54,79	2,80
Std. Oil of N.J.	72	6,51	5,88	2,90	1882	48,95	3,90
Swift & Co.	42	2,56	1,66	1,33	1934	26,74	0,70
Texaco	32	3,24	2,96	1,34	1903	23,06	1,60
Union Carbide	43,5	2,59	2,76	2,52	1918	29,64	2,00
United Aircraft	30,5	3,13	4,35	2,79	1936	47,00	1,80
U.S. Steel	29,5	3,53	3,81	4,85	1940	65,54	1,60
Westinghouse	96,5	3,26	3,44	2,26	1935	33,67	1,80
Woolworth	49	2,47	2,38	1,35	1912	25,47	1,20

a) korrigiert um Dividenden und Aktiensplits

Tabelle 14-2: Signifikante Verhältniszahlen am 30. September 1971

	Kurs/Gewinn		Aktuelle Dividendenrendite in %	Gewinnwachstum 1968-1970 gegenüber 1958-1960 in %	Akt. Vermögen/kurzfrist. Verbindlichkeiten[a]	Nettoumlaufvermögen/Schulden in %[b]	Kurs/Nettovermögenswert in %
	Sept. 1971	1968-1970					
Allied Chemical	18,3	18,0	3,7	-15	2,1	74	125
Aluminium Co. of Am.	10,7	8,8	4,0	149,0	2,7	51	84
Amer. Brands	10,1	11,8	5,1	64,7	2,1	138	282
Amer. Cans	12,4	8,9	6,6	52,5	2,1	91	83
Amer. Tel. & Tel.	10,8	11,0	6,0	55,2	1,1	-[c]	94
Anaconda	5,7	3,9	-	80,0	2,9	80	28
Bethlehem Steel	12,4	8,1	4,7	16,4	1,7	68	58
Chrysler	27,0	10,5	2,1	-[d]	1,4	78	67
DuPont	24,5	21,0	3,2	-9,0	3,6	609	280
Eastman Kodak	35,5	35,6	1,5	238,9	2,4	1764	635
General Electric	23,4	34,4	2,3	29,9	1,3	89	410
General Foods	14,5	15,2	4,1	97,3	1,6	254	240
General Motors	24,4	17,6	4,1	59,5	1,9	1071	247
Goodyear	15,8	16,7	2,5	93,3	2,1	129	80
Inter. Harvester	24,5	12,4	4,9	23,0	2,2	191	66
Inter. Nickel	13,6	16,2	3,2	123,4	2,5	131	213
Inter. Paper	22,5	14,0	4,6	26,1	2,2	62	139
Johns-Manville	19,3	16,8	3,0	43,8	2,6	-	158
Owens-Illinois	13,2	14,0	2,6	64,7	1,6	51	118
Procter & Gamble	24,2	31,6	2,1	128,4	2,4	400	460
Sears Roebuck	21,4	23,8	1,7	145,3	1,6	322	285
Std. Oil of Calif.	9,7	10,5	5,0	68,8	1,5	79	102
Std. Oil of N.J.	11,0	12,2	5,4	102,8	1,5	94	115
Swift & Co.	16,4	25,5	1,7	24,8	2,4	138	158
Texaco	9,9	10,8	5,0	120,9	1,7	128	138
Union Carbide	16,6	15,8	4,6	9,5	2,2	86	146
United Aircraft	9,7	7,0	5,9	55,9	1,5	155	65
U.S. Steel	8,3	6,7	5,4	-21,5	1,7	51	63
Westinghouse	29,5	28,0	1,9	52,2	1,8	145	2,86
Woolworth	19,7	20,5	2,4	76,3	1,8	185	1,90

a) Zahlen für das Fiskaljahr Ende 1970
b) Zahlen aus Moody's Industrial Manual
c) Negativsaldo für Nettoumlaufvermögen
d) ausgewiesenes Defizit für 1958 bis 1960

Tabelle 14-3: DJIA-Titel, die Ende 1970 verschiedene Investmentkriterien erfüllten

	American Can	American Tel. & Tel.	Anaconda	Swift	Woolworth	Durchschnitt der fünf Unternehmen
Kurs am 31.12.1970	39,75	48,875	21	30,125	36,5	
KGV 1970	11,0	12,3	6,7	13,5	14,4	11,6
KGV, 3 Jahre	10,5	12,5	5,4	18,1[b]	15,1	12,3
Kurs/Buchwert in %	99	108	38	113	148	112
Umlaufvermögen/kurzfristige Verbindlichkeiten	2,2	nicht anwendbar	2,9	2,3	1,8[c]	2,3
Nettoumlaufvermögen/ Schulden in %	110	nicht anwendbar	120	141	190	140
Stabilitätsindex[a]	85	100	72	77	99	86
Wachstum[a] in %	55	53	78	25	73	57

a) Siehe Definition vorne.

b) In Anbetracht der guten Leistung von Swift im schlechten Jahr 1970 vernachlässigen wir hier den Fehlbetrag.

c) Der geringe Fehlbetrag, hier unter 2 bis 1, wurde durch die Spanne für zusätzliche Kreditfinanzierung ausgeglichen.

nicht anwendbar, weil die Schulden von AT&T geringer waren als das Aktienkapital

Tabelle 14-4 zeigt die 15 Titel des Dow Jones Public-Utility Average. Als Vergleich dient Tabelle 14-5 mit einer zufälligen Auswahl von 15 anderen Versorgungsunternehmen, die an der New York Stock Exchange gelistet sind.

Zu Beginn des Jahres 1972 hätte der defensive Investor eine große Auswahl von Versorger-Aktien gehabt, die alle unseren Anforderungen hinsichtlich Performance und Kurs entsprochen hätte. Diese Unternehmen boten alles, was man sich wünschen könnte, wenn man ganz einfach in Aktien investieren wollte. Im Vergleich zu den prominenten Industrieunternehmen, die im DJIA enthalten sind, zeigten sie eine fast ebenso gute Leistungsbilanz, was das Wachstum in der Vergangenheit betrifft, außerdem geringere Schwankungen bei den jährlichen Zahlen und auch einen geringeren Aktienkurs im Verhältnis zu Gewinn und Eigenkapital. Die Dividendenrendite war deutlich höher. Die Position der Versorgungsunternehmen als reglementierte Monopole ist sicherlich eher ein Vorteil als ein Nachteil für den konservativen Investor. Nach dem Gesetz dürfen sie Tarife verlangen, die betriebswirtschaftlich von Vorteil sind, und sich das Kapital beschaffen, das erforderlich ist, um stetig zu expandieren. Dazu gehören auch angemes-

Tabelle 14-4: Daten zu den 15 Aktien im Dow Jones Utility Average am 30.9.1971

	Kurs am 30.9.1971	Gewinn[a]	Dividende	Buchwert	KGV	Kurs/ Buchwert in %	Dividen-den-rendite in %	Gewinn je Aktie 1970 im Ver-gleich zu 1960 in %
Am. Elec. Power	26	2,40	1,70	18,86	11	138	6,5	87
Cleveland El. Ill.	34,75	3,10	2,24	22,94	11	150	6,4	86
Columbia Gas System	33	2,95	1,76	25,58	11	129	5,3	85
Commonwealth Edison	35,5	3,05	2,20	27,28	12	130	6,2	56
Consolidated Edison	24,5	2,40	1,80	30,63	10	80	7,4	19
Consd. Nat. Gas	27,75	3,00	1,88	32,11	9	86	6,8	53
Detroit Edison	19,25	1,80	1,40	22,66	11	84	7,3	40
Houston Ltg. & Power	42,75	2,88	1,32	19,02	15	222	3,1	135
Niagara-Mohawk Pwr.	15,5	1,45	1,10	16,46	11	93	7,2	32
Pacific Gas & Elctric	29	2,65	1,64	25,45	11	114	5,6	79
Panhandle E. Pipe L.	32,5	2,90	1,80	19,95	11	166	5,5	79
Poples Gas Co.	31,5	2,70	2,08	30,28	8	104	6,6	23
Philadelphia El.	20,5	2,00	1,64	19,74	10	103	8,0	29
Public Svs. El. & Gas	25,5	2,80	1,64	21,81	9	116	6,4	80
Sou.Calif. Edison	29,25	2,80	1,50	27,28	10	107	5,1	85
Durchschnitt	28,5	2,66	1,71	23,83	10,7	121	6,2	65

a) Schätzung für das Jahr 1971

Tabelle 14-5: Daten zu einer zweiten Liste von Versorger-Aktien vom 30.9.1971

	Kurs am 30.9.1971	Gewinn[a]	Dividende	Buchwert	KGV	Kurs/Buchwert in %	Dividendenrendite in %	Gewinn je Aktie 1970 im Vergleich zu 1960 in %
Alabama Gas	15,5	1,50	1,10	17,80	10	87	7,1	34
Allegheny Power	22,5	2,15	1,32	16,88	10	134	6,0	71
Am. Tel. & Tel.	43	4,05	2,60	45,47	11	95	6,0	47
Am. Water Works	14	1,46	0,60	16,80	10	84	4,3	187
Atlantic City Elec.	20,5	1,85	1,36	14,81	11	138	6,6	74
Baltimore Gas & Elec.	30,25	2,85	1,82	23,03	11	132	6,0	86
Brooklyn Union Gas	23,5	2,00	1,12	20,91	12	112	7,3	29
Carolina PWR. & Lt.	22,5	1,65	1,46	20,49	14	110	6,5	39
Cen. Hudson G. & E.	22,25	2,00	1,48	20,29	11	110	6,5	13
Cen.Ill. Lt.	25,25	2,50	1,56	22,16	10	114	6,5	55
Cen.Maine Pwr.	17,75	1,48	1,20	16,35	12	113	6,8	62
Cincinnati Gas & Elec.	23,25	2,20	1,56	16,13	11	145	6,7	102
Consumers Power	29,5	2,80	2,00	32,59	11	90	6,8	89
Dayton Pwr. & Lt.	23	2,25	1,66	16,79	10	137	7,2	94
Demarva Pwr. & Lt.	16,5	1,55	1,12	14,04	11	117	6,7	78
Durchschnitt	23,5	2,15	1,50	21,00	11	112	6,5	71

a) Schätzung für das Jahr 1971

sene Ausgleiche für gestiegene Kosten. Auch wenn die Regulierung oft sehr lästig und vielleicht sogar hinderlich war, erzielten die Versorger über Jahrzehnte hinweg eine faire Rendite auf das steigende investierte Kapital.

Für den defensiven Investor liegt der besondere Reiz der Versorger-Aktien derzeit in ihrem in Relation zum Buchwert moderaten Kurs. Das bedeutet: Er kann die Überlegungen der Börse vernachlässigen, wenn er das will, und sich selbst als Mitinhaber eines etablierten und gut verdienenden Unternehmens sehen. Die Börsennotierungen hat er immer zur Verfügung, um Vorteile zu erzielen, wenn die Zeiten günstig sind - entweder für Käufe auf niedrigem Niveau oder für Verkäufe, wenn die Kurse zu hoch erscheinen.

Die Leistungsbilanz der Indizes der öffentlichen Versorgungsbetriebe - in Tabelle 14-6 mit der anderer Gruppen zusammengefasst - lässt vermuten, dass in der Vergangenheit mit diesen Investments reichlich Gewinne erzielt werden konnten. Zwar war der Anstieg nicht so steil wie beim DJIA, doch waren die Kurse der Versorgertitel meist stabiler als die anderer Branchen.[279] In dieser Tabelle überrascht, dass das relative KGV der Industrieunternehmen und der Versorger während der letzten beiden Jahrzehnte die Plätze getauscht haben.

Tabelle 14-6: Entwicklung der Kurse und KGVs für verschiedene S&P Averages in der Zeit zwischen 1948 und 1970

	Industrie-Aktien		Eisenbahn-Aktien		Versorger-Aktien	
Jahr	Kurs[a]	KGV	Kurs[a]	KGV	Kurs[a]	KGV
1948	15,34	6,56	15,27	4,55	16,77	10,03
1953	24,84	9,56	22,60	5,42	24,03	14,00
1958	58,65	19,88	34,23	12,45	43,13	18,59
1963	79,25	18,18	40,65	12,78	66,42	20,44
1968	113,02	17,80	54,15	14,21	69,69	15,87
1970	100,00	17,84	34,40	12,83	61,75	13,16

a) Die Kurse beziehen sich auf das Jahresende

Dieser „Platztausch" hat für den aktiven Anleger mehr Bedeutung als für den passiven Investor. Aber er zeigt auch, dass selbst defensive Portfolios von Zeit zu Zeit

279 In bemerkenswerter Weise wurde Grahams Meinung bestätigt: Der langweilige S&P Utility Index ließ den berühmten Nasdaq Composite Index in den 30 Jahren bis zum 31.12.2002 hinter sich.

verändert werden sollten, insbesondere wenn die Kurse der gekauften Aktien einen großen Sprung nach oben gemacht haben und durch Titel ersetzt werden könnten, die einen vernünftigeren Kurs aufweisen. Allerdings müssen Sie in diesem Fall Steuern auf Kapitalerträge bezahlen (allerdings nicht in Deutschland, wenn die Haltezeit von zwölf Monaten überschritten ist) – was für den typischen Investor untragbar ist. Unsere alte Verbündete, die Erfahrung, sagt uns hier, dass es besser ist zu verkaufen und Steuern zu bezahlen, als nicht zu verkaufen und es später zu bereuen.

Kapitalanlage in Aktien von Finanzunternehmen

In die Rubrik Finanzunternehmen könnte man sehr unterschiedliche Firmen einordnen. Dazu würden Banken, Versicherungsgesellschaften, Spar- und Darlehenskassen, Kreditinstitute und Institute für Kleinkredite, Hypothekenbanken und „Anlagegesellschaften" (zum Beispiel Fondsgesellschaften) zählen.[280] Für diese Unternehmen ist typisch, dass sie einerseits nur einen sehr geringen Teil ihres Vermögens in materiellen Anlagen halten, beispielsweise fest installierten Anlagen oder Lagerbeständen. Andererseits haben die meisten von ihnen kurzfristige Verbindlichkeiten, die ihr Aktienkapital übersteigen. Die Frage nach der finanziellen Gesundheit ist deshalb von größerer Bedeutung als im Fall eines typischen Produktionsbetriebs oder einer Handelsfirma. Dies wiederum gab Anlass zu verschiedenen Regulierungen und Überwachungen, damit man gegen unsaubere Machenschaften geschützt ist.

Ganz allgemein: Die Aktien von Finanzunternehmen haben Ergebnisse erwirtschaftet, die sich nicht wesentlich von denen anderer Aktien unterscheiden. Tabelle 14-7 zeigt die Kursveränderungen zwischen 1948 und 1970 in sechs Gruppen, die in den Kursindizes des S&P enthalten sind. Den Durchschnitt für 1941 bis 1943 haben wir als Basis mit zehn angenommen.

Die Zahlen am Jahresende schwankten zwischen 44,3 für die neun Banken in New York und 218 für die elf Aktien von Versicherungsgesellschaften. Im Verlauf

280 Heute zählt die Branche der Finanzdienstleister noch mehr Mitglieder, beispielsweise Geschäftsbanken, Spar- und Kreditbanken, Hypothekenbanken, Kreditkartenunternehmen, Vermögensverwalter und Treuhandgesellschaften, Investmentbanken sowie Broker, Versicherungsgesellschaften und Unternehmen, die sich an der Entwicklung und am Besitz von Wohneigentum beteiligen, und Immobilienfonds. Obwohl dieser Sektor heute wesentlich breiter gestreut ist, sind Grahams Warnungen zur finanziellen Gesundheit wichtiger denn je.

Tabelle 14-7: Relative Kursveränderungen von Aktien verschiedener Finanzdienstleister zwischen 1948 und 1970

	1948	1953	1958	1963	1968	1970
Lebensversicherungen	17,1	59,5	156,6	318,1	282,2	218,0
Gebäudehaftpflicht-versicherungen	13,7	23,9	41,0	64,7	99,2	84,3
Banken in New York City	11,2	15,0	24,3	36,8	49,6	44,3
Banken außerhalb von New York	16,9	33,3	48,7	75,9	96,9	83,3
Finanzgesellschaften	15,6	27,1	55,4	64,3	92,8	78,3
Gesellschaften für Kleinkredite	18,4	36,4	68,5	118,2	142,8	126,8
S&P Composite	13,2	24,8	55,2	75,0	103,9	92,2

Die Zahlen vom Jahresende stammen aus den S&P-Kursindizes. Der Durchschnitt von 1941 bis 1943 wird mit zehn angenommen.

der Intervalle gab es deutliche Schwankungen bei den Kursveränderungen. Beispielsweise hielten sich die New Yorker Banken zwischen 1958 und 1968 recht gut; umgekehrt verlor die Gruppe der Lebensversicherungen zwischen 1963 und 1968 an Boden. Diese „Überkreuz-Bewegungen" findet man in vielen, vielleicht sogar den meisten der zahlreichen Branchengruppen der S&P-Indizes.

Wir haben in diesem Bereich der Kapitalanlage keine wirklich hilfreichen Ratschläge zur Hand - außer dem, die gleichen arithmetischen Grundsätze für den Kurs in Relation zu den Gewinnen und dem Buchwert auch auf die Auswahl der Unternehmen in diesen Gruppen anzuwenden, wie wir es schon für den Industriebereich und für die öffentlichen Versorgungsunternehmen vorgeschlagen haben.

Eisenbahn-Aktien

Die Geschichte der Eisenbahnen unterscheidet sich deutlich von jener der Versorgungsunternehmen. Die Transporteure litten erheblich unter einer Kombination aus heftiger Konkurrenz und strikter Regulierung. (Ihr Problem der Lohnkosten war sicherlich ebenfalls sehr groß, doch es beschränkte sich nicht auf die Eisenbahnen. Autos, Busse und Fluggesellschaften nahmen der Eisenbahn einen großen Teil der Passagiere weg, und das Restgeschäft war höchst unrentabel. Die Lastkraftwagen übernahmen einen großen Teil des Gütertransports. Mehr als die

Hälfte der Eisenbahnlinien in diesem Land ging während der letzten 50 Jahre in Konkurs oder in „Treuhandverwahrung").

Doch dieses halbe Jahrhundert war nicht nur vom wirtschaftlichen Abstieg der Transporteure geprägt. Es gab für diese Branche auch Blütezeiten, insbesondere in den Kriegsjahren. Einige Eisenbahnlinien schafften es trotz der Schwierigkeiten, ihre Ertragskraft und die Dividendenzahlungen zu erhalten. Der S&P stieg vom Tief von 1942 bis zum Hoch von 1968 um das Siebenfache knapp auf den prozentualen Gewinn des Index der öffentlichen Versorgungsunternehmen. Der Konkurs der Penn Central Transportation Co. im Jahr 1970, unserer wichtigsten Eisenbahngesellschaft, schockierte die gesamte Finanzwelt. Nur ein und zwei Jahre zuvor wurde die Aktie mit einem Schlusskurs gehandelt, der auf dem höchsten Niveau ihrer Geschichte lag, und über 120 Jahre lang wurden regelmäßig Dividenden ausgezahlt! (Weiter unten präsentieren wir Ihnen eine kurze Analyse dieser Eisenbahngesellschaft, um zu zeigen, wie bereits ein Student die sich entwickelnde Schwäche des Unternehmens hätte erkennen können und vom Kauf dieser Aktien abgeraten hätte.) Das Marktniveau aller Eisenbahn-Aktien wurde von dieser finanziellen Katastrophe in Mitleidenschaft gezogen.

Es ist normalerweise unvernünftig, pauschale Empfehlungen zu ganzen Gruppen von Aktien zu geben, und es gibt auch Einwände gegen diese Pauschalurteile. Die Leistungsbilanz der Kurse der Eisenbahngesellschaften in Tabelle 14-6 verdeutlicht, dass die Gruppe als Ganze oftmals Chancen für hohe Gewinne geboten hat. (Unserer Ansicht nach waren die Kurssteigerungen an sich jedoch weitgehend ungerechtfertigt.) Wir wollen unseren Vorschlag eingrenzen: Es gibt keinen zwingenden Grund für einen Investor, unbedingt Aktien von Eisenbahngesellschaften zu besitzen. Kauft er jedoch solche Aktien, sollte er zumindest sicherstellen, dass er für sein Geld so viel Wert erhält, dass es unvernünftig wäre, stattdessen nach etwas anderem zu suchen.[281]

Die Auswahl für den defensiven Investor

Jeder Anleger würde es gern sehen, wenn seine Aktienliste besser oder vielversprechender als der Durchschnitt wäre. Somit wird der Leser fragen, ob er, wenn

281 Heute sind nur einige wichtige Eisenbahngesellschaften übrig geblieben. Dazu zählen Burlington Northern, CSX, Norfolk Southern und Union Pacific. Die Empfehlung in diesem Abschnitt ist zumindest für Aktien von Fluggesellschaften relevant – wegen der aktuellen massiven Verluste und einem halben Jahrhundert fast ununterbrochen schlechter Ergebnisse –, so wie es zu Lebzeiten Grahams den Eisenbahngesellschaften erging.

er sich einen kompetenten Berater oder einen Aktienanalysten besorgt, dann nicht so beraten wird, dass er ein Investmentpaket bekommt, das ihm wirklich überragende Gewinne einbringt. Immerhin, könnte er sagen, sind die Regeln, die sie dargestellt haben, ja ziemlich einfach. Ein gut ausgebildeter Analyst sollte doch in der Lage sein, sein Können und seine Techniken einzusetzen, um so etwas wie die Liste der Dow-Aktien zu übertreffen. Falls nicht, welchen Sinn haben dann all die Statistiken, Berechnungen und Beurteilungen?

Nehmen wir als praktischen Test an, wir hätten 100 Analysten gebeten, „ihre" besten fünf Aktien aus dem Dow aufzulisten, die am Ende des Jahres 1970 gekauft werden sollten. Einige würden eine identische Zusammenstellung anfertigen, doch viele Listen würden sich völlig voneinander unterscheiden.

Das ist gar nicht so überraschend, wie es auf den ersten Blick erscheinen mag. Die zugrunde liegende Ursache ist, dass der aktuelle Kurs einer jeden bekannten Aktie die finanzielle Leistungsbilanz und die allgemeine Meinung über die künftigen Aussichten reflektiert. Somit ist die Ansicht eines jeden Analysten, dass eine Aktie besser sei als die anderen, zu einem großen Teil von seinen persönlichen Vorlieben und Erwartungen abhängig, oder er bewertet bestimmte Faktoren stärker als ein anderer. Wären sich alle Analysten einig, dass eine bestimmte Aktie besser sei als alle anderen, dann würde dieser Titel schnell einen Kurs erreichen, der sehr schnell all seine zuvor bestehenden Vorteile zunichte machen würde.[282]

Unsere Aussage, dass die aktuellen Kurse sowohl die bekannten Fakten als auch die Zukunftserwartungen reflektieren, soll betonen, dass beides eine Bedeutung für die Bewertung durch den Markt hat. In Entsprechung dieser beiden Bewertungselemente gibt es zwei völlig verschiedene Ansätze in der Aktienanalyse. Um sicher zu sein, schaut jeder kompetente Analyst eher in die Zukunft als in die

---

282 Graham gibt eine Zusammenfassung der „Hypothese des effizienten Marktes", eine Theorie, die behauptet, dass der Kurs einer jeden Aktie bereits alle öffentlich zugänglichen Informationen über das Unternehmen enthält. Bei täglich Millionen von Anlegern, die den Markt durchsuchen, ist es eher unwahrscheinlich, dass schwer wiegende Fehler bei der Kursentwicklung lange Bestand haben können. Hierzu passt folgender Witz: Zwei Professoren der Finanzwissenschaften gehen den Bürgersteig entlang. Als einer der beiden einen 20-Dollar-Schein findet und sich bückt, um ihn aufzuheben, hält der andere ihn am Arm fest und sagt: „Gib dir keine Mühe. Wäre es wirklich ein 20-Dollar-Schein, dann hätte ihn bereits jemand aufgehoben." Auch wenn der Markt nicht immer perfekt effizient ist, ist er es die meiste Zeit dennoch – und deshalb wird der intelligente Investor die 20-Dollar-Scheine an der Börse nur dann aufheben, nachdem er sie gründlich untersucht und die Steuern und Transaktionskosten minimiert hat.

Vergangenheit und stellt fest, dass diese Arbeit sich als gut oder schlecht erweisen wird, je nachdem, was geschehen *wird*, und nicht, was *bereits geschehen* ist. Dennoch kann man die Zukunft auf zweierlei Weise angehen: mit *Vorhersagen* oder mit *Absicherung*.[283]

Die Analysten, die den Schwerpunkt auf Vorhersagen legen, werden sich bemühen, so genau wie möglich zu antizipieren, was das Unternehmen in den kommenden Jahren leisten kann - insbesondere ob mit Gewinnen und anhaltendem Wachstum gerechnet werden kann. Diese Schlussfolgerungen können auf sehr sorgfältigen Untersuchungen von Faktoren wie Angebot und Nachfrage in der Branche - oder Absatz, Preis und Kosten - basieren. Sie können aber auch durch eine - ziemlich naive - Projektion des Wachstums der Vergangenheit in die Zukunft getroffen werden. Wenn die Experten überzeugt sind, dass ihre langfristigen Vorhersagen außergewöhnlich günstig sind, werden sie diese Aktie fast immer zum Kauf empfehlen, ohne dass sie das Niveau, auf dem die Aktie gehandelt wird, berücksichtigen. So hatte beispielsweise die allgemeine Einstellung zu Aktien von Luftfrachtgesellschaften viele Jahre Bestand, und das trotz der besorgniserregenden schlechten Ergebnisse, die nach 1946 ausgewiesen wurden. In der Einführung haben wir auf das Missverhältnis zwischen einem starken Kurs und den relativ enttäuschenden Ergebnissen dieser Branche hingewiesen.

Im Gegensatz dazu sorgen sich diejenigen, die auf Absicherung setzen, bei der Recherche besonders um den Kurs des Titels. Ihr wichtigstes Anliegen ist, sich eine deutliche Spanne des aktuellen Wertes über dem Börsenwert zu sichern - denn diese Spanne könnte ungünstige Entwicklungen auffangen. Ganz allgemein: Es ist für sie deshalb nicht so dringend, von den künftigen Aussichten des Unternehmens begeistert zu sein, weil sie davon ausgehen, dass das Unternehmen gut zurechtkommen wird.

---

283 Dies ist einer der zentralen Punkte dieses Buches. Alle Anleger arbeiten unter einer geradezu grausamen Ironie: Wir investieren in der Gegenwart, doch investieren wir für die Zukunft. Und leider ist die Zukunft fast völlig unsicher. Inflation und Zinssätze sind unzuverlässig; wirtschaftliche Rezessionen kommen und gehen ganz zufällig; weltpolitische Umbrüche wie Kriege, Warenknappheit und Terrorismus kommen ohne Vorwarnung, und das Schicksal einzelner Unternehmen und ihrer Branchen verläuft oft ganz anders, als der Investor es erwartet. Deshalb ist die Kapitalanlage auf der Basis von Vorhersagen eine Narretei; selbst die Vorhersagen der so genannten Experten sind mehr oder weniger ebenso zuverlässig wie der Wurf einer Münze. Für die meisten Menschen ist die Kapitalanlage auf der Basis der Absicherung - davor, zu viel zu bezahlen, und vor einem übersteigerten Vertrauen in das eigenen Urteilsvermögen - die beste Lösung. Darauf geht Graham in Kapitel 20 noch ausführlicher ein.

Den ersten Ansatz, die Vorhersage, könnte man auch qualitativ nennen, da hier besonderes Gewicht auf die Aussichten, das Management und auf andere, nicht messbare, dennoch höchst wichtige Faktoren gelegt wird, die unter dem Begriff Qualität subsumiert werden. Den zweiten - absichernden - Ansatz könnte man den quantitativen oder statistischen Ansatz nennen, weil er die messbaren Verhältnisse zwischen dem Verkaufspreis und den Gewinnen, dem Vermögen, den Dividenden und so weiter betont. Übrigens ist die quantitative Methode in Wirklichkeit eine Erweiterung - in den Bereich der Stammaktien - der Ansicht, dass die Wertpapieranalyse eine gute Möglichkeit zur Auswahl von Anleihen und Vorzugsaktien als Kapitalanlage ist.

Wir selbst hielten uns im Rahmen unserer beruflichen Tätigkeit immer an den quantitativen Ansatz. Von Anfang an wollten wir sicher sein, dass wir für unser Geld viel Wert bekamen, und das in konkreter und darstellbarer Hinsicht. Wir waren nicht bereit, die Aussichten und Versprechungen für die Zukunft als Ersatz für hinreichenden Wert hinzunehmen. Das war unter den Investmentexperten keineswegs üblich; die meisten Analysten sind wahrscheinlich nicht der Meinung, dass die Zukunftsaussichten, die Qualität des Managements, andere immaterielle Umstände und der „Faktor Mensch" die Indizien, die aus der früheren Leistungsbilanz, der Bilanz und anderer „harter" Zahlen stammen, mehr als aufwiegen können.

Somit wird die Auswahl der „besten Aktie" im Grunde genommen höchst kontrovers diskutiert. Wir raten dem defensiven Investor, die Entscheidung selbst zu treffen. Er sollte der Diversifizierung mehr Bedeutung zumessen als der individuellen Auswahl. Übrigens ist die allgemein akzeptierte Vorstellung der Diversifizierung, zumindest teilweise, die Verneinung der ehrgeizigen Ansprüche der Selektivität. *Gelänge* es jemandem, ohne sich zu irren, die beste Aktie auszuwählen, dann könnte man durch Diversifizierung nur verlieren. Dennoch ist innerhalb der Grenzen der vier wichtigsten allgemeinen Regeln der Auswahl von Stammaktien noch viel Platz für eigene Vorlieben. Schlimmstenfalls würde die Schwäche persönlicher Vorlieben keinen Schaden anrichten; in den anderen Fällen könnte es sich durchaus positiv auf die Ergebnisse auswirken. Je mehr die technischen Entwicklungen die langfristigen Ergebnisse von Unternehmen beeinflussen, desto stärker muss der Investor sie bei seinen Berechnungen berücksichtigen. Hier müssen wir, genau wie in anderen Bereichen, einen Mittelweg zwischen Vernachlässigung und Überbetonung suchen.

Kommentar zu Kapitel 14

> Wer sich auf sichere Gewinne verlassen will, wird es kaum zu großem Reichtum bringen, und wer alles auf Abenteuer setzt, wird oftmals einbrechen und in Armut enden. Deshalb ist es gut, die Abenteuer durch Sicherheiten zu schützen, um die Verluste in Grenzen halten.
>
> *Sir Francis Bacon*

Wie man anfängt

Wie sollte man mit der mühseligen Arbeit der Aktienauswahl beginnen? Graham schlägt vor, der defensive Investor solle „am einfachsten" jede Aktie kaufen, die im Dow Jones Industrial Average enthalten ist. Der defensive Investor von heute kann es noch besser machen – indem er bei einer Fondsgesellschaft einen kompletten Aktienindex kauft, der wirklich jede Aktie enthält, die es wert ist, gehalten zu werden. Ein preisgünstiger Indexfonds ist das beste Hilfsmittel, das jemals für eine Kapitalanlage in Aktien geschaffen wurde, um die man sich nicht besonders kümmern muss – und jeder andere Versuch, die Performance zu verbessern, verursacht viel mehr Arbeit (und schließt mehr Risiken und höhere Kosten ein), als ein wirklich defensiver Investor rechtfertigen kann.

Recherche und Auswahl eigener Aktien sind überflüssig; für die meisten Menschen ist dies nicht einmal anzuraten. Allerdings genießen einige defensive Anleger auch den Unterhaltungswert und die intellektuelle Herausforderung, eigene Aktien auszuwählen – und wenn man einen Bärenmarkt überstanden hat und immer noch seinen Spaß daran hat, die Aktien selbst auszuwählen, dann gibt es nichts, was Graham oder ich sagen könnten, um Sie vom Gegenteil zu überzeugen. In diesem Fall sollten Sie einen Aktienindex nicht zu Ihrem Gesamtportfolio machen, sondern ihn als Grundlage benutzen. Wenn diese Grundlage geschaffen ist, dann können Sie mit Ihrer persönlichen Aktienauswahl immer noch experimentieren. Halten Sie 90 % Ihres Anlagekapitals in einem Indexfonds, und mit den restlichen 10 % können Sie Ihre persönliche Auswahl treffen. Allerdings sollten Sie erst, nachdem Sie diesen soliden Kern erstellt haben, Ihre eigenen Erfahrungen machen. Warum eine so breite Diversifizierung so enorm wichtig ist, zeigt folgender Kasten.

Weshalb diversifizieren?

Während des Bullenmarktes der 90er-Jahre lautete die meistverbreitete Kritik an der Diversifizierung, dass sie das Potenzial für höhere Gewinne verringere. Immerhin könnten Sie ja die nächste Microsoft erkennen, und würde es dann nicht Sinn machen, alle Eier in einen Korb zu legen?

Ja, sicher. Wie der Humorist Will Rogers einmal sagte: „Lassen Sie die Finger vom Glücksspiel. Nehmen Sie Ihre gesamten Ersparnisse und kaufen Sie einige gute Aktien, warten Sie, bis die Kurse gestiegen sind, und verkaufen Sie sie dann. Und wenn die Kurse nicht steigen, dann sollten Sie diese Aktien auch nicht kaufen."

Wie dem auch immer sei: Schon Rogers wusste, dass eine hundertprozentige Vorahnung keine Gabe ist, die jedem Investor geschenkt wurde. Ganz gleich, wie zuversichtlich wir uns fühlen, es gibt einfach keine Möglichkeit herauszufinden, ob der Kurs einer Aktie steigen wird, *nachdem* wir sie gekauft haben. Deshalb könnte sich die Aktie, von der Sie glauben, sie könnte sich als „die nächste Microsoft" erweisen, stattdessen durchaus auch als „die nächste MicroStrategy" herausstellen. (Der frühere Börsenstar fiel von 3.130 $ je Aktie im März 2000 auf 15,10 $ zum Jahresende 2002, ein apokalyptischer Verlust von 99,5 %).[284] Wenn Sie Ihr Geld auf viele Aktien und Branchen verteilen, dann ist dies die einzige zuverlässige Möglichkeit, sich gegen das Risiko abzusichern, danebenzuliegen.

Diversifizierung mindert jedoch nicht nur die Wahrscheinlichkeit, dass Sie völlig falsch liegen. Sie maximiert auch die Wahrscheinlichkeit, dass Sie Recht haben. Über einen längeren Zweitraum hinweg werden sich einige Aktien als Super-Papiere erweisen, die ihren Kurs um 10.000 % oder noch mehr steigern. Die Zeitschrift *Money* suchte 2002 die 30 Aktien mit der besten Performance der zurückliegenden 30 Jahre – und sogar im hundertprozentig sicheren Rückblick erscheint diese Liste recht erstaunlich.

284 Korrigiert um Aktiensplits. Vielen Anlegern erschien MicroStrategy Anfang des Jahres 2000 tatsächlich wie eine neue Microsoft; der Kurs war 1999 um 566,7 % gestiegen, und der Vorsitzende, Michael Saylor, erklärte, dass „unsere Zukunft heute besser aussieht als noch vor 18 Monaten". Die SEC klagte MicroStrategy später wegen Betrugs bei der Rechnungslegung an, und Saylor bezahlte eine Strafe in Höhe von 8,3 Millionen $, um die Anklage abzuwehren.

Statt vieler Technologie-Aktien oder solcher aus dem Gesundheitswesen enthält die Liste Southwest Airlines, Worthington Steel, Discountläden und den Schnupftabakhersteller UST Inc.[285] Wenn Sie meinen, Sie hätten schon im Jahr 1972 fest an diese Aktien geglaubt, dann lügen Sie sich in die eigene Tasche.

Betrachten Sie es einmal so: In dem sprichwörtlich riesigen Heuhaufen der Börse gibt es immer nur einige wenige Nadeln, die wirklich gigantische Gewinne erzielen. Je mehr Heu Sie besitzen, desto höher ist die Wahrscheinlichkeit, dass Sie in Ihrem Heuhaufen zumindest eine dieser Nadeln finden. Wenn Sie aber den gesamten Heuhaufen besitzen (idealerweise im Rahmen eines Indexfonds, der den gesamten amerikanischen Aktienmarkt erfasst), dann können Sie sicher sein, jede Nadel zu finden und somit auch die Gewinne der Super-Aktien zu kassieren. Weshalb sollten dann Sie als defensiver Anleger nach den Nadeln suchen, wenn Sie den ganzen Heuhaufen haben können?

Testen, testen, testen ...

Wir wollen noch einmal kurz die Kriterien zur Aktienauswahl zusammenfassen, die Graham empfohlen hat.

Angemessene Größe. Heute sollten sich, um „alle kleinen Unternehmen auszuschließen", die defensiven Anleger von Aktien mit einem gesamten Börsenwert von weniger als 2 Milliarden $ fern halten. Anfang 2003 konnten sie immerhin noch aus 437 Unternehmen des S&P 500 auswählen.

Allerdings können defensive Investoren heute – anders als zu Lebzeiten Grahams – ganz bequem auch kleine Unternehmen kaufen, wenn sie einen Investmentfonds finden, der sich auf kleine Unternehmen spezialisiert. Und wiederum ist ein Indexfonds wie der Vanguard Small-Cap Index die erste Wahl, obwohl es auch aktive Fonds zu vernünftigen Preisen gibt, beispielsweise von Ariel, T. Rowe Price, Royce und Third Avenue.

Starke finanzielle Position. Nach den Aussagen der Börsenstrategen Steve Galbraith und Jay Lasus von Morgan Stanley erfüllten zu Beginn des Jahres 2003

285 Jon Birger, „The 30 Best Stocks", Money, Herbst 2002, S. 88–95.

etwa 120 Unternehmen im S&P 500 Grahams Bedingung eines Kurs-Umlaufvermögen-Verhältnisses von 2:1. Wenn das Umlaufvermögen mindestens doppelt so hoch ist wie die kurzfristigen Verbindlichkeiten, dann haben diese Unternehmen ein ausreichendes Polster an Betriebskapital, das sie - in der Regel - auch in schwierigen Zeiten über Wasser halten sollte.

Die Wall Street hat sich schon immer in bitterer Ironie hervorgetan, und das Platzen der Blase der Wachstumsaktien war wirklich „erste Sahne": In den Jahren 1999 und 2000 glaubte man, dass Aktien aus den Bereichen High-Tech, Bio-Tech und Telekommunikation „aggressives Wachstum" bieten würden. Stattdessen mussten die meisten Investoren derbe Rückschläge einstecken. Doch zu Beginn des Jahres 2003 schloss sich der Kreis, und viele aggressive Wachstumsaktien wurden finanziell konservativ - mit viel Betriebskapital, reich an Barmitteln und oftmals sogar schuldenfrei. Folgende Tabelle bietet einen Überblick:

Abb. 14-1: Alles Neue ist schon wieder alt

Unternehmen	Betriebskapital	Kurzfristige Verbindlichkeiten	Verhältnis von Betriebskapital zu kurzfristigen Verbindlichkeiten	Langfristige Schulden	Verhältnis der langfristigen Schulden zum Nettoumlaufvermögen
Applied Micro Circuits	1.091,2	61,9	17,6	0,0	keines
Linear Technologie	1.736,4	148,1	11,7	0,0	keines
Qlogic Corp.	713,1	69,6	10,2	0,0	keines
Analog Devices	3.711,1	467,3	7,9	1.274,5	0,39
Qualcomm Inc.	4.368,5	654,9	6,7	156,9	0,04
Maxim Integrated Products	1.390,5	212,3	6,5	0,0	keines
Applied Materials	7.878,7	1.298,4	6,1	573,9	0,09
Tellabs Inc.	1.533,6	257,3	6,0	0,5	0,0004
Scientific-Atlanta	1.259,8	252,4	5,0	8,8	0,01
Altera Corp.	1.176,2	240,5	4,9	0,0	Keines
Xilinx Inc.	1.108,8	228,1	4,9	0,0	Keines
American Power Conversion	1.276,3	277,4	4,6	0,0	Keines
Chiron Corp.	1.393,8	306,7	4,5	414,9	0,38
Biogen Inc.	1.194,7	265,4	4,5	39	0,04
Novellus Systems	1.633,9	381,6	4,3	0,0	Keines
Amgen Inc.	6.403,5	1.529,2	4,2	3.039,7	0,62

Unternehmen	Betriebs-kapital	Kurzfristige Verbindlich-keiten	Verhältnis von Betriebskapi-tal zu kurzfris-tigen Verbind-lichkeiten	Langfristige Schulden	Verhältnis der langfristigen Schulden zum Nettoumlauf-vermögen
LSI Logic Corp.	1.626,1	397,8	4,1	1.287,1	1,05
Rowan Cos.	469,9	116,0	4,1	494,8	1,40
Biomet Inc.	1.000,0	248,6	4,0	0,0	Keines
Siebel Systems	2.588,4	646,5	4,0	315,6	0,16

Alle Beträge in Mio. $ aus den letzten verfügbaren Finanzberichten zum 31.12.2002. Nettoumlaufvermögen ist das Betriebskapital abzüglich der kurzfristigen Verbindlichkeiten. Zu den langfristigen Schulden zählen Vorzugsaktien, ohne aufgeschobene Steuerverpflichtungen. Quelle: Morgan Stanley; Baseline; EDGAR Datenbank unter www.sec.gov.
Im Jahr 1999 zählten die meisten dieser Unternehmen zu den „heißesten Lieblingen" der Börsen und versprachen hohes potenzielles Wachstum. Anfang 2003 boten sie erwiesenermaßen echte Werte.

Die Lehre hieraus lautet nun nicht, dass diese Aktien eine „sichere Sache" waren oder dass Sie nun losrennen und alles (oder etwas davon) kaufen sollten, das in der obigen Tabelle enthalten ist.[286] Stattdessen sollten Sie erkennen, dass ein defensiver Anleger immer davon profitieren kann, wenn er geduldig und ruhig die Trümmer eines Bärenmarktes durchsucht. Grahams Bedingung der finanziellen Stärke funktioniert immer noch: Wenn Sie ein diversifiziertes Aktienportfolio einrichten und das Umlaufvermögen der jeweiligen Unternehmen mindestens doppelt so hoch ist wie die kurzfristigen Verbindlichkeiten und die langfristigenVerbindlichkeiten das Nettoumlaufvermögen nicht übersteigen, dann sollten Sie konservativ finanzierte Unternehmen suchen, die über ausreichende Standfestigkeit verfügen. Heute findet man die besten Werte oft bei Aktien, die einstmals sehr „heiß" waren und sich nunmehr abgekühlt haben. Im Lauf der Zeit boten derartige Aktien oft die Sicherheitsspanne, die ein defensiver Investor verlangt.

Stabilität der Gewinne. Laut Morgan Stanley konnten 86 % aller im S&P enthaltenen Unternehmen in jedem Jahr zwischen 1993 und 2002 Gewinne verzeichnen. Aus diesem Grund bleibt Grahams Forderung, „dass die Stammaktien in jedem der vergangenen zehn Jahre Gewinne erzielen konnten", ein gültiger Prüfungsbestandteil – eindeutig genug, um chronische Verlierer auszuschließen, allerdings nicht so restriktiv, dass Ihnen nur noch eine unrealistisch geringe Auswahl bleibt.

286 Zu der Zeit, zu der Sie dieses Buch lesen, wird sich seit Ende des Jahres 2002 vieles verändert haben.

Leistungsbilanz der Dividenden. Anfang 2003, so Standard & Poor's, schütteten 354 der im S&P 500 enthaltenen Unternehmen (oder 71 %) Dividenden aus. Nicht weniger als 255 Unternehmen zahlten über 20 Jahre hinweg ununterbrochen Dividenden. Und laut S&P haben 57 der im Index enthaltenen Unternehmen in mindestens 25 aufeinander folgenden Jahren die Dividenden *erhöht*. Das ist zwar keine Garantie dafür, dass es immer so weitergeht, aber ein beruhigendes Anzeichen ist es schon.

Gewinnwachstum. Wie viele der im S&P 500 enthaltenen Unternehmen erhöhten zwischen 1992 und 2002 den Gewinn je Aktie um „mindestens ein Drittel"? (Wir ermitteln den durchschnittlichen Gewinn eines jeden Unternehmens von 1991 bis 1993, und dann bestimmen wir, ob der durchschnittliche Gewinn je Aktie von 2000 bis 2002 um mindestens 33,3 % höher war.) Laut Morgan Stanley bestanden 264 Unternehmen des S&P 500 diesen Test. Aber hier, so scheint es, legte Graham die Hürde ein wenig zu niedrig: Ein Gesamtwachstum von 33,3 % über ein Jahrzehnt hinweg entspricht einem Wachstum von weniger als 3 % pro Jahr. Ein Gesamtwachstum des Gewinns je Aktie von mindestens 50 % – oder ein durchschnittliches jährliches Wachstum von 4 % – ist etwas weniger konservativ. Nicht weniger als 245 Unternehmen des S&P 500 nahmen bis Anfang 2003 diese Hürde und ließen dem defensiven Investor eine lange Liste von Aktien zur Auswahl. (Hätte man die Hürde des kumulativen Wachstums auf 100 % verdoppelt, was einem durchschnittlichen jährlichen Wachstum von 7 % entspricht, dann hätten 198 Unternehmen die Hürde genommen.)

Moderates KGV. Graham empfiehlt, sich auf Aktien zu beschränken, deren Kurs nicht höher ist als die 15fachen durchschnittlichen Jahresgewinne der vergangenen drei Jahre. Es ist unglaublich, aber heute bewertet man an der Wall Street Aktien, indem man den aktuellen Kurs durch den „erwarteten Gewinn des kommenden Jahres" dividiert. Damit erhält man das „voraussichtliche KGV". Doch ist es völlig sinnlos, ein KGV zu berechnen, indem man einen aktuellen Kurs durch noch unbekannte, künftige Gewinne dividiert. Langfristig, so wies der Money-Manager David Dreman nach, verfehlen 59 % der von der Wall Street angenommenen Gewinnvorhersagen ihr Ziel um eine tödliche Spanne – die tatsächlichen Gewinne liegen um etwa 15 % höher oder niedriger.[287] Wenn Sie Ihr Geld auf der Grundlage dessen anlegen, was diese kurzsichtigen Hellseher für das kommende

---

287 David Dreman, „Bubbles and the Role of Analyst's Forecasts", The Journal of Psychology and Financial Markets, Bd. 3, Nr. 1 (2002), S. 4–14.

Abb. 14-2: Stetige Dividenden – Diese Unternehmen haben ausnahmslos jedes Jahr eine höhere Dividende gezahlt

Name des Unternehmens	Bereich	Bardividende gezahlt seit	Anzahl der jährlichen Dividendenerhöhungen in den letzten 40 Jahren
3M Co	Industrie	1916	40
Abbott Laboratories	Gesundheitswesen	1926	35
ALLTEL Corp	Telekommunikation	1961	37
Altria Group (Früher Philip Morris)	Verbrauchsgüter	1928	36
AmSouth Bancorp	Finanzen	1943	34
Anheuser-Bush Cos	Verbrauchsgüter	1932	39
Archer-Daniels-Midland	Verbrauchsgüter	1927	32
Automatic Data Proc	Industrie	1974	29
Avery Dennison Corp	Industrie	1964	36
Bank of America	Finanzen	1903	36
Bard (C.R.)	Gesundheitswesen	1960	36
Becton, Dickinson	Gesundheitswesen	1926	38
CenturyTel Inc	Telekommunikation	1974	29
Chubb Corp	Finanzen	1902	28
Clorox Co	Verbrauchsgüter	1968	30
Coca-Cola Co	Verbrauchsgüter	1893	40
Comerica Inc	Finanzen	1936	39
ConAgra Foods	Verbrauchsgüter	1976	32
Consolidated Edison	Versorgungsunternehmen	1885	31
Donnellery (R. R.) & Sons	Industrie	1911	36
Dover Corp	Industrie	1947	37
Emerson Electric	Industrie	1947	40
Family Dollar Stores	Diverse Verbrauchsgüter	1976	27
First Tenn Natl.	Finanzen	1895	31
Gannett Co	Diverse Verbrauchsgüter	1929	35
General Electric	Industrie	1899	35
Grainger (W. W.)	Industrie	1965	33
Heinz (H. J.)	Verbrauchsgüter	1911	38

Name des Unternehmens	Bereich	Bardividende gezahlt seit	Anzahl der jährlichen Dividendenerhöhungen in den letzten 40 Jahren
Household Intl.	Finanzen	1926	40
Jefferson-Pilot	Finanzen	1913	36
Johnson & Johnson	Gesundheitswesen	1944	40
Johnson Controls	Diverse Verbrauchsgüter	1887	29
KeyCorp	Finanzen	1963	36
Kimberly-Clark	Verbrauchsgüter	1935	34
Leggett & Platt	Diverse Verbrauchsgüter	1939	33
Lilly (Eli)	Gesundheitswesen	1885	38
Lowe's Cos.	Diverse Verbrauchsgüter	1961	40
May Dept Stores	Diverse Verbrauchsgüter	1911	31
McDonald's Corp.	Diverse Verbrauchsgüter	1976	27
McGraw-Hill Cos.	Diverse Verbrauchsgüter	1937	35
Merck & Co	Gesundheitswesen	1935	38
Nucor Corp.	Rohstoffe	1973	30
PepsiCo Inc.	Verbrauchsgüter	1952	35
Pfizer, Inc.	Gesundheitswesen	1901	39
PPG Indus.	Rohstoffe	1899	37
Procter & Gamble	Verbrauchsgüter	1891	40
Regions Financial	Finanzen Rohstoffe	1968	32
Rohm & Haas	Rohstoffe	1927	38
Sigma-Aldrich	Rohstoffe	1970	28
Stanley Works	Diverse Verbrauchsgüter	1877	37
Supervalu Inc.	Verbrauchsgüter	1936	36
Target Corp.	Diverse Verbrauchsgüter	1965	34
TECO Energy	Versorgungsunternehmen	1900	40
U. S. Bancorp	Finanzen	1999	35
VF Corp.	Diverse Verbrauchsgüter	1941	35
Wal-Mart-Stores	Diverse Verbrauchsgüter	1973	29
Walgreen Co.	Verbrauchsgüter	1933	31

Quelle: Standard & Poor's Corp. Die Daten entsprechen dem Stand vom 31.12.2002

Jahr vorhersagen, dann ist das ebenso riskant, als ob Sie freiwillig die Zielscheibe bei einer Meisterschaft der Blinden im Bogenschießen halten wollten. Stattdessen sollten Sie das KGV selbst berechnen, indem Sie Grahams Formel verwenden, bei der der aktuelle Kurs durch die durchschnittlichen Gewinne der letzten drei Jahre dividiert wird.[288]

Wie viele Aktien des S&P 500 wurden Anfang 2003 mit weniger als dem 15fachen der durchschnittlichen Gewinne der letzten drei Jahre bewertet? Laut Morgan Stanley hätten insgesamt 185 Unternehmen diese Prüfung bestanden.

Mäßiges Kurs-Buchwert-Verhältnis. Graham empfiehlt ein „Verhältnis des Kurses zum Vermögen" (oder Kurs-Buchwert-Verhältnis) von nicht mehr als 1,5. In den letzten Jahren wurden immer mehr immaterielle Werte wie Franchise-Verträge, Markennamen, Patente und Warenzeichen in den Wert eines Unternehmens einbezogen. Da diese Faktoren (zusammen mit dem Goodwill aus Akquisitionen) nicht zur normalen Definition des Buchwerts zählen, haben heute die meisten Unternehmen ein höheres Kurs-Buchwert-Verhältnis als zu Zeiten Grahams. Laut Morgan Stanley weisen 123 Unternehmen (oder jedes vierte Unternehmen) ein Vielfaches des Buchwerts von 1,5 auf. Letztlich weisen 273 Unternehmen (oder 55 % des Index) ein Kurs-Buchwert-Verhältnis von weniger als 2,5 auf.

Und was ist mit Grahams Vorschlag, das KGV mit dem Kurs-Buchwert-Verhältnis zu multiplizieren und darauf zu achten, dass das Ergebnis unter 22,5 liegt? Auf der Grundlage der Daten von Morgan Stanley konnten Anfang 2003 142 der im S&P 500 enthaltenen Aktien diesen Test bestehen, darunter auch Dana Corp., Electronic Data Systems, Sun Microsystems und Washington Mutual. Und so funktioniert Grahams „gemischter Multiplikator" immer noch als Raster, um vernünftig bewertete Aktien zu erkennen.

Sorgfältig prüfen

Gleichgültig, wie defensiv Sie als Anleger sind – in Grahams Sinn, die Arbeit der Aktienauswahl zu minimieren: Es gibt einige Schritte, die Sie nicht vernachlässigen dürfen:

288 Das KGV können Sie im Kopf ausrechnen, wenn Sie den Jahresbericht eines Unternehmens haben oder die Daten auf Websites wie www.morningstar.com oder http://finance.yahoo.com nachsehen.

Machen Sie Ihre Hausaufgaben. Mit der Datenbank EDGAR unter www.sec.gov erhalten Sie sofortigen Zugang zu den Jahres- und Quartalsberichten der Aktiengesellschaften, aber auch Aussagen zu den Gehältern der Führungskräfte, deren Beteiligung am Unternehmen und zu potenziellen Interessenkonflikten. Lesen Sie mindestens die Berichte der zurückliegenden fünf Jahre.[289]

Prüfen Sie die Nachbarschaft. Websites wie http://quicktake.morningstar.com, http://finance.yahoo.com und quicken.com können Ihnen ganz leicht sagen, zu welchem Prozentsatz institutionelle Anleger an einer Aktiengesellschaft beteiligt sind. Immer wenn dieser Prozentsatz über 60 % liegt, dann ist die Aktie nicht mehr unbekannt und wahrscheinlich zu stark gefragt. (Wenn große Institutionen verkaufen, dann geschieht das meist im Gleichschritt, was für den Kurs der Aktie katastrophale Folgen hat.) Diese Websites sagen Ihnen auch, wer die Hauptaktionäre sind. Handelt es sich dabei um Vermögensverwaltungen, die einen Stil pflegen, der dem Ihrigen gleicht, dann ist dies ein gutes Zeichen.

289 Worauf Sie sonst noch achten sollten, lesen Sie im Kommentar zu den Kapiteln 11, 12 und 19. Wenn Sie nicht bereit sind, sich der kleinen Mühe zu unterziehen, diese Berichte zu lesen und grundlegende Vergleiche der finanziellen Gesundheit des Unternehmens in den letzten fünf Jahren anzustellen, dann sind Sie zu defensiv eingestellt, um Aktien selbst auszuwählen. Halten Sie sich aus diesem Bereich heraus und wenden Sie sich lieber einem Indexfonds zu, denn das passt besser zu Ihnen.

Kapitel 15

Aktienauswahl für den professionellen Investor

Im vorhergehenden Kapitel behandelten wir die Auswahl von Stammaktien im Sinne großer Wertpapiergruppen, aus denen der defensive Anleger selbst eine Liste jener Titel zusammenstellen kann, die er oder sein Berater bevorzugt, vorausgesetzt, es wird eine angemessene Diversifizierung erzielt. Unser Schwerpunkt bei der Auswahl lag hauptsächlich auf Fakten, die bestimmte Papiere von der Auswahl ausschlossen – wobei wir von allen Titeln erkennbar schlechter Qualität abrieten, aber auch von Titeln höchster Qualität, wenn der Kurs so hoch liegt, dass man beim Kauf ein beträchtliches spekulatives Risiko einginge. In diesem Kapitel, in dem wir uns an den professionellen Anleger wenden, müssen wir die Möglichkeiten und die Mittel in Betracht ziehen, um eine *individuelle* Auswahl vornehmen zu können, die wahrscheinlich rentabler ist als ein pauschaler Durchschnitt.

Wie stehen die Aussichten für ein Gelingen? Wir wären nicht ganz ehrlich, wenn wir das Ganze beschönigend beschreiben und nicht gleich am Anfang einige gravierende Vorbehalte äußern würden. Auf den ersten Blick scheint eine erfolgreiche Auswahl offensichtlich zu sein. Um durchschnittliche Ergebnisse zu erzielen – beispielsweise die Performance des DJIA –, braucht man keine besonderen Fähigkeiten. Alles, was man dazu benötigt, ist ein Portfolio, das identisch mit den 30 bekannten Titeln ist oder ihnen ähnelt. Sicherlich sollte es, wenn man sich ein wenig geschickt anstellt – sich Kenntnisse aus Studien erwirbt, Erfahrungen sammelt und ein Talent dafür hat –, durchaus möglich sein, deutlich bessere Ergebnisse zu erzielen als der DJIA.

Dennoch gibt es eindrucksvolle Beweise dafür, dass dies sehr schwierig sein kann, selbst wenn man höchst qualifiziert ist. Der Beweis ist die Leistungsbilanz zahlreicher Anlagegesellschaften oder Fonds, die schon viele Jahre im Geschäft sind. Die meisten Fonds sind sehr groß und können sich die besten Finanz- und Aktienanalysten leisten, und ihnen stehen sämtliche Mittel einer gut ausgestatteten Research-Abteilung zur Verfügung. Ihre operativen Kosten, wenn sie auf diese Menge an Kapital verteilt werden, belaufen sich auf 0,5 % des verwalteten Kapitals oder gar weniger. Diese Kosten darf man zwar nicht vernachlässigen; aber wenn man sie mit den schätzungsweise 15 % Gewinn vergleicht, der durchschnittlich zwischen 1951 und 1960 erzielt wurde, oder auch mit dem Gewinn von 6 % in den Jahren 1961 bis 1970, dann sind sie eher unbedeutend. Eine geringfügig bessere Auswahl sollte diese Kosten wettmachen und den Anteilinhabern der Fonds bessere Nettogewinne erbringen.

Insgesamt gesehen gelang es den Aktienfonds jedoch lange Jahre nicht, ebenso gute Ergebnisse zu erzielen wie der S&P 500 oder der Markt als Ganzes. Diese Schlussfolgerung wird durch mehrere ausführliche Studien untermauert. Wir möchten eine uns aktuell vorliegende Studie zitieren:[290]

Nach deren Ergebnissen hat es den Anschein, dass Portfolios, die nach dem Zufallsprinzip aus an der NYSE notierten Aktien zusammengestellt wurden, mit gleich hohen Investitionen in jede Aktie bessere Ergebnisse zeitigten als Investmentfonds der gleichen Risikoklasse. Die Unterschiede waren bei den Portfolios mit geringem und mittlerem Risiko recht deutlich (3,7 % und 2,5 % pro Jahr), doch bei sehr riskanten Portfolios nur minimal (0,2 % pro Jahr) [53].

Wie wir bereits in Kapitel 9 betont haben, sollen diese Vergleichszahlen keineswegs den Nutzen von Investmentfonds als Institutionen entwerten. Denn sie ermöglichen es allen Anlegern, in etwa durchschnittliche Ergebnisse bei Engage-

---

290 Die Untersuchung von Friend-Blume-Crockett umfasst den Zeitraum von Januar 1960 bis Juni 1968 und vergleicht die Performance von mehr als 100 großen Investmentfonds mit den Ergebnissen von Portfolios, die nach dem Zufallsprinzip aus den mehr als 500 größten an der NYSE notierten Aktien zusammengestellt wurden. Die Fonds schnitten in den Jahren von 1965 bis 1968 besser ab als in der ersten Hälfte des genannten Zeitraums, genau wie Graham dies bei seinen eigenen Recherchen herausgefunden hatte. Doch diese Verbesserung war nicht von Dauer. Und der Druck dieser Studien – dass Investmentfonds, im Durchschnitt, um den Betrag der operativen Kosten und der Transaktionskosten weniger leisten – wurde schon so oft bestätigt, dass jeder, der sie anzweifelt, offenbar immer noch glaubt, die Erde sei eine Scheibe.

ments in Aktien zu erzielen. Aus verschiedenen Gründen gelingt es Anlegern, die ihre Aktienauswahl selbst treffen, bei weitem nicht, diese Performance zu erzielen. Doch für den objektiven Betrachter ist das Versagen der Fonds, die Performance eines großen Index zu übertreffen, ein gut nachvollziehbarer Hinweis darauf, dass dies zu erreichen nicht leicht, sondern extrem schwierig ist.

Warum fällt dies so schwer? Wir haben dafür zwei verschiedene Erklärungen, von denen jede zum Teil zutrifft. Die erste Erklärung lautet: Der Aktienmarkt reflektiert in den aktuellen Kursen nicht nur alle wichtigen Fakten über die frühere und gegenwärtige Performance des Unternehmens, sondern auch alle Erwartungen, die daraus vernünftigerweise für die Zukunft abgeleitet werden können. Ist dies der Fall, dann müssen die daraus folgenden Marktbewegungen - und die sind oft extrem - die Folge neuer Entwicklungen und Möglichkeiten sein, die nicht vorhersehbar waren. Dies würde Kursbewegungen letztlich zufällig und unwillkürlich machen. Wenn dies richtig ist, dann ist die Arbeit der Aktienanalysten - ganz gleich, wie intelligent und gründlich sie durchgeführt wurde - weitestgehend unwirksam, weil sie letztlich versuchen, das Unvorhersehbare vorherzusagen.

Die wachsende Anzahl der Aktienanalysten mag zu diesem Ergebnis wesentlich beigetragen haben. Wenn Hunderte oder Tausende Experten die Faktoren, die den Wert eines Unternehmens ausmachen, analysieren, dann könnte man normalerweise erwarten, dass der aktuelle Kurs ziemlich genau die übereinstimmende Meinung seines Wertes reflektiert. Diejenigen, die zu anderen Ergebnissen kommen, werden von persönlicher Parteinahme oder Optimismus beeinflusst, was sowohl richtig als auch falsch sein könnte.

Wir haben sehr oft über die Parallelen zwischen der Arbeit der vielen Analysten an der Wall Street und der Leistung von meisterlichen Bridgespielern auf einem Doppel-Turnier nachgedacht. Die Ersteren versuchen, die Aktien ausfindig zu machen, die „wahrscheinlich Erfolg bringen"; die Letzteren versuchen, mit jedem Blatt die meisten Punkte zu machen. Nur ganz wenige erreichen ihr Ziel. Wenn alle Bridgespieler in etwa die gleiche Spielstärke haben, dann werden die Gewinner eher durch verschiedene „Breaks" bestimmt als durch ihre überlegenen Fertigkeiten. An der Wall Street wird das etwa gleiche Niveau durch die „Geheimbünde" hergestellt, die in diesem Berufsstand bestehen, wobei in Versammlungen verschiedenster Art Ideen und Entdeckungen ziemlich offenherzig ausgetauscht werden. Es ist fast so, als ob, wie beim vergleichbaren Bridgeturnier, die verschiedenen Experten sich gegenseitig über die Schulter sehen und jedes Blatt diskutieren, das gespielt wird.

Die zweite Möglichkeit ist völlig anderer Art. Vielleicht sind viele Aktienanalysten im Nachteil, weil sie einen grundlegenden Fehler bei der Aktienauswahl machen: Sie sehen die Branchen mit den besten Wachstumsperspektiven und die Unternehmen innerhalb dieser Branchen mit dem besten Management und anderen Vorteilen. Damit ist gemeint, dass sie in diesen Branchen diese Unternehmen zu jedem Kurs kaufen, ganz gleich, wie hoch er ist, und die weniger viel versprechenden Branchen und Unternehmen meiden, ganz gleich, wie niedrig der Kurs der Aktien ist. Dies wäre das einzige richtige Vorgehen, wenn die Gewinne der guten Unternehmen in der Zukunft stetig sicher und schnell steigen würden, denn dann wäre ihr Wert theoretisch unendlich. Und wenn die weniger viel versprechenden Unternehmen rettungslos dem Untergang zusteuerten, dann hätten die Analysten Recht, wenn sie deren Aktien zu keinem Kurs attraktiv fänden.

Die Wahrheit über unsere Aktiengesellschaften sieht allerdings ganz anders aus. Nur sehr wenige Unternehmen konnten eine ununterbrochene hohe Wachstumsrate über längere Zeiträume hinweg vorweisen. Bemerkenswert wenige große Unternehmen gehen in Konkurs. In den meisten Fällen haben sie eine wechselvolle Geschichte mit Hochs und Tiefs und mit Veränderungen in ihrer relativen Standfestigkeit. Bei einigen gab es in regelmäßigen Abständen das sprichwörtliche „von ganz unten nach ganz oben – und wieder zurück"; dies galt insbesondere für die Stahlindustrie. Bei anderen Unternehmen wurden diese spektakulären Veränderungen durch Verbesserungen oder Verschlechterungen beim Managements verursacht.[291]

Wie kann der aggressiver eingestellte Investor die eben dargestellten Informationen nutzen, wenn er selbst Aktien auswählen und damit überragende Ergebnisse erzielen will? Er nimmt eine schwierige und vielleicht sogar undurchführbare Aufgabe auf sich. Die Leser dieses Buchs können kaum erwarten, die Aufgabe, ein Portfolio zusammenzustellen, besser zu lösen als die besten Analysten des Landes. Wenn es jedoch stimmt, dass ein ziemlich großer Teil des Aktienmarktes oft vernachlässigt oder gar missachtet wird, dann ist ein intelligenter

291 Wie wir im Kommentar zum Kapitel 9 sagten, gibt es verschiedene weitere Gründe dafür, dass Investmentfonds nicht in der Lage waren, den Marktdurchschnitt zu übertreffen, einschließlich der geringen Rendite der Barmittel der Fonds und der hohen Kosten für Recherchen und Transaktionen. Außerdem kann ein Fonds, der 120 Titel hält (das ist eine sehr häufig anzutreffende Anzahl), dem S&P 500 hinterherhinken, sobald eines der anderen 380 Unternehmen eine überragende Performance zeigt. Je weniger Aktien ein Fonds im Portfolio hält, umso größer ist die Wahrscheinlichkeit, dass „die nächste Microsoft" nicht dabei ist.

Investor in der Lage, von den sich daraus ergebenden Unterbewertungen zu profitieren.

Doch um das zu schaffen, muss er speziellen Methoden folgen, die an der Wall Street offensichtlich allgemein akzeptiert sind, denn die Methoden, die akzeptiert werden, scheinen nicht die Ergebnisse zu bringen, die sich jeder wünschen würde. Es wäre sogar noch eigenartiger, wenn – bei all den Experten, die als Profis an der Börse arbeiten – es Konzepte gäbe, die sowohl stimmig als auch relativ unbekannt sind. Und dennoch beruhen unsere Erfolge und unser guter Ruf gerade auf dieser eher unwahrscheinlichen Tatsache.[292]

Eine Zusammenfassung der Graham-Newman-Methoden

Zur Veranschaulichung wollen wir einen kurzen Abriss der verschiedenen Abläufe darstellen, in die wir während des 30-jährigen Bestehens der Graham-Newman Corporation zwischen 1926 und 1956 engagiert waren. In unseren Büchern wurden sie folgendermaßen eingeordnet:

Arbitrage: Der Erwerb eines Wertpapiers und der gleichzeitige Verkauf eines oder mehrerer anderer Wertpapiere im Zusammenhang mit einem Tausch nach einem Plan zur Reorganisation, einer Fusion oder Ähnlichem.

Liquidation: Der Kauf von Wertpapieren eines Unternehmens, das liquidiert werden sollte, wobei aus dem Vermögen des Unternehmens eine oder mehrere Zahlungen erfolgten.

Solche Transaktionen wurden ausgeführt, wenn (a) eine kalkulierte jährliche Rendite von 20 % oder mehr zu vermuten war und (b) unserem Ermessen nach die Chance auf einen erfolgreichen Ausgang mindestens vier zu fünf stand.

Verbundene Absicherung im Gegengeschäft: Der Kauf von Wandelanleihen oder wandelbaren Vorzugsaktien und der gleichzeitige Verkauf von Stammaktien,

292 In diesem Abschnitt, ebenso wie auf den Seiten 382 und 383, fasst Graham die Theorie des effizienten Marktes zusammen. Die letzten Erscheinungen jedoch lassen den Eindruck entstehen, das Problem des Aktienmarktes bestehe nicht darin, dass es unter den Analysten so viele Dummköpfe gibt, sondern eher darin, dass viele sehr schlau sind. Wenn immer mehr kluge Köpfe den Markt nach Schnäppchen durchsuchen, dann werden nach jeder Suche diese Schnäppchen seltener – und es lässt, in einem grausamen Paradoxon, die Analysten aussehen, als fehlte ihnen die erforderliche Intelligenz für ihre Suche. Die Bewertung einer bestimmten Aktie durch den Markt ist das Ergebnis gewaltiger und andauernder Bemühungen kollektiver Intelligenz. Zumeist – und bei den meisten Aktien – stimmt die Bewertung durch die geballte Intelligenz. Nur sehr selten wirft Grahams „Mr. Market" (siehe Kapitel 8) die Kurse wild aus der Bahn.

in die gewandelt werden konnte. Diese Positionen waren nahezu gleichwertig – das heißt, es gab einen geringen Verlust, wenn die Wandlung der Anleihe tatsächlich vorgenommen werden musste. Allerdings wurde ein Gewinn erzielt, wenn der Kurs der Stammaktie deutlicher fiel als das vorrangige Papier (Anleihe oder Vorzugsaktie) und ein Tausch nicht mehr möglich war.

Unterbewertete Papiere: Die Idee hinter diesem Konzept war, so viele Titel wie möglich zu kaufen, deren Kosten niedriger waren als ihr Buchwert (Nettoumlaufvermögen) – das heißt, dass weder die Betriebsanlagen noch andere Vermögenswerte in die Bewertung einbezogen wurden. Wir kauften in der Regel dann, wenn der Kurs zwei Drittel oder weniger dieses Wertes ausmachte. In den meisten Jahren waren wir in diesem Bereich stark diversifiziert – wir hielten mindestens 100 verschiedene Titel. (Hin und wieder verfügten wir über Mehrheitsbeteiligungen, was aber mit der jetzigen Erörterung nichts zu tun hat.)

Wir zeichneten die Ergebnisse jeder Art von Operationen auf. Als Folge davon gaben wir zwei größere Bereiche auf, die insgesamt nicht die erwarteten Ergebnisse brachten. Der erste Bereich war der Kauf von scheinbar attraktiven Titeln – auf der Basis unserer allgemeinen Analyse –, die nicht zum Wert des Betriebskapitals oder weniger erhältlich waren. Der zweite Bereich waren die unverbundenen Absicherungen im Gegengeschäft (Hedging), bei denen die gekauften Wertpapiere nicht gegen Stammaktien einzutauschen waren. Solche Vorgänge entsprechen in etwa den kürzlich eingeführten Hedgefonds.[293] In beiden Fällen führte eine Studie unserer realisierten Ergebnisse, die wir über zehn Jahre oder länger betrieben, zu dem Schluss, dass die Gewinne nicht ausreichend zuverlässig waren – und die Abläufe nicht ausreichend sicher „gegen Kopfschmerzen" –, als dass diese Geschäfte hätten weiterbetrieben werden sollen.

Somit beschränkte sich unsere Tätigkeit seit1939 auf Situationen, in denen Unternehmen sich selbst liquidierten, und auf verbundene Absicherungsgeschäfte , auf Schnäppchen mit Aktien, die nicht teurer waren als das Betriebskapital und einige wenige Mehrheitsbeteiligungen. Jede Kapitalanlage brachte befriedigende

293 Eine „unverbundene Absicherung" bedeutet, dass man eine Aktie oder Anleihe kauft, die von einem Unternehmen emittiert wurde, und dafür ein Wertpapier leerverkauft (also darauf setzt, dass der Kurs dieses Papiers sinkt), das von einem anderen Unternehmen emittiert wurde. Eine „verbundene Absicherung" bedeutet, dass man verschiedene Aktien oder Anleihen kauft und verkauft, die vom selben Unternehmen emittiert wurden. Die Hedge-Fonds, die Graham beschreibt, waren um 1968 weit verbreitet, doch spätere Regulierungen der SEC schlossen die normalen Privatanleger von diesen Geschäften aus.

Ergebnisse, allerdings mit der Besonderheit, dass unsere verbundenen Absicherungsgeschäfte profitabel waren, während unsere „unterbewerteten Titel" nicht besonders gut liefen.

Wir zögern ein wenig, unsere Gewohnheiten den intelligenten Anlegern zu offenbaren. Offensichtlich sind die professionellen Techniken, die wir anwandten, für defensive Investoren ungeeignet, die nach unserer Definition eher Amateure sind. Was aggressive Anleger anbelangt, so könnte eine kleine Minderheit die Einstellung entwickeln, die erforderlich ist, um sich ernsthaft auf einen geringen Teil der Welt der Wertpapiere zu beschränken. Die meisten aktiv eingestellten Praktiker würden es vorziehen, sich auf weiter angelegte Gebiete zu wagen. Ihr natürliches Jagdrevier wäre der gesamte Bereich der Wertpapiere, (a) von denen sie glauben, sie seien nach konservativen Maßstäben nicht überbewertet, und die (b) ihnen wegen der guten Aussichten oder der früheren Leistungsbilanz oder beidem wesentlich attraktiver scheinen als die durchschnittliche Aktie. Bei derartigen Entscheidungen wären sie gut beraten, verschiedene Qualitätsprüfungen anzuwenden und zu überlegen, ob der Kurs vernünftig ist, so wie wir es dem defensiven Investor vorgeschlagen haben. Jedoch sollten sie nicht so stur sein und einen Faktor stärker berücksichtigen, um einen kleinen dunklen Fleck bei einem anderen Faktor auszugleichen. Beispielsweise sollte ein defensiver Investor ein Unternehmen nicht ausschließen, das in einem Jahr wie 1970 ein Defizit verzeichnen musste, wenn hohe durchschnittliche Gewinne und andere wichtige Eigenschaften die Aktie als preisgünstig erscheinen lassen. Der eher aggressive Investor könnte seine Auswahl auf Branchen und Unternehmen einschränken, die er optimistisch einschätzt, doch raten wir dringend davon ab, wegen einer solchen Begeisterung einen zu hohen Preis für eine Aktie zu bezahlen (in Relation zu Gewinnen und Vermögen). Wenn er in diesem Bereich unserer Philosophie folgt, wird er eher konjunkturabhängige Titel kaufen – beispielsweise Aktien von Stahlproduzenten –, wenn die aktuelle Situation ungünstig erscheint, die kurzfristigen Aussichten schlecht sind und der niedrige Kurs den aktuellen Pessimismus völlig reflektiert.[294]

294 Ein intelligenter Investor, der im Jahr 2003 den Gedanken Grahams folgt, würde nach Chancen im Bereich der Technologie, der Telekommunikation und der Elektrizitätsversorger suchen. Die Geschichte hat gezeigt, dass die Verlierer von gestern oft die Gewinner von morgen sind.

Zweitrangige Unternehmen

Die Nächsten in der Reihenfolge zur Überprüfung und zur möglichen Auswahl sind zweitrangige Unternehmen, die sich gut behaupten und eine befriedigende Leistungsbilanz, auch in der Vergangenheit, vorweisen können, doch für die Öffentlichkeit nicht besonders attraktiv wirken. Das wären Unternehmen wie Eltra oder Emhart zu den Schlusskursen von 1970. (Siehe Kapitel 13.) Es gibt verschiedene Möglichkeiten, solche Unternehmen zu finden. Wir möchten an dieser Stelle gern ein neues Konzept versuchen und eine solche Aktienauswahl detaillierter beschreiben. Wir verfolgen damit eine doppelte Absicht: Viele unserer Leser sehen in der Methode, der wir folgen, einen wesentlichen praktischen Wert, oder sie regt sie zum Ausprobieren ähnlicher Methoden an. Darüber hinaus kann das, was wir an Hilfe anbieten, dazu beitragen, dass sie in der realen Welt der Aktien zurechtkommen und in eines der faszinierendsten Bereiche des Lebens eingeführt werden. Es ist der *Standard & Poor's Guide*, der monatlich erscheint und dem Publikum im Jahresabonnement zur Verfügung steht. Außerdem verteilen viele Brokerfirmen (auf Verlangen) den *Guide*.

Der *Guide* enthält über 230 Seiten konzentrierter statistischer Informationen über die Aktien von mehr als 4.500 Aktiengesellschaften. Dazu gehören alle 3.000 Titel, die an den verschiedenen Börsen notiert sind, sowie 1.500 nicht notierte Titel. Die meisten Einzelheiten, denen man nicht nur einen ersten, sondern auch einen zweiten Blick gönnen sollte, sind in diesem Kompendium enthalten. (Aus unserer Sicht fehlt leider der Nettovermögenswert oder Buchwert je Aktie, den man aber in den umfangreicheren Ausgaben von Standard & Poor's und anderswo ausfindig machen kann.)

Der Investor, der gern mit den Zahlen des Unternehmens spielt, hat das Gefühl, sich mit dem *Stock Guide* im Himmel zu befinden. Auf jeder Seite, die er aufschlägt, hat er das gesamte Panorama des Glanzes und der Nöte des Aktienmarktes vor sich, mit den Rekordhochs und Rekordtiefs, die bis 1936 zurückreichen, soweit die Zahlen verfügbar sind. Er wird Unternehmen finden, die ihren Kurs vom Rekordtief um das 2.000fache bis zum Rekordhoch gesteigert haben. (Für das angesehene Unternehmen IBM lag der Wachstumsfaktor in diesem Zeitraum „nur" bei 333.) Er wird (gar nicht so selten) ein Unternehmen finden, dessen Kurs von 0,375 $ auf 68 $ gestiegen und dann wieder auf 3 $ gefallen ist [54]. In der Spalte, in der die Dividenden verzeichnet sind, werden Sie eine finden, die bis ins Jahr 1791 zurückgeht – gezahlt von der Industrial National Bank of Rhode Island (die kürzlich ihren altehrwürdigen Namen änderte).[295] Wenn der Anleger im Guide das Jahresende 1969 aufschlägt, dann wird er lesen, dass Penn Central Co. (als Nachfolger der Pennsylvania Railroad) seit 1848 Dividenden gezahlt hat, doch ein paar Monate später in Konkurs ging. Er wird ein Unternehmen finden, das nur zum Zweifachen des Jahresgewinns gehandelt wird, und ein anderes, das zum 99fachen des Jahresgewinns notiert [55]. In den meisten Fällen wird es für den Anleger schwierig sein, aus dem Namen der Aktiengesellschaft den Tätigkeitsbereich zu erkennen, denn für jede U.S. Steel gibt es drei Unternehmen, die sich beispielsweise ITI Corp. (Backzutaten) oder Santa Fe Industries (hauptsächlich die große Eisenbahngesellschaft) nennen. Er kann sich an außerordentlichen Kurshistorien satt sehen, an Dividenden- und Gewinnhistorien, finanziellen Bedingungen, Kapitalisierungsmodellen und vielem mehr. Konservatismus, der sich immer an die Vergangenheit anlehnt, nichts sagende geförderte Unternehmen, die seltsamsten Kombinationen von Geschäftstätigkeiten, alle Arten von Spielereien und Tricks der Wall Street – sie alle sind vorhanden und warten darauf, dass der Anleger ihre Story überfliegt oder mit ernsthaftem Interessen studiert

Die *Guides* geben in getrennten Spalten die aktuelle Dividendenrendite und die KGVs auf der Grundlage der Zahlen der zurückliegenden zwölf Monate an, wenn sie zutreffend sind. Doch nach diesem kurzen Exkurs wieder zurück zum Thema Aktienauswahl.

Mit dem „Stock Guide" die Spreu vom Weizen trennen

Nehmen wir an, wir bekommen einen Hinweis, dass eine Aktie billig ist. Das Erste, was uns in den Sinn kommt, ist ein niedriger Kurs in Relation zu den letzten Gewinnen. Stellen wir doch einmal eine Liste von Aktien zusammen, die Ende 1970 ein KGV von neun oder weniger hatten. Dieser Wert wird in der letzten Spalte der geraden Seitenzahlen des *Stock Guide* angegeben. Um Ihnen ein Beispiel zu geben, werden wir die ersten 20 dieser Aktien mit niedrigem KGV darstellen; es beginnt mit dem sechsten aufgeführten Titel, der Aberdeen mfg Co., die in diesem Jahr mit 10,25 oder dem Neunfachen des Gewinns von 1,25 $ je Aktie die zwölf Monate abschloss, die im September 1970 endeten. Der 20. dieser Titel ist American Maize Products, das mit 9,50 $ und ebenfalls mit einem KGV von neun abschloss.

295 Der Nachfolger der Industrial National Bank of Rhode Island ist die FleetBoston Financial Corp. Einer der Vorgänger, die Providence Bank, wurde 1791 gegründet.

Diese Gruppe mit zehn Titeln, die unter 10 $ je Aktie gehandelt werden, mag vielleicht ein wenig unbedeutend erscheinen. (Diese Tatsache ist nicht wirklich von Bedeutung; es würde wahrscheinlich – aber nicht unbedingt – defensive Anleger vor einer derartigen Liste warnen, aber das Ergebnis für aggressivere Investoren könnte per saldo günstig sein.)[296] Bevor wir eine weitere Untersuchung anstellen, wollen wir mit Zahlen rechnen. Unsere Liste stellt ungefähr ein Zehntel der ersten 200 Titel dar, die wir gesehen haben. Demnach sollte der *Guide* in etwa 450 Titel enthalten, die mit einem KGV unter zehn gehandelt werden. Das ist eine große Anzahl von Aktien, die für eine spätere Auswahl in Frage kommen.

Lassen Sie uns also einige zusätzliche Kriterien auf unsere Liste anwenden; sie sind denen ähnlich, die wir dem defensiven Investor vorgeschlagen haben, allerdings nicht so streng. Wir möchten Ihnen also Folgendes vorschlagen:

- Finanzielle Situation: (a) Flüssige Aktiva müssen mindestens das 1,5fache der kurzfristigen Verbindlichkeiten betragen, und (b) die Schulden dürfen nicht höher sein als 110 % der liquiden Mittel (für Industrieunternehmen).
- Stabilität der Gewinne: Kein Defizit in den vergangenen fünf Jahren, die im *Guide* aufgeführt werden.
- Dividenden in der Vergangenheit: laufende Dividendenzahlungen.
- Gewinnwachstum: Die Gewinne des abgelaufenen Jahres müssen höher liegen als die von 1966.
- Kurs: niedriger als 120 % des Nettosubstanzwertes.

Die Gewinnzahlen im *Guide* galten in der Regel für die letzten zwölf Monate, die am 30. September 1970 endeten, und enthalten deshalb in diesem Jahr kein schlechtes letztes Quartal. Doch ein intelligenter Investor greift nicht nach den Sternen – zumindest nicht am Anfang. Beachten Sie bitte auch, dass wir der Größe des Unternehmens keine Grenze gesetzt haben. Kleine Unternehmen können ausreichend Sicherheit bieten, wenn sie sorgfältig ausgewählt und als Gruppe gekauft werden.

---

296 Für den Anleger von heute liegt der Grenzwert eher bei 1 $ je Aktie – dem Niveau, unter dem viele Aktien aus der Notierung genommen oder als untauglich für den Handel an großen Börsen erklärt werden. Beobachtet man ausschließlich die Kurse dieser Aktien, dann kann dies einen enormen Aufwand bedeuten, was sie für defensive Anleger unbequem macht. Die Kosten für den Handel mit so billigen Aktien können sehr hoch sein. Letztlich weisen Unternehmen mit niedrigen Aktienkursen eine besorgniserregende Tendenz auf, in Konkurs zu gehen. Allerdings könnte ein diversifiziertes Portfolio mit Dutzenden derartiger Aktien für den aggressiver eingestellten Anleger von heute durchaus seinen Reiz haben.

Als wir diese fünf zusätzlichen Kriterien auf unsere Liste der 20 Kandidaten angewendet haben, blieben nur noch fünf Kandidaten übrig. Doch wollen wir unsere Suche fortsetzen, bis die ersten 450 Titel im *Guide* uns ein kleines „Portfolio" von 15 Aktien gebracht haben, die alle sechs Kriterien erfüllen. (Sie sind in der Tabelle 15-1, zusammen mit einigen relevanten Daten, dargestellt.) Diese Gruppe gilt natürlich nur als Demonstration und würde von einem recherchierenden Investor wahrscheinlich nicht so zusammengestellt werden.

Tatsache ist, dass der Anwender unserer Methode eine weitaus größere Auswahl hätte. Wenn unser Ansatz, der die Spreu vom Weizen trennt, auf alle 4.500 Aktien im *Stock Guide* angewendet würde und wenn das Bild des ersten Zehntels sich fortsetzte, dann hätten wir letztlich 150 Unternehmen, die alle sechs Auswahlkriterien erfüllen. Der aggressivere Investor könnte dann seinem Urteilsvermögen folgen – oder seinen Vorlieben oder Vorurteilen –, um dann eine dritte Auswahl zu treffen, die eine von fünf Aktien dieser langen Liste enthält.

Das Material im *Stock Guide* enthält auch eine Bewertung der Gewinne und Dividenden, die auf der Stabilität und dem Wachstum dieser Faktoren in den letzten acht Jahren beruht. (Somit kommt die Attraktivität des Kurses hier nicht zum Zug.) Wir schließen diese Bewertungen in unserer Tabelle 15-1 ein. Zehn der 15 Titel sind mit B+ bewertet (= durchschnittlich), und einer (American Maize) erhielt die hohe Bewertung von A. Wenn unser aggressiver Anleger ein siebtes mechanisches Kriterium für seine Auswahl hinzufügen wollte, indem er ausschließlich Titel in Betracht zieht, die von Standard & Poor´s als durchschnittlich oder besser eingeschätzt werden, dann hat er immer noch 100 Titel, aus denen er wählen kann. Man könnte sagen, dass eine Gruppe von Aktien mindestens durchschnittlicher Qualität auch die finanziellen Kriterien erfüllt und zu einem niedrigen KGV und unterhalb des Vermögenswertes gehandelt wird, sodass der Anleger befriedigende Ergebnisse erwarten darf.

Einzelne Kriterien zur Aktienauswahl

Ein wissbegieriger Leser würde wahrscheinlich fragen, ob man ein überdurchschnittlich gutes Portfolios nicht einfacher zusammenstellen kann, als gerade aufgezeigt. Könnte nicht ein einziges plausibles Kriterium vorteilhaft angewendet werden – etwa ein niedriges KGV oder eine hohe Dividendenrendite oder ein hoher Vermögenswert? Die beiden Methoden dieser Art, die auch in der längeren Vergangenheit ständig gute Ergebnisse zeitigten, waren (a) der Kauf von Aktien mit niedrigem KGV wich-

Tabelle 15-1: Beispielportfolio von Industrie-Aktien mit geringem KGV
(Die ersten 15 Titel im *Stock Guide*, die am 31. Dezember die sechs Bedingungen erfüllen)

	Kurs am 31.12. 1970 in $	Gewinn je Aktie in den letzten 12 Monaten in $	Buchwert in $	S&P-Ranking	Kurs im Februar 1972 in $
Aberdeen Mfg.	10,25	1,25	9,33	B	13,75
Alba-Waldensian	6,375	0,68	9,06	B+	6,375
Albert's Inc.	8,5	1,00	8,48	n.r.[a]	14
Allied Mills	24,5	2,68	24,38	B+	18,25
Am. Maize Prod.	9,25	1,03	10,68	A	16,5
Am. Rubber & Plastics	13,75	1,58	15,06	B	15
Am. Smelt. & Ref.	27,5	3,69	25,30	B+	23,25
Anaconda	21	4,19	54,28	B+	19
Anderson Clayton	37,75	4,52	65,74	B+	52,5
Archer-Daniels-Mid.	32,5	3,51	31,35	B+	32,5
Bagdad Copper	22	2,69	18,54	n.r.[a]	32
D. H. Baldwin	28	3,21	28,60	B+	50
Big Bear Stores	18,5	2,71	20,57	B+	39,5
Binks Mfg.	15,25	1,83	14,41	B+	21,5
Bluefield Supply	22,25	2,59	28,66	n.r.[a]	39,5[b]

a) n.r. = nicht bewertet
b) um Aktiensplits korrigiert

tiger Unternehmen (zum Beispiel die Liste des DJIA) und (b) die Zusammenstellung einer diversifizierten Gruppe von Aktien, die unter dem Liquidationswert (oder Umlaufvermögen) gehandelt werden. Wir haben bereits betont, dass das Kriterium eines geringen KGV, angewendet auf den DJIA Ende des Jahres 1968, nur schlecht funktionierte, wenn man den Zeitraum bis Mitte 1971 betrachtet. Die Leistungsbilanz der Aktien, die zu einem Kurs unter dem Wert des Umlaufvermögens gekauft wurden, war zwar nicht schlecht; der Haken daran war jedoch, dass derartige Gelegenheiten im vergangenen Jahrzehnt immer weniger wurden.

Und was ist mit weiteren Entscheidungsgrundlagen? Beim Verfassen dieses Buchs haben wir einige „Experimente" angestellt, wobei jeweils auf ein einziges, offensichtliches Kriterium zurückgegriffen wurde. Die Daten, die wir verwendeten, konnten wir ganz einfach dem Standard & Poor's *Stock Guide* entnehmen. In all diesen Fällen wurde ein Portfolio mit 30 Aktien unterstellt, die zum Schlusskurs von 1968 gekauft und am 30. Juni 1971 neu bewertet wurden. Die einzelnen Kriterien, die auf die zufällige Aktienauswahl angewendet wurden, waren: (1) ein niedriger Multiplikator der letzten Gewinne (nicht auf die Titel im DJIA begrenzt); (2) eine hohe Dividendenrendite; (3) eine lange Zeit, in der Dividenden ausgeschüttet wurden; (4) ein sehr großes Unternehmen, gemessen an den im Umlauf befindlichen Aktien; (5) eine starke finanzielle Position; (6) ein sehr niedriger Preis je Aktie; (7) ein niedriger Kurs in Relation zu einem vorhergehenden hohen Kurs; (8) eine sehr gute Bewertung nach Standard & Poor's.

Sie werden bemerken, dass der *Stock Guide* den genannten Kriterien zumindest eine Spalte widmet. Dies deutet darauf hin, dass der Verleger davon überzeugt ist, dass jedes dieser Kriterien für die Analyse und die Aktienauswahl von großer Bedeutung ist. (Wie wir oben schon anmerkten, wünschten wir, eine weitere Zahl würde angegeben: der Liquidationswert je Aktie.)

Die wichtigste Tatsache, die sich aus den verschiedenen Tests ergab, bezieht sich auf die Performance der Aktien, die wir nach dem Zufallsprinzip erwarben. Wir haben diese Performance an drei Portfolios mit jeweils 30 Aktien getestet. Jede wurde der ersten Zeile des *Stock Guide* vom 31. Dezember 1968 und der Ausgabe vom 31. August 1971 entnommen. Zwischen diesen Daten blieb der S&P Composite nahezu unverändert, und der DJIA verlor etwa 5 %. Unsere 90 zufällig ausgewählte Aktien jedoch verloren im Durchschnitt 22 %, nicht eingerechnet 19 Titel, die aus dem *Stock Guide* herausgefallen waren und wahrscheinlich noch höhere Verluste hinnehmen mussten. Die Ergebnisse der Vergleiche reflektieren zweifellos die Tendenz, dass kleinere Titel von minderer Qualität in Bullenmärkten relativ überbewertet werden und im folgenden Kurseinbruch nicht nur größere Kursverluste erleiden als die stärkeren Titel, sondern dass auch die Erholung länger dauert - zuweilen sogar unendlich lange. Die Lehre für den intelligenten Investor lautet natürlich, zweitklassige Titel zu meiden, wenn er ein Portfolio zusammenstellt, außer sie stellen – für den aggressiveren Investor – ein Schnäppchen dar.

Die weiteren Ergebnisse aus unseren Studien der verschiedenen Portfolios können folgendermaßen zusammengefasst werden:

Nur drei der untersuchten Gruppen liefen besser als der S&P Composite (und somit auch besser als der DJIA). Dies waren (1) Industrie-Aktien höchster Qualität

(A+). Sie stiegen in diesem Zeitraum um 9,5 % gegenüber einem Kursverlust von 2,4 % der Industrie-Aktien aus dem S&P und einem Verlust von 5,6 % des DJIA. (Allerdings fielen die zehn Titel der öffentlichen Versorger, die mit A+ bewertet wurden, um 18 % gegenüber einem Minus von 14 % der 55 Titel im S&P-Index der öffentlichen Versorgungsunternehmen.) Es ist bemerkenswert, dass sich die Rankings des S&P in diesem Test sehr gut hielten. In jedem Fall schnitt das Portfolio der höher bewerteten Titel besser ab als das Portfolio mit schlechter bewerteten Titeln. Hinzu kommen (2) Unternehmen, die mehr als 50 Millionen Aktien im Umlauf hatten, insgesamt aber gegenüber einem geringen Verlust der Indizes unverändert blieben. Schließlich (3) erscheint es seltsam, dass Aktien, die zu einem hohen Kurs gehandelt wurden (über 100 $), insgesamt einen geringfügigen Kursanstieg (1 %) verzeichneten.

Unter den verschiedenen Tests, die wir anstellten, war auch einer, der auf dem Buchwert basiert, einer Zahl, die im *Stock Guide* nicht angegeben wird. Hier stellte sich heraus, dass – entgegen unserer Anlagephilosophie – Unternehmen, die sowohl sehr groß sind als auch einen hohen Anteil an Firmenwert im Kurs widerspiegeln, im Zeitraum über zweieinhalb Jahre insgesamt sehr gut abschnitten. (Unter „Firmenwert" verstehen wir den Teil des Kurses, der den Buchwert übersteigt.)[297] Unsere Liste der Firmenwert-Giganten bestand aus 30 Titeln, von denen jeder einen Firmenwert von mehr als 1 Milliarde $ auswies, was mehr als die Hälfte des Börsenkurses ausmachte. Der gesamte Marktwert dieser Titel lag Ende 1968 bei mehr als 120 Milliarden $! Trotz dieser optimistischen Marktbewertungen wies diese Gruppe insgesamt zwischen Dezember 1968 und August 1971 einen Kursanstieg von 15 % auf und war damit die beste unter den über 20 untersuchten Listen.

Eine solche Tatsache kann in einer Arbeit über Anlagekonzepte nicht ignoriert werden. Zumindest wurde deutlich, dass bei diesen Unternehmen ein ansehnliches Momentum besteht, das die positiven Faktoren Größe, eine hervorragende Leistungsbilanz hinsichtlich früherer Gewinne, die Erwartungshaltung der Öffentlichkeit auf stetiges Gewinnwachstum in der Zukunft und eine starke Marktpräsenz in vielen Jahren der Vergangenheit vereint. Selbst wenn der Kurs nach unseren quantitativen Standards überhöht erscheinen mag, kann das zugrunde lie-

297 Nach Graham kann ein hoher Firmenwert zwei Ursachen haben: Ein Unternehmen kann andere Unternehmen zu einem wesentlich höheren Preis erwerben als zu deren Vermögenswert, oder die eigenen Aktien werden wesentlich teurer gehandelt als zum Buchwert.

gende Momentum des Marktes solche Titel mehr oder weniger endlos weitertreiben. (Natürlich geht diese Annahme nicht davon aus, dass dies auf alle Titel dieser Kategorie zutrifft. Beispielsweise fiel der unangefochtene Führer beim Firmenwert, IBM, in diesem Zeitraum von 30 Monaten von 315 auf 304 $.) Es ist schwierig zu beurteilen, in welchem Umfang der überlegene Marktauftritt „echten" oder objektiven Anlageverdiensten zu verdanken ist und in welchem Umfang einer über lange Zeit aufgebauten Popularität. Es besteht kein Zweifel daran, dass beide Faktoren von Bedeutung sind. Es ist ganz klar, dass sowohl der langfristige als auch der kurzfristige Marktauftritt der Firmenwert-Giganten sie für ein diversifiziertes Aktienportfolio empfehlen würden. Wir bleiben jedoch bei unserer Vorliebe für Aktien, die eine Kombination günstiger Faktoren aufweisen, wozu auch zählt, dass die Vermögenswerte zumindest zwei Drittel des Kurses ausmachen.

Tests, die andere Kriterien anwendeten, deuten allgemein darauf hin, dass nach dem Zufallsprinzip erstellte Listen, die sich an einem einzigen günstigen Faktor ausrichten, besser abschneiden als zufällig erstellte Listen, die auf der Grundlage des umgekehrten Faktors erstellt wurden. Beispielsweise mussten Titel mit niedrigem KGV in diesem Zeitraum geringere Kursverluste hinnehmen als Titel mit hohem KGV, und Unternehmen, die langfristig Dividenden ausschütteten, hatten geringere Kursverluste hinzunehmen als diejenigen, die Ende 1968 keine Dividende zahlten. In dieser Hinsicht stützen die Ergebnisse unsere Empfehlung, dass die ausgewählten Titel eine Kombination quantitativer oder materieller Kriterien aufweisen sollten.

Letztlich sollten wir noch etwas zur wesentlich schwächeren Leistung sagen, die unsere Listen im Vergleich zum Kursverlauf des S&P Composite zeigten. Letzterer wird nach der Größe eines jeden Unternehmens gewichtet, während unsere Tests darauf beruhten, dass wir nur jeweils eine Aktie eines jeden Unternehmens betrachteten. Offensichtlich spielte die stärkere Betonung der großen Unternehmen nach der S&P-Methode eine entscheidende Rolle für die Ergebnisse und betont wiederum deren größere Kursstabilität im Vergleich zu den 08/15-Unternehmen.

Schnäppchen-Titel zum Wert des Nettoumlaufvermögens

In die oben besprochenen Tests schlossen wir die Ergebnisse der 30 Titel nicht ein, die wir zu einem Kurs unterhalb ihres Nettoumlaufvermögens kauften. Der Grund dafür war, dass wir im *Stock Guide* Ende 1968 höchstens eine Hand voll derartiger Titel gefunden hätten. Doch dieses Bild änderte sich im Abschwung von 1970, und zu den niedrigen Kursen dieses Jahres hätte man viele Aktien unter dem Wert ihres Nettoumlaufvermögens kaufen können. Es schien immer lächerlich – und das gilt auch jetzt –, einfach Folgendes zu sagen: Wenn man eine diversifizierte Gruppe von Aktien zu einem Kurs kaufen kann, der unterhalb des Nettoumlaufvermögens je Aktie liegt – abzüglich aller vorrangiger Forderungen und das Anlagevermögen und andere Vermögensarten mit 0 ansetzt –, dann sollten die Ergebnisse recht zufrieden stellend sein. Das war, nach unserer Erfahrung, mehr als 30 Jahre lang der Fall – etwa zwischen 1923 und 1957 –, ausgenommen die strapaziöse Zeit von 1930 bis 1932.

Hat dieser Ansatz zu Beginn des Jahres 1971 noch Bedeutung? Unsere Antwort wäre ein eindeutiges „Ja". Ein kurzer Blick in den *Stock Guide* hätte etwa 50 oder mehr Titel aufgezeigt, die offensichtlich zum oder unter dem Wert des Nettoumlaufvermögens zu haben waren. Wie man erwarten kann, hatten es viele im Problemjahr 1970 sehr schwer. Wenn wir die Unternehmen ausklammern, die in den letzten Monaten Verluste ausweisen mussten, hätten wir immer noch genügend Aktien übrig, um daraus eine diversifizierte Liste zu erstellen.

In die Tabelle 15-2 haben wir einige Daten von fünf Titeln aufgenommen, die zu ihren niedrigsten Kursen des Jahres 1970 unterhalb ihres Nettoumlaufvermögens[298] gehandelt wurden. Das gibt Stoff zum Nachdenken über Kursschwankungen: Wie kommt es, dass etablierte Unternehmen, deren Marken in allen Haushalten des Landes zu finden sind, mit derart niedrigen Zahlen bewertet werden – wenn gleichzeitig andere Konzerne (natürlich mit besserem Gewinnwachstum) zu Milliarden Dollar über dem gehandelt werden, was ihre Bilanz ausweist? Um die „guten alten Zeiten" noch einmal zu zitieren: Der Firmenwert als ein immaterieller Wert stand normalerweise mit einem Handelsnamen in Verbindung. Namen wie Lady Pepperell bei Bettlaken, Jantzen bei Badeanzügen und Parker bei Füllfederhaltern wurden tatsächlich als ein hochwertiger Vermögensteil angesehen. Doch wenn heutzutage der Markt „ein Unternehmen nicht mag", dann bedeuten weder bekannte Markennamen noch Grundstücke, Gebäude, Maschinenpark und was sonst noch alles nichts mehr. Pascal sagte, dass „das Herz seine

298 Rein technisch gesehen, besteht das Nettoumlaufvermögen einer Aktie aus den flüssigen Aktiva abzüglich der kurzfristigen Verbindlichkeiten, dividiert durch die Anzahl der im Umlauf befindlichen Stücke. An dieser Stelle jedoch meint Graham den Wert des Nettoumlaufvermögens oder den Wert der flüssigen Aktiva abzüglich der gesamten Verbindlichkeiten pro Aktie.

Gründe hat, die Vernunft allein nicht verstehen kann"[299]. Statt „Herz" könnte man sehr gut auch „Wall Street" sagen.

Tabelle 15-2: Aktien bekannter Unternehmen, die 1970 unter ihrem Nettoumlaufvermögen gehandelt wurden.

Unternehmen	Kurs 1970 in $	Netto-umlauf-vermögen je Aktie in $	Buch-wert je Aktie in $	Gewinn je Aktie 1970 in $	Aktuelle Dividende in $	Höchstkurs vor 1970 in $
Cone Mills	13	18	39,3	1,51	1,00	41,5
Jantzen Inc.	11,125	12	16,3	1,27	0,60	37
National Presto	21,5	27	31,7	6,15	1,00	45
Parker Pen	9,25	9,5	16,6	1,62	0,60	31,25
Westpoint Pepperell	16,25	20,5	39,4	1,82	1,50	64

Es gibt noch einen zweiten Gegensatz, der uns hier einfällt. Wenn alles gut läuft und neue Emissionen sich gut verkaufen lassen, dann tauchen auch Aktien auf, die keinerlei Qualität besitzen. Sie finden sehr schnell Käufer; die Kurse werden oft sofort nach der Emission begeistert in die Höhe gehievt, und das auf ein Niveau, das IBM, Xerox und Polaroid beschämen könnte. Die Wall Street geht mit diesem Wahnsinn recht locker um und macht keine Anstalten, dem Einhalt zu gebieten, bevor es zum unvermeidlichen Zusammenbruch der Kurse kommt. (Die SEC kann nicht viel mehr tun, als auf Veröffentlichung von Informationen zu bestehen, um die sich die Spekulanten überhaupt nicht kümmern, oder Untersuchungen anzukündigen und - normalerweise milde - Strafen nach den Buchstaben des Gesetzes zu verhängen, aber erst, nachdem die Buchstaben des Gesetzes deutlich übertreten wurden.) Wenn viele dieser unbedeutenden, jedoch aufgeblähten Firmen fast oder zur Gänze wieder aus dem Blickfeld verschwinden, dann wird das ganz philosophisch als „Teil des Spiels" hingenommen. Jeder schwört derartigen unentschuldbaren Extravaganzen ab - bis zum nächsten Mal.

299 „Le coeur a ses raisons que la raison ne connâit point". Diese Zeile ist eines der abschließenden Argumente der großen französischen theologischen Diskussion, die als „Pascals Wette" bekannt wurde (siehe auch Kommentar zu Kapitel 20).

Vielen Dank für diesen Hinweis, sagt der höfliche Leser. Aber was ist mit den „Schnäppchen-Titeln"? Kann man damit wirklich Geld verdienen, ohne ernsthafte Risiken einzugehen? Ja, das geht, *wenn* Sie ausreichend viele finden, um daraus eine Gruppe zu erstellen, und *wenn* Sie nicht die Geduld verlieren für den Fall, dass diese Titel nicht sofort zulegen, nachdem Sie sie gekauft haben. Zuweilen muss man recht viel Geduld aufbringen. In unserer letzten Auflage hatten wir ein einziges Beispiel, das gerade aktuell war, als wir die damalige Auflage verfassten. Es handelte sich dabei um Burton-Dixie Corp., dessen Aktie zu 20 $ gehandelt wurde, während das Nettoumlaufvermögen je Aktie 30 $ und der Buchwert etwa 50 $ betrugen. Ein Profit würde auf dieser Grundlage nicht sofort eintreten. Doch im August 1967 wurde allen Aktionären 53,75 $ je Aktie geboten, wahrscheinlich gerade einmal der Buchwert. Ein geduldiger Aktionär, der im März 1964 zu 20 $ gekauft hätte, hätte innerhalb von dreieinhalb Jahren einen Profit von 165 % gemacht – ein unverzinster jährlicher Gewinn von 47 %. Die meisten Schnäppchen-Titel haben unserer Erfahrung nach weder so lange gebraucht, um ansehnliche Gewinne zu erzielen, noch wurden so hohe Gewinne erzielt. Eine ähnliche Situation finden Sie in unserer Erörterung von National Presto Industries auf Seite 189.

Sondersituationen oder „Umwandlungen"

Lassen Sie uns noch kurz auf diesen Bereich eingehen, da er theoretisch in die Handelsstrategie eines aggressiveren Investors einbezogen werden kann. Wir haben ihn weiter oben schon kommentiert, doch an dieser Stelle wollen wir einige Beispiele und einige Anmerkungen für den aufgeschlossenen und aufmerksamen Investor hinzufügen.

Drei solche Situationen waren Anfang 1971 aktuell, und man könnte sie folgendermaßen zusammenfassen:

Situation 1.

Die Akquisition von Kayser-Roth durch Borden´s. Im Januar 1971 gab Borden Inc. bekannt, die Kontrollmehrheit an Kayser-Roth (Bekleidung) übernehmen zu wollen, indem man 1 1/3 Stück eigene Aktien gegen 1 Aktie von Kayser-Roth eintauschen würde. Am Tag darauf schlossen Borden nach sehr aktivem Handel mit 26 $ und Kayser-Roth mit 28 $. Hätte ein Anleger zu diesen Kursen 300 Aktien von Kayser-Roth gekauft und 400 Aktien von Borden´s verkauft, und wäre das Geschäft später wie geplant gelaufen, dann hätte er einen Gewinn von etwa 24 % auf die Kosten seiner Aktien gemacht, abzüglich Provision und anderer Posten. Angenommen, das Geschäft wäre innerhalb von sechs Monaten über die Bühne gegangen, dann hätte der Gesamtgewinn bei 40% p.a. gelegen.

Situation 2.

Im November 1970 bot National Biscuit Co an, die Mehrheitsbeteiligung bei Aurora Plastics Co. zu 11 $ in bar zu übernehmen. Die Aktie wurde zu etwa 8,5 $ gehandelt; sie schloss in diesem Monat mit 9 $ und blieb bis zum Jahresende auf diesem Stand. In diesem Fall lag der Bruttogewinn ursprünglich bei 25 %, war aber abhängig vom Risiko des Zeitablaufs und davon, dass das Geschäft nicht vollendet würde.

Situation 3.

Universal-Marion Co., das sein Geschäft aufgegeben hatte, bat seine Aktionäre, der Auflösung des Konzerns zuzustimmen. Der Finanzvorstand deutete an, der Buchwert der Aktie liege bei etwa 28,5 $, wobei ein ansehnlicher Teil davon in liquiden Mitteln vorhanden war. Die Aktie schloss mit einem Kurs von 21,5 $, was einen möglichen Bruttogewinn von mehr als 30 % ausmachte, wenn der Buchwert im Rahmen der Liquidation realisiert werden konnte.

Würden derartige Vorgänge auf diversifizierter Basis durchgeführt, um das Risiko zu streuen, könnte man von jährlichen Gewinnen in Höhe von 20 % oder mehr ausgehen. Dann würde sich das mehr als lohnen. Weil dies aber kein Buch über Sondersituationen ist, wollen wir nicht weiter in die Einzelheiten solcher Geschäft einsteigen – dann das ist wirklich eine sehr spezielle Sparte. Wir wollen jedoch auf zwei widersprüchliche Entwicklungen in den vergangenen Jahren verweisen. Einerseits hat sich die Anzahl solcher Geschäfte, aus denen man auswählen kann, stark vermehrt, wenn man sie mit der Zeit vor zehn Jahren vergleicht. Dies ist eine Folge dessen, was man eine Manie der Unternehmen nennen könnte, ihre Geschäftstätigkeiten mittels Akquisitionen verschiedenster Art zu diversifizieren. Im Jahr 1970 kam man auf etwa 5.000 „Ankündigungen von Fusionen", während es im Jahr 1969 noch 6.000 waren. Der Gesamtwert solcher Geschäfte machte sehr viele Milliarden Dollar aus. Vielleicht hätte bereits ein kleiner Teil dieser 5.000 Ankündigungen ausgereicht, um eine deutliche Chance beim Kauf von Aktien durch einen Anleger, der sich auf derartige Sondersituationen spezialisiert hat, zu nutzen. Doch dieser Teil war immer noch groß genug, um ihn ständig zu beschäftigen.

Doch es gibt auch eine Kehrseite: Immer mehr angekündigte Fusionen kamen nicht zustande. In solchen Fällen wird der erhoffte Gewinn natürlich nicht erzielt, und stattdessen muss man einen mehr oder weniger heftigen Verlust hinnehmen. Es gibt zahlreiche Gründe für den ausbleibenden Erfolg: Interventionen durch die Kartellbehörden, Widerstand der Aktionäre, Veränderung der Marktbedingungen, negative Ergebnisse aus weiteren Studien, die Unfähigkeit, sich auf Einzelheiten zu einigen, und ähnliche Gründe. Der Trick besteht hier natürlich darin, das Urteilsvermögen zu haben, das nur die Erfahrung bringen kann, sich auf die Geschäfte einzulassen, die mit größter Wahrscheinlichkeit erfolgreich über die Bühne gehen oder die bei einem Fehlschlag nur einen möglichst geringen Schaden anrichten.[300]

Weitere Kommentare zu den oben genannten Beispielen

Kayser-Roth. Der Vorstand dieses Unternehmens hatte das Angebot von Borden´s bereits abgewiesen (im Januar 1971), als dieses Kapitel verfasst wurde. Wäre der Vorgang sofort abgebrochen worden, dann hätte der Gesamtverlust, einschließlich aller Nebenkosten, etwa 12 % des Preises der Kayser-Roth-Aktien ausgemacht.

Aurora Plastics. Wegen der schlechten Performance dieses Unternehmens wurden die Übernahmebedingungen neu verhandelt, und der Kurs fiel auf 10,5 $. Die Aktien wurden Ende Mai bezahlt. Die auf das Jahr umgerechnete Rendite belief sich auf etwa 25 %.

Universal-Marion. Dieses Unternehmen nahm eine sofortige Anzahlung in bar und in Aktien vor (im Wert von 7 $ je Aktie) und reduzierte damit die Investition auf 14,5 %. Allerdings fiel der Börsenkurs daraufhin auf 13 $, was zu Zweifeln am Ergebnis der Liquidation führte.

Nehmen wir an, diese drei Beispiele seien repräsentativ für „Umwandlungen und Arbitragen" im gesamten Jahr 1971. Dann wird deutlich, dass es nicht sonderlich attraktiv ist, sich darauf nach dem Zufallsprinzip einzulassen. Dieser Bereich entwickelte sich zu einem Feld für Spezialisten, die über die erforderliche Erfahrung und das nötige Urteilsvermögen verfügen.

---

300 Wie schon im Kommentar zu Kapitel 7 besprochen, sind Arbitragegeschäfte bei Fusionen für die meisten Privatanleger völlig ungeeignet.

Beim Beispiel Kayser-Roth gibt es noch eine interessante Randerscheinung: Gegen Ende 1971 fiel der Kurs auf unter 20 $, während Borden´s zu 25 $ gehandelt wurde, was den 33 $ unter den Bedingungen des Aktientausches entspricht. Es hat den Anschein, dass entweder die Vorstände einen großen Fehler begingen, als sie diese Chance ausließen, oder dass die Aktien von Kayser-Roth nunmehr vom Markt deutlich unterbewertet wurden. Aber das ist etwas, worum sich Aktienanalysten kümmern sollten.

Kommentar zu Kapitel 15

> Es ist einfach, nach den Regeln der Welt in dieser Welt zu leben; es ist einfach, in der Einsamkeit nach eigenen Regeln zu leben; doch Größe beweist man, wenn man mitten in der Menge die vollkommene Süße der Freiheit der Einsamkeit bewahren kann.
>
> *Ralph Waldo Emerson*

Üben, üben, üben …

Max Heine, der Gründer der Mutual Series Funds, sagte oft: „Es gibt viele Wege nach Jerusalem". Was diese meisterhafte Aktien-Spürnase meinte, war, dass seine eigene, auf den Wert ausgerichtete Methode bei der Aktienauswahl nicht der einzige Weg ist, um als Anleger erfolgreich zu werden. In diesem Kapitel werden wir verschiedene Techniken betrachten, die einige der heute führenden Vermögensverwalter anwenden, wenn sie Aktien auswählen.

Zunächst jedoch sollte man noch einmal betonen, dass es für die meisten Anleger völlig überflüssig ist, einzelne Aktien auszuwählen – wenn man nicht gar völlig davon abraten sollte. Die Tatsache, dass die meisten Profis bei der Aktienauswahl ziemlich schlecht sind, bedeutet nicht, dass Amateure es besser können. Die meisten Menschen, die versuchen, ihre Aktien selbst auszuwählen, machen die Erfahrung, dass sie nicht so gut sind, wie sie dachten. Die glücklichsten unter ihnen bemerken dies sehr schnell, während diejenigen, die weniger Glück haben, oft Jahre brauchen, um es wirklich zu glauben. Es gibt nur einen ganz geringen Prozentsatz von Anlegern, die ihre Aktien hervorragend auswählen können. Alle anderen sollten sich helfen lassen, idealerweise durch einen Indexfonds.

Graham empfahl den Anlegern, zuerst einmal zu üben, so wie selbst die besten Sportler und Musiker trainieren und vor jedem echten Auftritt noch einmal proben. Er empfahl, zuerst einmal ein Jahr lang Aktien zu beobachten und auszuwählen (aber nicht mit echtem Geld).[301] Zu Grahams Zeiten hätte man einen Ordner angelegt und darin die hypothetischen Käufe und Verkäufe aufgezeichnet. Heute

301 Patricia Dreyfus, „Investment Analysis in Two Easy Lessons" (Interview mit Graham), Money, Juli 1976, S. 36.

kann man „Portfolios" auf Websites wie www.morningstar.com, http://finance.yahoo.com, http://money.cnn.com/services/portfolio/ oder www.marketocracy.com benutzen. (Auf der Seite der letzten Adressen sollten Sie allerdings die übertriebene Werbung für die eigenen Fonds und andere Dienstleistungen ignorieren.)

Wenn Sie Ihre Techniken ausprobieren, bevor Sie es mit echtem Geld versuchen, können Sie Fehler machen, ohne dass Sie wirkliche Verluste hinnehmen müssen, Disziplin entwickeln, häufiges Traden vermeiden, Ihr Konzept mit dem der führender Vermögensverwalter vergleichen und herausfinden, was bei Ihnen am besten funktioniert. Das Beste ist, dass Sie, wenn Sie die Ergebnisse Ihrer Aktienauswahl verfolgen, nicht vergessen werden, dass einige Ihrer Intuitionen sich als Versager herausstellen. Es zwingt Sie dazu, aus Ihren Erfolgen und Ihren Niederlagen zu lernen. Nach einem Jahr messen Sie Ihre Ergebnisse an denen eines S&P-Indexfonds. Wenn Ihnen dieses Experiment nicht gefallen hat oder Ihre Aktienauswahl schlecht war, dann ist kein Schaden entstanden – Sie haben lediglich herausgefunden, dass eine individuelle Aktienauswahl nicht Ihr Ding ist. Holen Sie sich Anteile an einem Indexfonds und hören Sie auf, Ihre Zeit mit der persönlichen Auswahl von Aktien zu verschwenden.

Hat Ihnen dieser Versuch jedoch Spaß gemacht und Sie haben ausreichend gute Ergebnisse erzielt, dann sollten Sie sich Stück für Stück einen Korb voll Aktien zusammenstellen – doch begrenzen Sie diesen Korb auf maximal 10 % Ihres gesamten Portfolios (den Rest sollten sie in einem Indexfonds halten). Und vergessen Sie nicht: Sie können immer aufhören, wenn es Sie nicht mehr interessiert oder die Ergebnisse schlecht werden.

Suchen Sie unter den richtigen Steinen

Und wie sollten Sie anfangen, nach einer möglicherweise lohnenden Aktie zu suchen? Sie können bei http://finance.yahoo.com und www.morningstar.com suchen, um mit statistischen Filtern, wie in Kapitel 14 schon vorgeschlagen, zu arbeiten. Sie können aber auch einen geduldigeren und eher handwerklichen Ansatz wählen. Viele der besten professionellen Anleger interessieren sich erst dann für eine Aktie, wenn der Kurs fällt, nicht, wenn er steigt. Christopher Browne von Tweedy Browne Global Value Fund, William Nygren vom Oakmark Fund, Robert Rodriguez von FPA Capital Fund und Robert Torray von Torray Fund empfahlen, die im *Wall Street Journal* täglich erscheinende Liste der Aktien, die ein Jahrestief erreichten, oder eine ähnliche Tabelle im Abschnitt „Market Week" von *Barron's* zu beachten. So stoßen Sie auf Aktien und Branchen, die aus der Mode gekommen oder unbeliebt sind und die deshalb das Potenzial für hohe Gewinne beinhalten, wenn die Ansichten sich erst einmal ändern.

Christopher Davis von Davis Funds und William Miller von Legg Mason Value Trust sehen gern steigende Gewinne auf das eingesetzte Kapital (oder ROIC – eine Möglichkeit zu messen, wie effizient ein Unternehmen das schafft, was Warren Buffett „Owner Earnings" oder Gewinn der Eigentümer nannte.[302] Weitere Einzelheiten dazu finden Sie im folgenden Kasten.)

Wenn Sie die Vergleichswerte oder die Kurse überprüfen, zu denen ähnliche Unternehmen in den vergangenen Jahren aufgekauft wurden, bekommen Manager wie Oakmarks Nygren und O. Mason Hawkins, Partner bei Longleaf, ein besseres Gefühl dafür, welchen Wert die einzelnen Teile eines Unternehmens haben. Für einen Privatanleger ist dies eine nervtötende und schwierige Arbeit: Beginnen Sie unter der Fußnote zu den „Geschäftsbereichen" im Jahresbericht der Unternehmen nachzusehen, die in der Regel die Branche, die Erlöse und Gewinne aller Geschäftsbereiche und Tochtergesellschaften aufführen. (Die Analyse des Managements kann ebenfalls sehr hilfreich sein.) Danach durchsuchen Sie eine Datenbank für Nachrichten, beispielsweise Factiva, ProQuest oder LexisNexis, nach Beispielen anderer Firmen der gleichen Branchen, die erst kürzlich übernommen wurden. Wenn Sie die Datenbank Edgar unter www.sec.gov verwenden, um die jüngsten Geschäftsberichte zu bekommen, dann können Sie auch das Verhältnis des Kaufpreises zu den Gewinnen der übernommenen Unternehmen ermitteln. Sie können dieses Verhältnis anwenden, um abzuschätzen, wie viel ein anderes Unternehmen für einen ähnlichen Geschäftsbereich des Unternehmens bezahlen würde, in das Sie investieren wollen.

Wenn man alle Geschäftsbereiche eines Unternehmens auf diese Art und Weise analysiert, dann könnte man herausfinden, ob sie mehr wert sind als der aktuelle Aktienkurs. Hawkins von Longleaf sucht gern nach „60-Cent-Dollars" oder nach Unternehmen, deren Aktien zu 60 % oder weniger des Wertes, zu dem er das Geschäft bewertet, gehandelt werden. Dies bietet das Sicherheitspolster, auf dem Graham besteht.

302 Siehe Kommentar zu Kapitel 11.

Vom KGV zum ROIC

Der Nettoerlös oder der Gewinn je Aktie wurde in den vergangenen Jahren durch Faktoren verzerrt, wie die Gewährung von Aktienoptionen und bilanzierte Gewinne und Verbindlichkeiten. Um herauszufinden, welchen Gewinn auf das eingesetzte Kapital ein Unternehmen wirklich macht, sollte man hinter das KGV auf den ROIC (Return on Invested Capital) blicken. Christopher Davis von Davis Funds definiert die Kennzahl ROIC mit folgender Formel:

ROIC = „Gewinne der Eigentümer" : investiertes Kapital,

wobei der „Gewinn der Eigentümer" wie folgt berechnet wird:

Operativer Gewinn
+ Abschreibungen
+ Amortisation des Firmenwerts
./. Einkommensteuer (gezahlt mit dem durchschnittlichen Steuersatz des Unternehmens)
./. Kosten der Aktienoptionen
./. „Unterhaltskosten" oder unumgängliche Kapitalausgaben
./. alle Erlöse, die aus nicht aufrechtzuerhaltenden Gewinnen aus Pensionsrückstellungen (im Jahr 2003 höher als 6,5 %) resultieren und wo das investierte Kapital gleich dem Gesamtvermögen ist
./. Barmittel (ebenso kurzfristige Investments und zinslose kurzfristige Verbindlichkeiten)
+ frühere buchhalterische Belastungen, die das investierte Kapital gemindert haben.

Der ROIC zeigt, was das Unternehmen mit seinen operativen Geschäften verdient – und wie effizient es das Geld der Aktionäre genutzt hat, um diesen Gewinn zu erzielen. Ein ROIC von mindestens 10 % ist attraktiv; selbst 6 % oder 7 % können verführerisch sein, wenn das Unternehmen gute Marken und ein Management besitzt, das sich auf seine Aufgaben konzentriert oder nur vorübergehend Schwächen zeigt.

Wer ist der Boss?

Letztlich wollen die meisten führenden professionellen Investoren wissen, ob ein Unternehmen von Menschen geführt wird, die, wie William Nygren von Oakmark es ausdrückt, „wie Eigentümer denken, nicht nur wie Manager". Zwei ganz einfache Prüfungen: Kann man die Finanzberichte des Unternehmens leicht verstehen, oder sind die Angaben verschleiert? Sind „einmalige" oder „außerordentliche" oder „ungewöhnliche" Belastungen genau das, was die Buchstaben aussagen, oder kommen diese hässlichen Wörter immer wieder vor?

Mason Hawkins von Longleaf sucht nach Managern in Unternehmen, die „gute Partner" sind – was heißen soll, dass sie Probleme ehrlich kommunizieren, klare Pläne haben, den aktuellen und künftigen Cashflow zu erhöhen, und selbst ansehnliche Aktienbeteiligungen am Unternehmen besitzen (vorzugsweise durch Barankäufe und nicht durch Gewährung von Aktienoptionen). Wenn Manager aber „mehr über den Aktienkurs sprechen als über die Geschäfte", warnt Robert Torray von Torray Fund, „dann haben wir kein Interesse". Christopher Davis von Davis Funds favorisiert Firmen, die die Ausgabe von Aktienoptionen auf 3 % der im Umlauf befindlichen Aktien beschränken.

Howard Schow vom Vanguard Primecap Fund achtet darauf, „was das Unternehmen in einem Jahr sagt und was im nächsten Jahr passiert. Wir wollen sehen, dass die Manager nicht nur den Aktionären gegenüber, sondern auch sich selbst gegenüber ehrlich sind." (Wenn der Chef eines Unternehmens darauf besteht, dass alles in Ordnung sei, obwohl die Geschäfte ins Stocken geraten, dann sollten Sie vorsichtig werden!) Heute kann man an den regelmäßig angesetzten Konferenzen, zu denen Analysten und Presse eingeladen werden, teilnehmen, auch wenn man nur ein paar Aktien besitzt. Um die Termine herauszufinden, nehmen Sie Kontakt zum Büro für Investor Relations auf oder besuchen die Website des Unternehmens.

Robert Rodriguez von FPA Capital Fund schlägt sofort die letzte Seite eines Jahresberichts auf, auf der die Vorstände der operativen Bereiche genannt werden. Wenn es in den ersten ein oder zwei Jahren eines CEO viel Fluktuation gibt, dann ist dies wahrscheinlich ein gutes Anzeichen; er räumt mit dem „alten Holz" auf. Wenn die hohe Fluktuation sich jedoch fortsetzt, dann kann man annehmen, dass die Umstrukturierung in einen Tumult ausgeartet ist.

Behalten Sie den Blick auf der Straße

Es gibt sogar noch mehr Wege nach Jerusalem als nur diese. Einige führende Portfoliomanager, etwa David Dreman von Dreman Value Management und Martin Whitman von Third Avenue Funds, konzentrieren sich auf Unternehmen, deren Aktien bei sehr niedrigen Verhältnissen bei Vermögen, Gewinn oder des Cashflow, gehandelt werden. Andere wiederum, etwa Charles Royce von Royce Funds und Joel Tillinghast von Fidelity Low-Priced Stock Fund, sind auf der Pirsch nach kleinen unterbewerteten Unternehmen. Und einen – viel zu kurzen – Blick darauf, wie der heute berühmteste Investor der Welt, Warren Buffett, seine Unternehmen auswählt, finden Sie im folgenden Kasten.

Wie Warren Buffett investiert

Grahams bekanntester und bester Schüler, Warren Buffett, wurde der erfolgreichste Investor der Welt, indem er Grahams Ideen eine neue Wendung gab. Buffett und sein Partner Charles Munger (und Stellvertreter bei Berkshire Hathaway) haben Grahams „Sicherheitspolster" und die Loslösung von der Börse mit ihrer eigenen innovativen Betonung des künftigen Wachstums kombiniert. Hier eine Zusammenfassung von Buffetts Konzept:

Er sucht nach, wie er es nennt, Franchise-Unternehmen, solchen mit starken Marken, die der Verbraucher kennt, mit Geschäften, die leicht zu verstehen sind, die finanziell gesund und widerstandsfähig sind und die in ihrem Markt fast ein Monopol genießen, etwa wie H & R Bloc, Gillette und The Washington Post Co. Buffett kauft Aktien, wenn ein Skandal, ein großer Verlust oder andere schlechte Nachrichten wie ein Sturm darübergefegt ist – so wie er Coca-Cola kurz nach der katastrophalen Markteinführung des „New Coke" nach dem Crash von 1987 kaufte. Außerdem bevorzugt er Manager, die klare und realistische Ziele setzen, ihr Unternehmen von innen her und nicht durch Akquisitionen aufbauen, ihr Geld klug anlegen und sich selbst nicht Hunderte von Millionen an Aktienoptionen gewähren. Buffett besteht auf stetigem und nachhaltigem Gewinnwachstum, und deshalb, so sein Kalkül, wird das Unternehmen in der Zukunft mehr Wert haben als heute.

In seinen Jahresberichten, die Sie unter www.berkshirehathaway.com einsehen können, legt Buffett seine Gedanken dar wie ein offenes Buch. Wahrscheinlich gibt es keinen anderen Investor, einschließlich Graham, der öffentlich mehr über seine Konzepte sagte oder in konsequenten Essays veröffentlichte. (Ein klassisches Sprichwort von Buffett lautet: „Wenn ein Management mit einem hervorragendem Ruf ein Unternehmen mit einem wirtschaftlich schlechten Ruf angreift, dann bleibt immer der Ruf desjenigen Unternehmens intakt, das übrig bleibt.") Jeder intelligente Investor kann – und sollte – lernen, indem er auf die Worte eines Meisters hört.

Eine Technik, die hier hilfreich sein kann: Achten Sie darauf, welche führenden professionellen Vermögensverwalter die gleichen Aktien im Portfolio haben wie Sie. Wenn ein oder zwei Namen immer wieder auftauchen, dann gehen Sie auf die Website der Fondsgesellschaft und laden deren neueste Berichte auf Ihre Festplatte. Wenn Sie wissen, welche anderen Aktien diese Investoren besitzen, dann können Sie mehr erfahren, welche Qualitäten diese gemeinsamen haben. Wenn Sie die Kommentare des Managers lesen, dann könnten Ihnen selbst Ideen kommen, wie Sie Ihr eigenes Konzept verbessern können.[303]

Gleichgültig, welche Techniken Sie bei der Aktienauswahl anwenden, erfolgreiche Anlageprofis haben zwei Dinge gemeinsam: Erstens sind sie diszipliniert und konsequent und weigern sich, ihr Konzept zu ändern, selbst wenn es gerade nicht in Mode ist. Zweitens denken sie sehr viel über das nach, was sie tun und wie sie es tun, doch messen sie dem, was der Markt gerade tut, wenig Bedeutung bei.

303 Es gibt zahlreiche Newsletter, die sich der Analyse professioneller Portfolios widmen, doch die meisten sind für den aggressiveren Investor reine Zeit- und Geldverschwendung. Eine Ausnahme für Leute, die sich den Preis dafür leisten können, ist Outstanding Investor Digest (www.oid.com).

Kapitel 16

Wandelbare Titel und Bezugsrechte

Wandelanleihen und Vorzugsaktien haben in letzter Zeit eine beherrschende Stellung im Bereich vorrangiger Finanzinstrumente eingenommen. Gleichzeitig ist auch die Zahl der Bezugsrechte für Aktienoptionen - langfristige Rechte zum Kauf von Stammaktien zu festgelegten Kursen - gestiegen. Mehr als die Hälfte der Vorzugsaktien, die nunmehr im *Stock Guide* von Standard & Poor's notiert werden, können gewandelt werden, und dies galt in den Jahren 1968 bis 1970 auch für einen großen Teil der Industrieanleihen. Es gibt mindestens 60 verschiedene Serien von Bezugsrechten auf Aktienoptionen, die an der Börse gehandelt werden. 1970, zum ersten Mal in ihrer Geschichte, notierte die New York Stock Exchange eine Emission von langfristigen Optionsscheinen, die das Recht einräumten, 31.400.000 Aktien der American Tel. & Tel. zu je 52 $ zu kaufen. Da „Mutter Bell" Marktführerin ist, wird sie durch viele neue Anbieter von Optionsscheinen gezwungen, ihren Anteil zu vergrößern. (Wie wir später noch erörtern werden, sind Optionsscheine nicht nur in einem Sinn „Erfindungen".)[304]

Von ihrer Bedeutung her rangieren die wandelbaren Wertpapiere weit vor Optionsscheinen, und deshalb werden wir auch zuerst über sie sprechen. Es gibt

304 Graham mochte keine Optionsscheine, wie er auf den Seiten 435-438 verdeutlicht.

zwei wesentliche Aspekte, die vom Standpunkt eines Anlegers aus berücksichtigt werden sollten. Erstens: Welchen Rang nehmen sie als Anlageinstrument ein und welche Risiken bergen sie? Zweitens: Wie beeinflusst deren Existenz den Wert der damit verbundenen Stammaktien?

Von wandelbaren Wertpapieren wird behauptet, sie seien sowohl für den Investor als auch für das emittierende Unternehmen von besonderem Vorteil. Der Investor erhält die hervorragende Sicherheit einer Anleihe oder einer Vorzugsaktie und außerdem die Gelegenheit, von einem deutlichen Kursanstieg der Stammaktie zu profitieren. Der Emittent kann zu mäßigen Zinsen oder zu den Kosten der Vorzugsaktien Kapital aufnehmen, und wenn der erwartete Erfolg eintritt, entledigt sich der Emittent seiner vorrangigen Verpflichtungen, wenn er diese in Stammaktien umtauscht. Somit profitieren beide Seiten.

Offensichtlich stellt das soeben Geschriebene die Angelegenheit übertrieben dar, denn man kann allein durch ein raffiniertes Instrument keinen Vorteil für beide Seiten schaffen. Im Tausch gegen das Privileg der Wandlung gibt der Investor etwas Wichtiges auf, nämlich Qualität oder Rendite oder gar beides [56]. Umgekehrt tritt das Unternehmen, wenn es sein Geld wegen der Wandelbarkeit zu geringeren Kosten bekommt, als Gegenleistung einen Teil der Ansprüche der Inhaber von Stammaktien auf künftige Wertsteigerungen ab. Zu diesem Thema gibt es eine Menge komplizierter Argumente, die sowohl positiv als auch negativ sein können. Die sicherste Schlussfolgerung, die gezogen werden kann, ist, dass wandelbare Wertpapiere nichts anderes sind als jedes andere Wertpapier, weil sie ihrer Art nach weder Attraktivität noch das Gegenteil garantieren. Diese Frage kann beantwortet werden, wenn man alle Fakten kennt, die sich um eine spezielle Emission ranken.[305]

Wir wissen jedoch, dass die Gruppe der wandelbaren Papiere, die während des letzten Teils eines Bullenmarktes ausgegeben wurden, insgesamt dazu verurteilt war, eine nur schwache Rendite zu erzielen. (Leider wurden in der Vergangenheit gerade in derart optimistischen Perioden meistens Wandelpapiere auf den Markt geworfen.) Die schwachen Ergebnisse müssen unausweichlich sein, al-

305 Graham betont an dieser Stelle, trotz der reißerischen Rhetorik, die Investoren normalerweise zu hören bekommen, dass Wandelanleihen nicht automatisch „die beste aller Welten" sind. Höhere Rendite und geringeres Risiko gehen nicht immer Hand in Hand. Was die Wall Street mit der einen Hand gibt, das nimmt sie normalerweise mit der anderen wieder weg. Eine Investition könnte die beste der Welten sein, aber auch die schlechteste; doch die Beste aus beiden Welten ist nur selten in einem Paket zu haben.

lein schon wegen des Zeitpunkts, da ein starker Abschwung an den Börsen die Wandlung unweigerlich viel weniger attraktiv macht - und oft auch die Sicherheit des zugrunde liegenden Titels selbst.[306] Zur Demonstration greifen wir auf ein Beispiel zurück, das wir in der ersten Auflage verwendeten, um das relative Kursverhalten von wandelbaren und nicht wandelbaren Vorzugsaktien zu zeigen. Diese wurden 1946 emittiert, im letzten Jahr des Bullenmarktes und vor dem außerordentlichen Bullenmarkt, der 1949 begann.

Tabelle 16-1: Kursverlauf neuer Vorzugsaktien, die 1946 emittiert wurden

Kursveränderung vom Ausgabekurs bis zum Tief im Juli 1947	„reine" Vorzugsaktien	Wandelbare und partizipierende Titel
Kein Kursverlust	7	0
Kursverlust 0 - 10 %	16	2
Kursverlust 10 - 20 %	11	6
Kursverlust 20 - 40 %	3	22
Kursverlust von 40 % und mehr	0	12
	37	42
Durchschnittlicher Kursverlust	Etwa 9 %	Etwa 30 %

Es ist schwierig, für die Jahre 1967 bis 1970 eine vergleichbare Darstellung zu präsentieren, weil es in diesen Jahren keine Emissionen nicht wandelbarer Titel gab. Zeigen lässt sich aber, dass der durchschnittliche Kursverlust der wandelbaren Vorzugsaktien von Dezember 1967 bis Dezember 1970 höher lag als bei Stammaktien (die nur 5 % verloren). Auch bei den wandelbaren Vorzugsaktien hat es den Anschein, als seien sie in der Zeit von Dezember 1968 bis Dezember 1970 ein wenig schlechter gelaufen als die „reinen" Vorzugsaktien, wie an den 20 Beispiel-

306 Laut Goldman Sachs und Ibbotson Associates erwirtschafteten Wandelpapiere im Zeitraum zwischen 1998 und 2002 eine durchschnittliche Rendite von 4,8 %. Dies war deutlich besser als der jährliche Verlust von 0,6 % mit amerikanischen Aktien, aber wesentlich schlechter als die Rendite mittelfristiger Industrieanleihen (ein jährlicher Gewinn von 7,5 %) und langfristiger Industrieanleihen (ein jährlicher Gewinn von 8,3 %). Mitte der 90er-Jahre, so Merrill Lynch, wurden alljährlich Wandelpapiere im Wert von 15 Milliarden $ emittiert; im Jahr 1999 hatten sich die Emissionen auf einen Wert von 39 Milliarden $ verdoppelt. Im Jahr 2000 wurden wandelbare Papiere im Wert von 58 Milliarden $ emittiert, und 2001 waren es noch einmal 1.005 Milliarden $. Wie Graham warnt, kommen wandelbare Papiere immer gegen Ende eines Bullenmarktes aus dem Unterholz - hauptsächlich, weil selbst Unternehmen schwacher Qualität dann ausreichend hohe Gewinne aus Aktien haben, um die Wandelbarkeit attraktiv erscheinen zu lassen.

titeln beider Varianten in der Tabelle 16-2 ersichtlich ist. Diese Vergleiche zeigen, dass wandelbare Wertpapiere insgesamt als vorrangige Titel von recht schlechter Qualität und auch an die Stammaktien gebunden waren, die schlechter liefen als der allgemeine Markt, außer während eines spekulativen Aufschwungs. Diese Beobachtungen gelten natürlich nicht für alle wandelbaren Titel. 1968 und besonders 1969 gab es sehr viele starke Unternehmen, die wandelbare Titel einsetzten, um gegen die außerordentlich hohen Zinsen vorzugehen, selbst mit Anleihen höchster Qualität. Doch ist es bemerkenswert, dass in unserem Beispiel mit 20 wandelbaren Vorzugsaktien nur eine einzige einen Kursgewinn verzeichnen konnte, während 14 massive Kursverluste hinnehmen mussten.[307]

Tabelle 16-2: Kursverlauf von Vorzugsaktien, Stammaktien und Bezugsrechten im Dezember 1970 gegenüber Dezember 1968 (ausgewählt nach dem Zufallsprinzip auf der Basis von jeweils 20 Titeln)

	„reine" Vorzugsaktien		Wandelbare Vorzugsaktien	Notierte Stammaktien	Notierte Bezugsrechte
	mit einem Rating von A oder besser	mit einem Rating von unter A			
Kurssteigerungen	2	0	1	2	1
Kursverlust 0 - 10 %	3	3	3	4	0
Kursverlust 10 - 20 %	14	10	2	1	0
Kursverlust 20 - 40 %	1	5	5	6	1
Kursverlust 40 % oder mehr	0	0	9	7	18
Durchschnittlicher Kursverlust	10 %	17 %	29 %	33 %	65 %

(Der Standard & Poor's Composite Index mit 500 Stammaktien fiel um 11,3 %.)

307 Neuere strukturelle Veränderungen im Markt der wandelbaren Titel haben einige Kritikpunkte widerlegt. Wandelbare Vorzugsaktien, die zu Grahams Zeiten fast die Hälfte der wandelbaren Titel ausmachten, stellen heute nur noch ein Achtel des Marktes dar. Die Laufzeiten sind kürzer, wodurch Wandelanleihen nicht mehr so volatil sind, und viele sind gegen einen vorzeitigen Rückruf geschützt. Mehr als die Hälfte aller wandelbaren Titel gelten heute durchaus als Investitionen, eine deutliche Verbesserung der Kreditwürdigkeit gegenüber den Zeiten Grahams. Somit verlor der Merrill Lynch All U. S. Convertible Index nur 8,6 % – gegenüber einem Verlust von 22,1 % des S&P 500 und dem Verlust von 31,3 % des Nasdaq Composite Stock Index.

Die Schlussfolgerung, die aus diesen Zahlen gezogen werden muss, ist nicht, dass Wandelpapiere an sich weniger wünschenswert sind als Titel, die nicht in Stammaktien gewandelt werden können. Wenn alles andere gleich ist, dann ist das Gegenteil richtig. Doch sehen wir ganz deutlich andere Dinge, die in der Praxis eben nicht gleich sind, und wir sehen außerdem, dass die Addition der Privilegien der Wandelbarkeit oft - vielleicht sogar in der Regel - das Fehlen echter Qualität dieses Wertpapiers als Kapitalanlage vermissen lässt.

Es stimmt natürlich, dass eine wandelbare Vorzugsaktie sicherer ist als die Stammaktie desselben Unternehmens - damit wollen wir sagen: Sie trägt ein geringeres Kapitalverlustrisiko. Folglich handeln diejenigen, die Neuemissionen von Wandelpapieren kaufen anstatt die entsprechende Stammaktie, bis zu diesem Punkt logisch. Doch würden Stammaktien zum aktuellen Kurs kein sinnvoller Kauf sein, und der Ersatz der wandelbaren Vorzugsaktien würde das Gesamtbild nicht hinreichend verbessern. Außerdem werden viele Wandelpapiere von Anlegern gekauft, die kein Interesse an oder Vertrauen in Stammaktien haben - das heißt, sie hätten die Stammaktie zu dieser Zeit nie gekauft -, aber in Versuchung geraten sind, weil ihnen die Kombination eines Vorrechts und der Wandelbarkeit nahe dem Börsenkurs als ideal erscheint. Sehr oft hat sich diese Kombination als vorteilhaft erwiesen, doch die Statistik bescheinigt, dass sie sich eher als Fallstrick erweist.

In Verbindung mit dem Eigentum von Wandelpapieren gibt es ein spezielles Problem, das die meisten Anleger nicht wahrnehmen. Selbst wenn es zu einem Gewinn kommt, bringt dieser ein Dilemma mit sich. Will der Inhaber bei einem geringfügigen Kursanstieg verkaufen, so sollte er auf einen wesentlich höheren Kursanstieg warten; wenn der Titel eingelöst wird - was oft passiert, wenn die Stammaktie deutlich zugelegt hat -, sollte er dann verkaufen oder konvertieren und die Stammaktie behalten?[308]

Spielen wir das an einem konkreten Fall durch: Sie kaufen eine 6-%-Anleihe zu 100, wandelbar in Stammaktien zu 25 - das heißt, Sie erhalten für eine Anleihe von 1.000 $ 40 Stammaktien. Der Kurs der Stammaktie steigt auf 30, und damit wird die Anleihe mindestens 120 wert und deshalb zu 125 gehandelt. Entweder Sie halten sie, oder Sie verkaufen. Wenn Sie halten, weil Sie auf einen noch höheren Kurs hoffen, dann befinden Sie sich genau in der Situation eines Stammaktionärs, denn wenn der Kurs der Aktie wieder fällt, dann wird auch der Kurs Ihrer An-

308 Eine Anleihe wird „zurückgerufen" oder „eingelöst", wenn das emittierende Unternehmen sie vor dem eigentlichen Ablauftermin zurückzahlt, oder am letzten Tag der fälligen Zinszahlungen. Eine kurze Zusammenfassung darüber, wie Wandelanleihen funktionieren, finden Sie in Fußnote 318 im Kommentar zu diesem Kapitel.

leihe wieder fallen. Ein konservativer Anleger wird wahrscheinlich sagen, dass seine Position jenseits von 125 zu spekulativ geworden ist, und deshalb wird er verkaufen und einen Gewinn von 25 % mitnehmen.

So weit, so gut. Verfolgen wir diese Angelegenheit aber noch ein wenig weiter. In vielen Fällen steigt der Kurs weiter; wenn der Inhaber zu 125 verkauft, zieht die Wandelanleihe mit, und der Investor muss diesen besonderen Schmerz erleben, der dann eintritt, wenn man zu früh verkauft hat. Beim nächsten Mal entschließt er sich, die Anleihe bis 150 oder 200 zu halten. Die Anleihe steigt auf 140, und er verkauft nicht. Dann bricht der Markt ein, und die Anleihe rutscht auf 80 ab. Schon wieder hat er etwas Falsches gemacht.

Neben der Seelenqual, die mit diesen falschen Vermutungen verbunden ist – und diese sind fast unvermeidlich –, hat der Anleger einen Realverlust durch die Wandelanleihen erlitten. Man kann davon ausgehen, dass eine strikte und gleichmäßige Taktik, bei einem Gewinn von 25 % oder 30 % zu verkaufen, für die meisten Beteiligungen den größten Vorteil bringt. Dies wäre dann die Obergrenze der Gewinne und immer nur dann realisiert, wenn alles gut läuft. Aber wenn – und auch das scheint zu stimmen – diese Emissionen oft keine angemessene Sicherheit bieten und meist in den späteren Stadien eines Bullenmarktes angeboten und gekauft werden, dann werden viele es nicht schaffen, bis auf 125 anzusteigen, sondern sie werden einbrechen, wenn der Markt sich nach unten dreht. Deshalb sind die spektakulären Chancen der Wandelpapiere in der Praxis oft nur eine Illusion, doch allgemein werden – zumindest vorübergehend – hohe Verluste und auch Totalverluste realisiert, da es auch Gewinne in ähnlicher Größenordnung gibt.

Wegen der extrem langen Dauer des Bullenmarktes von 1950 bis 1968 waren Wandelpapiere in diesen 18 Jahren eine gute Kapitalanlage. Doch das bedeutet lediglich, dass die meisten Stammaktien hohe Kursgewinne verzeichneten, von denen auch die Wandelanleihen profitierten. Die Zuverlässigkeit von Investitionen in Wandelpapiere kann nur durch ihre Performance in einem schrumpfenden Aktienmarkt überprüft werden – und diese verlief bisher insgesamt immer enttäuschend.[309]

In unserer ersten Auflage (1949) sprachen wir dieses spezielle Problem an. Was ist zu tun mit einer Wandelanleihe, wenn der Kurs steigt? Wir sind der Meinung,

---

309 In den vergangenen Jahren hatten Wandelanleihen im Verlauf von sinkenden Aktienmärkten in der Regel eine bessere Performance als der S&P 500, doch waren sie nicht so gut wie andere Anleihen – was die Kritik Grahams an dieser Stelle zwar aufweicht, jedoch nicht als völlig unberechtigt darstellt.

dass es sich immer noch lohnt, es an dieser Stelle zu behandeln. Wie viele unserer Hinweise stammt dieser aus unseren eigenen Anlageerfahrungen. Wir waren Mitglieder einer „ausgewählten Gruppe", in der Hauptsache Investmentfonds, die sich an einem privaten Emissionsangebot von 4,5-%-Schuldverschreibungen von Eversharp Co. zum Nennwert beteiligte. Die Anleihen konnten zu 40 $ je Anteilschein in Stammaktien gewandelt werden. Der Aktienkurs stieg schnell auf 65,5 $ und dann (nach einem Drei-zu-zwei-Split) auf entsprechend 88 $. Der letzte Kurs ließ den Wert der wandelbaren Schuldverschreibungen auf nicht weniger als 220 $ ansteigen. Während dieses Zeitraums wurden die beiden Titel mit einer geringfügigen Prämie zurückgenommen; somit wurden praktisch alle in Stammaktien gewandelt und von einigen Investmentfonds gehalten. Unverzüglich begab sich der Kurs auf Talfahrt, und im März 1948 wurde die Aktie zu nur noch 7,75 $ gehandelt. Für die Anleihen bedeutete dies einen Wert von nur 27 $ oder einen Verlust von 75 % des ursprünglichen Kurses anstatt eines Gewinns von mehr als 100 %.

Der entscheidende Punkt in dieser Geschichte ist, dass einige ursprüngliche Käufer der Anleihen in Stammaktien wandelten und diese während des gesamten Kurssturzes hielten. Damit handelten sie entgegen einer alten Maxime der Wall Street, die besagt: „Wandle nie eine Wandelanleihe." Wie kommt es zu diesem Rat? Wenn Sie einmal gewandelt haben, dann verlieren Sie die strategische Kombination des vorrangigen Anspruchs auf Zinsen und eine Chance auf einen attraktiven Gewinn. Wahrscheinlich wurden sie vom Investor zum Spekulanten, und das zu einem recht ungünstigen Zeitpunkt (weil die Aktie schon eine deutliche Kurssteigerung hinter sich hatte). Wenn „Wandle nie eine Wandelanleihe" eine gute Richtschnur ist, wie kommt es dann, dass diese erfahrenen Fondsmanager ihre Eversharp-Anleihen gegen Aktien eintauschten, was später zu diesem blamablen Verlust führte? Zweifellos ließen sie sich von der Begeisterung über die Zukunftsaussichten des Unternehmens mitreißen, aber auch von der guten Performance der Aktien an der Börse. Die Wall Street kennt nur wenige kluge Grundsätze; das Schlimme aber ist, dass diese wenigen Grundsätze immer dann vergessen werden, wenn sie am nötigsten gebraucht werden.[310] So auch das geflügelte Wort der Oldtimer: „Tu, was ich sage, und nicht, was ich mache."

310 Dieser Satz könnte als Grabinschrift für den Bullenmarkt der 90er-Jahre dienen. Zu den „wenigen klugen Ratschlägen" die die Anleger vergaßen, gehörten auch Börsen-Klischees wie „Die Bäume wachsen nicht in den Himmel" und „Bullen verdienen Geld, Bären verdienen Geld, doch Schweine werden geschlachtet".

Unsere allgemeine Einstellung gegenüber neuen Wandelpapieren ist deshalb eine eher misstrauische. Wir meinen damit an dieser Stelle, wie auch bei anderen Beobachtungen, dass der Anleger öfter als nur zwei Mal hinsehen sollte, bevor er sie kauft. Nach einer solch kritischen Überprüfung könnte er einige außerordentliche Angebote finden, die zu gut sind, als dass man sie zurückweisen sollte. Die ideale Kombination ist natürlich eine stark abgesicherte Wandelanleihe, die gegen eine Stammaktie einzutauschen ist, die selbst attraktiv ist, und zu einem Kurs, der nur unwesentlich über dem aktuellen Börsenkurs liegt. Ab und zu gibt es ein neues Angebot, das diese Anforderungen erfüllt. Weil die Börsen so sind, wie sie sind, werden Sie derartige Gelegenheiten bei einigen älteren Titeln finden, die sich in eine günstige Position hochgearbeitet haben, kaum jedoch bei neuen Emissionen. (Wenn ein neuer Titel wirklich sehr stark ist, dann ist es eher unwahrscheinlich, dass die Bedingungen für eine Wandlung sehr gut sind.)

Dieser feine Unterschied zwischen dem, was gegeben wird, und dem, was normalen Wandelpapieren vorenthalten wird, wird in der hohen Nachfrage nach dieser Art von Wandelpapier bei der Finanzierung der American Telephone & Telegraph Company deutlich. Zwischen 1913 und 1957 verkaufte das Unternehmen mindestens neun verschiedene Emissionen von Wandelanleihen, die meisten davon über Subskriptionsrechte der Aktionäre. Die Wandelanleihen hatten für das Unternehmen den großen Vorteil, dass die Käufer wesentlich weiter gestreut waren, als es bei einer Aktienemission der Fall gewesen wäre, da die Anleihen bei vielen Finanzinstitutionen sehr beliebt waren, die über enorme Mittel verfügen; allerdings gibt es einige, die keine Aktien kaufen dürfen. Die Zinsrendite der Anleihen betrug im Allgemeinen nur die Hälfte der Dividendenrendite der entsprechenden Aktie – ein Faktor, der kalkuliert war, um die vorrangigen Ansprüche der Inhaber von Anleihen auszugleichen. Da das Unternehmen die 9-$-Dividende 40 Jahre lang aufrechterhalten konnte (von 1919 bis zum Aktiensplit 1959), kam es dazu, dass die Wandlung von allen Anleihen in Stammaktien vollzogen wurde. Somit ist es den Käufern der Wandelanleihen während dieser Jahre ziemlich gut gegangen – doch nicht ganz so gut, als hätten sie die Aktie von Anfang an gekauft. Dieses Beispiel zeigt die „Gesundheit" von American Telephone & Telegraph, nicht aber die intrinsische Attraktivität von Wandelanleihen. Um deren „Gesundheit" in der Praxis zu beweisen, bräuchten wir eine Anzahl von Momenten, in denen die Wandelanleihe auch gut lief, wenn die Aktie enttäuschte. Doch solche Situationen waren nicht leicht zu finden.[311]

Die Auswirkungen von Wandelanleihen auf den Status der Stammaktien

In vielen Fällen wurden Wandelanleihen in Verbindung mit Fusionen oder neuen Akquisitionen emittiert. Vielleicht war das auffälligste Beispiel die Emission von Wandelanleihen durch NVF Corp. im Wert von fast 100.000.000 $. Diese zahlten 5 % Zinsen (plus zusätzlich Bezugsrechte) und konnten gegen die meisten Stammaktien der Sharon Steel Co. getauscht werden. Auf dieses außerordentliche Geschäft wird weiter unten noch ausführlicher eingegangen. In der Regel bewirken die Ergebnisse von Transaktionen eine Pro-forma-Erhöhung des Gewinns je Aktie; der Aktienkurs steigt als Reaktion auf die so genannten höheren Gewinne, doch auch das Management stellt seine Energie, seinen Geschäftssinn und seine Fähigkeit, mehr Geld für die Aktionäre zu verdienen, unter Beweis.[312] Doch gibt es zwei negative Faktoren, von denen einer praktisch nicht zur Kenntnis genommen wird und in optimistischen Märkten auch nicht vorkommt. Der erste ist die Verwässerung der aktuellen und künftigen Gewinne der Stammaktien, die arithmetisch aus den neuen Wandelrechten zufließen. Diese Verwässerung kann quantifiziert werden, indem man die letzten Gewinne nimmt oder auch andere Beträge unterstellt, und die korrigierten Gewinne je Aktie berechnet, wenn tatsächlich alle Anleihen oder Vorzugsaktien gewandelt werden. Bei den meisten Unternehmen ist die daraus resultierende Minderung der Zahlen je Aktie nicht besonders relevant. Doch gibt es zahlreiche Ausnahmen, und es besteht die Gefahr, dass sie zu einer recht unbequemen Größenordnung anwachsen. Die schnell expandierenden Konglomerate waren es, die sich dieser Tricks mit Wandelpapieren hauptsächlich bedienten. In Tabelle 16-3 betrachten wir sieben Unternehmen, die nach einer Wandlung hohe Stückzahlen von Aktien oder Bezugsrechte ausgaben.[313]

---

311 AT&T Corp. ist kein bedeutender Emittent von Wandelanleihen mehr. Zu den größten Emittenten von Wandelanleihen zählen heute General Motors, Merrill Lynch, Tyco International und Roche.

312 Weitere Erläuterungen zu den finanziellen Pro-forma-Ergebnissen finden Sie im Kommentar zu Kapitel 12.

313 In den letzten Jahren wurden Wandelanleihen in hohen Stückzahlen von Unternehmen im Bereich der Finanzen, des Gesundheitswesens und der Technologie emittiert.

Tabelle 16-3: Unternehmen mit hohen Stückzahlen an wandelbaren Papieren und Bezugsrechten gegen Ende 1969 (die Anzahl der Stücke wird in Tausenden angegeben)

	In Umlauf befindliche Stammaktien	Zusätzliche Stammaktien aus der Wandlung von			Gesamtzahl der zusätzlichen Stammaktien
		Anleihen	Vorzugsaktien	Gegen Bezugsrechte	
Avco Corp.	11.470	1.750	10.436	3.085	15.271
Gulf & Western Inc.	14.964	9.671	5.632	6.951	22.260
International Tel. & Tel.	67.393	190	48.115	-	48.305
Ling-Temco-Vought	4.410[a]	1.180	685	7.564	9.429
National General	4.910	4.530	-	12.170	16.700
Northwest Industries[b]	7.433	-	11.467	1.513	12.980
Rapid American	3.591	426	1.503	8.000	9.929

a) Einschließlich „spezieller Aktien"
b) Ende 1970

Empfehlenswerte Wandlungen von Stammaktien in Vorzugsaktien

Jahrzehntelang vor 1956 erzielten Stammaktien eine höhere Rendite als Vorzugsaktien desselben Unternehmens; dies galt insbesondere dann, wenn die Vorzugsaktie das Privileg zur Wandlung nahe dem Börsenkurs hatte. Zurzeit ist eher das Gegenteil richtig. Als Ergebnis gibt es viele wandelbare Vorzugsaktien, die eindeutig attraktiver sind als die damit verbundenen Stammaktien. Inhaber von Stammaktien haben also nichts zu verlieren, allerdings wichtige Vorteile, wenn sie von nachrangigen zu vorrangigen Aktien wechseln.

Beispiel: Ein typisches Beispiel lieferte Ende des Jahres 1970 die Studebaker-Worthington Corp. Die Stammaktie wurde zu 57 $ gehandelt, während die 5-$-Vorzugsaktie mit 87,5 $ schloss. Jede Vorzugsaktie konnte gegen 1,5 Stammaktien eingetauscht werden und hatte dann einen Wert von 85,5 $. Dies wäre eine geringfügige betragsmäßige Differenz gegenüber dem Käufer der Vorzugsaktie. Doch die Dividenden – jährlich 1,20 $ (oder 1,80 $ für 1,5 Stammaktien) – müssen mit den 5 $ Zinsen verglichen werden, die man für eine Vorzugsaktie erhielt.

Somit würde der ursprünglich geringfügige Preisunterschied wahrscheinlich in weniger als einem Jahr ausgeglichen werden, weil die Vorzugsaktie wahrscheinlich längere Zeit eine deutlich höhere Dividendenrendite hätte als die Stammaktie. Am wichtigsten ist jedoch die vorrangige Position, die der Inhaber einer Stammaktie aus dem Tausch erhalten würde. Zu den niedrigen Kursen von 1968 und 1970 wurden die Vorzugsaktien um 15 Punkte höher gehandelt als 1,5 Anteile von Stammaktien. Das Tauschrecht garantiert, dass sie niemals niedriger gehandelt werden als das Paket der Stammaktien [57].

Bezugsrechte auf Aktienoptionen

Schon zu Beginn sollten wir kein Blatt vor den Mund nehmen. Wir betrachten die kürzliche Entwicklung von Bezugsrechten auf Aktienoptionen nahezu als Betrug, als Plage und potenzielle Katastrophe. Man hat enorm hohe Dollar-„Werte" aus der Luft gegriffen. Es gibt keine Rechtfertigung für deren Existenz, außer in dem Ausmaß, in dem Spekulanten und Investoren in die Irre geführt werden. Sie sollten gesetzlich verboten oder zumindest streng auf einen kleinen Teil der gesamten Kapitalisierung eines Unternehmens begrenzt werden.[314]

Als Gleichnis dient die Stelle in Faust II, an der Goethe die Erfindung des Papiergeldes beschreibt. Als einen Präzedenzfall für die Geschichte der Wall Street können wir auch die Bezugsrechte von American & Foreign Power Co. erwähnen, die 1929 einen notierten Börsenwert von mehr als 1 Milliarde $ hatten, obgleich sie lediglich als Fußnote in der Bilanz des Unternehmens auftauchten. Bis 1932 war diese Milliarde Dollar auf 8 Millionen $ geschrumpft, und 1952 wurden die Bezugsrechte aus der Rekapitalisierung des Unternehmens gelöscht – obwohl es selbst immer noch solvent war.

Ursprünglich waren Bezugsrechte auf Aktienoptionen ab und zu mit den Anleihen verbunden und normalerweise einem teilweisen Wandlungsrecht gleichge-

---

314 Bezugsrechte waren im 19. Jahrhundert eine viel genutzte Technik zur Unternehmensfinanzierung und selbst zu Zeiten Grahams recht weit verbreitet. Seither haben sie an Bedeutung und Popularität verloren – eine der wenigen neuen Entwicklungen, die Graham mit Freude zur Kenntnis nehmen würde. Zum Ende des Jahres 2002 waren nur noch sieben Emissionen von Bezugsrechten auf Aktienoptionen an der NYSE notiert – nur noch der gespenstische Überrest eines Marktes. Weil Bezugsrechte von großen Unternehmen in der Regel nicht mehr genutzt werden, sollten sie den Rest des von Graham verfassten Kapitels nur lesen, um zu verstehen, wie seine Logik funktioniert.

stellt. Der Betrag, um den es dabei ging, war unwesentlich und richtete damit auch kein Unheil an. Ihr Nutzen weitete sich in den späten 20er-Jahren aus, zusammen mit anderen finanziellen Missbräuchen, doch danach wurden sie lange Jahre nicht mehr gesehen. Sie sollten aber wieder auftauchen, so wie die Penny Stocks, die immer wieder kommen, und seit 1967 wurden sie zu vertrauten „Finanzinstrumenten". Tatsächlich hat sich ein regelmäßiges Procedere entwickelt, um Kapital für neue Immobilienvorhaben, für Tochtergesellschaften großer Banken einzutreiben, indem man so viele Bezugsrechte wie Stammaktien verkaufte, mit denen man weitere Stammaktien zum gleichen Kurs kaufen konnte. Ein Beispiel: 1971 zahlte CleveTrust Realty Investors 2.500.000 $ für diese Kombination aus Stammaktie und Bezugsrecht, 20 $ je Einheit. Lassen Sie uns einmal betrachten, was an dieser Sache wirklich dran ist. Normalerweise hat bei einer Emission von Stammaktien ein Aktionär das Recht, weitere Stammaktien zu kaufen, wenn die Direktoren wünschen, auf diese Weise Kapital aufzunehmen. Dieses so genannte Präventivrecht ist eines der Elemente, die in den Wert des Eigentums einer Stammaktie eingehen – zusammen mit dem Recht, Dividenden zu erhalten, am Wachstum des Unternehmens teilzuhaben und den Vorstand zu wählen. Wenn separate Bezugsrechte emittiert werden allein für das Recht, für die Subskription zusätzliches Kapital einbringen zu dürfen, dann trennt dieser Vorgang einen Teil des Wertes ab, der in einer normalen Stammaktie liegt, und macht daraus ein getrenntes Zertifikat. Ein analoges Beispiel wäre, wenn man separate Zertifikate emittierte, um rechtmäßig zustehende Dividende erhalten zu können (für begrenzte oder unbegrenzte Zeit) oder für das Recht, an den Verkaufserlösen oder den Liquidationserlösen teilhaben zu dürfen, oder für das Recht, an den Wahlen teilnehmen zu dürfen. Weshalb werden diese Bezugsrechte als Teil der ursprünglichen Kapitalstruktur geschaffen? Ganz einfach deshalb, weil die Leute von finanziellen Dingen keine Ahnung haben. Sie bemerken nicht, dass die Stammaktien weniger wert sind, wenn Bezugsrechte im Umlauf sind. Deshalb fordert das Paket aus Aktie und Bezugsrecht normalerweise an den Börsen einen höheren Kurs als die Aktie für sich allein genommen. Achten Sie darauf, dass in den normalen Berichten der Unternehmen der Gewinn je Aktie ohne den Effekt der im Umlauf befindlichen Bezugsrechte berechnet wird. Das Ergebnis ist natürlich, dass das wirkliche Verhältnis zwischen den Gewinnen und dem Marktwert der Kapitalisierung des Unternehmens übertrieben dargestellt wird.[315]

Die einfachste und wahrscheinlich beste Methode, um die Existenz von Bezugsrechten einzukalkulieren, ist die Addition ihres Marktwertes zur Kapitalisierung der Stammaktien, wodurch der „wahre" Preis je Aktie erhöht wird. Wenn viele Bezugsrechte zusammen mit dem Verkauf bevorrechtigter Titel emittiert wurden, ist es Brauch, eine Korrektur vorzunehmen, indem man unterstellt, dass die Erlöse aus den Aktienzahlungen dazu benutzt werden, die damit verbundenen Anleihen oder Vorzugsaktien einzulösen. Diese Methode berücksichtigt den üblichen „Wert eines Aufschlags" eines Bezugsrechtes gegenüber dem erzielbaren Wert nicht angemessen. In Tabelle 16-4 vergleichen wir die Auswirkungen dieser beiden Berechnungsmethoden im Fall der National General Corp. für das Jahr 1970.

Erzielt das Unternehmen selbst einen Vorteil aus der Erfindung dieser Bezugsrechte, weil es in irgendeiner Weise sicherstellt, dass es zusätzliches Kapital erhält, wenn es dieses benötigt? Ganz und gar nicht. Normalerweise gibt es keine Möglichkeit, die Inhaber von Bezugsrechten zu zwingen, ihre Rechte auszuüben und somit dem Unternehmen neues Kapital zuzuführen, bis die Laufzeit der Bezugsrechte beendet ist. In der Zwischenzeit, wenn das Unternehmen Kapital aus jungen Aktien aufnehmen möchte, muss es die Aktien den Aktionären auf die übliche Weise anbieten - das heißt, knapp unter dem aktuellen Börsenkurs. Die Bezugsrechte sind bei einem solchen Vorgang nicht wirklich hilfreich; sie komplizieren nur die Situation, weil sie sehr oft eine Korrektur des eigenen Subskriptionspreises nach unten erforderlich machen. Wir versichern an dieser Stelle noch einmal, dass große Emissionen von Bezugsrechten auf Aktienoptionen keinen Sinn haben, außer dem, dass sie imaginäre Marktwerte erzeugen.

Das Papiergeld, das Goethe kannte, als er seinen *Faust* schrieb, waren die berüchtigten französischen „Assignate", die als wunderbare Erfindung begrüßt wurden und letztlich ihren gesamten Wert verlieren sollten - ebenso wie die Milliarden von Dollars der Bezugsrechte von American & Foreign Power.[316] Einige An-

---

315 Heute ist das letzte Überbleibsel der Aktivitäten mit Bezugsrechten in der Senkgrube des Nasdaq zu finden, dem „Bulletin Board", oder dem Tafelgeschäft für winzige Unternehmen, wo Stammaktien oft mit Bezugsrechten zu einer „Einheit" gebündelt werden (dies ist das, was Graham mit Paket meint). Wenn ein Aktienbroker Ihnen jemals anbietet, Ihnen „Einheiten" irgendeines Unternehmens zu verkaufen, dann können Sie zu 95 % sicher sein, dass darin Bezugsrechte enthalten sind, und zumindest zu 90 % sicher, dass der Broker entweder ein Dieb oder ein Idiot ist. Seriöse Broker und Brokerhäuser machen in diesem Bereich keine Geschäfte.

316 Die „berüchtigten französischen Assignate" wurden während der französischen Revolution im Jahr 1789 emittiert. Es waren ursprünglich Schuldscheine der Revolutionsregierung, die vorgeblich durch den Wert der Immobilien gesichert waren, welche die Radikalen von der katholischen Kirche und vom Adel in Besitz genommen hatten. Doch die Revolutionäre waren schlechte Finanzmanager. 1790 wurde der Zinssatz der Assignate gekürzt; kurz danach weigerte sich die Regierung, sie wieder gegen Gold oder Silber einzutauschen, sondern emittierte enorme Mengen neuer Assignate. 1797 wurden sie offiziell für wertlos erklärt.

merkungen des Dichters passen ebenso gut zu der einen oder anderen Intervention – so wie der folgenden:

Faust: Imagination in seiner höchsten Ausprägung strengt sich an, kann es aber nicht ganz begreifen.

Mephisto (der Erfinder): Wenn jemand Münzen braucht, dann steht der Broker zur Verfügung.

Der Narr (letztlich): Das magische Papier ... !

Tabelle 16-4: Berechnung des „echten Börsenkurses" und des korrigierten KGV einer Stammaktie mit großen Mengen von in Umlauf befindlichen Bezugsrechten. (Beispiel: National General Corp. im Juni 1971)

1. Berechnung des „wahren Börsenwertes".	
Marktwert von drei Emissionen von Bezugsrechten am 30.6.1971	94.000.000 $
Wert des Bezugsrechts je Stammaktie	18,80 $
Kurs der Stammaktie allein	24,50 $
Korrigierter Kurs de Stammaktie um die Bezugsrechte	43,50 $

2. Berechnung des KGV, wenn die Verwässerung durch die Bezugsrechte in Betracht gezogen wird			
(Gewinn 1970)	Vor der Verwässerung durch Bezugsrechte	Nach der Verwässerung durch Bezugsrechte	
		Rechnung des Unternehmens	Unsere Berechnung
A. Vor Sonderpositionen			
Gewinn je Aktie	2,33 $	1,60 $	2,33 $
Kurs der Stammaktie	24,50 $	24,50 $	43,30 $ (korr.)
KGV	10,5	15,3	18,5
B. Nach Sonderpositionen			
Gewinn je Aktie	0,90 $	1,33 $	0,90 $
Kurs der Stammaktie	24,50 $	24,50 $	43,30 $ (korr.)
KGV	27,2	18,4	48,1

Beachten Sie, dass nach besonderen Belastungen die Auswirkung der Berechnung des Unternehmens den Gewinn je Aktie erhöht und das KGV senkt. Dies ist offensichtlich absurd. Nach der von uns vorgeschlagenen Methode bewirkt es, dass das KGV deutlich erhöht wird, wie es auch sein sollte.

Ein Nachwort für die Praxis

Das Verbrechen der Bezugsrechte liegt darin, dass es sie überhaupt gibt.[317] Wenn sie erst einmal auf der Welt sind, dann schaffen sie weitere Arten von Wertpapieren und bieten Chancen für Gewinne oder Verluste. Nahezu alle neueren Bezugsrechte haben eine begrenzte Laufzeit - in der Regel zwischen fünf und zehn Jahren. Die älteren Bezugsrechte waren oft von Dauer, und sie hätten wahrscheinlich mit den Jahren faszinierende Kurse erzielt.

Beispiel: Die Aufzeichnungen zeigen, dass Tri-Continental-Corp.-Bezugsrechte, die von 1929 datieren, mitten in der Depression zu eigentlich zu vernachlässigenden 1/32 Dollar gehandelt wurden. Von diesem wirklich niedrigen Stand stieg ihr Kurs auf wunderbare 75,25 $ im Jahr 1969, was einem geradezu astronomischen Zuwachs um 2.442.000 % entspricht. (Die Bezugsrechte, die damals verkauft wurden, wurden wesentlich höher gehandelt als die Aktie selbst; so etwas passiert an der Wall Street durch technische Entwicklungen, beispielsweise durch Aktiensplits.) Ein neueres Beispiel bieten die Bezugsrechte für Ling-Temco-Vought, die im ersten Halbjahr 1971 von 2,5 auf 12,5 $ stiegen - und dann wieder auf 4 $ zurückfielen.

Zweifellos können von Zeit zu Zeit gewitzte Operationen mit Bezugsrechten durchgeführt werden, doch ist dies zu technisch, als dass wir es hier besprechen sollten. Wir wollen festhalten, dass Bezugsrechte vergleichsweise höher gehandelt werden als die entsprechenden Marktkomponenten, die mit der Wandelbarkeit von Anleihen oder Vorzugsaktien in Verbindung stehen. In diesem Punkt ist es gerechtfertigt, dass man Anleihen mit Bezugsrechten handelt anstatt mit einem weiteren Papier, das gewandelt werden kann, um noch einen Verwässerungsfaktor zu schaffen. Wenn die Bezugsrechte insgesamt relativ billig sind, dann macht es keinen Sinn, deren theoretischen Aspekt zu wichtig zu nehmen. Wenn die Emission der Bezugsrechte im Verhältnis zu den im Umlauf befindlichen Aktien relativ groß ist, dann würde dies wahrscheinlich darauf hinweisen, dass das Unternehmen eine sehr kopflastige vorrangige Kapitalisierung hat. Stattdessen sollte es zusätzlich junge Stammaktien verkaufen. Somit ist unser Hauptargument gegen Bezugsrechte als Finanzmechanismus nicht, sie im Zusammenhang mit mittelgroßen

317 Graham, ein begeisterter Leser spanischer Literatur, umschreibt hier eine Zeile aus dem Stück „Life is a Dream" von Pedro Calderon de la Barca (1600–1681): „Das größte Verbrechen der Menschheit ist, dass sie überhaupt geboren wurde."

Emissionen von Anleihen zu verdammen, sondern wir wollen uns gegen die bewusste Fahrlässigkeit wenden, enorme „Papiergeld-Monster" dieser Art zu schaffen.

Kommentar zu Kapitel 16

Du Narr: Was du säst, wird nicht lebendig, es sterbe denn.

Paulus, 1. Brief an die Korinther, Kap. 15, Vers 36

Die Faszination der Wandelpapiere

Obwohl Wandelanleihen „Anleihen" genannt werden, verhalten sie sich wie Aktien, wirken wie Optionen - und hüllen sich in Dunkelheit.

Wenn Sie ein Wandelpapier besitzen, dann halten Sie zugleich eine Option: Sie können entweder die Anleihe behalten und weiterhin Zinsgewinne einstreichen, oder Sie können die Anleihe gegen eine Stammaktie des emittierenden Unternehmens in einem vorher vereinbarten Verhältnis eintauschen. (Eine Option gibt dem Inhaber das Recht, ein weiteres Wertpapier innerhalb eines bestimmten Zeitraums zu einem bestimmten Preis zu kaufen oder zu verkaufen.) Weil man sie einerseits in Aktien eintauschen kann, zahlen Wandelanleihen geringere Zinsen als die meisten anderen vergleichbaren Anleihen. Andererseits wird, wenn der Kurs der Aktien des Unternehmens stark steigt, die Wandelanleihe eine bessere Performance aufweisen als eine konventionelle Anleihe. (Umgekehrt wird die typische Wandelanleihe - mit dem geringeren Zinssatz - in einem sinkenden Anleihenmarkt schlechter abschneiden.)[318]

---

318 Als kurzes Beispiel, wie Wandelanleihen in der Praxis funktionieren, nehmen wir die wandelbaren nachrangigen Anleihen, die 1999 von DoubleClick mit einem Zinssatz von 4,75 % emittiert wurden. Sie zahlen im Jahr 47,50 $ Zinsen, und jede Wandelanleihe kann in 24,24 Aktien des Unternehmens gewandelt werden, also zu einem Wandelverhältnis von 24,24. Am Ende des Jahres 2002 lag der Kurs der DoubleClick-Aktie bei 5,66 $, was der Anleihe einen Umtauschwert von 137,20 $ (5,66 $ x 24,24) gab. Die Anleihen wurden jedoch wesentlich höher gehandelt, nämlich zu 881,30 $, etwa dem Sechsfachen - und schufen damit einen „Wandelaufschlag" oder einen Überschuss über ihren Wandelwert von 542 %. Wenn Sie zu diesem Kurs gekauft hätten, dann wäre die „Break-even-Zeit" oder „Rückzahlzeit" sehr lang gewesen, so brauchen Sie fast 16 Jahre lang Zinszahlungen von 47,50 $ im Jahr, damit Sie den „Tauschaufschlag" wieder zurückhaben. Weil jeder DoubleClick-Anleihe nur etwas mehr als 24 Stammaktien zugeordnet sind, muss die Aktie von 5,66 $ auf mehr als 36 $ steigen, damit eine Wandlung eine praktische Option wird, bevor die Ablaufzeit im Jahr 2006 endet. Ein solcher Aktiengewinn ist nicht unmöglich, doch es würde schon an ein Wunder grenzen. Die Barrendite bei dieser speziellen Wandelanleihe scheint kaum angemessen zu sein, wenn man die geringe Wahrscheinlichkeit einer Wandlung bedenkt.

Von 1957 bis 2002 erzielte man laut Ibbotson Associates mit Wandelanleihen eine durchschnittliche Jahresrendite von 8,3 % – nur zwei Prozentpunkte weniger als mit dem Gesamtgewinn der Aktien, jedoch mit stabileren Kursen und geringeren Verlusten.[319] Mehr Einkommen, weniger Risiko als Aktien: Kein Wunder, dass die Verkäufer an der Wall Street Wandelanleihen oft „das die beste aus zwei Welten" nennen. Doch wird der intelligente Investor schnell bemerken, dass Wandelanleihen ein geringeres Einkommen und mehr Risiken bergen als die meisten anderen Anleihen. So könnten sie, entsprechend der gleichen Logik und auch zu Recht, eine Anlage aus der „schlechtesten beider Welten" genannt werden. Auf welcher Seite Sie stehen, hängt davon ab, wie Sie sie benutzen.

In Wirklichkeit verhalten sich Wandelanleihen eher wie Aktien. Die Rendite für Wandelanleihen liegt in Korrelation zum S&P 500 bei 83 %, jedoch nur etwa 30 % in Korrelation zu Schatzanleihen. Deshalb laufen Wandelanleihen in die eine Richtung, wenn normale Anleihen in die andere Richtung laufen. Für konservative Anleger, die den größten Teil ihres Kapitals in Anleihen angelegt haben, ist es durchaus sinnvoll, ein diversifiziertes Bündel an Wandelanleihen ins Portfolio zu nehmen, um damit eine Rendite wie mit Aktien zu erzielen, ohne den manchmal Angst einflößenden Schritt zu wagen, direkt in Aktien anzulegen. Man könnte Wandelanleihen auch Aktien für Angsthasen nennen

Wie der Experte für Wandelanleihen, F. Barry Nelson von Advent Capital Management, betont, ist dieser Markt, der immerhin nahezu 200 Milliarden $ schwer ist, seit den Tagen Grahams aufgeblüht. Die meisten Wandelanleihen haben nunmehr eine mittelfristige Laufzeit, etwa sieben bis zehn Jahre; ungefähr die Hälfte haben in puncto Qualität das Zeug zur Kapitalanlage, und viele Titel sind mit einem Schutz vor vorzeitiger Einlösung versehen. All diese Faktoren machen sie risikoärmer als zuvor.[320]

---

319 Wie viele der Aufzeichnungen, die normalerweise an der Wall Street zitiert werden, ist auch diese rein hypothetisch. Sie deutet den Gewinn an, den man mit einem imaginären Indexfonds verdient hätte, der alle größeren Wandelanleihen hält. Nicht eingeschlossen sind Managementgebühren oder Transaktionskosten (die bei Wandelpapieren recht ansehnlich sind). In der realen Welt sind ihre Gewinne um etwa zwei Prozentpunkte geringer.

320 Allerdings bleiben die meisten Wandelanleihen den anderen langfristigen Verbindlichkeiten und Bankdarlehen gegenüber nachrangig – sodass im Fall eines Konkurses die Inhaber von Wandelanleihen keine bevorrechtigten Ansprüche auf das Vermögen des Unternehmens haben. Und weil sie nicht so riskant sind wie Junk-Bonds, werden viele Wandelanleihen immer noch von Unternehmen emittiert, die keine glänzende Bonität vorweisen können. Schließlich wird ein großer Teil der Wandelpapiere von Hedgefonds gehalten, deren schnelles Traden die Volatilität der Kurse erhöhen kann.

Es ist ziemlich teuer, mit nur kleinen Paketen von Wandelanleihen zu traden, und eine Diversifizierung ist unpraktisch, wenn man nicht mindestens 100.000 $ allein in diesen Sektor investieren will. Zum Glück hat der intelligente Investor von heute die angenehme Alternative, Anteile an einem preisgünstigen Anleihenfonds zu kaufen. Fidelity und Vanguard bieten Investmentfonds, bei denen man die Auslagen leicht unter 1 % halten kann, während es auch mehrere geschlossene Fonds zu vernünftigen Preisen gibt (und gelegentlich mit einem Nachlass auf den Nettovermögenswert).[321]

Gedeckte Calls wiederentdeckt

Als der Bärenmarkt seinen Weg durch das Jahr 2003 nahm, deckte er eine altmodische Verrücktheit auf: das Zeichnen von gedeckten Call-Optionen. (Als ich kürzlich bei Google mit den Wörtern „covered call writing" suchte, fand ich mehr als 2.600 Treffer). Was sind gedeckte Calls, und wie funktionieren sie? Stellen Sie sich vor, Sie kaufen 100 Aktien von Ixnay Corp. zu je 95 $. Dann verkaufen Sie (oder „zeichnen") eine Call-Option auf Ihre Aktien. Im Gegenzug erhalten Sie eine Barauszahlung, die man als Prämie bezeichnet. (Nehmen wir an, es sind 10 $ je Aktie.) Der Käufer der Option hingegen hat das Recht, Ihre Ixnay-Aktien zu einem gemeinsam vereinbarten Kurs zu kaufen – nehmen wir an, zu 100 $. Sie werden die Aktien so lange behalten, wie der Kurs unter 100 $ liegt, und verdienen satte 1.000 $ als Prämie, die als Polster wirkt, wenn der Kurs von Ixnay einbricht.

Weniger Risiko, mehr Verdienst? Wer möchte das nicht?

Nun stellen Sie sich weiterhin vor, dass der Kurs von Ixnay über Nacht auf 110 $ springt. Dann wird der Käufer seine Rechte ausüben und Ihre Aktien zu je 100 $ einstecken. Sie haben allerdings immer noch die 1.000 $ Prämie, doch er hat Ihre Aktien – und was noch schlimmer ist: Deren Kurs steigt weiter, und sie würden sich am liebsten in den Allerwertesten treten.[322]

321 Weitere Einzelheiten finden Sie unter www.fidelity.com, www.vanguard.com und www.morningstar.com. Ein intelligenter Investor wird niemals einen Fondsanteil mit Wandelanleihen kaufen, dessen Jahresgebühren über 1 % des eingesetzten Kapitals liegen.

322 Alternativ könnten Sie die Option zurückkaufen, aber auch dann müssten Sie einen Verlust hinnehmen – und Optionen können höhere Transaktionskosten als Aktien haben.

Weil der potenzielle Kursgewinn einer Aktie unbegrenzt ist und kein Verlust höher als 100 % sein kann, ist die einzige Person, die Sie reich machen, Ihr Broker. Sie haben für Ihre Verluste zwar eine Grenze gesetzt, aber auch den Gewinnen eine Decke eingezogen. Für Privatanleger lohnt es sich nicht, mögliche Verluste abzusichern und damit auf den größten Teil der potenziellen Gewinne zu verzichten.

Kapitel 17

Vier extrem lehrreiche Fallstudien

Das Wort „extrem" im Titel dieses Kapitels ist eine Art von Wortspiel, weil die Geschichte Extreme verschiedenster Art beschreibt, die in den vergangenen Jahren an der Wall Street offensichtlich waren. Sie enthalten Anweisungen und ernsthafte Warnungen für jeden, der sich intensiv mit der Welt der Anleihen und Aktien beschäftigt – nicht nur für normale Anleger und Spekulanten, sondern auch für Profis, Analysten, Fondsmanager, Vermögensverwalter und sogar für Banker, die Kredite an Unternehmen vergeben. Die vier Unternehmen, die wir untersuchen werden, und die verschiedenen Extreme, die sie beschreiben, sind:

Penn Central (Eisenbahngesellschaft) Co. Ein extremes Beispiel für die Vernachlässigung der elementarsten Warnzeichen finanzieller Schwäche durch alle, die Anleihen oder Aktien dieses Systems zu beaufsichtigen hatten. Ein irrsinnig hoher Börsenkurs der Aktie eines strauchelnden Giganten.

Ling-Temco-Vought Inc. Ein extremes Beispiel für einen schnellen und unvernünftigen Aufbau eines Imperiums, wobei der Zusammenbruch letztlich schon garantiert war, jedoch durch unüberlegte Bankkredite unterstützt wurde.

NVF Corp. Ein extremes Beispiel eines Unternehmenskaufs, wobei ein kleines Unternehmen ein anderes übernahm, das sieben Mal so groß war, enorme Schulden anhäufte und einige überraschende Buchführungstricks anwandte.

AAA Enterprises. Ein extremes Beispiel für die Finanzierung eines kleinen Unternehmens durch börsennotierte Aktien; dessen Wert auf dem Zauberwort

„Franchising" und wenig anderem beruhte; es wurde von bedeutenden Börsenfirmen gesponsert. Der Konkurs folgte zwei Jahren nach der Emission der Aktien und der Verdoppelung des von Anfang an überhöhten Kurses in einem unaufmerksamen Aktienmarkt.

Der Fall Penn Central

Gemessen am Vermögen und an den Bruttoerlösen ist dies die größte Eisenbahngesellschaft der USA. Ihr Konkurs im Jahr 1970 schockierte die gesamte Finanzwelt. Das Unternehmen hielt seine Verpflichtungen bei den meisten Anleihenemissionen nicht ein, und es bestand die Gefahr, dass es den operativen Bereich ganz aufgeben müsste. Der Kurs der Stammaktien fiel dramatisch von einem hohen Niveau von 86,5 $ noch 1968 bis auf 5,5 $ im Jahr 1970. (Es scheint ziemlich sicher, dass diese Aktien im Rahmen einer Neuorganisation ausgelöscht werden.)[323]

Unser Ausgangspunkt lautet: Die Anwendung der einfachsten Regeln der Aktienanalyse und die einfachsten Standards vernünftiger Kapitalanlage hätten die grundsätzliche Schwäche des Penn-Central-Systems schon lange vor dem Konkurs aufgedeckt, sicherlich aber 1968, als die Aktien auf dem höchsten Stand seit 1929 waren und die meisten Anleihen gewandelt werden konnten, und das zu einem Kurs wie dem von gut abgesicherten Versorgeranleihen mit den gleichen Couponraten. Die folgenden Kommentare der Reihe nach:

1. Im S&P-Anleihen-Führer wurde gezeigt, dass die Zinsbelastungen des Systems im Jahr 1,91 Mal verdient wurden und 1,98 Mal im Jahr 1968. Die Mindestdeckung für Eisenbahngesellschaften bezifferten wir in unserem Lehrbuch *Security Analysis* mit fünf Mal vor Steuern und 2,9 Mal nach Steuern zu normalen Steuersätzen. Soweit wir wissen, wurden diese Zahlen von keinem Experten in Sachen Kapitalanlage in Frage gestellt. Auf der Grundlage unserer Bedingungen an die Gewinne nach Steuern hat Penn Central unsere Sicherheitsansprüche nicht erreicht. Doch die Bedingung nach Steuern beruht auf einem Vorsteuer-

323 Wie „geschockt" war die Finanzwelt vom Konkurs von Penn Central, der am Wochenende des 21.6.1970 angemeldet wurde? Der Schlusskurs am Freitag, dem 19.6.1970, lag bei 11,25 $ – ein Kurs, bei dem man nicht an eine Geschäftsaufgabe denkt. In letzter Zeit wurden die Aktien von Enron und WorldCom ebenfalls zu relativ hohen Kursen gehandelt, noch kurz bevor sie einen Konkursantrag stellten.

verhältnis von fünf, wobei die reguläre Einkommensteuer nach der Verzinsung abgezogen wird. Im Fall von Penn Central wurde *in den vergangenen elf Jahren nie Einkommensteuer* gezahlt! Somit lag die Deckung der Zinsbelastung vor Steuern unter zwei – eine völlig unzureichende Zahl, gemessen an unserer konservativen Anforderung von fünf.

2. Die Tatsache, dass das Unternehmen über einen derart langen Zeitraum keine Einkommensteuer zahlte, sollte eigentlich ernsthafte Zweifel an der Berechtigung der berichteten Gewinne geweckt haben.
3. Die Anleihen von Penn Central konnten1968 und 1969, ohne etwas vom Kurs oder Erlös zu opfern, gegen weitaus besser abgesicherte Titel getauscht werden. Beispielsweise hatten 1969 Pennsylvania RR mit 4,5 % Zins, fällig 1994 (eine Sparte von Penn Central), einen Schwankungsbereich von 61 bis 74,5 $, während Pennsylvania-Electric-Co.-Anleihen mit einer Verzinsung von 4,375 %, fällig 1994, einen Schwankungsbereich von 64,25 bis 72,25 aufwiesen. Der öffentliche Versorger hatte seine Zinsen 1968 vor Steuern 4,2 Mal verdient, gegenüber nur 1,98 Mal für Penn Central System; im Verlauf des Jahres 1969 wurde letztere Vergleichszahl immer schlechter. Ein derartiger Wechsel dieser Art war unbedingt notwendig, und es wäre die Rettung für die Inhaber von Penn-Central-Anleihen gewesen. (Ende 1970 gerieten die 4,25-%-Anleihen der Eisenbahn in Verzug und wurden mit nur noch 18,5 $ gehandelt, während die Versorger-Anleihe mit einem Zinssatz von 4,375 % mit 66,5 $ schloss.)
4. Penn Central berichtete 1968 einen Gewinn von 3,80 $ je Aktie; der Höchstkurs von 86,% $ in diesem Jahr entsprach einem KGV von 24. Doch jeder Analyst, der sein Geld wert war, hätte sich überlegt, wie „wahr" die Gewinne angegeben wurden, wenn nicht einmal die Notwendigkeit bestand, darauf irgendeine Einkommensteuer zu zahlen.
5. Für 1966 hatte die kürzlich fusionierte Gesellschaft[324] einen Gewinn von 6,80 $ je Aktie berichtet – was bewirkte, dass die Stammaktie später auf den Höchstkurs von 86,5 $ anstieg. Dies entsprach einem Börsenwert von mehr als 2 Milliarden $. Wie viele dieser Käufer wussten zu dieser Zeit, dass die so hübschen Gewinne vor außerordentlichen Aufwendungen von 275 Millionen $ oder 12 $ je Aktie berechnet wurden, die 1971 für Kosten und Verluste aus der Fusion gebucht wurden? Nur im Märchenland an der Wall Street kann ein Un-

324 Penn Central war das Ergebnis einer Fusion der Pennsylvania Railroad und der New York Central Railroad, die 1966 bekannt gegeben wurde.

ternehmen an der einen Stelle einen Gewinn von 6,80 $ je Aktie verkünden und an einer anderen Stelle außerordentliche Aufwendungen und Verluste von 12 $ präsentieren, und die Aktionäre und Spekulanten reiben sich vor Freude die Hände.[325]

6. Ein Eisenbahn-Analyst müsste schon lange gewusst haben, dass das operative Bild der Penn Central im Vergleich zu anderen, profitableren Eisenbahnen sehr schlecht war. Beispielsweise lag das „Transportverhältnis" 1968 bei 47,5 % gegenüber seinem Nachbarn, der Norfolk & Western, mit 35,2 %.[326]
7. Nebenbei kam es zu einigen seltsamen Transaktionen mit eigenartigen Ergebnissen [58]. Die Einzelheiten dazu sind zu kompliziert, um sie an dieser Stelle darzulegen.

Schlussfolgerungen: Ob ein besseres Management den Konkurs von Penn Central hätte verhindern können, mag umstritten sein. Keinen Zweifel gibt es jedoch, dass spätestens nach 1968 keine Anleihen und keine Aktien der Penn Central in einem Portfolio hätten sein dürfen, das von einem kompetenten Analysten, Fondsmanager, Bevollmächtigten einer Treuhandgesellschaft oder Anlageberater überwacht wurde. *Die Lehre daraus*: Wertpapieranalysten sollten ihre grundlegenden Aufgaben erledigen, bevor sie die Bewegungen an der Börse beobachten, in Kristallkugeln starren, ausgefeilte mathematische Berechnungen anstellen oder sich auf Geschäftsreisen begeben, die ausschließlich von den Kunden bezahlt werden.[327]

Ling-Temco-Vought Inc.

Dies ist die Geschichte einer „Hals-über-Kopf-Expansion", von „Hals-über-Kopf-Schulden" und einer Menge finanzieller Probleme. Wie es normalerweise in sol-

325 Diese Art von Taschenspielerei in der Buchhaltung, wobei Gewinne berichtet werden, als würden „ungewöhnliche" oder „außerordentliche" oder „einmalige" Belastungen keine Rolle spielen, nimmt die Zuverlässigkeit von Pro-forma-Berichten vorweg, die in den späten 90er-Jahren üblich wurden (siehe Kommentar zu Kapitel 12).

326 Das „Transportverhältnis" von Eisenbahnen, (heute sagt man „Operating Ratio") teilt die Kosten für den Betrieb der Bahnen durch die gesamten Erlöse der Bahn. Je höher dieses Verhältnis ist, umso weniger effizient arbeitet die Bahn. Heute würde man selbst ein Verhältnis von 70 % noch als hervorragend betrachten.

327 Heute ist Penn Central nur noch eine blasse Erinnerung. 1976 wurde es von Consolidated Rail Corp. (Conrail) „geschluckt", einer bundesstaatlichen Holdinggesellschaft, die schon mehrere eingebrochene Eisenbahngesellschaften aus der Misere geholt hat. Conrail verkaufte 1987 Aktien an der Börse und wurde 1997 von CSX Corp. und Norfolk Southern übernommen.

chen Fällen passiert, war ein „blonder Jüngling" oder ein „junges Genie" hauptsächlich für den Aufbau des riesigen Imperiums und seinen schmählichen Zusammenbruch verantwortlich; doch müssen auch noch viele andere Schuld auf sich laden.[328]

Aufstieg und Fall von Ling-Temco-Vought können beschrieben werden, indem man die Erlöskonten und die Posten der Bilanz für fünf Jahre zwischen 1958 und 1970 in zusammengefasster Form darlegt. Die erste Spalte in Tabelle 17-1 zeigt die bescheidenen Einnahmen aus dem Jahr 1958, als der Umsatz gerade einmal 7 Millionen $ betrug. Die nächste Spalte zeigt die Zahlen für 1960; das Unternehmen hatte sich innerhalb von nur zwei Jahren um das 20fache vergrößert, doch war es vergleichsweise immer noch klein. Dann kam die Glanzzeit bis 1967/68, in der die Umsätze um das 20fache auf 2,8 Milliarden $ stiegen, wobei auch die Schulden von 44 Millionen $ auf furchteinflößende 1.653 Millionen $ anschwollen. 1969 kamen neue Akquisitionen hinzu, ein weiterer enormer Anstieg der Schulden (insgesamt 1.865 Millionen $!) war die Folge, und ernsthafte Probleme tauchten auf. In diesem Jahr wurde nach außerordentlichen Buchungen ein hoher Verlust ausgewiesen; der Aktienkurs fiel von seinem Hoch bei 169,5 $ im Jahr 1967 auf einen Tiefststand von 24 $; das junge Genie wurde als Chef des Unternehmens abgelöst. Die Ergebnisse von 1970 waren sogar noch schlimmer: Das Unternehmen berichtete einen Nettoverlust von nahezu 70 Millionen $; die Aktie fiel auf einen Tiefstkurs von 7,125 $, und seine größte Anleihenemission wurde einmal mit erbärmlichen 15 Cent für einen Dollar notiert. Die Expansionspolitik des Unternehmens wurde einer strikten Kehrtwendung unter-

---

328 Ling-Temco-Vought Inc. wurde 1955 von James Joseph Ling, einem Elektriker, gegründet, der seine ersten Aktien im Wert von 1 Million $ an der Börse verkaufte, indem er sein eigener Investmentbanker wurde und seine Prospekte von einer Hütte aus verteilte, die er auf dem Texas State Fair (Jahrmarkt) aufgestellt hatte. Sein Erfolg damit brachte ihn dazu, Dutzende verschiedener Unternehmen aufzukaufen, wobei er fast immer LTV-Aktien als Zahlungsmittel benutzte. Je mehr Unternehmen LTV kaufte, umso steiler stieg der Aktienkurs, und je steiler der Aktienkurs stieg, umso mehr Unternehmen konnte er sich kaufen. 1969 war LTV die vierzehnte unter den größten amerikanischen Firmen, die auf der Liste der Fortune 500 veröffentlicht wurden. Und dann, wie Graham zeigt, brach das ganze Kartenhaus plötzlich zusammen. (LTV Corp., heute ausschließlich Stahlproduzent, endete Ende 2000 damit, dass es Gläubigerschutz im Rahmen einer Insolvenz beantragte.) Unternehmen, die ihr Wachstum hauptsächlich Akquisitionen verdanken, werden „Serienkäufer" genannt, und die Ähnlichkeit zum Begriff „Serienmörder" ist kein Zufall: Wie der Fall von LTV zeigt, folgen Serienkäufen fast immer finanzielle Todesfälle und Zerstörung. Anleger, die diese Lehre Grahams verstanden haben, hätten in den 90er-Jahren Publikumslieblinge wie Conseco, Tyco und WorldCom gemieden.

zogen, verschiedene wichtige Beteiligungen wurden an der Börse angeboten, und irgendwie fand man einen Weg, die haushohen Verbindlichkeiten zu reduzieren.

Die Zahlen in unserer Tabelle sind so vielsagend, dass eigentlich nur wenige Kommentare erforderlich sind. Trotzdem einige Anmerkungen hierzu:

1. Die Zeit, in der das Unternehmen expandierte, war nicht frei von Unterbrechungen. 1961 wies es ein kleines Defizit aus, aber – wenn man eine Praxis übernimmt, die später, im Jahr 1970, in so vielen Geschäftsberichten zu sehen war – dann entschloss man sich offensichtlich, alle möglichen Belastungen und Reserven in dieses eine schlechte Jahr zu buchen.[329] Diese betrugen rund 13 Millionen $, mehr als die Nettogewinne der drei vorhergehenden Jahre. Nun war man in der Lage, für 1962 und die Folgejahre Rekordgewinne auszuweisen.
2. Ende 1966 wurden der Nettoanlagewert mit 7,66 $ je Stammaktie angegeben (nach einem Drei-zu-eins-Split). Somit erreichte der Börsenwert im Jahr 1967 den 22fachen Anlagewert! Ende 1968 wies die Bilanz 286 Millionen $ Gewinn für 3.800.000 Stammaktien und AA-Vorzugsaktien aus oder etwa 77 $ je Aktie. Wenn wir jedoch die Vorzugsaktien zum vollen Wert und den Firmenwert sowie das enorme Anleihendiskont-„Vermögen"[330] abrechnen, dann bleiben noch 13 Millionen $ für die Stammaktien übrig – mickrige 3 $ je Aktie. Dieses Anlagevermögen wurde durch die Verluste in den folgenden Jahren ausgelöscht.
3. Ende 1967 boten zwei unserer renommiertesten Banken 600.000 Aktien von Ling-Temco-Vought zu 111 $ je Aktie an. Der Kurs hatte sich schon einmal bei 169,5 $ befunden. In weniger als drei Jahren fiel der Kurs auf 7,125 $. [331]

---

329 Diese schäbige Tradition, das wahre Bild der Gewinne unter dem Mantel der Umstrukturierung von Verbindlichkeiten zu verbergen, besteht immer noch. Alle möglichen Belastungen auf ein Jahr zu verlegen wird zuweilen „Großreinemachen" genannt. Dieser Buchhaltungstrick ermöglicht es Unternehmen, im Folgejahr sehr leicht ein Wachstum vorzuweisen – doch Investoren sollten das nicht für wirkliche finanzielle Gesundheit eines Unternehmens halten.

330 Das „Anleihendiskont-Vermögen" scheint zu bedeuten, dass LTV einige Anleihen unter den Nennwert erworben hatte und diesen Rabatt als Vermögen betrachtete mit der Begründung, dass die Anleihen letztlich zum Nennwert verkauft werden könnten. Graham macht sich darüber lustig, weil es kaum eine Möglichkeit gibt zu wissen, welchen Börsenwert eine Anleihe irgendwann in der Zukunft haben wird. Wenn die Anleihen nur unter dem Nennwert zu verkaufen sind, wäre dieses „Vermögen" in Wirklichkeit eine Verbindlichkeit.

331 Wir können uns nur vorstellen, was Graham von den Investmentbanken gehalten hat, die InfoSpace, Inc. im Dezember 1968 an die Börse brachten. Die Aktie (korrigiert um spätere Splits) eröffnete den Handel mit 31,25 $, hatte seinen Höhepunkt bei 1.305,32 $ im März 2000 und beendete das Jahr 2002 mit fürstlichen 8,45 $ je Aktie.

4. Ende 1967 hatten die Bankkredite eine Höhe von 161 Millionen $ erreicht, und ein Jahr darauf waren es schon 414 Millionen $ – was eigentlich eine furchteinflößende Zahl sein sollte. Außerdem beliefen sich die langfristigen Schulden auf 1.237 Millionen $. 1969 erreichte der gesamte Schuldenstand 1.869 Millionen $. Das war wahrscheinlich der höchste Schuldenstand, den ein Industrieunternehmen irgendwo und irgendwann angehäuft hat – mit einer Ausnahme: der unüberwindliche Schuldenberg der Standard Oil of N.J.
5. Die Verluste in den Jahren 1969 und 1970 übertrafen die gesamten Gewinne, die seit Gründung des Unternehmens erzielt worden waren.

Die Lehre: Die wichtigste Frage bei der Geschichte von Ling-Temco-Vought lautet unserer Meinung nach, wie die Geschäftsbanken überredet werden konnten, dem Unternehmen in der Zeit der Expansion solch hohe Kredite einzuräumen.1966, und auch in der Zeit davor, erreichte die Deckung der Zinsen nicht die konservativen Standards, und das gilt auch für das Verhältnis des Umlaufvermögens zu den kurzfristigen Verbindlichkeiten und das Verhältnis zwischen dem Eigenkapital aus Aktien zu den gesamten Schulden. Doch in den nächsten beiden Jahren überwiesen die Banken dem Unternehmen noch einmal fast 400 Millionen $ für weitere „Diversifizierungen". Das war kein gutes Geschäft für sie, und bezogen auf die Auswirkungen auf die Aktionäre war es noch schlechter. Sollte der Fall Ling-Temco-Vought dazu dienen, die Banken davon abzuhalten, derartig unvernünftige Expansionen zu unterstützen und ihnen Vorschub zu leisten, dann diente er letztendlich doch noch einem guten Zweck.[332]

Die NVF-Übernahme von Sharon Steel (ein Stück mit Sammlerwert)

Ende des Jahres 1968 war NVF Company ein Unternehmen mit 4,6 Millionen langfristigen Schulden, 117,4 Millionen $ Eigenkapital aus Aktien, 31 Millionen $ Umsatz und 502.000 $ Nettoerlösen (vor einem Sonderkredit über 347.000 $). Das Geschäft wurde als „vulkanisierte Glasfasern und Plastik" beschrieben. Das Management entschloss sich, Sharon Steel Corp. zu übernehmen, das 43 Millio-

332 Graham wäre enttäuscht, aber nicht unbedingt überrascht zu sehen, dass Geschäftsbanken weiterhin „unvernünftige Expansionen" unterstützten. Enron und WorldCom, zwei der größten Zusammenbrüche in der Unternehmensgeschichte, wurden durch Millionenkredite von Banken unterstützt und geradezu begünstigt.

Tabelle 17-1: Ling-Temco-Vought Inc. 1958 bis 1970 *(außer den Gewinnen sind alle Beträge in Millionen Dollar angegeben)*

	1958	1960	1967	1969	1970
A. Operative Ergebnisse					
Umsatz	6,9	143,0	1.833,0	3.750,0	374,0
Netto vor Steuern und Zinsen	0,552	7,287	95,6	124,4	88,0
Zinslast	0,1 (geschätzt)	1,5 (geschätzt)	17,7	122,6	128,3
(wie oft mal verdient)	(5,5 x)	(4,8 x)	(54 X)	(1,02 x)	(0,68 x)
Einkommensteuer	0,225	2,686	35,6	cr 15,2	4,9
Sonderposten	-	-	-	dr. 40,6	dr. 18,8
Netto nach Sonderposten	0,227	3,051	34,0	dr. 38,3	dr. 69,6
Bilanz für Stammaktien	0,202	3,051	30,7	dr. 40,8	dr. 71,3
Gewinn je Stammaktie	0,17	0,83	5,56	def. 10,59	def. 17,18
B. Finanzielle Position					
Gesamtvermögen	6,4	94,5	845,0	2.944,0	2.582,0
Verbindlichkeiten, fällig innerhalb eines Jahres	1,5	29,3	165	389,3	301,3
Langfristige Verbindlichkeiten	0,5	14,6	202,6	1.500,8	1.394,6
Eigenkapital der Aktionäre	2,7	28,5	245,0[a]	Def. 12,0[b]	
Verhältniszahlen					
Umlaufvermögen/kurzfristige Verbindlichkeiten	1,27 x	1,45 x	1,80x	1,52 x	1,45 x
Eigenkapital/langfristige Verbindlichkeiten	5,4 x	2,0 x	1,2 x	0,17 x	0,13 x
Kursbereich	-	28 - 20	169,5 - 109	97,75 - 24,125	29,5 - 7,125

a) Wie veröffentlicht. cr = Guthaben, dr. = Debet, def. = Defizit

b) Ausschließlich Schuldendiskont als Vermögen und abzüglich der Vorzugsaktien zum Rücknahmewert.

nen $ langfristige Schulden, 101 Millionen $ Eigenkapital in Aktien, 219 Millionen $ Umsatz und 2.929.000 $ Nettogewinn hatte. Das Unternehmen, das NVF übernehmen wollte, war sieben Mal größer als NVF selbst. Anfang 1969 machte NVF ein Übernahmeangebot für alle Aktien von Sharon. Die Konditionen je Aktie lauteten: 70 $ aus nachrangigen Anleihen zu 5 %, fällig im Jahr 1994, zusätzlich Bezugsrechte, die es erlaubten, 1,2 Aktien von NVF zu 22 $ je Aktie zu kaufen. Das Sharon-Management wehrte sich entschieden gegen diesen Übernahmeversuch, doch vergeblich. NVF erwarb 88 % der Sharon-Aktien nach dem Angebot und emittierte deshalb 102 Millionen $ seiner 5-%-Anleihen und Bezugsrechte für 2.197.000 seiner Aktien. Wäre das Angebot zu 100 % angenommen worden, hätte das konsolidierte Unternehmen im Jahr 1968 163 Millionen $ Schulden gehabt, nur 2,2 Millionen Eigenkapital aus Sachanlagen durch Aktien und 250 Millionen $ Umsatz. Die Frage des Nettogewinns wäre ein wenig komplizierter, aber das Unternehmen gab anschließend bekannt, es handle sich um einen Nettoverlust von 50 Cent je NVF-Aktie vor einem außerordentlichen Kredit und einen Nettogewinn von 3 Cent je Aktie nach diesem Kredit.[333]

Erster Kommentar: Unter allen Übernahmen, die im Jahr 1969 vollzogen wurden, war dies zweifellos die extremste hinsichtlich des finanziellen Ungleichgewichts. Die übernehmende Gesellschaft hatte die Verantwortung für eine neue und kopflastige Schuldverschreibung übernommen, und sie hatte 1968 zu ihrem Vorteil einen Gewinn in einen Verlust gewandelt. Einen Maßstab für den Verfall der finanziellen Position des Unternehmens durch diesen Schritt findet man in der Tatsache, dass die neuen 5-%-Anleihen im Jahr der Emission nicht höher als mit 42 Cent für den Dollar gehandelt wurden. Allein dies hätte ernsthafte Zweifel

---

333 Im Juni 1972 (gerade nachdem Graham dieses Kapitel verfasst hatte), fand ein Bundesrichter heraus, dass der Vorsitzende von NVF, Victor Posner, die Pensionsrückstellungen von Sharon Steel nicht richtig aufgeteilt hatte, „um Tochtergesellschaften bei ihren Akquisitionen anderer Unternehmen zu helfen". 1977 erwirkte die SEC eine dauerhafte gerichtliche Verfügung gegen Posner, NVF und Sharon Stell, um zu verhindern, dass er künftig gegen Bundesgesetze gegen Wertpapierbetrug verstößt. Die SEC behauptete, Posner und seine Familie hätten ungerechtfertigt 1,7 Millionen $ an persönlichen Vergünstigungen von NVF und Sharon erhalten, die Vorsteuergewinne von Sharon seien um 13,9 Millionen $ zu hoch angegeben, das Inventar nicht richtig aufgenommen und „Einkommen und Kosten von einem Jahr in ein anderes verschoben" worden. Sharon Steel, das Graham mit seinem kalten und skeptischen Verstand ausgesondert hatte, wurde unter den humorvollen Menschen an der Wall Street nur noch „Share and Steal" genannt. Posner war später eine treibende Kraft in der Welle der fremdfinanzierten Buy-outs und feindlichen Übernahmen, die in den 80er-Jahren die USA überfluteten, als er ein Großkunde für die Junk-Bonds wurde, die von Drexel Burnham Lambert gezeichnet wurden.

an der Sicherheit der Anleihen und der Zukunft des Unternehmens aufkommen lassen müssen. Das Management jedoch verwertete den Kurs der Anleihe in einer Art, die dem Unternehmen jährlich Einkommensteuer in der Höhe von 1.000.000 $ ersparte, wie wir noch zeigen werden.

Der Geschäftsbericht für 1968, der nach der Übernahme von Sharon veröffentlicht wurde, enthielt ein kurz gefasstes Bild der Ergebnisse, zurückgerechnet bis zum Jahresende. Dieser Überblick enthielt zwei ungewöhnliche Punkte:

- Es sind „aufgeschobene Kreditkosten" aufgeführt. Deren Summe ist größer als das gesamte Eigenkapital der Aktionäre, das mit 40.200.000 $ angegeben wird.
- Jedoch ist im Eigenkapital der Aktionäre ein Posten von 20.700.000 $ nicht enthalten, der mit „Überschuss von Eigenkapital über die Kosten der Investitionen in Sharon" bezeichnet wird.

Zweiter Kommentar: Wenn wir die Kreditkosten als Vermögensteil nicht berücksichtigen - was diese auch nicht sind - und den anderen Posten in das Eigenkapital der Aktionäre einbeziehen (wohin er auch gehört), dann erhalten wir eine realistischere Angabe des materiellen Eigenkapitals der NVF-Aktie, also 2.200.000 $. Somit war die erste Auswirkung des Geschäfts die Reduzierung des „realen Eigenkapitals" von NVF von 17.400.000 $ auf 2.200.000 $ oder von 23,71 $ je Aktie auf etwa 3 $ je Aktie, bei 731.000 Stücken. Außerdem überließen die Aktionäre von NVF den anderen das Recht, 3,5 Mal so viel zusätzliche Aktien zu kaufen, und das zu sechs Prozentpunkten unter dem Börsenkurs zum Jahresende 1968. Der ursprüngliche Marktwert der Bezugsrechte lag damals bei 12 $ oder einer Gesamtsumme von etwa 30 Millionen $ für diejenigen, die sich auf das Kaufangebot einließen. Tatsächlich überstieg der Marktwert der Bezugsrechte den gesamten Marktwert aller im Umlauf befindlichen NVF-Aktien - ein weiterer Beweis für jene Art von Transaktion, bei der „der Schwanz mit dem Hund wedelte".

Die Buchhaltungstricks

Wenn wir von dieser Pro-forma-Bilanz zum Jahresbericht des Folgejahres übergehen, dann finden wir einige seltsam anmutende Buchungen. Zusätzlich zu den grundlegenden Zinsausgaben (starke 7.500.000 $) werden 1.795.000 $ für „Amortisierung der aufgeschobenen Kreditkosten" abgezogen. Doch dies wird in der nächsten Zeile tatsächlich fast wieder durch einen Posten „außergewöhnliche Einnahmen" aufgehoben: „Amortisierung des Eigenkapitals über die Kosten der Investitionen in die Sparte: Cr 1.650.000 $." In einer der Fußnoten finden wir einen Eintrag, der in keinem anderen Bericht erscheint, den wir kennen: „Ein Teil des Aktienkapitals ist hier als fairer Marktwert der emittierten Bezugsrechte im Zusammenhang mit der Akquisition etc. 22.129.000 $ aufgeführt."

Was, um Himmels willen, sollen diese Einträge bedeuten? Keiner wird in der Erläuterung des Jahresberichts 1969 auch nur erwähnt. Der gut ausgebildete Aktienanalyst muss, fast schon wie ein Detektiv, diese Rätsel selbst lösen. Er findet heraus, dass die zugrunde liegende Idee ist, aus dem geringen ursprünglichen Preis der 5-%-Schuldverschreibungen einen Steuervorteil abzuleiten. Lesern, die sich für dieses raffinierte Arrangement interessieren, zeigen wir die Lösung im Anhang 6.

Andere ungewöhnliche Vorgänge

1. Gleich nach dem Jahresabschluss für 1969 kaufte das Unternehmen nicht weniger als 650.000 Bezugsrechte zu einem Kurs von 9,38 $ zurück. Dies war außergewöhnlich, wenn man bedenkt, dass (a) NVF am Jahresende selbst nur 700.000 $ in Barmitteln hatte und außerdem 1.970 Schuldentilgungen in der Höhe von 4.400.000 $ anstanden (offensichtlich mussten die 6 Millionen $, die für den Rückkauf der Bezugsrechte bezahlt wurden, aus einem Kredit stammen) und dass man (b) dieses Bezugsrecht als „paper money" zu einem Zeitpunkt zurückkaufte, als die 5-%-Anleihen zu weniger als 40 Cent pro Dollar gehandelt wurden – normalerweise eine Warnung, dass finanzielle Probleme bevorstehen.
2. Als teilweisen Ausgleich dafür hatte das Unternehmen 5.100 000.$ seiner Anleihen eingelöst und zudem 253 000 Bezugsrechte im Tausch gegen Stammaktien zurückgenommen. Dies war möglich, weil, nach den Launen der Börsen, Anleger die-5 %-Anleihen zu weniger als 40 verkauften, während die Stammaktien zu einem Kurs von 13,5 $ gehandelt wurden, allerdings ohne Dividenden auszuschüttungen.
3. Das Unternehmen hatte Pläne, nicht nur Aktien an die Mitarbeiter zu verkaufen, sondern ihnen auch eine größere Anzahl von Bezugsrechten einzuräumen, um die Aktien kaufen zu können. Wie bei den Aktien, so wurde auch bei den Bezugsrechten eine Anzahlung von 5 % akzeptiert, und die Restzahlung konnte viele Jahre später erfolgen. Dies ist der einzige Plan für den Verkauf von Bezugsrechte an Mitarbeiter, den wir kennen. Wird es bald jemanden geben, der auf die Idee kommt, für das Recht auf ein Bezugsrecht auf Aktien eine Anzahlung zu verlangen?

4. Im Jahr 1969 veränderte die neu aufgestellte Sharon Steel Co. ihre Methode, an die Pensionskosten zu kommen, und übernahm geringere Abschreibungsraten. Diese Veränderungen in der Rechnungslegung addierten 1 $ je Aktie zu den ausgewiesenen Gewinnen von NVF vor Verwässerung.
5. Ende 1970 berichtete Standard & Poor´s *Stock Guide*, dass die Aktien von NVF mit einem KGV von nur zwei gehandelt würden, dem niedrigsten KGV aller rund 4.500 im *Stock Guide* aufgeführten Titel. Wie eine alte Redewendung an der Wall Street besagt: „Es ist wichtig, wenn es stimmt." Das Verhältnis beruhte auf dem Schlusskurs dieses Jahres von 8,75 $, und die berechneten „Gewinne" von 5,38 $ je Aktie stammten aus den zwölf Monaten, die am 30. September 1970 endeten. (Verwendet man diese Zahlen, so kommt man auf ein KGV von nur noch 1,6.) Allerdings rechtfertigte dieses Verhältnis weder den hohen Verwässerungsfaktor[334] noch die ungünstigen Ergebnisse, die im vierten Quartal 1970 erzielt wurden. Als schließlich die gesamten Zahlen für das Jahr 1970 vorlagen, wiesen sie vor Verwässerung nur einen Gewinn von 2,03 $ je Aktie aus und 1,80 $ je Aktie nach Verwässerung. Beachten Sie auch, dass der gesamte Börsenwert von Bezugsrechten und Aktien zu diesem Zeitpunkt etwa 14 Millionen $ betrug gegenüber Verbindlichkeiten aus Anleihen in der Höhe von 135 Millionen $ – eine wirklich kurze Eigenkapitaldecke.

AAA Enterprises – Geschichte

Vor ungefähr 15 Jahren begann ein College-Student namens Williams mit dem Verkauf von „Wohnmobilen", die man damals noch Wohnwagen nannte.[335] 1965

334 Der „hohe Verwässerungsfaktor" würde ausgelöst, wenn die Mitarbeiter von NVF ihre Bezugsrechte ausübten, um Stammaktien zu kaufen. Das Unternehmen müsste dann weitere Aktien emittieren, und der Nettogewinn würde auf eine wesentlich größere Anzahl in Umlauf befindlicher Aktien verteilt.

335 Jackie G. Williams gründete AAA Enterprises im Jahr 1958. Am ersten Handelstag raste der Aktienkurs um 56 % nach oben und schloss mit 20,25 $. Williams gab später bekannt, dass AAA jeden Monat mit einem neuen Franchise-Konzept auf den Markt kommen würde. (Wenn die Leute in ein Wohnmobil steigen würden, um darin von Mr. Tax ihre Einkommensteuer machen lassen könnten, stellen Sie sich dann vor, was man sonst noch alles in einem Wohnmobil anstellen könnte!). Doch AAA hatte keine Zeit und kein Geld mehr, bevor Williams die Ideen ausgingen. Die Geschichte von AAA Enterprises erinnert an die Sage eines Unternehmens, das später gegründet wurde, ein charismatisches Management und knappe Mittel hatte: ZZZZ Best erreichte Ende der 80er-Jahre einen Börsenwert von rund 200 Millionen $, obwohl die vorgebliche Staubsaugerfirma aus nicht mehr bestand als aus einem Telefon und einem angemieteten Büro, in

(Fortsetzung der Fußnote auf der nächsten Seite)

machte er aus seinem Geschäft eine Aktiengesellschaft. In diesem Jahr verkaufte er Wohnmobile im Wert von 5.800.000 $ und verdiente 61.000 $ vor Körperschaftsteuer. 1968 war er der Franchise-Bewegung beigetreten und verkaufte anderen das Recht, unter seinem Namen Wohnmobile zu verkaufen. Außerdem hatte er die blendende Idee, in das Geschäft einzusteigen, für andere Leute die Einkommensteuererklärung zu erstellen und dabei sein Wohnmobil als Büro zu benutzen. Er gründete eine Tochtergesellschaft, nannte sie „Mr. Tax of America", und natürlich begann er auch diese Idee auf Franchise-Basis zu verkaufen. Er vervielfachte die Anzahl der Aktien der Gesellschaft auf 2.710.000 Stücke und bereitete sich auf den Börsengang vor. Er fand eine der größten Investmentbanken, die, zusammen mit anderen, bereit war, den Börsengang zu begleiten. Im März 1969 boten sie 500.000 Aktien von AAA Enterprises zu einem Kurs von 13 $ an der Börse an. 300.000 Stücke wurden für Williams persönlich verkauft und die anderen 200.000 Stücke zugunsten der Gesellschaft, wodurch er seine Mittel um 2.400.000 $ aufstocken konnte. Der Kurs der Aktie verdoppelte sich sofort auf 28 $ oder einen Wert von 84 Millionen $ als Eigenkapital gegenüber einem Buchwert von 4.200.000 $ und einem maximalen Gewinn von 690.000 $. Die Aktie wurde mit einem KGV von 115 gehandelt. Zweifellos hatte Williams den Namen AAA Enterprise deshalb gewählt, weil er damit im Telefonbuch und in den *Gelben Seiten* an erster Stelle stand. Gleichzeitig jedoch stand sein Unternehmen auch im Standard and Poor's *Stock Guide* an erster Stelle. Wie in der Geschichte von Abu-Ben-Adhem[336], führte der Name seines Unternehmens den gesamten Rest der Branche an. Dies ist ein besonderer Grund, diese Geschichte als eines der grauenvollen Beispiele für die neue Finanzierung von 1969 und für „heiße Emissionen" anzuführen.

(Fortsetzung der Fußnote 335)
dem Barry Minkow, ein Teenager, arbeitete. ZZZZ Best machte Pleite, und Minkow wanderte ins Gefängnis. Sogar jetzt, in dem Augenblick, in dem Sie diese Zeilen lesen, wird ein ähnliches Geschäft aufgemacht, und eine neue Generation von „Investoren" wird mitgenommen. Allerdings sollte niemand, der Graham gelesen hat, bei einer derartigen Sache einsteigen.

336 In „Abou Ben Adhem" des englischen Dichters Leigh Hunt (1784–1859) aus dem Zeitalter der Romantik sieht ein aufrichtiger Moslem einen Engel, der in ein goldenes Buch „die Namen aller eintrug, die Gott lieben". Als der Engel Abou sagt, dass sein Name nicht dabei sei, sagt Abou: „Ich bitte dich, schreibe mich dann doch als jemanden auf, der all seine Landsleute liebt." In der nächsten Nacht erschien der Engel wieder, um Abou das Buch zu zeigen, in dem nun stand: „Ben Adhems Name führte den ganzen Rest an."

Kommentar: Für Williams war das kein schlechtes Geschäft. Die 300.000 Aktien, die er verkaufte, hatten im Dezember 1968 einen Buchwert von 180.000 $, und somit erhielt er das 20fache, also satte 3.600.000 $. Die Konsortialbanken und der Vertrieb teilten sich, nach Abzug der Auslagen, 500.000 $.

1. Für die Kunden der Banken schien dies kein gutes Geschäft zu sein. Sie sollten das Zehnfache des Buchwerts der Aktie bezahlen, nachdem sie ihr Eigenkapital je Aktie von 59 Cent mit eigenem Geld auf 1,35 $ erhöht hatten.[337] Vor 1968, dem besten Jahr, lag der höchste Gewinn je Aktie bei lächerlichen sieben Cent. Natürlich gab es ehrgeizige Pläne für die Zukunft - doch sollten die Anleger im Voraus schon sehr viel für die erhoffte Umsetzung dieser Pläne bezahlen.
2. Dennoch, der Kurs der Aktie verdoppelte sich schon bald nach dem Börsengang, und jeder Kunde der beteiligten Brokerhäuser hätte mit einem netten Gewinn wieder aussteigen können. Veränderte die Tatsache, dass die Aktien in Umlauf kamen, oder entlastete die bevorstehende Möglichkeit, dass es geschehen könnte, die ursprünglichen Vertreiber dieser Emission von der Verantwortung für dieses IPO und seine Folgen? Diese Frage ist nicht leicht zu beantworten, doch verdient sie es, dass die Wall Street und die staatlichen Aufsichtsbehörden sorgfältig darüber nachdenken.[338]

---

337 Wenn man mehr Stammaktien mit einem Aufschlag auf den Buchwert kauft, dann erhöhen die Anleger den Wert des Eigenkapitals der AAA-Aktien. Doch die Anleger zogen sich lediglich an den eigenen Haaren hoch, da der größte Anteil am Wert des Eigenkapitals der Aktionäre durch die Bereitschaft bewirkt wird, die Aktie zu teuer zu kaufen.

338 Graham möchte hier sagen, dass es den Investmentbanken nicht zusteht, die Lorbeeren für Gewinne einer „heißen" Aktie unmittelbar nach dem Börsengang für sich in Anspruch zu nehmen, wenn sie nicht auch bereit sind, die Schuld für die langfristige Performance der Aktie mit auf sich zu nehmen. Viele Internet-IPOs stiegen 1999 und Anfang 2000 um 1.000 % oder mehr; doch die meisten verloren in den drei Folgejahren mehr als 95 %. Wie können diese frühen Gewinne einiger weniger Investoren die enorme Geldvernichtung von Millionen von Anlegern, die erst später zum Zuge kamen, rechtfertigen? Viele IPOs waren tatsächlich mit voller Absicht sehr billig, um sofortige Gewinne zu erzeugen, die nur den Zweck hatten, Aufmerksamkeit zu erregen, wenn die nächste Emission anstand.

Wie die Geschichte weiterging

Mit der Erhöhung des Kapitals stieg AAA Enterprises in zwei weitere Geschäftsbereiche ein. 1969 wurde eine Kette von Teppichläden eröffnet, und AAA kaufte eine Fabrik, die Wohnmobile herstellte. Die Ergebnisse der ersten neun Monate waren nicht unbedingt herausragend, doch immer noch ein wenig besser als im Vorjahr - 22 Cent je Aktie gegenüber 14 Cent. Aber was in den folgenden neun Monaten geschah, war schier unglaublich: Das Unternehmen verlor 4.365.000 $ oder 1,49 $ je Aktie. Das brauchte das gesamte Kapital vor der Finanzierung auf, ebenso die 242.000.000 $, die durch den Verkauf der Aktien eingenommen wurden, ferner zwei Drittel des Betrags, der in den ersten neun Monaten des Jahres 1969 erwirtschaftet worden war. Übrig blieben gerade einmal 242.000 $ oder 8 Cent je Aktie von dem Kapital, das die Anleger mit 13 $ je Aktie vor nur sieben Monaten eingebracht hatten. Dennoch schloss der Kurs im Jahr 1969 mit 8,125 $ oder einer „Bewertung" des Unternehmens von mehr als 25 Millionen $.

Weiterer Kommentar

1. Es ist kaum zu glauben, dass AAA von Januar bis September 1969 nur 686.000 $ verdiente und danach, in den nächsten drei Monaten, 4.365.000 $ Verlust machte. Am Geschäftsbericht vom 30. September war etwas oberfaul.
2. Der Schlusskurs von 8,125 $ war eine noch schlimmere Demonstration der völligen Unachtsamkeit der Börsenkurse als der ursprüngliche Emissionskurs von 13 $ oder der folgende „heiße" Kursanstieg auf ein Hoch von 28 $. Diese letzten Notierungen zumindest beruhten auf Begeisterung und Hoffnung - völlig losgelöst von jeglichem Realismus und gesundem Menschenverstand, letztlich aber verständlich. Die Bewertung zum Jahresende mit 25 Millionen $ wurde einem Unternehmen zugesprochen, das alles verloren hatte, außer einem kümmerlichen Rest seines Kapitals, einem Unternehmen, dem die Insolvenz ins Haus stand, und für das die Worte „Begeisterung" und „Hoffnung" nur noch Ausdruck eines bitteren Sarkasmus waren. (Es stimmt, dass die Zahlen vom Jahresende nicht am 31. Dezember veröffentlicht wurden, doch ist es Sache der Brokerhäuser der Wall Street, die mit einem Unternehmen in Verbindung stehen, monatlich operative Aussagen zu machen und ungefähr zu wissen, wie die Dinge sich entwickeln.)

Das letzte Kapitel

Für das erste Halbjahr 1970 berichtete das Unternehmen über einen weiteren Verlust von 1 Million $. Nunmehr hatte AAA ein ansehnliches Kapitaldefizit. Vor dem Konkurs wurde das Unternehmen durch persönliche Kredite von Williams in Höhe von 2.500.000 $ bewahrt. Es hat den Anschein, als seien keine weiteren Berichte veröffentlicht worden, bis AAA im Januar 1971 Konkurs anmeldete. Die Notierung der Aktie am Ende dieses Monats lag immer noch bei 50 Cent je Aktie oder 1.500.000 $ für das gesamte Unternehmen, das offensichtlich nicht mehr wert war als alte Tapeten. Das ist das Ende der Geschichte.

Lehre und Fragen: Die Spekulanten unter den Anlegern sind unbelehrbar. In Finanzangelegenheiten können sie nicht weiter als bis drei zählen. Sie kaufen alles, zu jedem Kurs, wenn sie glauben, es sei etwas „im Gange". Sie stürzen sich auf alles, das nur irgendwie mit Franchising, Computern, Elektronik, Wissenschaft, Technologie oder dergleichen zu tun hat, wenn es gerade „in" ist. Unsere Leser, ausschließlich vernünftige Investoren, stehen allerdings über derartigen Torheiten. Doch bleiben immer noch Fragen offen: Sollten verantwortungsvolle Investmentbanken nicht durch einen Ehrenkodex verpflichtet werden, sich aus derartigen Geschäften herauszuhalten, wenn vorhersehbar ist, dass sich neun von zehn IPOs letztlich als Fehlschlag erweisen? (So sah es tatsächlich aus, als der Autor im Jahr 1914 an die Wall Street ging. Stellt man einen Vergleich an, so hat es den Anschein, als seien die moralischen Grundsätze der „Street" in den folgenden 57 Jahren eher gesunken als gestiegen, und das trotz aller Reformen und aller Kontrollen.) Könnte und sollte man der SEC andere Mittel an die Hand geben, um die Öffentlichkeit zu schützen, noch über jene hinaus, die sich darauf beschränken, dass alle relevanten Fakten im Angebots-Prospekt enthalten sein müssen? Sollten für IPOs Qualitätskriterien eingeführt und auffällig veröffentlicht werden? Sollte jeder Prospekt, und vielleicht jede Verkaufsbestätigung einer Erstemission, eine Art formaler Garantie enthalten, die bestätigt, dass der Emissionskurs nicht wesentlich von den Kursen vergleichbarer Titel abweicht? Jetzt, da wir an dieser Auflage arbeiten, ist eine Bewegung erkennbar, die die Ahndung von Missbräuchen an der Wall Street reformieren soll. Es wird schwierig, wesentliche Veränderungen im Bereich von Neuemissionen durchzusetzen, weil die Missbräuche zu einem sehr großen Teil das Ergebnis der Sorglosigkeit und der Gier der Anleger sind. Doch bedarf diese Angelegenheit langer und sorgfältiger Überlegungen.[339]

Kommentar zu Kapitel 17

> Der Gott der Weisheit, Wotan, ging zum König der Trolle, nahm ihn in den Schwitzkasten und wollte von ihm wissen, wie Ordnung das Chaos besiegen könne. „Gib mir dein linkes Auge", sagte der Troll, „dann werde ich es dir sagen." Ohne zu zögern, opferte Wotan sein linkes Auge. „Nun sag es mir." Der Troll antwortete: „Das Geheimnis heißt: Sieh mit beiden Augen!"
>
> *John Gardner*

Je mehr sich alles verändert ...

Graham beleuchtet vier Extreme:

- Einen „strauchelnden Giganten"
- Ein Konglomerat, das ein Imperium aufbau
- Eine Fusion, in der ein kleines Unternehmen ein großes schluckt
- Einen Börsengang eines grundsätzlich wertlosen Unternehmens

In den zurückliegenden Jahren gab es reichlich neue Beispiele für Grahams Extreme, sodass man eine ganze Enzyklopädie damit füllen könnte. Hier ein kleiner Ausschnitt:

Lucent, nicht transparent

Mitte 2000 hatte Lucent Technologies Inc. mehr Aktionäre als jede andere amerikanische Aktie. Mit einer Marktkapitalisierung von 192,2 Milliarden $ stand Lucent in der Rangliste der wertvollsten Unternehmen der USA auf Platz 14.

---

339 Die ersten vier Sätze Grahams in diesem Absatz könnte man als die offizielle Grabinschrift der Internet- und Telekommunikationsblase betrachten, die Anfang 2000 platzte. Ebenso wie die Warnungen zur gesundheitlichen Schäden auf den Zigarettenschachteln Raucher kaum davon abhalten, sich eine Zigarette anzuzünden, wird jemals eine Reform der Verordnungen Anleger dazu bringen können, der eigenen Gier Grenzen zu setzen. (Nicht einmal der Kommunismus kann verhindern, dass es zu derartigen „Blasen" kommt: Der chinesische Aktienmarkt stieg 1999 um 101,7 % und stürzte danach wieder ab.) Außerdem können Investmentbanken niemals völlig von ihrer eigenen Zwangsneurose befreit werden, jede Aktie zu jedem Kurs zu verkaufen, der an der Börse geboten wird. Dieser Teufelskreis kann nur durch einen Investor und einen Finanzberater gleichzeitig durchbrochen werden. Beherrscht man Grahams Grundsätze (siehe insbesondere die Kapitel 1, 8 und 20), dann ist dies die beste Möglichkeit, damit zu beginnen.

War diese Bewertung gerechtfertigt? Betrachten wir einige Grundlagen aus dem Finanzbericht für das Steuerquartal, das am 30. Juni 2000 endete.[340]

Abb. 17-1: Lucent Technologies Inc.

	Für das Quartal mit dem Ende am ...	
	30. Juni 2000	**30. Juni 1999**
Einnahmen		
Erlöse	8.713	7.403
Einnahmen (Verluste) aus laufenden Geschäften	(14)	622
Einnahmen (Verluste) aus nicht beendeten Geschäften	(287)	141
Nettoerlös	(301)	763
Vermögen		
Barmittel	710	1.495
Offene Ausgangsrechnungen	10.101	9.486
Firmenwert	8.736	3.340[a]
Kapitalisierte Softwarekosten	576	412
Gesamtvermögen	46.340	37.156

Alle Beträge sind in Mio. $ angegeben Quelle: Quartalsbericht von Lucent (Formular 10-Q)
a) Andere Vermögenswerte, zu denen auch der Firmenwert zählt.

Eine genauere Betrachtung dieses Berichts lässt die Alarmglocken schrillen wie eine unbesetzte Telefonzentrale:

- Lucent hatte einen Lieferanten für optische Ausrüstungen, Chromatis Networks, für 4,8 Milliarden $ gekauft – davon allein 4,2 Milliarden $ als Firmenwert (oder Kosten über dem Buchwert). Chromatis hatte 30 Mitarbeiter, keine Kunden und keine Einnahmen, und so scheint der Begriff „Firmenwert" wirklich nicht angebracht zu sein. Vielleicht hätte man „eine Kiste voller Hoffnungen" sagen sollen. Wenn sich die noch im Entwicklungsstadium befindlichen Produkte von Chromatis nicht auszahlten, musste Lucent den Firmenwert negativ betrachten und gegen künftige Gewinne aufrechnen.

340 Dieses Dokument, ebenso wie alle anderen Finanzberichte, die in diesem Kapitel zitiert werden, sind für die Öffentlichkeit über die Datenbank EDGAR unter www.sec.gov leicht zugänglich.

- Eine Fußnote besagt, dass Lucent Abnehmern seiner Produkte 1,5 Milliarden $ geliehen hatte. Lucent musste ferner für 350 Millionen $ einstehen, die seine Kunden sich anderweitig geliehen hatten. Die gesamten „Kundenfinanzierungen" hatten sich innerhalb eines Jahres verdoppelt – was vermuten lässt, dass die Abnehmer keine Barmittel mehr hatten, um Lucents Produkte bezahlen zu können. Und was ist, wenn Sie kein Geld mehr haben, Ihre Schulden zu tilgen?
- Schließlich behandelte Lucent die Kosten für die Entwicklung neuer Software als Kapitalvermögen. Statt Vermögen waren diese Kosten doch Geschäftskosten, die aus den Gewinnen bezahlt werden sollten.

Endergebnis: Im August 2001 legte Lucent die Sparte Chromatis still, nachdem die Produkte, wie zu erfahren war, nur zwei Abnehmer fanden.[341] Im Fiskaljahr 2001 machte Lucent einen Verlust von 16,2 Milliarden $; 2002 waren es noch einmal „rote Zahlen" in der Höhe von 11,9 Milliarden $. Zu diesen Verlusten zählten auch 3,5 Milliarden $ für „Rückstellungen für faule Kredite und Kundenfinanzierungen", 4,1 Milliarden $ für „Belastungen durch Verschlechterung des Firmenwerts" und 362 Millionen $ an Belastungen „im Zusammenhang mit kapitalisierter Software".

Lucents Aktienkurs, 51,062 $ am 30. Juni 2000, fiel bis zum Jahresende 2002 auf 1,26 $ – ein Verlust von nahezu 190 Milliarden $ innerhalb von zweieinhalb Jahren.

Der Übernahme-Zauberer

Um Tyco International Ltd. zu beschreiben, können wir nur mit Sir Winston Churchill sprechen und sagen: Noch nie wurde von so vielen so viel an so wenige verkauft. Von 1997 bis 2001 gab dieses Konglomerat mit Sitz auf den Bermudas insgesamt mehr als 37 Milliarden $ aus – den größten Teil in Aktien von Tyco –, wobei Unternehmen so gekauft wurden, wie Imelda Marcos Schuhe kaufte. Allein im Steuerjahr 2000 erwarb Tyco, laut Jahresbericht, „schätzungsweise 200 Firmen" – durchschnittlich also mehr als eine an jedem zweiten Tag.

Das Ergebnis? Tyco wuchs enorm schnell; innerhalb von fünf Jahren stiegen die Einnahmen von 7,6 Milliarden $ auf 34 Milliarden $, und die operativen Erlö-

341 Der Untergang von Chromatis wird in der *Financial Times* vom 29.8.2001 auf Seite 1 besprochen und weiter am 1. und 2. September 2001.

se schossen von einem Verlust von 476 Millionen $ auf einen Gewinn von 6,2 Milliarden $ hoch. Es ist deshalb kein Wunder, dass der Börsenwert Ende des Jahres 2001 insgesamt 114 Milliarden $ betrug. Doch Tycos Finanzberichte waren mindestens ebenso erschreckend wie das Wachstum: Nahezu jedes Jahr wurden Hunderte von Millionen Dollar als Lasten im Zusammenhang mit Firmenkäufen ausgewiesen. Diese Ausgaben verteilten sich hauptsächliche auf drei Kategorien:

- „Fusionen" oder „Umstrukturierungen" oder „andere einmalige" Kosten,
- Lasten aus „Wertverfall langlebiger Wirtschaftsgüter" und
- „Abschreibungen von bezahlten Zwischenprüfungen und laufenden Entwicklungen".

Um es abzukürzen, nennen wir die erste Art von Belastungen MORON, die zweiten CHILLA und die dritten WOOPIPRAD. Wie entwickelten sich diese im Lauf der Zeit?

Abb. 17-2: Tyco International Ltd.

Fiskaljahr	MORON	CHILLA	WOOPIPRAD
1997	918	148	361
1998	0	0	0
1999	1.183	335	0
2000	4.175	99	0
2001	234	120	184
gesamt	2.510	702	545

Alle Zahlen sind, wie ursprünglich berichtet, in 100 Millionen Dollar angegeben
„Fusionen & Übernahmen" enthalten nicht die Geschäfte, bei denen Interessen zusammengeführt wurden.
Quelle: Jahresberichte von Tyco International (Formular 10-K)

Wie Sie sehen können, tauchten die MORON-Belastungen – *die eigentlich einmalig sein sollten* – in vier von fünf Jahren auf und kamen auf einen Gesamtbetrag von erstaunlichen 2,5 Milliarden $. CHILLA wuchs ebenso chronisch und belief sich auf mehr als 700 Millionen $. WOOPIPRAD kam auf weitere 500 Millionen $.[342]

342 Weil man die Akquisitionen einbezog und sie unter WOOPIPRAD buchte, konnte Tyco den Teil des Kaufpreises abziehen, der den Firmenwert ausmachte. Weil WOOPIPRAD im Voraus ausgegeben werden kann, während der Firmenwert (nach den damals gültigen Regeln der Buchführung) über mehrere Jahre hinweg abgeschrieben werden musste, konnte Tyco damit die Auswirkungen der Belastungen durch den Firmenwert auf die künftigen Gewinne minimieren.

Ein intelligenter Investor würde folgende Fragen stellen:

- Wenn Tycos' Wachstumsstrategie durch Firmenkäufe eine so gute Idee war, wie kommt es dann, dass Tyco durchschnittlich 750 Millionen $ aufwenden musste, um sich danach selbst wieder in Ordnung zu bringen?
- Wenn, wie es erscheint, Tyco selbst keine Produkte herstellte - sondern das Geschäft vielmehr darin bestand, Produzenten zu kaufen -, dann ist es schon verwunderlich, weshalb die Belastungen durch MORON „einmalig" waren. Waren sie nicht doch ein Teil der normalen Betriebskosten?
- Und wenn die Belastungen aus früheren Akquisitionen jedes Jahr die Gewinne auffraßen, wer sollte dann wissen, wie hoch diese im nächsten Jahr sein würden?

Tatsächlich konnte kein Investor sagen, wie hoch die Gewinne des Vorjahres ausgefallen waren. 1999, nach einer Überprüfung der Buchhaltung durch die SEC, erhöhte Tyco nachträglich die Belastungen durch MORON aus dem Jahr 1998 um 257 Millionen $ - was bedeutet, dass diese „einmaligen" Kosten auch in diesem Jahr wieder angefallen waren. Gleichzeitig setzte das Unternehmen die ursprünglich berichteten Aufwendungen aus dem Jahr 1999 wieder ein: MORON fiel auf 929 Millionen $, während CHILLA auf 507 Millionen $ anstieg.

Tyco legte eindeutig an Wachstum zu, doch wurde es auch profitabler? Das konnte kein Außenstehender mit Sicherheit sagen.

Endergebnis: Im Fiskaljahr 2002 verzeichnete Tyco einen Verlust von 9,4 Milliarden $. Der Aktienkurs, der noch am Jahresende 2001 mit 58,90 $ geschlossen hatte, beendete das Jahr 2002 mit 17,08 $ - ein Verlust von 71 % innerhalb von zwölf Monaten.[343]

Ein kleiner Fisch verschluckt einen Wal

Am 10. Januar 2000 gaben America Online, Inc. und Time Warner bekannt, sie würden zu einer Firma, deren Wert mit 156 Milliarden $ angegeben wurde, fusionieren.

---

343 Im Jahr 2002 wurde L. Dennis Kozlowski, der frühere CEO von Tyco, wegen Einkommensteuerbetrug und unstatthafter Bereicherung zu Lasten von Tyco angeklagt. Unter anderem ließ er sich einen Schirmständer für 15.000 $ und einen Duschvorhang für 6.000 $ bezahlen. Kozlowski bestritt alle Vorwürfe.

Am 31. Dezember 1999 hatte AOL ein Vermögen von 10,3 Milliarden $, und die Erlöse aus den zurückliegenden zwölf Monaten beliefen sich auf 27,3 Milliarden $. Time Warner hingegen war in jeder Hinsicht ein weit größeres Unternehmen, allerdings mit einer Ausnahme: der Bewertung der Aktie. America Online bezauberte die Anleger, weil es zur Internetbranche zählte, und deshalb wurde die Aktie mit einem KGV von 164 gehandelt. Die Aktie von Time Warner, ein Wühltisch aus Kabelfernsehen, Kino, Musik und Zeitschriften, wurde mit einem KGV von etwa 50 gehandelt.

Bei Bekanntgabe nannten die beiden Unternehmen diesen Vorgang „eine Fusion unter Gleichen". Gerald M. Levin, der Vorsitzende von Time Warner, erklärte, dass „die Chancen für jeden grenzenlos sind, der sich mit AOL Time Warner verbündet" – vor allem, so fügte er hinzu, für die Aktionäre.

Völlig abgehoben, dass ihre Aktie letztlich doch noch das Gütezeichen eines Internet-Darlings erhalten könnte, stimmten die Aktionäre der Fusion mit überwältigender Mehrheit zu. Jedoch übersahen sie einiges:

- Diese „Fusion unter Gleichen" war so konstruiert, dass den Aktionären von America Online 55 % des fusionierten Unternehmens gehörten – obgleich Time Warner fünf Mal so groß war.
- Zum zweiten Mal innerhalb von fünf Jahren untersuchte die SEC, ob America Online die Aufwendungen für das Marketing korrekt verbucht hatte.
- Fast die Hälfte des Gesamtvermögens von America Online – ein Wert von 4,9 Milliarden $ – bestand aus „zum Verkauf bereiten Wertpapieren". Wenn die Kurse der öffentlich gehandelten Technologie-Aktien fielen, könnte dies einen großen Teil des Vermögens des Unternehmens auslöschen.

Endergebnis: Am 11. Januar 2001 ging die Fusion über die Bühne. AOL Time Warner Inc. verzeichnete 2001 einen Verlust von 4,9 Milliarden $, und weitere 98,7 Milliarden $ wurden im Jahr 2002 verloren – der höchste Verlust, den ein Unternehmen je hinnehmen musste. Der größte Teil der Verluste resultierte aus der Abwertung von America Online. Am Jahresende 2002 konnten die Aktionäre, denen Levin „unbegrenzte" Chancen vorhergesagt hatte, lediglich einen Kursverlust von etwa 80 % vorweisen, seit die Fusion erstmalig bekannt gegeben wurde.[344]

344 Auskunft: Jason Zweig ist Angestellter bei Time Inc., früher eine Sparte von Time Warner und nunmehr eine Tochtergesellschaft von AOL Time Warner Inc.

Schaffen Sie es, eine Investition in einen Kindergarten in den Sand zu setzen?

Am 20. Mai 1999 verkaufte eToys 8 % seiner Aktien an der Börse. Vier der angesehensten Investmentbanken der Wall Street - Goldman, Sachs & Co., BancBoston Robertson Stephens, Donaldson, Lufkin & Jenrette und Merrill Lynch & Co. - zeichneten 8.320.000 Stücke je 20 $ und sammelten damit 166,4 Millionen $ ein. Der Kurs stieg rasant und schloss mit 76,5625 $, ein Gewinn von 282,8 % schon am ersten Handelstag. Zu diesem Kurs hatte eToys (mit seinen 102 Millionen Aktien) einen Börsenwert von 7,8 Milliarden $.[345]

Welches Unternehmen bekamen die Käufer zu diesem Preis? Der Umsatz von eToys war im Vorjahr um 4,261 % gestiegen, und man hatte allein im letzten Quartal 75.000 Neukunden. Doch in den 20 Monaten, die man im Geschäft war, hatte eToys einen Gesamtumsatz von 30,6 Millionen $ und einen Gesamtverlust von 30,8 Millionen $ angehäuft - was bedeutet, dass eToys 2 $ ausgab, um Spielzeug für 1 $ zu verkaufen.

Der Emissionsprospekt deckte auch auf, dass eToys einen Teil der Einnahmen aus dem Börsengang benutzen würde, um ein weiteres Internetgeschäft zu kaufen: Baby-Center, Inc., das im Vorjahr bei einem Umsatz von 4,8 Millionen $ einen Verlust von 4,5 Millionen $ gemacht hatte. (Um diese Beute an Land zu ziehen, würde eToys nur 205 Millionen $ bezahlen). Außerdem würde eToys 40,6 Millionen Stammaktien für die spätere Ausgabe an das Management „reservieren“. Wenn eToys also jemals Geld verdienen würde, müsste der Nettogewinn nicht auf 102 Millionen Aktien verteilt werden, sondern auf 143 Millionen Aktien - was die künftigen Gewinne je Aktie um nahezu ein Drittel verwässern würde.

---

345 Der Prospekt von eToys hatte einen „Ausfalter“ (wie bei einer Zeitschrift) als Titelblatt, auf dem eine Original-Karikatur von Arthur dem Schrecklichen abgebildet war, der in der Art eines Comic zeigte, wie viel einfacher es sei, ein Tamagocchi bei eToys zu kaufen als in einem traditionellen Spielzeugladen. Wie die Analystin Gail Bronson von IPO Monitor der Agentur Associated Press am Tag des Börsengangs von eToys sagte: „eToys hat die Entwicklung des Unternehmens äußerst smart vorangetrieben und sich selbst als Kindercenter des Internet positioniert.“ Bronson sagte weiter: „Der Schlüssel für einen erfolgreichen Börsengang, insbesondere, wenn es sich um ein Dotcom-Unternehmen handelt, ist gut für das Marketing und die Entwicklung der Marke.“ Bronson hatte teilweise Recht: Dies ist der Schlüssel für einen erfolgreichen Börsengang für das emittierende Unternehmen und seine Banker. Für die Anleger sind es leider die Gewinne für einen erfolgreichen Börsengang, die eToys jedoch nicht hatte.

Ein Vergleich zwischen eToys und Toys „R" us, Inc., dem schärfsten Konkurrenten, ist schockierend. In den vorhergehenden drei Monaten hatte Toys „R" us 27 Millionen Reingewinn erzielt und über 70 Mal mehr Ware verkauft als eToys in einem ganzen Jahr. Und dennoch, wie Abbildung 17-2 zeigt, bewertete die Börse eToys um nahezu 2 Milliarden $ höher als Toys „R" us.

Endergebnis: Am 7. März 2001 meldete eToys Konkurs an und bat um Gläubigerschutz, nachdem sich die Verluste in seinem kurzen Leben als börsennotierte Aktiengesellschaft auf mehr als 398 Millionen $ angesammelt hatten. Die Aktie, die im Oktober 1999 mit 86 $ ihren höchsten Kurs erreicht hatte, wurde zuletzt zu 0,1 $ gehandelt.

Abb. 17-3: Eine Spielzeug-Geschichte

	eToys Inc. Ende des Fiskaljahres am 31.3.1999	**Toys „R" us, Inc. Ende des Fiskaljahres am 1.5.1999**
Nettoumsatz	30	2,166
Nettoertrag	(29)	27
Barmittel	20	289
Gesamtvermögen	31	8.067
Börsenwert der Stammaktien am 20.5.1999	7.780	5.650

Alle Beträge in Mio. $
Quellen: Die Eingaben der Unternehmen bei der SEC

Kapitel 18

Acht Unternehmens-Paare im Vergleich

Für dieses Kapitel haben wir eine neue Form der Darstellung gewählt: Wir haben aus den börsennotierten Unternehmen acht Paare ausgewählt, die einander sehr ähnlich oder zumindest fast sehr ähnlich scheinen, und hoffen, dass es uns gelungen ist, einige der vielen Unterschiede im Charakter, in der Finanzstruktur, der Geschäftspolitik, der Performance, der Unwägbarkeiten von Aktiengesellschaften und in der Einstellung zur Kapitalanlage und Spekulation in der Finanzszene der zurückliegenden Jahre konkret und lebendig darzustellen. Bei jedem Vergleich werden wir nur die Aspekte kommentieren, die eine besondere Bedeutung haben und die wirklich wichtig sind.

Erstes Paar: *Real Estate Investment Trust (Ladengeschäfte, Büros, Fabriken etc.) und Realty Equities Corp. of New York (Investitionen in Immobilien; allgemeine Bauten)*

In diesem ersten Vergleich nehmen wir die alphabetischen Ordnung, die wir bei den anderen Paaren anwenden, nicht vor. Dieses Paar hat für uns eine besondere Bedeutung, weil es den Anschein hat, dass es einerseits alles auf sich vereint, was beim Umgang mit dem Geld anderer Leute vernünftig, stabil und gut ist, im Gegensatz - im anderen Unternehmen - zu rücksichtsloser Expansion, finanziellen Tricks und dem Auf und Ab, das man heute bei den Unternehmen oft vorfindet. Die beiden Gesellschaften tragen ähnliche Namen, und viele Jahre lang traten sie auf der Aktienliste der American Stock Exchange Seite an Seite auf. Die Tickersymbole ihrer Aktien – REI und REC – konnten leicht verwechselt werden. Doch es gibt einen kolossalen Unterschied: Das eine Unternehmen ist eine seriöse Treuhandgesellschaft in New England, verwaltet von drei Treuhändern. Die Geschäftstätigkeit reicht fast ein Jahrhundert zurück, und seit 1889 schüttet es ununterbrochen Dividenden aus. Es investierte die ganze Zeit umsichtig, begrenzte seine Expansion auf eine bescheidene Steigerungsrate und hielt die Verbindlichkeiten auf einem Stand, der leicht zu verwalten war.[346]

Das andere Unternehmen ist ein typisches New Yorker Projekt mit plötzlichem Wachstum, das innerhalb von acht Jahren sein Vermögen von 6,2 Millionen $ auf 154 Millionen $ erhöhte – und die Schulden in etwa der gleichen Dimension. Es verließ das normale Immobiliengeschäft und engagierte sich in verschiedenen Geschäftstätigkeiten, einschließlich zweier Rennstrecken, 74 Kinos, dreier Literatur-Agenturen, einer PR-Agentur, Hotels, Supermärkten und, mit einem Anteil von 26 %, in großen Kosmetikunternehmen (die 1970 in Konkurs gingen).[347] Dieses Konglomerat von Projekten wurde durch eine entsprechende Vielzahl von Kunstgriffen zusammengehalten:

- eine Vorzugsaktie mit einer Dividende von 7 $ jährlich, jedoch mit einem Nennwert von nur 1 $, und als Verbindlichkeit von 1 $ je Aktie in den Büchern;
- ein notierter Wert der Stammaktien von 2.500.000 $ (1 $ je Aktie), der durch einen Abzug von 5.500.000 $ für die Kosten von 209.000 zurückgekaufter Aktien mehr als ausgeglichen wurde;
- drei Serien von Bezugsrechten auf Aktienoptionen, die das Recht vergaben, insgesamt 1.578.000 Aktien zu kaufen;
- mindestens sechs verschiedene Arten von Schuldverschreibungen in Form von Hypotheken, Anleihen, öffentlich gehaltenen Schuldscheinen, Wechseln, die an Banken zu zahlen waren, „noch zu bezahlenden Schuldscheine, Kredite und Kontrakte" und Kredite, die an die Small Business Administration zu zahlen waren. Im März 1969 beliefen sich die gesamten Verbindlichkeiten auf über 100 Millionen $. Außerdem mussten noch die üblichen Steuern und Eingangsrechnungen bezahlt werden.

346 An dieser Stelle beschreibt Graham den Real Estate Investment Trust, der 1983 von San Francisco Real Estate Investors zu 50 $ je Aktie aufgekauft wurde. Der nächste Absatz beschreibt Realty Equities Corp. of New York.

347 Der Schauspieler Paul Newman war für kurze Zeit einer der Hauptaktionäre von Realty Equities Corp. of New York, nachdem es 1969 die Filmproduktion Kayos gekauft hatte.

Wir wollen Ihnen zuerst einige Zahlen der beiden Unternehmen präsentieren, so wie sie im Jahr 1960 aussahen (Tabelle 18-1A). Hier finden wir, dass die Aktien der Treuhandgesellschaft zum Neunfachen des Gesamtwerts des Eigenkapitals gehandelt wurden. Die Treuhandgesellschaft hatte, relativ gesehen, geringere Schulden und ein besseres Netto-Brutto-Verhältnis, doch der Kurs der Stammaktien lag in Relation zu den Gewinnen je Aktie höher.

Tabelle 18-1A: Paar 1

	Real Estate Investment Trust	Realty Equities Corp. of New York
Bruttoeinnahmen	3.585.000	1.484.000
Nettoertrag	485.000	150.000
Gewinn je Aktie	0,66	0,47
Dividende je Aktie	Keine	0,10
Buchwert je Aktie	20,00	4,00
Kursbereich	20 - 12	5,375 - 4,750
Gesamtvermögen	22.700.000	6.200.000
Gesamte Verbindlichkeiten	7.400.000	5.000.000
Buchwert der Stammaktien	15.300.000	1.200.000
Durchschnittlicher Marktwert der Stammaktien	12.200.000	1.360.000

alle Angaben in $

In Tabelle 18-1B zeigen wir Ihnen, wie die Situation acht Jahre später aussah. Der Trust hatte „seine geräuschlose grundsätzliche Einstellung beibehalten" und erhöhte sowohl die Erlöse als auch den Gewinn je Aktie um etwa 75 %.[348] Doch Realty Equities hatte sich in etwas Monströses und Verwundbares verwandelt.

Wie reagierte die Wall Street auf diese unterschiedlichen Entwicklungen? Man schenkte dem Trust möglichst wenig Aufmerksamkeit, dafür umso mehr der Realty Equities. 1968 stieg der Kurs von Realty Equities bei einem Gesamtumsatz von 2.420.000 Aktien von 10 auf 37,75 $, und die notierten Bezugsrechte erhöhten von 6 auf 36,5 $. Während dies geschah, stieg der Kurs der Trust-Aktien bei bescheidenem Umsatz gemächlich von 20 auf 30,25 $. Die Bilanz vom März 1969

348 Graham, ein eifriger Leser von Poesie, zitiert Thomas Grays „Elegy Written in a Country Churchyard".

wies einen Vermögenswert von nur 3,41 $ je Aktie auf, weniger als ein Zehntel seines Höchstkurses in diesem Jahr. Der Buchwert der Trust-Aktie lag bei 20,85 $.

Tabelle 18-1B: Paar 1

	Real Estate Investment Trust	Realty Equities Corp. of New York
Kurs am 31.12.1968	26,5 $	32,5 $
Anzahl der Stammaktien	1.423.000	2.311.000 (März 1969)
Marktwert der Stammaktien	37.800.000 $	75.000.000 $
Geschätzter Wert der Bezugsrechte	-	30.000.000 $
Geschätzter Wert der Stammaktien und Bezugsrechte	-	105.000.000 $
Schulden	9.600.000 $	100.800.000 $
Vorzugsaktien	-	2.900.000
Gesamtkapitalisierung	47.400.000 $	208.700.000 $
Marktwert je Stammaktie, korrigiert um Bezugsrechte	-	45 $ (geschätzt)
Buchwert je Aktie	20,85 $ (November)	3,41 $
	November 1968	März 1969
Erlöse	6.281.000 $	39.706.000 $
Netto nach Zinsen	2.696.000 $	11.182.000 $
Zinsaufwendungen	590.000 $	6.684.000 $
Einkommensteuer	58.000b	2.401.000 $
Dividende für Vorzugsaktien	-	174.000 $
Nettogewinn für Stammaktien	2.048.000 $	1.943.000 $
Sonderbuchungen	245.000 $ cr.	1.896.000 $ dr.
Bereinigter Gewinn für Stammaktien	2.293.000 $	47.000 $
Gewinn je Aktie vor Sonderbuchungen	1,28 $	1,00 $
Gewinn je Aktie nach Sonderbuchungen	1,45 $	0,20 $
Dividende für Stammaktien	1,20 $	0,30 $
Zinsdeckungsverhältnis	4,6 x	1,8 x

a) Es gab Bezugsrechte zum Kauf von 1.600.000 oder mehr Aktien zu verschiedenen Kursen. Ein notierter Titel wurde mit 30,5 $ je Bezugsrecht gehandelt.

b) Als Immobilientreuhandgesellschaft unterlag dieses Unternehmen 1968 nicht der nationalen Einkommensteuer.

Im Folgejahr wurde deutlich, dass etwas am Bild von Equities nicht stimmte, und der Aktienkurs fiel auf 9,5 $. Als der Bericht für März 1970 erschien, dürften die Aktionäre vor Schreck in die Knie gegangen sein, als sie lesen mussten, dass das Unternehmen einen Nettoverlust von 13.200.000 $ oder 5,17 $ je Aktie erlitten hatte – wodurch das zuvor nur spärlich vorhandene Eigenkapital völlig ausgelöscht wurde. (Diese katastrophalen Zahlen enthielten auch noch eine Rückstellung von 8.800.000 $ für künftige Investitionsverluste.) Dennoch hatten die Vorstände kurz nach Ende des Fiskaljahres tapfer eine Zusatzdividende verkündet. Doch es sollte noch schlimmer kommen: Die Wirtschaftsprüfer der Gesellschaft weigerten sich, die Geschäftsberichte von 1969 und 1970 zu testieren, und der Handel der Aktien an der American Stock Exchange wurde ausgesetzt. Im Tafelgeschäft fiel der Kurs auf unter 2 $ je Aktie.

Die Aktien von Real Estate Investment Trust wiesen nach 1969 die typischen Schwankungen auf. Das Tief im Jahr 1970 lag bei 16,50 $, doch erholte sich die Aktie Anfang 1971, und der Kurs stieg auf fast 26,875 $. Die letzten ausgewiesenen Gewinne betrugen 1,50 $ je Aktie, und die Aktie wurde bei mäßigem Umsatz über dem Buchwert von 1970 gehandelt, der 21,60 $ betrug. Der Titel könnte auf seinem Rekordhoch im Jahr 1968 ein wenig überteuert gewesen sein, doch die Aktionäre wurden von den Treuhändern ehrlich und gut betreut. Die Geschichte von Real Estate Equities jedoch ist ganz anders – und eigentlich sehr traurig.

Paar 2: *Air Products and Chemicals (Industriegase und medizinische Gase etc.) und Air Reduction Co. (Industriegase und Anlagen, chemische Erzeugnisse)*

Diese beiden Unternehmen sind sich sogar noch ähnlicher als das erste Paar, sowohl was den Namen als auch was das das Geschäftsfeld betrifft. Der Vergleich, zu dem sie geradezu einladen, wird deshalb in der konventionellen Art der Aktienanalyse durchgeführt, während die meisten unserer anderen Paare ihrer Art nach eher „heteroclite" sind.[349] „Products" ist ein jüngeres Unternehmen als „Reduction" und wies 1969 einen weniger als halb so großen Umsatz auf.[350] Dennoch wurden die Wertpapiere 25 % teurer gehandelt als die von Air Reduction. Wie Tabelle

349 „heteroclite" ist ein Fachausdruck aus dem klassischen Griechisch, den Graham benutzt, um „abweichend" oder „ungewöhnlich" auszudrücken.

350 Mit „Volumen" bezieht sich Graham auf den Umsatz oder den Erlös – also den Gesamtbetrag, den die Unternehmen einnahmen.

18-2 zeigt, liegt der Grund dafür sowohl im höheren Profit als auch im stärkeren Wachstum von Air Reduction. Hier sehen wir ein typisches Beispiel für eine bessere Demonstration von „Qualität". Air Products wurde mit einem KGV von 16,5 gehandelt, Air Reduction mit einem KGV von nur 9,1. Außerdem notierte Air Products weit über seiner Vermögensdeckung, während Air Reduction zu nur 75 % des Buchwerts gekauft werden konnte.[351] Air Reduction zahlte eine etwas großzügigere Dividende, doch könnte dies auch die größere Attraktivität von Air Products reflektieren, weil es seine Gewinne einbehielt. Außerdem war Air Reduction hinsichtlich des Umlaufvermögens in einer sichereren Position. (An diesem Punkt möchten wir anmerken, dass ein profitables Unternehmen seine aktuelle Lage immer in guter Form halten kann, wenn es in irgendeiner Weise andauernd fremdfinanziert wird. Doch nach unseren Regeln hatte Air Products eher zu viele Anleihen emittiert.)

Wenn ein Analyst sich für eines der beiden Unternehmen entscheiden müsste, dann wäre er sicherlich zu der Erkenntnis gelangt, dass die Aussichten von Air Products mehr versprachen als die von Air Reduction. Doch macht dies Air Products wirklich attraktiver, insbesondere wenn man den deutlich höheren relativen Kurs berücksichtigt? Wir bezweifeln, dass diese Frage definitiv beantwortet werden kann. Im Allgemeinen stellt die Wall Street in ihrem Denken „Qualität" über „Quantität", und wahrscheinlich würden die meisten Aktienanalysten sich für die teurere, aber „bessere" Air Products entscheiden und gegen die „schwächere", aber billigere Air Reduction. Ob dies richtig oder falsch ist, hängt wahrscheinlich eher von der nicht vorhersehbaren Zukunft ab als von irgendeiner nachweisbaren Anlageregel. Derzeit scheint Air Reduction zur Gruppe wichtiger Unternehmen mit geringerem KGV zu zählen. Wenn, wie die oben genannten Studien[352] besagen, diese Gruppe *als Ganzes* wahrscheinlich besser abschneidet als die Aktien mit hohem KGV, dann sollte Air Reduction logischerweise der Vorzug gegeben

---

351 „Vermögensdeckung" und „Buchwert" sind Synonyme. In Tabelle 18-2 kann die Relation der Kurses zum Buchwert abgeleitet werden, wenn man den Eintrag in der ersten Zeile (Kurs am 31.12.1969) durch „Buchwert je Aktie" dividiert.

352 Graham zitiert seine Untersuchungen von Value-Aktien, über die er in Kapitel 15 spricht. Seit Graham seine Studien fertig gestellt hat, gibt es eine Menge wissenschaftlicher Arbeiten, die belegen, dass Value-Aktien langfristig eine bessere Performance aufweisen als Wachstumsaktien. (Ein großer Teil der besten Untersuchungen der modernen Finanzwissenschaften bietet ganz einfach eine unabhängige Bestätigung dessen, was Graham schon vor Jahrzehnten darstellte.) Siehe beispielsweise James L. Davis, Eugene F. Fama und Kenneth R. French, „Characteristics, Covariances and Average Returns: 1929-1997" unter http://papers.ssrn.com.

werden – jedoch nur als Teil eines diversifizierten Portfolios. (Außerdem könnte ein gründliches Studium der einzelnen Unternehmen den Analysten auch zur entgegengesetzten Entscheidung führen; doch dann wären dies Gründe, die jenseits dessen liegen, was bereits im Kurs reflektiert wird.)

Nachspiel: Air Products überstand die Unterbrechung von 1970 mit einem Kursverlust von 16 % besser als Air Reduction, das 24 % verlor. Allerdings schaffte Reduction im Frühjahr 1971 ein besseres Comeback, denn es stieg um 50 % über den Schlusskurs von 1969, gegenüber 30 % für Products. In diesem Fall nutzte die Aktie mit dem niedrigeren KGV den Vorteil – zumindest für den Augenblick.[353]

Tabelle 18-2: Paar 2

	Air Products & Chemicals 1969	**Air Reduction 1969**
Kurs am 31.12.1969	39,5 $	16,375 $
Anzahl der Stammaktien	5.832.000[a]	11.279.000
Marktwert der Stammaktien	231.000.000 $	185.000.000 $
Schulden	113.000.000 $	179.000.000 $
Gesamte Marktkapitalisierung	344.000.000 $	364.000.000 $
Buchwert je Aktie	22,89 $	21,91 $
Umsatz	221.500.00 $	487.600.000 $
Nettoertrag	13.639.000 $	20.326.000 $
Gewinn je Aktie 1969	2,40 $	1,80 $
Gewinn je Aktie 1964	1,51 $	1,51 $
Gewinn je Aktie 1959	0,52 $	1,95 $
Aktuelle Dividende	0,20 $	0,80 $
Dividendenzahlung seit	1954	1917
Kennzahlen		
Kurs/Gewinn	16,5 x	9,1 x
Kurs/Buchwert	165,0 %	75,0 %
Dividendenrendite	0,5 %	4,9 %
Umsatzrendite	6,2 %	4,25 %

353 Air Products and Chemicals, Inc., besteht immer noch als börsennotierte Aktiengesellschaft und ist auch im S&P 500 enthalten. Air Reduction Co. wurde 1978 eine 100-prozentige Tochtergesellschaft der BOC Group (damals unter dem Namen British Oxygen bekannt).

	Air Products & Chemicals 1969	Air Reduction 1969
Gewinn/Buchwert	11,0 %	8,2 %
Umlaufvermögen/kurzfristige Verbindlichkeiten	1,53 x	3,77 x
Nettoumlaufvermögen/ Schulden	0,32 x	0,85 x
Gewinnwachstum je Aktie		
1969 gegenüber 1964	+59 %	+19%
1969 gegenüber 1959	+362 %	Verlust

a) Unter Annahme der Wandlung von Vorzugsaktien

Paar 3: *American Home Products Co. (Arzneimittel, Kosmetik, Haushaltsprodukte, Süßigkeiten) und American Hospital Supply Co. (Vertrieb und Herstellung von Krankenhausbedarf und medizinischer Einrichtungen)*

Diese beiden Unternehmen mit einem Firmenwert von mehreren Milliarden Dollar repräsentieren Ende 1969 verschiedene Sektoren des schnell wachsenden und höchst profitablen Gesundheitswesens. Wir nennen die beiden Health und Hospital. Die zu diesen Unternehmen gesammelten Daten finden Sie in Tabelle 18-3. Sie hatten die folgenden Pluspunkte gemeinsam: ausgezeichnetes Wachstum, keine Rückschläge seit 1958 (das heißt 100 % Gewinnstabilität) und eine starke finanzielle Position. Die Wachstumsrate von Hospital war bis Ende 1969 deutlich höher als die von Home. Doch erfreute sich Home einer deutlich besseren Profitabilität, sowohl beim Umsatz als auch beim Kapital.[354] (Die relativ geringe Eigenkapitalrendite von Home im Jahr 1969 – lediglich 9,7 % – wirft die spannende Frage auf, ob das Unternehmen damals trotz der bemerkenswerten Wachstumsrate bei Umsatz und Gewinn wirklich so profitabel war.)

Wenn wir den Kurs vergleichen, so bot Home unter Berücksichtigung früherer und aktueller Dividenden und des Gewinns wesentlich mehr fürs Geld. Der sehr geringe Buchwert von Home zeigt die grundsätzliche Zwiespältigkeit und Widersprüchlichkeit der Aktienanalyse auf. Einerseits bedeutet es, dass eine hohe Eigen-

354 Man kann die Profitabilität sowohl als Umsatzrendite als auch als Eigenkapitalrendite bestimmen, indem man im Abschnitt Kennzahlen in der Tabelle 18-3 nachsieht. „Umsatzrendite" misst den Gewinn am Umsatz; „Gewinn/Buchwert" misst die Eigenkapitalrendite.

kapitalrendite erzielt wird – was im Allgemeinen als ein Zeichen der Stärke und des Erfolgs angesehen wird. Andererseits ist es ein Zeichen dafür, dass der Anleger zum aktuellen Kurs ausgesprochen verwundbar wäre, wenn es in der Gewinnsituation des Unternehmens zu wichtigen negativen Veränderungen käme. Da Hospital 1969 zum mehr als dem Vierfachen des Buchwerts gehandelt wurde, muss diese Mahnung zur Vorsicht für beide Unternehmen gelten.

Tabelle 18-3: Paar 3

	American Home Products 1969	American Hospital Supply 1969
Kurs am 31.12.1969	72,00 $	45,125 $
Anzahl der Stammaktien	52.300.000	33.600.000
Marktwert der Stammaktien	3.800.000.000 $	1.516.000.000 $
Schulden	11.000.000 $	18.000.000 $
Gesamte Marktkapitalisierung	3.811.000.000 $	1.534.000.000 $
Buchwert je Aktie	5,73 $	7,84 $
Umsatz	1.193.000.000 $	446.000.000 $
Nettoertrag	123.300.000 $	25.000.000 $
Gewinn je Aktie 1969	2,32 $	0,77 $
Gewinn je Aktie 1964	1,37 $	0,31 $
Gewinn je Aktie 1959	0,92 $	0,15 $
Aktuelle Dividende	1,40 $	0,24 $
Dividendenzahlung seit	1919	1947
Kennzahlen		
Kurs/Gewinn	31,0 x	58,5 x
Kurs/Buchwert	1.250,0 %	575,0 %
Dividendenrendite	1,9 %	0,55 %
Umsatzrendite	10,7 %	5,6 %
Gewinn/Buchwert	41,0 %	9,5 %
Umlaufvermögen/kurzfristige Verbindlichkeiten	2,6 x	4,5 x
Gewinnwachstum je Aktie		
1969 gegenüber 1964	+75 %	+142 %
1969 gegenüber 1959	+161 %	+405 %

Folgerungen: Wir sind der Meinung, dass diese beiden Unternehmen zum aktuellen Kurs zu „reich" sind, um von einem Anleger in Betracht gezogen zu werden, der sich entschieden hat, unseren Vorstellungen einer konservativen Aktienauswahl zu folgen. Das bedeutet nicht, dass die Unternehmen nicht viel versprechend sind. Das Problem ist eher, dass ihr Kurs zu viel „Versprechen" enthält und zu wenig tatsächliche Leistung. Für die beiden Unternehmen zusammengenommen reflektierte der Kurs 1969 fast 5 Milliarden $ an Firmenwert. Wie viele Jahre herausragender künftiger Gewinne würden benötigt, um den Faktor „Firmenwert" in Form von Dividenden oder materiellem Vermögen zu realisieren?

Ein kurzes Nachspiel: Am Ende des Jahres 1969 hielt der Markt offensichtlich mehr von den Aussichten für Hospital als von denen für Home, da das KGV des Ersteren fast doppelt so hoch war als das des Zweiteren. Im Jahr 1970 wies die favorisierte Aktie einen mikroskopisch kleinen Kursrückgang auf, während Home einen respektablen Zuwachs von 8 % verzeichnen konnte. Der Kurs von Hospital reagierte auf die einjährige Enttäuschung deutlich: Im Februar 1971 wurde Hospital mit 32 $ gehandelt – ein Verlust von etwa 30 % seit dem Schlusskurs 1969 –, während Home leicht über dem entsprechenden Niveau notierte.[355]

Paar 4: *H & R Block, Inc. (Einkommensteuerservice), und Blue Bell, Inc., (Hersteller von Arbeitskleidung und Uniformen)*

Diese beiden Unternehmen sind erst relativ kurze Zeit an der NYSE, wo sie zwei unterschiedliche Arten einer Erfolgsstory darstellen. Blue Bell musste hart arbeiten, um in einer stark umkämpften Branche nach oben zu kommen, in der es letztlich Branchenführer wurde. Die Gewinne schwankten ein wenig mit den Bedingungen in der Industrie, doch das Wachstum seit 1965 war beeindruckend. Der Geschäftsbetrieb dieses Unternehmens reicht bis 1916 zurück, und seit 1923 wurden ununterbrochen Dividenden gezahlt. Ende 1969 zeigte sich die Börse von diesem Titel wenig begeistert und verlieh ihm ein KGV von nur elf gegenüber einem KGV von 17 des S&P Composite.

Im Gegensatz dazu ging H & R Block auf wie ein Meteor. Die ersten veröffentlichten Zahlen stammen von 1961, als es bei Erlösen von 610.000 $ einen Gewinn von 83.000 $ erwirtschaftete. Acht Jahre später, zum Zeitpunkt unseres Vergleichs, waren die Erlöse auf 53,6 Millionen $ und der Nettogewinn auf 6,3 Millionen $

355 American Home Products Co. ist unter dem Namen Wyeth bekannt; die Aktie ist im S&P 500 enthalten. American Hospital Supply Co. wurde 1985 von Baxter Healthcare Corp. gekauft.

gestiegen. Zu dieser Zeit schien der Markt von dieser Aktie mit hervorragender Performance geradezu begeistert. Der Kurs von 55 $ am Ende des Jahres 1969 entsprach einem KGV von mehr als 100 – was natürlich die bis dahin höchste Bewertung war. Der gesamte Börsenwert von 300 Millionen $ für diese Aktie war fast 30 Mal so hoch wie der Wert der Sachanlagen.[356] Dies war fast unerhört in den Annalen seriöser Börsenbewertung. (Zu dieser Zeit wurde IBM zum neunfachen und Xerox zum elffachen Buchwert gehandelt.)

Tabelle 18-4 zeigt die außerordentliche Diskrepanz in der vergleichenden Bewertung von Block und Blue Bell in Dollar und in den Kennzahlen. Es trifft zu: Block wies eine doppelt so hohe Rentabilität je Dollar des eingesetzten Kapitals wie Blue Bell auf, und das prozentuale Gewinnwachstum in den zurückliegenden fünf Jahren (von praktisch null aus) war wesentlich höher. Doch als Aktiengesellschaft wurde Blue Bell zu weniger als einem Drittel des Gesamtwerts von Block gehandelt, obwohl Blue Bell den vierfachen Umsatz hatte, 2,5 Mal so viel Gewinn je Aktie erzielte und das Anlagevermögen 5,5 Mal so hoch war und die neunfache Dividendenrendite einbrachte.

Schlussfolgerung: Ein erfahrener Aktienanalyst hätte Block ein hohes Momentum zugestanden, wobei er die glänzenden Aussichten auf künftiges Wachstum in die Überlegungen einbezogen hätte. Vielleicht hätte er einige Bedenken wegen des starken Wettbewerbs im Bereich der Dienstleistungen im Zusammenhang mit Einkommensteuererklärungen gehabt, die ihre Ursache in der hohen Kapitalrendite hatte, die von Block erzielt wurde [59]. Doch weil er um den andauernden Erfolg so hervorragender Unternehmen wie Avon Products in Bereichen mit starker Konkurrenz wusste, hätte er wohl gezögert, eine schnelles Auslaufen der Wachstumskurve von Block zu prognostizieren. Seine Hauptsorge wäre wohl gewesen, ob die Bewertung des Unternehmens mit 300 Millionen $ nicht schon ausgeschöpft und vielleicht sogar schon übertrieben war. Im Gegensatz dazu hätte der Analyst wahrscheinlich keine Schwierigkeiten gehabt, Blue Bell zum Kauf zu empfehlen, weil dieses ausgezeichnete Unternehmen ziemlich konservativ bewertet war.

---

356 „Fast 30 Mal" wird mit dem Eintrag von 2920 % unter „Kurs/Buchwert" in den Kennzahlen der Tabelle 18-4 ausgewiesen. Graham hätte zwischen Ende 1999 und Anfang 2000 vor Staunen nur noch den Kopf geschüttelt, als viele Hightech-Unternehmen zum mehrhundertfachen Wert des Anlagevermögens gehandelt wurden (siehe Kommentar zu diesem Kapitel). Von wegen „fast unerhört in den Annalen der seriösen Börsenbewertung"! H & R Block bleibt eine börsennotierte Aktiengesellschaft, während Blue Bell im Jahr 1984 zu 47,5 $ je Aktie in Privatbesitz überging.

Nachspiel zum März 1971. Die fast panische Stimmung von 1970 schluckte ein Viertel des Kurses von Blue Bell und etwa ein Drittel des Kurses von Block. Beide jedoch schlossen sich der allgemeinen Markterholung an. Der Kurs von Block stieg im Februar 1971 auf 75 $, und Blue Bell stieg deutlich höher – auf entsprechende 109 $ (nach einem Drei-zu-zwei-Aktiensplit). Blue Bell erwies sich Ende 1969 eindeutig als der bessere Kauf. Doch die Tatsache, dass Block in der Lage war, aus einer anscheinend überbewerteten Position noch einmal um 35 % zuzulegen, deutet an, wie behutsam Analysten und Anleger vorgehen müssen, wenn sie gute Unternehmen leerverkaufen – sowohl mit Worten als auch mit Taten –, ganz gleichgültig, wie hoch die Notierung zu sein scheint.[357]

Tabelle 18-4: Paar 4

	H & R Block 1969	Blue Bell 1969
Kurs am 31.12.1969	55 $	49,75 $
Anzahl der Stammaktien	5.426.000	1.802.000[a]
Marktwert der Stammaktien	298.000.000 $	89.500.000 $
Schulden	-	17.500.000 $
Gesamte Marktkapitalisierung	298.000.000 $	107.000.000 $
Buchwert je Aktie	1,89 $	34,54 $
Umsatz	53.600.000 $	202.700.000 $
Nettoertrag	6.380.000 $	7.920.000 $
Gewinn je Aktie 1969	0,51 $ (Oktober)	4,47 $
Gewinn je Aktie 1964	0,07 $	2,64 $
Gewinn je Aktie 1959	-	1,80 $
Aktuelle Dividende	0,24 $	1,80 $
Dividendenzahlung seit	1962	1923
Kennzahlen		
Kurs/Gewinn	108,0 x	11,2 x
Kurs/Buchwert	2.920 %	142 %

357 Graham warnt die Leser, sich einer Art „Trugschluss der Glücksspieler" hinzugeben, wobei die Anleger glauben, dass der Kurs einer überbewerteten Aktie fallen muss, nur weil sie überbewertet ist. Ebenso, wie eine Münze nicht auf Zahl fallen muss, wenn sie zuvor neun Mal auf Wappen fiel, kann eine überbewertete Aktie (oder der Aktienmarkt) überraschend lange überbewertet bleiben. Das macht Leerverkäufe, also das Setzen auf fallende Kurse, für normal Sterbliche so riskant.

	H & R Block 1969	Blue Bell 1969
Dividendenrendite	0,4 %	3,6 %
Umsatzrendite	11,9 %	3,9 %
Gewinn/Buchwert	27 %	12,8 %
Umlaufvermögen/kurzfristige Verbindlichkeiten	3,2 x	2,4 x
Nettoumlaufvermögen/ Schulden	Keine Schulden	3,75 x
Gewinnwachstum je Aktie		
1969 gegenüber 1964	+630 %	+68 %
1969 gegenüber 1959	-	+148 %

a) Die Wandlung von Vorzugsaktien wurde unterstellt.

Paar 5: *International Flavors & Fragrances (Parfümhersteller für andere Unternehmen) und International Harvester Co. (Hersteller von Lkw, Landmaschinen und Baumaschinen)*

Dieser Vergleich sollte mehr als nur eine Überraschung bergen. Jeder kennt International Harvester, einen der 30 Giganten im Dow Jones Industrial Average.[358] Wie viele unserer Leser aber haben schon von International Flavor & Fragrances gehört, auf der Liste der NYSE der Nachbar von Harvester? Dennoch wurde IFF Ende 1969 zu einem höheren gesamten Börsenwert gehandelt als Harvester – 747 Millionen $ gegenüber 710 Millionen $. Das ist mehr als erstaunlich, wenn man überlegt, dass Harvester ein 17 Mal höheres Eigenkapital und 27 Mal höhere Umsätze hatte als Flavors. Tatsächlich waren die *Nettogewinne* von Harvester nur drei Jahre zuvor höher als der *Umsatz* von Flavors! Wie konnte sich dieses außerordentliche Missverhältnis entwickeln? Die Antwort liegt in zwei magischen Worten: Rentabilität und Wachstum. Flavors zeigte in beiden Disziplinen hervorragende Leistungen, während bei Harvester alle Wünsche offen blieben.

358 International Harvester war der Nachfolger von McCormick Harvesting Machine Co., der Hersteller der McCormick-Mähmaschine, die dazu beitrug, die Bundesstaaten im Mittelwesten zum „Brotkorb des Welt" zu machen. Doch in den 70er-Jahren und 1985 erlebte International Harvester harte Zeiten und verkaufte die Sparte Landmaschinen an Tenneco. Nachdem man den Namen geändert hatte und sich nun Navistar nannte, wurde das verbleibende Unternehmen 1991 aus dem Dow herausgenommen (dennoch zählt es immer noch zu den Aktiengesellschaften im S&P 500). International Flavors & Fragrances, ebenfalls im S&P 500, hatte Anfang 2003 einen Gesamtbörsenwert von 3 Milliarden $, gegenüber 1,6 Milliarden $ für Navistar.

Die Story spiegelt sich in Tabelle 18-5 wider. Hier finden wir Flavors mit einer sensationellen Umsatzrendite von 14,3 % (vor Steuern 23 %) im Vergleich zu den müden 2,6 % für Harvester. Ähnlich lief es beim Aktienkapital, auf das Flavors 19,7 % verdiente, gegenüber unangemessenen 5,5 % von Harvester. Innerhalb von fünf Jahren hatten sich die Nettogewinne fast verdoppelt, während Harvesters Gewinne nahezu zum Stillstand kamen. Zwischen 1969 und 1959 ist der Vergleich ganz ähnlich. Die Unterschiede in der Performance bewirkten eine typische Divergenz, die sich in der Börsenbewertung niederschlug. Flavors wurde 1969 mit dem 55fachen der letzten Gewinne gehandelt, Harvester hingegen nur zum 10,7fachen der Gewinne. Entsprechend wurde Flavors mit dem 10,4fachen seines Buchwerts bewertet, während Harvester mit einem 47 %igen Abschlag seines Nettowertes zu haben war.

Tabelle 18-5: Paar 5

	International Flavors & Fragrances 1969	International Harvester 1969
Kurs am 31.12.1969	65,5 $	24,75 $
Anzahl der Stammaktien	11.400.000	27.329.000
Marktwert der Stammaktien	747.000.000 $	710.000.000 $
Schulden	4.000.000 $	313.000.000 $
Gesamte Marktkapitalisierung	751.000.000 $	1.023.000.000 $
Buchwert je Aktie	6,29 $	41,70 $
Umsatz	94.200.000 $	2.652.000.000 $
Nettoertrag	13.540.000 $	63.800.000 $
Gewinn je Aktie 1969	1,19 $	2,30 $
Gewinn je Aktie 1964	0,62 $	3,39 $
Gewinn je Aktie 1959	0,28 $	2,83 $
Aktuelle Dividende	0,50 $	1,80 $
Dividendenzahlung seit	1956	1910
Kennzahlen		
Kurs/Gewinn	55,0 x	10,7 x
Kurs/Buchwert	1.050,0 %	59,0 %
Dividendenrendite	0,9 %	7,3 %
Umsatzrendite	14,3 %	2,6 %

	International Flavors & Fragrances 1969	International Harvester 1969
Gewinn/Buchwert	19,7 %	5,5 %
Umlaufvermögen/kurzfristige Verbindlichkeiten	3,7 x	2,0 x
Nettoumlaufvermögen/ Schulden	hoch	1,7 x
Zinsgewinn	-	3,9 x (vor Steuern)
Gewinnwachstum je Aktie		
1969 gegenüber 1964	+93 %	+9 %
1969 gegenüber 1959	+326 %	+ 39 %

Kommentar und Folgerungen: Die erste bemerkenswerte Tatsache ist, dass der Börsenerfolg von Flavors komplett auf der Entwicklung des Kerngeschäfts beruhte; es gab keine Händler, keine Akquisitionsprogramme, keine kopflastige Kapitalisierungsstruktur und auch keine anderen bekannten Wall-Street-Praktiken, die in den letzten Jahren üblich wurden. Das Unternehmen hielt sich strikt an sein äußerst profitables Strickmuster – und das ist eigentlich schon alles. Die Leistungsbilanz von Harvester wirft eine Reihe ganz anderer Fragen auf, doch haben auch diese nichts mit „Hochfinanz" zu tun. Weshalb wurden so viele Großunternehmen sogar in Jahren allgemeinen Wohlstands relativ unprofitabel? Was ist der Vorteil, wenn man Umsätze in der Größenordnung von 2,5 Milliarden $ macht, das Unternehmen jedoch nicht genug verdient, um die Investitionen der Aktionäre zu rechtfertigen? Es ist nicht unsere Aufgabe, die Lösung des Problems zu beschreiben. Doch halten wir daran fest, dass nicht nur das Management, sondern auch die Aktionäre sich bewusst sein sollten, dass dieses Problem besteht und dass die intelligentesten Köpfe und höchste Anstrengung erforderlich sind, um damit fertig zu werden.[359] Aus Sicht der Aktienauswahl hätte keiner der beiden Titel unseren Anforderungen an eine vernünftige, einigermaßen attraktive und mäßig bewerte-

359 Weitere Gedanken Grahams über das, was Aktionäre tun sollten, finden Sie im Kommentar zu Kapitel 19. Wenn Graham Harvester kritisiert, weil es nicht danach strebt, den Shareholder Value zu maximieren, so antizipiert er das Verhalten des späteren Managements von Harvester. Im Jahr 2001 stimmte die Mehrheit der Aktionäre für die Abschaffung der Restriktionen von Navistar gegen Übernahmeangebote, doch der Vorstand weigerte sich einfach, die Wünsche der Aktionäre umzusetzen. Es ist schon bemerkenswert, dass in einigen Unternehmen eine antidemokratische Tendenz Jahrzehnte überdauern kann.

te Investition genügt. Flavors war ein höchst erfolgreiches, doch zu hoch bewertetes Unternehmen; Harvesters Vorstellung war zu niveaulos, als dass es wirklich attraktiv gewesen wäre, selbst zu diesem schwachen Kurs. (Zweifellos gab es bessere Werte in dieser Klasse von Aktien mit vernünftigen Kursen.)

Nachwort zu 1971: Der niedrige Kurs von Harvester Ende des Jahres 1969 schützte die Aktie vor einem weiteren großen Kursverfall in der schlimmen Zeit von 1970. Sie verlor nur weitere 10 %. Flavors erwies sich als empfindlicher und fiel auf 45 $, ein Verlust von 30 %. In der folgenden Phase der Erholung stiegen beide Kurse weit über ihre Schlusskurse von 1969, doch Harvester fiel bald wieder auf das Niveau von 25 $ zurück.

Paar 6: *McGraw Edison (öffentlicher Versorger Haushaltswaren) und McGraw-Hill, Inc. (Bücher, Filme, Lehrmittel, Zeitschriften und Zeitungen, Informationsdienste)*

Dieses Paar mit so ähnlichen Namen – die wir zur besseren Unterscheidung Edison und Hill nennen werden – sind zwei große und erfolgreiche Unternehmen in völlig verschiedenen Bereichen. Wir haben für unseren Vergleich, den Sie in Tabelle 18-6 finden, als Stichtag den 31. Dezember 1968 gewählt. Die Titel wurden zu einem in etwa gleichen Kurs gehandelt, doch wegen Hills höherer Kapitalisierung wurde es doppelt so hoch bewertet wie Edison. Dieser Unterschied scheint ein wenig überraschend zu sein, da Edison beispielsweise um 50 % mehr Umsatz machte und der Nettogewinn um 25 % höher lag. Deshalb war die wichtigste Kennzahl – das KGV – für Hill doppelt so hoch wie das von Edison. Dieses Phänomen scheint hauptsächlich durch die andauernde und starke Begeisterung, die von der Börse den Aktien von Verlagen entgegengebracht wird, von denen in den späten 60er-Jahren mehrere an die Börse gingen, zu erklären sein.[360]

Ende 1968 wurde offensichtlich, dass diese Begeisterung übertrieben war. Die Aktie von Hill wurde 1967 mit 56 $ gehandelt, mit mehr als dem 40fachen Gewinn von 1966. Doch 1967 und 1968 kam es zu einem kleinen Abschwung. Somit wurde das aktuelle KGV von 35 auf ein Unternehmen angewendet, das bereits zwei Jahre lang Verluste hinnehmen musste. Dennoch wurde die Aktie immer noch mit mehr als dem achtfachen Sachwert bewertet, was auf einen

360 McGraw-Hill ist immer noch ein börsennotiertes Unternehmen, dem unter anderem die Zeitschrift BusinessWeek und Standard & Poor´s gehören. McGraw-Edison ist nunmehr eine Sparte von Cooper Industries.

Firmenwert von fast 1 Milliarde $ verweist! Somit schien der Kurs das darzustellen, was Dr. Johnson mit seinem berühmtem Ausdruck beschrieb: „Der Triumph der Hoffnung über die Erfahrung".

Im Gegensatz dazu schien McGraw Edison zu einem vernünftigen Kurs in Relation zum (hohen) allgemeinen Marktniveau und zur Leistung und finanziellen Situation notiert zu sein.

Tabelle 18-6: Paar 6

	McGraw Edison 1968	McGraw-Hill 1968
Kurs am 31.12.1968	37,625 $	39,75 $
Anzahl der Stammaktien	13.717.000	24.200.000[a]
Marktwert der Stammaktien	527.000.000 $	962.000.000 $
Schulden	6.000.000 $	53.000.000 $
Gesamte Marktkapitalisierung	533.000.000 $	1.015.000.000 $
Buchwert je Aktie	20,53 $	5,00 $
Umsatz	568.600.000 $	398.300.000 $
Nettoertrag	33.400.000 $	26.200.000 $
Gewinn je Aktie 1968	2,44 $	1,13 $
Gewinn je Aktie 1963	1,20 $	0,66 $
Gewinn je Aktie 1958	1,02 $	0,46 $
Aktuelle Dividende	1,40 $	0,70 $
Dividendenzahlung seit	1934	1937
Kennzahlen		
Kurs/Gewinn	15,5 x	35,0 x
Kurs/Buchwert	183,0 %	795,0 %
Dividendenrendite	3,7 %	1,8 %
Umsatzrendite	5,8 %	6,6 %
Gewinn/Buchwert	11,8 %	22,6 %
Umlaufvermögen/kurzfristige Verbindlichkeiten	3,95 x	1,75 x
Nettoumlaufvermögen/Schulden	hoch	1,75 x
Gewinnwachstum je Aktie		
1968 gegenüber 1963	+104 %	+71 %
1968 gegenüber 1958	+139 %	+146 %

a) Die Wandlung von Vorzugsaktien wurde unterstellt.

Fortsetzung bis 1971: Der Gewinnrückgang von McGraw-Hill setzte sich 1969 und 1970 fort: Der Gewinn fiel auf 1,02 $ und dann auf 0,82 $ je Aktie. Im Debakel vom Mai 1970 erlitt die Aktie einen verheerenden Absturz auf 10 $ – auf weniger als ein Fünftel des Kurses von vor zwei Jahren. Die Aktie erholte sich danach recht gut, doch das Hoch von 24 $ im Mai 1971 entsprach nur 60 % des Schlusskurses von 1968. McGraw Edison hielt sich besser: Die Aktie fiel 1970 auf 22 $ und erholte sich im Mai 1971 wieder komplett, wobei der Kurs wieder auf 41,5 $ stieg.[361]

McGraw-Hill ist weiterhin ein starkes und wohlhabendes Unternehmen. Doch die Kurse zeigen – ebenso wie die anderer Unternehmen – die spekulativen Risiken solcher Aktien, die an der Wall Street durch undisziplinierte Wechselbäder zwischen Optimismus und Pessimismus erzeugt werden.

Paar 7: *National General Corp. (Mischkonzern) und National Presto Industries (verschiedene Elektrogeräte; Rüstung)*

Diese beiden Unternehmen bieten sich deshalb zum Vergleich an, weil sie so verschiedenartig sind. Nennen wir sie „General" und „Presto". Wir haben das Ende des Jahres 1968 für unsere Studie gewählt, weil die Abschreibungen, die von General im Jahr 1969 vorgenommen wurden, die Zahlen für dieses Jahr zu ehrgeizig hätten erscheinen lassen. Der volle Geschmack der weit gestreuten Tätigkeitsbereiche konnte im Vorjahr nicht ausgekostet werden, doch war es für den durchschnittlichen Anleger schon ausreichend gemischt. Die Kurzbeschreibung im *Stock Guide* liest sich so: „Landesweite Theaterkette, Film- und Fernsehproduktion, Sparkassen, Buchverlag". Man hätte noch hinzufügen können: „Versicherungen, Investmentbanking, Schallplatten, Musikverlag, Computerservice, Immobilien – und 35 % von Performance Systems Inc. (dieser Name wurde erst kürzlich geändert, zuvor hieß es Minnie Pearls Chicken System Inc.)." Auch Presto hatte ein Programm zur Diversifizierung verfolgt, doch im Vergleich zu General war es wirklich bescheiden. Es begann als führender Hersteller von Hochdruckkochtöpfen und stellte verschiedene andere Haushaltswaren sowie Elektrogeräte her. In völligem Gegensatz zu diesem Bereich übernahm Presto auch eine Reihe von Rüstungsaufträgen der US-Regierung.

361 Im „Debakel vom Mai 1970", auf das Graham sich bezieht, verlor der gesamte Aktienmarkt in den USA 5,5 %. Von Ende März bis Ende Juni büßte der S&P 500 19 % seines Wertes ein, eines der schlechtesten Ergebnisse innerhalb von drei Monaten in der Börsengeschichte.

Tabelle 18-7 fasst den Auftritt der beiden Unternehmen zum Ende 1968 zusammen. Die Kapitalstruktur von Presto war so einfach, wie es nur geht: nichts anderes als 1.478.000 Stammaktien mit einem Börsenwert von 58 Millionen $. Im Gegensatz dazu hatte General mehr als doppelt so viele Stammaktien, außerdem eine Emission wandelbarer Vorzugsaktien, drei Emissionen von Bezugsrechten auf eine riesige Anzahl von Stammaktien, ferner eine Emission von Wandelanleihen (die gerade im Tausch gegen Versicherungsaktien ausgegeben wurden) und viele nicht wandelbare Anleihen. Alles zusammen machte eine Marktkapitalisierung von 534 Millionen $ aus, noch nicht eingeschlossen eine bevorstehende Emission von Wandelanleihen, beziehungsweise einen Börsenwert von 750 Millionen $, wenn man diese einbezieht. Trotz seiner weitaus höheren Kapitalisierung hatte National General deutlich weniger Bruttoumsatz als Presto und auch nur 75 % der Nettoerlöse von Presto.

Die Bestimmung des wahren Marktwertes der Kapitalisierung von Generals Stammaktien stellt für Wertpapieranalysten ein interessantes Problem dar und hat in jeder Hinsicht wichtige Auswirkungen auf alle, die sich für diese Aktie interessieren, wenn man nicht gerade ein Glücksspiel daraus machen will. Mit den relativ kleinen wandelbaren Vorzugsaktien zu 4,5 $ kann man leicht umgehen, wenn man unterstellt, dass sie zu Stammaktien gewandelt werden, wenn Letztere zu einem passenden Kurs gehandelt werden. Dies haben wir in Tabelle 18-7 gemacht. Doch die Bezugsrechte müssen anders behandelt werden. Wenn man auf der Basis einer völligen Verwässerung rechnet, dann unterstellt das Unternehmen, dass alle Bezugsrechte ausgeübt und mit den Erlösen Kredite getilgt würden. Mit dem Rest sollten Stammaktien zurückgekauft werden. Diese Annahmen hatten im Kalenderjahr 1968 überhaupt keine Auswirkungen auf den Gewinn je Aktie – vor und nach Verwässerungseffekten wurde er mit 1,51 $ angegeben. Wir halten dieses Vorgehen aus folgendem Grund für unlogisch und unrealistisch: Die Bezugsrechte stellen einen Teil des „Stammaktien-Pakets" dar, und ihr Börsenwert ist Teil des „effektiven Börsenwerts" der Stammaktien am gesamten Kapital (siehe dazu auch unsere Einlassungen auf Seite 436f.). Diese einfache Technik der Addition der Kurse der Bezugsrechte zu denen der Stammaktien hat eine radikale Auswirkung auf den Auftritt von National General am Ende des Jahres 1968, wie es in den Berechnungen in der Tabelle 18-7 ersichtlich wird. Tatsächlich liegt der „wahre Börsenkurs" der Stammaktien mehr als doppelt so hoch wie die angegebene Zahl. Somit wird das KGV für 1968 mehr als verdoppelt – auf die an sich schon absurde Zahl von 69. Der gesamte Börsenwert der „Stammaktien-Äquivalente" beträgt 413 Millionen $, und das ist das Dreifache des Sachwerts, der dafür angegeben wird.

Tabelle 18-7: Paar 7

	National General 1968	National Presto Industries 1968
Kurs am 31.12.1968	44,25 $	38,625 $
Anzahl der Stammaktien	4.330.000[a]	1.478.000
Marktwert der Stammaktien	192.000.000 $	58.000.000 $
Zusätzlicher Börsenwert von drei Emissionen von Bezugsrechten	221.000.000 $	-
Gesamtwert der Stammaktien und Bezugsrechte	413.000.000 $	-
Vorrangige Titel	121.000.000 $	-
Gesamte Marktkapitalisierung	534.000.000 $	58.000.000 $
Börsenkurs der Stammaktien korrigiert um die Bezugsrechte	98,00 $	
Buchwert je Stammaktie	31,50 $	26,30 $
Umsatz und Erlöse	117.600.000 $	152.200.000 $
Nettoertrag	6.121.000 $	8.206.000 $
Gewinn je Aktie 1968	1,42 $ (Dezember)	5,61 $
Gewinn je Aktie 1963	0,96 $ (September)	1,03 $
Gewinn je Aktie 1958	0,48 $ (September)	0,77 $
Aktuelle Dividende	0,20 $	0,80 $
Dividendenzahlung seit	1964	1945
Kennzahlen		
Kurs/Gewinn	69,0 x[b]	6,9 x
Kurs/Buchwert	310,0 %	142,0 %
Dividendenrendite	0,5 %	2,4 %
Umsatzrendite	5,5 %	5,4 %
Gewinn/Buchwert	4,5 %	21,4 %
Umlaufvermögen/kurzfristige Verbindlichkeiten	1,63 x	3,4 x
Nettoumlaufvermögen/Schulden	0,21 x	Keine Schulden
Gewinnwachstum je Aktie		
1968 gegenüber 1963	+48 %	+450 %
1968 gegenüber 1958	+195 %	+630 %

a) Die Wandlung der Vorzugsaktien wurde unterstellt
b) Korrigiert um den Börsenkurs der Bezugsrechte

Diese Zahlen erscheinen noch ungewöhnlicher, wenn man sie mit denen von Presto vergleicht. Man fragt sich, weshalb Presto nur mit dem 6,9fachen der aktuellen Gewinne gehandelt wird, während das KGV für General fast zehnmal so hoch ist. Alle Kennzahlen von Presto sind befriedigend, doch die Zahlen zum Wachstum eher ein wenig verdächtig. Damit meinen wir, dass das Unternehmen zweifellos vom Rüstungsgeschäft deutlich profitierte, und die Aktionäre sollten sich darauf vorbereiten, dass die Gewinne in Friedenszeiten fallen. Doch im Großen und Ganzen erfüllte Presto all unsere Bedingungen eines gesunden Unternehmens zu einem vernünftige Kurs, während General alle Merkmale eines Mischkonzerns der späten 60er-Jahre aufwies, voll mit Spielereien und grandiosen Gesten, aber hinter den Börsennotierungen fehlten wirkliche Werte.

Fortsetzung: General verfolgte seine Diversifikationspolitik auch im Jahr 1969, wobei die Schulden ein wenig stiegen. Doch nahm es Abschreibungen in Millionenhöhe vor, hauptsächlich in der Bewertung seiner Investition in Minnie Pearl Chicken. Die Schlusszahlen wiesen einen Verlust von 72 Millionen $ vor Steuergutschrift und 46,4 Millionen nach Steuergutschrift aus. Der Aktienkurs fiel 1969 auf 16,5 $ und 1970 auf 9 $ (das sind nur 15 % des Höchststandes von 60 $). Die Gewinne wurden 1970 mit 2,33 $ je Aktie nach Verwässerung angegeben, und der Kurs erholte sich 1971 bis auf 28,5 $. National Presto erhöhte den Gewinn je Aktie sowohl 1969 als auch 1970 und erreichte damit eine zehn Jahre lang dauernde ununterbrochene Gewinnsteigerung. Dennoch fiel der Kurs im Debakel vom Mai 1970 auf 21,5 $. Eine interessante Zahl, denn das war weniger als das Vierfache der zuletzt veröffentlichten Gewinne und weniger als das aktuelle Umlaufvermögen. Gegen Ende des Jahres 1971 war Presto um 60 % auf 34 $ gestiegen, doch die Kennzahlen sind immer noch überraschend: Das erhöhte Betriebskapital entspricht immer noch dem aktuellen Kurs, der wiederum das 5,5fache der letzten ausgewiesenen Gewinne ausmacht. Fände ein Investor zur Diversifizierung zehn solche Titel, könnte er zuversichtlich auf befriedigende Ergebnisse warten.[362]

362 National Presto besteht immer noch als börsennotierte Aktiengesellschaft. National General wurde 1974 von einem anderen Konglomerat, der American Financial Group, aufgekauft, das sich zu verschiedenen Zeiten an Kabelfernsehen, Banken, Immobilien, Investmentfonds, Versicherungen und Bananen beteiligte. AFG ist auch die letzte Ruhestätte der Überreste der Penn Central Corp. (siehe Kapitel 17).

Paar 8: *Whiting Corp. (Materialtransport) und Willox & Gibbs (ein kleiner Mischkonzern)*

Diese beiden Unternehmen sind enge Nachbarn auf der Liste der American Stock Exchange, doch berühren sie sich nicht. Der Vergleich – dargelegt in Tabelle 18-8A – zwingt einen den Verdacht auf, dass die Wall Street wohl keine rationale Einrichtung ist. Das Unternehmen mit geringeren Umsätzen und Gewinnen und einem nur halb so großen Sachwert bei den Stammaktien wurde mit dem vierfachen Gesamtwert des anderen Unternehmens gehandelt. Das höher bewertete Unternehmen war dabei, nach außergewöhnlichen Aufwendungen einen Verlust auszuweisen, und hatte innerhalb von 13 Jahren noch keine Dividende gezahlt. Das andere hatte eine lange Leistungsbilanz mit zufrieden stellenden Gewinnen, zahlte seit 1936 ununterbrochen Dividenden und lag vor kurzem noch an der Spitze der Aktien mit der höchsten Dividendenrendite. Um die Ungleichheit der Leistung noch anschaulicher zu machen, haben wir in Tabelle 18-8B die Gewinne und die Kurse von 1961 bis 1970 gegenübergestellt.

Tabelle 18-8A: Paar 8

	Whiting 1969	Willcox & Gibbs 1969
Kurs am 31.12.1969	17,75 $	15,5 $
Anzahl der Stammaktien	570.000	2.381.000
Marktwert der Stammaktien	10.200.000 $	36.900.000 $
Schulden	1.000.000 $	5.900.000 $
Vorzugsaktien	-	1.800.000
Gesamte Marktkapitalisierung	11.200.000 $	44.600.000 $
Buchwert je Aktie	25,39 $	3,29
Umsatz	42.200.000 $ (Oktober)	29.000.000 $ (Dezember)
Nettoertrag vor Sonderbuchungen	1.091.000 $	347.000 $
Nettoertrag nach Sonderbuchungen	1.091.000 $	Defizit 1.639.000 $
Gewinn je Aktie 1969	1,91 $ (Oktober)	0,08$a
Gewinn je Aktie 1964	1,90 $ (April)	0,13 $
Gewinn je Aktie 1959	0,42 $ (April)	0,13 $
Aktuelle Dividende	1,50 $	-
Dividendenzahlung seit	1954	Keine seit 1957

	Whiting 1969	Willcox & Gibbs 1969
Kennzahlen		
Kurs/Gewinn	9,3 x	Sehr hoch
Kurs/Buchwert	70,0 %	470,0 %
Dividendenrendite	8,4 %	-
Umsatzrendite	3,2 %	0,1 %[a]
Gewinn/Buchwert	7,5 %	2,4 %[a]
Umlaufvermögen/kurzfristige Verbindlichkeiten	3,0 x	1,55 x
Nettoumlaufvermögen/ Schulden	9,0 x	3,6 x
Gewinnwachstum je Aktie		
1969 gegenüber 1964	gleich	Abnahme
1969 gegenüber 1959	+354 %	Abnahme

a) vor außergewöhnlichen Belastungen

Tabelle 18-8B: Kurse und Gewinne der vergangenen zehn Jahre von Whiting und Willcox & Gibbs

	Whiting Corp.		Willcox & Gibbs	
Jahr	**Gewinn je Aktie[a] in $**	**Kursbereich in $**	**Gewinn je Aktie in $**	**Kursbereich in $**
1970	1,81	22,5 - 16,25	0,34	18,5 - 4,5
1969	2,63	37 - 17,75	0,05	20,625 - 8,75
1968	3,63	43,125 - 28,25	0,35	20,125 - 8,33
1967	3,01	36,5 - 25	0,47	11 - 4,75
1966	2,49	30,25 - 19,25	0,41	8 - 3,75
1965	1,90	20 - 18	0,32	10,375 - 6,125
1964	1,53	14 - 8	0,20	9,5 - 4,5
1963	0,88	18 - 9	0,13	14 - 4,75
1962	0,46	10 - 6,5	0,04	19,75 - 8,25
1961	0,42	12,5 - 7,75	0,03	19,5 - 10,5

a) Das Geschäftsjahr endete am darauffolgenden 30. April.

Die Geschichte dieser beiden Unternehmen wirft ein interessantes Licht auf die Entwicklung mittelgroßer Unternehmen in den USA, im Gegensatz zu wesentlich größeren Unternehmen, die in diesem Abschnitt hauptsächlich vorkamen. Whiting wurde 1896 Aktiengesellschaft und besteht somit seit mindestens 75 Jahren. Es hat den Anschein, als habe man sich ziemlich genau an das Geschäft mit dem Transport von Materialien gehalten und sei damit über Jahrzehnte hinweg gut gefahren. Willcox & Gibbs besteht sogar noch viel länger - seit 1866 - und war in der Branche als Hersteller von Industrienähmaschinen sehr bekannt. Während des zurückliegenden Jahrzehnts ging man zu einer Diversifizierung über, die ein wenig seltsam anmutet. Denn einerseits hat Willcox & Gibbs außerordentlich viele Tochtergesellschaften (mindestens 24), die eine erstaunliche Vielfalt von Produkten herstellen, andererseits besteht das ganze Konglomerat, gemessen an den Maßstäben der Wall Street, aus lauter kleinen Kartoffeln.

Die Gewinnentwicklung bei Whiting ist typisch für unsere Unternehmen. Die Zahlen weisen ein stetiges und ziemlich spektakuläres Wachstum von 41 Cent je Aktie im Jahr 1960 bis 3,63 $ je Aktie im Jahr 1968 auf. Doch gab es keine Sicherheit, dass sich dieses Wachstum endlos fortsetzt. Der folgende Rückgang auf nur 1,77 $ für die zwölf Monate, die im Januar 1971 endeten, könnte nur eine Verlangsamung der allgemeinen Konjunktur bedeuten. Doch der Aktienkurs reagierte darauf sehr heftig: Er fiel von seinem Höchststand im Jahr 1968 (43,5 $) bis zum Jahresende 1969 um etwa 60 %. Unsere Analyse würde darauf hinweisen, dass die Aktie ein vernünftiges und attraktives Investment in zweitrangige Titel ist - geeignet für den eher aggressiven Investor.

Fortsetzung: Willcox & Gibbs wiesen für 1970 einen kleinen operativen Verlust aus. Der Kurs fiel drastisch auf einen Tiefststand von 4,5 $, erholte sich aber in seiner für ihn typischen Art und erreichte im Februar 1971 9,5 $. Es wäre schwierig, diesen Kurs statistisch zu rechtfertigen. Whiting erlitt 1970 einen relativ geringen Kursrückgang auf 16,75 $. (Zu diesem Kurs wurde die Aktie gerade einmal zum Wert des Umlaufvermögens gehandelt.) Die Gewinne hielten sich bis Juli 1971 bei 1,85 $ je Aktie. Anfang 1971 stieg der Kurs auf 24,5 $, was durchaus begründet schien, war aber nach unseren Bedingungen kein Schnäppchen mehr.[363]

363 Whiting Corp. endete als Tochtergesellschaft von Wheelabrator-Frye, wurde aber 1983 privatisiert. Willcox & Gibbs gehört jetzt der Group Rexel, einem Hersteller von elektrischen Werkzeugen, die wiederum eine Sparte von Pinault-Printemps-Redoute Group of France ist. Rexels Aktien werden an der Börse in Paris gehandelt.

Allgemeine Betrachtungen

Die Titel, die in diesen Vergleichen verwendet wurden, haben wir ein wenig hinterlistig ausgewählt, und somit kann man nicht sagen, sie präsentierten einen zufälligen Querschnitt der Aktienliste. Sie sind zudem auf den industriellen Bereich und das wichtige Segment der öffentlichen Versorger und Speditionen beschränkt. Finanzunternehmen kommen nicht vor. Doch variieren sie ausreichend in Größe und Geschäftsbereich sowie in qualitativer und quantitativer Hinsicht, um eine klare Vorstellung davon zu vermitteln, welche Auswahl ein Investor unter Aktien treffen kann.

Die Beziehung zwischen Kurs und angedeutetem Wert war ebenfalls deutlich von Fall zu Fall eine andere. Zum größten Teil wurden die Unternehmen mit besserem Wachstum und höherer Profitabilität mit einem höheren KGV gehandelt - was im Allgemeinen auch ganz logisch ist. Ob die spezifischen Unterschiede im KGV durch Fakten gerechtfertigt sind oder erst durch die künftige Entwicklung verdient werden müssen, kann nicht zuverlässig beantwortet werden. Es gibt aber auch Zeitpunkte, zu denen man ein lohnendes Urteil fällen kann. Dazu gehören all die Fälle, bei denen es zu größerer Börsenaktivität bei Unternehmen kam, deren Wert fragwürdig war. Solche Aktien waren nicht nur spekulativ - was auch riskant bedeutet -, sondern sie waren - und sind - meist offensichtlich überbewertet. Andere Titel schienen mehr wert zu sein als ihr Kurs, weil sie von einer negativen Einstellung des Marktes beeinflusst wurden - was wir „Unterspekulation" nennen könnten - oder durch ungerechtfertigten Pessimismus wegen eines leichten Gewinnrückgangs gedrückt wurden.

In Tabelle 18-9 bieten wir Ihnen einige Daten zu den Kursschwankungen der in diesem Kapitel behandelten Unternehmen. Die meisten mussten zwischen 1961 und 1962 Kursverluste hinnehmen, ebenso von 1969 bis 1970. Der Investor muss sich unbedingt auf solche ungünstige Marktbewegungen vorbereiten. In Tabelle 18-10 zeigen wir die jährlichen Kursschwankungen der Stammaktie von McGraw-Hill in der Zeit von 1958 bis 1970. Sie werden feststellen, dass in jedem der zurückliegenden 13 Jahre der Kurs entweder um zwei bis drei Dollar fiel oder anstieg. (Im Fall von National General gab es diese Kursschwankungen sowohl nach oben als auch nach unten immer im Abstand von zwei Jahren.)

Tabelle 18-9: Einige Kursschwankungen von 16 Stammaktien (korrigiert um Aktiensplits bis 1970)

	Kursbereich 1936 bis 1970	Abnahme 1961 bis 1962	Abnahme 1968/69 bis 1970
Air Products & Chemicals	1,375 - 49	43,25 - 21,625	49 - 31,375
Air Reduction	9,375 - 45,75	22,5 - 12	37 - 16
American Home Products	0,875 - 72	44,75 - 22	72 - 51,125
American Hospital Supply	0,75 - 47,5	11,625 - 5,75	47,5 - 26,75a
H & R Block	0,25 - 68,5	-	68,5 - 37,125a
Blue Bell	8,75 - 55	25 - 16	44,75 - 26,5
International Flavors & Fragrances	4,75 - 67,5	8 - 4,5	66,375 - 44,875
International Harvester	6,25 - 53	28,75 - 19,25	38,75 - 22
McGraw Edison	1,25 - 46,25	24,375 - 14b	44,75 - 21,625
McGraw-Hill	0,125 - 56,5	21,5 - 9,125	54,625 - 10,25
National General	3,625 - 60,5	14,875 - 4,75b	60,5 - 9
National Presto Industries	0,5 - 45	20,625 - 8,25	45 - 21,5
Real Estate Investment Trust	10,5 - 30,25	25,125 - 15,25	30,25 - 16,375
Realty Equities of New York	3,75 - 47,75	6,875 - 4,5	37,75 - 2
Whiting	2,875 - 43,375	12,5 - 6,5	43,375 - 16,75
Willcox & Gibbs	4 - 20,625	19,5 - 8,25	20,375 - 4,5

Tabelle 18-10: Große jährliche Kursschwankungen von McGraw-Hill, 1958-1971[a]

Von	Bis	Anstieg	Rückgang
1958	1959	39 - 72	
1959	1960	54 - 109,75	
1960	1961	21,75 - 43,125	
1961	1962	18,25 - 32,25	43,125 - 18,25
1963	1964	23,375 - 38,875	
1964	1965	28,375 - 61	
1965	1966	37,5 - 79,5	
1966	1967	54,5 - 112	
1967	1968		56,25 - 37,5

Von	Bis	Anstieg	Rückgang
1968	1969		54,625 - 37,5
1969	1970		39,5 - 10
1970	1971	10 - 24,125	

a) Die Kurse wurden nach Aktiensplits nicht korrigiert.

Bei Durchsicht der Aktienliste für das Material zu diesem Kapitel waren wir wieder einmal beeindruckt von dem großen Unterschied zwischen den üblichen Zielen der Aktienanalyse und den Zielen, die wir für zuverlässig und lohnend halten. Die meisten Aktienanalysten versuchen, jene Titel auszuwählen, von denen sie sich für die Zukunft hinsichtlich der Börsenaktivität und der Gewinnentwicklung am meisten versprechen. Wir sind wirklich skeptisch, ob dies mit befriedigenden Ergebnissen verwirklicht werden kann. Wir würden uns wünschen, dass Analysten die besonderen oder wenigen Fälle suchen, bei denen sie ein einigermaßen verlässliches Urteil abgeben können, dass der Kurs weit unter dem Wert liegt. Sie sollten auch in der Lage sein, ihre Arbeit mit hinreichendem Fachwissen zu erledigen, um über Jahre hinweg befriedigende durchschnittliche Ergebnisse zu erzielen.

Kommentar zu Kapitel 18

> Das, was war, ist das, was wieder sein wird. Und das, was getan wurde, ist das, was wieder getan wird. Und es gibt gar nichts Neues unter der Sonne. Gibt es ein Ding, von dem einer sagt: Siehe, das ist neu? Längst ist es gewesen in den Zeitaltern, die vor uns gewesen sind.
>
> *Ecclesiastes. Kapitel 1, Vers 9 und 10*

Wir wollen Grahams klassische Vergleiche zwischen acht Unternehmen aktualisieren und dabei die gleiche Technik von Vergleich und Gegensatz anwenden, die er zum ersten Mal bei seinen Vorlesungen an der Columbia Business School und dem New York Institute of Finance gebrauchte. Beachten Sie, dass die Zusammenfassungen diese Aktien immer nur für den angegebenen Zeitraum beschreiben: Die billigen Aktien könnten später zu hoch bewertet werden; die teuren Aktien könnten billig werden. Zu einem Zeitpunkt in ihrem Leben ist fast jede Aktie ein Schnäppchen, zu einem anderen Zeitpunkt wird sie teuer sein. Obwohl es gute und schlechte Unternehmen gibt, gibt es keine gute Aktie; es gibt nur gute Aktienkurse, und die kommen und gehen.

Paar 1: Cisco und Sysco

Am 27. März 2000 war Cisco Systems, Inc. das wertvollste Unternehmen der Welt, als die Aktien einen Wert von 548 Milliarden $ erreichten. Cisco, das Produkte und Verfahren herstellt, die Daten über das Internet lenken, ging erst vor zehn Jahren an die Börse. Hätten Sie Ciscos Aktie am ersten Handelstag gekauft und sie behalten, dann hätten Sie einen Gewinn gemacht, der eher dem Druckfehler eines Irren gleicht: 103.697 % oder ein durchschnittlicher Jahresgewinn von 217 %. In den vorhergehenden vier Quartalen hatte Cisco einen Erlös von 14,9 Milliarden $ eingefahren und damit 2,5 Milliarden $ Gewinn gemacht. Die Aktie wurde zum 219fachen ihres Nettoerlöses gehandelt, einem der höchsten KGVs, das ein großes Unternehmen jemals erreicht hat.

Dann gab es noch Sysco Corp., das Lebensmittel für Großküchen liefert und schon seit 30 Jahren an der Börse gehandelt wird. In den letzten vier Quartalen erzielte Sysco Erlöse in der Höhe von 17,7 Milliarden $ – fast 20 % mehr als Cisco –, doch „nur" 457 Millionen $ Nettoertrag. Mit einem Börsenwert von 11,7 Milliarden $ wurde Sysco mit einem KGV von 26 gehandelt, weit unter dem KGV des Gesamtmarktes von 31.

Ein Frage-Antwort-Spiel mit einem typischen Anleger könnte in etwa so abgelaufen sein:

Frage: Was kommt Ihnen zuerst in den Sinn, wenn ich Cisco Systems sage?

Antwort: Das Internet ... die Branche der Zukunft ... eine großartige Aktie ... eine heiße Aktie. Kann ich bitte einige kaufen, bevor der Kurs weiter steigt?

Frage: Und was ist mit Sysco Corp.?

Antwort: Lastwagen, die etwas ausliefern ... Bohneneintopf ... schlampige Kerle ... Hirtenpastete ... Mittagessen in Schulen ... Krankenhausessen ... nein danke, ich habe keinen Hunger mehr.

Es ist bewiesen, dass die Menschen einer Aktie einen mentalen Wert zuordnen, der weitgehend auf gefühlsmäßigen Vorstellungen beruht, den das jeweilige Unternehmen erweckt.[364] Der intelligente Investor schürft hingegen tiefer. Folgendes würde eine kritische Betrachtung der Finanzberichte von Cisco und Sysco aufdecken:

- Ein großer Teil des Erlös- und Gewinnwachstums von Cisco resultierte aus Akquisitionen. Allein seit September hatte Cisco 10,2 Milliarden $ ausgegeben, um elf andere Firmen zu kaufen. Wie können so viele Firmen auf einmal zusammengeführt werden?[365] Ebenso stammte rund ein Drittel der Gewinne Ciscos aus den vergangenen sechs Monaten nicht aus eigenen Geschäften, sondern resultierte aus Steuervergünstigungen auf Aktienoptionen, die von den leitenden Angestellten und Mitarbeitern ausgeübt wurden. Außerdem hatte Cisco 5.8 Milliarden $ durch den Verkauf von „Investitionen" gewonnen, dann aber für 6 Milliarden $ weitere gekauft. War das ein Internetunterneh-

---

364 Fragen Sie sich doch einmal selbst, welcher Aktienkurs wahrscheinlich weiter steigt: der eines Unternehmens, das ein Heilmittel für eine seltene Krebsart entdeckt hat, oder der eines Unternehmens, das eine neue Möglichkeit der Abfallbeseitigung erfunden hat. Den meisten Anlegern erscheint die Heilung von einer Krebsart aufregender, doch eine neue Möglichkeit, den Abfall loszuwerden, würde zweifellos mehr Geld einbringen. Siehe Paul Slovic, Melissa Finucane, Ellen Peters und Donald G. MacGregor, „The Affect Heuristic", in Thomas Gilovich, Dale Griffin und Daniel Kahneman, Hrsg., Heuristics and Biases: The Psychology of Intuitive Judgement (Cambridge University Press, New York, 2002), S. 397–420, und Donald G. MacGregor, „Imagery and Financial Judgement", The Journal of Psychology and Financial Markets, Bd. 3, Nr. 1, 2002, S. 15–22.

365 „Serienkäufer", die weitgehend wachsen, indem sie andere Firmen aufkaufen, nehmen an der Wall Street fast immer ein schlimmes Ende. Siehe Kommentar zu Kapitel 17, dort finden Sie eine ausführlichere Erörterung.

men oder ein Investmentfonds? Was ist, wenn diese „Investitionen" aufhören, Gewinne zu bringen?

- Auch Sysco hatte im gleichen Zeitraum mehrere Firmen gekauft, dafür aber nur etwa 130 Millionen $ ausgegeben. Aktienoptionen für Insider machten nur 1,5 % der in Umlauf befindlichen Aktien aus, gegenüber 6,9 % bei Cisco. Wenn die Insider ihre Optionen ausübten, würden Syscos Gewinne je Aktie weniger verwässert als die von Cisco. Außerdem hatte Sysco die vierteljährliche Dividende von neun auf zehn Cent je Aktie erhöht, während Cisco überhaupt keine Dividenden ausschüttete.

Letztlich, wie Jeremy Siegel, Professor für Finanzwissenschaften in Wharton, betonte, wuchs kein Unternehmen in der Größenordnung von Cisco schnell genug, um ein KGV über 60 zu rechtfertigen - erst recht kein KGV von über 200.[366] Wenn ein Unternehmen erst einmal ein Gigant geworden ist, dann muss sich das Wachstum verlangsamen - oder es endet damit, dass es die gesamte Welt „frisst". Der bekannte amerikanische Satiriker Ambrose Bierce prägte das Wort „incompossible" und beschrieb damit zwei Dinge, die man leicht verwechseln kann, die aber nie gleichzeitig existieren können: Ein Unternehmen kann ein Gigant sein, oder es verdient ein gigantisches KGV, doch beides zusammen ist „incompossible" (unvereinbar).

Cisco kam schon bald unter die Räder. Zuerst, im Jahr 2001, hatte es eine Belastung von 1,2 Milliarden $ zur „Umstrukturierung" einiger Akquisitionen zu tragen. In den nächsten zwei Jahren ergaben sich aus den „Investitionen" Verluste in Höhe von 1,3 Milliarden $. Von 2000 bis 2002 verlor die Cisco-Aktie drei Viertel ihres Wertes. Sysco hingegen fuhr weiterhin Gewinne ein, und der Aktienkurs legte im gleichen Zeitraum um 56 % zu (siehe Abbildung 18-1).

Paar 2: Yahoo und Yum

Am 30. November 1999 schloss die Aktie von Yahoo mit 212,75 $, nach einem Anstieg um 79,6 % seit Jahresbeginn. Am 2. Februar lag der Kurs bei 348 $ - ein Kursanstieg um 63,6 % innerhalb von fünf Handelstagen. Yahoo stieg bis zum Ende des Jahres und schloss am 31. Dezember mit 432,687 $. In einem einzigen

366 Jeremy Siegel, „Big-Cap Tech Stocks are a Sucker's Bet", Wall Street Journal, 14. März 2000 (einsehbar unter www.jeremysiegel.com).

Abb. 18-1: Cisco - Sysco

	2000	2001	2002
Cisco			
Gesamtgewinn (in %)	-28,6	-52,7	-27,7
Nettogewinn (in Mio. $)	2.668	-1.014	1.893
Sysco			
Gesamtgewinn (in %)	53,5	-11,7	15,5
Nettogewinn (in Mio. $)	446	597	680

Anmerkung: Gesamtgewinn gilt für das Kalenderjahr, der Nettogewinn für das Fiskaljahr.
Quelle: www.morningstar.com

Monat hatte sich der Aktienkurs mehr als verdoppelt, gewann damit rund 58 Milliarden $, und Yahoo erreichte einen Börsenwert von 114 Milliarden $.[367]

In den vorhergehenden vier Quartalen hatte Yahoo Erlöse in der Höhe von 433 Millionen $ erzielt und kam auf einen Nettoertrag von 34,9 Millionen $. Somit hatte Yahoo ein KGV von 3264, und der Börsenwert betrug das 263fache seiner Jahreserlöse. (Denken Sie daran, dass Graham bei einem KGV von mehr als 25 das Gesicht verzog.)[368]

Weshalb schoss der Aktienkurs von Yahoo so steil nach oben? Nachdem die Börsen am 30. November geschlossen hatten, gab Standard & Poor's bekannt, dass man am 7. Dezember Yahoo in den S&P 500 aufnehmen wolle. Das würde Indexfonds und andere große Investoren geradezu verpflichten, auch Yahoo zu kaufen - und dieser plötzliche Anstieg der Nachfrage würde sicherlich den Kurs der Aktie noch höher treiben, zumindest zeitweise. Da etwa 90 % der Aktien im Besitz von Mitarbeitern, Venture-Capital-Unternehmen und wenigen anderen Inhabern waren, konnte nur ein geringer Bruchteil der Aktien gehandelt werden. Und so kauften Tausende von Menschen die Aktie nur, weil sie wussten, dass andere sie kaufen müssen - und der Kurs spielte dabei keine Rolle.

---

367 Yahoos Aktiensplit „zwei für eine" im Februar 2000; die Aktienkurse, die hier angegeben werden, sind nicht um diesen Split korrigiert worden, um zu zeigen, auf welchem Niveau die Aktie tatsächlich gehandelt wurde. Doch der prozentuale Gewinn und der Börsenwert von Yahoo berücksichtigen den Split.

368 Rechnet man die Auswirkungen der Akquisitionen ein, dann betrugen die Erträge 464 Millionen $. Graham kritisiert hohe KGVs (unter anderem) in den Kapiteln 7 und 11.

In der Zwischenzeit ging Yum betteln. Als frühere Sparte von PepsiCo, die Tausende von Kentucky-fried-Chicken-, Pizza-Hut- und Taco-Bell-Schnellrestaurants betrieb, hatte Yum innerhalb der vergangenen vier Quartale 8 Milliarden $ Erlöse erwirtschaftet und damit einen Gewinn von 633 Millionen $ erzielt – und wurde damit mehr als 17 Mal so groß wie Yahoo. Dennoch betrug Yums Börsenwert Ende des Jahres 1999 nur 5,9 Milliarden $ oder ein Neunzehntel der Kapitalisierung von Yahoo. Zu diesem Kurs wurde Yum mit einem KGV von knapp über neun gehandelt und nur zu 73 % der Erlöse.[369]

Wie Graham gern sagte, ist die Börse kurzfristig wie eine Abstimmungsmaschine, doch langfristig eine Waage. Yahoo gewann den Wettbewerb um die kurzfristige Popularität. Am Ende jedoch sind es die Gewinne, die wirklich zählen – und Yahoo machte kaum Gewinn. Als die Börse aufhörte abzustimmen und anfing zu wiegen, wendete sich das Blatt zu Gunsten von Yum. Der Aktienkurs stieg von 2000 bis 2002 um 25,4 %, während Yahoo insgesamt 92,4 % verlor:

Abb. 18-2: Yahoo - Yum

	2000	2001	2002
Yahoo			
Gesamtgewinn (in %)	-86,1	-41,0	-7,8
Nettogewinn (in Mio. $)	71	-93	43
Yum			
Gesamtgewinn (in %)	-14,6	49,1	-1,5
Nettogewinn (in Mio. $)	413	492	583

Anmerkungen: Gesamtgewinn gilt für das Kalenderjahr, der Nettogewinn für das Fiskaljahr. Yahoos Nettogewinn für 2002 enthält die Auswirkungen des Wechsels der Regeln der Rechnungslegung.
Quelle: www.morningstar.com

Paar 3: Commerce One und Capital One

Im Mai 2000 wurde Commerce One, Inc., gerade einmal seit Juli des vorigen Jahres an der Börse gehandelt. Der erste Jahresbericht des Unternehmens, das Inter-

369 Yum war damals unter dem Namen Tricon Global Restaurants, Inc., bekannt, obwohl das Tickersymbol YUM lautete. Das Unternehmen änderte im Mai 2002 seinen Namen offiziell in Yum Brands, Inc.

net-„Börsen" für Einkaufsabteilungen von Unternehmen entwirft, wies ein Vermögen von nur 385 Millionen $ und einen Nettoverlust von 63 Millionen $ aus bei einem Gesamterlös von lediglich 34 Millionen $. Der Aktienkurs dieses winzigen Unternehmens war seit dem Börsengang um 900 % gestiegen und erreichte eine Börsenkapitalisierung von 15 Milliarden $. War die Aktie zu teuer? „Ja, wir haben eine hohe Börsenkapitalisierung", bemerkte Mark Hoffman, CEO von Commerce One, in einem Interview. „Wir haben aber auch einen großen Markt, in dem wir uns bewegen können. Wir sehen eine schier unglaubliche Nachfrage ... Analysten erwarten, dass wir dieses Jahr einen Ertrag von 140 Millionen $ erwirtschaften. Und in der Vergangenheit haben wir die Erwartungen immer übertroffen."

Zwei Dinge sind an Hoffmans Antwort auffällig:

- Da Commerce One bereits 2 $ Verlust für jeden Dollar Umsatz machte, würde man dann nicht noch wesentlich höhere Verluste machen, wenn der Erlös sich vervierfacht?
- Wie konnte Commerce One „in der Vergangenheit" die Erwartungen übertroffen haben? In welcher Vergangenheit?

Als er gefragt wurde, ob sein Unternehmen jemals einen Gewinn erwirtschaften würde, antwortete Hoffman: „Es ist gar keine Frage, dass wir daraus ein profitables Geschäft machen können. Nach unseren Plänen werden wir im vierten Quartal 2001 profitabel sein. Die Analysten sehen voraus, dass wir in einem Jahr über 250 Millionen $ Einnahmen haben werden."

Schon wieder die Analysten! „Ich mag Commerce One auf diesem Kursniveau, weil es schneller wächst als Ariba (ein Wettbewerber, dessen Aktie ebenfalls mit einem KGV von etwa 400 gehandelt wurde)", sagte Jeanette Sing, eine Analystin der Investmentbank Wasserstein Perella. „Wenn die Wachstumsrate beibehalten wird, dann wird Commerce One 2001 zum 60- bis 70fachen des Umsatzes gehandelt werden." (Mit anderen Worten: Ich kenne eine Aktie, die noch teurer ist als Commerce One, und deshalb ist Commerce One billig.)[370]

Das Gegenstück war Capital One Financial Corp., ein Vertreiber von MasterCard- und VISA-Kreditkarten. Von Juli 1999 bis Mai 2001 verlor die Aktie 21,5 %. Dennoch hatte Capital One ein Gesamtvermögen von 12 Milliarden $ und verzeichnete 1999 einen Gewinn von 363 Millionen $, ein Zuwachs von 32 % gegenüber dem Vorjahr. Mit einem Börsenwert von etwa 7,3 Milliarden $ wurde Capital

370 Siehe „CEO Speaks" und „The Bottom Line", Money, Mai 2000, S. 42–44.

One zu einem KGV von 20 gehandelt. Doch nicht alles lief bei Capital One rund: Das Unternehmen hatte die Rückstellungen für möglicherweise faule Darlehen nicht erhöht, obwohl die Ausfallquoten in einer Rezession normalerweise steigen, doch der Aktienkurs enthielt zumindest ein geringes Risiko bei möglichen Problemen.

Was geschah danach? Im Jahr 2001 erwirtschaftete Commerce One Erlöse von 409 Millionen $. Leider machte es dabei einen Nettoverlust von 2,6 Milliarden $ - oder 10,30 $ je Aktie. Capital One hingegen erwirtschaftete von 2000 bis 2002 einen Nettogewinn von fast 2 Milliarden $ – nicht weniger als der Aktienmarkt insgesamt. Commerce One aber verlor 99,7 % seines Wertes.[371]

Anstatt auf Hoffman und die Analysten, seine Schoßhündchen, zu hören, hätten die Trader der ernsthaften Warnung aus dem Jahresbericht von Commerce One folgen sollen: „Wir waren noch nie profitabel. Wir erwarten für die vorhersehbare Zukunft Nettoverluste, und vielleicht werden wir niemals profitabel werden."

Paar 4: Palm und 3Com

Am 2. März 2000 ging 3Com, ein Datennetzwerk, mit 5 % seiner Tochtergesellschaft Palm, Inc., an die Börse. Die restlichen 95 % sollten in den nächsten Monaten an die Aktionäre von 3Com verteilt werden; für jede 3Com-Aktie sollten sie 1,525 Aktien von Palm erhalten.

Somit gab es zwei Möglichkeiten, an 100 Aktien von Palm zu kommen: indem man versuchte, sie beim Börsengang zu ergattern, oder indem man 66 Aktien von 3Com kaufte und wartete, bis das Unternehmen den Rest der Aktien von Palm verteilte. Wenn man also eineinhalb Palm-Aktien je 3Com-Aktie erhält, dann würde man letztlich 100 Aktien des neuen Unternehmens halten - und man hätte zusätzlich 66 Aktien von 3Com.

Aber wer wollte schon drei Monate lang warten? Während 3Com sich gegen riesige Konkurrenz wie Cisco behaupten musste, war Palm Marktführer im „heißen" Markt der digitalen Organizer im Taschenformat. Und so schoss Palms Aktienkurs vom Ausgabekurs von 38 $ schon am ersten Handelstag zu einem Schlusskurs

371 Anfang 2003 trat der Finanzvorstand von Capital One zurück, nachdem die Aufsichtsbehörden entdeckt hatten, dass sie ihn wegen Verletzung des Gesetzes gegen Insider-Trading belangen konnten.

von 95,06 $ empor, ein Gewinn von 150 %. Damit wurde Palm mit mehr als dem 1350fachen Gewinn der zurückliegenden zwölf Monate bewertet.

Am selben Tag fiel der Kurs von 3Com von 104,13 $ auf 81,81 $. Wo sollte der Schlusskurs von 3Com an diesem Tag angesichts des Kurses von Palm eigentlich liegen? Die Rechnung ist einfach:

- Jede 3Com-Aktie hatte ein Anrecht auf 1,525 Palm-Aktien
- Jede Aktie von Palm schloss mit 95,06 $
- 1,525 x 95,06 $ = 144,97 $

Das war der Wert jeder 3Com-Aktie, allein auf der Basis seines Anteils an Palm. Somit sagten die Trader bei einem Kurs von 81,81 $, dass alle anderen Unternehmen im Besitz von 3Com zusammengerechnet einen negativen Wert von 63,16 $ je Aktie oder ein Minus von insgesamt 22 Milliarden $ hatten! Selten in der Börsengeschichte wurde eine Aktie dümmer bewertet.[372]

Doch gab es einen Haken: Ebenso wie 3Com nicht wirklich einen Minuswert von 22 Milliarden $ hatte, betrug der Wert von Palm in Wirklichkeit nicht das 1350fache seiner Gewinne. Ende 2002 litten beide Unternehmen unter der Re-

Abbildung 18-3: Der tiefe Fall von Palm

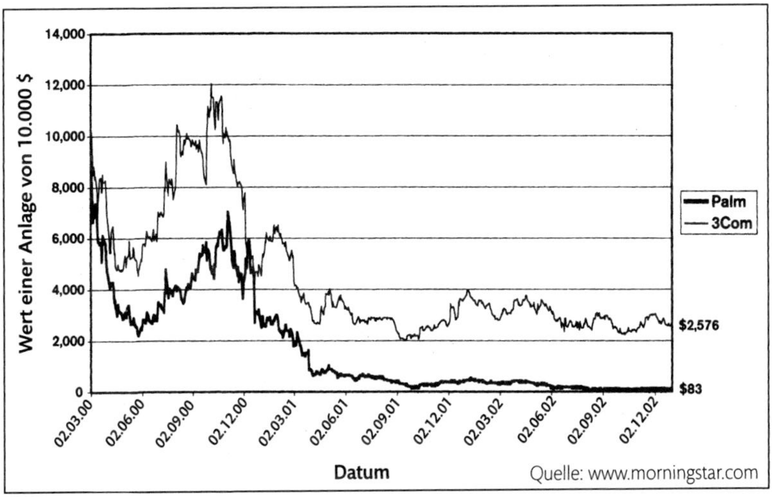

372 Einen genaueren Überblick zu diesem bizarren Ereignis lesen Sie bei Owen A. Lamont und Richard H. Thaler, „Can the Market Add and Subtract?" National Bureau of Economic Research, Arbeitspapier Nr. 8302, unter www.nber.org/papers/w8302.

zession im Hightech-Bereich, doch waren es die Aktionäre von Palm, die wirklich geohrfeigt wurden – weil sie jeglichen gesunden Menschenverstand vermissen ließen, als sie diese Aktie kauften:

Paar 5: CMGI und CGI

Das Jahr 2000 begann für CMGI, Inc., mit einem Knaller, als der Aktienkurs am 3. Januar 163,22 $ erreichte – ein Gewinn von 1126 % gegenüber dem Kurs ein Jahr zuvor. Das Unternehmen, ein „Internet-Brutkasten", finanzierte und kaufte Unternehmen in der Gründungsphase in verschiedenen Bereichen des Online-Geschäfts – darunter auch die ersten Stars: theglobe.com und Lycos.[373]

Im Fiskaljahr 1998, als der Aktienkurs von 98 Cent auf 8,52 $ gestiegen war, gab CMGI 53,8 Millionen $ aus und kaufte damit ganze Internetunternehmen oder Teile davon. Im Fiskaljahr 1999, als der Aktienkurs von 8,52 $ auf 46,09 $ gestiegen war, verschleuderte CMGI 104,7 Millionen $. Und in den letzten fünf Monaten des Jahres 1999, als der Kurs auf 138,44 $ gestiegen war, gab CMGI 4,1 Milliarden $ für Unternehmenskäufe aus – das gesamte „Geld", das CMGI selbst „gedruckt" hatte: die eigenen Stammaktien, die nun mit insgesamt mehr als 40 Milliarden $ bewertet wurden.

Es war eine Art magisches Geldkarussell: Je höher der Kurs der CMGI-Aktie stieg, umso mehr konnte man sich zu kaufen erlauben. Je mehr CMGI-Papiere man kaufen konnte, umso höher stieg der Kurs. Zuerst stieg der Kurs anderer Unternehmen auf Grund von Gerüchten, dass CMGI sie möglicherweise kaufen könnte; dann, wenn CMGI sie gekauft hatte, stieg der Kurs weiter, weil es diese Firmen nun besaß. Niemand machte sich Gedanken darüber, dass CMGI im abgelaufenen Fiskaljahr einen operativen Verlust von 127 Millionen $ erwirtschaftet hatte.

Ein wenig weiter südlich, in Webster, Massachusetts, weniger als 70 Meilen vom Hauptsitz von CMGI in Andover entfernt, liegt das Hauptbüro von Commerce Group, Inc. CGI war alles, was CGMI nicht war: Man bot Autoversicherungen an, hauptsächlich für Fahrer aus Massachusetts, es war eine „kalte" Aktie in einer

373 CMGI begann sein Leben als Unternehmen als College Marketing Group, das Informationen über Hochschulprofessoren und Kurse an wissenschaftliche Verlage verkaufte – ein Geschäft, das eine geringfügige, jedoch störende Ähnlichkeit zu National Student Marketing aufwies, das von Graham auf Seite 255f. angesprochen wird.

alten Branche. Der Aktienkurs war 1999 um 23 % gefallen – obwohl die Nettoeinnahmen, 89 Millionen $, nur 7 % unter denen von 1998 geblieben waren. CGI zahlte sogar eine Dividende von mehr als 4 % (CMGI zahlte keine). Mit einem gesamten Börsenwert von 870 Millionen $ wurde die CGI-Aktie mit weniger als dem zehnfachen Gewinn gehandelt, den man 1999 erwirtschaften würde.

Und dann wurde plötzlich alles ganz anders. CMGIs magisches Geldkarussell kam zum Stillstand: Die Dotcom-Aktien stiegen nicht weiter, und dann ging es nur noch abwärts. Weil man die Unternehmen nicht mit Gewinn weiterverkaufen konnte, musste CMGI deren Wertverluste als Rückgang der eigenen Gewinne hinnehmen. CMGI verlor im Jahr 2000 1,4 Milliarden $, 5,5 Milliarden $ im Jahr 2001 und im Jahr 2002 noch einmal fast 500 Millionen $. Der Aktienkurs fiel von 163,22 $ zu Beginn 2000 auf 98 Cent am Jahresende 2002 – ein Verlust von 99,4 %. Die langweilige alte CGI hingegen brachte weiterhin stetige Gewinne ein, und der Aktienkurs stieg 2000 um 8,5 %, um 43,6 % im Jahr 2001, und 2002 waren es immer noch weitere 2,7 % mehr – ein Gesamtgewinn von 60 %.

Paar 6: Ball und Stryker

Zwischen dem 9. Juli und dem 23. Juli 2002 fiel der Aktienkurs von Ball von 43,69 $ auf 33,48 $ – ein Verlust von 24 %, der dem Unternehmen noch einen Börsenwert von 1,9 Milliarden $ beließ. In denselben zwei Wochen fiel der Aktienkurs von Stryker Corp. von 49,55 $ auf 45,60 $, ein Kursrutsch um 8 %, der Stryker einen Börsenwert von insgesamt 9 Milliarden Dollar übrig ließ.

Was führte dazu, dass diese beiden Unternehmen in so kurzer Zeit so viel Geld verloren? Stryker, das orthopädische Implantate und chirurgische Instrumente herstellt, veröffentlichte während dieser beiden Wochen nur eine Presseerklärung. Am 16 Juli gab Stryker bekannt, dass der Umsatz im zweiten Quartal um 15 % auf 734 Millionen $ gestiegen war, während die Gewinne um 31 % auf 86 Millionen gesprungen waren. Am folgenden Tag stieg der Kurs um 7 % und fiel dann wieder zurück.

Ball, der Originalhersteller der berühmten „Ball-Konservengläser", die zum Konservieren von Obst und Gemüse benutzt wurden, produziert nunmehr Verpackungen aus Metall und Plastik für industrielle Abnehmer. Während dieser beiden Wochen gab Ball keine Presseerklärung ab. Am 25. Juli jedoch berichtete das Unternehmen, dass es im zweiten Quartal bei einem Umsatz von 1 Milliarde $ 50 Millionen $ Gewinn gemacht habe – ein Anstieg des Nettoerlöses um 61 % gegenüber dem gleichen Zeitraum im Vorjahr. Das brachte die Gewinne gegenüber den vorhergehenden vier Quartalen auf 152 Millionen $, sodass die Aktie mit einem KGV von 12,5 gehandelt wurde. Und bei einem Buchwert von 1,1 Milliarden $ konnte man die Aktie zum 1,7fachen der Sachanlagen des Unternehmens kaufen. (Allerdings hatte Ball über 900 Millionen $ Schulden.)

Stryker hingegen spielte in einer anderen Liga. In den vergangenen vier Quartalen erzielte das Unternehmen einen Nettoertrag von 301 Millionen $. Strykers Buchwert lag bei 570 Millionen $. Somit wurde die Aktie mit einem fetten KGV von 30 und nahezu dem 16fachen des Buchwertes gehandelt. Gleichzeitig waren jedoch die Gewinne bei Stryker von 1992 bis Ende 2001 jährlich um 18,6 % gestiegen; die Dividende erhöhte sich per annum um fast 21 %. Und 2001 hatte Stryker für Forschung und Entwicklung 142 Millionen $ ausgegeben, um damit die Grundlage für künftiges Wachstum zu legen.

Was aber hat diese beiden Aktien wirklich zu Fall gebracht? Zwischen dem 9. und dem 23. Juli 2002, als WorldCom in den Konkurs stürzte, fiel der DJIA von 9096,09 auf 7702,34 Punkte zurück, ein Sturz um 15,3 %. Die guten Nachrichten von Ball und Stryker gingen in den schlimmen Schlagzeilen und den fallenden Märkten unter, wobei diese beiden Unternehmen ebenfalls in Mitleidenschaft gezogen wurden.

Obwohl Ball weitaus billiger wurde als Stryker, ist die Lehre hier nicht, dass Ball, wie beim Baseball, ein geglückter Versuch eines Runners und Stryker ein vom Pitcher ungenau geworfener Ball war. Sie lautet vielmehr wie folgt: Der intelligente Investor sollte erkennen, dass Panik an der Börse großartige Kurse für gute Unternehmen (wie Ball) und gute Kurse für großartige Unternehmen (wie Stryker) bewirken kann. Ball schloss das Jahr mit 51,19 $ ab, gegenüber dem Tief vom Juli also mit einem Plus von 53 %. Stryker beendete das Jahr mit einem Kurs von 67,12 $, was einem Anstieg von 47 % entspricht. Ab und zu gibt es Value-Aktien und Growth-Titel zum Schnäppchenkurs. Welche Sie vorziehen, hängt weitestgehend von Ihrer eigenen Persönlichkeit ab; doch Schnäppchen gibt es auf beiden Seiten.

Paar 7: Nortel und Nortek

Der Jahresbericht 1999 für Nortel Networks, den Produzenten von Glasfiberausrüstungen, brüstete sich damit, dies sei ein „finanziell gesehen, goldenes Jahr" gewesen. Im Februar 2000 wurde die Aktie, bei einem Börsenwert des Unternehmens von mehr als 150 Milliarden $, zum 87fachen Gewinn gehandelt, den die Analysten an der Wall Street für das Jahr 2000 erwarteten.

Wie glaubwürdig war diese Schätzung? Nortels Forderungen auf Ausgangsrechnungen - Rechnungen, die von den Kunden noch nicht bezahlt worden waren - waren innerhalb von einem Jahr auf 1 Milliarde $ gestiegen. Das Unternehmen sagte, der Anstieg sei durch den wachsenden Umsatz im vierten Quartal 1999 bewirkt worden. Allerdings hatten sich auch die Lagerbestände auf einen Wert von 1,2 Milliarden $ erhöht, was nichts anderes bedeutet, als dass Nortel mehr Produkte herstellte, als abgesetzt werden konnten.

In der Zwischenzeit waren auch die langfristigen Forderungen - Rechnungen, die schon seit Jahren nicht mehr bezahlt worden waren - von 519 Millionen auf 1,4 Milliarden $ gewachsen. Außerdem hatte Nortel große Schwierigkeiten, die Kosten unter Kontrolle zu halten. Die Vertriebskosten, die Gemeinkosten und die Verwaltungskosten waren von 17,6 % des Gewinns im Jahr 1997 auf 18,7 % im Jahr 1999 gestiegen. Letztlich hatte Nortel im Jahr 1999 einen Verlust von 351 Millionen $ gemacht.

Dann gab es noch Nortek, Inc., das Produkte herstellte, die nicht für die Welt des Glamours bestimmt waren: Vinylprodukte, Türglocken, Abgaslüfter, Entlüftungshauben und Abfallverdichter. Im Jahr 1999 verdiente Nortek bei einem Umsatz von 2 Milliarden $ 49 Millionen $ gegenüber 21 Millionen $ Nettogewinn bei 1,1 Milliarden $ Umsatz im Jahr 1997. Norteks Gewinnspanne (Nettogewinn in Prozent vom Nettoumsatz) war um fast ein Drittel von 1,9 % auf 2,5 % gestiegen. Außerdem hatte Nortek die Gemeinkosten von 19,3 % des Ertrags auf 18,1 % senken können.

Um fair zu bleiben, muss man sagen, dass ein großer Teil der Expansion von Nortek aus dem Kauf anderer Unternehmen resultierte und nicht aus eigenem Wachstum. Darüber hinaus hatte Nortek Schulden in der Höhe von 1 Milliarde $, was ziemlich viel ist für eine so kleine Firma. Doch im Februar 2000 enthielt der Aktienkurs - rund der fünffache Gewinn von 1999 - eine kräftige Dosis an Pessimismus.

Andererseits enthielt der Kurs von Nortel - das 87fache der für das kommende Jahr erhofften Gewinne - eine Überdosis an Optimismus. Letztlich verlor Nortel im Jahr 2000 1,17 $ je Aktie und erzielte nicht den Gewinn von 1,30 $ je Aktie, den die Analysten prognostiziert hatten. Bis zum Ende des Jahres 2002 hatte Nortel Verluste von mehr als 36 Milliarden $ angehäuft.

Nortek dagegen erwirtschaftete im Jahr 2000 41,6 Millionen $ Gewinn, 8 Millionen $ im Jahr 2001 und 55 Millionen $ in den ersten neun Monaten des Jahres

2002. Der Aktienkurs stieg bis zum Jahresende 2002 von 28 $ auf 47,5 $ - ein Zuwachs um 63 %. Im Januar 2003 privatisierten Norteks Manager das Unternehmen, indem sie alle Aktien zu einem Kurs von 46 $ aufkauften. Nortels Aktienkurs sank von 56,81 $ im Februar 2000 auf 1,61 $ zum Jahresende 2002 - ein Verlust von 97 %.

Paar 8: Red Hat und Brown Shoe

Am 11. August 1999 ging Red Hat, Inc., der Distributor der Linux-Software, an die Börse. Red Hat war nicht nur „heiß", sondern rotglühend. Ursprünglich wurde die Aktie zu 7 $ angeboten, der Handel begann jedoch mit 23 $ und schloss am ersten Tag mit 26,031 $ - ein Zugewinn von 272 %.[374] An einem einzigen Tag war Red Hats Aktie höher gestiegen als die von Brown Shoes innerhalb der vorhergehenden 18 Jahre. Am 9. Dezember erreichte der Kurs von Red Hat 143,13 $ - ein Kursanstieg von 1.944 % innerhalb von vier Monaten.

Brown Shoe hatte inzwischen seine Stiefel geschnürt. Gegründet im Jahr 1878, ist das Unternehmen Großhändler für Buster-Brown-Schuhe und betreibt fast 1.300 Schuhgeschäfte in den USA und Kanada. Brown Shoes Aktie, bei einem Kurs von 17,5 $ am 11. August, fiel bis zum 9. Dezember auf 14,31 $. Im gesamten Jahr 1999 verlor der Kurs 17,6 %.[375]

Was, außer einem „coolen" Namen und einer heißen Aktie, bekamen die Investoren in Red Hat? In den neun Monaten vor dem 30. November erzielte das Unternehmen Erlöse von 13 Millionen $, wobei es einen Nettoverlust von 9 Millionen $ hinnehmen musste.[376] Red Hats Geschäft war nicht größer als der Delikatessenladen gleich um die Ecke - und weitaus weniger attraktiv. Doch die Trader, aufgepeitscht durch die Worte „Software" und „Internet", trieben den Gesamtwert der Aktien von Red Hat bis zum 9. Dezember auf 21,3 Milliarden $.

Und Brown Shoe? In den vergangenen drei Quartalen machte das Unternehmen einen Nettoumsatz von 1,2 Milliarden $ und verdiente damit 32 Millionen $.

374 Alle Aktienkurse für Red Hat wurden um den Zwei-für-eins-Aktiensplit im Januar 2000 korrigiert.

375 Reine Ironie ist, dass Graham 65 Jahre zuvor Brown Shoes als eines der stabilsten Unternehmen der NYSE bezeichnete (siehe Security Analysis in der Auflage von 1934, S. 159.)

376 Wir verwenden hier nur einen Zeitraum von neun Monaten, denn die Ergebnisse von zwölf Monaten konnten für Red Hat aus dem Finanzbericht nicht ermittelt werden, ohne die Ergebnisse aus Akquisitionen mit zu berücksichtigen.

Brown Shoe wies nahezu 5 $ je Aktie an Barmitteln und Immobilien auf, und die Jugendlichen kauften immer noch Brown-Buster-Schuhe. Dennoch hatten Brown Shoes Aktien am 9. Dezember einen Gesamtwert von nur 261 Millionen $ - kaum ein Achtzigstel der Größenordnung von Red Hat, auch wenn der Ertrag von Brown Shoes 100 Mal größer war als der von Red Hat. Zu diesem Kurs wurde Brown Shoes mit dem 7,6fachen der Gewinne der zurückliegenden drei Quartale und weniger als einem Viertel des Jahresumsatzes bewertet. Red Hat hingegen hatte überhaupt keine Gewinne vorzuweisen, während die Aktie zu mehr als dem Tausendfachen des Jahresumsatzes gehandelt wurde.

Red Hat verschüttete weiterhin rote Tinte. Und schon bald erging es der Aktie ebenso. Brown Shoes jedoch machte immer mehr Gewinn - ebenso wie deren Aktionäre:

Abbildung 18-4: Red Hat - Brown Shoe

	2000	2001	2002
Red Hat			
Gesamtgewinn (in %)	-94,1	13,6	-16,8
Nettogewinn (in Mio. $)	-43	-87	-140
Brown Shoe			
Gesamtgewinn (in %)	-4,6	28,2	49,5
Nettogewinn (in Mio. $)	36	36	-4

Anmerkungen: Der Gesamtgewinn gilt für das Kalenderjahr, der Nettogewinn für das Fiskaljahr.
Quelle: www.morningstar.com

Und was haben wir daraus gelernt? Der Markt verhöhnt Grahams Grundregeln kurzfristig, doch letztendlich kommen sie immer wieder zur Geltung. Wenn Sie eine Aktie nur deshalb kaufen, weil der Kurs gestiegen ist, anstatt zu fragen, ob auch der zugrunde liegende Wert des Unternehmens gestiegen ist, dann werden Sie es früher oder später bereuen. Das ist keine Wahrscheinlichkeit. Das ist sicher.

Kapitel 19

Aktionäre und das Management: Dividendenpolitik

Schon seit 1934 haben wir in unseren Veröffentlichungen immer wieder für eine intelligentere und leicht aggressive Einstellung der Aktionäre gegenüber dem Management geworben. Wir haben Sie gebeten, denen gegenüber großzügig zu sein, die deutlich sichtbar Leistung erbringen. Wir haben Sie auch gebeten, klare und zufrieden stellende Erklärungen zu verlangen, wenn die Ergebnisse schlechter scheinen, als sie sein sollten, und Bestrebungen zu unterstützen, um ein unproduktives Management zu verbessern oder zu entlassen. Aktionäre haben das Recht, Fragen zur Kompetenz des Managements zu stellen, wenn die Ergebnisse (1) an sich nicht zufrieden stellend sind, (2) schlechter sind als die anderer Unternehmen, die sich in einer ähnlichen Situation befinden, und (3) zu einem langfristig unbefriedigenden Kurs führen.

In den vergangenen 36 Jahren haben die vielen Aktionäre praktisch nichts erreicht. Ein vernünftiger Kreuzritter - wenn es solche überhaupt gibt - würde dies als Anzeichen dafür sehen, dass er seine Zeit verschwendet hat und er seinen Kampf lieber aufgeben sollte. Doch ist unsere Sache noch nicht verloren; sie wurde durch eine belanglose Entwicklung gerettet - bekannt als Übernahmen oder Übernahmeangebote.[377] In Kapitel 8 sagten wir schon, dass schlechtes Management schlechte Aktienkurse bewirkt. Die niedrigen Kurse wiederum ziehen die Aufmerksamkeit von Unternehmen auf sich, die an einer Diversifizierung ihrer Geschäftsbereiche interessiert sind - und davon gibt es sehr viele.

Unzählige solcher Akquisitionen wurden mit dem Einverständnis des bestehenden Managements durchgeführt oder aber durch Aufkäufe von Aktien an der Börse und durch Angebote über die Köpfe derer hinweg, die eigentlich das Sagen haben. Das Angebot lag meistens innerhalb des Wertbereichs für das Unternehmen, den ein einigermaßen kompetentes Management erreichen kann. Somit wurde der träge Aktionär durch Aktionen von „Außenseitern" zum Notverkauf gezwungen – manchmal durch unternehmerisch handelnde Einzelpersonen, manchmal durch Gruppen, die auf eigene Rechnung handelten.

Von wenigen Ausnahmen abgesehen ist es die Regel, dass ein schwaches Management nicht durch Aktionen der „normalen Aktionäre" ausgewechselt wird, sondern nur durch die Erklärungen eines Mehrheitsaktionärs oder einer kompakten Gruppe von Großaktionären. In diesen Tagen passiert dies oft genug, um das Management, einschließlich des Aufsichtsrates, einer typischen Aktiengesellschaft zu alarmieren: Wenn die operativen Ergebnisse und die daraus resultierenden Börsenkurse sehr unbefriedigend sind, könnte das Unternehmen zum Ziel einer Übernahme werden. Als Folge davon nahmen die Aufsichtsräte ihre Pflichten wahrscheinlich reger als zuvor wahr, zu denen es auch gehört, dafür zu sorgen, dass das Unternehmen sich auf ein erstklassiges Management stützen kann. Zurzeit beobachten wir wesentlich mehr Veränderungen in den Chefetagen der Firmen als in den Jahren zuvor.

Doch nicht alle unbefriedigend geführten Unternehmen haben bisher von dieser Entwicklung profitiert. Außerdem wurde der Wechsel an der Unternehmensspitze oft erst nach langen Jahren schlechter Ergebnisse ohne eine Sa-

377 Ironischerweise hörten die Übernahmen auf, kurz nachdem die letzte von Graham selbst überarbeitete Auflage dieses Buches erschienen war, und die 70er- und die frühen 80er-Jahre waren durch ein absolutes Tief der amerikanischen industriellen Effizienz gekennzeichnet. Die Autos waren „Zitronen", Fernsehgeräte und Radios hatten ständig einen Kurzschluss, und die Manager vieler börsennotierter Aktiengesellschaften ignorierten sowohl die gegenwärtigen Interessen der außenstehenden Aktionäre als auch die künftigen Aussichten ihrer eigenen Unternehmen. All das begann sich 1984 zu ändern, als T. Boone Pickens, ein unabhängiger Geschäftsmann in der Ölbranche, ein feindliches Übernahmeangebot für Gulf Oil abgab. Schon bald, angefeuert durch Junk-Bond-Finanzierungen, die von Drexel Burnham Lambert angeboten wurden, pirschten „Unternehmensplünderer" durch das Land, und jagten damit schon lange Zeit sklerotischen Unternehmen einen Schrecken ein und trieben sie in eine neue „Effizienzkur". Während viele Unternehmen, die sich in Buy-outs und Übernahmen engagiert hatten, verwüstet wurden, entkam der Rest der amerikanischen Unternehmen und wurde sowohl schlanker (was gut war) als auch gerissener (was manchmal nicht gut war).

nierung vorgenommen und resultiert oft aus der Unzufriedenheit ausreichend vieler Aktionäre, die sich zu niedrigen Kursen von ihren Beteiligungen trennten und es damit energischen Außenstehenden ermöglichten, so viele Aktien aufzukaufen, um in eine beherrschende Position zu kommen. Doch die Vorstellung, dass normale Aktionäre sich wirklich selbst helfen könnten, indem sie Entwicklungen fördern, die das Management und die Geschäftspolitik des Managements verbessern, hat sich als zu weltfremd herausgestellt, als dass diesem Thema in diesem Buch noch mehr Platz eingeräumt werden sollte. Die einzelnen Aktionäre, die ausreichend Köpfchen haben, um bei den Hauptversammlungen auf sich aufmerksam zu machen - normalerweise ein völlig aussichtsloses Vorhaben -, brauchen unseren Rat nicht, welche Punkte sie beim Management ansprechen müssen. Für alle anderen wäre jeder Rat reine Verschwendung. Dennoch wollen wir diesen Abschnitt mit der Bitte abschließen, dass die Aktionäre alle Vollmachtsabtretungen , die ihnen von Mitaktionären zugeschickt werden, aufmerksam und sorgfältig unter die Lupe nehmen sollten, wenn sie eine offensichtlich unbefriedigende Managementsituation im Unternehmen „kurieren" wollen.

Aktionäre und Dividendenpolitik

Früher war die Dividendenpolitik ein sehr häufig angesprochener Streitpunkt zwischen normalen oder Minderheitsaktionären und dem Management. Im Allgemeinen wollten die Aktionäre großzügigere Dividenden, während das Management es vorzog, die Gewinne im Geschäft zu belassen, „um das Unternehmen zu stärken". Sie baten die Aktionäre, ihre derzeitigen Interessen zugunsten des Unternehmens und ihrer eigenen langfristigen Vorteile zu opfern. Doch in den vergangenen Jahren vollzog sich in der Einstellung der Anleger zu Dividenden eine allmähliche, aber bedeutsame Veränderung. Das grundlegende Argument dafür, dass geringere als großzügige Dividenden ausgeschüttet werden, lautet nicht, dass das Unternehmen das Geld „braucht", sondern vielmehr, dass es dieses Geld zum direkten und sofortigen Vorteil der Aktionäre einsetzen kann, indem die Mittel in rentable Expansionen fließen. Vor Jahren waren es meist schwache Unternehmen, die mehr oder weniger gezwungen waren, die Gewinne einzubehalten, anstatt die üblichen 60 bis 75 % als Dividende auszuzahlen. Die Auswirkung war für den Börsenkurs meist nachteilig. Heute sieht es eher danach aus, dass es die starken und wachsenden Unternehmen sind, die mit der

Zustimmung von Investoren und Spekulanten willkürlich die Dividendenzahlungen niedrig halten.[378]

Es gab schon immer starke Argumente für die Reinvestition der Gewinne in Unternehmen, wenn man bei einer Einbehaltung mit höheren Gewinnen rechnen konnte. Doch gab es auch etliche starke Gegenargumente wie etwa: Die Gewinne „gehören" den Aktionären, und sie haben ein Recht darauf, dass diese innerhalb der Grenzen eines umsichtigen Managements ausgezahlt werden. Viele Aktionäre brauchen das Einkommen aus Dividenden, um damit ihren Lebensunterhalt zu bestreiten. Die Gewinne, die sie als Dividenden erhalten, sind „richtiges Geld", während die einbehaltenen Gewinne sich später als materielle Werte für die Aktionäre erweisen können – oder auch nicht. Die Gegenargumente waren tatsächlich so zwingend, dass der Aktienmarkt eine ständige Vorliebe für Unternehmen zeigte, die großzügige Dividenden zahlten, und gegen Unternehmen war, die nur geringe oder gar keine Dividenden ausschütteten [60].

In den vergangenen 20 Jahren hat die Theorie der „rentablen Reinvestition" Boden gutgemacht. Je höher das Wachstum in der Vergangenheit war, umso eher waren Investoren und Spekulanten bereit, eine Politik niedriger Dividenden zu akzeptieren. Das ist insoweit richtig, als in vielen Fällen bei Wachstumsfavoriten die Dividendenquote – oder gar keine Dividende – überhaupt keinen Einfluss auf den Börsenkurs hatte.[379]

Ein treffendes Beispiel für diese Entwicklung finden wir in der Geschichte von Texas Instruments, Inc. Der Kurs der Stammaktie stieg von 5 $ im Jahr 1953 auf 256 $ im Jahr 1960, während sich die Gewinne von 43 Cent auf 3,91 $ je Aktie verbesserten, in dieser Zeit jedoch keinerlei Dividenden gezahlt wurden. (Für

378 Die Ironie, die Graham hier beschreibt, wurde in den 90er-Jahren sogar noch ausgeprägter, als es fast den Anschein hatte, dass, je stärker ein Unternehmen war, es umso weniger wahrscheinlich wurde, dass es eine Dividende zahlte – oder dass die Aktionäre eine Dividende haben wollten. Das „Auszahlungsverhältnis" (oder der prozentuale Anteil des Gewinns, den die Unternehmen als Dividende ausschütten) fiel von „60 bis 75 %" zu Grahams Zeiten auf 35 bis 40 % gegen Ende der 90er-Jahre.

379 In den späten 90er-Jahren waren insbesondere Technologieunternehmen starke Befürworter der Ansicht, dass ihre gesamten Gewinne in das Geschäft zurückfließen sollten, wo sie eine höhere Rendite erzielen sollten, als ein Aktionär mit jeder anderen Anlage erwirtschaften könnte, wenn er sich die Dividende auszahlen ließe. Es ist kaum zu glauben, doch die Investoren stellten die Richtigkeit dieses bevormundenden „Papa weiß es am besten"-Prinzips niemals in Frage – oder sie wussten überhaupt nicht, dass die Gewinne einer Aktiengesellschaft den Aktionären gehören, nicht den Managern. Siehe auch den Kommentar zu diesem Kapitel.

1962 waren Bardividenden vorgesehen, doch waren in diesem Jahr der Gewinn je Aktie auf 2,14 $ und der Kurs auf ein spektakuläres Tief von 49 $ gefallen.)

Eine weiteres Beispiel für ein Extrem ist Superior Oil. 1948 wies die Gesellschaft einen Gewinn von 35,26 $ je Aktie aus, zahlte 3 $ als Dividende und wurde zu 235 $ gehandelt. 1953 wurde die Dividende auf 1 $ reduziert, doch der Höchstkurs lag bei 660 $. 1957 zahlte die Gesellschaft überhaupt keine Dividende und notierte bei 2.000 $! Dieser außergewöhnliche Titel fiel später, im Jahr 1962, auf einen Kurs von 795 $, als man einen Gewinn von 49,50 $ erzielt und eine Dividende von 7,50 $ gezahlt hatte.[380]

Die Grundstimmung der Anleger bei der Dividendenpolitik von Wachstumsunternehmen ist höchst uneinheitlich. Die gegensätzlichen Ansichten werden durch zwei unserer größten Aktiengesellschaften verdeutlicht - American Telephone & Telegraph und International Business Machines. AT&T wurde als ein Titel mit guten Wachstumsperspektiven angesehen, was sich darin zeigt, dass die Aktie im Jahr 1961 mit dem 25fachen Gewinn dieses Jahres gehandelt wurde. Dennoch blieb die Aktie wegen der Dividendenpolitik (eine Bardividende zu zahlen) eine Investition und eine spekulative Überlegung ersten Ranges, wobei die Notierung positiv beeinflusst wurde, wenn es *Gerüchte* gab, die Dividende könnte erhöht werden. Andererseits wurde der Bardividende von IBM kaum Beachtung geschenkt, die im Jahr 1960 nur eine Rendite von 0,5 % auf den Jahreshöchstkurs und 1,5 % am Jahresende 1970 enthielt. (Doch in beiden Fällen könnten Aktiensplits wesentlichen Einfluss auf den Markt ausgeübt haben.)

Die Einstellung des Marktes zur Unternehmenspolitik, eine Bardividende zu zahlen, scheint sich in folgende Richtung zu entwickeln: Dort, wo die höchste Priorität nicht dem Wachstum gilt, wird die Aktie als „Einkommens-Titel" betrachtet, und die Dividendenquote behält ihre bewährte Bedeutung als wichtigster Bestandteil des Aktienkurses. Am anderen Ende des Spektrums werden Aktien, die eindeutig in die Kategorie schnelles Wachstum fallen, in erster Linie nach der erwarteten Wachstumsrate in den nächsten zehn Jahren bewertet, und über die Bardividende wird kaum nachgedacht.

380 Der Kurs von Superior Oil erreichte 1959 mit 165 $ seinen absoluten Höchststand, als man eine Dividende von 4 $ zahlte. Lange Jahre war Superior Oil die NYSE-Aktie mit dem höchsten Kurs. Superior, das von der Familie Keck aus Houston kontrolliert wurde, wurde 1984 von Mobil Corp. aufgekauft.

Während die obige Aussage die gegenwärtige Tendenz richtig beschreiben mag, ist dies noch lange keine eindeutige Richtschnur für die Situation aller Aktien und vielleicht noch nicht einmal für die meisten Aktien. Doch viele Unternehmen gehen eine Art Mittelweg zwischen Wachstum und Beständigkeit. Es ist schwierig zu sagen, wie viel Bedeutung man in solchen Fällen dem Wachstumsfaktor beimessen sollte, und die Ansichten des Markts können sich von Jahr zu Jahr radikal ändern. Zudem scheint es ein wenig paradox zu sein, wenn Unternehmen mit geringerem Wachstum mit ihren Bardividenden großzügig umgehen. Denn dabei handelt es sich in der Regel um Firmen, die nicht gerade im Reichtum schwimmen – und früher galt: Je größer und wohlhabender ein Unternehmen ist, umso höher ist die Erwartung auf großzügige und steigende Dividendenzahlungen.

Wir sind überzeugt, dass entweder die Aktionäre von ihrem Management eine normale Auszahlung der Gewinne verlangen sollten – in der Größenordnung von etwa zwei Dritteln – oder dass dieses Unternehmen eindeutig ausweisen sollte, dass die reinvestierten Gewinne zu einem befriedigenden Zuwachs der Gewinne je Aktie geführt haben. Das könnte im Unternehmenswachstum sichtbar werden. Doch in vielen anderen Fällen ist eine geringe Auszahlung eindeutig der Grund für einen Aktienkurs, der unter dem wahren Wert liegt, und dann haben Aktionäre jedes Recht, nachzufragen und sich möglicherweise auch zu beschweren.

Eine geizige Dividendenpolitik wird Unternehmen oftmals auferlegt, weil die Finanzkraft schwach ist und die gesamten Gewinne (zuzüglich der Belastungen durch Abschreibungen) oder der größte Teil davon dafür vorgesehen sind, Schulden zu begleichen und das Betriebsvermögen abzusichern. Wenn dies so ist, dann können die Aktionäre nichts dagegen haben – außer, dass sie vielleicht das Management kritisieren, weil es zugelassen hat, dass das Unternehmen überhaupt in eine solche Lage geraten ist. Allerdings werden Dividenden manchmal auch von relativ „armen" Unternehmen gering gehalten, weil man expandieren will. Wir haben das Gefühl, dass eine derartige Politik auf den ersten Blick unlogisch ist und sowohl eine umfangreiche Erläuterung als auch eine überzeugende Erklärung erforderlich sind, bevor die Aktionäre dieses Vorgehen akzeptieren. Wenn man die Vergangenheit betrachtet, gibt es keinen Grund anzunehmen, dass die Eigentümer von Expansionen profitieren werden, die mit ihrem Geld finanziert werden, wenn das Unternehmen nur magere Ergebnisse vorzuweisen hat und das Management so weitermacht wie bisher.

Dividenden und Aktiensplits

Es ist sehr wichtig, dass Anleger den Unterschied zwischen einer Aktiendividende (wie es korrekt heißt) und einem Aktiensplit kennen. Letzterer ist eine Neuformulierung der Struktur der Stammaktien, wobei in der Regel zwei oder drei neue Aktien für eine alte Aktie ausgegeben werden. Die neuen Aktien haben nichts mit speziellen Gewinnen zu tun, die früher reinvestiert wurden. Der Zweck ist, einen niedrigeren Börsenkurs zu erreichen - vermutlich weil ein niedrigerer Kurs von alten und neuen Aktionären eher akzeptiert wird. Ein Aktiensplit kann durch das, was wir eine Aktiendividende nennen, durchgeführt werden. Dabei werden bestimmte Summen aus den Gewinnrücklagen ins Eigenkapital umgebucht. Eine andere Möglichkeit ist die Änderung des Nennwerts, doch das hat auf die Gewinnrücklagen keinen Einfluss.

Eine ordentliche Aktiendividende ist eine solche, die den Aktionären ausgezahlt wird, um ihnen einen materiellen oder repräsentativen Wert der *speziellen* Gewinne zu geben, die innerhalb eines kurzen, maximal zweijährigen Zeitraums in das Unternehmen reinvestiert wurden. Heute ist es üblich, eine solche Dividende zu ihrem ungefähren Wert zur Zeit der Bekanntgabe zu benennen und den gleichen Betrag aus den Gewinnrücklagen dem Unternehmenskapital zuzuführen. Somit ist der Betrag, den eine typische Aktiendividende ausmacht, relativ gering - in den meisten Fällen sind es nicht mehr als 5 %. Im Wesentlichen hat eine solche Dividende die gleichen Auswirkungen wie die Auszahlung eines entsprechenden Barbetrags aus dem Gewinn, wenn dies mit dem Verkauf von zusätzlichen Aktien im gleichen Gesamtwert an die Aktionäre einhergeht. Allerdings hat eine reine Aktiendividende gegenüber der Kombination aus Barem und Subskriptionsrechten, was bei öffentlichen Versorgungsunternehmen schon zur Regel wurde, einen wichtigen steuerlichen Vorteil.

Die NYSE hat 25 % als praktische Trennungslinie zwischen Aktiensplits und Aktiendividenden festgelegt. Diejenigen mit 25 % oder mehr brauchen nicht mit der Umbuchung ihres Marktwertes aus den Gewinnrücklagen in Kapitalkonten einhergehen.[381] Einige Unternehmen, insbesondere Banken, folgen jedoch immer

381 Norm 703 der NYSE regelt Aktiensplits und Aktiendividenden. Die NYSE bezeichnet heute Aktiendividenden von mehr als 25 % und weniger als 100 % als „unvollständige Aktiensplits". Anders als zu Grahams Zeiten können diese Aktiendividenden die Forderung der Buchhaltungsvorschriften der NYSE auslösen, dass der Betrag der Dividenden aus den Gewinnrücklagen kapitalisiert werden muss.

noch der alten Praxis und erklären jegliche Art von Aktiendividende, die ihnen gefällt – beispielsweise eine von 10 %, die mit den letzten Gewinnen in keiner Beziehung steht –, und das stiftet in der Finanzwelt Verwirrung.

Schon seit langem sind wir überzeugte Verfechter einer systematischen und klar formulierten Vorgehensweise bei der Ausschüttung von Bar- und Aktiendividenden. Nach diesen Vorstellungen werden Aktiendividenden regelmäßig gewährt, um alle reinvestierten Gewinne oder einen bestimmten Teil davon zu kapitalisieren. Eine Politik, die 100 % der reinvestierten Gewinne abdeckt, wurde von Purex, Government Employees Insurance und vielleicht noch von einigen anderen verfolgt.[382]

Aktiendividenden jeglicher Art scheinen von allen akademischen Autoren abgelehnt zu werden. Sie bestehen darauf, dass diese nicht mehr sind als nur ein Stück Papier, das den Aktionären nichts gibt, was sie zuvor nicht auch schon gehabt hätten, und außerdem nur überflüssige Kosten und Umstände verursachen würden.[383] Wir jedoch betrachten dies als eine völlig doktrinäre Ansicht, die die praktischen und psychologischen Realitäten der Kapitalanlage völlig ignoriert. Es stimmt, eine regelmäßige Aktiendividende – beispielsweise von 5 % – verändert lediglich die „Form" der Investition des Eigentümers: Er hat nun 105 statt 100 Aktien. Doch ohne die Aktiendividende hätten die ursprünglichen 100 Stücke dieselbe Eigentümerbeteiligung, die er nun mit seinen 105 Stücken hält. Dennoch ist die Änderung der Form von realer Bedeutung und stellt einen Wert für ihn dar. Wenn er seinen Anteil an den reinvestierten Gewinnen in bar bekommen möchte, dann kann er die neue Aktie, die ihm zugeschickt wurde, verkaufen, anstatt das Original-

382 Diese Politik, die schon zu Zeiten Grahams unüblich war, ist heute extrem selten. 1936 und noch einmal 1950 schüttete rund die Hälfte aller an der NYSE notierten Unternehmen eine so genannte Sonderdividende aus. 1970 jedoch ging dieser Prozentsatz auf 10 % zurück, und in den 90er-Jahren sank er weit unter 5 %. Siehe Harry DeAngelo, Linda DeAngelo und Douglas J. Skinner, „Special Dividends and the Evolution of Dividend Signaling", Journal of Financial Economics, Bd. 57, Nr. 3, September 2000, S. 309–354. Die plausibelste Erklärung für diesen Rückgang ist, dass es den Managern von Aktiengesellschaften bei der Vorstellung unwohl wurde, Aktionäre könnten Sonderdividenden als Anzeichen dafür ansehen, dass die künftigen Dividenden niedrig ausfallen würden.

383 Die akademische Kritik an Dividenden wurde von Merton Miller und Franco Modigliani angeführt, deren einflussreicher Artikel „Dividend Policy, Growth and the Valuation of Shares" (1961) starken Anteil daran hatte, dass sie den Nobelpreis für Wirtschaftswissenschaften erhielten. Miller und Modigliani behaupteten im Wesentlichen, dass Dividenden irrelevant seien, weil ein Investor sich nicht darum kümmern sollte, ob sein Gewinn ihm durch Dividenden und einen steigenden Aktienkurs oder allein durch einen steigenden Aktienkurs zufließt, solange der Gesamtgewinn in beiden Fällen gleich hoch ist.

zertifikat „aufzubrechen". Er kann damit rechnen, die gleiche Bardividende auf 105 Aktien zu erhalten wie zuvor bei nur 100 Stücken. Ein Anstieg der Bardividende um 5 % ohne die Aktiendividende wäre weitaus weniger wahrscheinlich.[384]

Die Vorteile einer regelmäßigen Aktiendividende werden am deutlichsten sichtbar, wenn man sie mit der Praxis der öffentlichen Versorgungsunternehmen vergleicht, die großzügige Bardividenden ausschütten und sich dann das Geld von den Aktionären zurückholen, indem sie ihnen über Subskriptionsrechte zusätzliche Aktien verkaufen .[385] Wie wir oben schon sagten, sollten sich die Aktionäre in genau der gleichen Situation befinden, wenn sie Aktiendividenden anstatt der beliebten Kombination aus Bardividenden und darauf folgenden Subskriptionsrechte erhalten - außer dass sie die Einkommensteuer sparen, die sie ansonsten für die Bardividende bezahlen müssten. Diejenigen, die ohne zusätzliche Aktien ein maximales Bareinkommen erzielen möchten, können das erreichen, indem sie die Aktiendividenden verkaufen - so, als ob sie ihre Bezugsrechte verkaufen.

Der Gesamtbetrag, der bei der Einkommensteuer eingespart werden kann, indem man Aktiendividenden durch die Kombination von Aktiendividende-plus-Subskriptionsrechte ersetzt, ist enorm. Wir drängen darauf, dass diese Veränderung bei den öffentlichen Versorgungsgesellschaften vorgenommen wird, trotz der steuerlichen Nachteile. Denn wir halten es für ungerecht, eine zweite (persönliche) Einkommensteuer auf Gewinne zu erheben, die von den Aktionären nicht wirklich erhalten wurden, da die Unternehmen sich das gleiche Geld durch den Verkauf neuer Aktien zurückholen.[386]

---

384 Grahams Argument zählt heute nicht mehr, und die heutigen Anleger können diesen Abschnitt ruhig auslassen. Aktionäre brauchen sich heute keine Gedanken mehr darüber zu machen, ein Aktienzertifikat „aufbrechen" zu müssen, weil wirklich alle Aktien heute in elektronischer Form und nicht mehr aus Papier bestehen. Und wenn Graham sagt, dass ein Anstieg um 5 % in der Bardividende auf 100 Stücke weniger „wahrscheinlich" ist als eine stetige Dividende auf 105 Stücke, dann ist es nicht klar, ob er diese Wahrscheinlichkeit berechnen könnte.

385 Subskriptionsrechte, oft auch nur als Rechte bezeichnet, finden heute weniger oft Verwendung als zu Grahams Zeiten. Sie verleihen einem Aktionär das Recht, neue Aktien zu kaufen, zuweilen mit einem Rabatt auf den Börsenkurs. Ein Aktionär, der das nicht macht, hat letztlich weniger Anteil am Unternehmen als zuvor. Und so, wie es mit vielen anderen Dingen ist, die unter der Bezeichnung „Rechte" laufen, ist damit oft ein gewisser Zwang verbunden. Rechte sind heute bei geschlossenen Fonds und Versicherungen und anderen Holdinggesellschaften sehr verbreitet.

386 Die Administration von Präsident George W. Bush machte Anfang 2003 erste Schritte, das Problem der Doppelbesteuerung von Dividenden zu reduzieren, auch wenn es noch zu früh ist, um zu erkennen, wie hilfreich sich irgendwelche Gesetze auswirken werden. Ein sauberer Ansatz wäre es, Dividendenzahlungen bei den Unternehmen steuerlich abzugsfähig zu machen, doch ist dies im vorgeschlagenen Gesetz nicht vorgesehen.

Effiziente Aktiengesellschaften modernisieren ständig ihre Anlagen, ihre Produkte, ihre Buchhaltung, ihre Fortbildungsprogramme für Manager, ihre Beziehungen zu den Mitarbeitern. Es ist höchste Zeit, dass sie auch daran denken, ihre wichtigsten finanziellen Praktiken zu überdenken. Die Dividendenpolitik darf dabei nicht an letzter Stelle stehen.

Kommentar zu Kapitel 19

> Die gefährlichsten Lügen sind Wahrheiten, die leicht verfälscht wurden.
>
> *G. C. Lichtenberg*

Weshalb warf Graham das Handtuch?

Kein anderer Teil des *The Intelligent Investor* wurde von Graham so drastisch verändert wie dieser. In der ersten Auflage war dieses Kapitel zweigeteilt und umfasste 34 Seiten. Dieser Originalabschnitt („Der Investor als Unternehmenseigentümer") handelte von den Stimmrechten der Aktionäre, von Möglichkeiten, das Management einer Aktiengesellschaft zu beurteilen, und von Techniken, Interessenkonflikte zwischen Insidern und außenstehenden Investoren aufzudecken. In dieser letzten überarbeiteten Version jedoch hatte Graham die Diskussion auf weniger als acht gedrängte Seiten gekurzt und nur noch über Dividenden gesprochen.

Weshalb gab Graham mehr als drei Viertel seiner ursprünglichen Argumente auf? Nach Jahrzehnten voller Ermahnungen hat er offensichtlich die Hoffnung aufgegeben, dass Investoren jemals ein Interesse daran hätten, das Verhalten der Manager zu beobachten.

Doch die jüngsten Skandale – Vorwürfe des Fehlverhaltens von Managern, fragwürdige Rechnungslegung oder steuerliche Tricks bei großen Unternehmen wie AOL, Enron, Global Crossing, Sprint, Tyco und WorldCom – sind eine nüchterne Erinnerung daran, dass Grahams frühere Mahnungen, immer wachsam zu bleiben, lebendiger sind als je zuvor. Holen wir diese noch einmal zurück und besprechen wir sie im Lichte der aktuellen Geschehnisse.

Theorie und Praxis

Graham beginnt in der Erstauflage (1949) die Diskussion über „Der Investor als Unternehmenseigentümer", indem er betont, dass *in der Theorie* „die Aktionäre insgesamt wie Könige sind. Agieren sie als Mehrheit, können sie das Management einstellen und auch entlassen, sodass sie sich völlig ihrem Willen beugen müssen." Aber *in der Praxis*, sagt Graham, sind die Aktionäre eine völlige Nullnummer. Als

Gruppe sind sie weder intelligent noch wachsam. Wie eine Schafherde stimmen sie dem zu, was das Management vorschlägt, und es ist ihnen gleichgültig, wie schlecht das Management in der Vergangenheit gearbeitet hat ... Die einzige Möglichkeit, den durchschnittlichen amerikanischen Aktionär dazu anzuregen, unabhängig und intelligent zu handeln, wäre, unter ihm einen Knallfrosch zu zünden ... Wir können nicht anders, als immer wieder die paradoxe Tatsache zu betonen, dass Jesus ein praxisnäherer Geschäftsmann gewesen wäre als amerikanische Aktionäre.[387]

Graham möchte, dass Sie etwas Einfaches, doch unglaublich Tiefgründiges erkennen: Wenn Sie eine Aktie kaufen, dann werden Sie zum Miteigentümer des Unternehmens. Die Manager, allesamt, bis hoch zum CEO, arbeiten für Sie. Die Aufsichtsräte müssen Ihnen Antwort geben. Das Geld gehört Ihnen. Wenn es Ihnen nicht gefällt, wie Ihr Unternehmen verwaltet wird, dann haben Sie das Recht zu verlangen, dass die Manager entlassen werden, die Mitglieder des Aufsichtsrats ausgetauscht werden oder dass das Objekt verkauft wird. „Die Aktionäre", erklärt Graham, „sollten endlich aufwachen."[388]

Der intelligente Eigentümer

Die Anleger von heute haben Grahams Botschaft vergessen. Den größten Aufwand betreiben sie, wenn sie eine Aktie kaufen, etwas weniger, wenn sie diese wieder verkaufen – doch wenn sie eine Aktie besitzen, dann tun sie nichts. „Si-

---

387 Benjamin Graham, The Intelligent Investor (Harper & Row, New York, 1949), S. 217, 219, 240. Graham erklärt seine Bezugnahme auf Jesus so: „Zumindest in vier Gleichnissen in den Evangelien gibt es einen Bezug zu einer höchst kritischen Beziehung zwischen einem reichen Mann und jenen, denen er sein Vermögen zur Verwaltung anvertraut. Am treffendsten sind die Worte, die „ein gewisser reicher Mann" zu seinem Verwalter oder Manager sprach, der angeklagt wird, sein Vermögen verschwendet zu haben. „Und er ließ ihn rufen und sprach zu ihm: Was höre ich da von dir? Gib Rechenschaft über deine Verwaltung; denn du kannst hinfort nicht Verwalter sein." Bei den anderen Gleichnissen scheint Graham das Evangelium nach Matthäus Kap 25, 15–28 im Sinn gehabt zu haben.

388 Benjamin Graham, „A Questionaire on Stockholder-Management Relationship", The Analysis Journal, 4. Quart. 1947, S. 62. Graham betont, dass er eine Umfrage unter knapp 600 professionellen Aktienanalysten durchgeführt und dabei herausgefunden habe, dass mehr als 95 % glaubten, Aktionäre hätten das Recht, eine formelle Untersuchung von Managern zu verlangen, deren Führung den Wert der Aktie nicht verbessere. Graham fügt trocken hinzu, dass „solche Vorgehensweisen in der Praxis nicht bekannt sind". Dies, so sagt er, „wirft ein Licht auf den breiten Graben zwischen dem, was geschehen sollte, und dem, was in der Beziehung zwischen den Aktionären und dem Management wirklich geschieht."

cherlich", erinnert Graham uns, „gibt es ebenso viel Grund dazu, Sorgfalt und Urteilsvermögen walten zu lassen, wenn man Aktionär ist, als wenn man Aktionär werden will."[389]

Wie also sollten Sie als intelligenter Investor vorgehen, wenn Sie auch ein intelligenter Eigentümer sein wollen? Graham sagt uns zuerst, dass es zwei einfache Fragen gibt, auf die Aktionäre ihre Aufmerksamkeit richten sollten:

- Arbeitet das Management hinreichend effizient?
- Erhalten die Interessen der durchschnittlichen außenstehenden Aktionäre die richtige Anerkennung?[390]

Sie sollten die Effizienz eines Managements beurteilen, indem Sie die Rentabilität, Größe und Wettbewerbsfähigkeit eines jeden Unternehmens mit ähnlichen Unternehmen derselben Branche vergleichen. Und was ist, wenn Sie feststellen, dass die Manager nicht gut sind? Dann, so drängt Graham:

Einige der etwas größeren Aktionäre sollten erstens überzeugt werden, dass eine Veränderung vorgenommen werden muss, und sie sollten bereit sein, auf dieses Ziel hinzuarbeiten. Zweitens sollte die breite Masse der Aktionäre so aufgeschlossen sein, dass sie Beweismaterial lesen und die Argumente beider Seiten gegeneinander abwägen. Sie müssen zumindest erkennen können, ob ihr Unternehmen erfolglos war, und bereit sein, mehr als nur kunstvolle Plattitüden als Rechtfertigung eines im Amt befindlichen Managements zu fordern. Drittens wäre es hilfreich, wenn die Zahlen klar und deutlich ausdrücken, dass die Ergebnisse weit unterdurchschnittlich sind, wenn es üblich ist, dass ein außen stehender Wirtschaftsprüfer die Unternehmenspolitik und die Kompetenz des Managements überprüft.[391]

---

389 Graham und Dodd, Security Analysis (Aufl. von 1934), S. 508.

390 The Intelligent Investor, Erstauflage 1949, S. 218.

391 Auflage von 1949, S. 223. Graham fügt hinzu, dass eine Abstimmung per Vollmacht notwendig würde, um ein unabhängiges Gremium von außenstehenden Aktionären zu ermächtigen, die Wirtschaftsprüfer auszuwählen, die den Aktionären ihren Bericht zustellen, nicht aber dem Aufsichtsrat. Allerdings müsste das Unternehmen die Kosten des Projektes tragen. (Unter den Wirtschaftsprüfern stellte sich Graham Vermögensverwalter, Rating-Agenturen und Organisationen der Aktienanalysten vor. Heute könnten die Aktionäre unter Hunderten von Unternehmensberatungen, Beratern zur Umstrukturierung und Mitglieder von Einrichtungen wie der Risk Management Associaton auswählen.)

Der Endspurt von Enron

Im Jahr 1999 lag Enron Corp. an siebter Stelle der *Fortune 500*, der Liste der Spitzenunternehmen in den USA. Die Erlöse, das Vermögen und die Gewinne des Energie-Giganten stiegen raketengleich.

Doch was ist, wenn ein Investor die glamourösen und glitzernden Zahlen ignorierte – und lediglich das so genannte „Proxy Statement" unter dem Mikroskop des gesunden Menschenverstandes betrachtet hätte? Unter dem Titel „Certain Transactions" deckte der Bericht auf, dass Andrew Fastow, der Finanzvorstand von Enron, „geschäftsführendes Mitglied" von zwei Partnerships war, von LJM1 und LJM2, die „Energie- und Kommunikations-Investitionen" kauften. Und wo kauften LJM1 und LJM2? Wo sonst als bei Enron! Der Bericht sagte weiter, dass die Partnerships bereits im Wert von 170 Millionen $ von Enron gekauft haben – zuweilen auch mit Geld, das man sich von Enron geliehen hatte.

Der intelligente Investor hätte sofort gefragt:

- Hatten Enrons Aufsichtsräte diesem Arrangement zugestimmt? (Ja, sagte der Bericht.)
- Würde Fastow einen Teil der Gewinne von LJM bekommen? (Ja, sagte der Bericht.)
- War Fastow als Finanzvorstand verpflichtet, ausschließlich im Interesse der Aktionäre zu handeln? (Natürlich.)
- Wurde Fastow zuvor verpflichtet, den Preis der Ware, die Enron verkaufte, zu maximieren? (Absolut.)
- Wenn LJM aber für die Ware von Enron einen hohen Preis bezahlen musste, würde das den Gewinn von LJM schmälern – und auch Fastows persönliches Einkommen? (Ganz klar.)
- Wenn LJM aber einen geringen Preis bezahlte, würde das den Gewinn für Fastow und seine Partnerships erhöhen, jedoch Enrons Einkommen schaden? (Eindeutig.)
- Sollte Enron Fastows Partnerships Geld leihen, um Ware von Enron zu kaufen, die für Fastow einen persönlichen Gewinn einbringen? (Wie bitte?)
- Sind das nicht alles beunruhigende Interessenkonflikte? (Es ist gar keine andere Antwort möglich.)

- Was sagt dieses Arrangement über das Urteilsvermögen der Aufsichtsräte aus, die diesem zustimmten? (Es sagt, Sie sollten Ihr Geld anderswo anlegen.)

Zwei deutliche Lehren resultieren aus dieser Katastrophe: Schürfen Sie nie so tief in den Zahlen, dass Sie Ihren gesunden Menschenverstand an der Garderobe abgeben müssten, und lesen Sie immer den Geschäftsbericht, bevor (und nachdem) Sie eine Aktie kaufen beziehungsweise gekauft haben.

Was sind die „Proxy Statements", und weshalb besteht Graham darauf, dass Sie diese lesen? Mit den Proxy Statements, die an alle Aktionäre verschickt wird, gibt eine Aktiengesellschaft die Tagesordnung der Jahreshauptversammlung bekannt und nennt Einzelheiten zur Vergütung und zum Aktienbesitz von Management und Aufsichtsrat. Dazu gehören auch Transaktionen zwischen Insidern und der Gesellschaft. Die Aktionäre werden gebeten, eine Wirtschaftsprüfungsgesellschaft zur Prüfung der Bücher zu wählen und zu entscheiden, wer in den Aufsichtsrat kommen soll. Wenn Sie Ihren gesunden Menschenverstand bei der Lektüre des Statements benutzen, kann dieses wie ein Kanarienvogel in einer Kohlengrube unter Tage wirken - wie ein Frühwarnsystem, das signalisiert, wenn etwas nicht in Ordnung ist. (Siehe auch den Kasten über Enron.)

Dennoch können zwischen einem Drittel und der Hälfte aller Privataktionäre nicht dazu bewegt werden, ihre Bevollmächtigten zu benennen.[392] Ob sie das Proxy Statement überhaupt lesen?

Das Verständnis und die Wahl des Bevollmächtigten sind für einen intelligenten Investor ebenso wichtig wie die Lektüre der Nachrichten und der Gang zur Wahlurne für einen guten Staatsbürger. Es spielt keine Rolle, ob Sie 10 % eines Un-

392 Aufstellungen über die Abstimmungsergebnisse für das Jahr 2002 von Georgeson Shareholder and ADP's Investor Communication Services, zwei führenden Firmen, die den Investoren das Material zustellen, lassen eine Antwortquote vermuten, die im Schnitt zwischen 80 und 88 % liegt (einschließlich der Materialien, die von Brokern an ihre Kunden eingeschickt werden, und automatisch zu Gunsten des Managements abstimmen, wenn der Kunde nichts anderes bestimmt). Somit wählen die Eigentümer von 12 bis 20 % aller Aktien keine Bevollmächtigten. Weil Privatanleger insgesamt nur 40 % der amerikanischen Akten, gemessen am Börsenwert, besitzen und die meisten institutionellen Anleger wie Pensionsfonds und Versicherungsgesellschaften gesetzlich verpflichtet sind, Bevollmächtigte zu wählen, bedeutet dies, dass rund ein Drittel aller Privatanleger nicht abstimmt.

ternehmens besitzen oder nur 100 Aktien, also ein Zehntausendstel von 1 %. Wenn Sie das Proxy Statement zu einer Aktie, die Sie besitzen, noch nie gelesen haben und das Unternehmen plötzlich Pleite macht, dann sollten Sie sich nur über sich selbst beklagen. Wenn Sie das Proxy Statement lesen und etwas sehen, was Sie beunruhigt, dann

- stimmen Sie gegen die Entlastung eines jeden Vorstandsmitglieds, um Ihrer Unzufriedenheit Ausdruck zu verleihen.
- besuchen Sie die Hauptversammlung und setzen sich dort für Ihre Rechte ein.
- suchen Sie ein Online-Messageboard, das Aktien zum Thema hat (wie etwa http://finance.yahoo.com), und suchen dort andere Anleger, die bereit sind, sich Ihrer Sache anzuschließen.

Graham hatte noch eine weitere Idee, von der die Anleger von heute ebenfalls profitieren könnten:

> ... man kann sich Vorteil verschaffen, wenn man einen oder mehrere professionelle und unabhängige Aufsichtsräte wählt. Dies sollten Männer mit großer Erfahrung im wirtschaftlichen Bereich sein, die aus einer neuen und fachkundigen Sicht die Probleme eines Unternehmens unter die Lupe nehmen können ... Sie sollten einen separaten Jahresbericht direkt an die Aktionäre schicken und ihre Ansichten zu den wichtigsten Fragen, die für die Eigentümer des Unternehmens relevant sind, beschreiben: Bringt das Unternehmen die Ergebnisse für außen stehende Aktionäre, die unter einem ordentlichen Management erwartet werden können? Wenn nicht, was ist der Grund dafür – und was sollte in dieser Angelegenheit getan werden?[393]

Man kann sich die Bestürzung kaum vorstellen, die Grahams Vorschlag unter den Kumpanen und Golf-Kumpeln in den Unternehmen verursachen würde, die heute die vielen „unabhängigen" Aufsichtsräte einsetzen. (Wir wollen damit nicht sagen, dass ihnen dabei Angstschauer das Rückgrat hinunterlaufen, weil die meisten „unabhängigen" Aufsichtsräte überhaupt kein Rückgrat zu haben scheinen.)

393 Auflage von 1949, S. 224.

Wem gehört das Geld eigentlich?

Wenden wir uns nun Grahams zweitem Kriterium zu: ob das Management die Interessen der außen stehenden Investoren bestmöglich vertritt. Die Manager haben den Aktionären immer gesagt, dass sie - die Manager - am besten wissen, wie die Barmittel des Unternehmens zu verwenden seien. Graham durchschaute den Unsinn, den die Manager von sich geben:

> Das Management eines Unternehmens kann ein Geschäft gut führen und den außen stehenden Aktionären dennoch nicht die richtigen Ergebnisse liefern, weil ihre Effizienz auf den operativen Bereich begrenzt ist und nicht ausreicht, um den besten Verwendungszweck für das Kapital zu finden. Das Ziel eines effizienten Vorgehens ist es, zu geringen Kosten zu produzieren und die rentabelsten Produkte für den Verkauf zu finden. Effizientes finanzielles Handeln erfordert, dass das Geld der Aktionäre in der bestmöglichen Art in deren Interesse verwendet wird. Dies ist eine Frage, an der das Management als solches nur wenig Interesse zeigt. Tatsächlich möchte es von den Eigentümern fast immer so viel Geld wie möglich, um damit seine eigenen finanziellen Probleme zu minimieren. Somit wird das typische Management mit mehr Kapital umgehen als erforderlich, wenn die Aktionäre es erlauben - was diese auch oft tun.[394]

Ende der 90er-Jahre bis Anfang des Jahres 2000 steuerten die Manager der führenden Technologieunternehmen die Einstellung „Papa weiß es am besten" zu neuen Extremen. Das Argument lautete so: Weshalb sollten Sie eine Dividende fordern, wenn wir diese Barmittel für Sie investieren und damit einen steigenden Aktienkurs erzielen können? Sehen Sie nur, wie der Kurs gestiegen ist - beweist das nicht, dass wir Ihre Pennys besser zu Dollars machen können, als Sie es können?

Es ist unglaublich, doch die Anleger schluckten den Köder, die Leine und sogar noch den Ballast. „Papa weiß es am besten" wurde so zu einem Evangelium, dass im Jahr 1999 nur 3,7 % der Unternehmen, die in diesem Jahr an die Börse gingen, eine Dividende zahlten - das entspricht einem Rückgang um durch-

394 Auflage von 1949, S. 233.

schnittlich 72,1 % aller IPOs aus den 60er-Jahren.[395] Betrachten Sie nur, wie der Prozentsatz der Unternehmen, die noch Dividenden ausschütten (dargestellt in der dunklen Fläche), dahinschmolz:

Abb. 19-1: Wer zahlt Dividenden?

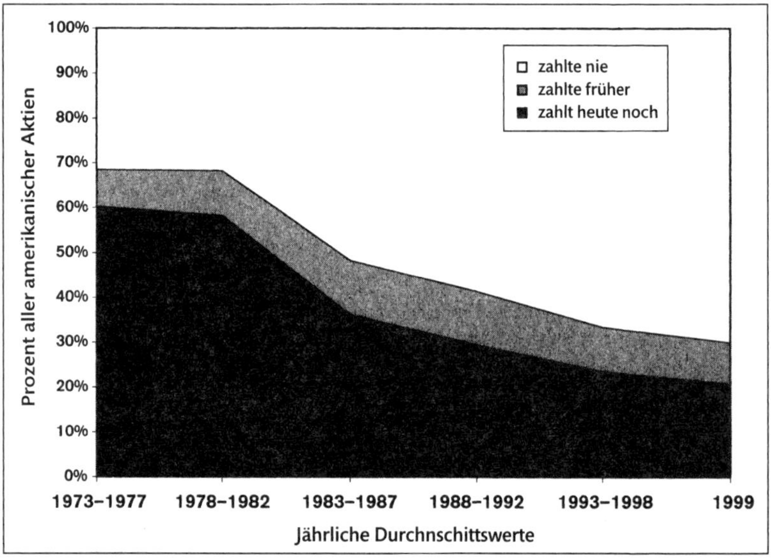

Quelle: Eugene Fama und Kenneth French, „Disappearing Dividends", *Journal of Financial Economics*, April 2001.

Doch „Papa weiß es am besten" war nichts als Quatsch. Während einige Unternehmen ihr Geld ordentlich verwendeten, fielen viele andere in zwei Kategorien: in diejenigen, die es einfach verschwendeten, und in jene, die es weitaus schneller anhäuften, als sie es ausgeben konnten.

395 Eugene F. Fama und Kenneth R. French, „Disappearing Dividends: Changing Firm Characteristics or Lower Propensity to Pay?" Journal of Financial Economics, Bd. 60, Nr. 1, April 2001, S. 3-43, insbesondere Tabelle 1; siehe auch Elroy Dimson, Paul Marsh und Mike Staunton, Triumph of the Optimists (Princeton University Press, Princeton, 2002), S. 158-161. Interessanterweise ist der Betrag der für amerikanische Aktien ausgezahlten Dividenden seit Ende der 70er-Jahre gestiegen, auch inflationsbereinigt - doch die Anzahl der Aktien, die eine Dividende ausschütteten, ging um fast zwei Drittel zurück. Siehe Harry DeAngelo, Lina DeAngelo und Douglas J. Skinner, „Are Dividends Disappearing? Dividend Concentration and the Consolidation of Earnings" unter http://papers.ssrn.com.

In der ersten Gruppe schrieb Priceline.com im Jahr 67 Millionen $ Verluste ab, nachdem man sich über alberne Beteiligungen in Lebensmittelläden und Tankstellen engagiert hatte, während Amazon.com mindestens 233 Millionen $ verbrannte, die eigentlich den Aktionären gehören, indem man in „Dot-Bomben" wie Webvan und Ashford.com „investierte.[396] Und die beiden höchsten Verluste, die bisher bekannt wurden - JDS Uniphases Verlust von 56 Milliarden $ im Jahr 2001 und AOL Time Warners Verlust von 99 Milliarden $ im Jahr 2002 - ereigneten sich, nachdem die Unternehmen entschieden, keine Dividenden zu zahlen, sondern mit anderen Firmen zu fusionieren, und das zu einer Zeit, als deren Aktien unverschämt überbewertet waren.[397]

In der zweiten Gruppe sollten Sie bedenken, dass Oracle Corp. bis Ende 2001 5 Milliarden $ Barmittel angehäuft hatte. Cisco Systems hatte mindestens 7,5 Milliarden $ gehortet. Microsoft hatte einen ganzen Berg von Bargeld angehäuft, der etwa 38,2 Milliarden $ hoch war - und der *stündlich* durchschnittlich um mehr als 2 Millionen $ höher wurde.[398] Welch schlechte Zeiten erwartete Bill Gates überhaupt?

So zeigen diese Anekdoten eindeutig, dass viele Unternehmen nicht wissen, wie man aus Gewinnüberschüssen zusätzliche Gewinne macht. Was sagen uns diese statistischen Beweise?

---

396 Vielleicht hätte Benjamin Franklin dieses Problem vermeiden können, wäre er CEO gewesen, weil man von ihm sagte, er trage eine Geldbörse aus Asbest, damit die Münzen ihm kein Loch in die Tasche brennen.

397 Eine Studie, die BusinessWeek durchführte, stellte fest, dass von 1995 bis 2001 61 % von mehr als 300 großen Fusionen damit endeten, dass das Vermögen der Aktionäre der akquirierenden Unternehmen zerstört wurde - ein Vorgang den man auch den „Fluch des Gewinners" nennt. Außerdem lieferten Käufer, die nicht in bar, sondern mit eigenen Aktien kauften, eine um 8 % schlechtere Performance als ihre Konkurrenten. (David Henry, „Mergers: Why Most Deals Don´t Pay Off", BusinessWeek, 14. Oktober 2002, S. 60-70.) Eine ähnliche wissenschaftliche Studie fand heraus, dass Akquisitionen von Privatunternehmen und Tochtergesellschaften von Aktiengesellschaften zu positiven Gewinnen führten, während Akquisitionen von ganzen Aktiengesellschaften Verluste für die Aktionäre der akquirierenden Unternehmen produzierten. (Kathleen Fuller, Jeffry Netter und Mike Stegemoller, „What Do Returns to Acquiring Fims Tell Us?", The Journal of Finance, Bd. 57, Nr. 4, August 2002, S. 1763-1793.)

398 Bei einem Zinssatz in der Nähe eines Rekordtiefs erwirtschaftet ein solcher Berg von Barem eine lausige Rendite, wenn es nur herumliegt. Wie Graham bestätigt: „Solange diese Gewinnrücklagen im Unternehmen bleiben, profitiert der außenstehende Aktionär davon nicht" (Auflage von 1949, S. 232). Tatsächlich war Microsofts Barbilanz bis zum Jahresende 2002 auf 43,4 Milliarden $ angeschwollen - ein deutlicher Beweis, dass das Unternehmen keine gute Verwendung für das Bargeld finden konnte, das die Geschäfte erwirtschafteten. Graham würde sagen, Microsofts operativer Bereich sei effizient, doch der Finanzbereich sei es nicht mehr. Mit einem Schritt, der für dieses Problem Abhilfe schaffen sollte, erklärte Microsoft Anfang 2003, dass es anfangen würde, vierteljährlich und regelmäßig eine Dividende auszuschütten.

- Recherchen der Vermögensverwalter Robert Arnott und Clifford Asness förderten zutage, dass dann, wenn die aktuellen Dividenden gering ausfallen, auch die künftigen Gewinne des Unternehmens zu wünschen übrig lassen. Und wenn die aktuellen Dividenden hoch sind, dann sind es auch die künftigen Gewinne. Über Jahrzehnte hinweg war die durchschnittliche Wachstumsrate der Gewinne um 3,9 Punkte höher, wenn hohe Dividenden gezahlt wurden, als bei niedrigen Dividenden.[399]
- Doron Nissim und Amir Ziv, Professoren für Rechnungswesen an der Columbia University, stellten fest, dass Unternehmen, die ihre Dividenden erhöhen, nicht nur bessere Gewinne aus Aktien verzeichnen können, sondern dass „Dividendenerhöhungen mit (höherer) künftiger Rentabilität einhergehen, mindestens bis zu vier Jahre nach der Dividendenerhöhung".[400]

Kurz und gut: Die meisten Manager liegen falsch, wenn sie sagen, dass sie Ihr Bargeld besser verwenden können als Sie selbst. Die Zahlung einer Dividende garantiert keine großartigen Ergebnisse, doch sie verbessert die Rendite der normalen Aktie, indem wenigstens ein bisschen Bargeld aus den Händen der Manager genommen wird, bevor sie es entweder verschleudern oder verstecken.

Billig verkaufen, teuer kaufen

Was ist mit der Behauptung, dass Unternehmen Gewinnrücklagen zur Verbesserung der Rendite ihrer eigenen Aktien zurückkaufen können? Wenn ein Unternehmen einen Teil seiner Aktien zurückkauft, dann reduziert das die Anzahl der in Umlauf befindlichen Aktien. Selbst wenn der Nettoertrag gleich bleibt, werden die Gewinne je Aktie steigen, da der Gesamtgewinn auf weniger Aktien verteilt werden muss. Das wiederum sollte den Aktienkurs erhöhen. Besser noch: Anders als eine Dividende ist ein Rückkauf für Anleger steuerfrei, wenn sie ihre Aktien nicht verkaufen.[401] Somit

399 Robert D. Arnott und Clifford S. Asness, „Surprise! Higher Dividends = Higher Earnings Growth", Financial Analysts Journal, Januar/Februar 2003, S. 70-87.

400 Doron Nissin und Amir Ziv, „Dividend Changes and Future Profitability", The Journal of Finance, Bd. 56, Nr. 6, Dezember 2001, S. 2111-2133. Sogar Forscher, die nicht der Meinung von Arnott-Asness und Nissim-Ziv in Bezug auf die Ergebnisse zu den künftigen Gewinnen sind, geben zu, dass Dividendenerhöhungen zu höheren künftigen Gewinnen aus Aktien führen. Siehe Shlomo Benartzi, Roni Michaely und Richard Thaler, „Do Changes in Dividends Signal the Future or the Past?", The Journal of Finance, Bd. 52, Nr. 3, Juli 1997, S. 1007 - 1034.

401 Die Steuerreform, die von Präsident George W. Bush Anfang 2003 vorgeschlagen wurde, würde die Versteuerung von Dividenden verändern, doch das Schicksal dieser Gesetzgebung war noch nicht klar, als dieses Buch in Druck ging.

wird der Wert der Aktien erhöht, ohne dass der Steuerbescheid höher ausfällt. Und wenn die Aktien billig sind, dann sind die Ausgaben aus den Gewinnrücklagen, um sie zurückzukaufen, eine hervorragende Verwendung des Unternehmenskapitals.[402]

In der Theorie ist das alles richtig. Doch in der realen Welt wurden Aktienrückkäufe zu ganz anderen Zwecken durchgeführt, die man nur als bösartig bezeichnen kann. Heute ist die Gewährung von Aktienoptionen ein so großer Bestandteil der Entlohnung der leitenden Angestellten, dass viele Unternehmen - insbesondere in der Technologiebranche - Hunderte von Millionen Aktien emittieren müssen, die sie an die Manager vergeben müssen, wenn sie ihre Optionen ausüben.[403] Das aber würde die Anzahl der in Umlauf befindlichen Aktien erhöhen und die Gewinne je Aktie schmälern. Um diesem Verwässerungseffekt zu begegnen, müssen die Unternehmen eine Kehrtwende vollziehen und Millionen Aktien an der Börse zurückkaufen. Im Jahr 2000 gaben die Firmen erstaunliche 48,1 % ihrer gesamten Nettoerträge aus, um eigene Aktien zurückzukaufen - im Jahr 1980 waren es noch 4,8 %.[404]

Werfen wir einen Blick auf Oracle Corp., den Software-Giganten. Zwischen 1. Juni 1999 und 31. Mai 2000 emittierte Oracle 101 Millionen Stammaktien für

402 Historisch gesehen, nahmen die Unternehmen eine sehr vernünftige Haltung gegenüber Aktienrückkäufen ein. Sie reduzierten sie, wenn der Kurs hoch war, und erhöhten sie, wenn der Kurs niedrig war. Nach dem Börsencrash vom 19. Oktober 1987 gaben beispielsweise 400 Unternehmen bekannt, dass sie in den folgenden zwölf Tagen mit neuen Rückkäufen beginnen würden - während nur 107 Firmen bis dahin Rückkaufprogramme aufgelegt hatten, als die Kurse noch viel höher lagen. Siehe Murali Jagannathan, Clifford P. Stephens und Michael S. Weisbach, „Financial Flexibility and the Choice Between Dividends and Stock Repurchases", Journal of Financial Economics, Bd. 57, Nr. 3, September 2000, S. 362.

403 Die Aktienoptionen, die leitenden Angestellten von ihrem Unternehmen gewährt werden, geben ihnen das Recht (verpflichten sie jedoch nicht), in der Zukunft Aktien mit einem Rabatt zu kaufen. Diese Wandlung der Optionen in Aktien nennt man „Ausübung" der Option. Die Mitarbeiter können die Aktien zum aktuellen Börsenkurs verkaufen und die Differenz als Gewinn in die eigene Tasche stecken. Weil innerhalb eines Jahres Hunderte von Millionen Optionen ausgeübt werden können, muss das Unternehmen den Bestand an in Umlauf befindlichen Aktien ständig erhöhen. Dann jedoch würde der gesamte Nettoertrag des Unternehmens auf wesentlich mehr Aktien verteilt, was den Gewinn je Aktie schmälert. Deshalb sieht sich das Unternehmen in der Regel gezwungen, ständig Aktien zurückzukaufen, um die Aktien auszugleichen, die an die Inhaber von Optionen ausgegeben wurden. Im Jahr 1998 gaben 63,5 % der Finanzvorstände zu, dass die Gegenreaktion auf den Verwässerungseffekt aus Optionen ein wichtiger Grund für Rückkäufe waren. (Siehe CFO Forum, „The Buyback Track", Institutional Investor, Juli 1998).

404 Einer der wichtigsten Faktoren, die diese Veränderung vorantrieben, war die Entscheidung der SEC aus dem Jahr 1982, die früheren Restriktionen zu Aktienrückkäufen zu lockern. Siehe Gustavo Grullon und Roni Michaely, „Dividends, Share Repurchases and the Substitution Hypothesis", The Journal of Finance, Bd. 57, Nr. 4, August 2002, S. 1649-1684.

die Vorstandsmitglieder und weitere 26 Millionen für die Mitarbeiter zu Kosten von 484 Millionen $. In der Zwischenzeit, um frühere Optionen daran zu hindern, die Gewinne je Aktie zu verwässern, gab Oracle 5,3 Milliarden $ aus – oder 52 % *des gesamten Ertrags in diesem Jahr* –, um 290,7 Millionen Aktien zurückzukaufen. Oracle emittierte die Aktien zu einem Durchschnittskurs von 3,53 $ je Stück und kaufte sie zu einem Durchschnittskurs von 18,26 $ zurück. Verkaufe billig, kaufe teuer: Ist das wirklich eine Möglichkeit, den Shareholder Value zu erhöhen?[405]

Im Jahr 2002 war der Aktienkurs von Oracle auf weniger als die Hälfte seines Rekordhochs im Jahr 2000 gefallen. Jetzt, als die Aktien billiger waren, beeilte sich Oracle, mehr eigene Aktien zurückzukaufen. Zwischen dem 1. Juni 2001 und dem 31. Mai 2002 reduzierte Oracle seine Rückkäufe auf 2,8 Milliarden $, scheinbar weil die Vorstände und Mitarbeiter in diesem Jahr weniger Optionen ausgeübt hatten. Das gleiche Muster – billig verkaufen, teuer kaufen – wird bei Dutzenden von Technologieunternehmen erkennbar.

Was ist hier los? Zwei überraschende Faktoren entfalten ihre Wirkung:

- Unternehmen erhalten Steuervergünstigungen, wenn Vorstandsmitglieder und Mitarbeiter Aktienoptionen ausüben (für das Finanzamt sind dies „Lohnkosten").[406] In den Fiskaljahren von 2000 bis 2002 beispielsweise kassierte Oracle 1,69 Milliarden Dollar als Steuervergünstigung, weil Insider ihre Optionen ausgeübt hatten. Sprint Corp. steckte 678 Millionen $ an Steuervergünstigungen ein, weil Vorstandsmitglieder und Mitarbeiter in den Jahren 1999 und 2000 insgesamt 1,9 Milliarden Dollar Gewinn aus Aktienoptionen herausgeholt hatten.

405 In all seinen Schriften besteht Graham darauf, dass das Management von Unternehmen die Pflicht hat sicherzustellen, dass die Aktie nicht unterbewertet wird, und darüber hinaus sicherzustellen, dass sie niemals überbewertet wird. Wie er in seinem Buch Security Analysis (Auflage von 1934, S. 515), sagte, „die Verantwortung des Managements im Interesse ihrer Aktionäre zu handeln, enthält auch die Verpflichtung, zu verhindern – so weit wie möglich –, dass sich entweder absurd hohe oder unangebracht niedrige Kurse ihrer Aktien etablieren. Somit bedeutet die Verbesserung des Shareholder Value nicht sicherzustellen, dass der Kurs nicht zu niedrig wird; es bedeutet auch, dass sichergestellt werden muss, dass der Kurs nicht in ungerechtfertigt hohe Regionen steigt. Hätten die Vorstände der Internetunternehmen die Weisheit Grahams im Jahr 1999 nur berücksichtigt!

406 Unglaublich: Obwohl Optionen bei den Steuererklärungen von Unternehmen als Gehaltsbestandteil angesehen werden, werden sie im Geschäftsbericht an die Aktionäre nicht als Ausgaben ausgewiesen. Investoren können nur hoffen, dass Reformen der Rechnungslegung dieser lächerlichen Praktik ein Ende bereiten.

- Ein Vorstandsmitglied, dessen Entlohnung zum großen Teil aus Aktienoptionen besteht, hat ein Interesse daran, Aktien zurückzukaufen anstatt Dividenden zu zahlen. Weshalb? Aus technischen Gründen steigen Optionen im Wert, wenn die Kursschwankungen der Aktie größer werden. Wenn die Manager also die Dividende erhöhen, würden sie damit den Wert ihrer eigenen Aktienoptionen mindern.[407]

Kein Wunder, dass CEOs lieber Aktien zurückkaufen als Dividenden ausschütten - gleichgültig, wie überbewertet die Aktien sein mögen oder wie sehr dies den außenstehenden Aktionären schadet.

Sich alle Optionen offen halten

Letztlich haben schlafmützige Anleger ihren Unternehmen freie Hand gelassen, ihre leitenden Angestellten so hoch zu bezahlen, dass es geradezu unverschämt ist. Im Jahr 1997 kam Steve Jobs, der Mitbegründer von Apple Computer Inc., als „Interims-CEO" zurück. Er war bereits ein reicher Mann, und so bestand er darauf, dass er jährlich nur mit 1 $ in bar entlohnt wird. Ende 1999 schenkte ihm der Aufsichtsrat dafür, dass er zweieinhalb Jahre lang ohne Entlohnung als CEO gedient hatte, seinen eigenen Gulfstream Jet, was das Unternehmen knapp 80 Millionen $ kostete. Einen Monat später war Jobs einverstanden, das „interim" aus seinem Titel zu streichen, und der Aufsichtsrat belohnte ihn dafür mit Optionen auf 20 Millionen Aktien. (Bis dahin hatte Jobs nur zwei Apple-Aktien.)

Das Prinzip hinter diesem Prinzip, Optionen zu gewähren, ist, die Interessen der Manager mit denen der außenstehenden Aktionäre auf eine Linie zu bringen. Wenn Sie ein außenstehender Aktionär von Apple sind, dann wollen Sie, dass das

---

407 Siehe George W. Fenn und Nellie Liang, „Corporate Payout Policy and Managerial Stock Incentives", Journal of Financial Economics, Bd. 60. Nr. 1, April 2001, S. 45-72. Dividenden machen Aktienkurse weniger volatil, weil sie einen Strom von laufendem Einkommen bieten, der die Aktionäre gegen Schwankungen im Börsenwert absichert. Mehrere Forscher haben herausgefunden, dass die durchschnittliche Renditen von Unternehmen mit Aktienrückkaufprogrammen (jedoch ohne Bardividenden) mindestens doppelt so volatil sind wie die von Unternehmen, die Dividenden ausschütten. Diese schwankenden Gewinne führen im Allgemeinen zu lebhafteren Börsenkursen und machen damit die Aktienoptionen der Manager wertvoller - indem sie häufiger gute Gelegenheiten schaffen, wenn der Kurs gerade hoch ist. Heute bestehen etwa zwei Drittel der Entlohnung von leitenden Angestellten iaus Optionen und anderen Belohnungen, die nicht bar gezahlt werden; noch vor 30 Jahren bestanden mindestens zwei Drittel der Gehälter aus Bargeld.

Management nur dann belohnt wird, wenn die Aktie eine herausragende Rendite einbringt. Nichts anderes wäre fairer – Ihnen gegenüber und auch gegenüber den anderen Eigentümern des Unternehmens. Doch, wie John Bogle, der frühere Vorsitzende des Vanguard-Fonds, betont, *verkaufen* nahezu alle Manager die Aktien unmittelbar, nachdem sie ihre Optionen ausgeübt haben. Wie könnte ein derartiger Vorgang, der Verkauf von Millionen von Aktien mit einem sofortigen Gewinn, ihre Interessen mit denen der langfristigen und loyalen Aktionäre des Unternehmens auf eine Linie bringen?

In Jobs Fall ist es so: Wenn der Aktienkurs jährlich bis Anfang 2010 um 5 % steigt, kann er seine Optionen für 548,3 Millionen $ ausüben. Mit anderen Worten: Wenn Apples Aktie nicht mehr als die Hälfte des langjährigen durchschnittlichen Gewinns des Gesamtmarkts verdient, wird Jobs eine halbe Milliarde Dollar zufallen.[408] Bringt dies seine Interessen mit denen der Aktionäre von Apple auf eine Linie – oder mindert dies das Vertrauen der Apple-Aktionäre, das diese in den Aufsichtsrat gesetzt haben?

Liest der intelligente Investor die Proxy Statements aufmerksam, dann wird er gegen jeden Plan zur Entlohnung der leitenden Angestellten stimmen, der vorsieht, Optionen zu gewähren, wenn mehr als 3 % der in Umlauf befindlichen Aktien in die Hände des Managements fallen. Außerdem sollten Sie jedem Plan widersprechen, der das Kontingent an Aktienoptionen nicht an ein faires und dauerhaftes Niveau herausragender Ergebnisse bindet – etwa, dass die Performance der durchschnittlichen Aktien mindestens fünf Jahre lang übertroffen wird. Kein CEO hat es verdient, sich selbst bereichern zu dürfen, wenn er Ihnen schwache Ergebnisse beschert hat.

Ein letzter Gedanke

Kehren wir zu Grahams Vorschlag zurück, wonach jedes unabhängige Mitglied des Aufsichtsrats den Aktionären einen schriftlichen Bericht zustellen muss, in dem er darlegt, ob das Unternehmen ordentlich zu Gunsten der wahren Eigentümer geführt wurde. Was wäre, wenn die unabhängigen Aufsichtsräte auch die Dividendenpolitik und die Aktienrückkäufe rechtfertigen müssten? Was wäre,

---

408 Das Proxy Statement von Apple Computer Inc. für die Hauptversammlung von 2001, S. 8, ist einsehbar unter www.sec.gov. Jobs Optionsgewährung und Aktienbesitz wurden nach einem Zwei-für-eins-Aktiensplit korrigiert.

wenn sie genau beschreiben müssten, wie sie festgelegt haben, dass der Vorstand des Unternehmens nicht überbezahlt wurde? Und was wäre, wenn jeder Investor ein intelligenter Miteigentümer werden und den Jahresbericht wirklich lesen würde?

Kapitel 20

Die „Sicherheitsspanne" als zentrales Konzept der Kapitalanlage

In einer alten Legende fasst ein weiser alter Mann die Geschichte des Lebens und des Todes in einem einzigen Satz zusammen: „Auch das wird vorübergehen."[409] Wird man mit einer ähnlichen Aufgabe konfrontiert, nämlich das Geheimnis erfolgreicher Kapitalanlage in drei Worten zusammenzufassen, so versuchen wir es mit dem Motto „Sicherheitsspanne" (margin of safety). Dies ist der rote Faden, der durch alle vorhergehenden Themen zur Kapitalanlage läuft – oft ganz offensichtlich, manchmal in weniger direkter Form. Nun wollen wir versuchen, diese Vorstellung in knapper Form zu erörtern.

Alle erfahrenen Anleger wissen, dass die Strategie der Sicherheitsspanne wesentlich für die Auswahl gesunder Anleihen und Vorzugsaktien ist. Beispielsweise sollte eine Eisenbahngesellschaft die gesamten Fixkosten mehr als fünf Mal verdient haben (vor Einkommensteuer), und das über Jahre hinweg, damit ihre An-

---

409 „Es wird erzählt, dass ein orientalischer Monarch einmal seinen Rat der weisen Männer damit beauftragte, einen Satz zu erfinden, den man immer im Blick behalten sollte und der in allen Situationen wahr und angemessen ist. Sie präsentierten ihm die Worte „Auch das wird vorübergehen." Wie viel dieser Satz doch ausdrückt! Wie strafend in der Stunde des Stolzes! – wie tröstlich in den Tiefen der Betroffenheit! „Und auch das wird vorübergehen!" Und jetzt wollen wir alle hoffen, dass es nicht ganz stimmt." – Abraham Lincoln, Brief an die Wisconsin State Agricultural Society, Milwaukee, 30. September 1859, in Abraham Lincoln: Speeches and Writings, 1859–1865 (Library of America, 1985) Bd. II, S. 101.

leihen sich als echte Investition qualifizieren können. Diese Fähigkeit, in der Vergangenheit mehr als die Zinsdeckung zu verdienen, stellt die Sicherheitsspanne dar, die den Anleger vor Verlusten oder Unannehmlichkeiten im Fall einer späteren Einkommensminderung bewahren soll. (Die Spanne über der Zinsdeckung kann auch auf andere Weise dargestellt werden, beispielsweise in Form des Prozentsatzes, zu dem die Erträge oder Gewinne abnehmen können, bevor das Gleichgewicht nach Zinszahlungen verschwindet: Doch der Grundgedanke bleibt der gleiche.)

Der Anleger in Anleihen erwartet nicht, dass die künftigen durchschnittlichen Gewinne so ausfallen werden wie in der Vergangenheit; wäre er dessen sicher, dann könnte die Sicherheitsmarge gering sein. Auch verlässt er sich nicht in besonderem Maße auf sein Urteilsvermögen dahingehend, ob die künftigen Gewinne wesentlich höher oder geringer sein werden als in der Vergangenheit. Würde er das tun, dann müsste er die Sicherheitsspanne an sorgfältig prognostizierten Erträgen messen, anstatt sich auf die Spanne zu verlassen, die in der Vergangenheit bestanden hat. Hier ist es wirklich die Aufgabe der Sicherheitsmarge, dafür zu sorgen, dass es unnötig wird, eine genaue Prognose über die Zukunft abzugeben. Ist die Spanne groß, dann reicht es aus anzunehmen, dass die künftigen Gewinne nicht weit hinter denen der Vergangenheit zurückbleiben, damit sich der Investor vor den Unbeständigkeiten, die die Zeit mit sich bringt, ausreichend geschützt fühlen kann.

Die Sicherheitsspanne für Anleihen kann auch berechnet werden, indem man den Gesamtwert des Unternehmens mit der Höhe der Schulden vergleicht. (Eine ähnliche Rechnung kann auch für Vorzugsaktien vorgenommen werden.) Wenn das Unternehmen 10 Millionen $ Schulden hat und gut 30 Millionen $ wert ist, dann besteht – zumindest in der Theorie – noch ausreichend Raum für eine Minderung um zwei Drittel des Wertes, bevor die Inhaber von Anleihen Verluste hinnehmen müssten. Der Betrag, der die Schulden oder das Polster übersteigt, kann ungefähr durch den durchschnittlichen Börsenwert der Stammaktien, über einige Jahre hinweg, festgelegt werden. Da durchschnittliche Aktienkurse in der Regel mit der durchschnittlichen Ertragskraft zusammenhängen, werden die Spanne zwischen dem Wert des Unternehmens gegenüber den Schulden und die Spanne zwischen den Gewinnen gegenüber den Belastungen in etwa gleiche Ergebnisse liefern.

So viel zur Theorie der Sicherheitsspanne, wenn sie auf Investitionen in festverzinsliche Papiere angewendet wird. Kann dieses Konzept auch auf den Bereich der Stammaktien übertragen werden? Die Antwort lautet: ja, allerdings mit einigen notwendigen Modifikationen.

Es gibt Umstände, unter denen eine Stammaktie als „gesund" bezeichnet werden kann, weil sie eine Sicherheitsspanne bietet, die so groß ist wie die einer guten Anleihe. Dies ist beispielsweise dann der Fall, wenn ein Unternehmen nur Stammaktien in Umlauf hat, die auch unter den Bedingungen einer Depression zu einem geringeren Kurs gehandelt werden als der Betrag in Anleihen, der durch das Vermögen und die Ertragskraft gesichert ist.[410] Dies war die Position vieler gut finanzierter Industrieunternehmen auf dem niedrigen Kursniveau zwischen 1932 und 1933. In solchen Situationen kann ein Investor die Sicherheitsspanne in Verbindung mit einer Anleihe erreichen und *zusätzlich* alle Chancen eines höheren Einkommens und des Zuwachses des eingesetzten Kapitals, die in einer Stammaktie enthalten sind. (Ihm fehlt lediglich das Recht, auf Dividendenzahlungen zu pochen „oder dergleichen" - doch ist dies alles ein kleiner Nachteil im Vergleich zu den Vorteilen.) Stammaktien, die unter solchen Bedingungen gekauft wurden, bieten eine ideale, wenn auch seltene, Kombination aus Sicherheit und Gewinnmöglichkeiten. Als aktuelles Beispiel für eine solche Situation wollen wir noch einmal die Aktie von National Presto Industries nennen, die 1974 zu einem Gesamtwert des Unternehmens von 43 Millionen $ gehandelt wurde. Bei 16 Millionen $ Vorsteuergewinn hätte das Unternehmen diesen Betrag problemlos in Anleihen absichern können.

Bei normalen Stammaktien, also Papieren, die unter normalen Bedingungen zur Kapitalanlage gekauft werden, liegt die Sicherheitsspanne bei einer erwarteten Ertragskraft, die deutlich über der gängigen Rate für Anleihen liegt. In früheren Auflagen haben wir diesen Punkt mit den folgenden Zahlen verdeutlicht:

> Nehmen wir den typischen Fall an, dass die Ertragskraft bei 9 % des Aktienkurses und der Anleihenzins bei 4 % liegen; dann hätte der Anleger eine durchschnittliche jährliche Sicherheitsspanne von 5 % zu seinen Gunsten. Ein Teil des Überschusses erhält er mit der Dividende; selbst wenn er diesen Betrag ausgibt, geht er in sein gesamtes Anlageergeb-

410 „Ertragskraft" ist Grahams Bezeichnung für die potenziellen Gewinne oder, wie er sagt, der Betrag, den eine Firma jedes Jahr erwartungsgemäß erwirtschaften kann, wenn die vorherrschenden wirtschaftlichen Bedingungen während dieser Zeit unverändert bleiben (Security Analysis, Auflage 1934, S. 354). Einige seiner Lehren verdeutlichen, weshalb Graham beabsichtigte, einen Zeitraum von fünf oder mehr Jahren zu erfassen. Sie können die Ertragskraft je Aktie eines Unternehmens grob, aber ganz einfach abschätzen, indem Sie das umgekehrte KGV nehmen; von einer Aktie mit einem KGV von elf kann gesagt werden, sie habe eine Ertragskraft von 9 % (oder 1 dividiert durch 11). Heute wird die Ertragskraft oft mit Gewinnrendite bezeichnet.

nis ein. Der nicht ausgeschüttete Anteil wird zu seinen Gunsten in das Geschäft reinvestiert. In vielen Fällen gelingt es solchen reinvestierten Gewinnen nicht, nennenswert zur Ertragskraft und zum Wert der Aktie beizutragen. (Der Grund liegt darin, dass die Börse die sture Angewohnheit hat, die Aktien nach den ausgeschütteten Dividenden zu bewerten, wenn sie großzügig ausfallen, und nicht nach dem Anteil des Gewinns, der vom Unternehmen einbehalten wird.)[411] Wenn man das Bild jedoch als Ganzes betrachtet, dann gibt es eine recht enge Verbindung zwischen dem Wachstum der Gewinnrücklagen und dem Wertzuwachs des Unternehmens.

Über einen Zeitraum von zehn Jahren beträgt der übliche Überschuss an Ertragskraft der Aktie gegenüber dem auf Anleihen zu zahlenden Zins insgesamt etwa 50 % des gezahlten Kurses. Diese Zahl ist ausreichend, um eine wirkliche Sicherheitsspanne zu bieten, die, unter günstigen Bedingungen, einen Verlust verhindern oder minimieren kann. Wenn eine solche Spanne in jeder diversifizierten Liste von 20 oder mehr Aktien vorhanden ist, dann ist „unter normalen Bedingungen" die Wahrscheinlichkeit hoch, dass positive Ergebnisse erzielt werden. Das ist auch der Grund, weshalb die Investition in repräsentative Aktien keine hohen Anforderungen an die Kenntnisse und die Voraussicht stellt und dennoch erfolgreich sein kann. Wenn man über Jahre hinweg auf einem durchschnittlichen Marktniveau kauft, sollten die Kurse die Sicherheit einer angemessenen Sicherheitsspanne bieten. Die Gefahr für Anleger liegt in der Konzentration ihrer Käufe auf die obere Ebene des Marktes, oder wenn Aktien gekauft werden, die nicht repräsentativ sind, und ein überdurchschnittliches Risiko verminderter Ertragskraft bergen.

So, wie wir es sehen, liegt das ganze Problem der Anlage in Stammaktien unter den Bedingungen von 1972 in der Tatsache, dass „in einem typischen Fall" die Ertragskraft unterhalb von 9 % des bezahlten Kurses liegt.[412] Nehmen wir an, dass

411 Dieses Problem wurde im Kommentar zu Kapitel 19 ausführlich besprochen.

412 Graham fasste die folgende Diskussion im Rahmen einer Vorlesung im Jahr 1972 sehr elegant zusammen: „Die Sicherheitsspanne ist die Differenz zwischen der prozentualen Gewinnqoute auf den Aktienkurs, den Sie bezahlt haben, und dem Zinssatz für Anleihen, und diese Sicherheitsspanne ist die Differenz, die unbefriedigende Entwicklungen absorbiert. Zu der Zeit, als die Auflage von 1965 von The Intelligent Investor verfasst wurde, wurde eine normale Aktie etwa zum

(Fortsetzung der Fußnote auf der nächsten Seite)

man sich auf die Titel mit einem niedrigen KGV unter den großen Unternehmen konzentriert. Dann könnte ein defensiver Investor nun Aktien mit einem KGV von zwölf kaufen - das heißt mit einer Gewinnrendite von 8,33 % auf die Kosten. Er könnte eine Dividendenrendite von 4 % erhalten, und 4,33 % seiner Kosten würden zu seinen Gunsten in das Unternehmen reinvestiert. Auf dieser Grundlage wäre der Überschuss der Ertragskraft gegenüber dem Anleihenzins über zehn Jahre hinweg immer noch zu gering, um eine angemessene Sicherheitsspanne darzustellen. Deshalb haben wir das Gefühl, dass heute selbst in einem diversifizierten Portfolio von Stammaktien reale Risiken bestehen. Die Risiken könnten durch die Gewinnmöglichkeiten des Portfolios vollkommen ausgeglichen werden; und tatsächlich könnte der Investor keine andere Wahl haben, als dieses einzugehen - denn ansonsten ginge er ein noch größeres Risiko ein, und er hätte nur festverzinsliche Ansprüche, die in ständig abgewerteten Dollars ausgezahlt werden. Dennoch wäre es gut, der Investor würde erkennen und akzeptieren, dass das alte Paket aus guten Gewinnmöglichkeiten, kombiniert mit einem kleinen Restrisiko, für ihn nicht mehr zu haben ist.[413]

Allerdings ist das Risiko, für gute Aktien einen zu hohen Kurs zu bezahlen - ein echtes Risiko -, nicht die wirkliche Gefahr, der sich ein Aktienkäufer ausgesetzt sieht. Beobachtungen über viele Jahre hinweg haben uns Folgendes gelehrt: Die größten Verluste für Investoren resultieren daraus, dass sie Aktien schlechter Qualität kaufen, wenn die wirtschaftlichen Bedingungen günstig sind. Die Käufer sehen die aktuellen guten Gewinne als Äquivalent für „Ertragskraft" an und gehen davon aus, dass Wohlstand ein Synonym für Sicherheit ist. In solchen Jahren werden Anleihen und Vorzugsaktien minderer Qualität zu einem Kurs nahe dem Nennwert an das Publikum verkauft, weil sie eine geringfügig höhere Rendite oder ein falsch eingeschätztes Privileg zur Wandlung mit sich bringen. Das ist der Zeitpunkt, zu dem Stammaktien zweifelhafter Unternehmen zu Kursen auf den

---

Elffachen der Gewinne gehandelt, erzielte damit eine Rendite von 9 % gegenüber 4 % bei Anleihen. In diesem Fall hätten Sie eine Sicherheitsspanne von über 100 %. Heute, im Jahr 1972, gibt es keinen Unterschied zwischen der Rendite für Aktien und den Zinsen auf Anleihen, und ich sage, hier gibt es keine Sicherheitsspanne ... Sie haben eine negative Sicherheitsspanne bei Aktien ..." Siehe „Benjamin Graham: Thoughts on Security Analysis" (Mitschrift einer Vorlesung an der Northeast Missouri State University Business School, März 1972), Financial History, Nr. 42, März 1991, S. 9.

413 Dieser Absatz - den Graham zu Beginn des Jahres 1972 schrieb - ist eine äußerst exakte Beschreibung der Börsenbedingungen Anfang 2003. (Weitere Einzelheiten finden Sie im Kommentar zu Kapitel 3.)

Markt gespült werden können, die weit über dem Sachwert liegen und die Kraft haben, zwei oder drei Jahre lang hervorragend zu wachsen.

Diese Wertpapiere bieten in keinerlei Hinsicht eine angemessene Sicherheitsspanne. Die Zinsdeckung der Anleihen und die Deckung der Dividenden für Vorzugsaktien müssen über einige Jahre hinweg getestet werden – auch in einer Zeit, in der die Geschäfte nicht so gut laufen, so wie in den Jahren 1979 bis 1971. Das Gleiche gilt in der Regel für die Gewinne von Stammaktien, wenn sie sich als Indikatoren für die Ertragskraft qualifizieren sollen. Daraus folgt, dass die meisten „Schönwetter-Investitionen", gekauft zu „Schönwetter-Kursen", dazu verurteilt sind, beunruhigende Verluste zu erleiden, sobald der Himmel sich bewölkt – und oft wesentlich früher. So kann der Investor zuversichtlich mit einer Erholung innerhalb eines Jahres rechnen – obgleich das in etlichen Fällen vorkommt –, weil er niemals eine echte Sicherheitsspanne hatte, die ihm durch ungünstige Zeiten hilft.

Die Philosophie der Anlage in Wachstumsaktien verläuft teilweise parallel, und teilweise steht sie im Widerspruch zum Prinzip der Sicherheitsspanne. Die Käufer von Wachstumsaktien verlassen sich auf eine erwartete Ertragskraft, die größer ist als jene, die in der Vergangenheit durchschnittlich vorgewiesen werden konnte. Deshalb kann man sagen, dass diese Käufer die erwarteten Gewinne als Ersatz für die frühere Leistungsbilanz in die Berechnung der Sicherheitsspanne einbeziehen. In der Theorie der Kapitalanlage gibt es keinen Grund, weshalb sorgfältig errechnete künftige Gewinne weniger zuverlässig sein sollten als die Leistungsbilanz der Vergangenheit. Die Aktienanalyse entwickelt sich immer mehr dahin, dass kompetent ermittelte Bewertungen der Zukunft bevorzugt werden. Somit könnte das Konzept der Wachstumsaktien eine ebenso zuverlässige Sicherheitsspanne bieten, wie sie in einer normalen Anlage verwendet wird – vorausgesetzt, die Berechnung der künftigen Gewinne wird konservativ vorgenommen, und weiter vorausgesetzt, sie weist eine angemessene Spanne in Relation zum bezahlten Preis auf.

Und genau hier liegt die Gefahr eines Programms mit Wachstumsaktien. Denn bei diesen favorisierten Titeln weist der Markt die Tendenz auf, Kurse zu stellen, die nicht entsprechend durch eine konservative Prognose der künftigen Gewinne gestützt sind. (Es ist eine Grundregel kluger Kapitalanlage, dass alle Schätzungen, wenn sie von der Performance in der Vergangenheit abweichen, zumindest hinsichtlich der Unterbewertung Irrtümer aufweisen müssen.) Die Sicherheitsspanne hängt immer vom bezahlten Kurs ab. Bei einem niedrigen Kurs ist sie groß, bei einem höheren Kurs klein, und bei noch höheren Kursen ist sie überhaupt nicht vorhanden. Wenn das durchschnittliche Marktniveau der meisten Wachstumsaktien zu hoch liegt, um dem Käufer eine angemessene Sicherheitsspanne zu bieten, dann kann die einfache Technik, in diesem Bereich diversifiziert zu kaufen, für befriedigende Ergebnisse nicht ausreichen. Ein gewisses Maß an Voraussicht und Urteilsvermögen ist erforderlich, damit diese klugen Einzelentscheidungen die Risiken im üblichen Marktniveau solcher Titel überwinden können.

Das Konzept der Sicherheitsspanne wird viel offensichtlicher, wenn wir es auf den Bereich der unterbewerteten oder Schnäppchen-Aktien anwenden. Hier haben wir, entsprechend der Definition, eine günstige Differenz zwischen dem Kurs einerseits und einem angedeuteten oder geschätzten Wert andererseits. Diese Differenz ist die Sicherheitsspanne. Sie wird erforderlich, um die Auswirkungen von fehlerhaften Berechnungen oder mehr Pech als normal auszugleichen. Der Käufer von Schnäppchen-Titeln legt besonderen Wert auf die Fähigkeit der Investition, negativen Entwicklungen zu widerstehen. Denn in den meisten dieser Fälle ist er von den Perspektiven des Unternehmens nicht wirklich begeistert. Es ist zwar richtig, dass der Investor, wenn die Perspektiven wirklich schlecht sind, solche Titel meiden wird, ganz gleich, wie billig sie zu haben sind. Doch Aktien werden durch die vielen Bedenken unterbewertet, vielleicht eine Mehrheit aller, bei denen die Zukunft weder besonders positiv noch besonders negativ gesehen wird. Wenn diese Aktien sehr günstig gekauft werden können, dann kann selbst ein geringfügiger Verlust der Ertragskraft diese Investition nicht davon abhalten, befriedigende Ergebnisse zu liefern. Die Sicherheitsspanne hat dann ihren Zweck erfüllt.

Die Theorie der Diversifizierung

Es gibt eine enge und logische Verbindung zwischen dem Konzept der Sicherheitsspanne und dem Prinzip der Diversifizierung. Das eine Konzept steht in enger Korrelation zum anderen. Selbst mit einer Spanne zugunsten des Investors kann sich eine einzelne Aktie negativ entwickeln. Denn die Spanne garantiert lediglich, dass die Wahrscheinlichkeit eines Gewinns größer ist als die eines Verlustes – nicht aber, dass ein Verlust unmöglich ist. Doch wenn die Anzahl derartiger Engagements erhöht wird, dann steigt die Wahrscheinlichkeit, dass die Summe der Gewinne die Summe der Verluste übersteigen wird. Genau das ist die einfache Grundlage des Versicherungsgeschäfts.

Diversifizierung ist ein etablierter Grundsatz konservativer Kapitalanlage. Wenn ein Anleger dies insgesamt akzeptiert, dann demonstriert er auch die Anerkennung des Prinzips der Sicherheitsspanne, die mit der Diversifizierung einhergeht. Dieser Punkt kann farbiger dargestellt werden, wenn man sich auf die Arithmetik des Roulettes bezieht. Wenn jemand 1 $ auf eine einzige Zahl setzt, dann erhält er einen 35fachen Gewinn, wenn diese Zahl fällt - doch die Chancen stehen 37 zu 1, dass er verlieren wird. Er hat also eine negative Sicherheitsspanne. In diesem Fall ist aber auch eine Diversifizierung dumm. Je mehr Zahlen er besetzt, umso geringer wird die Wahrscheinlichkeit, dass er letztlich mit einem Gewinn nach Hause geht. Wenn er regelmäßig 1 $ auf jede Zahl setzt, einschließlich Zero, dann ist er sicher, dass er bei jeder Umdrehung des Kessels 2 $ verliert. Nehmen wir aber an, dass der Gewinner 39 $ anstatt 35 $ erhält. Dann hätte er eine kleine, aber wichtige Sicherheitsspanne. Dann hätte er umso größere Chancen zu gewinnen, je mehr Zahlen er besetzt. Außerdem könnte er sicher sein, 2 $ zu verdienen, wenn er auf jede Zahl 1 $ setzt. (Zufällig beschreiben diese beiden Beispiele die entsprechenden Positionen eines Spielers und des Croupiers, der das Glücksrad bedient.)[414]

Das Kriterium Kapitalanlage oder Spekulation

Weil es keine Definition für Kapitalanlage gibt, die allgemein Anerkennung findet, haben die Autoritäten das Recht, diesen Begriff nach Belieben auszulegen. Viele von ihnen verneinen, dass es eine sinnvolle oder zuverlässige Unterscheidung zwischen Investition und Spekulation gibt. Wir sind der Meinung, dass diese Skepsis zwar nicht angebracht, aber schädlich ist. Sie ist schädlich, weil sie die Neigung vieler Leute unterstützt, sich der Spannung und den Risiken an den Börsen der Spekulation wegen zu widmen. Unser Vorschlag lautet, das Konzept der

414 Beim „amerikanischen" Roulette enthält der Kessel, zusammen mit den Zahlen 1 bis 36, auch die Zahlen 0 und 00 und damit 38 Fächer. Was ist, wenn Sie auf jede Zahl 1 $ setzen? Weil die Kugel immer nur in ein Fach fällt, würden Sie bei diesem Fach 35 $ gewinnen, doch bei jedem der anderen 37 Fächer 1 $ verlieren, und somit einen Nettoverlust von 2 $ erzielen. Diese 2 $ Differenz (oder eine Spanne von 5,26 % auf Ihren Gesamteinsatz von 38 $) ist der Gewinn der Spielbank oder der „Vorteil des Hauses". Damit wird sichergestellt, dass im Durchschnitt Roulette-Spieler immer mehr verlieren als gewinnen. Genauso, wie es im Interesse des Spielers liegt, so selten wie möglich zu setzen, ist es im Interesse der Spielbank, dass die Kugel rollt. Ebenso sollte der intelligente Investor versuchen, die Anzahl der Beteiligungen zu erhöhen, die eine höhere Wahrscheinlichkeit auf einen Gewinn als auf einen Verlust darstellen. Für die meisten Investoren ist die Diversifizierung die einfachste und billigste Möglichkeit, ihre Sicherheitsspanne zu erweitern.

Sicherheitsspanne als Prüfstein zu nutzen, um eine Investition von einer Spekulation zu unterscheiden.

Wahrscheinlich sind die meisten Spekulanten der Ansicht, die Chancen stünden zu ihren Gunsten, wenn sie sich auf Risiken einlassen, und deshalb könnten sie eine Sicherheitsspanne bei ihrem Vorgehen fordern. Jeder hat das Gefühl, dass die Zeit für seinen Kauf günstig ist oder dass sein Können dem der anderen überlegen ist oder dass sein Berater oder sein System vertrauenswürdig ist. Doch solche Behauptungen sind nicht glaubwürdig. Sie beruhen auf subjektiven Einschätzungen, ohne dass es dafür irgendeinen Beweis oder irgendeine schlüssige Überlegung gibt. Wir haben erhebliche Zweifel, ob derjenige, der sein Geld einsetzt, weil er glaubt, dass die Kurse steigen oder fallen werden, jemals durch eine Sicherheitsspanne, ganz gleich, wie man sie auslegt, geschützt wird.

Im Gegensatz dazu beruht das Konzept der Sicherheitsspanne – das wir weiter oben in diesem Kapitel erläutert haben – auf einfachen und mathematischen Argumentationen auf der Grundlage statistischer Daten. Wir glauben auch, dass dieses Konzept durch die praktische Erfahrung bei der Kapitalanlage sehr wohl untermauert wird. Es gibt keine Garantie dafür, dass dieser grundlegende quantitative Ansatz weiterhin, auch bei bisher unbekannten Bedingungen in der Zukunft, zu günstigen Ergebnissen führen wird. Doch ebenso gibt es keinen schlüssigen Grund für Pessimismus.

Somit sagen wir zusammenfassend: Um tatsächlich zu investieren (und nicht zu spekulieren), muss eine echte Sicherheitsspanne vorliegen. Außerdem kann eine echte Sicherheitsspanne durch Zahlen, durch überzeugende Argumente und durch viel wirkliche Erfahrungen belegt werden.

Die Ausweitung des Anlagekonzepts

Um unsere Diskussion über das Prinzip der Sicherheitsspanne zu vervollständigen, muss man zwischen konventionellen und unkonventionellen Kapitalanlagen unterscheiden. Konventionelle Anlagen sind für ein normales Portfolio angebracht. Unter diesem Titel laufen Staatspapiere und erstklassige Stammaktien, die Dividenden ausschütten. Wir haben noch Anleihen der Bundesstaaten und Kommunen hinzugefügt, von denen man schon allein wegen der steuerlichen Vergünstigungen profitiert. Ebenfalls eingeschlossen sind erstklassige Industrieanleihen, wenn sie, wie zurzeit, zu einem Kurs gekauft werden können, der deutlich rentabler ist als der amerikanischer Sparbriefe.

Unkonventionelle Investitionen sind solche, die sich nur für den eher aggressiven Investor eignen. Sie nehmen einen weiten Bereich ein. Die umfangreichste Kategorie ist die der unterbewerteten Stammaktien zweitklassiger Unternehmen, die wir zum Kauf empfehlen, wenn sie für zwei Drittel oder weniger ihres Wertes zu haben sind. Außerdem gibt es oft eine große Auswahl mittelklassiger Industrieanleihen, wenn sie zu möglichst rückläufigen Kursen und mit einem deutlichen Abschlag von ihrem offensichtlichen Wert gekauft werden können. Diese Wertpapiere würde der normale Investor wahrscheinlich als spekulativ bezeichnen, weil ihnen seinem Verständnis nach ein erstklassiges Rating fehlt, was gleichbedeutend damit ist, dass es sich nicht lohnt, in diese Papiere zu investieren.

Wir behaupten, dass ein ausreichend niedriger Kurs ein Papier mittelmäßiger Qualität in eine vernünftige Anlagemöglichkeit verwandeln kann - vorausgesetzt, der Käufer ist gut informiert, hat viel Erfahrung und diversifiziert entsprechend. Wenn nämlich der Kurs so niedrig ist, dass er eine ausreichende Sicherheitsspanne bietet, dann erfüllt dieses Papier die Kriterien, die wir an eine Kapitalanlage stellen. Unsere liebste Begründung dafür stammt aus dem Bereich der Immobilienanleihen. In den 20er-Jahren wurden diese Papiere im Wert von Milliarden von Dollars verkauft und weithin als vernünftige Investition empfohlen. Ein großer Teil hatte eine so geringe Spanne zwischen dem Wert über die Deckung hinaus, dass sie in Wirklichkeit höchst spekulativ waren. In der Depression der 30er-Jahre zahlten viele die Zinsen nicht, und der Kurs brach ein - in machen Fällen unter zehn Cent für den Dollar. Zu diesem Zeitpunkt wiesen die gleichen Berater, die diese Anleihen als vernünftige Investition bezeichnet hatten, diese Papiere als höchst spekulativ und wenig attraktiv zurück. Tatsächlich jedoch wurden viele dieser Papiere durch die Entwertung des Kurses um 90 % außerordentlich attraktiv und einigermaßen sicher - denn der wahre Wert dahinter machte die vier- oder fünffache Börsennotierung aus.[415]

Die Tatsache, dass der Kauf dieser Anleihen tatsächlich zu einem „hohen spekulativen Gewinn" führte, konnte sie nicht daran hindern, bei diesen niedrigen Kursen die Eigenschaften vorzuweisen, die sie zu einer wirklichen Investition machten. Der „Spekulationsgewinn" war die Belohnung für die Käufer, weil sie

---

415 Graham sagt damit, dass es weder eine gute noch eine schlechte Aktie gibt; es gibt lediglich billige und teure Aktien. Selbst das beste Unternehmen wird zu einem „Verkauf", wenn der Aktienkurs zu hoch steigt, während die schlechtesten Unternehmen es wert sind, gekauft zu werden, wenn der Kurs nur weit genug gefallen ist.

sich auf ein cleveres Engagement eingelassen hatten. So etwas kann man mit Fug und Recht als Anlagechance bezeichnen, weil eine sorgfältige Analyse gezeigt hätte, dass der Überschuss an Wert gegenüber dem Kurs eine große Sicherheitsspanne bot. Somit ist die Klasse der „Schönwetter-Investitionen", die wir oben anführten, eine der hauptsächlichen Quellen für schwere Verluste für naive Wertpapierkäufer, gleichermaßen aber auch eine Quelle vieler vernünftiger Gewinnmöglichkeiten für den kundigen Anleger, der sie später zu seinem Wunschkurs kaufen könnte.[416]

Der gesamte Bereich der „Sondersituationen" würde unserer Definition nach zu den Investitionen gehören, weil der Kauf immer auf einer gründlichen Analyse beruht, die eine höhere Gewinnrealisierung verspricht als der Kurs, den man gezahlt hat. Zwar gibt es in jedem einzelnen Fall auch Risikofaktoren, aber diese wurden in der Kalkulation berücksichtigt und werden im Gesamtergebnis von einem diversifizierten Portfolio aufgefangen.

Um die Diskussion auf die Spitze zu treiben, könnten wir behaupten, dass eine defensive Kapitalanlage auch darin bestehen könnte, solch immaterielle Werte zu kaufen, wie sie durch eine Gruppe von „Bezugsrechten auf Optionen auf Stammaktien" repräsentiert werden, die zu einem historischen Tiefststand gehandelt werden. (Dieses Beispiel haben wir gewählt, um Sie ein wenig zu schockieren.)[417] Der gesamte Wert dieser Bezugsrechte beruht auf der Möglichkeit, dass die damit verbundenen Aktien eines Tages über den Ausübungskurs der Aktie steigen. Im Augenblick könnten sie keinen realisierbaren Wert haben. Dennoch, da die ge-

416 Genau die Leute, die Ende 1999 und Anfang 2000 Technologie- und Telekommunikationspapiere als „sichere Sache" bezeichneten, als der Kurs höllisch übertrieben war, beschimpften sie 2002 als „zu riskant" – selbst wenn, mit Grahams Worten aus einer früheren Zeit, „der Kursverfall von etwa 90 % viele dieser Papiere außerordentlich attraktiv und hinreichend sicher machte". Ganz ähnlich tendierten die Analysten der Wall Street dazu, eine Aktie als „strong buy" zu bezeichnen, wenn der Kurs sehr hoch war, und sie mit einem „sell" zu versehen, nachdem der Kurs gefallen war – genau das Gegenteil dessen, was Graham (und der gesunde Menschenverstand) vorschreiben würde. Im gesamten Buch unterscheidet Graham Spekulation – oder das Kaufen in der Hoffnung auf steigende Kurse – von der Kapitalanlage oder dem Kaufen auf der Grundlage des Wertes des zugrunde liegenden Unternehmens.

417 Graham benutzt „Bezugsrechte auf Optionen für Stammaktien" als Synonym für Bezugsrechte (Warrants), ein Wertpapier, das direkt von einem Unternehmen emittiert wird und dem Inhaber das Recht gibt, die Stammaktie des Unternehmens zu einem vorher bestimmten Kurs zu kaufen. Bezugsrechte wurden inzwischen fast völlig durch Aktienoptionen verdrängt. Graham stichelt, dass er dieses Beispiel als Schock verwenden wolle, denn sogar zu seiner Zeit wurden Bezugsrechte als eines der zwielichtigsten Kapitel der Börse angesehen. (Siehe Kommentar zu Kapitel 16.)

samte Investition auf begründeten künftigen Erwartungen beruhen kann, ist es richtig, diese Bezugsrechte als mathematische Chance zu betrachten, dass in der Zukunft ein Bullenmarkt ihren Wert und ihren Kurs stark steigen lässt. Eine derartige Studie könnte sehr wohl die Schlussfolgerung erlauben, dass es wesentlich mehr zu gewinnen als zu verlieren gibt und die Chancen auf einen letztendlichen Gewinn wesentlich besser sind als das Risiko eines letztendlichen Verlustes. Wenn das so ist, dann gibt es auch eine Sicherheitsspanne in dieser reizlosen Form eines Wertpapiers. Ein ausreichend aggressiver Anleger könnte dann ein Bezugsrecht auf Optionen in eine Mischung unkonventioneller Kapitalanlagen aufnehmen [61].

Fassen wir zusammen

Investitionen sind dann am intelligentesten, wenn sie geschäftsmäßig betrieben werden. Es ist erstaunlich zu beobachten, wie viele fähige Geschäftsleute versuchen, an der Wall Street unter völliger Missachtung aller vernünftigen Prinzipien zu agieren, durch die sie in ihren eigenen Unternehmen erfolgreich wurden. Dennoch sollte die Aktie einer Aktiengesellschaft auf den ersten Blick mit dem Interesse eines Miteigentümers oder einem Anspruch gegenüber einer bestimmten Firma betrachtet werden. Und wenn jemand von Aktienkäufen und -verkäufen profitieren will, dann begibt er sich auf ein Geschäftsfeld, in dem er sich in Übereinstimmung mit den anerkannten Grundregeln der Geschäftsführung bewegen muss, wenn er Erfolg haben will.

Die erste und offensichtlichste dieser Grundregeln ist: „Du sollst wissen, was du tust – du sollst dein Geschäft kennen." Für den Investor bedeutet dies: „Versuche nicht, aus Wertpapieren geschäftliche Gewinne zu ziehen – das heißt Gewinne, die höher sind als normale Zinsen und Einnahmen aus Dividenden –, wenn du nicht ebenso viel über den Wert von Wertpapieren weißt wie über die Ware, die du herstellst oder verkaufst."

Ein weiterer Grundsatz der Geschäftstätigkeit: „Lasse nicht zu, dass jemand dein Geschäft führt, wenn du (1) seine Leistung nicht mit angemessener Sorgfalt und Kenntnis überwachen kannst oder (2) du außerordentlich wichtige Gründe hast, besonderes Vertrauen in seine Integrität und in seine Fähigkeiten zu setzen." Für den Investor sollte diese Regel die Bedingungen festlegen, unter denen er bereit ist, jemandem die Entscheidungsbefugnis darüber zu erteilen, was mit seinem Geld geschieht.

Ein drittes Geschäftsprinzip lautet: „Lasse dich auf kein Geschäft ein – das heißt etwas herzustellen oder zu vertreiben –, wenn nicht eine zuverlässige Kalkulation zeigt, dass eine faire Chance besteht, eine vernünftige Rendite zu erzielen. Insbesondere sollst du dich von Abenteuern fernhalten, bei denen du wenig verdienen, aber viel verlieren kannst." Für den aggressiven Investor bedeutet dies, dass sein Trachten nach Gewinnen nicht auf Optimismus, sondern auf Mathematik gegründet sein soll. Für jeden Investor bedeutet dies, dass er, wenn er seine Rendite auf geringe Zahlen reduziert – wie früher auf konventionelle Anleihen oder Vorzugsaktien –, überzeugende Beweise dafür fordern muss, dass er nicht einen wesentlichen Teil seines Anlagekapitals aufs Spiel setzt.

Das vierte Geschäftsprinzip ist ein wenig positiver formuliert: „Habe den Mut, dich auf dein Wissen und deine Erfahrung zu verlassen. Wenn du zu einem Entschluss gekommen bist, der sich auf Fakten gründet, und wenn du weißt, dass dein Urteilsvermögen vernünftig ist, dann solltest du danach handeln – selbst wenn andere zögern oder anderer Meinung sind." (Sie haben weder Recht noch Unrecht, auch wenn die meisten Menschen eine andere Meinung vertreten. Sie haben Recht, weil Ihre Daten und Ihre Überlegungen richtig sind.) Gleichermaßen wird Mut in der Welt der Wertpapiere zur höchsten Tugend, aber erst *nach* angemessenem Wissen und einem erwiesenen Urteilsvermögen.

Zum Glück für den normalen Investor ist es für seinen Erfolg überhaupt nicht erforderlich, dass diese Eigenschaften bei seinen Vorhaben zum Tragen kommen – *vorausgesetzt*, er begrenzt seine Ambitionen auf sein Können und seine Aktivitäten auf den engen und sicheren Pfad der normalen und defensiven Kapitalanlage. Befriedigende Anlageergebnisse zu erzielen ist leichter, als die meisten Menschen wissen. Überragende Erfolge zu erzielen ist schwieriger, als es aussieht.

Kommentar zu Kapitel 20

> Wenn es uns nicht gelingt, in einer Welt unendlicher Möglichkeiten das Unvorhersehbare zu antizipieren oder das Unerwartete zu erwarten, dann werden wir selbst jemandem oder etwas auf Gedeih und Verderb ausgeliefert sein, das nicht programmiert, kategorisiert oder leicht beweisbar ist.
>
> *Agent Fox Mulder, The X-Files*

Erstens: Verliere nicht

Was ist Risiko?

Abhängig davon, wen und wann Sie fragen, werden Sie unterschiedliche Antworten erhalten. Im Jahr 1999 bedeutete Risiko nicht, Geld zu verlieren; es bedeutete, weniger Geld zu verdienen als andere. Manche Leute befürchteten, bei einem Grillabend auf jemanden zu treffen, der noch schneller noch reicher wurde, indem er Dotcoms im Daytrading handelte. Dann, ziemlich plötzlich, bedeutete Risiko im Jahr 2003, dass die Börse weiter fallen würde, bis jede Spur von Wohlstand weggefegt wurde, die immer noch verblieben war.

Während die Bedeutung fast so schillernd und unbeständig erscheint wie die Börsen selbst, hat Risiko einige profunde und andauernde Eigenschaften. Die Leute, die sich in einem Bullenmarkt auf die waghalsigsten Glücksspiele einlassen und dabei die höchsten Gewinne einstreichen, sind fast immer auch diejenigen, die es in einem unweigerlich folgenden Bärenmarkt am härtesten trifft. (Recht zu haben macht Spekulanten sogar noch begieriger, zusätzliche Risiken einzugehen, weil ihre Zuversicht Feuer gefangen hat.) Und wenn man einmal wirklich viel Geld verliert, dann muss man das Glück sogar noch mehr herausfordern, nur um dorthin zu kommen, wo man am Anfang stand, ebenso wie auf einer Rennstrecke oder in einer Spielbank, wo die Spieler nach jedem Fehlversuch verzweifelt ihren Einsatz verdoppeln. Wenn sie nicht ausgesprochenes Glück haben, dann ist dies der kürzeste Weg in die Katastrophe. Kein Wunder, dass der legendäre Finanzier J. K. Klingenstein von Wertheim & Co. auf die Bitte hin, alles zu erzählen, was er in seiner langen Karriere darüber gelernt hatte, wie man reich wird, nur antwortete: „Man darf nicht verlieren."[418] Diese Grafik zeigt, was er damit gemeint hatte:

Abb. 20-1: Die Kosten von Verlusten

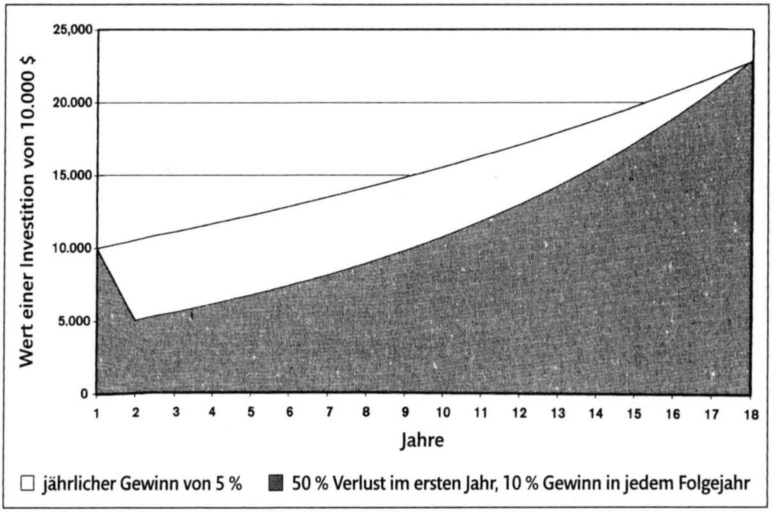

Stellen Sie sich vor, Sie finden eine Aktie, von der Sie glauben, sie könnte jährlich um 10 % wachsen, selbst wenn der Markt als Ganzes nur um 5 % jährlich wächst. Leider sind Sie so begeistert, dass Sie einen zu hohen Kurs bezahlten und die Aktie im ersten Jahr einen Verlust von 50 % hinnehmen musste. Selbst wenn die Aktie anschließend die doppelte Rendite des Gesamtmarktes erzielt, wird es länger als 16 Jahre dauern, bis Sie den Markt wieder eingeholt haben – ganz einfach, weil Sie zu viel bezahlt und am Anfang zu viel verloren haben.

Ein wenig Geld zu verlieren ist bei der Kapitalanlage ganz normal, und Sie können nichts tun, um dies zu verhindern. Doch um ein intelligenter Investor zu sein, müssen Sie die Verantwortung dafür übernehmen sicherzustellen, dass Sie nie den größten Teil Ihres Geldes verlieren oder gar einen Totalverlust erleiden. Die hinduistische Göttin des Reichtums, Lakshimi, wird oft auf den Fußspitzen stehend dargestellt, bereit, jeden Moment wegzulaufen. Um sie symbolisch festzuhalten, binden einige Verehrer der Göttin ihre Statue fest oder sie nageln die Füße am Boden fest. Für den intelligenten Investor erfüllt Grahams Sicherheitsspanne die gleiche Funktion: Wenn man sich weigert, für eine Aktie zu viel zu bezahlen, minimiert man die Wahrscheinlichkeit, dass der Wohlstand für immer verschwindet oder plötzlich vernichtet wird.

418 Nacherzählt von dem Anlageberater Charles Ellis in Jason Zweig, „Wall Streets Wisest Man", Money, Juni 2001, S. 49–52.

Denken Sie doch einmal daran: In den vier Quartalen, die im Dezember 1999 endeten, machte JDS Uniphase Corp., der Hersteller von Glasfibermaterialien, 673 Millionen $ Nettoumsatz und verlor dabei 313 Millionen $. Der Sachwert betrug 1,5 Milliarden $. Doch am 7. März 2000 erreichte Uniphase einen Kurs von 153 $, was dem Unternehmen einen Wert von 143 Milliarden $ verlieh.[419] Und dann, wie die meisten Aktien des „neuen Zeitalters", brach JDS ein. Jeder, der die Aktie an diesem Tag gekauft hatte und daran bis Ende 2002 festhielt, sah sich diesem Risiko ausgesetzt:

Abb. 20-2: Den Break-even zu schaffen ist schwierig

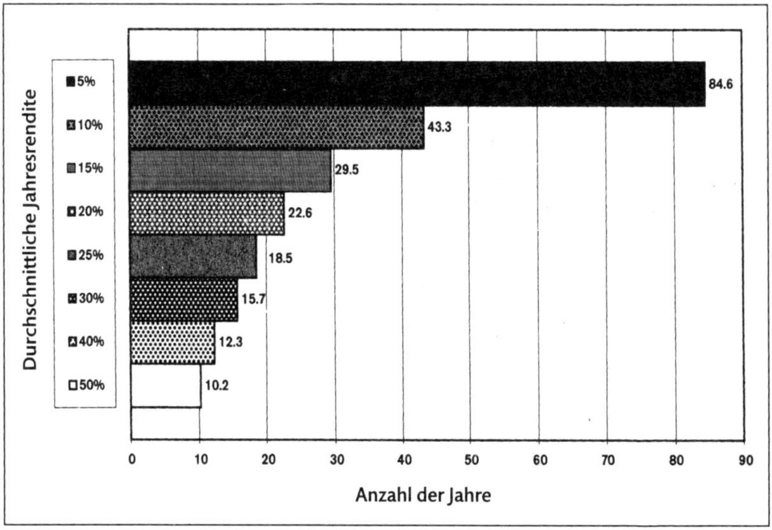

Hätten Sie die Aktie von Uniphase am 7. März 2000 zum Höchstkurs von 153,421 $ gekauft und sie bis zum Jahresende 2002 gehalten, als sie mit 2,47 $ schloss, wie lange würde es dauern, bis Sie den Kaufkurs zu verschiedenen jährlichen Renditen wieder erreicht hätten?

Selbst bei einer ständigen Rendite von 10 % würde es mehr als 43 Jahre lang dauern, diesen zu hohen Preis wieder hereinzuholen!

419 Der Kurs von JDS Uniphase wurde um spätere Aktiensplits korrigiert.

Das Risiko liegt nicht in unseren Aktien, sondern in uns selbst

Das Risiko existiert in einer anderen Dimension: in Ihnen selbst. Wenn Sie überschätzen, wie gut Sie eine Investition wirklich verstehen, oder Ihre Fähigkeit überschätzen, einen vorübergehenden Kurseinbruch überstehen zu können, dann spielt es keine Rolle, was sie besitzen und wie es an der Börse läuft. Letztlich liegt das finanzielle Risiko nicht in der Art der Kapitalanlage, sondern darin, welcher Anleger Sie sind. Wenn Sie wissen wollen, was Risiko wirklich ist, dann gehen Sie schnell ins Badezimmer und stellen sich vor den Spiegel. Das Risiko ist das, was Ihnen aus dem Spiegel entgegenblickt.

Wenn Sie in den Spiegel sehen, worauf sollten Sie dann achten? Der Nobelpreisgewinner und Psychologe Daniel Kahneman erklärt zwei Faktoren, die gute Entscheidungen charakterisieren:

- **„gut abgestimmte Zuversicht"** (Verstehe ich diese Investition wirklich so gut, wie ich es glaube?)
- **„richtig antizipiertes Bedauern"** (Wie werde ich reagieren, wenn sich meine Analyse als falsch erweist?)

Um herauszufinden, ob Ihre Zuversicht gut eingestellt ist, schauen Sie in den Spiegel und fragen sich selbst: Wie hoch ist die Wahrscheinlichkeit, dass meine Analyse richtig ist? Überlegen Sie die folgenden Fragen sorgfältig:

- Wie viel Erfahrung habe ich? Wie sieht die Leistungsbilanz der vergangenen Jahre bei ähnlichen Entscheidungen aus?
- Wie sieht die Leistungsbilanz anderer Anleger aus, die genau dies schon versucht haben?[420]
- Wenn ich kaufe, dann verkauft ein anderer. Wie wahrscheinlich ist es, dass ich etwas weiß, das die andere Person (oder das andere Unternehmen) nicht weiß?
- Wenn ich verkaufe, dann kauft ein anderer. Wie wahrscheinlich ist es, dass ich etwas weiß, das die andere Person (oder das andere Unternehmen) nicht weiß?
- Habe ich berechnet, wie viel diese Investition im Wert steigen muss, damit ich zumindest die Steuern und die Transaktionskosten wieder hereinhole?

---

420 Niemand, der die Antwort auf diese Frage gründlich untersucht und die Ergebnisse ehrlich akzeptiert hat, hätte jemals IPOs gekauft oder gehandelt.

- Dann sehen Sie in den Spiegel, um herauszufinden, ob Sie ein Mensch sind, der sein Bedauern richtig antizipieren kann. Die erste Frage sollte sein: „Verstehe ich wirklich die Folgen, wenn meine Analyse sich als falsch erweist?" Beantworten Sie diese Frage, indem Sie die folgenden Punkte bedenken:
- Wenn ich im Recht bin, dann kann ich eine Menge Geld verdienen. Was aber ist, wenn ich im Unrecht bin? Wie viel könnte ich, auf der Grundlage der früheren Performance bei ähnlichen Investitionen, verlieren?
- Habe ich andere Kapitalanlagen, die mich über Wasser halten, wenn diese Entscheidung sich als falsch erweisen sollte? Habe ich bereits Aktien, Anleihen oder Fondsanteile, deren Wert gestiegen ist, wenn die Art von Investition, die ich jetzt plane, an Wert verliert? Riskiere ich mit dieser Investition einen zu großen Teil meines Kapitals?
- Wenn ich mir sage: „Ich kann Risiken ertragen", woran erkenne ich das? Habe ich bei einer Kapitalanlage schon einmal Geld verloren? Wie fühlte ich mich dabei? Habe ich nachgekauft, oder bin ich ausgestiegen?
- Verlasse ich mich allein auf meine Willenskraft, damit ich nicht zur falschen Zeit von Panik ergriffen werde? Oder kontrolliere ich mein Verhalten dadurch, dass ich im Voraus diversifiziert habe, einen Anlagevertrag unterschrieben habe und regelmäßig einen bestimmten Betrag anlege?

Sie sollten immer an die Worte des Psychologen Paul Slovic denken, dass „Risiko aus einer gleich großen Dosis zweier Zutaten besteht – Wahrscheinlichkeiten und Konsequenzen".[421] Bevor Sie investieren, müssen Sie sicher sein, dass Sie die Wahrscheinlichkeit, Recht zu haben, realistisch eingeschätzt haben, und wie Sie auf die Konsequenzen reagieren werden, wenn dies nicht der Fall ist.

Pascals Wette

Der Investmentphilosoph Peter Bernstein hat eine andere Möglichkeit gefunden, dies darzustellen. Er geht auf Blaise Pascal zurück, den großen französischen Mathematiker und Theologen (1623–1662), der ein gedankliches Experiment entwickelte, in dem ein Ungläubiger wetten muss, ob es Gott gibt oder nicht. Der Wetteinsatz, den diese Person aufbringen muss, ist seine Art zu leben; der Höchstgewinn in diesem Glücksspiel ist das Schicksal seiner Seele nach seinem

421 Paul Slovic, „Informing and Educating the Public about Risk", Risk Analysis, Bd. 6, Nr. 4 (1986) S. 412.

Tod. In dieser Wette, so versichert Pascal, „kann die Vernunft nicht entscheiden", wie groß die Wahrscheinlichkeit ist, dass es Gott gibt. Entweder gibt es Gott, oder es gibt ihn nicht - und nur der Glaube, nicht die Vernunft kann diese Frage beantworten. Doch während die Wahrscheinlichkeit in Pascals Wette einem Münzwurf gleicht, sind die Konsequenzen eindeutig und absolut sicher. Bernstein erklärt dazu:

> Gehen wir davon aus, Sie handeln so, als ob Gott existierte, und Sie führten ein Leben voller Tugend und Abstinenz, obwohl es tatsächlich keinen Gott gibt. Ihnen sind im Leben einige Leckerbissen entgangen, aber es wird auch Belohnungen geben. Nun nehmen Sie an, dass es keinen Gott gibt, und Sie führen ein Leben voller Sünden, Selbstsucht und Lust. Wenn es Gott dann nun doch gibt? Vielleicht hatten Sie viel Spaß und Nervenkitzel während der relativ kurzen Zeit Ihres Lebens, doch wenn der Tag des Jüngsten Gerichts kommt, dann haben Sie echte Probleme.[422]

Bernstein zieht daraus den folgenden Schluss: „Wenn man bei Unsicherheit Entscheidungen trifft, dann müssen die Konsequenzen die Wahrscheinlichkeiten dominieren. Wir werden die Zukunft niemals kennen." Somit muss sich der intelligente Investor, wie Graham in jedem Kapitel dieses Buchs erklärt hat, nicht nur darauf konzentrieren, richtig zu analysieren. Sie müssen sich für den Fall, dass Ihre Analyse sich als falsch herausstellt - wie es selbst bei den besten Analysen zumindest ab und zu vorkommt -, auch gegen Verluste absichern. Die Wahrscheinlichkeit, dass Sie in der Zeit, in der Sie investieren, mindestens einen Fehler begehen, liegt wirklich bei 100 %, und dieses Risiko können Sie nicht kontrollieren. Allerdings haben Sie die Kontrolle über die Konsequenzen für den Fall, dass Sie sich irren. Viele „Investoren" setzten 1999 wirklich ihr gesamtes Geld auf die Dotcom-Unternehmen; eine Online-Umfrage unter 1.338 Amerikanern, die 1999 von der Zeitschrift *Money* durchgeführt wurde, kam zu dem Ergebnis, dass nahezu ein Zehntel der Befragten mindestens 85 % ihres Geldes in Internet-Aktien investiert hatte. Indem sie Grahams Forderung nach einer Sicherheitsspanne nicht gefolgt waren, standen diese Anleger auf der falschen Seite von „Pascals Wette". Weil sie

---

422 „Die Wette" in Blaise Pascal, Pensées (Penguin Books, London und New York, 1995) S. 122-125; Peter L. Bernstein, Against the Gods (John Wiley & Sons, New York, 1996) S. 68-70; Peter L. Bernstein, „Decision Theory in Iambic Pentameter", EconomicS&Portfolio Strategy, 1. Januar 2003, S. 2.

sich sicher waren, im Recht zu sein, unternahmen sie nichts gegen die Folgen für den Fall, dass sie sich geirrt hatten.

Wenn Sie Ihre Anlagen ganz einfach immer diversifizieren und sich weigern, Ihr Geld den letzten und verrücktesten Modeerscheinungen von Mr. Market nachzuwerfen, können Sie sicher sein, dass die Konsequenzen Ihrer Fehler nie zu einer Katastrophe ausarten. Was immer Ihnen Mr. Market auch anbieten mag, immer können Sie mit ruhiger Zuversicht sagen: „Auch das wird vorübergehen."

Nachwort

Wir kennen zwei Partner sehr gut, die einen großen Teil ihres Lebens damit verbracht haben, ihr eigenes Geld und das Geld anderer Leute an der Wall Street zu verwalten. Einige harte Erfahrungen haben sie gelehrt, dass es besser ist, sicher und sorgfältig vorzugehen, anstatt das gesamte Geld der Welt verdienen zu wollen. Sie entwickelten einen einzigartigen Ansatz zur Anlage in Wertpapiere, der gute Gewinnmöglichkeiten mit vernünftigen Werten verband. Sie vermieden alles, was zu teuer erschien, und waren eher zu schnell, sich dieser Titel zu entledigen, sobald sie ein Kursniveau erreicht hatten, von dem sie glaubten, es sei nicht mehr attraktiv. Ihr Portfolio, in dem stets mehr als 100 verschiedene Titel enthalten waren, war immer gut diversifiziert. Auf diese Weise erging es ihnen über viele Jahre von Hochs und Tiefs an der Börse ziemlich gut; sie erzielten durchschnittlich eine jährliche Rendite von 20 % auf die mehreren Millionen Dollar an Kapital, das sie zur Verwaltung übernommen hatten, und ihre Kunden waren von den Ergebnissen höchst angetan.[423]

In dem Jahr, in dem die erste Auflage dieses Buches erschien, wurde dem Fonds der Partner ein Angebot unterbreitet, die Hälfte eines wachsenden Unter-

423 Die beiden Partner, auf die sich Graham bescheiden bezieht, sind Jerome Newman und Benjamin Graham selbst.

nehmens zu kaufen. Aus irgendeinem Grund fand diese Branche nicht den Beifall der Wall Street, und das Geschäft wurde von etlichen bedeutenden Investmentfirmen abgelehnt. Doch die beiden waren von den Möglichkeiten des Unternehmens beeindruckt; entscheidend für sie war der relativ niedrige Kurs in Relation zu den aktuellen Gewinnen und dem Vermögenswert. Die Partner übernahmen das Unternehmen und bezahlten dafür mit etwa einem Fünftel ihres Fondsvermögens. Sie identifizierten sich sehr mit den Interessen des neuen Geschäfts, das richtiggehend aufblühte.[424]

Es lief so gut, dass der Kurs der Aktien auf mehr als den 200fachen Kaufpreis für die halbe Beteiligung anstieg. Der Kursanstieg lag weitaus höher als der Gewinnzuwachs, und fast von Beginn der Notierung an schien er nach den Anlagegrundsätzen der Partner zu hoch. Doch weil sie die Versicherungsgesellschaft als eine Art von „Familienunternehmen" betrachteten, behielten sie trotz des spektakulären Kursanstiegs eine hohe Beteiligung. Viele Anteilsinhaber ihres Fonds machten das Gleiche, und durch ihre Beteiligung an diesem einzigen Unternehmen wurden sie in dieser Zeit zu Millionären, zudem später einige Tochtergesellschaften gegründet wurden.[425]

Es ist reine Ironie, dass alle Gewinne, die aus dieser einzigen Anlageentscheidung resultierten, die Summe aller anderen Anlageentscheidungen in den 20 Jahren zuvor überstiegen, in denen weit reichende Aktionen der Partner in sehr spezialisierten Bereichen zählten, wobei viele Recherchen, endlose Überlegungen und zahlreiche Einzelentscheidungen notwendig waren.

Gibt es Lehren aus dieser Geschichte, die für einen intelligenten Investor wertvoll sind? Eine ganz offensichtliche Lehre ist, dass es verschiedene Möglichkeiten

---

424 Graham beschreibt hier die Government Employees Insurance Co. oder GEICO, an der er und Newman 1948 mit 50 % beteiligt waren, genau zu der Zeit, als er das Buch „The Intelligent Investor" beendet hatte. Die 712.500 $, die Graham und Newman in GEICO anlegten, machten etwa 25 % des damals von ihnen verwalteten Fondsvermögens aus. Graham war lange Jahre Mitglied des Aufsichtsrats von GEICO. Wie das Schicksal es wollte, setzte Warren Buffett, einer der besten Schüler Grahams, im Jahr 1976 selbst sehr hoch auf GEICO, als diese große Versicherungsgesellschaft zu dieser Zeit an der Schwelle zum Konkurs stand. Dies jedoch stellte sich als eine der besten Investitionen Buffetts heraus.

425 Wegen einer technisch-rechtlichen Frage wurden Graham und Newman angewiesen, die Graham-Newman-Corp.-Beteiligung an GEICO „abzuwickeln" oder aufzuteilen. Ein Investor, der im Jahr 1948 100 Anteile an Graham-Newman hatte (Wert 11.413 $) und sie dann bis zur Aufteilung von GEICO hielt, hätte 1972 einen Wert von 1,66 Millionen $ gehabt. Zu GEICOs später organisierten Tochtergesellschaften gehörten Government Employees Financial Corp. und Criterion Insurance Co.

gibt, an der Wall Street Geld zu verdienen und es auch zu behalten. Eine weitere Lehre – nicht ganz so offensichtlich – ist, dass ein einziger Glücksfall oder eine einzige kluge Entscheidung – Kann man das überhaupt unterscheiden? – mehr einbringt als die lebenslangen Anstrengungen eines Wandergesellen [62]. Doch hinter dem Glück oder der ausschlaggebenden Entscheidung müssen normalerweise Vorbereitungen und diszipliniertes Können stehen. Man muss schon ziemlich etabliert und anerkannt sein, damit diese Chancen an der Tür klopfen. Man braucht die Mittel, das Urteilsvermögen und den Mut, sie zum Vorteil zu nutzen.

Natürlich können wir nicht allen intelligenten Investoren, die immer sowohl klug als auch aufmerksam sind, eine ähnliche spektakuläre Erfahrung versprechen. Wir wollen nicht mit J. J. Rascobs Slogan schließen, über den wir uns schon zu Beginn lustig machten: „Jeder kann reich sein." Doch interessante Möglichkeiten, die mit der Finanzszene in Verbindung stehen – und der intelligente und ein wenig aggressiver Investor sollte in der Lage sein, in diesem Zirkus mit drei Arenen sowohl Freude als auch Gewinn zu finden. Spannung ist garantiert.

Kommentar zum Nachwort

Zur erfolgreichen Kapitalanlage gehört das Risikomanagement, nicht jedoch das Vermeiden von Risiken. Wenn Sie feststellen, dass Graham 25 % der Mittel seines Fonds auf eine einzige Aktie setzte, könnten Sie auf den ersten Blick glauben, er hätte sich mit dem Geld seiner Anleger auf ein Glücksspiel eingelassen. Doch wenn Sie erfahren, dass Graham sorgfältig eruiert hatte, dass er GEICO liquidieren könnte und dabei kein Geld verlieren würde, dann wird deutlich, dass er nur ein geringes finanzielles Risiko einging. Aber er brauchte enormen Mut, um das psychologische Risiko eines so hohen Einsatzes auf eine unbekannte Aktie auf sich zu nehmen.[426]

Außerdem sind die Schlagzeilen von heute voller angsteinflößender Fakten und ungelöster Risiken: der Tod des Bullenmarktes der 90er-Jahre, schleppendes wirtschaftliches Wachstum, Betrug in Aktiengesellschaften, das Schreckgespenst von Terrorismus und Krieg. „Anleger mögen keine Unsicherheit", betonen Börsenstrategen in Fernsehsendungen über Finanzen oder in der Tageszeitung. Doch Anleger mochten noch nie Unsicherheit – und dennoch ist sie die grundlegendste und andauernde Situation in der Welt der Kapitalanlage. Das war schon immer so und wird auch immer so bleiben. Im Kern sind Unsicherheit und Kapitalanlage Synonyme. In der realen Welt hatte noch nie jemand die Fähigkeit zu erkennen, dass ein bestimmter Zeitpunkt der beste ist, um Aktien zu kaufen. Ohne den rettenden Glauben an die Zukunft würde niemand jemals investieren. Um ein Investor zu werden, müssen Sie an eine bessere Zukunft glauben.

Der belesenste aller Investoren, Benjamin Graham, liebte die Sage von Odysseus, die von Homer erzählt wird, er liebte Alfred Tennyson und Dante. Am Ende seines Lebens genoss Graham die Szene in Dantes Inferno, als Odysseus beschreibt, wie er seine Mannschaft motivierte, nach Westen, jenseits der Säulen des Herkules, in unbekannte Gewässer zu segeln:

---

426 Grahams Anekdote ist auch eine Erinnerung daran, dass diejenigen unter uns, die nicht so brillant sind, wie er es war, immer diversifizieren müssen, um sich dagegen abzusichern, dass sie zu viel Geld in eine Investition einbringen. Wenn Graham selbst zugibt, dass GEICO ein „glücklicher Zufall" war, dann ist dies ein Zeichen dafür, dass die meisten von uns nicht damit rechnen können, eine so großartige Chance zu finden. Damit aus der Kapitalanlage kein Verlustgeschäft oder Glücksspiel wird, müssen Sie diversifizieren.

Brüder, die durch Tausend' von Gefahren
Ihr hier im Abend kühn euch eingestellt,
Verwendet jetzt, um Neues zu erfahren,
Weil Seele noch und Leib zusammenhält,
Den kurzen Rest von eurem Erdenleben;
Der Sonne nach zur unbewohnten Welt!
Bedenkt, wozu dies Dasein euch gegeben;
Nicht um dem Viehe gleich zu brüten, nein,
Um Wissenschaft und Jugend zu erstreben.
Den Meinen schien dies Wort ein Sporn zu sein,
Kaum hielt ich sie, hätt' ich gewollt, im Zügel,
Und rastlos ging's ins weite Meer hinein.
Erst morgenwärts gewandt des Schiffes Spiegel
Ging unser toller Flug dann linker Hand,
Und seiner Eil' verlieh'n die Ruder Flügel.[427]

Auch die Kapitalanlage ist ein Abenteuer; die finanzielle Zukunft ist immer eine noch nicht kartierte Welt. Mit Graham als Ihrem Steuermann sollte Ihre lebenslange Reise der Kapitalanlage ebenso sicher und zuversichtlich wie abenteuerlich sein.

427 Dante Alighieri, Inferno, Gesang 26, Zeilen 112 125, aus dem Projekt Gutenberg.de, siehe http://gutenberg.spiegel.de/dante/komoedie/komoedie.htm.

Anhang 1

Die Superinvestoren von Graham-and-Doddsville

Von Warren E. Buffett

Anmerkung: Dieser Beitrag ist ein überarbeitetes Manuskript eines Vortrags, der 1984 an der Columbia University anlässlich des 50. Geburtstags der Security Analysis, *verfasst von Benjamin Graham und David L. Dodd, gehalten wurde. Dieser spezielle Band führte zum ersten Mal in die Vorstellungen ein, die später in* The Intelligent Investor *populär wurden. Buffetts Essay bietet eine faszinierende Studie dessen, wie Grahams Schüler den Ansatz des „Value-Investing" von Graham nutzten, um phänomenale Erfolge an der Börse zu erzielen.*

Ist der Ansatz von Graham und Dodd „Suchen Sie nach Werten mit einer signifikanten Sicherheitsspanne in Relation zu ihrem Kurs" in der Aktienanalyse aus der Mode gekommen? Viele Professoren, die heute Lehrbücher schreiben, bejahen dies. Sie behaupten, dass die Börse effizient ist, das heißt, dass die Aktienkurse alles reflektieren, was über die Aussichten eines Unternehmens bekannt ist, aber auch über die aktuelle wirtschaftliche Situation. Es gibt keine unterbewerteten Aktien, behaupten diese Theoretiker, weil es clevere Aktienanalysten gibt, die alle verfügbaren Informationen verwenden, um unfehlbar angemessene Kurse zu prognostizieren. Anleger, die den Markt anscheinend Jahr für Jahr übertreffen, haben lediglich Glück. „Wenn die Kurse alle verfügbaren Informationen enthalten, dann ist die Erfahrung mit dieser Art der Kapitalanlage endgültig vorbei", so schreibt einer der Lehrbuchautoren heute.

Nun ja, vielleicht. Aber ich möchte Ihnen eine Gruppe von Anlegern vorstellen, die Jahr für Jahr den S&P geschlagen haben. Die Hypothese, dass sie dies ausschließlich durch reines Glück geschafft haben, sollte man zumindest einmal untersuchen. Kritisch bei dieser Untersuchung ist, dass alle Gewinner gute Bekannte von mir sind und bereits als hervorragende Investoren bekannt sind; die letzte Anerkennung liegt schon mehr als 15 Jahre zurück. Ohne diese Umstände - das heißt wenn ich gerade eben erst unter Tausenden von Leistungsbilanzen einige Namen für Sie und diesen Morgen hätte auswählen müssen - würde ich Ihnen raten, an dieser Stelle aufzuhören zu lesen. Es wurden alle diese Leistungsbilanzen überprüft. Und ich kenne viele, die mit diesen Managern zusammen investiert haben, und die Schecks, die diese Teilnehmer über die Jahre hinweg erhalten haben, stimmten mit den angegebenen Leistungsbilanzen überein.

Bevor wir aber mit dieser Untersuchung anfangen, sollten Sie sich einen landesweiten Wettbewerb im Münzwurf vorstellen. Gehen wir davon aus, dass morgen früh 225 Millionen Amerikaner auftauchen, und wir bitten sie, einen Dollar zu wetten. Bei Sonnenaufgang gehen sie in den frischen Morgen, und alle möchten eine Dollar-Münze werfen. Wenn Sie eine richtige Voraussage treffen, so erhalten sie 1 $ aus dem Betrag, den die anderen verloren haben, weil deren Vorhersage nicht stimmte. Jeden Tag scheiden die Verlierer aus, und am folgenden Tag stehen alle gewonnenen Dollars auf dem Spiel, die zuvor gewonnen wurden und die nun in einer langen Reihe nebeneinander liegen. Nach zehn Münzwürfen an zehn Tagen wird es in Amerika wahrscheinlich 220.000 Menschen geben, die ihren Münzwurf zehn Mal nacheinander richtig vorhergesagt haben. Und jeder von ihnen wird damit ein wenig mehr als 1.000 $ gewonnen haben.

Nun wird diese Gruppe wahrscheinlich anfangen, sich darüber aufzuregen, so wie es eben die Natur der Menschen ist. Sie könnten versuchen, ein wenig bescheidener zu sein, doch auf Cocktailpartys werden sie gelegentlich gegenüber Gästen des anderen Geschlechts prahlen, wie ihre Technik funktioniert und welche wunderbaren Erkenntnisse sie im Bereich des Münzwurfs gewonnen haben.

Gehen wir davon aus, dass die Gewinner von den Verlierern die entsprechende Belohnung erhalten haben, dann wird es nach weiteren zehn Tagen nur noch 225 Menschen geben, die 20 Mal nacheinander eine richtige Vorhersage getroffen und aus einem Dollar mehr als eine Million Dollars gemacht haben. 225 Millionen $ wären verloren worden, 225 Millionen $ wären gewonnen worden.

Danach verliert diese Restgruppe wirklich den Verstand. Sie werden wahrscheinlich Bücher schreiben „Wie ich innerhalb von 20 Tagen aus einem Dollar eine Million Dollar machte, nur weil ich jeden Morgen 30 Sekunden lang arbeitete". Schlimmer noch, wahrscheinlich werden Sie im ganzen Land herumfliegen und Seminare über effiziente Münzwürfe abhalten und skeptische Professoren angreifen: „Wenn das nicht funktioniert, weshalb gibt es dann 215 Menschen, die es doch können?"

Dann jedoch wird irgendwann ein schlauer Professor der Wirtschaftswissenschaften aufstehen und zu bedenken geben, dass, wenn 225 Millionen Affen das gleiche Spiel gemacht hätten, die Ergebnisse wohl sehr ähnlich gewesen wären – 215 egoistische Affen, die 20 Mal nacheinander einen Münzwurf richtig vorausgesagt haben.

Ich behaupte jedoch, dass es in diesen Beispielen einige wichtige Unterschiede gibt, die ich nun darlegen möchte: Erstens: Wenn (a) Sie 225 Millionen Affen genommen hätten, die ungefähr so verteilt wären wie die Bevölkerung der USA, wenn (b) nach 20 Tagen 215 Gewinner übrig geblieben wären und wenn (c) Sie herausgefunden hätten, dass 40 Affen aus einem bestimmten Zoo in Omaha stammten, dann wären Sie ziemlich sicher, einer heißen Sache auf der Spur. zu sein Also würden Sie den Wärter fragen, was er diesen Affen füttert, ob sie an einem bestimmten Training teilnehmen, welche Bücher sie lesen und wer weiß was sonst noch alles. Das heißt, wenn Sie wirklich außerordentliche Konzentrationen von Erfolgen bemerken würden, dann wollten Sie wissen, ob es ungewöhnliche Charakteristika gibt, die dafür verantwortlich sein könnten.

Wissenschaftliche Fragestellungen folgen selbstverständlich einem derartigen Muster. Wenn Sie versuchen würden, mögliche Ursachen für Krebserkrankungen zu analysieren – bei, sagen wir 1.500 Fällen in den USA –, und Sie würden herausfinden, dass 400 davon in einem kleinen Ort mit Kohlebergwerken in Montana aufgetreten sind, dann würden Sie sich für das Trinkwasser dort interessieren oder für den Beruf, den die Betroffenen ausüben, oder auch für andere Variablen. Sie wissen genau, dass es kein Zufall sein kann, wenn 400 Fälle in einem eng begrenztem Bereich auftreten. Sie würden zwar nicht unbedingt den Auslöser kennen, aber Sie würden wissen, wo man suchen muss.

Ich gestehe, dass es andere als geographische Ursachen geben kann. Außer geographischen Ursachen könnten es auch, wie ich es nenne, *intellektuelle* Ursachen sein. Sie werden eine überproportional hohe Anzahl erfolgreicher Münzwerfer in der Welt der Kapitalanlage finden, die aus einem kleinem Dorf mit sehr intellektuellen Bewohnern stammen, das wir Graham-and-Doddsville nennen könnten. Wir könnten eine Konzentration von Gewinnern finden, die nicht einfach durch Zufall erklärt werden kann – es sei denn durch diese kleine, intellektuelle Gemeinde.

Es könnten Bedingungen vorherrschen, die sogar diese Konzentration unwichtig erscheinen lassen. Vielleicht gibt es 100 Menschen, die lediglich dem Ruf einer außergewöhnlich überzeugenden Persönlichkeit folgen. Wenn Sie nachzählen, dann finden Sie heraus, dass 100 Anhänger die Vorhersage ebenso wie diese Person treffen. Wenn der Anführer unter den 215 Menschen ist, die am Ende übrig geblieben sind, dann würde die Tatsache, dass 100 Vorhersagen aus derselben Quelle stammen, nichts bedeuten. Sie würden daraus ganz einfach schließen, dass Sie einen Fall mit 100 Fällen gleichsetzen.

Ganz ähnlich wollen wir annehmen, Sie lebten in einer stark patriarchalisch geprägten Gesellschaft, und jede Familie in den USA bestünde, weil es einfacher zu rechnen ist, aus zehn Familienmitgliedern. Weiterhin nehmen wir an, dass die patriarchalische Kultur so stark sei, dass, wenn 225 Millionen Menschen am ersten Tag zum Münzwurf gingen, genau die Vorhersage des Vaters treffen würden. Auch dann hätten Sie nach 20 Tagen 215 Gewinner, und sie würden außerdem bemerken, dass diese aus 21,5 Familien stammen. Einige naive Menschen würden sagen, dass dies lediglich auf einen starken genetischen Einfluss bei der Fertigkeit im Münzwurf hinweisen würde. Doch natürlich hätte dies überhaupt keine Bedeutung, weil dies heißen würde, dass es nicht 215 individuelle Gewinner gibt, sondern 21,5 zufällig verteilte Familien, aus denen die Gewinner stammen.

In dieser erfolgreichen Gruppe von erfolgreichen Kapitalanlegern, über die ich sprechen möchte, gab es einen gemeinsamen intellektuellen Patriarchen: Benjamin Graham. Doch die Kinder, die das Haus dieses intellektuellen Patriarchen verließen, gaben ihren „Münzwürfen" verschiedene Namen. Sie gingen an verschiedene Orte und kauften und verkauften unterschiedliche Aktien, und doch hatten sie gemeinsam eine Leistungsbilanz, die durch Zufall nicht erklärt werden kann. Dies kann ganz bestimmt nicht durch die Tatsache erklärt werden, dass alle ihre Vorhersagen zum „Münzwurf" übereinstimmten, weil es einen Führer gibt, der ihnen sagte, welche Vorhersage sie treffen sollten. Der Patriarch begründete lediglich die Theorie für Vorhersagen beim Münzwurf, doch jeder seiner Schüler hat selbst entschieden, wie er diese Theorie anwenden will.

Das gemeinsame intellektuelle Motiv der Investoren aus Graham-and-Doddsville ist dieses: Sie suchen nach Diskrepanzen zwischen dem *Wert* eines Unternehmens und dem *Kurs* von kleinen Teilen dieses Unternehmens an der Börse. Im Wesentlichen beuten sie diese Diskrepanzen aus, ohne dass sie die Bedenken der Anhänger der Theorie des effizienten Marktes berücksichtigen, ob die Aktien am Montag oder am Dienstag gekauft werden oder ob es Januar oder Juli ist oder Ähnliches. Wenn übrigens Geschäftsleute andere Unternehmen kaufen – das ist genau das, was unsere Investoren Graham und Dodd durch den Kauf von marktfähigen Aktien machten –, so habe ich meine Zweifel, ob sie ihre Kaufentscheidung an dem Tag oder in der Woche oder in dem Monat trafen, als sie die Transaktion wirklich durchführten. Wenn es keinen Unterschied macht, ob ein ganzes Unternehmen an einem Montag oder an einem Freitag gekauft wird, dann bin ich verblüfft, weshalb Wissenschaftler so viel Zeit und Aufwand investieren, um herauszufinden, ob es einen Unterschied macht, wann man nur kleine Stückchen desselben Unternehmens kauft. Unsere Graham & Dodd-Investoren – es ist überflüssig, dies zu betonen – diskutieren über kein Beta, nicht über das „Capital Asset Pricing Model" oder die Kovarianz der Gewinne aus Aktien. Diese Themen interessieren sie überhaupt nicht. Tatsächlich hätten die meisten von ihnen Schwierigkeiten, diese Begriffe überhaupt zu definieren. Die Investoren konzentrieren sich lediglich auf zwei Variablen: den Preis und den Wert.

Ich finde es immer noch äußerst seltsam, dass so viele Studien über das Verhalten von Kurs und Umsatz durchgeführt werden, also etwas, das technische Analysten interessiert. Können Sie sich vorstellen, ein ganzes Unternehmen zu kaufen, nur weil der Kurs in der letzten und vorletzten Woche stark gestiegen ist? Natürlich ist der Grund für so viele Studien zu Kurs und Umsatz, dass heute, im Zeitalter des Computers, dazu unermesslich viele Daten zur Verfügung stehen. Es geht nicht unbedingt darum, dass diese Studien einen Nutzen haben; eigentlich sind zunächst nur die Daten vorhanden, und die Akademiker haben hart gearbeitet, die erforderlichen mathematischen Fertigkeiten zu erwerben, um diese zu manipulieren. Sind diese Fertigkeiten erst einmal vorhanden, selbst wenn diese Zahlen keinen Nutzen haben oder sogar schaden, scheint es eine Sünde zu sein, diese nicht zu verwenden. Wie ein Freund einem Mann mit einem Hammer einst sagte: Alles sieht aus wie ein Nagel.

Ich glaube, die Gruppe, die wir durch eine gemeinsame intellektuelle Heimat identifiziert haben, ist wirklich eine Studie wert. Übrigens hatte – trotz aller akademischer Studien über den Einfluss dieser variablen Größen wie Kurs, Umsatz, saisonaler Abhängigkeit, Höhe der Kapitalisierung und so weiter auf die Performance der Aktie – noch niemand ein Interesse daran, die Methoden der ungewöhnlichen Konzentration von an Werten orientierten Gewinnern zu studieren.

Ich möchte die Untersuchung beginnen, indem ich auf vier Personen aus unserer Gruppe zurückkomme, die von 1954 bis 1956 in der Graham-Newman Corp. arbeiteten. Es waren nur vier – ich habe diese Namen nicht aus Tausenden ausgewählt. Nachdem ich Grahams Vorlesungen besucht hatte, bot ich ihm an, ohne Bezahlung bei Graham-Newman zu arbeiten. Aber das lehnte er ab, weil ich „überbewertet" gewesen sei. Er nahm das mit dem Wert wirklich ernst! Nach vielem Hin und Her stellte er mich letztlich ein. Es gab drei Partner und vier „Bauern". Alle vier kündigten, als die Firma abgewickelt wurde, und wir werden nun die Leistungsbilanz von dreien nachvollziehen.

Das erste Beispiel (siehe Tabelle 1, Seite 576) ist das von Walter Schloss. Walter war nie auf dem College, aber er besuchte einen Abendkurs bei Ben Graham am New York Institute of Finance. Walter verließ Graham-Newman im Jahr 1955 und erzielte über einen Zeitraum von über 28 Jahren die dargestellte Leistungsbilanz.

Und das schrieb „Adam Smith" – nachdem ich ihm von Walter erzählt hatte – im Jahr 1972 über ihn in *Supermoney*:

> Er hat keine Verbindungen und keinen Zugang zu nützlichen Informationen. An der Wall Street ist er praktisch unbekannt, und niemand „füttert" ihn mit Ideen. Er sucht sich die Zahlen aus Handbüchern heraus und bittet die Unternehmen um ihren Jahresbericht. Das ist schon alles.
>
> Als Warren mich Schloss vorstellte, hat er sich, meiner Erinnerung nach, auch selbst beschrieben. „Er vergisst nie, dass er mit dem Geld anderer Leute umgeht, und dies verstärkt seine normale starke Abneigung gegen Verluste." Er ist vollkommen integer und kann sich selbst realistisch einschätzen. Geld ist für ihn eine reale Sache, und auch Aktien sind real – und daraus ergibt sich sein Hang zum Prinzip der Sicherheitsspanne.

Walter hat immer sehr stark diversifiziert, er besaß ständig mehr als 100 verschiedene Aktien. Er weiß genau, wie man Aktien erkennt, die deutlich niedriger gehandelt werden, als sie für einen Privataktionär wert sind. *Etwas anderes macht er nicht.* Er macht sich keine Gedanken, ob es gerade Januar ist, ob es Montag ist, und er kümmert sich auch nicht darum, ob in einem Jahr Präsidentenwahlen anstehen. Er sagt einfach: Wenn es ein Geschäft gibt, das 1 $ wert ist, und ich kann es für 40 Cent kaufen, dann kann mir nur Gutes passieren. Und genau das macht er immer wieder. Er besitzt wesentlich mehr Aktien als ich – und interessiert sich weit weniger als ich für das dazugehörige Unternehmen: Ich glaube, ich habe nur sehr wenig Einfluss auf Walter. Das ist eine seiner Stärken: Er lässt sich von niemandem beeinflussen.

Der zweite Mitstreiter ist Tom Knapp, der ebenfalls mit mir bei Graham-Newman arbeitete. Tom war vor dem Krieg in den letzten Semestern seines Chemiestudiums in Princeton. Als er aus dem Krieg zurückkam, lungerte er nur am Strand herum. Und dann las er eines Tages, dass Dave Dodd einen Abendkurs über Kapitalanlage an der Columbia University anbot. Tom schrieb sich in diesen Kurs ein und begann, sich für dieses Thema so sehr zu interessieren, dass er sich an der Columbia Business School einschrieb, wo er den MBA (entspricht einem Diplomkaufmann, A. d. Ü.) erlangte. Danach belegte er weiterhin Dodds Kurse, aber auch die von Graham. Übrigens rief ich Tom 35 Jahre später an, um mich einiger Dinge zu versichern, die ich hier darstelle, und ich fand ihn wieder am Strand. Der einzige Unterschied: Dieser Teil des Strandes ist nunmehr sein Eigentum!

1968 gründeten Tom Knapp und Ed Anderson, ebenfalls ein Graham-Schüler, gemeinsam mit einem oder zwei anderen Freunden, die deren Überzeugungen teilten, Tweedy Browne Partners; ihre Anlageergebnisse finden Sie in Tabelle 2. Tweedy Browne erzielten diese Leistungsbilanz durch eine weit gestreute Diversifizierung. Gelegentlich kauften sie eine Mehrheitsbeteiligung, doch die Bilanz der passiven Investitionen gleicht derjenigen der Mehrheitsbeteiligungen.

Tabelle 3 beschreibt das dritte Mitglied der Gruppe, das die Buffett Partnership im Jahr 1957 gründete. Das Beste, was sie tun konnte, war, 1969 auszusteigen. Seither wurde Berkshire Hathaway in verschiedener Hinsicht eine Fortsetzung der Partnership. Es gibt keinen einzigen Index, von dem ich glauben würde, er wäre ein fairer Vergleichsmaßstab für die Art und Weise, wie wir Berkshire verwalteten. Aber ich glaube, Sie können es sich ohnehin vorstellen, dass es recht gut lief.

Tabelle 4 zeigt die Leistungsbilanz des Sequoia-Fonds, der von einem Mann verwaltet wird, den ich 1951 in einem Kurs von Graham kennen gelernt hatte: Bill Ruane. Nachdem er die Harvard Business School beendet hatte, ging er an die Wall Street. Dann stellte er fest, dass er eine wirkliche wirtschaftliche Ausbildung brauchte, und nahm an Bens Kursen in Columbia teil, wo wir Anfang 1951 aufeinander trafen. Bills Leistungsbilanz von 1951 bis 1970, als er mit relativ geringen Geldbeträgen arbeitete, lag weit über dem Durchschnitt. Als ich die Buffett Partnership beendete, bat ich Bill, einen neuen Fonds aufzulegen, um das Vermögen unserer Partner zu verwalten; also legte er den Sequioa-Fonds auf. Das war zu der schrecklichen Zeit, als ich gerade ausstieg. Er ging sofort in einen gespaltenen Markt und traf auf alle Schwierigkeiten, die für eine vergleichbare Performance für einen an Werten orientierten Investor nur möglich waren. Ich bin glücklich, sagen zu können, dass meine Partner nicht nur bei ihm blieben, sondern noch weiteres Geld investierten und, wie es sich gezeigt hat, diese guten Ergebnisse erzielten.

An dieser Stelle gibt es keine späte Einsicht. Bill war der einzige Mensch, der gegenüber dem S&P immer einen Vorsprung von vier Prozentpunkten pro Jahr erzielte, und das ist eine wirklich gute Performance. Bill hat aber noch mehr als das erreicht, weil er mit immer höheren Beträgen gearbeitet hat. Das macht es allerdings schwieriger. Größe ist der Anker der Performance, das ist gar keine Frage. Das heißt zwar nicht, dass man besser als der Durchschnitt abschneiden kann, wenn man größer ist, doch die Spanne sinkt. Und wenn Sie jemals in die Situation geraten sollten, drei Billionen Dollar zu verwalten – und genau dies ist der Betrag der gesamten Wertpapierbewertung in der Wirtschaft –, dann glauben Sie nur nicht, Sie seien besser als der Durchschnitt!

Ich sollte noch ergänzen, dass wir in den Leistungsbilanzen, die wir bisher betrachtet haben, noch keine Duplikate in den Portfolios gefunden haben. Dies sind Investoren, die Wertpapiere auf der Grundlage der Diskrepanzen zwischen Wert und Kurs auswählen, doch gehen sie dabei höchst unterschiedlich vor. Walters größte Beteiligungen bestanden aus so unerschütterlichen Titel wie Hudson Pulp & Paper und Jeddo Highland Coal und New York Trap Rock Company und all den anderen Namen, die einem gelegentlichen Leser der Wirtschaftsseiten in den Tageszeitungen sofort in den Sinn kommen. Tweedy Brownes Auswahl bestand immer aus Titeln, die nicht sonderlich bekannt waren. Bill jedoch hat immer mit großen Unternehmen gearbeitet. Die Überschneidung dieser Portfolios war wirklich sehr, sehr gering. Diese Leistungsbilanzen stellen keinen einzigen Münzwurf dar, worauf 50 andere nach ihm das Gleiche machten. Tabelle 5 ist die Leistungsbilanz eines meiner Freunde, der an der Harvard Law School seinen Doktortitel erwarb und eine große Kanzlei aufmachte. Ich traf ihn ungefähr 1960 und sagte ihm, dass die Juristerei zwar ein recht nettes Hobby sei, er aber erfolgreicher sein könne. Er gründete eine Partnership, genau das Gegenteil jener von Walter Schloss. Sein Portfolio konzentrierte sich auf nur wenige Aktien, und deshalb war seine Leistungsbilanz auch wesentlich volatiler. Doch auch er gründete sein Portfolio auf den gleichen Ansatz, wonach der Kurs der Aktie wesentlich niedriger sein muss als der Wert des Unternehmens. Er war bereit, steilere Aufstiege, aber auch tiefere Abschwünge in seiner Performance zu akzeptieren, und außerdem ist das ein Kerl, dessen ganze Psyche sich auf Konzentration richtet, wie die Ergebnisse zeigen. Es ist die Leistungsbilanz von Charlie Munger, der lange Zeit mein Partner war, als ich Berkshire Hathaway betrieb. Als er jedoch seine eigene Partnership leitete, unterschieden sich seine Beteiligungen fast völlig von den meinigen und den anderen, die ich schon früher erwähnt habe.

Tabelle 6 zeigt die Leistungsbilanz eines Mannes, der mit Charlie Munger befreundet war – auch jemand, der keine Business School besucht, aber einen Leistungskurs für Mathematik an an der USC belegt hatte. Nachdem er seinen Doktortitel erworben hatte, arbeitete er für IBM und war eine Zeit lang im Verkauf tätig. Nachdem ich Charlie getroffen hatte, traf auch er auf ihn. Die Rede ist von Rick Guerin und seiner Leistungsbilanz. Rick erzielte in der Zeit zwischen 1965 und 1983, als der S&P um insgesamt 316 % zulegte, einen Gewinn von 22.000 %, was er – wahrscheinlich weil er nicht an einer Business School ausgebildet wurde – als statistisch auffällig betrachtete.

An dieser Stelle sei mir ein Seitenblick gestattet: Für meine Begriffe ist es wirklich außerordentlich, dass die Idee, Wechsel im Wert von 1 $ für 40 Cent zu kaufen, jemandem sofort oder überhaupt kommt. Es ist wie eine Impfung. Wenn es jemand nicht sofort begreift, dann kann ich jahrelang versuchen, ihn zu überzeugen, ihm Leistungsbilanzen vorlegen, doch ändern wird sich nichts. Es hat den Anschein, als verstünde er das Konzept überhaupt nicht, auch wenn es so einfach ist. Einer wie Rick Guerin jedoch, der keine formale Ausbildung in Wirtschaftswissenschaften hatte, verstand dieses Konzept des Value-Investing sofort und wendete es fünf Minuten später schon an. Ich habe noch niemanden kennen gelernt, der innerhalb von zehn Jahren schrittweise dieses Konzept übernahm. Dies scheint nichts mit seinem IQ oder seiner akademischen Ausbildung zu tun zu haben. Es handelt sich dabei um eine sofortige Erkenntnis, um nichts anderes.

Tabelle 7 ist die Leistungsbilanz von Stan Perlmeter. Stan studierte in den letzten Semestern freie Künste an der University of Michigan, ein Partner der Werbeagentur Bozell & Jacobs. Rein zufällig hatten wir unsere Geschäftsräume im selben Gebäude in Omaha. 1965 fand er heraus, dass ich bessere Geschäfte machte als er selbst, und verließ deshalb die Werbebranche. Und wieder dauerte es nur fünf Minuten, bis er das Konzept des Value-Investing verstanden hatte.

Perlmeter hat nicht das, was Walter Schloss hat. Er hat nicht das, was Bill Ruane hat. Dies sind Leistungsbilanzen, die unabhängig voneinander erzielt wurden. Doch immer, wenn Perlmeter eine Aktie kauft, dann bekommt er für sein Geld mehr, als er bezahlt. Das ist das Einzige, worüber er nachdenkt. Er achtet nicht auf die vierteljährlichen Gewinnprognosen, nicht auf die Gewinne des kommenden Jahres; er denkt nicht darüber nach, welcher Wochentag gerade ist, ihm ist es gleichgültig, was die Anlageempfehlungen, von welcher Seite auch immer, aussagen, und er interessiert sich weder für Kursänderungen noch für Umsätze oder etwas anderes. Er fragt sich lediglich: Was ist dieses Unternehmen wert?

Tabelle 8 und 9 stellen die Leistungsbilanzen zweier Pensionfonds dar, an denen ich beteiligt war. Sie wurden nicht unter den Dutzenden von Pensionsfonds ausgewählt, an denen ich beteiligt war, es sind lediglich die beiden, auf die ich Einfluss genommen habe. In beiden Fällen habe ich sie an Manager übergeben, die sich an Werten orientierten. Nur sehr wenige Pensionsfonds werden nach diesem Konzept verwaltet. Tabelle 8 ist der Pensionsfonds der Washington Post Company. Vor vielen Jahren handelte es sich dabei um eine sehr große Bank, und ich war der Meinung, man sei gut beraten, würde man die Verwaltung Managern übertragen, die sich an Werten orientierten.

Wie Sie leicht erkennen können, befanden sie sich immer an der Spitze, nachdem diese Veränderung vorgenommen wurde. Die *Post* sagte den Managern, sie sollten mindestens 25 % des Fonds in Anleihen anlegen, was aber nicht unbedingt die Entscheidung dieser Manager gewesen wäre. Deshalb habe ich die Performance der Anleihen dargestellt, nur um zu demonstrieren, dass diese Gruppe keine besonderen Erfahrungen mit Anleihen gemacht hatte. Sie hätten das auch nicht gesagt. Selbst mit einem Anteil von 25 % ihres Fonds in einem Bereich, der eigentlich nicht ihr Fachgebiet war, gelangten sie an die Spitze aller Fondsmanager. Die Erfahrungen mit der *Washington Post* umfassen keinen besonders langen Zeitraum, doch repräsentieren sie viele Anlageentscheidungen der drei Manager, die nicht nachträglich benannt werden können.

Tabelle 9 zeigt die Leistungsbilanz des FMC Corporation Fonds. Ich selbst verwalte nicht zehn Cent selbst, doch beeinflusste ich 1974 die Entscheidung, wertorientierte Manager auszuwählen. Davor wurden Manager in etwa der Art und Weise ausgewählt, wie es bei den meisten größeren Unternehmen der Fall ist. Jetzt stehen sie, wegen ihrer Größe seit ihrem Sinneswandel hin zum Konzept des Value-Investing, auf Platz eins im *Becker Survey of Pensionsfonds*. Voriges Jahr hatten sie acht Vermögensverwalter, die länger als ein Jahr geblieben waren. Sieben von ihnen hatten eine gemeinsame Leistungsbilanz aufzuweisen, die besser war als die des S&P. Im vergangenen Jahr schnitten alle acht Manager besser ab als der S&P. Die Nettodifferenz zwischen einer mittelmäßigen Performance und der aktuellen Performance des FMC-Fonds beträgt 243 Millionen $. FMC führt dies auf die Veränderung der Denkweise zurück, die durch die Auswahl der Manager herbeigeführt wurde. Dies sind nicht die Manager, die ich unbedingt einstellen würde, doch haben sie gemeinsam, dass sie die Wertpapiere auf der Grundlage ihres Wertes auswählen.

Das also sind neun Leistungsbilanzen von „Münzwerfern" aus Graham-and-Doddsville. Ich habe sie nicht im Nachhinein aus Tausenden ausgewählt. Und es ist auch nicht so, dass ich hier eine Reihe von Lottogewinnern aufzähle – Leute, die ich nicht kannte, bevor sie das große Los zogen. Ich habe diese Männer schon vor Jahren ausgewählt, weil sie ihre Aktienauswahl auf diese Art und Weise durchführen. Ich wusste, was man sie gelehrt hatte, und außerdem hatte ich persönlich einige Kenntnisse über ihren Intellekt, ihren Charakter und ihr Temperament. Es ist sehr wichtig zu verstehen, dass diese Gruppe weitaus weniger Risiken einging als der Durchschnitt; achten Sie auf die Leistungsbilanz, wenn es an der Börse nicht so gut lief. Obwohl sie sich in ihrem Stil deutlich unterscheiden, kaufen diese Leute, mental, immer nur Unternehmen und nicht deren Aktien. Einige von ihnen kaufen manchmal ganze Unternehmen, doch überwiegend erwerben sie immer nur kleine Stückchen von Firmen. Ihre Einstellung, ob sie ein ganzes Unternehmen kaufen oder nur einen kleinen Teil davon, bleibt aber die gleiche. Einige von ihnen halten Portfolios mit Dutzenden von Aktien; andere wiederum konzentrieren sich auf nur eine Hand voll. Doch alle profitieren von der Differenz zwischen dem Börsenwert und dem intrinsischen Wert.

Ich bin überzeugt, dass es viel Ineffizienz an den Börsen gibt. Diese Investoren aus Graham-and-Doddsville haben die Lücke zwischen Wert und Kurs erfolgreich genutzt. Wenn der Kurs einer Aktie von einer „Herde" an der Wall Street beeinflusst werden kann, wobei die Kurse durch den Einfluss eines höchst emotionalen Menschen festgelegt werden oder einem sehr gierigen oder depressiven Menschen, dann ist es sehr schwierig zu behaupten, die Kurse würden durch die Börse immer rational bewertet. Tatsächlich sind die Kurse oft völlig unsinnig.

Ich möchte zu Risiko und Belohnung noch etwas Wichtiges sagen. Manchmal stehen Risiko und Belohnung in einer positiven Beziehung zu einander. Wenn mir jemand sagen würde: „Ich habe hier einen Colt mit sechs Schüssen, aber nur eine Patrone eingelegt. Warum drehst du nicht einfach die Trommel und drückst einmal ab? Wenn du überlebst, dann bekommst du von mir 1 Million $.", dann würde ich das ablehnen – vielleicht, weil 1 Million $ nicht genug wären. Dann könnte er mir 5 Millionen $ bieten, um zwei Mal abzudrücken – das wäre eine positive Korrelation zwischen Risiko und Belohnung!

Doch genau das Gegenteil ist beim Value-Investing richtig. Wenn Sie einen Dollar für 60 Cent kaufen, dann ist dies riskanter, als wenn Sie einen Dollar für 40 Cent kaufen, doch in letzterem Fall ist die Wahrscheinlichkeit einer Belohnung wesentlich höher. Je größer das Potenzial für Belohnung in einem Value-Portfolio ist, desto geringer ist das Risiko.

Hierzu ein Beispiel: 1973 wurde die *Washington Post* für 80 Millionen $ an der Börse gehandelt. Zu diesem Zeitpunkt, an diesem Tag, hätte man die Vermögenswerte an jeden von zehn Käufern für 400 Millionen $ verkaufen können, wahrscheinlich für deutlich mehr. Der Aktiengesellschaft gehörten die *Post*, *Newsweek* und einige Fernsehstationen in größeren Märkten. Diese Objekte sind heute 2 Milliarden $ wert; deshalb wäre die Person, die für 400 Millionen $ gekauft hätte, nicht verrückt gewesen.

Wäre der Kurs nun weiter gefallen, sodass sich ein Wert von 40 statt 80 Millionen $ ergeben hätte, dann wäre das Beta noch größer geworden. Und für Leute, die glauben, das Beta sei ein Maß für Risiko, würde ein geringerer Preis ein größeres Risiko bedeuten. Das ist ein Märchen. Ich konnte nie herausfinden, weshalb es riskanter sein soll, ein Objekt mit einem Wert von 400 Millionen $ für 40 Millionen $ anstatt für 80 Millionen $ zu kaufen. Und wirklich, wenn Sie eine Gruppe solcher Aktien kaufen und den Unternehmenswert ganz genau kennen, dann besteht überhaupt kein Risiko, 400 Millionen $ für 80 Millionen $ zu kaufen – insbesondere dann nicht, wenn man es in zehn 40-Millionen-$-Teilen kauft, wobei man für jeden Teil nur 8 Millionen $ bezahlt. Wenn Sie aber keine 400 Millionen $ haben, dann sollten Sie sich mit ehrlichen und kompetenten Menschen zusammentun. Doch das ist dann keine schwierige Aufgabe mehr.

Auch Sie verfügen über die Kenntnisse, die es Ihnen ermöglichen, eine ganz allgemeine Abschätzung über den Wert eines Unternehmens abzugeben. Doch Sie senken damit den Kurs nicht. Damit meinte Graham die Sicherheitsspanne. Man versucht nicht, ein Unternehmen, das 83 Millionen $ wert ist, für 80 Millionen $ zu kaufen. Man lässt sich eine sehr große Spanne. Wenn Sie eine Brücke bauen, dann bestehen Sie schließlich auch auf einer Belastbarkeit von 30 Tonnen, auch wenn nur Lkws mit einem Gesamtgewicht von zehn Tonnen darüber fahren. Und genau das gleiche Prinzip gilt für die Kapitalanlage.

Nun werden einige unter Ihnen, die ein wenig kommerzieller denken, darüber grübeln, weshalb ich diesen Artikel überhaupt geschrieben habe. Wenn ich viele vom Konzept des Value-Investing überzeugen kann, dann wird dies zwangsläufig die Spanne zwischen Kurs und Wert schmälern. Ich kann Ihnen nur sagen, dass dieses Geheimnis schon 50 Jahre lang bekannt ist, seit Graham und Dodd das Buch *Security Analysis* geschrieben haben, und in den 35 Jahren, in denen ich dieses Konzept verfolge, habe ich noch keinen Trend erkennen können, der in diese Richtung weist. Der Mensch scheint die perverse Eigenschaft zu haben, einfache Angelegenheiten möglichst schwierig darzustellen. Die Welt der Wissenschaft hat sich jedenfalls in den vergangenen Jahren geweigert, das Konzept des Value-Investing zu lehren. Und wahrscheinlich wird es auch so bleiben. Schiffe werden rund um den Erdball segeln, doch diejenigen, die glauben, die Erde sei eine Scheibe, werden weiterhin Zulauf haben. Es wird an den Börsen weiterhin Diskrepanzen zwischen Kurs und Wert geben, und diejenigen, die Graham und Dodd gelesen haben, werden weiterhin erfolgreich sein.

Abschließend nun die Tabellen 1 bis 9.

Tabelle 1: Walter J. Schloss

Jahr	S&P Gesamtgewinn, einschließlich Dividenden in %	WJS Ltd. Partners Gesamtgewinn pro Jahr in %	WJS Partnership Gesamtgewinn pro Jahr in %		
1956	7,5	5,1	6,8	S&Ps Gesamtgewinn (verzinst) über 28,25 Jahre	887,2 %
1957	-10,5	-4,7	-4,7		
1958	42,1	42,1	54,6	WJS Ltd. Partners Gewinn über 28,25 Jahre hinweg (verzinst)	6.678,8 %
1959	12,7	17,5	23,3		
1960	-1,6	7,0	9,3	WJS Partnership Gesamtgewinn über 28,25 Jahre hinweg (verzinst)	23.104,7 %
1961	26,4	21,6	28,8		
1962	-10,2	8,3	11,1	S&P jährlicher, prozentualer, verzinster Gewinn über 28,25 Jahre	8,4 %
1963	23,3	15,1	20,1		
1964	16,5	17,1	22,8	WJS Limited Partners jährlicher, prozentualer, verzinster Gewinn über 28,25 Jahre	16,1 %
1965	13,1	26,8	35,7		
1966	-10,4	0,5	0,7	WJS Partnership jährlicher, prozentualer, verzinster Gewinn über 28,25 Jahre	21,3 %
1967	26,8	25,8	34,4		
1968	10,6	26,6	35,5	Im Verlauf der Geschichte der Partnership besaß sie mehr als 800 Titel und hatte meist mindestens 100	

				Positionen. Das aktuell verwaltete Vermögen beträgt etwa 45 Millionen $. Die Differenz zwischen den Gewinnen der Partnership und den Gewinnen der Limited Partners bezieht sich auf die Beiträge an den haftenden Partner für sein Management.	
1969	-7,5	-9,0	-9,0		
1970	2,4	-8,2	-8,2		
1971	14,9	25,5	28,3		
1972	19,8	11,6	15,5		
1973	-14,8	-8,0	-8,0		
1974	-26,6	-6,2	-6,2		
1975	36,9	42,7	52,2		
1976	22,4	29,4	39,2		
1977	-8,6	25,8	34,4		
1978	7,0	36,6	48,8		
1979	17,6	29,8	39,7		
1980	32,1	23,3	31,1		
1981	6,7	18,4	24,5		
1982	20,2	24,1	32,1		
1983	22,8	38,4	51,2		
1984 (1. Quartal)	2,3	0,8	1,1		

Tabelle 2: Tweedy, Browne Inc.

Zeitraum jeweils Ende September	**Dow Jones* in %**	**S&P 500* in %**	**TBK insgesamt in %**	**TBK Limited Partners in %**
1968 (9 Monate)	6,0	8,8	27,6	22,0
1969	-9,5	-6,2	12,7	10,0
1970	-2,5	-6,1	-1,3	-1,9
1971	20,7	20,4	20,9	16,1
1972	11,0	15,5	14,6	11,8
1973	2,9	1,0	8,3	7,5
1974	-31,8	-38,1	1,5	1,5
1975	36,9	37,8	28,8	22,0
1976	29,6	30,1	40,2	32,8
1977	-9,9	-4,0	23,4	18,7
1978	8,3	11,9	41,0	32,1
1979	7,9	12,7	25,5	20,5
1980	13,0	21,1	21,4	17,3
1981	-3,3	2,7	14,4	11,6
1982	12,5	10,1	10,2	8,2
1983	44,5	44,3	35,0	28,2
Gesamtgewinn in 15,75 Jahren	191,8	238,5	1.661,2	936,4
S&P jährliche verzinste Rendite für 15,75 Jahre				7,0 %
TBK Limited Partners jährliche verzinste Rendite für 15,75 Jahre				16,0 %
TBK gesamte jährliche verzinste Rendite für 15,75 Jahre				20,0 %

* Enthält die Dividenden, die für den S&P 500 und den Dow Jones Industrial Index ausgeschüttet wurden.

Tabelle 3: Buffett Partnership, Ltd.

Jahr	Gesamtergebnis des Dow in %	Ergebnisse der Partnership in %	Ergebnisse der nicht haftenden Partner in %
1957	-8,4	10,4	9,3
1958	38,5	40,9	32,2
1959	20,0	25,9	20,9
1960	-6,2	22,8	18,6
1961	22,4	45,9	35,9
1962	-7,6	13,9	11,9
1963	20,6	38,7	30,5
1964	18,7	27,8	22,3
1965	14,2	47,2	36,9
1966	-15,6	20,4	16,8
1967	19,0	35,9	28,4
1968	7,7	58,8	45,6
1969	-11,6	6,8	6,6

Auf kumulierter Basis sehen die Ergebnisse wie folgt aus:

Jahr	Gesamtergebnis des Dow in %	Ergebnisse der Partnership in %	Ergebnisse der nicht haftenden Partner in %
1957	-8,4	10,4	9,3
1957 - 1958	26,9	55,6	44,5
1957 - 1959	52,3	95,9	74,7
1957 - 1960	42,9	140,6	107,2
1957 - 1961	74,9	251,0	181,6
1957 - 1962	61,6	299,8	215,1
1957 - 1963	94,9	454,5	311,2
1957 - 1964	131,3	608,7	402,9
1957 - 1965	164,1	943,2	588,5
1957 - 1966	122,9	1.156,0	704,2
1957 - 1967	165,3	1.606,9	932,6
1957 - 1968	185,7	2.610,6	1.403,5
1957 - 1969	152,6	2.794,9	1.502,7
Jährliche verzinste Rendite	7,4	29,5	23,8

Tabelle 4: Sequoia Fund, Inc.

	Jährliche prozentuale Veränderung*	
Jahr	**Sequoia Fund in %**	**S&P 500** in %**
1970 (ab Juli)	12,1	20,6
1971	13,5	14,3
1972	3,7	18,9
1973	-24,0	-14,8
1974	-15,7	-26,4
1975	60,5	37,2
1976	72,3	23,6
1977	19,9	-7,4
1978	23,9	6,4
1979	12,1	18,2
1980	12,6	32,3
1981	21,5	-5,0
1982	31,2	21,4
1983	27,3	22,4
1984 (erstes Quartal)	-1,6	-2,4
Gesamtzeitraum	775,3 %	270,0 %
Verzinste jährliche Rendite	17,2 %	10,0 %
Zuzügl. 1 % Managementgebühr	1,0 %	-
Bruttoanlagerendite	18,2 %	10,0 %

* Enthält Dividenden (und Ausschüttungen von Kapitalgewinnen im Fall von Sequoia Funds), die so behandelt wurden, als seien sie reinvestiert worden.

** Diese Zahlen weichen wegen einer Differenz bei der Kalkulation der reinvestierten Dividenden leicht von den Zahlen für den S&P in Tabelle 1 ab.

Tabelle 5: Charles Munger

Jahr	Mass. Inv. Trust (%)	Investors Stock (%)	Lehman (%)	Tri-Cont. (%)	Dow (%)	Gesamte Partnership (%)	Limited Partners (%)
Jährliche Ergebnisse (1)							
1962	-9,8	-13,4	-14,4	-12,2	-7,6	30,1	20,1
1963	20,0	16,5	23,8	20,3	20,6	71,7	47,8
1964	15,9	14,3	13,6	13,3	18,7	49,7	33,1
1965	10,2	9,8	19,0	10,7	14,2	8,4	6,0
1966	-7,7	-9,9	-2,6	-6,9	-15,7	12,4	8,3
1967	20,0	22,8	28,0	25,4	19,0	56,2	37,5
1968	10,3	8,1	6,7	6,8	7,7	40,4	27,0
1969	-4,8	-7,9	-1,9	0,1	-11,6	28,3	21,3
1970	0,6	-4,1	-7,2	-1,0	8,7	-0,1	-0,1
1971	9,0	16,8	26,6	22,4	9,8	25,4	20,6
1972	11,0	15,2	23,7	21,4	18,2	8,3	7,3
1973	-12,5	-17,6	-14,3	-21,3	-23,1	-31,9	-31,9
1974	-25,5	-25,6	-30,3	-27,6	-13,1	-31,5	-31,5
1975	32,9	33,3	30,8	35,4	44,4	73,2	73,2
Kumulierte Ergebnisse (2)							
1962	-9,8	-13,4	-14,4	-12,2	-7,6	30,1	20,1
1962 - 1963	8,2	0,9	6,0	5,6	11,5	123,4	77,5
1962 - 1964	25,4	15,3	20,4	19,6	32,4	234,4	136,3
1962 - 1965	38,2	26,6	43,3	32,4	51,2	262,5	150,5
1962 - 1966	27,5	14,1	39,5	23,2	27,5	307,5	171,3
1962 - 1967	53,0	40,1	78,5	54,5	51,8	536,5	273,0
1962 - 1968	68,8	51,4	90,5	65,0	63,5	793,6	373,7
1962 - 1969	60,7	39,4	86,9	65,2	44,5	1.046,5	474,6
1962 - 1970	61,7	33,7	73,4	63,5	57,1	1.045,4	474,0
1962 - 1971	76,3	56,2	119,5	100,1	72,5	1.336,3	592,2
1962 - 1972	95,7	79,9	171,5	142,9	103,9	1.455,5	642,7
1962 - 1973	71,2	48,2	132,7	91,2	77,2	959,3	405,8
1962 - 1974	27,5	40,3	62,2	38,4	36,3	625,6	246,5
1962 - 1975	69,4	47,0	112,2	87,4	96,8	1.156,7	500,1
Durchschnittliche jährliche Gesamtrendite	3,8	2,8	5,5	4,6	5,0	19,8	13,7

Tabelle 6: Pacific Partners, Ltd.

Jahr	S&P 500 (%)	Limited Partnership Ergebnisse (%)	Ergebnisse der gesamten Partnership (%)
1965	12,4	21,2	32,0
1966	-10,1	24,5	36,7
1967	23,9	120,1	180,1
1968	11,0	114,6	171,9
1969	-8,4	64,7	97,1
1970	3,9	-7,2	-7,2
1971	14,6	10,9	16,4
1972	18,9	12,8	17,1
1973	-14,8	-42,1	-42,1
1974	-26,4	-34,4	-34,4
1975	37,2	23,4	31,2
1976	23,6	127,8	127,8
1977	-7,4	20,3	27,1
1978	6,4	28,4	37,9
1979	18,2	36,1	48,2
1980	32,3	18,1	24,1
1981	-5,0	6,0	8,0
1982	21,4	24,0	32,0
1983	22,4	18,6	24,8
S&P kumulierter Gewinn innerhalb von 19 Jahren			316,4 %
Limited Partners kumulierter Gewinn innerhalb von 19 Jahren			5.530,2 %
Gesamte Partnership kumulierter Gewinn innerhalb von 19 Jahren			22.200,0 %
S&P jährliche kumulierte Rendite aus 19 Jahren			7,8 %
Limited Partnership jährliche kumulierte Rendite aus 19 Jahren			23,6 %
Gesamte Partnership jährliche kumulierte Rendite aus 19 Jahren			32,9 %

Tabelle 7: Perlmeter Investments

Jahr	PIL Gesamt (%)	Limited Partner (%)
1.8. - 31.12.1965	40,6	32,5
1966	6,4	5,1
1967	73,5	58,8
1968	65,0	52,0
1969	-13,8	-13,2
1970	-6,0	-6,0
1971	55,7	49,3
1972	23,6	18,9
1973	-28,1	-28,1
1974	-12,0	-12,0
1975	38,5	38,5
1.1. - 31.10.1976	38,2	34,5
1.11.1976 - 31.10.1977	30,3	25,5
1.11.1977 - 31.10.1978	31,8	26,6
1.11.1978 - 31.10.1979	34,7	28,9
1.11.1979 - 31.10.1980	41,8	34,7
1.11.1980 - 31.10.1981	4,0	3,3
1.11.1981 - 31.10.1982	29,8	25,4
1.11.1982 - 31.10.1983	22,2	18,4

Prozentualer Gewinn der Gesamt-Partnership von 1.8.1965 bis 31.10.83	4.277,5 %
Prozentualer Gewinn der Ltd. Partnership von 1.8.1965 bis 31.10.83	2.309,5 %
Jähliche kumulierte Rendite der Gesamt-Partnership von 1.8.1965 bis 31.10.1983	23,0 %
Jähliche kumulierte Rendite der Ltd. Partnership von 1.8.1965 bis 31.10.1983	19,0 %
DJIA am 31.7.1965 (geschätzt)	882
DJIA am 31.10.1983 (geschätzt)	1225
Geschätzte kumulierte Rendite des DJIA einschließlich Dividenden	7 %

Tabelle 8: The Washington Post Company, Master Trust, 31.12.1983

			Jahresende		Am Jahresende nach 2 Jahren*		Am Jahresende nach 3 Jahren*		Am Jahresende nach 5 Jahren*	
	Aktuelle Rendite in %	Rang im Quartal	Rendite in %	Rang	Rendite in %	Rang	Rendite in %	Rang	Rendite in %	Rang
Alle Investitionen										
Manager A	4,1	2	22,5	10	20,6	40	18,0	10	20,2	3
Manager B	3,2	4	34,1	1	33,0	1	28,2	1	22,6	1
Manager C	5,4	1	22,2	11	28,4	3	24,5	1	–	–
Master Trust (alle Manager)	3,9	1	28,1	1	28,2	1	24,3	1	21,8	1
Aktien										
Manager A	5,2	1	32,1	9	26,1	27	21,2	11	26,5	7
Manager B	3,6	5	52,9	1	46,2	1	37,8	1	29,3	3
Manager C	6,2	1	29,3	14	30,8	10	29,3	3	–	–
Master Trust (alle Manager)	4,7	1	41,2	1	37,0	1	30,4	1	27,6	1
Anleihen										
Manager A	2,7	8	17,0	1	26,6	1	19,0	1	12,2	2
Manager B	1,6	46	7,6	48	18,3	53	12,7	84	7,4	86
Manager C	3,2	4	10,4	9	24,0	3	18,9	1	–	–
Master Trust (alle Manager)	2,2	11	9,7	14	21,1	14	15,2	24	9,3	30
Anleihen und Barmittel										
Manager A	2,5	15	12,0	5	16,1	64	15,5	21	12,9	9
Manager B	2,1	286	9,2	29	17,1	47	14,7	41	10,8	44
Manager C	3,1	14	10,2	17	22,0	2	21,6	1	–	–
Master Trust (alle Manager)	2,4		10,2	17	17,8	20	16,2	2	12,5	9

* umgerechnet auf ein Jahr
Der Rang verweist auf die Performance im Vergleich zu A. C. Becker Universe. Der Rang wurde als Durchschnittswert angegeben: 1 ist am besten, 100 ist am schlechtesten.

Tabelle 9: FMC Corporation Pension Fund, Jahresrendite in %

Ende des Zeitraums	1 Jahr	2 Jahre	3 Jahre	4 Jahre	5 Jahre	6 Jahre	7 Jahre	8 Jahre	9 Jahre
FMC (Anleihen und Aktien)									
1983	23,0								*17,1
1982	22,8	13,6	16,0	16,6	15,5	12,3	13,9	16,3	
1981	5,4	13,0	15,3	13,8	10,5	12,6	15,4		
1980	21,0	19,7	16,8	11,7	14,0	17,3			
1979	18,4	14,7	8,7	12,3	16,5				
1978	11,2	4,2	10,4	16,1					
1977	-2,3	9,8	17,8						
1976	23,8	29,3							
1975	35,0						* 18,5 allein aus Aktien		
Becker large plan median 12,3									
1983	15,6								12,6
1982	21,4	11,2	13,9	13,9	12,5	9,7	10,9	12,3	
1981	1,2	10,8	11,9	10,3	7,7	8,9	10,9		
1980	20,9	Nv	Nv	Nv	10,8	nv			
1979	13,7	Nv	Nv	Nv	11,1				
1978	6,5	Nv	Nv	Nv					
1977	-3,3	Nv	Nv						
1976	17,0	Nv							
1975	24,1						Nv = nicht verfügbar		
S&P 500									
1983	22,8								15,6
1982	21,5	7,3	15,1	16,0	14,0	10,2	12,0	14,9	
1981	-5,0	12,0	14,2	12,2	8,1	10,5	14,0		
1980	32,5	25,3	18,7	11,7	14,0	17,5			
1979	18,6	12,4	5,5	9,8	14,8				
1978	6,6	-0,8	6,8	13,7					
1977	7,7	6,9	16,1						
1976	23,7	30,3							
1975	37,2								

Wichtige Regeln zur Besteuerung von Einkommen aus Investitionen und Wertpapiertransaktionen

Anmerkung: Da die amerikanische Gesetzgebung für die meisten deutschen Anleger nicht relevant ist, weichen wir hier vom Original der vierten Auflage des *Intelligent Investor* ab und stellen Ihnen die wichtigsten Hinweise zur Besteuerung von Gewinnen aus Kapitalgeschäften vor, die Anfang 2004 in Deutschland gelten.

Bestimmte Erträge (nicht alle) aus Kapitalvermögen stellen steuerpflichtiges Einkommen dar. Sie sind steuerpflichtig, wenn sie einen vom Gesetzgeber festgelegten Steuerfreibetrag übersteigen. Die Versteuerung erfolgt im Rahmen der Einkommensteuererklärung, in der Sie die Erträge komplett angeben müssen.

Von der Steuerpflicht betroffene Kapitalerträge

Zu den steuerpflichtigen Kapitalerträgen zählen vor allem

- Zinsen und Dividenden
- Erträge aus Veräußerungsgewinnen bei Aktien und Immobilien, wenn zwischen Kauf und Verkauf eine bestimmte Frist nicht eingehalten wird (bei Aktien zwölf Monate, bei Immobilien zehn Jahre)
- Mieten

Einzelheiten zur Steuerpflicht sind in §§ 20 ff. des Einkommensteuergesetzes geregelt.

Gesetzesänderungen

Der Gesetzgeber kann jederzeit die Grundlagen der Besteuerung ändern, entweder nur für neue Verträge oder auch für bestehende Verträge (kein Recht auf „Bestandsschutz").

Steuerfreibetrag

Der Steuerfreibetrag wurde zum 1. Januar 2004 um 180 Euro gesenkt.

Jeder Anleger (auch jedes Kind unter 18 Jahren) hat einen so genannten Sparer-Freibetrag von 1.370 Euro jährlich.

Zusätzlich gibt es einen variablen Freibetrag für Werbungskosten, die man im Zusammenhang mit einer Geldanlage steuermindernd geltend machen kann. Pauschal ohne Einzelnachweis werden 51 Euro jährlich anerkannt (Werbungskostenpauschale Kapitalvermögen, § 9a Nr. 2 EStG). Wer höhere Kosten hat und sie mit Belegen nachweisen kann, der kann die höheren Kosten geltend machen.

Sparerfreibetrag und Werbungskostenpauschale ergeben einen jährlichen Steuerfreibetrag für Kapitalerträge von insgesamt (mindestens) 1.421 Euro je Anleger.

Verheiratete haben somit (bis zur Scheidung oder zum Tod des Ehepartners) einen jährlichen Freibetrag von 2.842 Euro, wenn sie bei der Einkommensteuer zusammenveranlagt werden.

Erst wenn die Summe aller steuerpflichtigen Kapitalerträge aus allen Geldanlagen diesen Freibetrag übersteigt, müssen die Erträge, die den Freibetrag übersteigen, versteuert werden.

Zinsabschlag und Freistellung

Viele Anleger (einige sagen: fast alle) nahmen es mit der Steuerpflicht der Kapitalerträge in der Vergangenheit nicht so genau. Sie verschwiegen dem Finanzamt diese Einkünfte. Der Finanzminister und seine Steuerbeamten ersannen als Lösung den Zinsabschlag und die Freistellung. Das funktioniert so: Von den Zinsen bekommen Sie nur 70 % ausgezahlt, 30 % überweist das Geldinstitut an den Staat quasi als Vorraussteuer auf die Besteuerung der Kapitalerträge. Bis zur Höhe des Steuerfreibetrages können Sie jedoch diesen so genannten Zinsabschlag vermeiden. Denn es wäre ja dumm, wenn erst einmal 30 % der Zinsen für einige Zeit gezahlt werden müssten (und für die Wiederanlage fehlten), um dann bei der Steuererklärung aufgrund des Freibetrages wieder an Sie zurückzufließen.

Um den Zinsabschlag von 30 % zu vermeiden, müssen Sie ein Formular ausfüllen (das bekommen Sie von Ihrer Bank), den so genannten Freistellungsauftrag. Wenn Sie mehrere Geldanlagen bei mehreren Instituten haben, füllen Sie für jede ein eigenes Formular aus.

Da die Höhe der steuerpflichtigen Erträge über Jahre hinweg nicht konstant ist, müssen Sie die Beträge schätzen und gegebenenfalls von Zeit zu Zeit Anpassungen vornehmen.

Gebühren für die Umstellung von Freistellungsaufträgen dürfen Ihnen nicht berechnet werden.

Gebühren

Für die Einrichtung, Änderung und Auflösung eines Freistellungsauftrags darf das Geldinstitut keine Gebühr erheben. So hat der Bundesgerichtshof höchstrichterlich entschieden (AZ XI ZR 269/96 und 279/96), nachdem untergeordnete Oberlandesgerichte unterschiedlich geurteilt hatten.

Ob die Geldinstitute eine Gebühr für die Ausstellung von Steuerbescheinigungen erheben dürfen, ist höchstrichterlich noch nicht entschieden.

Ohne Freistellungsauftrag

Wenn Sie darauf verzichten, einen Freistellungsauftrag abzugeben, können Sie sich die 30 % Zinsabschlag nur über die Abgabe einer Einkommensteuererklärung zurückholen.

Anpassung der Freistellungsaufträge im Jahr 2004

Wie erwähnt, wurde zum 1. Januar 2004 der Sparerfreibetrag um 180 Euro jährlich je Anleger gesenkt. Sparer, die nur einem Geldinstitut einen Freistellungsauftrag erteilt haben, brauchen nichts zu tun. Wer Geld bei zwei oder mehr verschiedenen Geldinstituten angelegt und dafür Freistellungsaufträge erteilt hat, sollte die Höhe der Aufteilung prüfen und sie entsprechend der Kürzung des Freibetrages anpassen.

Zeitpunkt der Versteuerung

Die Kapitalerträge müssen in dem Jahr versteuert werden, in dem sie Ihnen zufließen, das heißt in dem Sie darüber verfügen können. Bei einigen Anlagen können Sie die Gutschrift der Ihnen zustehenden Erträge auch später beantragen. Wenn Sie zum Beispiel erst im Januar 1999 die Gutschrift für Erträge anfordern, die bereits im Dezember 1998 fällig wurden, dann zählen die Erträge für das Steuerjahr 1998.

Zinsen sammeln kann steuerschädlich sein!

Zinserträge, die kumuliert (angesammelt) werden, sind einmalig im Jahr der Fälligkeit oder bei vorzeitiger Veräußerung im Jahr des Verkaufs zu versteuern (Beispiel: Bundesschatzbriefe Typ B). Das führt dazu, dass im Jahr der Besteuerung - also am Ende der Laufzeit - auf einen Schlag die gesamten bis dahin angesammelten Zinsen versteuert werden müssen. Das kann ein erheblicher Nachteil gegenüber den Geldanlagen sein, bei denen die Zinsen jährlich zu versteuern sind.

Steuern sparen mit der „Nichtveranlagungs-Bescheinigung"

Liegen bestimmte Voraussetzungen vor, stellt das Finanzamt auf Antrag eine so genannte Nichtveranlagungs-Bescheinigung aus. Legt man diese dem Geldinstitut vor, werden die Kapitalerträge ohne Steuerabzug ausgezahlt. Die Nichtveranlagungs-Bescheinigung erhält man, wenn man belegen kann, dass man voraussichtlich keine Einkommensteuer zahlen muss, weil die Gesamteinkünfte unterhalb der Steuerpflicht-Grenze liegen. Das ist insbesondere in folgenden Fällen möglich:

Schüler und Studenten

Die Einkünfte aus Arbeitstätigkeit sind gering (unterhalb der Steuerpflicht-Grenze), aber es gibt zusätzlich Einkünfte aus Kapitalvermögen (Beispiel: Großeltern haben Wertpapiere geschenkt/vererbt). 2.500 Euro Arbeitseinkommen und 2.500 Euro Zinseinkünfte ergeben zusammen 5.000 Euro Gesamteinkünfte. Die 2.500 Euro Zinseinkünfte übersteigen den Sparerfreibetrag und den Werbungskostenpauschbetrag (insgesamt 1.421 Euro) für Ledige, sodass normalerweise 848 Euro von den 2.500 Euro Zinseinkünften versteuert werden müssten. Bei 5.000 Euro

Gesamteinkünften im Jahr besteht aber noch überhaupt keine Einkommensteuerpflicht, also auch nicht für die Erträge aus Kapitalvermögen. Besorgt man sich vom Finanzamt die Nichtveranlagungs-Bescheinigung und legt sie dem Geldinstitut vor, zahlt dieses die Kapitalerträge auch dann ohne Steuerabzug aus, wenn sie höher als der Steuerfreibetrag für Kapitaleinkünfte sind (mindestens 1.421 Euro pro Person).

Rentner

Die meisten Rentner erhalten ihr Einkommen aus einer regelmäßigen Rentenzahlung, entweder aus der gesetzlichen Rentenversicherung oder einer privaten Versicherung. Und diese Renten sind nicht komplett steuerpflichtig, sondern nur ein Teil davon, der so genannte Ertragsanteil. Wie hoch der Ertragsanteil ist, hängt davon ab, ab welchem Alter man die Rente bekommt: je später, desto geringer ist der steuerpflichtige Anteil. Außerdem gibt es noch zusätzliche Freibeträge. Ähnlich wie im Beispiel für Schüler und Studenten kann das insgesamt dazu führen, dass Kapitalerträge, die wegen Überschreitung von Sparerfreibetrag und Werbungskostenpauschbetrag eigentlich steuerpflichtig wären, trotzdem steuerfrei bleiben, weil alle Einkünfte zusammengenommen unterhalb der Grenze liegen, ab der überhaupt Einkommensteuer anfällt.

Steuerpflichtige Erträge in steuerfreie Erträge umwandeln

- Die Gewinnbeteiligung bei Lebensversicherungen ist unter bestimmten Voraussetzungen steuerfrei.
- Sie können auch Niedrigzinsanleihen kaufen, deren Zinsertrag unter dem marktüblichen liegt. Als Ausgleich dafür bekommen Sie die Wertpapiere zu einem günstigeren Kurs. Wenn Sie für ein Wertpapier nur 90 Euro zahlen müssen, obwohl Sie am Ende der Laufzeit 100 Euro plus Zinsen zurückbekommen, erzielen Sie zusätzlich zu den niedrigen Zinsen einen Kursgewinn von 10 Euro. Und dieser Gewinn ist – im Gegensatz zu den Zinsen – steuerfrei. Nach diesem Prinzip sind auch die so genannten steueroptimierten Rentenfonds gestaltet.
- Sie können Ihr Geld in Immobilien, Aktien oder Aktienfonds anlegen. Ein Teil des Gewinns, die Wertsteigerung, ist nach Ablauf einer vom Gesetzgeber festgelegten Mindesthaltedauer von einem Jahr steuerfrei.
  Quelle: Veröffentlichungen des Verbraucherschutzes

Anhang 3

Die „Neue Spekulation" mit Stammaktien [63]

Die folgenden Ausführungen reflektierten die Aktienkäufe vieler Jahre an der Wall Street, mit den dazugehörigen verschiedenen Erfahrungen. Es bilden sich immer wieder neue Rahmenbedingungen und Situationen, die den Wert der Erfahrungen selbst in Frage stellen. Was die Bereiche Wirtschaft, Finanzen und Aktienanalyse von anderen praktischen Disziplinen unterscheidet, ist die Unsicherheit, aus der Vergangenheit auf die Gegenwart und die Zukunft schließen zu können. Dennoch haben wir nicht das Recht, uns den Lehren aus der Vergangenheit zu verschließen, bis wir sie nicht mindestens untersucht und verstanden haben. Meine Botschaft ist ein Versuch, ein solches Verständnis für einen eingeschränkten Bereich zu schaffen. Vor allem möchte ich einige widersprüchliche Beziehungen zwischen der Gegenwart und der Vergangenheit herausstellen, die auf der grundsätzlichen Einstellung zur Kapitalanlage und zur Spekulation mit Stammaktien beruhen.

An den Anfang stelle ich die Zusammenfassung meiner These. In der Vergangenheit lagen die spekulativen Elemente einer Stammaktie fast ausschließlich im Unternehmen selbst. Sie unterlag Unsicherheiten und Schwankungen und war der Schwäche der Branche oder schlechten Bedingungen im Unternehmen ausgesetzt. Diese spekulativen Elemente gibt es natürlich immer noch; doch wurden sie durch eine Reihe langfristiger Entwicklungen auf ein vernünftiges Maß reduziert. Doch als Reaktion darauf wurde im Bereich der Stammaktien von *außerhalb* der

Unternehmen ein neues und wichtiges spekulatives Element eingeführt. Es stammt aus der Einstellung und der Sichtweise der Käufer von Aktien und ihrer Berater – hauptsächlich von uns, den Aktienanalysten. Diese Einstellung kann mit einem einzigen Begriff beschrieben werden: der vorrangigen Betonung der Erwartungen an die Zukunft.

Nichts scheint logischer und natürlicher zu sein als die Vorstellung, dass eine Stammaktie in erster Linie auf der Grundlage der vom Unternehmen erwarteten künftigen Performance bewertet und entsprechend mit einem Kurs ausgestattet wird. Dennoch birgt diese einfach erscheinende Vorstellung eine Reihe von Gegensätzen und Stolpersteinen. Erstens verwischt sie einen großen Teil der traditionellen Unterschiede zwischen Investition und Spekulation. Das Wörterbuch sagt, dass „spekulieren" aus dem Lateinischen „specula" abgeleitet wird, also von einem Ausblick. Früher war ein Spekulant jemand, der vor allen anderen künftige Entwicklungen vorhersah. Doch wenn heute ein Investor clever ist, muss auch er einen Blick in die Zukunft werfen; wenn er sich ganz auf die Zukunft konzentriert, begibt sich in die Nähe des Spekulanten.

Zweitens: Die für Kapitalanleger attraktivsten Unternehmen – also jene mit der besten Bonität – sind diejenigen, die das größte spekulative Interesse auf sich und ihre Stammaktien ziehen, weil jeder davon ausgeht, dass ihnen eine tolle Zukunft garantiert ist. Drittens lädt das Konzept der künftigen Aussichten, insbesondere die Aussicht auf stetiges Wachstum, geradezu dazu ein, Formeln der höheren Mathematik anzuwenden, um den aktuellen Wert der favorisierten Titel zu untermauern. Doch die Kombination aus präzisen Formeln und höchst ungenauen Annahmen kann auch dazu verwendet werden, so ziemlich jeden gewünschten Wert zu untermauern oder, besser gesagt, zu rechtfertigen. Doch paradoxerweise wird genau diese Tatsache bei genauerer Untersuchung zeigen, dass kein Wert und auch kein vernünftiger Bereich von Werten so zuverlässig ist, dass man damit ein bestimmtes Wachstum für ein Unternehmen vorhersagen könnte. Deshalb kann der Markt gelegentlich – und fälschlicherweise – das Wachstum als überraschend gering einschätzen.

Kommen wir auf die Unterscheidung zwischen den älteren und den neueren spekulativen Elementen bei Stammaktien zurück und betrachten wir die endogenen und die exogenen Faktoren. Zur Darstellung der früheren spekulativen Stammaktie dienen die Aktien der American Can und der Pennsylvania Railroad aus den Jahre 1911 bis 1913. Diese Titel finden sich in der *Security Analysis* von Benjamin Graham und David. L. Dodd, 1940, McGraw-Hill, auf den Seiten 2 und

3. In diesen drei Jahren lag der Kursbereich von „Pennsy" zwischen 53 und 65 $, das KGV bewegte sich zwischen den Werten 12,2 und 15. Die Aktie brachte stetige Gewinne, zahlte zuverlässig eine Dividende von 3 $, und die Anleger waren sicher, dass sie weit über den Nennwert von 50 $ durch Sachanlagen gesichert war. Im Gegensatz dazu schwankte der Kurs von American Can zwischen 9 und 47 $; die Gewinne zwischen 7 und 8,86 $, das KGV bewegten sich zwischen 1,9 und 10; es wurden keinerlei Dividenden ausgeschüttet. Erfahrene Anleger waren sich bewusst, dass der Nennwert der Stammaktien von 100 $ nichts anderes darstellte als „unbekannte Gewässer", weil die Vorzugsaktien den Sachwert bereits überstiegen. Somit war American Can ein Musterexemplar eines spekulativ kapitalisierten Unternehmens in einer schwankenden und unsicheren Branche. Langfristig gesehen hatte American Can weit bessere Zukunftsaussichten als Pennsylvania Railroad; doch diese Tatsache wurde von den Anlegern damals nicht gesehen. Und selbst wenn dies der Fall gewesen wäre, hätten die Anleger diese Aktie wahrscheinlich ignoriert, weil sie nicht in die gängigen Anlagestrategien der damaligen Zeit passte.

Nun möchte ich Ihnen die Bedeutung der langfristigen Aussichten für die Kapitalanlage aufzeigen. Als Beispiel wähle ich den spektakulärsten Giganten im industriellen Bereich: International Business Machines. IBM war im vergangenen Jahr zu einer kleinen Gruppe von Unternehmen gestoßen, die mehr als 1 Milliarde $ umsetzen. An dieser Stelle möchte ich ein paar autobiographische Anmerkungen machen, um einen persönlichen Bezug zu den Zahlenwerten herzustellen. 1912 hatte ich das College für ein Semester verlassen, um ein Projekt für die U.S. Express Company zu übernehmen. Wir machten uns daran, die Auswirkungen eines vorgeblich revolutionären neuen Systems zur Berechnung der Expresskosten auf den Ertrag herauszufinden. Zu diesem Zweck benutzten wir die so genannten Hollerith-Maschinen, die wir uns bei der damaligen Computing-Tabulating-Recording Company ausliehen. Sie bestanden aus gestanzten Karten, Kartensortierern und Tabulatoren-Werkzeugen, die in der Geschäftswelt damals nahezu unbekannt waren und hauptsächlich zur Auswertung von Umfragen oder Wahlen benutzt wurden. 1914 ging ich an die Wall Street, und im Jahr darauf wurden die Aktien der C.-T.-R. Company an der NYSE notiert. Ich hatte ein gefühlsmäßiges Interesse an diesem Unternehmen, und außerdem betrachtete ich mich als eine Art Technologie-Experten für deren Produkte, weil ich einer der wenigen Finanzmenschen war, der diese Geräte gesehen und sogar benutzt hatte. 1916 ging ich zum Chef meiner Firma, der als Mr. A. N. bekannt war, und sagte ihm, dass die Aktie der C.-T.-R. Company zwischen 40 und 50 $ gehandelt wurde (bei 105.000 Stücken), dass 1915 6,50 $ je Aktie verdient wurde; dass der Buchwert - einschließlich, um sicherzugehen, einiger nicht ausgewiesener immaterieller Werte - bei 130 $ lag, dass die Dividende 3 $ betrug und dass ich die Produkte und Aussichten des Unternehmens sehr hoch einschätzte. Mr. A. N. sah mich voller Mitleid an: „Ben", sagte er, „erwähne dieses Unternehmen in meiner Anwesenheit nie wieder. Ich würde es nicht einmal mit einer Zange anfassen. (Das war sein Lieblingsausdruck.) Die Anleihen für 6 % werden im unteren 80er-Bereich gehandelt, und sie sind nicht gut. Wieso sollte die Aktie gut sein? Jeder weiß, dass nichts dahinter ist als nur Wasser." (Anmerkung: Damals kam dieser einer Verurteilung gleich, denn es bedeutete, dass die Passiva in der Bilanz reine Fiktion waren. Viele Industrieunternehmen - insbesondere U. S. Steel, trotz seines Nennwerts von 100 $ - bestanden aus nichts als „Wasser", versteckt in einem aufgeblähten Wert einer Fabrik. Weil sie nichts als ihre Ertragskraft und ihre Zukunftsperspektiven zur Deckung besaßen, interessierte sich kein Anleger für sie.)

Solcherart gemaßregelt, ging ich zurück an meinen Arbeitsplatz. Mr. A. N. war nicht nur erfahren und erfolgreich, sondern auch äußerst clever. Ich war von dieser totalen Verdammung der C.-T.-R. Company so beeindruckt, dass ich in meinem ganzen Leben keine einzige Aktie dieses Unternehmens kaufte, nicht einmal, als es 1926 den Namen änderte und nunmehr International Business Machines hieß.

Werfen wir nun einen Blick auf dasselbe Unternehmen mit dem neuen Namen im Jahr 1926, einem Jahr, in dem die Aktienkurse ziemlich hoch waren. Zu dieser Zeit tauchte erstmals der Begriff „Firmenwert" in den Bilanzen mit einem Betrag von 13,6 Millionen $ auf. Mr. A. N. hatte Recht: Praktisch jeder Dollar des so genannten Eigenkapitals hinter den Stammaktien bestand im Jahr 1915 aus nichts als „Wasser" oder - wie man heute sagen würde - „heißer Luft".. Als das Unternehmen jedoch unter der Führung von T. L. Watson sen. eindrucksvolle Leistungen erbrachte, war der Nettogewinn von 691.000 $ auf 3,7 Millionen $ gestiegen, also um mehr als das Fünffache - ein höherer prozentualer Gewinn, als er in jeweils elf Folgejahren erzielt werden konnte. Für die Stammaktien wurde eine hübsche Summe an Sachwerten aufgebaut, und das Papier wurde mit 3,6 zu 1 gesplittet. Man hatte eine Dividende von 3 $ ausgeschüttet, wobei die Gewinne bei 6,39 $ je Aktie lagen. Man hätte nun erwarten können, dass die Börse bei einem derartigen Wachstum und einer so starken Handelsposition begeistert reagiert hätte. Doch warten wir ab. Der Kursbereich lag in diesem Jahr zwischen 31 und 59 $. Bei einem Durchschnittskurs von 45 $ wies es ein KGV von sieben auf und eine Dividendenrendite von 6,7 %, genau wie im Jahr 1915. Am Tief von 31 $ lag die Aktie nicht weit über dem Buchwert, und in dieser Hinsicht war der Kurs konservativer als elf Jahre zuvor.

Diese Zahlen zeigen die Beständigkeit des altertümlichen Standpunkts der Kapitalanlage bis zum Bullenmarkt der 20er-Jahre. Was danach geschah, kann man in Intervallen von jeweils zehn Jahren in der Unternehmensgeschichte von IBM zusammenfassen. 1936 war der Gewinn auf das Doppelte der Zahlen von 1926 angewachsen, und das durchschnittliche KGV stieg von 7 auf 17,5. Von 1936 bis 1946 stieg der Gewinn um das 2,6fache, und das durchschnittliche KGV blieb bei 17,5. Dann legte das Tempo kräftig zu: Der Gewinn von 1956 war vier Mal so groß wie der von 1946, und das durchschnittliche KGV kletterte auf 42; dabei war das noch nicht konsolidierte Vermögen der Tochtergesellschaften im Ausland noch gar nicht berücksichtigt.

Wenn man die letzten Kurse genauer betrachtet, findet man einige interessante Analogien und Gegensätze zu den vorhergehenden 40 Jahren. Das einstmals so skandalöse „Wasser", das in den Bilanzen der Industrieunternehmen vorherrschte, wurde sozusagen ausgewrungen – und fand Eingang in die Bewertung durch die Börse, nämlich durch Anleger und Spekulanten. Wenn IBM nun zum Siebenfachen seines Buchwerts und nicht zum Siebenfachen seiner Gewinne gehandelt wird, dann ist der Effekt praktisch der gleiche, als hätte die Aktie überhaupt keinen Buchwert. Der geringe Anteil des Buchwerts kann auch als eine Art „Vorzugsaktie" im Kurs betrachtet werden; der Rest repräsentiert genau jenes Engagement, das der frühere Spekulant einging, als er Woolworth oder U. S. Steel ausschließlich wegen der Ertragskraft und der Zukunftsaussichten kaufte.

Nebenbei sollte Folgendes angemerkt werden: In den 30 Jahren, in denen aus IBM ein Unternehmen wurde, dessen KGV von sieben bis auf 40 aufstieg, verschwand viel von dem, was ich oben als endogene spekulative Aspekte unserer großen Industrieunternehmen bezeichnet habe. IBMs finanzielle Positionen sind fest, seine Kapitalstruktur ist konservativ: Es wird wesentlich fachmännischer geführt – und sogar viel ehrlicher als zuvor. Zudem hat die Offenlegung der Zahlen eines der wichtigsten spekulativen Elemente von früher eliminiert: Ignoranz und Geheimniskrämerei.

Hier schnell noch ein weiterer persönlicher Exkurs. In meinen ersten Jahren an der Wall Street war einer meiner Favoriten unter den „geheimnisvollen" Unternehmen Consolidated Gas of New York, heute Consilidated Edison. Es besaß als

Tochtergesellschaft die profitable New York Edison Company und berichtete nur über die Dividenden aus dieser Quelle und nicht über die gesamten Gewinne. Die nicht veröffentlichten Gewinne enthielten das Geheimnis; sie waren die „verborgenen Werte". Zu meiner Überraschung entdeckte ich, dass diese verheimlichten Zahlen bei der Public Service Commission des Bundesstaates vorgelegt wurden. Es war ein Leichtes, die Eintragungen einzusehen und die wirklichen Gewinne von Consolidated Gas in einem Zeitschriftenbeitrag zu veröffentlichen. (Übrigens waren die Gewinne keineswegs spektakulär.) Einer meiner Freunde sagte mir daraufhin: „Ben, du kannst denken, du seist ein großartiger Kerl, weil du die fehlenden Zahlen geliefert hast, doch die Wall Street wird es dir nicht danken: Consolidated Gas mit dem Geheimnis ist sowohl interessanter als auch wertvoller als nach der Enthüllung. Ihr jungen Leute, die ihr eure Nase in alles hineinsteckt, werdet die Wall Street noch in der Ruin treiben."

Es stimmt, dass die drei „M", die so viel Öl in das spekulative Feuer gegossen haben, nunmehr verschwunden sind. Dies waren Mystery (Geheimnis), Manipulation und (dünne) Margen. Doch wir Aktienanalysten haben Bewertungskonzepte geschaffen, die in sich selbst so spekulativ sind, dass sie sehr gut den Platz der „alten" spekulativen Elemente einnehmen könnten. Haben wir heute nicht unsere eigenen drei „M" – niemand anderes als die Minnesota Mining and Manufacturing Company –, und demonstriert diese Aktie nicht perfekt die neue Spekulation, im Gegensatz zur alten Spekulation? Betrachten wir nur einige Zahlen: Als die Stammaktie von M. M. & M. im vergangenen Jahr mit 101 $ gehandelt wurde, entsprach das den 44fachen Gewinnen von 1956, die sich seit 1957 nicht wesentlich erhöht hatten. Das Unternehmen selbst wurde mit 1,7 Milliarden $ bewertet, von denen 200 Millionen $ durch Substanzwerte gedeckt waren, und eine halbe Milliarde Dollar stellte der durch den Markt festgestellte Firmenwert dar. Wir wissen nicht, wie der Firmenwert berechnet wurde, doch wir wissen, dass einige Monate später der Markt diese Bewertung um etwa 450 Millionen $ oder 30 % zurücknahm. Offensichtlich ist es unmöglich, die immateriellen Werte eines wunderbaren Unternehmens wie diesem genau zu berechnen. Es folgt einer Art mathematischem Gesetz: Je höher der Firmenwert oder die künftige Ertragskraft ist, desto unsicherer wird der wahre Wert des Unternehmens, und deshalb wird die Aktie umso spekulativer.

Es wäre hilfreich, den vitalen Unterschied zu erkennen, der sich in der Bewertung dieser immateriellen Faktoren entwickelt hat, wenn wir die früheren Zeiten mit heute vergleichen. Vor einer Generation war es die Regel, dass sowohl im durchschnittlichen Aktienkurs als auch in offiziellen Bewertungen die immateriellen Werte konservativer angesetzt wurden als die materiellen Werte. Von einem guten Industrieunternehmen könnte man einen Gewinn von 6 bis 8 % auf seinen Sachwert verlangen, wenn er hauptsächlich durch Anleihen und Vorzugsaktien repräsentiert wird. Doch die Gewinnrücklagen und die immateriellen Vermögenswerte, die den Anstieg bewirkten, würden mit etwa 15 % bewertet. (Wahrscheinlich werden Sie in etwa diese Verhältnisse beim Börsengang von Woolworth-Vorzugs- und -Stammaktien im Jahr 1911 finden, aber auch bei vielen anderen IPOs.) Doch was geschah ab den 20er-Jahren? Im Wesentlichen würden Sie genau das Gegenteil dieser Verhältnisse sehen. Ein Unternehmen muss heute in der Regel 10 % auf seine Stammaktien verdienen, damit es an den Börsen zum vollen Buchwert gehandelt wird. Doch die Gewinnrücklagen, über 10 % auf das Kapital, werden normalerweise weitaus liberaler oder mit einem höheren KGV bewertet, als die zugrunde liegenden Gewinne es erforderten, um den Buchwert im Markt zu decken. Somit kann ein Unternehmen, das 15 % auf das Eigenkapital verdient, durchaus mit einem KGV von 13,5 oder dem Doppelten des Nettovermögenswertes gehandelt werden. Das würde bedeuten, dass die ersten 10 %, die auf das Eigenkapital verdient werden, nur mit einem KGV von zehn bewertet werden, doch die nächsten 5 % – was man gemeinhin den Überschuss nennt – werden tatsächlich mit einem KGV von 20 bewertet.

Nun gibt es einen logischen Grund für diese Umkehrung im Bewertungsvorgang, der mit der heute anzutreffenden Betonung der Wachstumserwartungen verbunden ist. Unternehmen, die eine hohe Kapitalrendite erwirtschaften, erhalten diese hohen Bewertungen nicht nur wegen ihrer hohen Rentabilität und der damit verbundenen Stabilität, sondern – vielleicht ist dies sogar stichhaltiger – weil die hohe Kapitalrendite in der Regel mit einem hohen Wachstum Hand in Hand geht und die Zukunftsperspektiven gut sind. Somit bezahlen wir heute also im Fall von höchst rentablen Unternehmen nicht für den Firmenwert im guten, alten, eingeschränkten Sinn eines eingeführten Namens und für ein rentables Geschäft, sondern für die Erwartung steigender Gewinne in der Zukunft.

Dies bringt mich zu zwei zusätzlichen mathematischen Aspekten der neuen Einstellung bei der Bewertung von Stammaktien, die ich in Form kurzer Vorschläge streifen will. Wenn, wie viele Untersuchungen zeigen, der Multiplikator der Gewinne mit der Rentabilität zunimmt – das heißt, wenn die Rendite auf den Buchwert steigt –, dann wäre die rechnerische Konsequenz daraus, dass der Wert im Quadrat der Gewinne zunimmt, der Buchwert jedoch im *umgekehrten*

Verhältnis. Somit wurden Sachwerte in einem wichtigen und sehr realen Sinn eine Belastung für den durchschnittlichen Börsenwert, anstatt eine Quelle dafür zu sein. Nehmen wir ein Beispiel, das gar nicht so extrem ist, wie es scheint: Wenn das Unternehmen A 4 $ je Aktie auf einen Buchwert von 20 $ je Aktie verdient und das Unternehmen B ebenfalls 4 $ Gewinn bei einem Buchwert von 100 $ je Aktie erzielt, dann sollte es fast sicher sein, dass das Unternehmen A mit einem höheren Multiplikator (KGV) gehandelt wird und somit auch zu einem höheren Kurs als das Unternehmen B – sagen wir 60 $ für das Unternehmen A und 35 $ für das Unternehmen B. Somit wäre es nicht falsch zu sagen, dass die 80 $ je Aktie des größeren Vermögens des Unternehmens B dafür verantwortlich sind, dass der Börsenkurs um 25 $ geringer ist, da die Gewinne je Aktie als gleichwertig betrachtet werden.

Noch wichtiger als dieser Zusammenhang ist die allgemeine Beziehung zwischen der Mathematik und dem neuen Konzept zur Aktienbewertung. Wir haben drei Faktoren: (a) optimistische Annahmen zum Gewinnwachstum, (b) eine hinreichend langfristige Prognose dieser Gewinne in die Zukunft hinein und (c) das wunderbare Wirken des Zinseszins – siehe da! Der Aktienanalyst bekommt einen neuen Stein der Weisen, der jede gewünschte Bewertung für eine „wirklich gute Aktie" schaffen oder rechtfertigen kann. Kürzlich habe ich in einem Beitrag im *Analyst´s Journal* zu der Mode Stellung bezogen, die höhere Mathematik in Bullenmärkten heranzuziehen, und dabei David Durands Darstellung der erstaunlichen Analogie zwischen Wertberechnungen der Wachstumsaktien und dem berühmten Petersburg-Paradoxon erwähnt, das Mathematiker mehr als 200 Jahre lang in Verwirrung gestürzt hatte. Es gibt folgendes Paradoxon in der Beziehung zwischen Mathematik und der Einstellung zur Kapitalanlage in Stammaktien: Von der Mathematik erwartet man normalerweise präzise und zuverlässige Ergebnisse; doch im Aktienmarkt sind die Schlussfolgerungen, die wir ziehen, umso unsicherer und spekulativer, je ausgefeilter und abstruser die mathematischen Begründungen sind. In den 44 Jahren, in denen ich an der Wall Street gearbeitet und Erfahrungen gesammelt habe, habe ich noch nie eine zuverlässige Kalkulation zur Bewertung von Stammaktien oder damit in Beziehung stehenden Anlagekonzepten gesehen, die über die Grundrechnungsarten oder die elementarste Algebra hinausgingen. Immer wenn Berechnungen ins Spiel oder höhere Algebra kommen, können Sie dies als Warnsignal ansehen, dass der Ausführende Erfahrung durch Theorie ersetzt und Spekulation hinter der Verkleidung von Investitionen versteckt.

Die älteren Vorstellungen von der Anlage in Stammaktien mögen dem anspruchsvollen Aktienanalysten von heute vielleicht ein wenig naiv erscheinen. Die Hauptbetonung lag immer darauf, was wir heute die defensiven Aspekte eines Unternehmens oder eines Titels nennen – hauptsächlich die Sicherheit, auch in schlechten Zeiten eine ungeschmälerte Dividende zu erhalten. Somit wurden die starken Eisenbahngesellschaften, das übliche Investment in Stammaktien vor 50 Jahren, in genau der gleichen Weise betrachtet wie die Aktien der öffentlichen Versorgungsunternehmen in den zurückliegenden Jahren. Wenn die Leistungsbilanz der Vergangenheit Stabilität versprach, war die Hauptbedingung erfüllt: Es wurde nicht sehr viel Aufwand betrieben, um ungünstige Veränderungen einer zugrunde liegenden Eigenschaft für die Zukunft zu antizipieren. Doch im Gegensatz dazu wurden insbesondere gute Zukunftsaussichten von klugen Anlegern als etwas angesehen, wonach man suchen sollte, ohne dafür bezahlen zu müssen.

Das bedeutete, dass der Investor für überragende langfristige Aussichten nichts zu bezahlen brauchte. Er bekam sie ganz einfach, ohne irgendeinen Aufpreis, als Belohnung für seine eigene überlegene Intelligenz und sein Urteilsvermögen, die besten anstatt der nur guten Unternehmen auszuwählen. Stammaktien mit der gleichen finanziellen Stärke, der gleichen Leistungsbilanz in der Vergangenheit und der gleichen Stabilität der Dividenden wurden alle mit etwa der gleichen Dividendenrendite gehandelt.

Dies war wirklich kurzsichtig, doch hatte es den großen Vorteil, dass Kapitalanlagen in Aktien früher nicht nur einfacher, sondern grundsätzlich vernünftig und höchst rentabel war. Nun noch eine letzte persönliche Anmerkung: Irgendwann um das Jahr 1920 verteilte unsere Firma kleine Faltblätter mit dem Titel *Lehren für den Anleger*. Natürlich brauchte es einen kecken Analysten Mitte 20, so wie mich, um einen so blasierten Titel zu verfassen. Doch in einigen Zeitungen hatte ich die beiläufige Aussage gemacht, dass, „wenn eine Stammaktie eine gute Investition ist, dann ist sie auch eine gute Spekulation". Denn, so überlegte ich, wenn eine Stammaktie so vernünftig war, dass damit ein geringes Risiko verbunden war, dann müsste sie normalerweise so gut sein, dass sie auch in der Zukunft gewinnen würde. Diese Überlegung war absolut richtig und eine sehr wertvolle Entdeckung, doch stimmte sie nur deshalb, weil niemand sie beachtete. Einige Jahre später, als die Öffentlichkeit aufwachte und die historischen Verdienste der Stammaktien als langfristige Kapitalanlagen entdeckte, war es mit diesen Verdiensten schnell wieder vorbei, weil die Begeisterung des Publikums zu Kursen führte, die den Aktien die „eingebaute" Sicherheitsspanne raubte und sie somit als Kapitalanlage nicht mehr brauchbar waren. Dann jedoch schwang das Pendel ins andere Extrem, und schon bald sahen wir, dass einer der angesehensten Experten (im Jahr 1931) erklärte, keine Stammaktie könne jemals eine guten Kapitalanlage werden.

Wenn wir diese Entwicklung betrachten, dann finden wir noch ein weiteres Paradoxon in der veränderten Einstellung der Anleger zu den Kapitalgewinnen im Gegensatz zum Einkommen. Es scheint eine Binsenweisheit zu sein, dass die früheren Anleger in Stammaktien an Kapitalgewinnen kaum Interesse zeigten. Sie kauften die Aktie fast ausschließlich der Sicherheit und des Einkommens wegen und ließen den Spekulanten mit seiner Bewertung des Kurses allein. Heute würden wir wahrscheinlich sagen, dass der erfahrene und kluge Investor umso weniger auf die Dividendenrendite achtet, je mehr er sich um die langfristige Bewertung kümmert. Dennoch könnte man behaupten: Weil der frühere Investor sich nicht um die künftige Kurssteigerung kümmerte, garantierte er sich sozusagen selbst, dass er sie bekommen würde, zumindest im Bereich der Industrie-Aktien. Im Gegensatz dazu ist der heutige Anleger so sehr mit der Kursentwicklung beschäftigt, um die Zukunft zu antizipieren, dass er bereits im Voraus anständig dafür bezahlt. Somit wird das, was er mit viel Aufwand und Sorgfalt prognostiziert, tatsächlich geschehen und ihm kaum einen Gewinn bringen, Wenn der Gewinn sich nicht in dem Maße einstellt, dann sieht er sich tatsächlich einem ernsthaften, teils vorübergehendem, teils permanentem Verlust ausgesetzt.

Welche Lehren – und wieder verwende ich den anmaßenden Titel meines Faltblattes von 1920 – kann ein Analyst von 1958 aus dieser Verbindung der Vergangenheit mit den aktuellen Einstellungen ziehen? Keine von besonderem Wert, möchte man fast sagen. Wir können einen nostalgischen Blick in die gute alte Zeit zurückwerfen, als wir nur für die Gegenwart bezahlten und die Zukunft gratis dazubekamen – eine Kombination aus alledem, zuzüglich des Himmels. Traurig den Kopf schüttelnd murmeln wir: „Diese Zeiten sind für immer vorbei." Haben die Investoren und Aktienanalysten nicht vom Baum der Erkenntnis guter und schlechter Aussichten gegessen? Als sie das taten, schlossen sie sich nicht für immer aus den Garten Eden aus, in dem viel versprechende Aktien zu vernünftigen Kursen von den Büschen gepflückt werden konnten? Sind wir dazu verurteilt, immer das Risiko eingehen zu müssen, dass wir entweder viel zu hohe Kurse für gute Qualität und Zukunftsperspektiven bezahlen oder dass wir schlechte Qualität und schlechte Zukunftsperspektiven bekommen, wenn wir einen scheinbar vernünftigen Kurs bezahlen?

Es sieht ganz danach aus. Dennoch kann man sich nicht einmal dieses pessimistischen Dilemmas sicher sein. Erst kürzlich recherchierte ich ein wenig in der langen Geschichte des enorm wachsenden Unternehmens General Electric, angeregt durch den höchst interessanten Chart von Gewinnen und Dividenden in 59 Jahren, der im Jahresbericht für 1959 veröffentlicht wurde. Diese Zahlen sind für einen kenntnisreichen Analysten nicht ohne Überraschungen. Erstens zeigen sie, dass das Wachstum vor 1947 recht bescheiden und völlig unregelmäßig war. Die Gewinne je Aktie von 1946 lagen nur um 30 % höher als 1902 – 52 Cent gegenüber 42 Cent –, und in keinem Jahr in dieser Zeit wurden die Gewinne von 1902 verdoppelt. Dennoch stieg das KGV von 9 im Jahr 1910 und 1916 auf 29 im Jahr 1938 und noch einmal im Jahr 1946. Man könnte natürlich sagen, dass der Multiplikator von 1946 zumindest das wohl bekannte Vorwissen kluger Anleger ausdrückte. Wir Analysten konnten damals die wirklich überragende Zeit des Wachstums vorhersehen, die uns im kommenden Jahrzehnt bevorstand. Vielleicht ist das auch richtig. Doch einige unter Ihnen werden sich daran erinnern, dass das folgende Jahr 1947 für GE einen eindrucksvollen neuen Höchststand der Gewinne je Aktie mit sich brachte, aber auch durch einen starken Rückgang des KGV gekennzeichnet war. An seinem Tief von 32 $ (vor seinem 3:1-Aktiensplit) wurde GE nur mit dem Neunfachen der aktuellen Gewinne gehandelt, und der durchschnittliche Kurs in diesem Jahr lag bei den zehnfachen Gewinnen. Unsere Kristallkugel war in diesen zwölf Monaten sicherlich vernebelt.

Diese auffällige Kehrtwende ereignete sich vor elf Jahren. Ich habe einige Zweifel an der Zuverlässigkeit der unter Analysten verbreiteten Annahme, dass bekannte und viel versprechende Unternehmen immer mit einem hohen KGV gehandelt werden – das ist eine Tatsache für Anleger, ob es ihnen gefällt oder nicht. Ich habe allerdings nicht die Absicht, an diesem Punkt dogmatisch zu werden. Alles, was ich dazu sagen kann, ist, dass es mir noch nicht ganz in den Kopf geht und jeder versuchen muss, es für sich selbst in Ordnung zu bringen.

Etwas anderes kann ich jedoch definitiv sagen: etwas über die Struktur der Börsen für die verschiedenen Arten von Stammaktien, etwas über ihre Eigenschaften in Bezug auf echte Kapitalanlage und reine Spekulation. Früher hatte die Investition in Stammaktien mehr oder weniger den gleichen oder einen ähnlichen Charakter wie das Unternehmen selbst, was man an der Kreditwürdigkeit sehr gut ablesen kann. Je geringer die Rendite der Anleihen oder Vorzugsaktien war, desto größer war die Wahrscheinlichkeit, dass die Stammaktien alle Kriterien erfüllten, die wir an eine befriedigende Investition stellen, und umso weniger war das Element der Spekulation mit im Spiel. Diese Beziehung zwischen dem spekulativen Ranking der Stammaktien und dem Investitionsranking konnte grafisch als Gerade dargestellt werden, die von links oben nach rechts unten verläuft. Doch heute würde ich diese Linie eher als U-förmig beschreiben. An der linken Seite, wo das Unternehmen selbst spekulativ und die Kreditwürdigkeit gering ist, ist die Aktie natürlich höchst spekulativ, so wie es in der Vergangenheit der Fall war. An der rechten Seite jedoch, wo das Unternehmen die höchste Kreditwürdigkeit hat, weil sowohl die Leistungsbilanz der Vergangenheit als auch die Zukunftsaussichten am eindrucksvollsten sind, dort neigt die Börse dazu, mit hohen Kursen ein hohes spekulatives Element einzubringen und damit das Risiko der Aktie zu erhöhen.

Hierzu passt ein Zitat aus einem Sonett von Shakespeare:

Habe ich nicht Städter gesehen, schmuck und beliebt,
die alles und mehr verloren, weil sie zu hohe Mieten bezahlt hatten?

Kehren wir zu der imaginären Grafik zurück: In der Mitte läge der Bereich, in dem das spekulative Element beim Kauf von Stammaktien sein Minimum erreicht. In diesem Bereich könnten wir viele gut eingeführte und starke Unternehmen finden, die auch in der Vergangenheit mit der Konjunktur gewachsen waren und die gute Zukunftsaussichten haben. Solche Aktien kann man fast immer – außer in den Höhen eines Bullenmarktes – zu günstigen Kursen im Vergleich zu ihrem angegebenen intrinsischen Wert kaufen. Und weil die heutigen Anleger und Spekulanten gleichermaßen in Richtung glamouröse Titel tendieren, würde ich die Behauptung wagen, dass diese Titel im Mittelfeld zum ganzen Wert anstatt unter ihren unabhängig feststellbaren Werten gehandelt werden. Sie haben damit einen Faktor in der Sicherheitsspanne, der durch genau jene Marktpräferenzen und Vorurteile entsteht, die dazu neigen, die Sicherheitsspanne bei Titeln, die mehr versprechen, zu zerstören. Außerdem ist bei diesen Unternehmen noch viel Platz für eingehende Analysen der früheren Leistungsbilanz und für mögliche Zukunftsaussichten, wozu man auch die höhere Sicherheit zählen kann, die durch Diversifizierung erzielt wird.

Als Phaeton darauf bestand, den Sonnenwagen zu lenken, gab der erfahrene Kutscher dem Anfänger einige Ratschläge, die dieser jedoch nicht beherzigte – zu seinem Nachteil. Ovid fasste Phoebus Apollos Rat in drei Worten zusammen:

Medius tutissimus ibis, was in etwa heißt: *Am sichersten bist du in der Mitte.*

Ich glaube, dieses Prinzip gilt auch für Investoren und deren Berater, die Aktienanalysten.

Anhang 4

Eine wahre Geschichte: Aetna Maintenance Co.

Der erste Teil der Geschichte stammt aus der Auflage von 1965, wo sie unter der Überschrift „Ein schreckliches Beispiel" erzählt wurde. Der zweite Teil beschäftigt sich mit der späteren Umwandlung des Unternehmens.

Wir sind der Ansicht, dass es einen positiven Effekt auf die künftige Einstellung unserer Leser gegenüber IPOs hat, wenn wir an dieser Stelle eines der „schrecklichen Beispiele" in allen Einzelheiten zitieren. Wir haben es dem S&P *Stock Guide* entnommen; es zeigt die Schwächen der Emissionen von 1960 bis 1962 dar, die extremen Überbewertungen, die sie an der Börse erhielten, und den darauf folgenden Zusammenbruch.

Im November 1961 wurden 154.000 Aktien der Aetna Maintenace Co. zu 9 $ an das Publikum verkauft, und sofort stieg der Kurs auf 15 $. Vor der Finanzierung betrug das Nettovermögen je Aktie gerade einmal 1,20 $, doch stieg es durch das Geld, das durch den Verkauf neuer Aktien in das Unternehmen floss, auf knapp über 3 $ je Aktie.

Umsatz und Gewinn vor der Finanzierung sahen folgendermaßen aus:

Jahresende	Umsatz in $	Nettogewinn für Stammaktien in $	Gewinn je Aktie in $
Juni 1961	3.615.000	187.000	0,69
Juni 1960 (für 6 Monate)	1.527.000	25.000	0,09
Dezember 1959	2.215.000	48.000	0,17
Dezember 1958	1.389.000	16.000	0,06
Dezember 1957	1.083.000	21.000	0,07
Dezember 1956	1.003.000	2.000	0,01

Hier die entsprechenden Zahlen nach der Finanzierung:

Jahresende	Umsatz in $	Nettogewinn für Stammaktien in $	Gewinn je Aktie in $
Juni 1963	4.681.000	42.000 Defizit	0,11 Defizit
Juni 1962	4.234.000	149.000	0,36

Im Jahr 1962 fiel der Kurs auf 2,66 $, und 1964 wurde Aetna nur noch zu 0,875 $ gehandelt. In dieser Zeit wurden keine Dividenden ausgeschüttet.

Kommentar: Dieses Unternehmen war für eine börsennotierte Aktiengesellschaft viel zu klein. Die Aktie wurde auf der Basis eines guten Jahres verkauft und gekauft; die Zahlen der Vorjahre waren geradezu lächerlich. Es gab in dieser höchst umkämpften Branche nichts, was eine künftige Stabilität gewährleisten konnte. Zum Höchstkurs, gleich nach der Emission, zahlte die hirnlose Öffentlichkeit wesentlich mehr für jeden verdienten Dollar und das Anlagevermögen als bei den meisten unserer großen und starken Unternehmen. Dieses Beispiel ist zugegebenermaßen extrem, doch ist es keinesfalls ein Einzelfall; die Fälle von zwar geringerer, jedoch unverzeihlicher Überbewertung gehen in die Hunderte.

Fortsetzung 1965 bis 1970

1965 kam es zu Neuerungen im Unternehmen. Die unrentable Gebäudesanierung wurde verkauft, und man verfolgte ein völlig neues Geschäft: Man stellte elektronische Bauteile her. Das Unternehmen wurde umgetauft und hieß nunmehr Haydon Switch and Instrument Co. Die Gewinne waren nicht besonders beeindruckend. In den fünf Jahren von 1965 bis 1969 erzielte die Gesellschaft nur einen Durchschnittsgewinn von acht Cent je „alte Aktie", wobei man im besten Jahr, 1967, 34 Cents verdiente. Allerdings wurde die Aktie 1968 im Verhältnis 2 für 1 gesplittet. Der Aktienkurs verlief so wie die Wall Street insgesamt: Er stieg von 0,875 $ im Jahr 1964 auf 16,5 $ im Jahr 1968 (nach dem Split). Der Kurs war damit höher als jener in den von Begeisterung getragenen Tagen im Jahr 1961. Doch dieses Mal war die Überbewertung noch schlimmer als zuvor: Die Aktie wurde mit einem KGV von 52 und mit dem 200fachen der durchschnittlichen Gewinne gehandelt. Das Unternehmen musste auch in diesem Jahr, in dem der Höchstkurs erzielt wurde, ein Defizit vermelden. Im Jahr darauf, 1969, fiel der Kurs auf 1 $.

Fragen: Wussten diese Idioten, die 1968 8 $ und mehr für diese Aktie bezahlten, überhaupt alles über die Vorgeschichte des Unternehmens, über die Gewinne der letzten fünf Jahre, über den sehr geringen Anlagewert? Hatten sie überhaupt eine Vorstellung davon, wie viel – oder wie wenig – sie für ihr Geld bekamen? Machte ihnen das nichts aus? Hat irgendjemand an der Wall Street jemals die Verantwortung für die regelmäßige Wiederkehr völlig hirnloser, erschreckend weit verbreiteter und unausweichlich katastrophaler Spekulationen in diesem Anlageinstrument übernommen?

Anhang 5

Technologieunternehmen als Investitionen

Im Standard & Poor's Service waren Mitte 1971 etwa 200 Unternehmen aufgeführt, deren Namen mit „Comp„, „Data", „Electro", „Scien" oder „Techno" anfingen. Ungefähr die Hälfte davon gehörte zur Computerbranche. Alle wurden an der Börse gehandelt oder hatten Anträge gestellt, Aktien an die Öffentlichkeit verkaufen zu dürfen.

Insgesamt 46 solcher Unternehmen wurden im *Stock Guide* vom September 1971 aufgeführt, die alle einen ähnlichen Namen hatten. Als wir die Nachgeschichte dieser Unternehmen untersuchten, die wir im September in *Stock Guide* vorfanden, stießen wir auf folgende Entwicklungen:

- Zwei von ihnen machten Fortschritte im Aktienkurs.
- Bei acht dieser Unternehmen fiel der Kurs um weniger als die Hälfte.
- Bei 23 dieser Unternehmen fiel der Kurs um mehr als die Hälfte.
- Zwölf dieser Unternehmen wurden aus dem *Stock Guide* gestrichen.

Kommentar: Es ist eine Tatsache, dass die vielen Technologieunternehmen, die 1968 im *Stock Guide* nicht aufgeführt wurden, eine noch schlechtere Leistungsbilanz aufwiesen als diejenigen, über die berichtet wurde. Tatsache ist ebenfalls, dass die zwölf Unternehmen, die von der Liste ausgeschlossen wurden, schlechtere Leistungen erbrachten als diejenigen, die weitergeführt wurden. Die furchterregenden Ergebnisse in diesen Beispielen sind zweifellos ein Anzeichen für die Qualität und die Kursentwicklung der gesamten Gruppe der Technologietitel. Der phänomenale Erfolg von IBM und wenigen anderen Unternehmen war die Ursache dafür, dass eine ganze Menge von IPOs in diesem Bereich stattfanden, wo hohe Verluste geradezu garantiert waren.

Endnoten

Einleitung
Was dieses Buch erreichen will

[1] „Letter Stock" ist eine Aktie, die bei der SEC nicht zum Handel registriert ist und für die der Käufer einen Brief schreibt, in dem er bestätigt, dass er die Aktie zur Investition erworben hat.

[2] Die vorhergehenden Zahlen sind Moody's Zahlen für AAA-Anleihen und Industrie-Aktien.

Kapitel 1
Investieren oder Spekulieren: Ergebnisse, die ein intelligenter Investor erwarten darf

[3] Benjamin Graham, David L. Dodd, Sidney Cottle und Charles Tatham, McGraw-Hill, 4. Aufl. 1962. Ein Faksimile der *Security Analysis* wurde 1996 neu aufgelegt (McGraw-Hill).

[4] Dies ist ein Zitat aus *Investment and Speculation* von Lawrence Chamberlain, veröffentlicht 1931.

[5] In einer Umfrage, die vom Federal Reserve Board durchgeführt wurde.

[6] Auflage von 1965, S. 8.

[7] Wir gehen hier von der höchsten Steuerklasse für den typischen Investor aus, die (in den USA) 40 % auf Dividenden und 20 % auf Kapitalerträge beträgt.

Kapitel 2
Der Investor und die Inflation

[8] Dies wurde geschrieben, als Präsident Nixons Einfrieren der Preise und Löhne noch nicht in Kraft getreten war, gefolgt von seinem „Phase 2"-System der Kontrolle. Diese wichtigen Entwicklungen scheinen die oben genannten Ansichten zu bestätigen.

[9] Die Gewinnquote, die von den Unternehmen im S&P Index von 425 Industrie-Aktien erzielt wurde, lag bei etwa 11,5 % auf den Anlagewert - teilweise wegen der Einbeziehung des großen und höchst profitablen Unternehmens IBM, das nicht zu den 30 Titeln im DJIA gehört.

[10] Ein Chart, der von der American Telephone & Telegraph 1971 veröffentlicht wurde, deutet an, dass die Gebühren für in Wohnungen angeschlossene Telefone 1970 ein wenig geringer war als 1960.

[11] Bericht aus dem *Wall Street Journal* im Oktober 1970.

Kapitel 3
100 Jahre Aktienmarkt: Das Niveau der Aktienkurse Anfang 1972

[12] Sowohl S&P als auch Dow Jones haben unterschiedliche Indizes für Versorgungsunternehmen und Transportunternehmen (hauptsächlich Eisenbahngesellschaften), weil die NYSE 1965 einen Index berechnete, der die Kursbewegungen aller dort notierten Unternehmen berücksichtigte.

[13] Erstellt vom Center for Research in Security Prices of the University of Chicago, die von der Charles E. Merrill Foundation finanziert wurde.

[14] Dies wurde erstmals Anfang des Jahres 1971 geschrieben, als der DJIA bei 940 Punkten stand. An der Wall Street galt im Allgemeinen die gegenteilige Ansicht, und sie wurde in einer detaillierten Studie dargestellt, die Mitte 1971 auf einen Mittelwert von 1.200 kam. Im März 1972 war der DJIA nach einem kurzen Abstieg auf 798 wieder auf 940 Punkte gestiegen. Und wiederum behielt Graham Recht: Die „detaillierte Studie" war zu optimistisch und ihrer Zeit um zehn Jahre voraus. Der DJIA schloss erst am 13. Dezember 1985 bei über 1.520!

Kapitel 4
Die allgemeine Portfoliostrategie: Der defensive Investor

[15] Eine höhere steuerfreie Rendite kann mit hinreichender Sicherheit mittels bestimmter *Industrial Revenue Bonds* erzielt werden, einem relativen Neuling unter den Erfindungen im Finanzbereich. Diese Papiere wären für den eher aggressiven Investor von besonderem Interesse.

Kapitel 5
Der defensive Investor und Stammaktien

[16] Practical Formulas for Successful Investing, Wilfred Funk, Inc., 1953.

[17] In den aktuellen mathematischen Ansätzen zu Anlageentscheidungen wurde das Risiko immer in Bezug auf die durchschnittlichen Kursschwankungen,

die Volatilität, definiert. Siehe beispielsweise *An Introduction to Risk and Return* von Richard A. Brealy, The M. I. T. Press 1969. Wir haben das Gefühl, dass das Wort Risiko bei vernünftigen Anlageentscheidungen eher schädlich ist als nützlich - weil es die Marktschwankungen zu stark betont.

[18] Alle 30 Unternehmen im DJIA erfüllten 1971 diesen Standard.

Kapitel 6
Die Portfoliostrategie für den professionellen Investor: Der negative Ansatz

[19] 1970 berichtete Milwaukee Road ein hohes Defizit. Man stellte die Zinszahlungen für die Anleihen ein, und der Kurs der 5-%-Emission fiel auf zehn.

[20] Als Beispiel: Cities-Service-$-6-Vorzugsaktien, bei denen keine Dividenden ausgeschüttet wurden, wurden 1937 nur mit 15 $ gehandelt und mit 27 $ im Jahr 1943, als die Ansammlung 60 $ je Aktie erreicht hatte. 1947 wurden sie im Austausch gegen 196,5 $ je Schuldschein mit einer Verzinsung von 3 % je Anteil aus dem Handel genommen und zu einem Kurs von 186 $ gehandelt.

[21] Eine aufwändige statistische Studie, die unter der Leitung des National Bureau of Economic Research durchgeführt wurde, bestätigt, dass dies tatsächlich der Fall war. Graham bezieht sich auf W. Braddock Hickman, *Corporate Bond Quality and Investor Experience* (Princeton University Press, 1958). Hickmans Buch inspirierte später Michael Milken von Drexel Burnham Lambert, massiv hochverzinsliche Finanzierungen an Unternehmen mit weniger erstklassiger Kreditwürdigkeit anzubieten, was dazu beitrug, die fremdfinanzierten Buy-outs und feindlichen Übernahmen zu initiieren, die in den späten 80er-Jahren überhand nahmen.

[22] Eine repräsentative Auswahl von 41 derartigen Titeln aus dem S&P *Stock Guide* zeigt, das fünf von ihnen mindestens 90 % ihres Höchstkurses verloren hatten, 30 verloren mehr als die Hälfte, und die Gruppe als Ganzes büßte etwa zwei Drittel ein. Die vielen nicht im *Stock Guide* aufgeführten Titel mussten zweifelsohne höhere Verluste hinzunehmen.

Kapitel 7
Die Portfoliostrategie für den professionellen Investor: Die positive Seite

[23] Siehe beispielsweise Lucile Tomlinson, *Practical Formulas for Successful Investing*, und Sidney Cottle und W. T. Whitman, *Investment Timing: The Formula Approach*. Beide Titel wurden 1953 veröffentlicht.

[24] Ein Unternehmen mit einer ordnungsgemäßen Leistungsbilanz kann nicht als Wachstumsunternehmen oder Wachstumsaktie bezeichnet werden, nur weil seine Befürworter erwarten, dass es in Zukunft überdurchschnittliche Ergebnisse erzielt. Es ist ganz einfach ein „viel versprechendes" Unternehmen. Graham macht hierzu eine wichtige Aussage: Wenn die Definition einer Wachstumsaktie ein Unternehmen ist, das in der Zukunft aufblühen wird, dann ist das überhaupt keine Definition, sondern es sind Wunschträume. Es ist, als ob man eine Mannschaft Sport Champions nennt, bevor die Saison beendet ist. Auch heute gibt es Wunschträume; unter den Investmentfonds beschreiben Wachstumsfonds ihre Beteiligungen als Unternehmen mit „überdurchschnittlichem Wachstumspotenzial" oder mit „günstigen Aussichten auf Gewinnwachstum". Eine bessere Definition wäre vielleicht „Unternehmen, deren Gewinn je Aktie um in den vergangenen fünf Jahren jährlich um durchschnittlich 15 % gewachsen ist. (Wenn diese Definition in der Vergangenheit erfüllt wurde, dann ist auch das noch keine Garantie, dass dies auch in der Zukunft so sein wird.)"

[25] Siehe Tabelle 7-1.

[26] Dies sind zwei uralte Sprichwörter der Wall Street, die derartigen Verkäufen einen Rat erteilen: „Kein Baum wächst in den Himmel" und „Ein Bulle mag zwar Geld verdienen, ein Bär kann Geld verdienen, doch ein Schwein verdient niemals Geld."

[27] Zwei Studien sind verfügbar. Die erste, durchgeführt von H. G. Schneider, einem unserer Schüler, erstreckt sich über den Zeitraum von 1917 bis 1950; sie wurde im Juni 1951 im *Journal of Finance* veröffentlicht. Die zweite Studie wurde von Drexel Firestone durchgeführt, Mitgliedern der NYSE, und umfasst die Jahre 1933 bis 1969. Die Daten wurden hier mit deren freundlicher Genehmigung veröffentlicht.

[28] Siehe Seite 414 bis 417. Dort finden Sie drei Beispiele für Sondersituationen, die 1971 bestanden.

Kapitel 8
Der Investor und die Schwankungen an der Börse

[29] Außer vielleicht bei Dollar-Cost-Averaging-Plänen , die auf einer vernünftigen Anfangssumme beruhen.

[30] Nach Robert M. Ross jedoch, einer Autorität an der Wall Street, waren die beiden Kaufsignale vom Dezember 1966 und Dezember 1970 weit unter den vorhergehenden Verkaufslimits.

[31] Die besten drei Ratings für Anleihen und Vorzugsaktien sind Aaa, Aa und A, so wie Moody's sie verwendet, und AAA, AA und A von Standard & Poor's. Es gibt andere Ratings, die bis D hinabreichen.

[32] Diese Idee wurde in Europa teilweise schon adaptiert - beispielsweise durch den staatseigenen italienischen Elektro- und Energiekonzern mit seinen „Guaranteed Floating Rate Loan Notes" (garantierte Schuldscheine mit variablem Zinssatz), fällig 1980. Im Juni 1971 schaltete das Unternehmen in New York eine Anzeige, dass der Zinssatz in den kommenden acht Monaten bei 8,125 % liegen werde.
Ein derartiges flexibles Arrangement wurde auch von der The Toronto Dominian Bank mit ihren 7-%-bis-8-%-Schuldtiteln aufgelegt, fällig 1991, angeboten im Juni 1971. Die Anleihen zahlen bis Juli 1976 7 % und danach 8 %, doch der Inhaber hat die Option, sein Einlagekapital schon im Juli 1976 ausgezahlt zu bekommen.

Kapitel 9
Kapitalanlage in Investmentfonds

[33] Der Ausgabeaufschlag wird überall in Prozent des Verkaufspreises erhoben, der den Aufschlag beinhaltet und ihn geringer erscheinen lässt, als wenn er auf den Nettovermögenswert bezogen wird. Wir betrachten dies als Verkaufstrick, der dieser angesehenen Branche unwürdig ist.

[34] *The Money Managers* von G. E. Kaplan und C. Welles, Random House, 1969.

[35] Siehe die Definition von „Letter Stock" auf Seite 613.

[36] Titel eines Buchs, das erstmals 1852 veröffentlicht wurde. Es beschreibt die „South Sea Bubble", den „Tulpen-Wahnsinn" und andere spektakuläre Orgien der Vergangenheit. Es wurde 1932 von Bernard M. Baruch neu aufgelegt, vielleicht dem einzigen dauerhaft erfolgreichen Spekulanten der letzten Zeit.

Kommentar: Damit wurde die Stalltür verschlossen, nachdem das Pferd gestohlen war. Charles Mackays *Extraordinary Popular Delusions and the Madness of Crowds* (Metro Books, New York, 2002) wurde erstmals 1841 veröffentlicht. Das Buch ist weder ein leichter Lesestoff noch immer absolut genau, zeigt aber, wie viele Menschen sehr dumme Dinge glauben - zum Beispiel, dass Eisen in Gold verwandelt werden könne, dass Dämonen zumeist an Freitagabenden erscheinen und dass es möglich sei, an der Börse schnell reich zu werden. Einen sachlicheren Bericht finden Sie von Edward Chancellor in seinem Buch *Devil Take the Hindmost* (Farrar, Straus & Giroux, New York, 1999). Ein wenig leichter zu lesen ist Robert Menschels *Markets, Mobs and Mayhem: A Modern Look at the Madness of Crowds* (John Wiley & Sons, New York, 2002).

Kapitel 10
Der Investor und seine Berater

[37] Die Untersuchungen wurden vom Institute of Chartered Financial Analysts durchgeführt, einem Zweig der Financial Analysts Federation. Letztere umfassen derzeit die Gründungsgesellschaften mit mehr als 50.000 Mitgliedern.

[38] Die NYSE hat einige drastische Regeln aufgestellt (als „Haarschnitt" bekannt), die so entworfen wurden, dass diese Gefahr minimiert wird. Doch offenbar waren sie keine ausreichende Hilfe.

[39] Neue Angebote können nunmehr nur noch mittels eines Prospekts verkauft werden, der nach den Regeln der SEC erstellt wurde. Dieses Dokument muss alle sachdienlichen Angaben über die Emission und den Emittenten enthalten und geeignet sein, einen *umsichtigen Investor* genau über die Art des Wertpapiers, das ihm angeboten wird, zu informieren. Doch genau diese Datenflut macht den Prospekt ungebührlich lang. In der Regel liest nur ein geringer Prozentsatz der Privatanleger, die neue Titel kaufen, den Prospekt gründlich durch. Somit handeln sie immer noch nicht nach ihrem eigenen Urteilsvermögen, sondern verlassen sich auf die Angaben des Emissionskonsortiums, das ihnen das Wertpapier verkauft, oder auf die Empfehlung eines Verkäufers oder eines Steuerberaters.

Kapitel 11
Wertpapieranalyse für Anfänger: Eine allgemeine Strategie

[40] Unser Lehrbuch *Security Analysis* von Benjamin Graham, David L. Dodd, Sidney Cottle und Charles Tatham (McGraw-Hill, 4. Aufl. 1962) behielt den Titel bei, den wir ursprünglich im Jahr 1934 ausgewählt hatten. Doch es enthält in großem Umfang auch Themen der Finanzanalyse.

[41] Mit Charles McGolrick, Harper & Row, 1964, Neuauflage bei Harper-Business, 1998.

[42] Diese Zahlen stammen von Salomon Bros., einer großen Anleihenfirma in New York.

[43] Zumindest nicht von den meisten Aktienanalysten und Investoren. Außergewöhnliche Analysten, die vorhersagen können, welche Unternehmen wahrscheinlich eine intensivere Betrachtung verdienen, und über die hierfür erforderlichen Möglichkeiten und die Kenntnisse verfügen, könnten durch diese Arbeit Erfolg haben. Einzelheiten zu diesem Ansatz finden Sie bei Philip Fisher, *Common Stocks and Uncommon Profits*, Harper & Row, 1960.

[44] Auf Seite 315 legen wir eine Formel dar, die sich auf den Multiplikator der erwarteten Wachstumsrate bezieht.

[45] Ein Teil des Kursfeuerwerks bei Chrysler wurde zweifellos durch den Aktiensplit im Jahr 1963 hervorgerufen – ein noch nie dagewesenes Phänomen bei einem Großunternehmen. Anfang der 80er-Jahre, unter Lee Iacocca, schaffte Chrysler einen Hattrick (Three-Peat im Basketball, A. d. Ü.), als es ihm gelang, von der Klippe der Insolvenz zurückzukommen und eine der Aktien mit der besten Performance in Amerika zu werden. Allerdings ist es nicht so einfach, einen Manager zu finden, der dazu in der Lage ist. Als Al Dunlap im Jahr 1996 Sunbeam Corp. übernahm, nachdem er Scott Paper Co. restrukturiert hatte (und den Aktienkurs innerhalb von 18 Monaten um 225 % gesteigert hatte), feierte ihn die Wall Street, als sei er von den Toten auferstanden. Es stellte sich heraus, das Dunlap ein Betrüger war, der unsaubere Buchführung duldete und falsche Angaben im Jahresbericht machte, um die Aktionäre hinters Licht zu führen – mit ihm die verehrten Vermögensverwalter Michael Price und Michael Steinhardt, die ihn eingestellt hatten. Eine beißende Beschreibung der Karriere von Dunlap finden Sie bei John A. Byrne, *Chainsaw* (HarperCollins, New York, 1999).

[46] Wir wollen nicht sagen, dass diese Formel den „wahren Wert" einer Wachstumsaktie ergibt, sondern lediglich, dass sie annähernd die Ergebnisse wiedergibt, die durch ausgefeilte Kalkulationen erreicht werden, wie sie gerade in Mode sind.

Kapitel 12
Darüber sollte man bei den Gewinnen je Aktie nachdenken

[47] Die von uns empfohlene Vorgehensweise beim Umgang mit der Verwässerung durch Bezugsrechte wird weiter unten besprochen. Wir ziehen es vor, den Börsenwert der Bezugsrechte zum aktuellen Börsenkurs der Stammaktien hinzuzurechnen und dies als Ganzes zu betrachten.

Kapitel 13
Ein Vergleich von vier börsennotierten Aktiengesellschaften

[48] Im März 1972 wurde Emerson mit dem 72fachen der Gewinne von 1971 gehandelt!

Kapitel 14
Aktienauswahl für den defensiven Investor

[49] Unter anderem wegen zahlreicher Aktiensplits im gesamten Zeitraum lag der aktuelle Kurs im DJIA Anfang 1972 bei 53 $.

[50] Im Jahr 1962 konnten nur zwei Industrieunternehmen aktuelle Vermögenswerte vorweisen, die nicht doppelt so hoch waren wie die kurzfristig offenen Posten, und lediglich zwei schafften es nicht, ein Nettoumlaufvermögen zu erwirtschaften, das höher war als die Verbindlichkeiten. Im Dezember 1970 war die Zahl in beiden Kategorien von zwei auf zwölf angestiegen.

[51] Beachten Sie jedoch, dass ihre gemeinschaftliche Aktion vom Dezember 1970 bis 1972 schlechter war als die des DJIA. Dies zeigt wieder einmal, dass kein System und keine Formel überragende Börsenerfolge garantieren kann. Unsere Bedingungen „garantieren" lediglich, dass der Portfoliokäufer das bekommt, wofür er bezahlt.

[52] Konsequenterweise müssen wir die Mehrheit der Aktien von Gas-Pipelines ausschließen, weil diese sehr stark durch Anleihen belastet waren. Die Recht-

fertigung für diese Konstellation ist die zugrunde liegende Struktur der Kaufverträge, die Zinszahlungen „garantieren"; doch könnten diese Überlegungen für den defensiven Anleger an dieser Stelle zu kompliziert sein.

Kapitel 15
Aktienauswahl für den professionellen Investor

[53] *Investmentfonds und andere Finanzinstitute: eine neue Perspektive*, I. Friend, M. Blume und J. Crockett, McGraw-Hill, 1970. Wir sollten hinzufügen, dass die Ergebnisse von 1966 bis 1970 von vielen Fonds, die wir untersucht haben, etwas besser waren als die des S&P 500 und deutlich besser als die des DJIA.

[54] Persönlich Anmerkung: Viele Jahre vor dem Börsenfeuerwerk dieser Firma war der Autor stellvertretender Finanzvorstand, zum „fürstlichen" Honorar von 3.000 $ pro Jahr. Das Unternehmen war damals im Bereich der Pyrotechnik tätig.
Anfang 1929 wurde Graham stellvertretender Finanzvorstand der Unexcelled Manufactoring Co., des landesweit größten Herstellers von Feuerwerken. Unexcelled wurde später ein diversifiziertes Chemieunternehmen und ist heute kein unabhängiges Unternehmen mehr.

[55] Der *Stock Guide* weist keine Multiplikatoren aus, die höher sind als 99. Die meisten wären ohnehin mathematische Absurditäten, ausgelöst durch Gewinne, die nur knapp über dem Nullpunkt liegen.

Kapitel 16
Wandelbare Titel und Bezugsrechte

[56] Dieser Punkt wird sehr deutlich durch ein Angebot zweier Emissionen von Ford Motor Finance Co., die gleichzeitig im November 1971 bekannt wurden. Eine Emission war eine nicht wandelbare Anleihe mit einer Rendite von 7,5 % und einer Laufzeit von 20 Jahren. Die andere war eine Anleihe, die der Ersteren hinsichtlich der Ansprüche und der Rendite untergeordnet war und nur mit 4,5 % verzinst wurde, doch konnte sie zu einem Kurs von damals 68,5 $ in Aktien von Ford Motor gewandelt werden. Um das Privileg der Wandlung zu erhalten, müsste der Käufer auf 40 % seines Einkommens verzichten und eine nachrangige Gläubigerposition akzeptieren.

[57] Beachten Sie, dass Ende 1971 die Stammaktie von Studebaker-Worthington mit nur 38 $ gehandelt wurde, während die Vorzugsaktie mit einer Dividende von 5 $ zu etwa 77 $ gehandelt wurde. Die Spanne wuchs damit in diesem Jahr von zwei auf 20 Punkte und verdeutlichte wieder einmal den Wunsch nach derartigen Wandlungen, aber auch die Tendenz der Börse, die Grundrechnungsarten zu vernachlässigen. (Übrigens wurde die geringe Differenz zwischen der Vorzugsaktie gegenüber der Stammaktie im Dezember 1970 durch die höhere Dividende kompensiert.)

Kapitel 17
Vier lehrreiche Fallstudien

[58] Siehe beispielsweise den Artikel „Six Flags at Half Mast" von Dr. A. J. Briloff in *Barron´s* vom 11. Januar 1971.

Kapitel 18: Acht Unternehmens-Paare im Vergleich

[59] Auf Seite 457 schrieben wir, dass Firmen mit einer Kreditwürdigkeit von AAA versuchten, in dieses Unternehmen einzusteigen, dies jedoch schnell misslang. Hier macht Graham eine grundlegende und paradoxe Beobachtung: Je mehr Geld ein Unternehmen verdient, umso wahrscheinlicher ist es, dass es sich neuen Wettbewerbern ausgesetzt sieht, weil die hohen Gewinne ganz deutlich signalisieren, wie einfach Geld zu verdienen ist. Die neuen Konkurrenten wiederum werden das Unternehmen zu niedrigeren Preisen zwingen und damit auch zu geringeren Gewinnen. Dieser entscheidende Punkt wurde von den begeisterten Käufern von Internet-Aktien übersehen, die glaubten, dass die frühen Gewinner ihren Vorteil dauerhaft halten könnten.

Kapitel 19
Aktionäre und das Management: Dividendenpolitik

[60] Studien haben ergeben, dass ein Dollar, der als Dividende ausgezahlt wird, einen vierfach positiveren Effekt auf den Börsenkurs hat als ein Dollar, der einbehalten wird. Dies wurde deutlich, als die Gruppe der öffentlichen Versorger vor 1950 keine Dividende zahlte. Die Titel, die nur mit einem geringen KGV gehandelt wurden, erwiesen sich als besonders attraktive Käufe,

weil deren Dividenden später stiegen. Seit 1950 waren die Dividenden in dieser Branche fast gleich.

Kapitel 20
Die „Sicherheitsspanne" als zentrales Konzept der Kapitalanlage

[61] Dieses Argument wird von Paul Hallingby, Jr. in seinem Artikel „Speculative Opportunities in Stock-Purchase Warrants" im *Analyst's Journal* vom dritten Quartal 1947 gestützt.

Nachwort

[62] Um ehrlich zu sein, müssen wir eingestehen, dass das Geschäft beinahe durchgefallen wäre, denn die Partner wollten die Sicherheit, dass der Kaufpreis 100-prozentig durch den Anlagewert gedeckt ist. Ein künftiger Börsengewinn von 300 Millionen $ oder mehr bewirkte Buchungen von etwa 50.000 $. Pures Glück führte dazu, dass sie bekamen, worauf sie bestanden hatten.

Anhang

[63] Die Ansprache von Benjamin Graham vor der alljährlichen Hauptversammlung der Financial Analysts Societies im Mai 1958.

Worte des Dankes von Jason Zweig

Mein inniger Dank geht an alle, die mir geholfen haben, Grahams Werk zu aktualisieren. Zu ihnen gehören: Edwin Tan von HarperCollins, dessen Vision und sprühende Energie dieses Projekt ermöglichten; Robert Safian, Denise Martin und Eric Gelman von der Zeitschrift *Money*, die dieses Vorhaben mit Begeisterung, Geduld und bedingungsloser Unterstützung begleiteten; mein Agent, der unvergleichliche John W. Wright, und die unermüdliche Tara Kalwarski von *Money*. Hervorragende Anregungen und kritische Gedanken kamen von Theodore Aaronson, Kevin Johnson, Martha Ortiz und dem Stab von Aaronson + Johnson + Ortiz; Peter L. Bernstein, dem Präsidenten von Peter L. Bernstein Inc.; William Bernstein von Effizient Frontier Advisors; John C. Bogle, dem Gründer der Vanguard Group; Charles D. Ellis, Gründungsmitglied der Greenwich Associates, und Laurence B. Siegel, dem Direktor der Investment Policy Research der Ford-Stiftung. Vielen Dank auch an Warren Buffett; Nina Murk; den nie ermüdenden Stab des Time Inc. Business Information Research Center; Martin Fridson, CEO von FridsonVision LLC; Howard Schilit, Präsident des Center for Financial Research & Analysis; Robert N. Veres, Redakteur und Verleger von *Inside Information*; Daniel J. Fuss von Loomis Sayles & Co.; F. Barry Nelson von Advent Capital Management; den Stab des Museum of American Financial History; Brian Mattes und Gus Sauter von der Vanguard Group; James Seide von RIA Thomson; Camilla Altamura und Sean McLaughlin von Lipper Inc.; Alexa Auerbach von Ibbotson Associates; Annette Larson von Morningstar; Jason Bram von der Federal Reserve Bank of New York – und an einen Fondsmanager, der anonym bleiben möchte. Vor allem aber danke ich meiner Frau und meinen Töchtern, die die Hauptlast trugen, als ich monatelang rund um die Uhr arbeitete. Ohne ihre unerschütterliche Liebe und Nachsicht wäre all dies nicht möglich gewesen.

Ein Dankwort des Übersetzers

Ich weiß, dass es eigentlich nicht üblich ist, in einem Buch ein Dankwort des Übersetzers zu finden. Doch in diesem Fall möchte ich eine Ausnahme machen.

Die Arbeit an diesem Buch hatte, wie jede Medaille, zwei Seiten. Die „Schattenseite" war, dass ich sehr viel Zeit und Aufwand aufbringen musste, um mich vom heutigen „Börsen-Slang" zu lösen und so zu übersetzen, wie Benjamin Graham dieses Buch auf Deutsch wohl verfasst hätte. An vielen Stellen war dies nicht einfach.

Doch nun zur „Sonnenseite": Obwohl ich schon sehr viele Übersetzungen im Bereich Wirtschaft, Finanzen und Kapitalanlage gemacht habe, bereitete mir kein Titel so viel Freude wie dieser. Graham und Dodd verstanden es, selbst schwierige Zusammenhänge leicht verständlich darzustellen, und durch ihre Erläuterungen wurde mir vieles wesentlich klarer. Hilfreich waren auch die Kommentare von Jason Zweig, der immer die passenden Entsprechungen aus der Gegenwart gefunden hat.

Mein Dank gilt dem Verleger Christian Jund vom FinanzBuch Verlag, der mir so viel Vertrauen entgegenbrachte, dass er mir eines der wichtigsten Bücher der Finanzliteratur zur Übersetzung überließ. Dieses Vertrauen ehrt mich und macht mich sehr stolz.

Carsten Roth

Der Autor

Benjamin Graham ist eine der Legenden der Wall Street und Begründer der modernen Wertpapieranalyse. Graham lehrte an der Columbia University in den Jahren von 1928 bis 1957 und managte außerdem den Graham-Newman Investment Fonds. Graham etablierte heute so selbstverständliche Kennzahlen wie das Kurs-Gewinn-Verhältnis.

Mit seinen beiden Büchern, »Der intelligente Investor« und »Wertpapieranalyse«, wurde er zum Bestseller-Autor und gelangte zu Weltruhm.

Index